主编◇陈文新

本卷主编◇鲁小俊 苗 磊

中国文学编年史

清前中期卷

（下）

卢中南

《中国文学编年史》编纂委员会

顾　问（按姓氏笔画排序）

卞孝萱　邓绍基　冯其庸　曹道衡　傅璇琮

霍松林

主　编　陈文新

编　委（按姓氏笔画排序）

石观海　李建国　汪春泓　陈文新　张思齐

张玉璞　於可训　赵伯陶　赵逵夫　胡如虹

诸葛忆兵　曹有鹏　熊治祁　熊礼汇　霍有明

本卷撰稿人（按姓氏笔画排序）

苗　磊　鲁小俊

☆教育部人文社会科学重点研究基地重大项目

☆国家985建设项目

第三章

乾隆三十七年壬辰至乾隆六十年乙卯（1772—1795）共24年

·引　言·

昭梿《啸亭续录》卷四《理学盛衰》：自乾隆中，傅、和二相擅权，正人与之梗者，多置九卿闲曹，终身不迁，所超擢者，皆急功近名之士。故习理学者日少，至书贾不售理学诸书，予前已具论矣。近年睿皇帝讲求实学，今上复以恭俭率天下，故在朝大吏，无不屏声色，灭驺从，深衣布袍，遽以理学自命矣。如李侍郎宗昉、黄给谏中模，往昔皆以声色自娱者，近乃绝口不谈乐律。芝岩会客，必更易布袍，然后出见，以自诩其节俭。亦一时风气然也。

袁枚《随园诗话》卷二：明季以来，宋学太盛。于是近今之士，竞尊汉儒之学，排击宋儒，几乎南北皆是矣。豪健者尤争先焉。不知宋儒凿空，汉儒尤凿空也。

宗稷辰《沈霞西墓表》：乾隆中，东南收缴禁书，吾越相戒无藏笥，士竞趋举子业，故科目盛而学术微。其以余力读古书者，百不一二焉。（《躬耻斋文钞》卷一〇）

曾国藩《欧阳生文集序》：乾隆之末，桐城姚姬传先生鼐善为古文辞，慕效其乡先辈方望溪侍郎之所为，而受法于刘君大櫆及其世父编修君范。三子既通儒硕望，姚先生治其术益精。历城周永年书昌为之语曰：“天下之文章，其在桐城乎！”由是学者多归向桐城，号桐城派，犹前世所称江西诗派者也。（《曾文正公文集》卷一）

朱庭珍《筱园诗话》卷四：近来古文，天下盛宗桐城一派。其持法最严，工于修饰字句，以清雅简净为主。大旨不外乎神韵之说，亦如王阮翁论诗，专主神韵，宗王、孟、韦、柳之意也。而自相神圣，谓古文正宗自秦、汉以后，唐、宋八家继之，八家以后，明归太仆有光继之，太仆以后，则桐城三家方侍郎灵皋、刘广文海峰、姚郎中姬传继之。此外文人，皆不得与文章之统。如国初三家侯朝宗、魏叔子、汪尧峰诸人，概斥为伪体，所见殊谬。夫文章公器，虽有宗派，无所谓统也。其入理纯粹，叙事精严，措词雅洁，运气深厚，法度完密，而意味高古者，即系文章正宗，初不以人地时代限也。必欲秘为绝诣，据作一家私传，不惟诞妄，抑且孤陋矣。此不过拾宋儒唾余，仿道统之说，以自撑持门户耳。习气相沿，未免可笑，殊不足与深辨。予《论诗绝句》中一首云：“乾嘉文笔重桐城，方氏刘姚各有名。我向蓬莱看东海，一盂不爱鉴湖清。”深于文者，当与吾言契合也。

徐宗亮《南山集后序》：桐城古文之学，自望溪、海峰、惜抱三先生相继兴起，区区一邑间，斯文之绪，若流水续于大川，莫之或息，抑云盛矣。望溪以义胜，海峰以才胜，惜抱以韵胜，其后先名古文者盖亦多有，而不能不规规三家之域。(《戴名世集》附录)

方濬师《蕉轩随录》卷六《古文辞类纂序目》：本朝论文章者，必以桐城三家为正宗。望溪侍郎开其先，海峰学博继之，姬传郎中又继之。邓嶰筠尚书谓："学庐陵而兼子固者，望溪也。学庐陵而兼长公者，海峰也。姬传文师庐陵而上溯子长，与熙甫皆神似而不以貌。"此论甚确。余则谓侍郎文，今之布帛菽粟也。学博文，今之锦缎组绣也。郎中文，才高识广，理境澈透，于方、刘两家外又别出机杼。近人颇有以薄弱少之，非知文者矣。

徐珂《清稗类钞·文学类·李氏兄弟之诗文》：乾嘉间，江左之操制举业，授子弟以衣钵，取青紫如拾芥者，莫如太仓李氏。李氏兄弟凡五人，曰锡瓒、锡晋、锡凤、锡珪、锡康，皆登显第，掇高魁。刊有《映雪斋试牍》，其文皆揣摩风尚，清华流利，渐开道光以后靡靡之风。锡瓒字粗香，所选《能与集》，与晚年自号蘅塘退士所选之《唐诗三百首》，尤为脍炙人口。其于《三百首》，则自署曰"蘅塘退士"，盖晚年所辑也。二书皆制举家之圭臬。《能与集》为小试利器，《唐诗三百首》则试帖虽废，而学者尤吟讽之。然见地故不高，以视沈文悫《古诗源》、阮亭《古今诗选》、曾文正《十八家诗钞》，觉卑之无高论矣。然《三百首》一书，至今不废，得毋取径不高，便于俗学耶？

昭梿《啸亭续录》卷五《汪瑟庵》：近日自朱石君讲论古学，时文中试者，多以填砌经典为贵，文体为之一变；其能以清纯取士者，惟汪瑟庵参政一人。

徐珂《清稗类钞·文学类·张黄黎吕之诗文》：岭南诗文学，推张锦芳、黄丹书、黎简、吕坚四家。吕最后殁。黄、黎兼工书画，吕逊之。吕为古文，张、黄、黎亦不能及。

延君寿《老生常谈》：海内近人诗，余所及读者不下百数十种，袁子才新颖，蒋心余雄健，赵瓯北豪放，黄仲则俊逸，当以四家为冠，余则各有好处。

尚镕《三家诗话·三家总论》：自明七子以后，诗多伪体僻体。牧斋远法韩、苏，目空一代，然如危素之文，动多诡气。梅村、渔洋、愚山、独漉诸公，虽各擅胜场，而才力不能大开生面。三家生国家全盛之时，而才情学力，俱可以挫笼今古，自成一家，遂各拔帜而起，震耀天下，此实气运使然也。

陆蓥《问花楼诗话》卷三：近日谭者于袁、蒋、赵三家各有微辞，然铅山雄直，瓯北排奡，随园舌如莲，笔如剑，皆能于岭南、江左诸家而外，独开门户者也。

朱庭珍《筱园诗话》卷二：袁、赵二家之为诗魔，较前明钟、谭，南宋江湖、九僧、四灵、江西诸派末流之弊，更增十百，实风雅之蠹，六义之罪魁也。至西川之张船山问陶，其恶俗叫嚣之魔，亦与袁、赵相等。若李雨村调元，则专拾袁枚唾余以为能，并附和云松，其俗鄙尤甚，是直犬吠驴鸣，不足以诗论矣。学者于此等下劣诗魔，必须视如砒毒，力拒痛绝，不可稍近，恐一沾余习，即无药可医，终身难湔洗振拔也。

袁枚《随园诗话补遗》卷一○：或问曰："当今诗人，推两大家，袁、蒋并称，何以袁诗远至海外，近至闺门，俱喜读之；而能读蒋诗者寥寥？"纤纤曰："乐有八音：

金、石、丝、竹、匏、土、革、木，皆正声也。然人多爱听金、石、丝、竹，而不甚喜听匏、土、革、木。子试操此意，以读两家之诗，则任、沈之是非，即邢、魏之优劣矣。"人以为知言。

林昌彝《射鹰楼诗话》卷七：蒋、袁、赵三家诗，论者皆以蒋为最，袁次之，赵又次之。余谓蒋诗，五七古苍苍莽莽，独往独来，为其擅场，然豪放有余，雄厚不足，其气味尚嫌近薄耳。袁诗早岁丰姿骀宕，有晚唐人风格，及召试鸿博以后，猖狂恣肆，诗格日卑，其《才子歌》及赠其门人刘霞裳诗，有碍风俗，颇失诗旨，无足取也。赵诗品格浅俗，如打油钉铰，此调断不可学也。

黄培芳《香石诗话》卷二：瓯北、子才一时并称。就二家论诗观之，固以瓯北为优。瓯北所著《十家诗话》能不失矩矱，不致诒误后生，胜于《随园诗话》矣。

陈廷焯《白雨斋词话》卷八：袁、赵、蒋盛负时名，而其诗实无可贵。洪稚存、吴榖人等诗，愈趋愈下，尽可不观，无足深论。

丁绍仪《听秋声馆词话》卷一八《蒋知节词》：昔有友人论乾隆中诗人，推袁、蒋、赵为三大家，顾毁誉各半，迄无定评。适姚君春木在座，言随园出入诚斋、放翁二家，而善于变化。藏园以山谷为宗，而排奡过之。瓯北学苏而离形脱貌，独出心裁。其气概皆足牢宠一切，惟去唐音尚远。少陵云："老去渐于诗律细"，细之一字，概似未闻。盖未能敛才就范，是故能诗而不能词。余于诗无所解，未敢置喙，然博雅敏给如三家，后人正未易及。

陈廷焯《白雨斋词话》卷八：《小仓山房集》，佳者尚可得百首。《忠雅堂诗》、《瓯北诗钞》，百中几难获一。盖一则如粗鄙赤脚奴，一则如倚门卖笑倡也。

昭梿《啸亭续录》卷五《近代诗人》：诗之正宗，自沈归愚尚书没后，日见其衰，嗜学之士，皆以考据见长，无复为骚坛祭酒。袁子才、蒋心余、赵瓯北三家，恃其渊博，矜才骋辩，不遵正轨。毗陵诸家，自立旗帜，殊少剪裁。惟吴榖人株守浙西故调，不失查、朱风范。其余皆人各为学，正变杂陈，不相统一。近日惟吴兰雪舍人诗才清隽，落笔超脱，古诗原本道渊，近体取裁范、陆，实为一时独步□。他若鲍双五之继躅七子，陈云伯之接踵西昆，法时帆之规摹王、孟，翁覃溪之瓣香苏氏，非不各有所长，然于正宗法眼，殊无取焉。

洪亮吉《北江诗话》卷五：乾隆中叶以后，士大夫之诗，世共推袁、王、蒋、赵矣。然其诗虽各有所长，亦各有流弊。好之者或谓突过前哲，而不满之者又皆退有后言。平心论之，四家之传，及传之久与否，亦均未可定。若不屑于传与不传，而决其必可不朽者，其为钱、施、钱、任乎？宗伯载之诗精深，太仆朝幹之诗古茂，通副沨之诗高超，侍御大椿之诗凄丽，其故当又求之于性情、学识、品格之间，非可以一篇一句之工拙定论也。今四家俱在，试合袁、蒋等四家并观之，吾知必有以鄙言为然者矣。

洪亮吉《北江诗话》卷一：钱宗伯载诗，如乐广清言，自然入理。"近时九列中诗，以钱宗伯载为第一，纪尚书昀次之。宗伯以古体胜，尚书以近体胜。汉军英廉相国，亦其次也。"

李斗《扬州画舫录》卷三：毗陵有七子之目，为杨西禾、杨蓉裳、赵亿生、徐书受、洪稚存、黄仲则及渊如七人。毕秋帆制军沉刻《吴会英才集》，为方子云、洪稚存、顾敏恒、黄仲则、王秋塍、杨西禾、徐书受、杨蓉裳、高东井、陈理堂及渊如、采薇十二人。

法式善《梧门诗话》卷六：吴中布衣，诗崇尚正轨者，自张永夫、盛青嵝、过春山、沈方舟、沙白岸、张古樵后，继其声者陆红树、石远梅、吴瘦夫、杨蓉裳、祝淦樵诸子。

陈衍《石遗室诗话》卷一六：次韵迭韵之诗，一盛于元、白，再盛于皮、陆，三盛于苏、黄，四盛于乾嘉间。王兰泉、吴白华、王凤喈、曹来殷、吴企晋诸人，大抵承平无事，居台省清班，日以文酒过从，相聚不过此数人，出游不过此数处，或即景，或咏物，或展观书画，考订金石版本，摩挲古器物，于是争奇斗巧，竟委穷源，而次韵迭韵之作夥矣。

陈廷焯《白雨斋词话》卷四：璞函而后，作者日盛而愈趋愈下。芝田朱泽生、晴波郑沄、蠡槎林蕃鍾、蓂渔沈起凤，间有可观。余则竞尚新声，务穷纤巧，几忘却此中甘苦。惟毗陵二张，溯厥本源，独求《风》、《骚》门径，不必学南宋，而意境自合。词之不灭者，二张之力也。

焦循《花部农谭》：梨园共尚吴音。花部者，其曲文俚质，共称为乱弹者也，乃余独好之。盖吴音繁缛，其曲虽极谐于律，而听者使未睹本文，无不茫然不知所谓。其《琵琶》、《杀狗》、《邯郸梦》、《一捧雪》十数本外，多男女猥亵，如《西楼》、《红梨》之类，殊无足观。花部原本于元剧，其事多忠、孝、节、义，足以动人；其词直质，虽妇孺亦能解；其音慷慨，血气为之动荡。郭外各村，于二、八月间，递相演唱，农叟、渔父，聚以为欢，由来久矣。自西蜀魏三儿倡为淫哇鄙谑之词，市井中如樊八、郝天秀之辈，转相效法，染及乡隅。近年渐返于旧。余特喜之，每携老妇、幼孙，乘驾小舟，沿湖观阅。天既炎暑，田事余闲，群坐柳阴豆棚之下，侈谭故事，多不出花部所演，余因略为解说，莫不鼓掌解颐。

焦循《花部农谭》：余忆幼时随先子观村剧，前一日演《双珠》、《天打》，观者视之漠然。明日演《清风亭》，其始无不切齿，既而无不大快。铙鼓既歇，相视萧然，罔有戏色；归而称说，浃旬未已。彼谓花部不及昆腔者，鄙夫之见也。

公元1772年（乾隆三十七年　壬辰）

正月

初四日，上谕纂修《四库全书》。四库提要卷首："乾隆三十七年正月初四日，奉上谕：朕稽古右文，聿资治理，几余典学，日有孜孜。因思策府缥缃，载籍极博。其巨者羽翼经训，垂范方来，固足称千秋法鉴。即在识小之徒，专门撰述，细及名物象数，兼综条贯，各自成家，亦莫不有所发明，可为游艺养心之一助。是以御极之初，即诏中外搜访遗书，并令儒臣校勘《十三经》、《二十一史》，遍布黉宫，嘉惠后学。复开馆纂修《纲目三编》、《通鉴辑览》及《三通》诸书。凡艺林承学之士，所当户诵家弦者，既已荟萃略备。第念读书固在得其要领，而多识前言往行以蓄其德，惟搜罗益广，则研讨愈精。如康熙年间所修《图书集成》全部，兼收并录，极方策之大观。引用诸编，率属因类取裁，势不能悉载全文，使阅者沿流溯源，一一征其来处。今内府藏书，插架不为不富。然古今来著作之手，无虑数千百家，或逸在名山，未登柱史。正宜及时采集，汇送京师，以彰千古同文之盛。其令直省督抚、学政等，通饬所属，加意购访。除坊肆所售举业时文及民间无用之族谱、尺牍、屏幛、寿言等类，又其人本无实学，不过嫁名驰鹜，编刻酬倡诗文琐屑无当者，均无庸采取。其历代流传旧书，内有阐明性学治法，关系世道人心者，自当首先购觅。至若发挥传注，考核典章，旁暨九流百家之言，有裨实用者，亦应备为甄择。又如历代名人洎本朝士林宿望，向有诗文专集，及近时沉潜经史，原本风雅，如顾栋高、陈祖范、任启运、沈德潜辈，亦各着成编，并非剿说厄言可比，均应概行查明。在坊肆者或量为给价，家藏者或官为装印，其有未经镌刊只系钞本存留者，不妨缮录副本，仍将原书给还。并严饬所属，一切善为经理，毋使吏胥藉端滋扰。但各省搜辑之书，卷帙必多。若不加之鉴别，悉令呈送，烦复皆所不免。着该督抚等，先将各书叙列目录，注系某朝某人所著，书中要旨何在，简明开载，具折奏闻，候汇齐后令廷臣检核。有堪备阅者，再开单行知取进。庶几副在石渠，用储乙览。从此四库七略，益昭美备，称朕意焉。钦此。"

二十四日，刘星炜卒，年五十五。据蒋士铨《资政大夫工部左侍郎圌三刘公暨夫人余氏赵氏合葬墓志铭》（《忠雅堂文集》卷五）。《墓志铭》云："公学术渊厚，著作盈箧，尤擅俪体文。在翰林撰著进拟文字，雅懿鸿穆，润烁纶绂，垂光典林。平居纂述，莫不本道师圣，酌纬体经，衡理镜词，镕式方轨，刻缕萌芽，一归精粹，故能动墨模锦，摇毫散珠。碑版所流，蝤蟠鳌戴者遍天下。"吴萧《国朝八家四六文钞·思补堂文集题词》："吾乡人之知治小学也，大兴朱先生道之；吾乡人之知治选学也，武进司空刘公道之。三十年间，塾师党人相授受以形声训故之学，上规侍中祭酒之言，得识文字缘起，其操觚染翰者条理略具，二公之教也。经术利人，通材成物，其效睹矣。""吾师汪存南先生，司空高弟，述其《谭艺》四字云：'清转华妙。'可谓至言。集中古体赋结响未坚，取材亦宽，然视明卢柟诸人皮剥肤附以为古者，有上下床之别。其他笺启序记，名贵光昌，尽去国初诸君浮侈晦塞之弊，卓然可传。盖司空于孟坚、孝穆、子安三家致力最久，而才气书卷足以副之。小儒好议论，以为入古太浅，非徒刻深，直是孟浪。余于词术私淑司空，抄《思补堂集》持择较严，正使弹苏纠杨之徒不得肆其口矣。"《晚晴簃诗汇》卷八○录其诗三首。

二月

十九日，沈廷芳卒，年七十一。据汪中《浙江杭州府仁和县忠清里沈廷芳年七十一状》（《述学别录》）。《状》云："公学诗于海宁查编修慎行及编修弟侍读嗣瑮，学文于方侍郎，并冲融醇懿，称其德量。"袁枚《随园诗话》卷一一："仁和沈椒园庭芳，查声山学士外孙也。其尊甫麟洲先生，宰文昌，被累，戍宁夏。母查太淑人留居嘉善，不从行。椒园每岁南北省亲，极行路之苦。有诗云：'秋生红豆辞南国，春到青铜赴朔方。''青铜'者，宁夏山名。又，'云影有心随望眼，泪痕和线绽征衣'。为厉樊榭孝廉所赏。沈殁后，张少仪有诗哭之，云：'塞上草枯双泪白，瀛州云净一襟清。''草枯'，用裴子野事，盖纪实也。"王昶《蒲褐山房诗话》："椒园风流儒雅，诗笔亦同，书法在兰亭、丙舍间。"（《湖海诗传》卷六）《晚晴簃诗汇》卷七一录其诗四首。《国朝文汇》乙集卷六录其《顾凤苞诗序》等文三篇。

翁方纲自广东还都。据张维屏《翁覃溪先生年谱稿》（《碑传集三编》卷三六）。

三月

上巳日，朱筠举诗会于采石矶之太白楼，黄景仁诗名大噪。洪亮吉《候选县丞附监生黄君行状》："三月上巳，为会于采石之太白楼，赋诗者十数人，君年最少。著白袷，立日影中，顷刻数百言，遍视座客，座客咸辍笔。时八府士子以词赋就试当涂，闻学使者高会，毕集楼下，至是咸从奚童乞白袷少年诗竞写，一日纸贵焉。"（《卷施阁文甲集》卷一〇）毛庆善、季锡畴《黄仲则先生年谱》："是诗吴思亭属梁山舟学士同书书以刻石，学士欣然命笔。"黄所作为《筠河先生偕宴太白楼醉中作歌》，见《两当轩集》卷四。又，时黄在朱筠幕，洪亮吉《行状》云："君日中阅试卷，夜为诗，至漏尽不止。每得一篇，辄就榻呼亮吉夸视之，以是亮吉亦一夕数起，或达晓不寐，而君不倦。"

初五日，朱筠与张凤翔、邵晋涵、章学诚、洪亮吉、黄景仁同游太平青山。越日返郡城。据《笥河文集》卷七《游青山记》。又，洪亮吉上半年在朱筠署，随历徽州、宁国、池州、安庆、庐州、凤阳、六安，遍游采石、青山、敬亭、黄山、齐云、齐山诸名胜，六月以归省旋里，七月仍赴太平。据吕培等《洪北江先生年谱》。

二十七日，邹一桂卒，年八十七。据彭启丰《资政大夫内阁学士加礼部尚书邹公行状》（《芝庭先生集》卷一七）。《晚晴簃诗汇》卷六六录其诗一首。

会试。考官：内阁大学士刘纶、兵部侍郎觉罗奉宽、内阁学士汪廷玙。题"子曰君子求"二句，"吾说夏礼"四句，"人能充无 而言"。赋得"匠成翘秀"得"多"字。据法式善《清秘述闻》卷七。

戴震报罢，南归时与胡亦常同舟月余。据段玉裁《戴东原先生年谱》。又，与张锦麟同舟月余。锦麟慕其所学，归而肆力于经史，如恐不及。据李文藻《举人张君墓志铭》（《南涧文集》卷下）。

冯敏昌又不第，夏遂南还。据冯士镳《先君子太史公年谱》。

罗有高又不第。据彭绍升《罗台山述》（《二林居集》卷二二）。

扬州运使郑大进延蒋士铨主安定书院，蒋遂去越之维扬。其《四弦秋》杂剧、《雪中人》、《香祖楼》、《临川梦》传奇皆作于安定书院任上。据蒋士铨自编《清容居士行年录》。

赵怀玉过苏州，游天平、灵岩诸胜。据赵怀玉《收庵居士自叙年谱略》卷上。

本月起，黄景仁历游黄山、九华。秋至安庆、六安，冬至颍州、凤阳，十二月归里。据毛庆善、季锡畴《黄仲则先生年谱》。

春

钱大昕补侍读学士。据钱大昕自编、钱庆曾校注《竹汀居士年谱》。

韩锡胙调松江府知府。夏，赴任。据刘耀东《韩湘岩先生年谱》卷上。

翁方纲始晤罗聘于钱载之木鸡轩。据罗聘《香叶草堂诗钞》卷首翁方纲序。

四月

二十五日，高宗御太和殿，传胪。赐一甲金榜、孙辰东、俞大猷进士及第，二甲李尧栋、李�、裴谦、邹炳泰、吴俊、刘大绅、百龄等进士出身，三甲图敏、杨复吉、铁保、李翩等同进士出身。据《历科进士题名录》、《清通鉴》。

张九钺署始兴知县。本年著《海南集》。据张家杙《陶园年谱》。

五月

黄振自为《石榴记》小引。署"乾隆壬辰夏五月，柴湾村农自题"。小引云："记昔年见《情史》、《艳异编》载张幼谦囵囵报捷事，惊为新奇，思必得孔东塘、洪昉思疏爽绵邈之笔演为传奇，付吴儿于红氍上，刻摹其大起大落、顷刻千里之生死宠辱、世态人情，当不知其胡然而吁天抢地，胡然而轩渠捧腹也。此志久而未就，耿耿于心者三十年矣。庚寅春……于是，不揣谬妄，自四月至六月，勉成十数出，因病中止。中冬始呵冻笔续成。就正江子樵所、蒋子星岩，相与指摘纰缪，较正舛讹。最后顾子茨山又令增入《神感》一折，至今年春方竣厥事。"又，蒋宗海序云："即其所著《石榴记》观之，大抵有感于世俗初终反覆、炎凉势利之徒而出之。"（《中国古典戏曲序跋汇编》卷一三）焦循《剧说》卷四："如皋黄振字瘦石，自号柴湾村农，以'张幼谦囵囵报捷'事演为《石榴记》。"梁廷楠《曲话》卷三："《石榴记》，如皋黄瘦石振作也，词白都有可观。《神感》诸折，暗以《牡丹亭》作谱子；至《梦圆》折，则明白落玉茗窠臼。顾其自然情韵，即未必青出于蓝，而模山范水，庶几亦步亦趋也。"是剧本年刊行。据孙殿起《贩书偶记》卷二〇。

六月

孙星衍受知于彭元瑞，入阳湖县学第九名附学生员。据张绍南《孙渊如先生年谱》卷上。

夏

庄炘与洪亮吉订交于宁国试院之青云楼。据洪亮吉《北江诗话》卷四。

杨芳灿应岁试于澄江，得与邵辰焕、储润书、孙星衍、吕星垣订交。据杨芳灿自订、余一鳌补订《杨蓉裳先生年谱》。

七月

既望，钱琦序郑王臣编《莆风清籁集》。署"时乾隆壬辰七月既望，仁和钱琦谨序"。（《莆风清籁集》卷首）［按，此序实为朱仕琇代笔。据蒋寅《清诗话考》下编二。］四库提要卷一九四：《莆风清籁集》六十卷，"国朝郑王臣编。王臣字慎人，一字兰陔，莆田人。乾隆辛酉拔贡生。官至兰州府知府。是集选兴化一府自唐至国朝之诗，凡三千余篇，作者一千九百余人。仿金元好问《中州集》例，于诗首详其人之里居出处、生平著作。并缀以各家评语，而所自著《兰陔诗话》亦附载焉，则朱彝尊《明诗综》例也。其仙游一县，本莆阳旧地，唐时析置。明郑岳撰《莆阳文献》，尝并载入。王臣则别为三卷，以示区别。然蔡襄、蔡京、蔡卞本为同里，襄以名流推重，遂收之莆田；京、卞以奸迹彰闻，遂推之仙游。郑樵夹漈草堂，今仙游尚有遗迹，而以其博洽，又移之莆田，则亦不符公论矣。"

杭世骏卒，年七十八。据应澧《墓志铭》（《道古堂全集》卷首）。［按，杭世骏生卒年，另有1696—1773（龚自珍）、1698—1773（《清史列传》）、1696—1772（许宗彦）诸说。］所著《续方言》二卷、《三国志补注》六卷附《诸史然疑》一卷、《石经考异》二卷，四库全书收录；《榕城诗话》三卷，四库存目著录。《道古堂文集》四十八卷《诗集》二十六卷乾隆四十一年刊行，光绪十四年汪氏振绮堂重刊，多集外诗一卷、集外文一卷、轶事一卷。据《贩书偶记》卷一五。王昶《蒲褐山房诗话》："两浙文人，自黄梨洲先生后，全谢山庶常及先生而已。"（《湖海诗传》卷五）林昌彝《射鹰楼诗话》卷八："仁和杭堇浦太史大宗著有《道古堂集》。太史博闻强记，口如悬河，诗亦豪爽。名句如'客久长疑梦，愁多不当春'，'归程约飞鸟，乡信问来船'，'沙明鸥晒翅，月晓虎留踪'，'玉涧萍开飞急雨，石床花动下幽禽'，'松涛怒抉将崩石，海气遥封未泄云'，'白云山中白云寺，僧与白云互主宾。有时山僧踏云出，白云与僧作主人。'"李慈铭《越缦堂读书记·道古堂文集、诗集》："大宗学问贯串淹洽，以诗古文负重名。诗学少陵，仅得其腔调。古文亦少剪裁，而证据辨博，自非读破万卷者不能。""大宗史学胜于经学，其文颇取藻于班、范，得气于韩、苏，而体例未精，纯驳不一。碑志之作，多沿俗称以徇时好，然古隽爽劲，时有可观。盖学人之才制，非作家之峻裁，虽不免词科习气，亦一世之杰矣。""其论、辨、说、议诸作，予于甲寅之夏曾手录一过，今日读之，弥见其佳。与人书亦多隽作。《汉爵考》及所条卢氏《礼》注尤为精密。""文博而采振，真鸿词人语也。其胎息于范蔚宗为多，惟拙于叙事，有清藻而乏笔力。""其碑志之文拙于叙事。然徐文穆、梁文庄两《志》，独严整有体裁；其他传畸人瘁士及序记小品，吐属清华似范、谢，标举冷隽似皮、陆；《待月岩记》、《三殇瘞砖》两篇，尤一时之独绝。""堇浦考据之文多未甚核，如……盖其学博综泛滥，强识而不审思。然每举一事，元元本本，罗列家珍，如言中书掌故，言家集，言年谱，言家谱，言朋友之服，言期功去官，皆条举数十事，真不愧博学鸿词也。""大宗之文，雅赡富丽，不愧宏词之选，惟其考据则多不确。""大宗诗分《橙花馆集》、《过春集》、《补史亭剩稿》、《闽行杂录》、《赴召集》、《翰苑集》、《归耕集》、《寄巢集》、《修川集》、《桂堂集》、《岭南集》、《闲居集》、《韩江集》、《送老集》共十四集。

《闽行杂录》者，其未第时应聘为福建壬子科乡试同考官时作也。《修川集》者，罢官后修《海宁志》时作也。大宗才情烂漫，诗学苏、陆，颇工写景。其刻秀之语，同时如厉樊榭、符药林等往往相近，所谓浙派也。其叙事咏古之作，用字下语，亦颇横老，又与同时全谢山为近，盖笔力健举，书卷尤足以副之，自非江湖涂抹辈所及。余最爱其《书汉书高后纪后》一首云：'孝惠弃天位，吕后恣偬扰。后宫美人子，一一痛孤茕。代王亦侧室，非吕焉用剃。乃知平、勃谋，用意甚阴狡。专心媚长君，畏忌及黄小。济北一何愚，清宫殊草草。异哉兰台史，此义未搜讨。眇眇四皇子，阑入《恩泽表》。'卓识雄论，独出千古。""董浦诗亦秀爽，而风格太卑，无一真际语。"《晚晴簃诗汇》卷七一录其诗四十五首。《国朝文汇》乙集卷六录其《黄氏书录序》等文十六篇。

八月

康基田题补雷州府同知，未到任。 又檄署廉州府同知，复署钦州知州。据《茂园自撰年谱》。

高辰序汪启淑《讱葊诗存》。 署"乾隆三十有七年岁在壬辰桂秋下浣，西蜀同学弟高辰拜题于茸城官寓"。（《讱葊诗存》卷首）《贩书偶记》卷一五著录《讱葊诗存》八卷本年刊行。

九月

初八日，方东树（1772—1851）生。 东树字植之，号副墨子，晚号仪卫老人，安徽桐城人。诸生。师事姚鼐，排斥汉学益力。阮元督粤，辟学海堂，名流辐凑，东树亦客其所，不苟同于众。始好文事，专精治之，有独到之识，中岁为义理学，晚耽禅悦，凡三变，皆有论撰。年八十卒于祁门东山书院。著有《汉学商兑》、《书林扬觯》、《大意尊闻》、《向果微言》、《昭昧詹言》、《仪卫轩集》。殁后门人方宗诚刊布其书，名乃大著。事迹见郑福照《方仪卫先生年谱》、《清史列传》本传、《清史稿》本传。

蒋士铨作《四弦秋》杂剧。 自序云："壬辰晚秋，鹤亭主人邀袁春圃观察、金棕亭教授及予宴于秋声之馆，竹石萧瑟。酒半，鹤亭偶举白傅《琵琶行》，谓向有《青衫记》院本，以香山素狎此妓，乃于江州送客时仍归于司马，践成前约，命意敷词，庸劣可鄙。同人以予粗知声韵，相属别撰一剧，当付伶人演习，用洗前陋。予唯唯。明日，乃剪划诗中本义，分篇列目，更杂引《唐书》元和九年、十年时政及《香山年谱自序》，排组成章，每夕挑灯填词一出，五日而毕。呜呼！宪宗英断之主，虽强藩不靖，而将相得人，斥奸纳谏，柄不下移，可云盛矣。矧居易受特达之知，列在近侍，且使择官以济其贫，明良之会，岂衰世君臣猜忌者所及乎？乃《捕贼》一疏甫上，竟遭贬谪，固政府好恶之偏，而得旨施行，又何为者？岂以殿中论事、抗直干怒时，虽暂解于裴度一言，而宪宗厌薄之心究不能释，因而借以出之耶？呜呼！此青衫之泪所难抑制者也。人生仕宦升沉固由数命，若刘梦得、柳子厚、元微之辈，庶由自取，岂得与江州贬谪同日而语哉！填词虽小道，偶连类而论次之，俾知引商刻羽时，不仅因此琵琶老妓浪费笔墨也。铅山蒋士铨清容氏书。"又，江春序云："余读之而叹。叹夫太史之才之大，征引不出本事，而闺房婉转，迁客羁愁，描摹镂刻，一一曲尽其妙，乃益笑昔人之拙。"署"秋声馆主人鹤亭江春识"。张景宗序署"乾隆癸巳六月中浣，东皋弟张景宗拜题于黄湾舟中"。(《九种曲》)梁廷楠《曲话》卷三："《四弦秋》因《青衫记》之陋，特创新编，顺次成章，不加渲染，而情词凄切，言足感人，几令读者尽如江州司马之泪湿青衫也。"杨恩寿《词余丛话》卷二："香山《琵琶行》，不过自写其沦落耳。《青衫记》以香山曾妮此伎，送客时始得重见，纳为箧室，命意遣辞，龌龊可鄙。苕生先生尝客扬州，偶见是剧，遂别填《四弦秋》院本，七日而成。就本诗布局，组织香山本传、宪宗时事，绝无添设，自具波澜，洵足洗《青衫记》之陋。《送客》一出，老伎口吻宛然，近日旗亭惟此出传唱更夥。"

十月

钱维城卒，年五十三。据王昶《刑部左侍郎赠尚书钱文敏公神道碑铭》(《春融堂集》卷五二)。《神道碑铭》云："为诗仿李太白，为文疏通明畅，绝去雕饰。"《钱文敏公全集》乾隆四十一年眉寿堂刊行，凡《鸣春小草》七卷、《茶山诗钞》十一卷、《茶山文钞》十二卷。洪亮吉《北江诗话》卷一："钱文敏维城诗，如名流入座，意态自殊。"《晚晴簃诗汇》卷七九："稼轩起家文学而练于政事，奉使苗疆，事未竟，以忧归，遂卒。故饰终之典特优。工画山水，秀骨天成，收入《石渠宝笈》甚夥。同时被宸赏者，与董文恪殆相颉颃。诗为画名所掩，然吐属清隽，皆非凡响。"录其诗五首。《国朝文汇》乙集卷一四录其《论鬼》等文十篇。

十一月

十六日，陆继辂(1772—1834)生。继辂字祁孙、修平，江苏阳湖人。嘉庆五年举人，八试礼部不第。大挑二等，选合肥训导。迁贵溪令，三年引疾归。著有《崇百药斋诗文集》四十四卷、《合肥学舍札记》八卷、《洞庭缘》传奇，辑有《七家文钞》。事迹见李兆洛《贵溪县知县陆君墓志铭》(《养一斋文集》卷一三)、《清史列传》恽敬传附、《清史稿》本传。

二十三日，汤金钊(1772—1856)生。金钊字敦甫、勖之，浙江萧山人。嘉庆四年进士，选庶吉士，授编修。官至户、吏部尚书协办大学士。谥文端。著有《寸心知堂存稿》六卷。事迹见其自撰《雪泥鸿爪》(刊刻时其子修为之更名《先文端公自订年谱》)、鲁一同《诰授光禄大夫太子太保衔头品顶戴致仕光禄寺卿汤文端公神道碑》(《续碑传集》卷三)、《清史列传》本传、《清史稿》本传。

十二月

十九日，以苏轼曾任凤翔通判，毕沅在西安为作生辰会。据史善长《弇山毕公年谱》。又，据张其锦《凌次仲先生年谱》乾隆五十三年，毕沅每岁是日皆置酒高会，为东坡作生日。

顾光旭官四川按察使。据王昶《甘肃凉庄道署四川按察使司顾君墓志铭》（《春融堂集》卷五四）。

吴镇官山东陵县知县。据吴镇《松花庵游草》卷首自序。

冬

赵文哲晋户部主事，随军进讨金川。据王昶《恤赠光禄寺少卿户部主事赵君墓志铭》（《春融堂集》卷五三）。

洪亮吉以所负多，访蒋士铨、汪端光于扬州。蒋士铨解橐金助之，乃得归。据吕培等《洪北江先生年谱》。

本年

各省绅士及在朝者纷纷进献图书。李调元《淡墨录》卷一六《开四库全书》："此三代、汉、唐以来未有之盛举也。于时各省绅士及在朝者纷纷奏进，惟江浙为多。而江浙各书家所奏尤多者，惟鲍士恭、范懋柱、汪启淑、马裕四家，为数至五六七百种。上嘉之，各赏内府《古今图书集成》一部。其进呈一百种以上者，如江苏周厚堉、蒋曾莹，浙江吴玉墀、孙仰曾、汪如瑮，以及朝绅之黄叔贤、励守谦、纪昀，并赏给内府初印《佩文韵府》各一部。"［按，汪启淑等人受赏在明年。据《碑传集补》卷四五《徽州府志·汪启淑》。］

沈清瑞作《扬州怀古》诗，有"琼花有恨无双蒂，明月多情只二分"之句。清瑞时年十五岁。据法式善《梧门诗话》卷四。又，王芑孙、石韫玉、张邦弼、顾礼琥、沈清瑞、赵基、景崟等作碧桃诗会当在此数年间。据《梧门诗话》卷四。

钱塘张宾鹤至海州，见凌廷堪诗词，大奇之。廷堪时年十六岁。据张其锦《凌次仲先生年谱》。

杨芳灿馆同里刘寅宾家。授诸孙经，即刘嗣富、刘嗣绾。据杨芳灿自订、余一鳌补订《杨蓉裳先生年谱》。

汪中与李惇、刘台拱、王念孙、邵晋涵订交。汪中治小学当在是时。据汪喜孙《容甫先生年谱》、《先君年表》。

戴震主讲浙东金华书院。刊自定《水经注》。至明年，未及四之一，而奉召入都矣。后在都踵成之，今不用校语之本是也。又，《孟子字义疏证》原稿名《绪言》，有本年菊月写本，程易田于丙申影抄。据段玉裁《戴东原先生年谱》。

王鸣盛之白下，访江宁令陆兰村。向袁枚出示新作《赠内》诗。据袁枚《随园诗话》卷一〇。

钱沣散馆授检讨，充国史馆纂修官。据袁文揆《御史钱先生沣别传》（《碑传集》卷五六）。

谢启昆出为江苏镇江知府。据《清史稿》本传。

李海观任贵州印江县知县，在任一年左右。据道光《印江县志·官师志》（栾星

《歧路灯研究资料》)。

卢文弨主讲南京钟山书院。据张慧剑《明清江苏文人年表》。

赵翼以广州谳狱旧案降级,遂乞归。据姚鼐《贵西兵备道赵先生翼家传》(《碑传集》卷八六)、佚名《瓯北先生年谱》。

孟超然以亲老乞归,遂不出。据陈寿祺《孟超然传》(《中华大典·明清文学分典》)。

章学诚始作《文史通义》。秋冬间所作《候国子监司业朱春浦先生书》:"出都以来,颇事著述。斟酌艺林,作为《文史通义》。书虽未成,大指已见辛楣先生候牍所录内篇三首,并以附呈。"胡适《章实斋年谱》据此及《南江文钞·与章实斋书》确定《文史通义》始作于本年。

黄钺编诗自本年始。黄富民《黄勤敏公年谱》:"编诗自是年始。大人嘉庆戊午除夕有'祭罢诗篇商甲乙,自排卷帙起壬辰'之句。"

黎简作《芙蓉亭》传奇。据周锡馥《黎简年谱》。

高士熙编《湖北诗录》刊行。法式善《陶庐杂录》卷三:"《湖北诗录》,钟祥高士熙编。不分卷,而依湖北各郡排比。首武昌,次汉阳,次黄州,次宜昌,次荆州,次安陆,次德安,次襄阳,次郧阳,大抵安陆一府之诗居十之四。盖士熙为其郡人,易于搜讨耳。乡曲之见,亦未能免。镂版于乾隆三十七年。版式局促,殊伤大雅,何得有大力者为重刻之。"

朱琰编《金华诗录》七十卷刊行。法式善《陶庐杂录》卷三:"《金华诗录》六十卷《外集》六卷《别集》四卷,朱笠亭编次,乾隆三十七年汉州黄彬知金华府刻之。前有彬序。""后有夏苏一跋,论金华诗源流最悉。"〔按,《贩书偶记》卷一九著录是书明年刊行,当为刻成之年。〕

倪国琏《春及堂诗集》刊行。据四库提要卷一八五。

刘纶《绳庵内集》十六卷、《外集》八卷用拙堂刊行。据《贩书偶记》卷一五。

苏州书坊刻《新编宋调全本白蛇传》五十集。据张慧剑《明清江苏文人年表》。

何凌汉(1772—1840)生。凌汉字仙槎、云门,湖南道州人。嘉庆六年拔贡生,明年考授吏部七品小京官。九年成举人,十年成进士,授编修。官至户部尚书。谥文安。以书名,亦能诗。著有《云腴山房集》。事迹见阮元《诰授光禄大夫经筵讲官户部尚书晋赠太子太保谥文安何公神道碑铭》(《续碑传集》卷九)、《清史列传》本传、《清史稿》本传。

陶梁(1772—1857)生。梁(一作樑)字宁求,号凫芗,江苏长洲人。嘉庆十三年进士,选庶吉士,授编修。官至礼部侍郎。著有《红豆树馆诗稿》十四卷、《红豆树馆词》八卷、《红豆树馆书画记》八卷、《国朝词综补遗》二十卷,辑有《国朝畿辅诗传》六十卷。事迹见《清史稿》本传、张慧剑《明清江苏文人年表》。

毛国翰(1772—1846)生。国翰字大宗,号青垣、青原,湖南长沙人。诸生。著有《糜园诗钞》八卷、《清湘楼》传奇。事迹见朱彭寿《清代人物大事纪年》、庄一拂《古典戏曲存目汇考》卷一一。

金礼嬴(女,1772—1807)生。礼嬴字云门、五云,号昭明阁内史,浙江山阴人,王昙继室。著有《秋红丈室遗诗》一卷。事迹见《国朝诗人征略》二编卷四九、《清代闺阁诗人征略》卷七。

陈浩卒，年七十八。据朱彭寿《清代人物大事纪年》。王昶《蒲褐山房诗话》："先生少日蜚声词馆，与赵副宪大鲸、李编修重华、诸赞善锦齐名。"（《湖海诗传》卷三）《晚晴簃诗汇》卷六六录其诗十二首。《国朝文汇》甲集卷五六录其《宜兴卢氏忠节全编序》等文四篇。

边连宝卒，年七十四。据江庆柏《〈四库全书总目〉所收卒年最晚作者考》（《图书情报知识》2006 年第 1 期）。蒋士铨《随园征士边君传》："君诗出入昌黎、东野、香山、玉川间，才力纵恣，雄起北地，凡燕、齐千里内宗渔洋修饰描画家，见君皆震慑不敢抗。"（《忠雅堂文集》卷四）《边随园遗集序》："今观其诗，脱绝町畦，戞然独造，才识邃衍，气力宏放，不名一家，而其言有物，诚有合乎风骚之旨。然君之所得尚有伏而不见者，岂特尽于此诗而已。"（《忠雅堂文集》卷一）法式善《梧门诗话》卷一一："五古似昌黎，七古似太白，皆有奇气。七绝以风韵胜。"朱庭珍《筱园诗话》卷二："边随园亦北方诗人，诗尚清稳，无超诣也。"《晚晴簃诗汇》卷六八录其诗十首。《国朝文汇》乙集卷一录其《天官论》等文三篇。

赖晋卒，年五十六。据蒋士铨《知滨州赖君传》（《忠雅堂文集》卷四）。《晚晴簃诗汇》卷七九录其诗三首。

吴城卒，年七十二。据邓长风《明清戏曲家考略·十四位清代浙江戏曲家生平考略》。

公元 1773 年（乾隆三十八年 癸巳）

正月

初十日，吴荣光（1773—1843）生。荣光字伯荣，号荷屋，别号可庵、石云山人、拜经老人，广东南海人。嘉庆四年进士。官至湖南巡抚、湖广总督。著有《白云山人文集》五卷、《诗集》二十三卷、《历代名人年谱》十卷。事迹见其自订、子尚忠等补订《荷屋府君年谱》、《国史馆传稿》本传（《碑传集三编》卷一三）、《国朝诗人征略》二编卷五一。

上浣，章学诚访邵晋涵于余姚，留数日。据胡适《章实斋年谱》。

朱筠奏请开局校辑《永乐大典》。据罗继祖《朱笥河先生年谱》。［按，王昶《翰林院编修朱君墓表》谓此奏在乾隆三十六年。］

曹学诗卒，年七十七。据郑虎文《曹学诗传》（《碑传集》卷一〇五）。《传》云："洎所著《香屑集》出，人争购为枕中鸿宝。四五十年间，言风雅者，必以先生为宗。"袁枚《随园诗话》卷一五："曹震亭与史梧冈潜心仙佛，好为幽冷之诗。曹云：'肃肃秋乾风，萧旷野无已。桥孤朽柱摇，落日动野水。'……皆阴气袭人。曹又有句云：'秋阴连朔望，黯黯白云平。似听前村里，呼鸡有妇声。'此首便冷而不阴。"法式善《梧门诗话》卷一〇："随园不喜曹震亭诗。然震亭诗幽峻，时有拔俗之致。"《国朝文汇》乙集卷一八录其《汉宣帝求故剑论》等文八篇。

二月

十八日，**吴廷琛**（1773—1844）生。廷琛字震南，号棣华，江苏元和人。嘉庆七年会元，殿试复擢状元。官至云南按察使。著有《归田集》。事迹见朱珔《赐进士及第四品京堂前云南按察使棣华吴公墓志铭》（《续碑传集》卷三四）。

二十八日，**张岳崧**（1773—1842）生。岳崧字翰山、子骏，号指山，安定人。嘉庆十四年进士。官至湖南布政使。著有《筠心草堂集》。事迹见朱彭寿《清代人物大事纪年》。

开四库全书馆。四库提要卷首："乾隆三十八年二月初六日，奉旨：军机大臣议覆朱筠条奏内将《永乐大典》择取缮写，各自为书一节，议请分派各馆修书翰林等官，前往检查，恐责成不专，徒致岁月久稽，汗青无日。盖此书移贮年深，既多残缺。又原编体例系分韵类次，先已割裂全文，首尾难期贯串。特因当时采摭甚博，其中或有古书善本，世不恒见。今就各门汇订，可以凑合成部者，亦足广名山石室之藏。着即派军机大臣为总裁官，仍于翰林等官内选定员数，责令及时专司查校，将原书详细检阅，并将《图书集成》互为校核。择其未经采录而实在流传已少，尚可袞缀成编者，先行摘开目录奏闻，候朕裁定。其应如何酌定规条，即着派出之大臣详悉议奏。至朱筠所奏，每书必校其得失，撮举大旨，叙于本书卷首之处。若欲悉仿刘向校书序录成规，未免过于繁冗。但向阅内府所贮康熙年间旧藏书籍，多有摘叙简明略节附夹本书之内者，于检查洵为有益。应俟移取各省购书全到时，即令承办各员，将书中要旨隐括，总叙厓略，粘开卷副页右方，用便观览。余依议。钦此。""乾隆三十八年二月十一日，奉上谕：昨据军机大臣议覆朱筠条奏校核《永乐大典》一折，已降旨派军机大臣为总裁，拣选翰林等官详定条规，酌量办理。兹检阅原书卷首序文，其言采撷搜罗，颇称浩博，谓足津逮四库。及核之书中，别部区函，编韵分字，意在贪多务得，不出类书窠臼。是以踳驳乖离，于体例未能允协。即如所用韵次，不依唐宋旧部，惟以《洪武正韵》为断，已觉凌杂不伦。况经训为群籍根源，乃因各韵缪辘，于《易》先列《蒙》卦，于《诗》先列《大东》，于《周礼》先列《冬官》。且采用各字，不论《易》《书》《诗》《礼》《春秋》之序，前后错互。甚至载入六书篆隶真草字样，撮拾米芾、赵孟頫字格，描头画角，支离无谓。至儒书之外，阑入释典、道经，于古柱下史专掌藏书守先待后之义，尤为凿枘，不合朕意。从来四库书目，以经、史、子、集为纲领，袞辑分储，实古今不易之法。是书既遗编渊海，若准此以采撷所登，用广石渠金匮之藏，较为有益。着再添派王际华、裴曰修为总裁官。即令同遴简分校各员，悉心酌定条例，将《永乐大典》详悉校核。除本系现在通行及虽属古书而词意无关典要者，不必再行采录外，其有实在流传已少，其书足资启牖后学，广益多闻者，即将书名摘出，撮取著书大旨，叙列目录进呈。俟朕裁定，汇付剞劂。其中有书无可采，而其名未可尽灭者，只须注出简明略节，以佐流传考订之用，不必将全部付梓。副朕裨补阙遗，嘉惠士林至意。再是书卷帙如此繁重，而明代蒇役仅阅六年，今诸臣从事厘辑，更系弃多取少，自当刻期告竣，不得任意稽延，徒诮汗青无日。仍将应定条例即行详议，缮折具奏。钦此。""乾隆三十八年二月二十一日，大学士刘统勋等议奏校办《永乐大典》条例一折，奉旨：是，依议。将来办理成编时，著名《四库全书》。钦此。"又，纪昀充总纂官。朱珪《经筵讲官太子少保协办大学士礼部尚书管国子监事谥文达纪公墓志铭》："同事者，陆君锡熊，提调则陆君费墀，而公实总其成。"（《知足斋文集》卷五）非翰林为纂修官者八人，姚鼐、任大椿、程晋芳尤称善。据郑福照《姚惜抱先生年谱》。

章学诚至和州，应知州刘长城之聘，修《和州志》。据胡适《章实斋年谱》。

赵翼抵里。沿途经洞庭湖、岳阳楼、黄鹤楼，皆生平所未到也。自是里居不出者数年。《陔余丛考》诸书皆此数年中所作。据佚名《瓯北先生年谱》。

姚鼐作《赠孔㧑约假归序》。见《惜抱轩文集》卷七。

三月

初十日，端木国瑚（1773—1837）生。国瑚字鹤田、子彝，号井伯，晚号太鹤山人，浙江青田人。嘉庆三年举人。历官教谕、内阁中书。道光十三年成进士，用知县，仍请改中书。俸禄未满即乞归。著有《周易指》四十五卷、《太鹤山人诗集》十三卷《文集》四卷。事迹见端木百禄原著、陈谥补辑《太鹤山人年谱》、宗稷辰《太鹤先生墓表》（《躬耻斋文钞》卷一〇）、汤纪尚《太鹤山人传》（《续碑传集》卷七七）、《清史列传》龚自珍传附、《清史稿》宋大樽传附。

二十三日，黎世序（1773—1824）生。世序初名承惠，字景和，号湛溪，河南罗山人。嘉庆元年进士。历官江西星子、南昌知县、江苏镇江知府、淮海道、江南河道总督。谥襄勤。著有《湛溪文集》、《招隐崖诗钞》。事迹见《江西通志》本传、《淮安府志》本传（《续碑传集》卷三三）、梁章钜《江南河道总督黎襄勤公墓志铭》（《碑传集补》卷一六）、《清史稿》本传。

二十四日，严元照（1773—1817）生。元照字九能、修能，号悔庵（一作悔葊），浙江归安人。诸生。阮元抚浙，招入诂经精舍。著有《尔雅匡名》八卷、《悔庵学文》八卷《补遗》一卷、《柯家山馆遗诗》六卷《词》三卷，《娱亲雅言》六卷等书。事迹见许宗彦《悔葊文钞序》（《鉴止水斋集》卷一一）、《三文学合传》（《鉴止水斋集》卷一七）、《清史列传》严可均传附、《清史稿》严可均传附。[生卒时间据朱彭寿《清代人物大事纪年》。]

二十四日，胡亦常卒，年三十一。据钱大昕《孝廉胡君墓志铭》（《潜研堂文集》卷四六）。《墓志铭》云："同谦以《诗经》举于乡，出吾友益都李南磵之门。其来京师，介南磵书访予。与之言诗文源流，洞中症结。它日读其所作诗，超然独遣，脱弃凡近之格。既下第南归，与休宁戴东原同舟，至富春江乃别。舟中尽抄东原所著书，携归，将刊之东粤。抵家后，手书报予，欲壹其志于经术，予益耸然异之。无几何，药房以书报同谦死矣。""其于诗，妙悟天成，不由师授，能于南园诸公外，自成一家。鱼山尝谓人曰：'吾粤诗人，曲江之后，当推海雪。继海雪者，其豸浦乎？' 豸浦，同谦所居，因以自号者也。"

二十五日，叶维庚（1773—1828）生。维庚字贡三，号雨垞，浙江秀水人。嘉庆

十九年进士。历官江西新喻、江苏宝应、江阴知县、泰州知州。著有《钟秀山房诗文集》、《三国志地理考》。事迹见李兆洛《奉直大夫泰州知州叶君行状》(《养一斋文集》续编卷五)、《清史列传》章学诚传附。

赵怀玉过桐乡,与朱方蔼、方薰、金德舆同至湖州,极游览酬唱之乐。据赵怀玉《收庵居士自叙年谱略》卷上。

闰三月

初十日,童槐(1773—1857)生。槐谱名传林,字晋山、树眉,号萼君,或署香士、晚云居士,浙江鄞县人。嘉庆十年进士。官至通政使司副使。著有《今白华堂集》六十卷。事迹见童恩《皇清诰授通议大夫通政使司副使显考萼君府君年谱》、《重修浙江通志稿》本传(《广清碑传集》卷一〇)。

十六日,洪饴孙(1773—1816)生。饴孙字孟慈,江苏阳湖人,亮吉子。嘉庆三年举人,四试礼部不售。官国史馆誊录、湖北东湖知县。著有《青垌山人诗》十卷。事迹见李兆洛《东湖县知县洪君墓志铭》(《养一斋文集》卷一二)、《清史列传》洪亮吉传附。[生日据朱彭寿《清代人物大事纪年》。]

春

常纪迁崇庆知州。据张洲《诰赠中宪大夫恩恤道历官四川崇庆州知州常君殉节行状》(《碑传集》卷一二一)。

黄景仁从朱筠至庐州、泗州,夏游徽州,遂至杭州,秋再至徽州,季冬归里。据毛庆善、季锡畴《黄仲则先生年谱》。

章学诚有《与严冬友侍读书》。云:"日月倏忽,得过日多。检点前后,识力颇进而记诵益衰。思敛精神为校雠之学。上探班、刘,溯源《官礼》,下该《雕龙》、《史通》,甄别名实,品藻流别,为《文史通义》一书。草创未多,颇用自赏。曾录内篇三首,似慕堂光禄,乞就观之暇,更当录寄也。"(胡适《章实斋年谱》)

袁枚、蒋士铨、金兆燕游扬州建隆寺,与老僧梦因分韵,赋《送春》诗。据袁枚《随园诗话补遗》卷五。

四月

康基田就任廉州知府。据《茂园自撰年谱》。

五月

初一日,裘曰修卒,年六十二。据《戴震集》上编《文集》卷一二《光禄大夫工部尚书太子少傅裘文达公墓志铭(代)》。《裘文达公文集》六卷《诗集》十二卷《奏议》一卷嘉庆间刊行。据《贩书偶记》卷一六。法式善《梧门诗话》卷三:"裘文达公诗如阳春煦物,善气迎人。心余先生曰:'是为吉祥佛,福海无惊澜。'足以括其诗境。"《晚晴簃诗汇》卷七五："文达以文学受知，神解超敏，喜宾客，宏奖后进。为文章不构思，每朝廷嘉礼，辄奏赋颂。馆试所为文，词林皆奉为程式。诗格安雅，与唐之张文贞公、权文公相近。"录其诗八首。《国朝文汇》乙集卷一〇录其《治河论》等文四篇。

  赵怀玉读书穹隆山之法雨庵。据赵怀玉《收庵居士自叙年谱略》卷上。

六月

  初十日，赵文哲战死于木果木之战，年四十九。据王昶《慰忠祠碑·赵文哲》（《春融堂集》卷五一）、朱彭寿《清代人物大事纪年》。《婍雅堂诗集》十二卷《诗续集》四卷《婍隅集》十卷《别集》六卷《词集》四卷乾隆五十四年刊行。据《贩书偶记》卷一五。袁枚《随园诗话》卷一〇："吴中七子中，赵文哲（损之）诗笔最健。"录其《怀诸葛故居》诗四首。王昶《蒲褐山房诗话》："升之赋才英敏，少在申江书院，得凌少司马指授。论诗以新城为主。既而与张策时、凌祖锡、汪轷怀、吴企晋同学。至苏州，又与予及凤喈、来殷互相砥砺，于唐、宋、元、明、本朝大家名家，无所不效，亦无所不工。自入内阁，直机地，益为于文襄公所赏。暨偕予入滇、蜀，得江山之助，所作尤变化新奇。至其外佳句可摘者，如：'藕花香远随兰棹，桐树阴清满葛衫'；'层层露槛全临水，叶叶风帆直到门'；'迹异骚人吟楚些，趣同傲吏托齐谐'……亦炎洲之翡翠，渤海之珊瑚，采撷不能穷也。"（《湖海诗传》卷二六）洪亮吉《北江诗话》卷一："赵光禄文哲诗，如宫人入道，未洗铅华。"杨锺羲《雪桥诗话》卷七："要其诗才，在七子中固当举首。"录其《屠陵吕侯祠》、《春感》等诗。《晚晴簃诗汇》卷九〇："升之长于古体。黔、滇途中所作，尤为奇诡，多前人所未道。"录其诗二十一首。冯金伯《词苑萃编》卷八《赵璞函词》引吴竹屿云："赵璞函词，瓣香于碧山、蜕岩，故轻圆俊美，调协律谐。以近词家论之，尤堪接武竹垞，分镳樊榭。"陈廷焯《白雨斋词话》卷四："赵璞函词，措语秾至，用笔清虚，规模亦甚宏远，可与竹垞、樊榭并驱争先。""璞函词，秾艳是其本色，然能规模古人，不离分寸，故雅而不晦，丽而有则。视国初名家，正不多让。""璞函艳词，情最深，味最浓，笔力却绝遒，与竹垞分道扬镳，各有千古。""艳词至竹垞，仙骨珊珊，正如姑射神人，无一点人间烟火气。璞函则如丽娟、玉环一流人物，偶堕人间，亦非凡艳，此两家艳词之别也。""璞函《祝英台近》八章，遣词闲雅，用笔沉至。艳词中运以绝大笔力，真千年绝调也。竹垞《洞仙歌》后，又辟一境矣。"卷六："璞函则轻圆俊美，跌宕纵横，鼓吹陈、朱，正不多让，皆国朝之哲也。""'青子绿阴空自好，年年总被东风误。'璞函《送春》词也。意味极厚，词之可以怨者。"《词坛丛话·璞函学博才大》："璞函词，芊绵温雅，貌似南宋，骨似北宋，学博才大，冠绝一时。与竹垞代兴可也。"《璞函著词最富》："璞函著词最富，然不矜才，不使气。温厚和平，婉而多讽。词贵细婉而忌粗疏，璞函当无此讥。"张德瀛《词征》卷六《赵文哲祝英台近》："赵有《祝英台近》诸词，由蔫得丽，以赡而华，正如宋广平作《梅花赋》，殊不类其为人。"

  同卒于是战者，有吴璜，年四十七。据蒋士铨《入祀昭忠祠鉴南吴公传》（《忠雅堂文集》卷三)。袁枚《随园诗话》卷二:"商宝意有甥吴鉴南潢,为诗人尊莱之子,亦能诗。严海珊赠云:'何无忌酷似其舅,严挺之乃有此儿。'真巧对也。鉴南以主事从温将军征金川,大军溃于木果木,中炮坠溪死。未死时,知不免,写诗两册,以一册付其妻叔周某,逃归;以一册自置怀中。今秋帆先生所刻者,周带回之一册也。与程鱼门交好。程诵其《陶然亭》云:'偶着芒鞋策策行,到来心迹喜双清。短芦一片低如屋,空翠千层远入城。野旷每留残照久,地高先觉早凉生。老僧解得登临意,劝听残蝉曳树声。'《赠人》云:'波虽无恨终归海,人到忘情却省才。'与乃舅宝意'人因福薄才生慧,天与才多恰费心'之句相似。"王昶《蒲褐山房诗话》:"君诗春容庄雅,而才气自不可遏。句如'门掩梨花经雨瘦,庭深芳草逐愁长';'孤灯蟋蟀催诗急,疏雨梧桐入梦寒';'碧云影断人何处,黄叶声寒雨忽来';'忍寒偶隐乌皮几,感旧频挑凤胫灯';'漫携谢朓惊人句,要和张华励志诗';'年华忍向闲中度,妙谛都从悟后参';'梦回纸帐梅花白,笑检绨袍草色青',皆工丽可传。惜其集出于烽火之余,未为全备。"(《湖海诗传》卷二二)《晚晴簃诗汇》卷八九:"鉴南为商宝意之甥,从之学受诗法。律句和雅绵丽,一以宝意为宗。一时名流多与酬唱。仕宦不得志,从军受命。毕秋帆制府为刊遗集。"录其诗四首。

常纪亦卒于是战,年四十六。据张洲《诰赠中宪大夫恩恤道历官四川崇庆州知州常君殉节行状》(《碑传集》卷一二一)。《晚晴簃诗汇》卷九四录其诗一首。

二十三日,刘纶卒,年六十三。据于敏中《文渊阁大学士谥文定刘公墓碑》(《国朝文汇》乙集卷七)。《墓碑》云:"为文章浸淫六朝,而根极汉魏,千变万绕,涵于一源。于诗独喜高青丘,谓能入唐人门阈。未薨前一年,自编类为内集十六卷、外集八卷,今皆刊行,有法度可传于后。"王昶《蒲褐山房诗话》:"代言、应制,皆为一时之冠。"(《湖海诗传》卷五)林昌彝《射鹰楼诗话》卷一二:"武进刘文定公纶著有《绳庵内外集》。文定谦和恭谨,以清修自厉,诗格亦冲和清稳。其五古《碑洞诗》、七古《谒华阴庙》,为集中大篇。句如'阵图聚米三边地,赋版流沙半壁天','十里好花收客店,九秋真画出田家',亦娟秀可读。"《晚晴簃诗汇》卷七〇录其诗十首。《国朝文汇》乙集卷六录其《重修祠山神庙记》等文三篇。

夏

章学诚与戴震相遇于宁波道署。相论史事,多不合。章学诚《文史通义·外篇三·记与戴东原论修志》:"乾隆三十八年癸巳夏,与戴东原相遇于宁波道署,冯君弼方官宁绍台兵备道也。戴君经术淹贯,名久著于公卿间,而不解史学。闻余言史事,辄盛气凌之。"又《内篇五·答客问上》:"癸巳在杭州,闻戴征君震与吴颖芳谈次,痛抵郑君《通志》。其言绝可怪笑,以谓不足深辨,置弗论也。"

孙星衍游广陵,访杨伦于维扬客馆。据张绍南《孙渊如先生年谱》卷上。

上半年

江浙搜集遗书,安徽省设局太平,聘洪亮吉总司其事。沈业富并延其兼管书记。

据吕培等《洪北江先生年谱》。

夏秋之交，陈端生适会稽范葵（字秋塘）。端生时年二十三岁。据郭沫若《陈端生年谱》。

八月

戴震至京师，充四库全书纂修官。段玉裁《戴东原先生年谱》："上开四库馆，于文襄公以纪文达公、裘文达公之言，荐先生于上，上素知有戴震者，故以举人特召，旷典也。奉召充纂修官，仲秋至京师。"又，时人四库馆者，有所谓四布衣之说。昭梿《啸亭杂录》卷一〇《四布衣》："乾隆中，上特开四库全书馆，延置群儒。刘文正公荐邵学士晋涵，于文襄公荐余学士集、周编修永年、戴东原检讨震于朝。上特授邵等三人编修，戴为庶吉士，皆监修四库书，时人谓之四布衣云。"李慈铭《越缦堂读书记·戴东原集》："（戴震）在馆四年，校定书十五种，皆钩纂精密，至于目昏足痿，积劳致疾而殁。高宗深契其学，特畀馆选。而同时钱箨石、翁覃溪辈尚力诋之，覃溪至欲逐之出馆，盖以其进士、翰林非由八股。""直至今日，桐城谬种尚以邵二云、周书仓及戴氏三君之入馆为坏风气，变学术，人无人心，亦可畏哉！"

九月

朱筠以生员欠考事降编修，总纂《日下旧闻考》，在四库全书馆行走。据孙星衍《朱先生筠行状》（《碑传集》卷四九）、罗继祖《朱笥河先生年谱》。

洪亮吉自徽州偕汪端光归里。由新安江遍游严陵、富春及钱塘山水诸胜，唱和几及百首。据吕培等《洪北江先生年谱》。

黄景仁、洪亮吉、赵怀玉访杨芳灿，订交而去。据杨芳灿自订、余一鳌补订《杨蓉裳先生年谱》。

张九镡裒集前后经传议论之文百余篇，合杂文为甲乙丙丁四部。并作《自序》一篇，署"时乾隆癸巳九月立冬日"。（《国朝文汇》乙集卷四五）

十月

洪亮吉以不能家食往谒胡季堂于苏州。因访表弟赵怀玉于穹窿，同游东西两洞庭，入林屋洞探金庭玉柱之胜，宿包山寺二夕，记游诗约十余首。月杪复归。时钱维城居忧在里，见亮吉诗文，奇之，徒步过访。据吕培等《洪北江先生年谱》。

黄钺随朱筠入京。据黄富民《黄勤敏公年谱》。

托庸卒，年八十一。据朱彭寿《清代人物大事纪年》。林昌彝《射鹰楼诗话》卷八："满洲托诚悫瞻园先生庸有《瞻园诗钞》。诚悫诗舒愉自得，句如'钟山余夜烧，铁瓮走江声'，'方寸一时得，平生万事非'，'寒山历历路不尽，班马萧萧君独行。'"《晚晴簃诗汇》卷八五录其诗二首。

十一月

二十一日，张锡爵卒，年八十二。钱大昕《钝闲诗老张先生墓志铭》："中年以后绝意仕进。长洲沈文悫公见其诗，叹赏不置，欲以代兴属之。先生曰：'吾诗但适吾性耳，标榜非吾事也。'"（《潜研堂文集》卷四八）王昶《蒲褐山房诗话》："担伯诗中矩中规，宜风宜雅，不失先正典型。"（《湖海诗传》卷一二）《晚晴簃诗汇》卷七八录其诗三首。

毕沅补授陕西巡抚。据史善长《弇山毕公年谱》。

赵怀玉自穹隆山归。据赵怀玉《收庵居士自叙年谱略》卷上。

傅玉书作《鸳鸯镜》传奇。自序云："（乙）〔己〕丑春，予以礼闱下第，寓砚都门，与应山张君雅人文酒过从，因数叩其乡大洪先生家世何似，张君为予言颇详，且曰：'杨公与桐城左公同年同官，终于同罪。常有姻娅之约，其聘物为鸳鸯金镜。吾子念切缊衣，何不谱之管弦，为千秋话乎？'余笑诺之，未有暇也。其后屡试不第，束装南归。又与一二昆季商帖括之业，此事已不复记忆。癸巳仲冬念六，予生日也。……因为次其端绪，摹其境地，按其时月，屈伸离合、埋伏照应、斗榫合缝之处恍若目见而心记之者。明日，按谱选词，越三日而书成。覆阅之，觉与君臣、父子、夫妇、兄弟、朋友之间，与夫崇正嫉邪、福善祸淫之理，莫不要诸天道之正，而即乎人心之安，盖不独杨、左诸公应有是事，而凡古今来忠臣孝子、义夫节妇皆当作如是观。若必持铁棹红牙以相较于摹仿清妍之际，则予也谢不敏矣。乾隆三十九年岁次甲午正月人日，筇墅老人自序。"傅达源跋云："《鸳鸯镜》何为而作也？先曾王父悯明季杨、左诸公竭忠守正，酷罹阉祸而作也。"（《中国古典戏曲序跋汇编》卷一三）庄一拂《古典戏曲存目汇考》卷一二：《鸳鸯镜》，"此戏未见著录。家刊本。不分卷，计二十出。演明季东厂之祸。杨涟、左光斗、周顺昌、魏大中等，忤魏阉被害。杨子忠嗣，左女湘云，由鹿正为媒，以鸳鸯镜作聘联姻，中经离乱散失，终于复仇团圆。剧中并穿插周、魏两家事，以示报施不爽"。

刘统勋卒，年七十五。据朱彭寿《清代人物大事纪年》。洪亮吉《北江诗话》卷一："刘文正统勋不以诗名，然偶作必出人头地。"《晚晴簃诗汇》卷六六录其诗七首。

十二月

除夕，黄景仁作《癸巳除夕偶成》二首。见《两当轩集》卷九。《两当轩集》附录第四《诗话》："（陆继辂）《合肥学舍札记》曰：黄丈仲则诗有云：'独立市桥人不识，一星如月看多时。'向来平平阅过。顷吴大令山锡语余：'此诗题《癸巳除夕》，乾隆三十八年也。其明年有寿张之乱，金星先期骤明，作作有芒角，作者盖深忧之，非流连光景之作也。'余嗟赏其言，以为读古人诗，皆当具此手眼。"

除夕，蒋士铨始作《雪中人》传奇，越八日而成。蒋自序云："癸巳腊日，与钱百泉孝廉围炉饮护春堂中，檐雪如毳，百泉偶举铁丐事，谈笑甚乐，傲予填新词写其状。百泉既去，除夜兀坐，意有所触，遂构局成篇，竟夕成一首。天已达曙，人事杂遝，小暇即书之，越八日而脱稿矣。呜呼！一取与求索间，皆丐也。得其所与者，辄忘其丐。丐其所与者，旋争艳其得。丐也，与也，得也，有相圜而见，相胜以成者焉。蓬垢蓝缕，特丐之外著者耳。然丐而能铁，较之韦而丐者，不差胜乎！于是作《铁丐传》，使凡丐者以铁自勉焉。雪且失其寒也已。清容居士书。"（《藏园九种曲》）梁廷楠《曲话》卷三："《雪中人》一剧，写吴六奇，颊上添毫，栩栩欲活；以《花交》折结束通部，更见匠心独巧。"

洪亮吉在太平，贫不能归。沈业富、袁枚皆薄助行资，于岁除日骑驴抵里。有《感族人馈薪炭》诗。据吕培等《洪北江先生年谱》。

冬

汪中与高邮老儒贾田祖订交。据汪喜孙《容甫先生年谱》。

翁方纲得宋椠《苏诗施顾注本》，因以"宝苏"名室。据张维屏《翁覃溪先生年谱稿》（《碑传集三编》卷三六）。

本年

屠绅任云南师宗县知县。据沈燮元《屠绅年谱》。

张九钺补保昌知县。据张家杖《陶园年谱》。

严长明脱去京职，携子观自京南还。据张慧剑《明清江苏文人年表》。

李兆洛从宜兴路思元受四子书，时年五岁。据蒋彤《武进李先生年谱》卷一。

张惠言自世父家返，母命授弟翊（即张琦）书，惠言时年十三岁。据张惠言《茗柯文》二编卷下《先姚事略》。

恽敬学汉、唐、宋、元、明诸大家文，时年十七岁。据恽敬《大云山房文稿初集序录》（《初集》卷首）。

《炙砚集》为曹仁虎与同人消寒唱和之作，始乾隆庚寅讫本年。钱大昕《炙砚集序》："《炙砚集》者，习庵先生与其同年友为销寒会，相与酬和之作也。其会旬日而一举，会必有诗，或分题，或拈韵，始庚寅，讫癸巳，得诗若干篇。予受而读之，赋物之作清新而浏亮，咏古之作磊落而激昂，叠韵之作排奡而妥帖。譬之宫商合奏，丝竹齐鸣，渢渢乎有中和之音，而无姣壹之调。"（《潜研堂文集》卷二六）

毕沅作《终南仙馆集》三卷。据史善长《弇山毕公年谱》。

洪亮吉作《两晋南北史乐府》二卷。据吕培等《洪北江先生年谱》。

马焴自序《补庵诗钞》。胡玉缙《许庼经籍题跋》卷四："《补庵诗钞》二卷，元和马焴撰。焴字葵圃，号补庵，岁贡生。其诗意境冲淡，而学力未裕，遂多弱句、率句，属对用韵，甚或失之牵强，标题亦未尽善。中如《颜如玉》及《牧牛词》、《浴儿词》，近于乐府，颇可讽诵。《紫云泉》五绝、《春夜小楼听雨》七绝，亦较完善。《题梅林图》四言诗，前三句皆用《诗经》，末一句自撰，为体不纯。《海棠作汪适庵斋中》七古'骋怀千里岂不亦'，此类在律赋押官韵用之，诗中却罕见。《秋山极天净》五律'晶莹成一片，何处着纤毫'，殆以'纤毫'代'纤埃'。《悼亡陆孺人诗》'却恨垂丝合滴泪，枝枝不减去年花'，'垂丝'字似指海棠；《梅花书屋岁暮歌》'但闻虬龙百尺号苍穹，残雪冻挂敲冰竹'，'虬龙'字似指松，而上文未举出海棠、松，皆未妥帖。《犬守夜》七绝'微劳应效御匪人'，《幻境》七律'须弥入芥消魂磳'，'匪'字、'魂'字皆仄声，而用在平声处，是为失粘，不解何以疏舛如此。《访友》五绝'白云回望合'，以他处用成句必注明例之（惟《题梅林图》用《诗经》三句不注），此处疑属脱注。前有乾隆癸巳自序、己丑吴翀序及陈崧书后，其子绍基付刊，乾隆五十六年冯培、邱庭潍，嘉庆元年陈诗并为之序，而冠以褚庭璋所撰传。据陈书云'每到是处，即起彭泽、宣城而问之，当亦无不肯首，况杜、李、苏、陆诸公，勉应来辱之雅，略加点次甲乙。要是索癫西子，着秽佛头，家唐户宋时，诚不敢为定评'云云，然则崧于此集殆亦有微词欤？兹存其目，俾姓名不致湮没焉。"

汪启淑辑历代妇女作品为《撷芳集》八十卷刊行。据张慧剑《明清江苏文人年表》。法式善《梧门诗话》卷一六："本朝闺秀之盛，前代不及。汪纫庵驾部启淑所纂《撷芳集》，一千七百余家，人各系以小传，真大观也。"

朱滋年编《南州诗略》十六卷刊行。法式善《陶庐杂录》卷三："《南州诗略》十六卷，当涂朱滋年辑。滋年祖辂讲学南州，录其乡里之作，凡宦游、流寓、题咏、山水及与南州士夫唱酬者，皆散见于卷中。滋年补缀，刻于乾隆三十八年。并以其祖辂、父敏闻诗暨己作附后。沈归愚尚书序之。"

曾廷枚《修吉诗钞》十二卷刊行，卷九以下系续刻。据《贩书偶记》卷一五。

曹庭栋《老老恒言》五卷刊行。据《贩书偶记续编》附录。

夏之蓉《半舫斋偶存》四卷刊行。据《贩书偶记》卷一一。

周际华（1773—1846）生。际华初名际岐，字石藩，贵州贵筑人。嘉庆六年进士，授内阁中书。以亲老乞改教职。历遵义、都匀两府教授，以荐擢知县。历知河南辉县、江苏兴化、江都等，兼署泰州知州。著有《家荫堂诗文钞》。事迹见方宗诚《周氏两世循吏传》（《续碑传集》卷四二）、《清史稿》周克开传附。

谭敬昭（1773—1830）生。敬昭字子晋、康侯，广东阳春人。嘉庆二十二年进士。官户部主事。著有《听云楼集》。事迹见张维屏《中宪大夫户部主事谭君墓志铭》（《松心文钞》卷九）、《清史列传》张维屏传附、《清史稿》张维屏传附。

改琦（1773—1828）生。琦字伯蕴，号香白（一作香伯）、七芗，别号玉壶外史，华亭人。通敏多能，工诗词，嘉、道后画人物，琦号最工。尝作《红楼梦图》。著有《玉壶山房词》二卷。事迹见《清史稿》陈洪绶传附、张慧剑《明清江苏文人年表》。

吴龙见卒，年八十。据张慧剑《明清江苏文人年表》。《国朝文汇》乙集卷四录其《李愬论》等文五篇。

黄振卒，年五十。据江庆柏《清代人物生卒年表》。《晚晴簃诗汇》卷八六录其诗三首。

公元 1774 年（乾隆三十九年　甲午）

正月

初四日，陈皋卒，年六十九。据汪沆《陈皋家传》（《中华大典·明清文学分典》)。查为仁《莲坡诗话》:"诗以澹而弥永。陈对鸥《岁暮即事》云:'羁绪宵来颇未降,空阶独绕影成双。一堆老雪明如月,剩供诗人牢落窗。'深得澹中之味。"

初七日,钱陈群卒,年八十九。据姚鼐《光禄大夫刑部尚书赠太傅钱文端公墓志铭》(《惜抱轩文集》卷一二)。《国朝文汇》甲集卷五一录其《冀庵遗集序》等文三篇。《晚晴簃诗汇》卷六一录其诗十一首。

洪亮吉赴江阴补壬辰年岁试。吕培等《洪北江先生年谱》:"正月,赴江阴补壬辰年岁试。先是钱文敏公曾语学使彭阁学元端,谓先生为昌黎复生,由是阁学亦久知先生。十三日补试,准附一等三名后。又次蒋编修士铨元韵赠先生七古一篇,荐入常镇通道袁君鉴署授徒,岁修百二十金。并令在扬州安定书院肄业,膏火费亦及百金。自此将母稍裕。"

三月

上巳日,朱筠举修禊故事于草桥,与会者三十余人。朱筠为序记其事,见《笥河文集》卷五《草桥修禊序》。与会者有纪昀、翁方纲、姚鼐、程晋芳、任大椿、钱载、周永年等。

蒋士铨自序《临川梦》传奇。署"甲午上巳,铅山蒋士铨书于芳润堂"。自序云:"临川一生大节,不迩权贵,递为执政所抑,一官潦倒。里居二十年,白首事亲,哀毁而卒。是忠孝完人也。""乃杂采各书及《玉茗集》中所载种种情事,谱为《临川梦》一剧,摹绘先生人品,现身场上,庶几痴人不以先生为词人也欤。嗟乎!先生以生为梦,以死为醒。予则以生为死,以醒为梦。于是引先生既醒之身,复入于既死之梦,且令《四梦》中人与先生周旋于梦外之身,不亦荒唐可乐乎!独惜娄江女子为公而死,其识力过于当时执政远矣。特兼写之,以为醉梦者愧焉。然而予但为梦中人说梦而已,固无与于醒者。客果以临川为词人,又何不可之有哉!"(《藏园九种曲》)梁廷楠《曲话》卷三:"其至离奇变幻者,莫如《临川梦》,竟使若士先生身入梦境,与四梦中人一一相见。请君入瓮,想入非非;娓娓清言,犹余技也。"

春

黄景仁游扬州,夏还里。据毛庆善、季锡畴《黄仲则先生年谱》。

冯敏昌在省垣与张锦芳、张锦麟、李文藻往来唱和。据冯士镳《先君子太史公年谱》。

蒋士铨作《香祖楼》传奇。自序云:"或曰:'然则兹编仍南董之笔欤?'主人曰:'知言哉。'于是以情关正其疆界,使言情者弗敢私越焉。"署"乾隆甲午寒食日,藏园居士自书"。又,罗聘《论文一则》云:"写梦兰之死,则达也;写俞娃之死,则恋也;写若兰之死,则恨也:皆非若丽娘之死于情欲之感。而立言之旨,动关风化,较彼导欲宣淫之作,又何其婉而多风,严而有体也耶!"(《藏园九种曲》)杨恩寿《词余丛话》卷二:"《空谷香》、《香祖楼》两种,梦兰、若兰同一淑女也,孙虎、李蚓同一继父也,吴公子、扈将军同一樊笼也,红丝、高驾同一介绍也,成君美、裴畹同一故人也，姚、李两小妇同一短命也，王、曾两大妇同一贤媛也。各为小传，尚且难免雷同，作者偏从同处见异，梦兰启口便烈，若兰启口便恨，孙虎之愚，李蚓之狡，吴公子之慧，扈将军之侠，红丝之忠，高驾之智，王夫人则以贤御下，曾妇人则因爱生怜。此外如成、裴诸君，各有性情，各分口吻。无他，由于审题真，措辞确也。两种均有《混江龙》长调：一则就情字生议，经史皆成注脚，引商刻羽，居然苏海韩潮；一则丑诋龃龉，即《牡丹亭》所谓'纸铜钱夜市扬州界'也。"

四月

初八日，庄纶渭卒，年六十二。据梁同书《皇清敕授文林郎例授奉直大夫历任浙江武康上虞定海县知县推升甘肃宁州知州苇塘庄先生行状》（《问羲轩诗钞》卷首）。四库提要卷一八五：《问羲轩诗钞》二卷《剩草》一卷，"国朝庄纶渭撰。纶渭字对樵，号苇塘，武进人。乾隆壬戌进士。官定海县知县。是集为纶渭所手定，其子世骏校刊。《剩草》乃其在定海时所著杂文及案牍，已载入《定海续志》，又别录成帙，附于诗集之后焉。"《晚晴簃诗汇》卷七七录其诗二首。

五月

初五日，李文藻于羊城舍馆招集冯敏昌、张锦芳。次日，文藻与锦芳及门人冯经游西郭二寺，敏昌以病酒未行。据李文藻《游广州西郭二寺记》（《南涧文集》卷上）。

二十四日，张锦麟卒，年二十七。据李文藻《举人张君墓志铭》（《南涧文集》卷下）。《墓志铭》云："三上礼部，荐而不中。独以诗见知陆员外耳山、吴编修白华。二君皆不轻许可人者。君之诗，一惩颓唐浅易之习，随所寄托，兴象微妙，无一语苟与人同。"林昌彝《射鹰楼诗话》卷二三："顺德张玉洲孝廉锦麟（乾隆三十年乡榜）著有《少游草》。孝廉诗以'野岸无人潮欲上，碧天如水雁初飞'，及'三面青山四围水，藕花香处笛船多'之句得名，故人呼为张碧天，又呼为张藕花，见《国朝诗人征略》。孝廉幼与兄锦芳齐名，北平翁覃溪先生目为双丁两到。孝廉有《七夕》绝句，为诗坛传诵，诗云：'雨余闲听叶辞条，久客羁心不自憀。独倚檐前望牛斗，秋风秋月可怜宵。'读之觉神韵凄惋。"

汪中往宁波。未几，自宁波归。往江宁，八月归里。据汪喜孙《容甫先生年谱》。

夏

杨复吉跋吴雷发《说诗菅蒯》一卷。跋云："夜钟先生杂著不下十余种，而《寒塘诗话》为最巨，其征引甚博，且中多瑰异可喜。乃生前自刻数十条，则皆择其不足存者，浮夸鄙倍，供人姗笑，良不可解。客岁家君子曾手为删定，汇成四帙，而终恨多此一番梨枣，或有片帙流传，适足为先生之累也。兹《说诗菅蒯》疑属未竟之业，而持论中正和平，无少偏畸，洵可称诗家津筏，非复老生常谈。盖先生数奇不遇，喜炫己长，苟能淘洗胸中结习，则庐山面目，自见其真。九原可作，应不以规为瑱已。甲

午夏日，同邑杨复吉识。"（《说诗菅蒯》卷末）

秦朝钎、魏成宪等游滁州醉翁亭。据秦朝钎《消寒诗话》。

魏长生入都。昭梿《啸亭杂录》卷八《魏长生》："魏长生，四川金堂人。行三，秦腔之花旦也。甲午夏入都，年已逾三旬外。时京中盛行弋腔，诸士大夫厌其嚣杂，殊乏声色之娱，长生因之变为秦腔。辞虽鄙猥，然其繁音促节，呜呜动人，兼之演诸淫亵之状，皆人所罕见者，故名动京师。凡王公贵位以至词垣粉署，无不倾掷缠头数千百，一时不得识交魏三者，无以为人。其徒陈银官，复鬐龄韶秀，当时有青出于蓝之誉。长生既蓄厚赀，乃抽身归里，陈遂继其师业。当时百官殷富，习俗奢靡，故二子得以媚取，为和相所觉察，因荷校银官于缇帅署前以辱之，为缓颊者，皆谪贬有差。乃逐陈银官归川中，其风稍息。银官不知所终。嘉庆辛酉，长生复入都，其所蓄已荡尽，年逾知命，犹复当场卖笑。人以其名重，故多交结之，然婆娑一老娘，无复当日之姿媚矣。壬戌送春日，卒于旅邸，贫无以殓，受其惠者为董其丧，始得归柩于里。长生虽优伶，颇有侠气。庚子南城火灾，形家言西南有剑气冲击，长生因建文昌祠以厌胜。又纳兰太傅孙成安者，初与其狎昵，后遇事遣戍归，贫无以立，长生尝赠恤之，亦其难能也。"

八月

《石头记》甲戌本卷一有一眉批，末署**"甲午八月泪笔"**。是为所有脂批中最晚之一条。据周汝昌《红楼梦新证》第七章。

李春荣自序《水石缘》。署"乾隆甲午桂月书于熙和轩，稽山棣园李春荣自述"。孙楷第《中国通俗小说书目》卷四：《水石缘》六卷三十则，"存。经纶堂刊本。清李春荣撰。题'稽山李春荣芳普氏编辑'，'云间慕空子鉴定'。首乾隆甲午（三十九年）春荣自序。"春荣字芳普，号棣园，原籍陇西，寄籍绍兴。自序言及身世。是书叙石莲峰与水盈盈之婚恋故事。有经纶堂藏板本、明德堂藏板本、文德堂藏板本、道光二十一年攻玉山庄藏板本、同治九年禅山翰宝楼刊本等。据《中国古代小说总目》白话卷。

九月

二十八日，任瑗卒，年八十二。据韩梦周《任先生瑗墓表》（《碑传集》卷一二九）。《清史稿》刘原渌传附："韩梦周语人曰：'任君体用具备，有明以来无此巨儒。'"《晚晴簃诗汇》卷七三录其诗三首。

王珣遣兄投递字帖案发，十一月止。据《清代文字狱档》。

秋

乡试。是科各省考官有曹秀先、钱载、蒋元益、林澍蕃、洪朴、钱大昕、吉梦熊、戚蓼生、李调元、戴璐等。据法式善《清秘述闻》卷七。所取举人有翁元圻（《清秘述闻》卷七）、师范（方树梅《钱南园先生年谱》）、和邦额（《钦定八旗通志》卷一〇六)、唐仲冕(陶澍《护理陕西巡抚陕西布政使司布政使陶山唐公墓志铭》)、吴兰庭(严元照《吴胥石先生墓志铭》)、高文照(袁枚《随园诗话》卷一三)、宗圣垣(宗稷辰《雷州府君墓志》)、杨抡(杨芳灿自订、余一鳌补订《杨蓉裳先生年谱》)、管世铭(陆继辂《掌广西道监察御史管君墓表》)、秦瀛(陈用光《刑部侍郎秦小岘先生墓志铭》)、陆艺(《晚晴簃诗汇》卷九六)等。钱坫中副榜贡生。据江藩《国朝汉学师承记》卷三。洪亮吉中副榜第一。据吕培等《洪北江先生年谱》。黄景仁(毛庆善、季锡畴《黄仲则先生年谱》)、章学诚(胡适《章实斋年谱》)、张问安(蔡珅编辑、蔡璐参校《张船山先生年谱》)、赵怀玉(赵怀玉《收庵居士自叙年谱略》卷上)、孙星衍、黄钺报罢。

陆艺乡试中式。艺字树人、正游，号漱亭，昆明人。王昶《蒲褐山房诗话》："树人以武将世家，耽心缃素，与其兄藻对床风雨，翰墨共娱。江坪工诗，树人兼能画，滇人目为二难。陈大令文灿而外，莫能及也。""其《漱亭集》中如'乱鸦翻夕照，一犬吠孤村'；'野水明残照，村墟入暮烟'；'碧草前溪路，斜阳远寺钟'，俱极清雅。"(《湖海诗传》卷一九)《晚晴簃诗汇》卷九六录其诗二首。

孙星衍秋闱前肄业钟山书院，秋闱后归常州。张绍南《孙渊如先生年谱》卷上："肄业钟山书院。君通《说文》，主讲卢学士文弨常与考证古学，洪君亮吉、杨君芳灿俱馆于金陵，时相过从。袁简斋太史枚居随园，主持风雅，君怀诗往谒，倒屣而迎。阅君诗，跋其卷曰：'天下清才多，奇才少。读足下之诗，天下之奇才也。'恨相见之晚，亟荐之当道，相与为忘年之交。金陵诗人陈毅、何士颙、方正澍诸君皆随园门下士，争以诗投赠就正焉。""是科下第，九月归常州，居外舅王氏宅。与同里洪君亮吉、黄君景仁、赵君怀玉、杨君伦、吕君星垣文讌无虚日。"

黄钺报罢，挑取四库全书馆誊录。据黄富民《黄勤敏公年谱》。

姚鼐乞病解官。将归，翁方纲为序送之。据郑福照《姚惜抱先生年谱》。

俞蛟客临清，困于围城中者四十余日。据俞蛟《梦厂杂著》卷六《临清寇略》。

杨潮观自序《吟风阁杂剧》。自序云："《吟风》之曲，往年行役公余遣兴为之，其天籁耶？人籁耶？殊不自知。年来与知音商榷次第，被诸管弦，至兹始获刊定。夫哀乐相感，声中有诗，此亦人事得失之林也。士大夫诗而不歌久矣，风月无边，江山如画，能不以之兴怀？惟是香山乐府，止期老媪皆知；安石陶情，不免儿辈亦觉矣。时乾隆甲午之秋。"又，嘉庆本杨懋序云："吟风阁者，懋伯祖笠湖公著书之室也。公严气正性，学道爱人，从宦豫蜀，郡邑俎豆，为学人，为循吏，著作甚富。公余之暇，复取古人忠孝节义足以动天地泣鬼神者，传之金石，播之笙歌，假伶伦之声容，阐圣贤之风教，因事立义，不主故常，务使闻者动心，观者泣下，铿锵鼓舞，凄入心脾，立懦顽廉，而不自觉。刻成，因以吟风阁名之。以是知公之用心良苦，公之劝世良切也。往岁，先君子宦蜀，同僚索观甚众，旧板在梁溪，邮寄非易。先君子乃出家藏之本而重镌之，手自雠校，用力甚勤。丁亥秋，先君子没，此板谨藏于家，二三同志，求者益多，乃为刷印传布。懋生也晚，不获亲承训诲，以为立身行己之准。又少遭孤露，父书俱不能读，勉承先志，幸无坠失。尤愿观者触目警心，以为作忠作孝之助，庶无负公化俗之盛心与先君子重刊之意也夫。岁在柔兆涒滩阳月侄孙懋谨识。"六艺书局本陈侠君序云："江苏杨君笠湖名潮观，无锡人，以名进士宦蜀，初任邛州刺史，有政声，善词曲，于官廨厅事之西，筑吟风阁，公余聚宾僚觞咏赓歌其中，挥毫著书，以为娱乐，志乘犹志其事。尝与袁随园文字诘难，随园视为畏友。先生谱《吟风阁传奇》三十二回，将朝野隔阂，国富民贫，重重积弊，生生道破；心摹神追，寄托遥深，别具一副手眼。文情艳丽，科白滑稽，光怪陆离，独标新义，扫尽浮词，不落前人窠臼，似非寻常随腔按谱填曲编白可比也。"（《吟风阁杂剧》卷首、附录）

十月

十二日，齐彦槐（1774—1841）**生。** 彦槐字梦树，号梅麓，江西婺源人。嘉庆十三年召试举人，明年成进士，选庶吉士。散馆，授金匮令。后擢苏州府同知。著有《北极星纬度分表》、《海运南漕丛议》、《梅麓诗文集》。事迹见方濬颐《金匮县知县齐梅麓先生墓表》（《续碑传集》卷七七）、《清史列传》包世臣传附、《清史稿》包世臣传附。[生日据朱彭寿《清代人物大事纪年》。]

本月或下月，薛起凤卒，年四十一。 彭绍升《薛家三述》："乾隆三十九年九月，自沂州归。越四旬而卒，年四十一。""居常好为诗，思深味隐，耐人寻索。尝欲偕一世之人彻儒佛之樊，游大同之宇。虽终郁塞以死，而语言文字之存可考而知也。"（《二林居集》卷二二）《香闻遗集》四卷本年刊行。据《贩书偶记》卷一五。法式善《梧门诗话》卷二："诗皆独造，自辟门径，亦近时有数才也。"录其《月夜渡江》等诗。袁枚《随园诗话》卷一〇录其《过范文正公祠》、《对雪》诗。《国朝文汇》乙集卷三〇录其《重修昭文武庙记》、《重修北崮山神庙碑》文两篇。

十一月

钱大昕抵广东学政任。 据钱大昕自编、钱庆曾校注《竹汀居士年谱》。

涂瑞卒，年六十六。 据鲁仕骥《乡贡进士候选知县涂先生瑞墓志铭》（《碑传集》卷一二九）。《墓志铭》云："读书博观约取，好稽考成迹以为师法。为文章未尝求工，而真意所贯，光明洞达，读者皆以为有用之文也。"《国朝文汇》乙集卷一五录其《曹参论》等文三篇。

十二月

姚鼐自京师乘风雪至泰安。除夕，与知府朱孝纯登泰山观日出。 见《惜抱轩文集》卷一四《登泰山记》。[按，《登泰山记》作于明年。]

刘绍攽自序所编《二南遗音续集》一卷。 署"乾隆三十九年季冬腊月，三原刘绍攽题并书"。（《二南遗音续集》卷首）绍攽字继贡，号九畹，三原人。事迹见《清史列传》孙景烈传附。所著《周易详说》十九卷、《春秋笔削微旨》二十六卷、《春秋通论》五卷，所编《二南遗音》四卷，四库提要著录。又，《九畹古文》十卷、《九畹续集》二卷，《贩书偶记》卷一五著录。《国朝文汇》乙集卷二录其《秦置郡县论》等文十一篇。《晚晴簃诗汇》卷六二录其诗三首。

冬

汪中往宁波，依冯廷丞。据汪喜孙《容甫先生年谱》。

黄景仁游虞山，展邵齐焘墓，遂至江宁，在随园度岁。洪亮吉《候选县丞附监生黄君行状》："君自知年不永，尝共赴吊邵先生于常熟。夕登虞山，游仲雍祠，北望先生墓，慨然久之曰：'知我者死矣，脱不幸我先若死，若为我梓遗集，如《玉芝堂》乎！'《玉芝堂》者，王君太岳为邵先生所刊诗文集名也。亮吉以君语不伦，不之应，君就便爇神祠香要亮吉必诺乃已。"（《卷施阁文甲集》卷一〇）毛庆善、季锡畴《黄仲则先生年谱》："按吴竹桥礼部初序《两当轩诗稿》云：'甲午冬十月，君来虞山，偕叔子元直访余。时天寒日暮，余力疾出见，秉烛坐草堂中，语弗及食顷，迳登舟别去。'又按，是冬在袁简斋太史随园中度岁，袁兰村题《悔存斋词》注所谓'先生至白门，每主予家也。'"

胡业宏作《珊瑚鞭》传奇。自序云："甲午冬日，徇友人请，改《玉娇梨》小说作《珊瑚鞭》传奇。"（《中国古典戏曲序跋汇编》卷一三）是剧凡二卷四十二出，乾隆四十三年穿柳堂刊行。

本年

又禁旗人出入戏园。《北京梨园掌故长编·晓谕戏馆》："三十九年议准：嗣后无论城内外戏园，概不许旗人潜往游戏。交各旗该官大臣严切诫谕，随时稽察，毋许违犯。并令步军统领衙门及都察院转饬五城御史，日派番役甲捕人等巡缉访查，如有旗人擅入戏园，除将本人照例惩治外，并将管束不严之该都统等交部议处。"（《清代燕都梨园史料》）

吴塯独身走京师，时年十八岁。据陆继辂《山东曹州知府吴君塯墓志铭》（《碑传集》卷一一〇）。

洪亮吉始与孙星衍订交。洪亮吉、孙星衍、黄景仁、赵怀玉、杨伦、吕星垣、徐书受唱酬无间，里中号为七子。据吕培等《洪北江先生年谱》。

孙原湘十五岁，随父任出山海关，援笔赋诗，句已惊人。据《晚晴簃诗汇》卷一一八。

张惠言以童子教授里中。据恽敬《张皋文墓志铭》（《大云山房文稿初集》卷四）。

戴震在四库馆，校《水经注》、《九章算术》、《五经算术》成。据段玉裁《戴东原先生年谱》。

邵晋涵授编修。据王昶《翰林院侍讲学士充国史馆提调官邵君墓表》（《春融堂集》卷六〇）。

谢墉提督江苏学政。据阮元《吏部左侍郎谢公墓志铭》（《揅经室二集》卷三）。

张九钺调知海阳县。八月代南海县事，两月返。胥江舟中无事，作《南汉宫词》十六首。据张家栻《陶园年谱》。

毕沅延戴祖启为关中书院院长。据钱大昕《国子监学正戴先生墓志铭》（《潜研堂文集》卷四六）。

罗有高至扬州，寓高旻寺。王昶《罗台山墓志》："时照圆贞公主席，机锋简捷，能以片语折服人。台山昼夜参究，积疑尽豁，居半载辞去。"（《春融堂集》卷五八）

章学诚撰《和州志》四十二篇，辑《和州文征》八卷。据胡适《章实斋年谱》。

吴翌凤编定乾隆三十一年至本年所作诗为《纪年诗删》。见《与稽斋丛稿》卷一、二。

汪师韩《上湖诗纪续编》收诗讫本年。见是书卷末。

凌廷堪诗集收诗始于本年。据张其锦《凌次仲先生年谱》。

夏秉衡寓吴门秋水堂，著《诗中圣》传奇成。据张慧剑《明清江苏文人年表》。庄一拂《古典戏曲存目汇考》卷一一：《诗中圣》，"《今乐考证》著录。乾隆秋水堂刊本。其他戏曲书簿未见记载。凡二卷三十二出。首载夏氏自序。见周氏《言言斋劫存曲目》。"秉衡又有《八宝箱》传奇，"《今乐考证》著录。乾隆秋水堂刊本。《曲考》、《曲海目》、《曲录》并见著录，俱列入无名氏。凡二卷三十八出。演杜十娘怒沉百宝箱故事，本事出宋幼清《九籥集·杜十娘传》。明郭璿亦有同目"。

张埙所著《督亢图》、《中郎女》二传奇有成稿。据张慧剑《明清江苏文人年表》。

陈毅编《所知集》，本年成二编八卷。卢文弨、何忠相序行之。据法式善《陶庐杂录》卷三。

吴颖芳《临江乡人诗》四卷寿松堂刊行。据《贩书偶记续编》卷一五。

法坤宏《迂斋学古编》四卷刊行。据《贩书偶记》卷一五。

吴蔚光《执虚诗钞》二卷、《词钞》一卷刊行。据《贩书偶记》卷一五。

高澍然（1774—1841）生。澍然字雨农，福建光泽人。嘉庆六年举人，授内阁中书。未几，以病告归。著有《春秋释经》、《论语私记》、《韩文故》、《抑快轩文集》。事迹见《清史列传》本传、《清史稿》朱仕琇传附。[生卒年据李灵年、杨忠主编《清人别集总目》。]

金式玉（1774—1801）生。式玉字朗甫，安徽歙县人。嘉庆五年举人，明年成进士。旋卒。著有《竹邻词》。事迹见恽敬《翰林院庶吉士金君华表铭》（《大云山房文稿二集》卷四）。

於震卒，年五十四。据张慧剑《明清江苏文人年表》。袁枚《随园诗话补遗》卷七："（震）专工明七子一体，未免鸣钲播鼓，见赏者稀。然佳处不可泯没。见赠云：'声名若不逢玄晏，词赋何由重洛阳？'《圆峰秋望》云：'岸走涛声吞象岭，树浮天影出狼山。'《延庆寺》云：'地迥人烟浮水气，楼高木叶下秋声。'颇皆雄健。至若《九江》云：'商女至今歌白苎，征人几度换朱颜。'则稍和缓，且降格而为之。"《晚晴簃诗汇》卷九七录其诗三首。

张曾卒，年六十二。据江庆柏《清代人物生卒年表》。袁枚《随园诗话补遗》卷五："京口张石帆工诗，尤善歌诗。每诗成，必拍板高吟，听者神移。"法式善《梧门诗话》卷一一："张石帆负才傲物，而诗甚清婉，与海门齐名。"《晚晴簃诗汇》卷八六："祖武自号石帆山人，不习举子业，以诗游归愚之门，当时推与鲍步江齐名。英梦堂相国官镇江时，提倡风雅，步江、石帆同为上客。石帆后游京师，客相国邸又数年。

落拓不偶，相国赠诗有'依人久识孤王粲'之句。法梧门论鲍、张二人诗，谓石帆之'烟鸟去无尽，风潮来不知'，与步江之'山光终夜晓，海气不时秋'，写焦山景，皆确切不移。石帆集中《岁除前二日同步江登木末楼》有句云：'岁腊共惊三日尽，江山如待两人看。'尤足见其自负。"录其诗六首。

史承豫卒，年六十五。据严迪昌《清词史》第三编第二章。《国朝文汇》乙集卷三一录其《游蜀山记》等文五篇。

庄德芬（女）卒，年五十七。据张慧剑《明清江苏文人年表》。施淑仪《清代闺阁诗人征略》卷五："端人早寡，子仅九龄，家贫，亲自督课，学问纯粹。集中五言如'修名不早立，妻子寒无衾'，'人生知尽分，岂敢期不朽'，'六翮苟不齐，何以凌长风'；七言如'仰首青云数行泪，从来天道佑孤儿'等句，安贞自信，于斯可见。"《晚晴簃诗汇》卷一八四录其诗四十六首。

钟令嘉（女）卒，年七十。据李灵年、杨忠主编《清人别集总目》。《晚晴簃诗汇》卷一八四录其诗十二首。

公元 1775 年（乾隆四十年　乙未）

正月

初四日，姚鼐游泰山北之灵岩山。据《惜抱轩文集》卷一四《游灵岩记》。又，本月自泰安还京，旋即南归。据郑福照《姚惜抱先生年谱》。

黄钺自京师归。据黄富民《黄勤敏公年谱》。

曹庭栋编定题画兰诗为《产鹤亭诗十稿》。《题画兰百咏序》署"乾隆四十年岁在旃蒙协洽元旦，书于观妙楼，慈山居士，时年七十有七"。（《产鹤亭诗十稿》卷首）

二月

镜湖逸叟（陈朗）自序《雪月梅》十卷五十回。署"乾隆乙未仲春花朝，镜湖逸叟自序于古钧阳之松月山房"。时《雪月梅》已成书。又董寄绵跋署"乾隆四十年岁次乙未孟春望后一日，古定阳董寄绵谨跋"。（《雪月梅全传》卷首、卷末）［按，乾隆三十四年进士陈朗（著有《青柯馆集》）与《雪月梅》作者陈朗非同一人。］

三月

十一日，黄景仁检存诗稿，作《自叙》一篇。云："体羸疲役，年甫二十七耳，气喘喘然有若不能举其躯者。自念向所游处，举凡可喜可愕之境，悉于是乎寄。恐贫病漂泊，脱有遗失，因检所积，十存其二三，聊命故人编次之。夫幼之所作，稍长辄悔，后之视今，何独不然。辄为数语，以自策励，且述辛苦。时乾隆乙未季春月之十一日。"（《两当轩集》卷首）

二十日，施彦士（1775—1835）生。彦士字梦珍，号朴斋，崇明人。道光元年举人。悉心实用之学，于天文、地理致力尤深。以筹划海运叙劳授知县，历知内丘、正定、万全等县。以劳卒于任。著有《求己草堂诗草》一卷、《文集》一卷、《海运刍言》一卷、《推春秋日食法》一卷。事迹见《清史列传》余煌传附。[生卒时间据朱彭寿《清代人物大事纪年》、柯愈春《清人诗文集总目提要》。]

二十日，江昱卒，年七十。据蒋士铨《江松泉传》（《忠雅堂文集》卷四）。《传》云："著《松泉诗》若干卷，不拘宗派，以本诸性情、止乎礼义为主，深辟历下、公安之非，而斥王、李尤力。又作论词诗十八章，断制宋元作者，津逮后学，钱塘厉鹗、赵虹、江炳炎辈争相叹服，不易其言。"王昶《蒲褐山房诗话》："小玲珑山馆尝集江、浙名流，宾谷数为座客，故诗词亦得午桥、樊榭诸人一体。"（《湖海诗传》卷一八）《晚晴簃诗汇》卷八六录其诗五首。冯金伯《词苑萃编》卷八《江宾谷好南宋人词》引刁去瑕云："江宾谷雅好南宋人词，尤爱其中一二家最平淡者。平日论词，及所自为，并能追其所见。"宾谷《梅边琴汎》引赵秋谷云："宾谷《梅边琴汎》一卷，追清石帚，继响玉田。昔南史称柳公双锁为琴品第一，若《梅边琴汎》者，其亦第一词品乎。"陈廷焯《白雨斋词话》卷四："江宾谷词，亦得南宋人遗意，虽未臻深厚，却与浅俗者迥别。"

陆显仁《格物广义》案发，五月止。据《清代文字狱档》。

会试。考官：兵部尚书嵇璜、刑部侍郎王杰、副都御史阿肃。题"苟日新日"三句，"仲叔圉治"三句，"敢问何谓言也"。赋得"灯右观书"得"风"字。据法式善《清秘述闻》卷七。

冯敏昌又不第，锐意留京。据冯士镳《先君子太史公年谱》。

汪中在杭州，四月归里。汪喜孙《容甫先生年谱》："冯兵备官宁绍台道，先君在幕府。寻调台湾道，先君以母病不能偕往。兵备荐于其僚某官，先君造某所，则辞以事，不得见。于时兵备已度海，先君遂不能治装。是年三月在杭州，四月始归里。"

春

徐坚独游华山。毕沅闻其至，招留铃阁，颇相推重。据汪启淑《徐友竹传》（《续印人传》卷四）。

洪亮吉因彭元端之荐，入江宁太守陶易署中修校李锴《尚史》。匝月事竣。留署课太守孙兼管书记，四月归。据吕培等《洪北江先生年谱》。

曹庭栋甲申正月至本年春诗为《产鹤亭诗九稿》。自序署"乾隆四十年乙未夏，慈山居士，时年七十有七"。（《产鹤亭诗九稿》卷首）

四月

二十五日，高宗御太和殿，传胪。赐一甲吴锡龄、汪镛、沈清藻进士及第，二甲王念孙、顾宗泰、汪辉祖、吴锡麒、卢遂、范来宗等进士出身，三甲孙玉庭、戴震、徐志鼎、杨于果、邓汝勤（即邓汝功）等同进士出身。据《历科进士题名录》、《清通鉴》。[按，戴震第六次应会试本报罢，高宗特命与会试中式者同赴殿试，赐同进士出身，授翰林院庶吉士。时年五十三岁。据段玉裁《戴东原先生年谱》。]

卢遂成进士。遂字易良，号霁渔，侯官人。官编修。著有《四留堂诗集》。《晚晴簃诗汇》卷九六："霁渔十三即能诗，一年成一集，得诗四万余。篇什之富，一时无两。"录其诗二首。

王汝璧升礼部郎中。经吏部奏留，八月补吏部郎中。据《国史列传》本传（《铜梁山人诗集》卷首）。

五月

朱珪内用翰林院侍讲学士，充《明纪纲目》纂修官、文渊阁直阁事。据罗继祖《朱笥河先生年谱》。

夏

以寿州牧张佩芳之延，黄景仁主寿州正阳书院讲席。据毛庆善、季锡畴《黄仲则先生年谱》。

钱大昕丁忧归，自是不复出。据钱大昕自编、钱庆曾校注《竹汀居士年谱》。

七月

初六日，梁章钜（1775—1849）**生。**章钜字闳中、苣林、芷林，号退庵，福建福州人。嘉庆七年进士。官至广西巡抚、江苏巡抚。著有《归田琐记》、《浪迹丛谈》、《楹联丛话》、《藤花吟馆诗钞》等数十种。事迹见《退庵自订年谱》、林则徐《诰授资政大夫兵部侍郎都察院右副都御史江苏巡抚梁公墓志铭》（《碑传集补》卷一四）、《清史列传》本传。

十五日，包世臣（1775—1855）**生。**世臣字慎伯，安徽泾县人。少工词章，有经济大略，喜言兵。嘉庆十三年举人，大挑以知县发江西。一权新喻，被劾去。复随明亮征川、楚，发奇谋不见用，遂归，卜居金陵。其论书法尤精，行草隶书，皆为世所珍贵。著有《安吴四种》（《中衢一勺》、《艺舟双楫》、《管情三义》、《齐民四术》）。事迹见胡韫玉《包慎伯先生年谱》、《清史列传》本传、《清史稿》本传。[生日据朱彭寿《清代人物大事纪年》。]

姚鼐与左一青、张应宿同游双溪。双溪归后十日，又同观披雪瀑。据《惜抱轩文集》卷一四《游双溪记》、《观披雪瀑记》。

张九钺丁父忧，归羊城。据张家枓《陶园年谱》。

宫敬轩自题《海岳圆》传奇。署"时乾隆四十年岁次乙未秋七月，吴陵宫敬轩书于云南中甸之安南古口"。自题云："客岁游滇南，得与永恕庵订交，嵚奇磊落，非常人也。一日，手出《海岳圆》一册示余，乃志宋室一时之奇遇，或文韬，或武略，或义侠，或忠贞，余雒诵循环，嗟赏无已。恕庵慨然起曰：'世有如是人，而不付之梨园当场演出以快人心，殊觉耿耿于中，如韩文公之梦物咽也。'因嘱余填词。闻命之下，汗颜久之。移时色定，觉不勉应，又非所以报知己。旋袖记回寓，灯前月下，搜索枯肠，两阅月而草创三十八折。自一翻阅，难免庸恶陋劣、不合时宜之病。今缮呈览，尚希加以笔削而裁成之，庶几当代知音之士不齿冷余之狂瞽，亦不哂恕庵无知人之明矣。"（《中国古典戏曲序跋汇编》卷一三）是剧今存清钞本。

九月

初七日，俞正燮（1775—1840）生。正燮字理初，安徽黟县人。年二十余，作《丘明子孙姓氏论》、《左山考》诸篇，孙星衍多据以折衷群议，由是名大起。道光元年乡试中式。晚入江苏学政祁𬤊藻幕，为校写三古、六朝文目录。陶澍督两江，聘主江宁惜阴书院。未几卒。著有《癸巳类稿》十五卷、《癸巳存稿》十五卷。事迹见夏寅官《俞正燮传》（《碑传集补》卷四九）、王立中《俞理初先生年谱》、《清史列传》本传、《清史稿》本传。

洪亮吉就句容令林光照聘，课其婿郑联华。客句容三月，与朱沛、汪苍霖、王广文、沈衣言等文宴无虚日。又遍游茅山、栖霞，记游诗约数十篇。腊月秒归里。据吕培等《洪北江先生年谱》。时孙星衍亦在句容，时相过从。据张绍南《孙渊如先生年谱》卷上。

秋

章学诚还北京。家益贫，而交游益广。与邵晋涵、任大椿、任朝、胡士震、沈棠臣、裴振诸人时相往还。《邵与桐别传》："自四库征书，遗籍秘册荟萃都下，学士侈于闻见之富，别为风气，讲求史学，非马端临氏之所为整齐类比，即王伯厚氏之所为考逸搜遗。是其研索之苦，襞襀之勤，为功良不可少。然观止矣！至若前人所谓决断去取，各自成家，无取方圆求备，惟冀有当于《春秋》经世，庶几先王之志焉者，则河汉矣。"《周书昌别传》："乙未入都……（书昌、与桐）二君者皆以博洽贯通为时推许。于是四方才略之士挟策来京师者，莫不斐然有天禄、石渠句坟抉索之思。而投卷于公卿间者，多易其诗赋举子艺业而为名物考订与夫声音文字之标：盖骎骎乎移风俗矣。"《跋甲乙剩稿》："甲午、乙未，江南修志而复入都门，学识方长而文笔亦纵横能达，然不免有意矜张也。"（胡适《章实斋年谱》）

杨芳灿赴金陵。顾敏恒为其摄刘氏馆事。在金陵寓随园两月，因与何士颙、陈毅、蔡元春、方正澍、李葵定交。据杨芳灿自订、余一鳌补订《杨蓉裳先生年谱》。

严长明《玉井摹莲集》一卷成书。毕沅《金阙攀松集序》："乾隆乙未秋，关内不雨，余将祷于华山。时道甫侍读偕往，展事既毕，穷极幽胜。归后，侍读得诗一卷，曰《玉井摹莲集》。"（《金阙攀松集》卷首）又，本年冬，袁枚序《玉井摹莲集》（《玉井摹莲集》卷首）。

十月

初三日，芮复传卒，年九十四。据朱筠《浙江提刑按察使司副使分巡温处道芮君墓碣铭》(《笥河文集》卷一二)。《晚晴簃诗汇》卷五七:"诗苍秀有骨格。"录其诗三首。

韩锡胙调任苏州府知府。旋任松太兵备道,明年又擢苏松督粮道。据刘耀东《韩湘岩先生年谱》卷上。

闰十月

澹归和尚《遍行堂集》案发,十二月止。据《清代文字狱档》。

十九日,杨履基卒,年六十三。据钱大昕《优贡生候选儒学训导杨君墓志铭》(《潜研堂文集》卷四六)。

十二月

初六日,邓廷桢(1776—1846)生。廷桢字维周,号嶰筠,晚号妙吉祥室老人、刚木老人,江宁人。嘉庆六年进士。历官宁波知府、延安知府、湖北按察使、江西布政使、安徽巡抚、两广总督、甘肃布政使、陕西巡抚、陕甘总督。著有《双砚斋诗钞》十六卷、《词钞》二卷、《笔记》五卷。事迹见梅曾亮《陕西巡抚邓公墓志铭》(《柏枧山房文集》卷一四)、邓邦述《邓尚书年谱》、《清史列传》本传、《清史稿》本传。

黄景仁北上抵京师。洪亮吉《候选县丞附监生黄君行状》:"平生于功名不甚置念,独恨其诗无幽、并豪士气,尝蓄意欲游京师,至岁乙未乃行。亮吉亦以贡入都,值母孺人疾,中止。"(《卷施阁文甲集》卷一〇)月底,与朱筠陶然亭之会,有《乙未除夕前五日笥河先生偕集陶然亭分韵得影字》,见《两当轩集》卷一一。

冬

翁方纲、朱筠、程晋芳、张埙、顾宗泰等集汪启淑蜗寄轩。据《复初斋集外诗》卷九《汪秀峰工部招同笥河编修、鱼门吏部、瘦铜、星桥两舍人、香泾进士集蜗寄轩,分韵所藏古印。方纲分得宋李易安玉印》。

陶元藻得汪氏旧庄于钱塘葛仙岭下。明年,修葺之,以为文酒流连之地。据陶元藻《泊鸥庄记》(《泊鸥山房集》卷三)。

本年

李兆洛七岁,因病不能受业,听兄五初读《戴记》,即能背诵。据蒋彤《武进李先生年谱》卷一。

顾光旭以事革职,留川总理粮饷。据王昶《甘肃凉庄道署四川按察使司顾君墓志铭》(《春融堂集》卷五四)。

顾宗泰充明史纲目馆纂修官。据《史馆集》小序(《月满楼诗集》卷二〇)。

朱琰选授直隶阜城县。据汪启淑《朱琰传》(《续印人传》卷五)。

戴震在四库馆,二月校《仪礼识误》成,四月校《海岛算经》成。据段玉裁《戴东原先生年谱》。

以毕沅聘修《关中志》，曹仁虎入秦。本年至戊戌，仁虎在秦有《秦中杂稿》、《蓉镜堂文稿》等。据王鸿逵《曹学士年谱》。

凌廷堪应吴恒宣之聘，与修《云台山志》。张其锦《凌次仲先生年谱》："吴郁洲先生恒宣修《云台山志》，聘先生襄其事。吴公尝作《双仙记》、《义贞记》传奇。先生谓词曲虽小道，亦音律中之一端。于是兼留心于南北曲之学。"

袁枚编《随园全集》成，诗文各三十卷。《小仓山房诗集》卷二四《全集编成，自题四绝句》有云："不负人间过一回，编成六十卷书开。"方濬师《随园先生年谱》："编全集六十卷。高丽使臣朴齐家等曾以重价购之。"袁枚诗文集后多次增补，诗集有三十二卷本、三十九卷本，文集有三十二卷本、三十五卷本。又，《小仓山房外集》卷首门人李英序云："随园先生古文三十卷，以骈体六卷为《外集》。"《外集》后亦有增补，乾隆随园刻本为七卷，嘉庆初随园刻本为八卷。据《袁枚全集》前言。

贾田祖自定《容瓠轩诗钞》。据张慧剑《明清江苏文人年表》。

尹庆兰为黄景仁绘《云峰阁图》。据毛庆善、季锡畴《黄仲则先生年谱》。

姚鼐作《登泰山记》、《泰山道里记序》等。据郑福照《姚惜抱先生年谱》附录《文目编年》。

秦朝釬《消寒诗话》一卷当作于本年。据《诗话》称乾隆四十年正月十九日由武昌返家为今年事可知。沈楙惪跋云："宛平王奉斋云：秦岵斋由部郎出守楚雄，以古循吏自期。后丁内艰，遂不复出山。著有《消寒诗话》一卷，笔力简括，性情肫挚，至于酌古准今，间有不涉于诗，而议论一归于正，不失维持人心、崇奖风化之旨，其得以诗话概之耶？愚谓凡作诗而仅吟风弄月、自诩才华、绝无关于人心风化者，皆不必作。况诗话所以明古今作者寓言托讽之微意乎？即此可见《消寒诗话》之足存矣。壬寅秋日，吴江沈楙惪识。"胡玉缙《许庼经籍题跋》卷四："《消寒诗话》一卷，金匮秦朝釬撰。朝釬字大樽，一字岵斋，官至楚雄府知府。是书载其自作及友人诗，居十之六七。间论前人诗，如以陶潜《赠羊长史》为隐讽其不可出，以元稹'曾经沧海'一首为风情，固伤雅道，悼亡而曰'半缘君'，亦见性情之薄，持论甚正。以王士禛不喜储光羲，而谓其喜风调、尚标格，恐尚有楚王识见在，亦善谑而不为虐。惟以李商隐诗'未免被他褒女笑，只教天子暂蒙尘'为幸灾乐祸；杜牧诗'东风不假周郎便，铜雀春深锁二乔'为如吴门市上恶少年语，则殊失其旨。……然全书宗旨纯正，笔亦雅洁，不可谓非小品中之佳箸也。"

李海观在宝丰。约于本年始续作《歧路灯》。据李海观《歧路灯自序》（栾星《李绿园诗文辑佚》卷三）。

李调元《剧话》二卷约本年作。据中国戏曲研究院《剧话提要》。

吴锡麒等《新年杂咏》刊行。法式善《陶庐杂录》卷三："《新年杂咏》，杭州吴锡麒及弟锡麟、黄朴、姚思勤、项朝荣、舒绍言所作。不分卷数，以类相从。刻于乾隆四十年。前有王鸣盛、顾光旭二序。"

严观编《元和郡县补志》九卷蒲庐学舍刊行。据《贩书偶记》卷七。又，《江宁金石记》八卷附《待访录》二卷嘉庆九年赐书堂刊行。据《贩书偶记》卷八。

靳荣藩《吴诗集览》二十卷、《补注》二十卷、《谈薮》二卷凌云亭刊行。据《贩书偶记》卷一四。

沈钦韩（1775—1832）生。钦韩字文起，号小宛，江苏吴县人。年逾三十始为县学生，嘉庆十二年举人，道光三年选授宁国县训导。著有《两汉书疏证》七十四卷、《水经注疏证》四十卷、《左传补注》十二卷、《幼学堂诗集》十七卷、《文集》八卷。事迹见包世臣《皇敕授修职郎安徽宁国县学训导沈君行状》（《艺舟双楫》论文四）、王蓥《宁国县训导沈君墓志铭》（《续碑传集》卷七六）、《清史列传》本传。

郭仪霄（1775—1855）生。仪霄字羽可，江西永丰人。嘉庆二十四年举人。官内阁中书。著有《诵芬堂诗钞》十二卷、《文钞》六卷。事迹见《清史列传》黄爵滋传附。

汪家禧（1775—1816）生。家禧字汉郊，自号东里生，浙江仁和人。诸生。阮元督学浙江，家禧与杨凤苞、严元照同以高才生受知。后同入诂经精舍肄业。家禧所著书数十卷，毁于火。其友庄仲方、门人许乃谷辑其遗文，为《东里生烬余集》三卷。文多说经，粹然有家法。事迹见许宗彦《三文学合传》（《鉴止水斋集》卷一七）、姚椿《汪家禧别传》（《晚学斋文集》卷六）、《清史列传》张鉴传附、《清史稿》孙志祖传附。

凌曙（1775—1829）生。曙字晓楼，江苏江都人。国子监生。著有《四书典故核》六卷、《春秋繁露注》十七卷、《公羊礼疏》十一卷、《公羊礼说》一卷、《公羊问答》二卷。事迹见包世臣《清故国子监生凌君墓表》（《艺舟双楫》论文四）、《清史列传》本传、《清史稿》本传。

范泰恒卒，年六十九。据朱彭寿《清代人物大事纪年》。《国朝文汇》乙集卷一五录其《重修王文成公祠记》等文六篇。

张宗橚卒。宗橚字咏川，号思岩、藕村，浙江海盐人。监生。据朱彭寿《清代人物大事纪年》。所著《词林纪事》二十二卷附录三卷乾隆四十四年刊行。据《贩书偶记》卷二〇。

邓汝功卒。汝功字谦持，聊城人。乾隆四十年进士。传胪后即病归，未及释褐而卒。据四库提要卷一八五。

过春山约此际卒。严迪昌《清词史》第三编第一章谓其生卒年约在1722年至1775年间。《国朝诗别裁集》卷三〇："过春山字湘云，江南长洲人。诸生。"录其《过吴竹屿园居》、《题石湖烟雨图》诗二首。王昶《蒲褐山房诗话》："湘云家居市井，性爱丘樊。独与沙斗初、吴企晋、朱适庭、张昆南诸君为友。""诗宗刘眘虚、王龙标及王、孟、韦、柳、钱、郎，澄鲜幽逸，妙悟天然，自出清襟，不由袭取，玉楼早赋，赏识者希。"（《湖海诗传》卷一二）冯金伯《词苑萃编》卷八《过湘云词》引吴竹屿云："过湘云徜徉山水，啸咏风月，所作诗词如雪藕冰桃，沁人醉梦。"陈廷焯《白雨斋词话》卷四："过春山《湘云遗稿》二卷，徜徉山水，绵邈无际，其笔意之骚雅，别于位存，近于樊榭。吴竹屿称其词如'雪藕冰桃，沁人醉梦'。百余年来，此调不复见矣。""湘云词每读一过，余音袅袅，不绝如缕。读之既久，其味弥长。同时朱春桥、吴苟叔、朱秋潭、江圣言、汪对琴诸君，皆以词名东南，然无出湘云右者。"《词坛丛话·

湘云词绵缈》："湘云词，徜徉山水，绵缈无际。其笔致之妙，别于位存，亚于竹垞。
百余年来，此调不复见矣。"又《东南词家》："湘云词，每读一过，余音袅袅，不绝如
缕。读之既久，其味弥长。同时春桥、荀叔、秋潭、圣言、对琴诸家，皆以词名东南，
然无出湘云右者。"《蒋吴词在湘云下》："心余以魄力争雄，竹屿以风流制胜，皆同时
之铮铮者。然皆在湘云下。"

公元 1776 年（乾隆四十一年　丙申）

二月

初七日，昭梿（1776—1830）生。 昭梿自号汲修主人，又号檀樽主人。嘉庆七年
授散秩大臣，十年袭礼亲王爵。二十年因事夺爵，圈禁。明年获释。道光二年任宗人
府候补主事。九年十二月二十日卒，年五十四。著有《啸亭杂录》十卷《续录》五卷。
事迹见《爱新觉罗宗谱》乙册（《啸亭杂录》附录）。

汪中《知新记》成书。 汪喜孙《容甫先生年谱》："《知新记》卷首题云乾隆柔兆
涒滩二月。按是卷于《尚书》、《毛诗》、《三礼》、《左氏春秋》、《逸周书》及《管
子》、《墨子》、《列子》、《荀子》、《韩非子》、《吕氏春秋》、《史记》、《汉书》多所发
明。"

三月

初二日，王昶随军自噶喇依班师。 至是在军营前后凡九年。四月二十八日抵京师。
沿途经成都、西安等地，吴省钦、顾光旭、杨潮观、彭端淑、王文治、严长明等置酒
款待。据严荣《述庵先生年谱》。

十四日，胡承珙（1776—1832）生。 承珙字景孟，号墨庄，安徽泾县人。嘉庆十
年进士，选翰林院庶吉士，散馆授编修。官至台湾兵备道。著有《毛诗后笺》三十卷、
《仪礼古今文疏义》十七卷、《小尔雅义证》十三卷、《求是堂诗文集》三十四卷。事
迹见胡培翚《福建台湾道胡君别传》（《续碑传集》卷七二）、《清史列传》本传、《清
史稿》本传。

春

高宗以平定两金川奏凯，巡幸山左，回銮经津门，召试各省士子。 李宪乔赐举人，
秦瀛、洪榜以内阁中书用，黄景仁授武英殿书签官，海宁周嘉猷、王丕烈、吴蔚光等
皆列二等。据《皇朝文献通考》卷五二、毛庆善、季锡畴《黄仲则先生年谱》、江藩
《国朝汉学师承记》卷六、法式善《例授奉直大夫礼部主事吴君墓表》。

戴震有《答段若膺论韵》。 见《戴震集》上编《文集》卷四。

四月

初十日，姚元之（1776—1852）生。 元之字伯昂，号荐青，安徽桐城人。嘉庆十

年进士，选庶吉士，授编修。官至左都御史。著有《竹叶亭杂诗稿》、《薦青集》。事迹见吴昆田《姚伯昂师》（《碑传集补》卷四）、《清史列传》本传、《清史稿》本传。[生日据朱彭寿《清代人物大事纪年》。]

张九钺以海阳盗案镌级。据张家栻《陶园年谱》。

洪亮吉以林光照罢任，自句容归里。据吕培等《洪北江先生年谱》。

五月

十二日，冯敏昌以考取国子监学正引见，候用。据冯士镳《先君子太史公年谱》。

王昶授鸿胪寺卿，在军机处行走，充《金川方略》总修官。据严荣《述庵先生年谱》。

七月

十二日，韩锡胙卒，年六十一。据刘耀东《韩湘岩先生年谱》卷上。宗稷辰《滑疑集序》："郁离子后，青田有第二异人焉，曰湘岩子。湘岩子于书无所不读，于道德术艺皆大通，而成其一家之文曰《滑疑集》，盖自寓其明于是是非非之间而不肯示人，则姑托乎事物之杂然相挠、纷然相感者，若言之一无所准而其鉴藏焉。因其名而察其辞，则固皎然于古今之是非得失，而恢诡谲怪，曲尽万变，使读之者色骇心动而莫穷其所由然。异哉！此子家之雄也。郁离若存，当必有契合无间者矣。"署"时咸丰四年甲寅七月，越岷山人宗稷辰书于越中四贤讲堂"。光绪元年《青田县志》本传："工书画，论者谓可肩随赵吴兴。诗古文尤俊拔绝俗，著有《滑疑集》十八卷行世。"（《年谱》卷下）《国朝文汇》乙集卷一五录其《金匮天后宫碑》等文四篇。《晚晴簃诗汇》卷七九录其诗二首。

严譄私拟奏折请立正宫案发，八月止。据《清代文字狱档》。

王昶擢通政使司副使。据严荣《述庵先生年谱》。

顾光旭告病归。据王昶《甘肃凉庄道署四川按察使司顾君墓志铭》（《春融堂集》卷五四）。

洪亮吉往绍兴谒浙江学使王杰。王杰一见如故，偕往试台州、处州二府。中途历天台、雁荡诸胜，皆有诗纪事。据吕培等《洪北江先生年谱》。

八月

二十日，严学淦（1776—？）生。学淦字丽生，号砚山，江苏丹徒人。嘉庆九年举人。官湖南溆浦知县。著有《金粟香龛词钞》二卷。事迹见朱彭寿《清代人物大事纪年》。

九月

初六日，林澍蕃卒，年二十八。据朱筠《编修林君墓志铭》（《笥河文集》卷一二）。孔广森为作诔，见《仪郑堂文》卷二。林昌彝《射鹰楼诗话》卷一五："侯官林于宣太史澍蕃著有《南陔诗集》。太史诗芊绵荡逸，根柢于六朝、三唐，而自以灵气驭之。"录其《九日登乌石山》、《登镇海楼》等诗。《晚晴簃诗汇》卷九四录其诗十二首。《国朝文汇》乙集卷三九录其《名论》等文四篇。

十一日，彭端淑再编诗集。自序云："余曩有晚年捡存诗二卷，为坊间所刻以行。今年秋闲居无事，手录李、杜二公诗毕，兴至作诗数十章。其中或有可采者，不忍自弃，并取旧作，捡存若干，汇为一集。盖三十年苦心在是，留示儿辈，不敢望赏音于当世也。"署"乾隆四十一年重阳后二日，乐斋氏书于锦城南之白鹤堂，时年八十也。"（《彭端淑诗文注·晚年诗续刻》卷首）[按，端淑时年七十八，非八十。]

十二日，刘逢禄（1776—1829）生。逢禄字申受，号申甫，江苏武进人。年十八，补弟子员。年二十五，选拔贡生。年三十三，举顺天乡试。嘉庆十九年成进士，选翰林院庶吉士，散馆改礼部主事。道光四年，补仪制司主事。著有《尚书今古文集解》三十卷等。事迹见李兆洛《礼部刘君传》、戴望《故礼部仪制司主事刘先生行状》（《续碑传集》卷七二）、《清史列传》本传、《清史稿》本传。

秋

姚鼐至扬州主梅花书院，时年四十六岁。据郑福照《姚惜抱先生年谱》。在扬州期间，与谢启昆、朱孝纯多有唱酬。《惜抱轩文集》卷四《谢蕴山诗集序》："丙申、丁酉之岁，辽东朱子颖转运淮南，邀鼐主梅花书院。适先生来守扬州，其时相从最久。游盖接影于山水之区，三人屡以酬咏相属。先生才丰气盛，锐挺焱兴，不可阻遏。非特如鼐辈者望而自却，虽才雄如子颖，亦未尝不以为可畏也。然先生殊不以所能自足。"

章学诚访梁梦善于蠡县，访周震荣于曲阳。时震荣以清苑县丞署曲阳县事，始与实斋定交。据胡适《章实斋年谱》。

十月

二十三日，王采薇卒，年二十四。据孙星衍《诰赠夫人亡妻王氏事状》（《长离阁集》卷首）。《事状》云："为诗词多凄楚音。有词云：'归梦到江南，绿遍天涯，不认门前柳。'又为诗云：'五更霜月欺灯影，一树风雅续雁声。'余惊以为不祥，乃起对落英叹曰：'人常惜花早谢，红颜出世不胜哀颣耶？'"袁枚《孙薇隐妻王孺人墓志铭》："予读其乐府诸篇，哀感顽艳，丁当清逸。"（《长离阁集》卷首）《随园诗话》卷五："其《舟过丹徒》云：'幽行已百里，村落半柴扉。只鸟时依树，孤萤不上衣。月高人影小，潮定橹声稀。沿水星星火，归惊宿鹭飞。'其他佳句如'户低交叶暗，径小受花深'，'研墨污罗袖，看鱼落翠钿'，'虫依香影垂帘网，蛾怯晨光堕帐纱'，'一院露光团作雨，四山花影下如潮'，皆妙绝也。"法式善《梧门诗话》卷一五："著《长离阁诗集》，幽香冷艳，合长吉、飞卿为一手，真闺阁奇才也。"洪亮吉《北江诗话》卷一："孙恭人王采薇诗，如断绿零红，凄艳欲绝。"林昌彝《射鹰楼诗话》卷二〇："《长离阁诗稿》，武进王玉瑛安人采薇著。安人为孙季述观察星衍妻，才慧早世，其诗哀感顽艳，丁当清逸，闺秀中所罕觏也。"录其《昆灵曲》、《秋夜答季述》等诗。《晚晴簃诗汇》卷一八五录其诗十首。

严长明客长安将归，毕沅示以尹继善诗，嘱其至金陵与袁枚商榷编定。后严、袁二人为编诗集十卷。据严长明《尹文端公诗集序》(《国朝文汇》乙集卷三四)。

十一月

初一日，**李祖陶**（1776—1858）生。祖陶字钦之，号迈堂，上高人。嘉庆十三年举人。平生足迹半天下。晚筑尚友楼，藏书数万卷，潜心学问，究心时政，兼治兵法。著有《史论五种》十一卷、《迈堂文略》四卷，辑有《国朝文录》八十二卷《续录》九十二卷。事迹见《清史列传》王赠芳传附。［生卒时间据朱彭寿《清代人物大事纪年》。］

十二月

诏国史馆编列《贰臣传》。据蔡冠洛《清代七百名人传》附录《清代大事年表》。

沈德潜选辑《国朝诗别裁集》案发，乾隆四十四年五月止。据《清代文字狱档》。

李调元《粤东皇华集》四卷刊行。程晋芳序云："《粤东皇华集》四卷，雨村李五丈作也。雨村以甲午之夏奉命为广东副典试，往还六阅月，凡所经历，悉记以为诗。删汰改易，又二年而刊成，属余为之序。"(《粤东皇华集》卷首)

观保卒。据朱彭寿《清代人物大事纪年》。观保字伯容，号补亭，满洲旗人。乾隆二年进士。官至礼部尚书，罢再起授左都御史。谥文恭。法式善《八旗诗话》一五一："作诗清和朗润，如其为人，真挚处神似柴桑。笔之所至，即其意之所寄，故能于唐宋诸名家空所依傍。"《晚晴簃诗汇》卷七四录其诗四首。

冬

翁方纲充文渊阁校理官。据张维屏《翁覃溪先生年谱稿》(《碑传集三编》卷三六)。

席佩兰归孙原湘，原湘始学为诗。据《天真阁集》卷首孙原湘自识。

蒋士铨作《第二碑》（一名《后一片石》）杂剧。自序云："娄妃墓在新建、上饶两仓间，埋没贫家灶侧有年矣。乾隆辛未春，予访得之，告青原方伯。时移藩滇南，且戒装，不得廓清茔域，仅立碑表识而去，历今二十六载。予每寓书有司，乞择官地一区，徙此破屋以妥妃灵，无有应者。乙未冬，汉阳阮见亭茂才过访，执手如平生。叩以故，则于传抄中，心折予所撰《一片石》旧词，盖十余稔，每以不及订交为憾。予乃倾倒见亭者不能已。见亭时往虔南省舅氏太守矞堂吴公，匆遽特甚。明年，上特擢太守江西盐道，即权方伯篆，见亭从焉。予心怦然动，遂举妃墓事属告方伯，亦姑妄语之云耳。明日，闻方伯偕令尹伍君往视，即赏墓户迁屋之资，又给金，属令尹修茸如式，伍君亦捐俸购墓门外民居，俾圻去。于是兆域夷旷，马鬣隆起，新坊翼然以崇。呜呼，妃之幽宅至兹而奠基，不亦快乎！或谓事之废兴良由期会，予独叹美方伯乐善之宏而行义之勇也。世无墓大夫，柳下之禁缺焉弗讲，官之汲汲者奚恤于斯？方伯闻一善言，沛然若决江河，则于官守民生，担荷维持之意，实可概见。富郑公、韩魏公、范忠宣辈，每莅官司必以掩骼埋胔为务，方伯有焉。予自衔恤后捐弃笔研，阅月二十矣，今以夙愿得申，始一破涕，乃援祥琴礼例，作《后一片石》，藉记其媺，比事属词，弗依丝竹，见亭或不以为非礼欤！爰撮颠末以为序。藏园居士蒋士铨书。"又，王均序署"丙申涂月上浣，上谷王均矩平氏书于古江州之庾楼"，阮龙光序署"汉阳阮龙光拜题于洪都官署西斋"。（《藏园九种曲》）

本年

又禁旗人出入戏园。《北京梨园掌故长编·晓谕戏馆》："四十一年议准：嗣后如有旗员赴园看戏，一经发觉，除将本人治罪外，并即查明：如系各部院衙门司员、笔贴式等官及各营官弁，即将该管之各堂官附参，交部议处，其本旗都统等毋庸交议；如系参佐领等官及闲散世职，即将该管之都统、副都统附参，交部议处；若系骁骑校以下人员，并将该管参佐领一并议处。"（《清代燕都梨园史料》）

纪昀擢侍读学士，充文渊阁直阁事、日讲起居注官。据朱珪《经筵讲官太子少保协办大学士礼部尚书管国子监事谥文达纪公墓志铭》（《知足斋文集》卷五）。

李中简抱病罢官。据其《南塍草堂记》（《国朝文汇》乙集卷一八）。

法式善补廪膳生，时年二十四岁。据阮元《梧门先生年谱》。

钱泳自本年至乾隆五十二年皆馆于苏城。据胡源、褚逢春《梅溪先生年谱》。

杨芳灿馆嘉善钱金殿家。钱楷为金殿族孙，与芳灿时相过从。据杨芳灿自订、余一鳌补订《杨蓉裳先生年谱》。

黎简授徒于广州之西郭。始与张锦芳、吕坚、黄丹书等交。黄丹书《明经二樵黎君行状》："丙申，授徒于广州之西郭。时张药房以诗名里中，得君，以为劲敌。一时诗人皆喜与之游。番禺吕石骊兀岸自异，少所许可，见君诗，辄叹服。予来郡城，遇药房版门书屋，药房指壁上诗谓予曰：'此吾邑异才，君识之乎？'因携诣君，遂与定交。"又，时李文藻为潮阳令，见黎简诗，极称赏。（《碑传集三编》卷三七）

[按，吕坚字介卿，号石骊，番禺人。岁贡生。穷老不遇。事迹见《国朝诗人征略》初编卷四六、《清史列传》黎简传附、《清史稿》黎简传附。《贩书偶记》卷一五："《迟删集》八卷附文一卷，番禺吕坚撰。乾隆间滋树堂刊。又初次印本六卷附文一卷。"]

吴锡麒游扬州，始得交金兆燕。据《椿亭古文钞》卷首吴锡麒序。

汪中在江宁府某幕府。受知于谢墉，始食廪饩。据汪喜孙《容甫先生年谱》。

张惠言始治举业，间从钱伯坰学书、诗。张惠言《送钱鲁斯序》："鲁斯长余二十四岁，以尝从先君子受经，故余幼而兄事之。鲁斯以工作书为诗名天下，交友遍海内。余年十六七岁时方治科举业，间以其暇学鲁斯为书，书不工；又学鲁斯为诗，诗又不高黄景仁在京师。王昶《黄仲则墓志铭》："都中士大夫如翁学士方纲、纪学士昀、温舍人汝适、潘舍人有为、李主事威、冯庶常敏昌，皆奇仲则。仲则亦愿与定交，比贵人招之，拒不往也，余因以益奇仲则云。"

王昶自教子胡同移寓烂面胡同。京洛名流如陆锡熊、金榜、周永年、戴震、任大椿、洪朴、洪榜、张埙、吴省兰、吴蔚光、吴兰庭及门人张彤、黄景仁、胡量执经谭艺，文酒之盛如初。据严荣《述庵先生年谱》。

翁方纲、程晋芳、张埙、黄景仁、冯敏昌、潘有为、温汝适等数集钱载第观所藏尺牍。据《复初斋集外诗》卷一〇《观择石所藏明人尺牍》、《明日又与诸君同观叠韵》、《再集诗境轩观择石斋续藏尺牍，瘦铜亦携陆清献札同观联句》。

俞蛟援例入都。据俞蛟《梦厂杂著》孙鉴序。

卢文弨序朱彝尊《静志居诗话》。署"乾隆四十一年嘉平月四日，东里后生卢文弨序"。见《抱经堂文集》卷六。

戴震作《孟子字义疏证序》。见《戴震集》上编《文集》卷八。又，《绪言》、《孟子私淑录》为《孟子字义疏证》之初稿和修正稿。见《戴震集》下编。

程枚始作《一斛珠》传奇。凌廷堪《一斛珠传奇序》："余友程君时斋取曹邺《梅妃传》谱作传奇，杂取少陵事附之，名曰《一斛珠》。岁在丙申，始属草焉。时余在海上，时时过，相商定。未二年，各以事他去。中间南船北马，或离或合，然晤时必问是书。"（《校礼堂文集》卷二八）

永恩《五虎记》传奇有本年程荫栋所作引。据《古本戏曲剧目提要》。永恩著有《漪园四种曲》传奇和《度蓝关》杂剧。庄一拂《古典戏曲存目汇考》卷一二：《漪园四种曲》，"此戏未见著录。乾隆家刊本。四种为《五虎记》、《四友记》、《三世记》、《双兔记》。"卷八：《度蓝关》，"此戏未见著录。《漪园四种曲》乾隆家刊本。刊本附《度蓝关》杂剧。北京图书馆有藏本。"

张廷枚编《国朝姚江诗存》十二卷刊行。法式善《陶庐杂录》卷三："《国朝姚江诗存》十二卷，张廷枚辑。黄宗羲编《姚江逸诗》十五卷，倪继宗刻《逸诗外》七十余家，此殆沿其例而续之者也。一卷至十一卷黄宗羲以下一百五十五家，十二卷闺秀、方外十家，皆余姚人之作。刻于乾隆四十一年，邵晋涵、陶廷珍序之。邵序论余姚诗甚详，陶序论余姚诗极核，皆精妙之篇。"

陆燿编《切问斋文钞》三十卷刊行。法式善《陶庐杂录》卷三："《切问斋文钞》三十卷，吴江陆燿辑。分十二门。学术三卷，风俗五卷，教家二卷，服官一卷，选举三卷，财赋四卷，荒政二卷，保甲一卷，兵制一卷，刑法一卷，时宪一卷，河防六卷。其例云：皆取其质言而有文者，一切论史论文以及诗词字画，并从舍旃。前有冯浩序，刻于乾隆四十一年。"［按，《贩书偶记》卷一九著录是书去年刊行。］

顾光旭《响泉集》二十八卷刊行。据《贩书偶记》卷一五。

宋翔凤（1776—1860）生。翔凤字于庭，江苏长洲人。嘉庆五年举人。历官泰州学正、旌德训导、湖南宝庆府同知。翔凤为庄述祖之甥，述祖有"刘甥可师、宋甥可友"之语，刘谓逢禄，宋谓翔凤也。著有《忆山堂诗录》八卷、《朴学斋文录》四卷、

《过庭录》十六卷、《乐府余论》一卷、《香草词》二卷、《碧云庵词》二卷。事迹见民国《吴县志·宋翔凤事略》(《广清碑传集》卷一〇)、《清史列传》刘逢禄传附、《清史稿》刘逢禄传附、张慧剑《明清江苏文人年表》。

朱凤森(1776—1831)生。凤森字韫山,广西临桂人。嘉庆三年举人,六年成进士。官河南濬县知县。著有《韫山六种曲》,为《才人福》、《十二钗》、《平锒记》、《守濬记》、《金石缘》、《辋川图》。事迹见邓显鹤《河南浚县知县朱君墓志铭》(《续碑传集》卷四一)。

潘谘(1776—1853)生。谘字诲叔,号少白,江苏会稽人。布衣。与姚学塽相友善。晚年目盲,避乱卒于句容。著有《潘少白集》古文八卷、诗五卷、常语二卷。事迹见汤纪尚《潘布衣传》(《续碑传集》卷七一)、宗稷辰《姚潘两先生合传》(《躬耻斋文钞》卷九)、《清史列传》姚学塽传附、《清史稿》姚学塽传附。[生卒年据朱彭寿《清代人物大事纪年》。]

王衍梅(1776—1830)生。衍梅字律芳,号笠舫,江苏会稽人。嘉庆十二年举人,十六年进士。官广西宣武知县,未履任,以里误去官。受知于阮元,时元制两粤,遂以书记遍游粤东西。所为诗文皆不自收拾,卒后同年汪孟棠为梓《绿雪堂遗集》诗十六卷文四卷。事迹见沈元泰《王衍梅传》(《碑传集补》卷四八)、《清史列传》黄安涛传附。[生卒年据朱彭寿《清代人物大事纪年》。]

高文照卒,年三十九。据《疑年录汇编》卷一二。袁枚《随园诗话》卷一三:"(文照)年未二十,诗已千首。目空一世,于前辈中所心折者,随园与心余而已。举甲午乡试,后卒于京师。"录其《过衢州》、《寿山庵》、《赠方子云》、《送人》、《过阮怀宁故宅》等诗句。法式善《梧门诗话》卷一三:"近日浙西词坛以高东井为雄长,诗名与江左黄仲则埒。二君高才早逝,世颇惜之。"洪亮吉《北江诗话》卷一:"高孝廉文照诗,如碎裁古锦,花样尚存。"林昌彝《射鹰楼诗话》卷二二:"武康高东井孝廉文照,著有《阒清山房诗稿》。《吴会英才集》谓孝廉'纵情山水,倜傥不羁,与大兴朱笥河学士登临啸咏,几无虚日'。孝廉诗如明月上楼,檐花欲坠。其《侧抢篇》七古,足以雄视古今。七言绝句,情韵独绝。其《广济寺》七律可谓中晚名作。"《晚晴簃诗汇》卷九六录其诗六首。

公元 1777 年(乾隆四十二年 丁酉)

正月

十一日,翁方纲、朱珪、顾宗泰等小集。据《复初斋集外诗》卷一一《正月十一日,石君学士、星桥舍人、忍斋进士、雪门侍讲集小斋茶话,舍人即席有诗,次韵奉酬》。

十四日,戴震作书与段玉裁。书曰:"古人曰理解者,即寻其腠理而析之也。曰天理者,如庄周言'依乎天理',即所谓'彼节者有间'也。古贤人、圣人,以体民之情,遂民之欲为得理,今人之以己之意见不出于私为理,是以意见杀人,咸自信为理矣。此犹舍字义、制度、名物,去语言、训诂,而欲得圣人之道于遗经也。"(段玉裁《戴

东原先生年谱》)

屠绅自滇运铜至京，作《铜人咏》。 临行，与徐书受、钱致纯、王复、胡梅诸人话别并联句。据沈燮元《屠绅年谱》。

戴震序段玉裁《六书音韵表》。 序见《戴震集》上编《文集》卷一〇。

二月

二十日，黄安涛（1777—1848）生。 安涛字凝舆，号霁青，浙江嘉善人。嘉庆十二年举人。十四年成进士，改庶吉士，散馆授编修。历官江西广信知府、广东高州知府、潮州知府。晚主鸳湖、安澜书院。著有《诗娱室诗》二十四卷、《息耕草堂诗》十八卷、《真有益斋文编》十卷、《慰托集》十六卷。事迹见沈曰富《朝议大夫广东潮州府知府嘉善黄君墓志铭》（《碑传集补》卷二三）、《国史馆传稿》本传（《碑传集三编》卷三七）、《清史列传》本传。

蒋士铨序赵翼《瓯北集》。 署"乾隆四十二年丁酉二月，同年弟铅山蒋士铨拜撰"。序云："吾友赵瓯北观察自黔中解官归，闲居奉母，以其暇哀辑平生所为诗约二千首。将付梓，邮寄示余，属为其序。""余与君相识在甲戌会试风檐中，已而同官中书，先后入词馆。九衢人海，车马喧闹，吾两人时复破屋一灯，残更相对，都无通塞升沉之想。今握别十余年，而大集之序不以他属，而以属余，盖以酸咸之嗜，两人有同味焉。"（《瓯北诗钞》卷首）

三月

王昶擢大理寺卿。 据严荣《述庵先生年谱》。

李海观在新安，编定《绿园诗钞》四卷。 自序云："诗以道性情，裨名教，凡无当于三百之旨者，费辞也。余生平最喜孟郊'临行密密缝，意恐迟迟归'，王建'三日下厨房，洗手作羹汤'，朴而弥文，读之使人孝悌之心，油然于唇吻喉臆间。斯即陟岵瞻父、凯私宁母之遗音也。彝伦之化视此矣。汉魏六朝以及唐宋元明诗人林立，而晋义熙之陶渊明、唐宝应之杜少陵、宋乾道之陆剑南，凡知诗者，莫不矢口先之，果奚以故哉？彭泽以祖侃宰辅晋室，耻为宋民；子美麻鞋见天子；放翁谕子以宋室恢复无忘告祭君父之谊，拳拳肝膈：惟其于伦常上立得足，方能于文藻间张得口，所以感人易入，不知其然而然也。不然者，使屈灵均而非有忠君爱国之心，缠绵笃挚于不可已，则美人香草，亦不过如后世之剪云镂霞，媲青妃白而已，乌所睹与日月争光者哉？""乾隆四十二年三月既望，七十一岁老绿园书于北冶之陶穴瓮牖下。"（栾星《李绿园诗文辑佚》卷三）

张九钺游南雄杨历岩。 据其《游杨历岩记》（《国朝文汇》乙集卷三三）。

春

贾田祖留汪中、李惇、王念孙草堂聚饮。 翌日，送汪中北行。据汪喜孙《容甫先生年谱》。

因周震荣之介，章学诚主定州武定书院。据胡适《章实斋年谱》。

四月

二十日，戴震作书与段玉裁。曰："仆生平著述，最大者为《孟子字义疏证》一书，此正人心之要。今人无论正邪，尽以意见误名之曰理，而祸斯民，故《疏证》不得不作。"（段玉裁《戴东原先生年谱》）

戴震作《答彭进士允初书》。见《戴震集》上编《文集》卷八。段玉裁《戴东原先生年谱》："丁酉四月，有《答彭进士（绍升）书》。（洪舍人榜作先生《行状》云：'此先生没前一月手书也。'）彭君好释氏之学，长斋佛前，仅未削发耳。而好谈孔、孟、程、朱，以孔、孟、程、朱疏证释氏之言，其见于著述也，谓孔、孟与佛无二道，谓程、朱与陆、王、释氏无异致。同时有罗孝廉有高、汪明经缙倡和其说。先生以所作《原善》、《孟子字义疏证》示之，彭君有书与先生（刻其文集内）。先生答此书，以《六经》、孔、孟之旨，还之《六经》、孔、孟，以程、朱之旨还之程、朱，以陆、王、佛氏之旨还之陆、王、佛氏。俾陆、王不得冒程、朱，释氏不得冒孔、孟，其书几五千言。有此而《原善》、《孟子字义疏证》之说愈明矣。孔户部附刻《疏证》之后，洪舍人蕊登全录于《行状》中。"

五月

上旬，戴震成《声类表》。凡九卷，此为其著述之绝笔。据段玉裁《戴东原先生年谱》。

二十日，邱仰文卒，年八十二。据陆燿《保安县知县邱君仰文墓志铭》（《碑传集》卷一〇五）。《国朝文汇》乙集卷一录其《孟尝君论》等文四篇。

二十七日，戴震卒，年五十五。据段玉裁《戴东原先生年谱》。《戴东原集》十二卷、《札记》一、《年谱》一卷（段玉裁撰）乾隆五十七年经韵楼刊行。据《贩书偶记》卷一五。章学诚《书朱陆篇后》："凡戴君所学，深通训诂，究于名物制度而得其所以然，将以明道也。时人方贵博雅考订，见其训诂名物有合时好，以为戴之绝诣在此。及戴著《论性》、《原善》诸篇，于天人理气实有发先人所未发，时人则谓空说义理，可以无作。是固不知戴学者矣。"（胡适《章实斋年谱》）《国朝文录·存吾文集录》卷二《戴东原事略》李祖陶评语："自乾隆间东原戴氏出，一时学者皆以为宗，几于周、孔复生，许、郑再见。其倡言排之者，吾乡则纪慎斋大奎，浙江则许周生宗彦。"李慈铭《越缦堂读书记·戴东原集》："戴氏音韵考据之学固为卓绝，而不肯以此自居，谓穷极性命之理，其最切要在《孟子字义疏证》一书。又谓文最忌整，故所作务为拙古，以自比于周、汉之儒。然义理固由考证而出，戴氏之学，训诂、名物、地理三者为最。其言阴阳、性命，则去董江都等尚隔数层。所作《原善》三篇，缀集经子之言，而又欲自明所得，支离漫衍，按之皆糟粕耳。其中略无真际，而徒貌为高古，以自附于垂世立教。其《法象篇》、《书孟子言性后》等作皆是类也。""戴氏于学，实

619

有所得，而必高自位置以自欺而欺人，亦所谓好为其拙也。至文章之学，非有夙分而专精其业，亦不能工。戴氏讥司马子长、班孟坚皆艺而非道，而其所自为，仅仅通文句耳。艺固不工，道亦未至。若谓文必去整，尤是瞽言。经生之文自有注疏家法，不计工拙可也，乃必自居于本末兼赅，而既欲明自汉以来未闻之道，又欲扫尽自汉以来一切之文，则志大而近于妄矣。""段氏年辈与戴相若，而先戴举于乡，入都后始相见，时戴尚为诸生，段之学亦已卓然成就，而委挚师事，终身北面。戴殁后，宝其遗书，事必尽力，服习师说，没齿不衰，犹有汉儒之风，可谓真师弟也。并时若姚姬传、程鱼门亦尝称弟子于戴，而身后辄有违言，鱼门至肆詈其无子，以为攻宋儒之报。盖二人实曹于学，当日亦未深知戴之得失，徒以名盛而推附之，故致其师称而卒亦不果，（戴氏有《辞姬传称师书》，见《文集》）以视段氏之分量，相去固甚远矣。""东原之文醇质简古，不肯为一偶句。其意欲追周、秦而上之，而于西汉董江都、东汉郑司农为近。其《答彭允初书》辩程朱陆王之学甚详，与所著《原善》三篇及《读易系辞》、《论性》、《读孟子论性》、《孟子字义疏证序》诸篇互相证明，发挥性命理欲之旨极为透彻，然亦太辞费矣。余以为此等皆汪容甫所谓宋以后愚诬之学，实不足辩者也。其《与是仲明论学书》，谓诵《尧典》数行，不知恒星七政所以运行，则掩卷不能卒业；诵《周南》自《关雎》而往，不知古音，则龃龉失读；诵《礼经》先《士冠礼》，不知古者宫室衣服等制，则迷于其方，莫辨其用；不知古今地名沿革，则《禹贡》职方失其处所；不知少广旁要，则《考工》之器不能因文而推其制；此则令人读之，隆冬沍寒，汗流浃背，学者所当人书一通，置座右者矣。"《越缦堂读书记·戴氏遗书》："阅翁批《戴氏遗书》，惟《文集》及《毛郑诗考证》、《诗经补注》两种，所批皆大字涂乙，尽言痛诋，其中未尝记姓名及图章，而观其所言与其字迹，真覃溪也。""今观此书所评，或诋其文理不通，或诋其好造异说。盖东原文辞简质，多非覃溪习于文从字顺者所能解。""惟评其论性诸篇，谓立意在驳朱子性即理也，常闻其口说缕缕矣，其实无所见；又云不过不甘以考订自居，欲显其进窥圣道耳，到底一字讲不出；又云此等文字颇与惠定宇《易述》后幅亦性相似，实皆与经义无涉：则东原此等文固不免支离。盖戴氏师江氏，而江氏之学由性理以通训诂，戴氏之学则由训诂以究性理。江氏语言颇有迂冗之病，戴氏亦觉稍晦，不若后来凌氏、阮氏言性言仁之洞彻本原。而惠氏笔舌亦绌，其所发挥，往往枝语，不如王、钱诸公。至覃溪讥其如杂剧内装出一带眼镜之塾师妆作儒者模样，则覃溪之自为写照矣。"《清史稿》本传："震卒后，其小学，则高邮王念孙、金坛段玉裁传之；测算之学，曲阜孔广森传之；典章制度之学，则兴化任大椿传之：皆其弟子也。"《国朝文汇》乙集卷四二录其《与方希原书》等文九篇。

　　章学诚赴永清，应周震荣之邀，主修《永清县志》。据胡适《章实斋年谱》。

　　姚鼐作《刘海峰先生八十寿序》。见《惜抱轩文集》卷八。

　　贾田祖卒，年六十四。据汪中《大清故高邮州学生贾君之铭》（《碑传集补》卷三九）。《铭》云："君好学，多所涉猎。喜《左氏春秋》，未尝去手，旁行斜上，朱墨烂然。善为诗，所凡作三千余篇，发言深挚，哀乐过人。性明达，于释老、神怪、阴阳、拘忌及宋诸儒道学无所惑。"《稻孙诗集》四卷乾隆四十九年刊行，《容瓠轩诗钞》四卷乾隆间刊行。据《贩书偶记》卷一五。《晚晴簃诗汇》卷九七录其诗八首。

六月

初九日，吕璜（1777—1839）**生。**璜字礼北，号月沧，永福人。嘉庆十六年进士。以知县分发浙江，历庆元、奉化、镇海、山阴、钱塘诸县，擢西塘同知。革职后主榕湖、秀峰书院讲席。著有《吕月沧集》八卷。事迹见梁章钜《皇清诰授奉政大夫浙江西塘海防同知除名月沧吕先生墓志铭》、吴德旋《月沧吕君墓表》、吕璜自订《年谱》（《月沧文集》卷首）、《清史列传》吴德旋传附。

七月

十七日，周仪暐（1777—1846）**生。**仪暐字伯恬，江苏阳湖人。"毗陵后七子"之一。嘉庆九年举人。历官安徽宣城训导、陕西山阳、凤翔知县。著有《夫椒山馆集》。事迹见梅曾亮《周伯恬家传》（《柏枧山房文集》卷九）、《清史列传》董祐诚传附、《清史稿》董祐诚传附。［生日据朱彭寿《清代人物大事纪年》。］

孙星衍至金陵，以妻王采薇行状并遗诗乞袁枚作墓志。后又至泰州谒林光照刺史，归途滞留维扬，与汪中、汪端光、汪文锦、方本、方又辉、余鹏年、金兰诸名士为诗会。十二月返句容。据张绍南《孙渊如先生年谱》卷上。

八月

都中士人宴集于陶然亭。与会者五十余人，而应试者居大半。据孔广森《仪郑堂文》卷二《丁酉八月陶然亭宴集序》。

李海观《歧路灯》成书，前后历时三十年。书成，以写本流传。其自序云："余尝谓唐人小说，元人院本，为后世风俗大蛊。偶阅阙里孔云亭《桃花扇》，丰润董恒岩《芝龛记》，以及近今周韵亭之《悯烈记》，喟然曰：吾故谓填词家当有是也。藉科诨排场间，写出忠孝节烈，而善者自卓千古，丑者难保一身，使人读之为轩然笑，为潸然泪，即樵夫牧子厨妇爨婢，皆感动于不容已。以视王实甫《西厢》、阮圆海《燕子笺》等出，皆桑濮也，讵可暂注目哉！因仿此意为撰《歧路灯》一册，田父所乐观，闺阁所愿闻。子朱子曰：善者可以发人之善心，恶者可以惩创人之逸志。友人皆谓于纲常彝伦间，煞有发明。盖阅三十岁以迄于今而始成书。前半笔意绵密，中以舟车海内，辍笔者二十年。后半笔意不逮前茅，识者谅我桑榆可也。空中楼阁，毫无依傍，至于姓氏，或与海内贤达偶尔雷同，绝非影射。若谓有心含沙，自应坠入拔舌地狱。乾隆丁酉八月白露之节，碧圃老人题于东皋麓树之阴。"（栾星《李绿园诗文辑佚》卷三）耿兴宗《中州珠玉录续编》卷二："《歧路灯》一书，虽寓言，而描写人情，屈曲相尽。"杨淮《国朝中州诗钞》卷一四："书论谭姓之事，其父子兴败之由，历尽曲歧，凡世之所有，无所不包。且出以浅言絮语，口吻心情，各如其人。醒世之书也。稿流传归淮家，待梓。"（栾星《歧路灯研究资料》）蒋瑞藻《小说考证》卷八引《缺名笔记》:"吾乡前辈李绿园先生所撰《歧路灯》一百二十回,虽纯从《红楼梦》脱胎,然描写人情,千态毕露,亦绝世奇文也。惜其后代零落,同时亲旧又无轻财好义之人为之刊行,遂使有益世道之大文章,仅留三五部钞本于穷乡僻壤间,此亦一大憾事也。"是书今存钞本均为残本。刊本有1924年洛阳清义堂石印本一○五回、1927年北京朴社排印本前二十六回、中州书画社1980年排印本一○八回。

九月

十一日,姚椿(1777—1853)生。 椿字春木、子寿,号樗寮生,江苏娄县人,令仪子。以国子监生试京兆,日与洪亮吉、杨芳灿、张问陶辈文酒高会,才名大起。顾试辄不遇。既受学于姚鼐,退而读宋贤之书,摈弃夙习,一意求道。尝得朱泽沄遗著,遂私淑之。道光元年,举孝廉方正,不就。历主河南夷山、湖北荆南、本郡景贤书院讲席。所著汇刻为《通艺阁全集》,辑有《国朝文录》八十二卷。事迹见沈曰富《姚先生行状》(《续碑传集》卷七八)、《清史列传》本传、《清史稿》本传。[生日据朱彭寿《清代人物大事纪年》。]

秋

乡试。 是科各省考官有顺梁国治、刘埔、彭元瑞、祝德麟、戚蓼生、褚廷璋、金榜等。据法式善《清秘述闻》卷七。所取举人有黄定文(朱彭寿《清代人物大事纪年》)、宋大樽(《湖海诗传》卷三六)、万承风(陆继辂《荣禄大夫兵部左侍郎加一级万公神道碑铭(代吴少司农作)》)、庄述祖(李兆洛《珍艺先生传》)、吴蔚光(法式善《例授奉直大夫礼部主事吴君墓表》)、祖之望(陈寿祺《诰授光禄大夫刑部尚书祖公之望墓志铭》)、张诚(《湖海诗传》卷三六)、谢振定(秦瀛《礼部员外郎前监察御史谢君墓志铭》)、章学诚(胡适《章实斋年谱》)等。张问安(蔡坤编辑、蔡璐参校《张船山先生年谱》)、黄景仁(毛庆善、季锡畴《黄仲则先生年谱》)、杨芳灿(杨芳灿自订、余一鳌补订《杨蓉裳先生年谱》)报罢。赵怀玉应江宁乡试,以疾未入闱。其以疾阻试者至是已三次。据赵怀玉《收庵居士自叙年谱略》卷上。

杨芳灿应试前寓袁枚随园,与何士颙、方正澍、陈毅、黄钺、吴蔚光等结诗文社。 杨芳灿自订、余一鳌补订《杨蓉裳先生年谱》:"余住随园,以待秋试。时与南园、子云、古渔诸君结诗文社,随园师第其甲乙。秋试者接踵至,黄左田钺、吴竹桥蔚光俱入社。秋试被落。"

十月

二十九日,高宗命以哈密瓜赐四库馆臣, 纪昀、陆锡熊、陆费墀、翁方纲、朱筠、周永年、余集、程晋芳等一百五十四人联句。据纪昀《恩赐四库全书馆哈密瓜联句恭纪一百五十四韵谨序》(《纪晓岚文集》第一册卷八)。

洪朴以事承乏之楚,本月抵汉阳。 遇王少林于驿舍。次日即至其官舍,得游其所为东园。据洪朴《东园记》（《国朝文汇》乙集卷四○）。

胡高望序王槭《秋灯丛话》。署"乾隆四十二年冬十月，仁和胡高望题于武昌官舍之孙业斋"。（《秋灯丛话》卷首）是书十八卷，有乾隆四十三年原刊本、乾隆四十五年积翠山房刊本、嘉庆十七年刊巾箱本、道光八年补刊本。又，戴延年有《秋灯丛话》一卷，与此书同名异书。又，王槭字凝斋，福山人，乾隆元年举人。历官湖北当阳、天门知县。据是书诸序跋。

十一月

洪亮吉偕孙星衍赴太平，入安徽学使刘权之署。此前亮吉居忧在里授徒。据吕培等《洪北江先生年谱》。［按，据张绍南《孙渊如先生年谱》卷上，孙星衍入刘权之幕乃在明年三月。］

十二月

十六日，邓显鹤（1778—1851）生。显鹤字子立，号湘皋，湖南新化人。少与同里欧阳辂以诗相励，客游四方，所至倾动。嘉庆九年，举于乡。道光六年，大挑二等，官宁乡县训导，凡十有三年。引疾归。著有《南村草堂诗钞》二十四卷、《文钞》二十卷、《易述》八卷、《毛诗表》二卷，辑有《资江耆旧集》六十四卷、《沅湘耆旧集》二百卷等。事迹见曾国藩《邓湘皋先生墓表》（《曾文正公文集》卷三）、《清史列传》本传、《清史稿》本传。

吴镇自序《松花庵游草》。署"乾隆丁酉嘉平念二日，松厓吴镇自序"。（《松花庵游草》卷首）

冬

章学诚始识罗有高。据胡适《章实斋年谱》。

吴定识任大椿于广陵。据吴定《答任幼直先生书》（《国朝文汇》乙集卷四三）。

本年

禁搬做杂剧律例。据《大清律例按语》卷六五《刑律杂犯》（王利器《元明清三代禁毁小说戏曲史料》第一编引）

张惠言补县学附生，时年十七岁。据恽敬《大云山房文稿初集》卷四《张皋文墓志铭》。

温承恭为学使李调元所赏，补弟子员，时年十五岁。据《国朝诗人征略》初编卷五六引《听松庐文钞》。

杨芳灿拔贡。据杨芳灿自订、余一鳌补订《杨蓉裳先生年谱》。又，宋绵初、江德量（江藩《国朝汉学师承记》卷七）、刘大观（法式善《梧门诗话》卷九）、汪中（汪喜孙《容甫先生年谱》）、袁文揆（方树梅《钱南园先生年谱》）、吴蕙（金天翮《吴蕙传》)、侯坤（英和《侯先生墓志铭》）、姚令仪（姚鼐《通奉大夫四川布政使姚公墓志铭并序》）、张太复（《晚晴簃诗汇》卷一○○）、祖之望（陈寿祺《诰授光禄大夫刑部尚书祖公之望墓志铭》）、颜检（《畿辅通志·颜检传》）拔贡。

冯敏昌在京与戴震、周永年、李文藻、黄景仁、李鼎元等交游，从朱筠、钱载问学。据冯士镳《先君子太史公年谱》。

罗有高与王昶定交于京师，相过从者岁余。据王昶《罗台山墓志》（《春融堂集》卷五八）。平步青《霞外捃屑》卷七上《罗台山》："丁酉再入都，士大夫闻其名，争相问学，漳浦蔡文恭公尤重之。旋以疾归。"

张九钺复之南昌。寓言秋燕巢书屋。撰《南窑笔记》。晤蒋士铨。著《豫章三集》。据张家栻《陶园年谱》。

钱泳寓苏城范庄前姚氏书楼。与韩敏、吴三锡、蒋香泾、毛怀、闻诗、沈敏来、顾曾等七人相往来。据胡源、褚逢春《梅溪先生年谱》。

吴蔚游焦山，作《听潮歌》，王文治惊其才，折辈行与交。据金天翮《吴蔚传》（《广清碑传集》卷一○）。

彭兆荪随父赴山西宁武县任，时年九岁。据缪朝荃《彭湘涵先生年谱》。

沈复拜绍兴赵传（字省斋）为师，时年十五岁。据沈复《浮生六记》卷四《浪游记快》。

蒋士铨自扬州还铅山，葺藏园。据张慧剑《明清江苏文人年表》。又，本年高宗有诗称彭元瑞、蒋士铨"江右两名士"。据蒋士铨自编《清容居士行年录》。

余鹏翀出游，在京初晤武亿。据武亿《余少云哀词》（《授堂文钞》卷五）。

黄景仁在京师，迎母就养京邸，眷属随侍北行。洪亮吉《候选县丞附监生黄君行状》："君自京师贻亮吉书曰：'人言长安居不易者，误也。若急为我营画老母及家累来，俾就近奉养，不至累若矣。'亮吉时奉母孺人忧家居，发其书，资无所出，君向有田半顷，屋三椽，因并质之，得金三镒，俾君之戚护君母北行。"（《卷施阁文甲集》卷一○）《都门秋思》四首作于本年，见《两当轩集》卷一三。《两当轩集》附录第四《诗话》："陆祁生继辂《春芹录》曰：'秋帆宫保初不识君，见《都门秋思》诗，谓值千金，姑先寄五百金，速其西游。好事惜才，亦佳话也。'庄敏案：幼闻先大父言，毕宫保得先生此诗，徘徊半夜，商王侍郎，合寄三千金，与陆丈所载互异。"又，本年绘《江上愁心图》。据毛庆善、季锡畴《黄仲则先生年谱》。

黎简寓黄丹书斋数月。黄丹书《明经二樵黎君行状》："丁酉，来邑城，留予斋者累月。予为缮写《西征集》。并检旧所作词属予抄撮成帙。"（《碑传集三编》卷三七）

王昶本年后以杏花春雨书斋名其集。严荣《述庵先生年谱》："先生素甘恬退，仕宦非其所尚，自蜀归，即有乞身之意。故是年以后，总以杏花春雨书斋名其集，盖取诸虞道园词云。"

刘嗣绾有《嚜余集》（癸巳至丁酉）。小序云："余年十二三学为诗，稿脱辄焚弃。岁丁酉稍稍存录。"（《尚䌹堂诗集》卷一）

褚廷璋初定所著《筠心书屋诗钞》，陆续得十二卷。据张慧剑《明清江苏文人年表》。

吴进自同邑金玉书（书传）处得明吴承恩部分遗稿，摘录为《吴射阳遗集》。据张慧剑《明清江苏文人年表》。

李海观辑平日家塾谈话，成《家训谆言》一卷，共八十一条。据栾星《歧路灯研究资料》。

凌廷堪作《招海客辞》。张其锦《凌次仲先生年谱》："先生《招海客辞序》云：仆本歙人，生于海上，二十有一年矣。思归不可得，乃拟楚人，作《招海客辞》以自慰。"

王士禛《渔洋山人集外诗》二卷刊行。据《贩书偶记》卷一四。

靳荣藩《绿溪全集》刊行。凡《绿溪初稿》一卷、《绿溪诗》四卷、《绿溪语》一卷、《咏史偶稿》一卷、《绿溪词》一卷。据《中国丛书综录》》。《贩书偶记》卷一五著录，卷次稍异。

方成培《香研居词麈》五卷刊行。据《贩书偶记》卷二〇。

汪启淑《于役新吟》一卷刊行。据《贩书偶记续编》卷一五。

黄本骐（1777—1823）生。本骐字伯良、花耘，湖南宁乡人。嘉庆十三年举人。官湖南城步训导。著有《三十六湾草庐稿》十卷、《十花词》一卷。事迹见《清史列传》黄本骥传附。［生卒年据朱彭寿《清代人物大事纪年》。］

舒敏（1777—1803）生。舒敏字叔夜，号时亭、石舫，满洲正红旗人。春圃制军伍拉纳子，语铃中丞崇恩父。伍拉纳坐事见法，诸子戍伊犁。舒敏在戍所三年，赦还，又四年病卒，年仅二十七。著有《适斋居士集》。事迹见《晚晴簃诗汇》卷一二三。

汪潮生（1777—1832）生。潮生字汝信，号饮泉、冬巢，江苏仪征人。乾隆六十年副贡生。词画皆为人所称。著有《冬巢诗集》四卷、《冬巢词集》四卷。生平事迹见包世臣《汪冬巢传》（《碑传集补》卷四七）。

余萧客卒，年四十九。据任兆麟《余君萧客墓志铭》（《碑传集》卷一三三）。《墓志铭》云："君为文典博古茂，非空谈，故不苟作也。"《清史稿》惠周惕传附："（萧客）撰《古经解钩沉》三十卷，凡唐以前旧说，自诸家经解所引，旁及史传、类书，片语单词，悉著于录。清代经学昌明，著述之家，争及于古，萧客是书其一也。"《晚晴簃诗汇》卷九七录其诗一首。

公元 1778 年（乾隆四十三年　戊戌）

正月

十六日，杨芳灿以应廷试，偕从兄抡北上。三月朔抵京。据杨芳灿自订、余一鳌补订《杨蓉裳先生年谱》。

十九日，杨鸾卒，年六十八。据王梦祖《迁谷先生杨鸾墓志铭》（《碑传集》卷一〇六）。王垣《邈云诗集序》："吾友杨君子安，于学无所不窥，弱冠以诗鸣，浮慕自多，真知则少。尝试举而扬之，情高于九天；抑而按之，情入于九渊；细而绎之，情周于楮墨之中；朗而吟之，情溢于笔舌之外。琅琅乎聆子安之音也，蔼蔼乎若睹子安之貌也，而恳恳乎则真见子安之心也。中则朴，貌则华，志则洁，神则沛，肠则热，齿则冷，飚若木四照之花，拎鲲鹏万里之翼。而其惨澹经营，缠绵悱恻，殆所谓发于情之不得已，而脱于声之不自主乎？元声其在此矣。今之作者，无端而怒骂，无端而嬉笑，乍近乍远，忽离忽合，而情不定者，伪也，观者病之。读子安诗，始之如游桂林，目不暇瞬；次之如入芝兰之室，久而俱化。其移人之情何如也？吾是以一日三复，犹不能已。"(《国朝文汇》乙集卷一一)薛著廷《邈云三编序》："君诗工于言情，密于律法。平生宦游半天下，身所阅历，学与之进。一切感事怀人，荣悴悲愉，皆以发之于诗。"(《国朝文汇》乙集卷二八)袁枚《随园诗话》卷九录其《雪霁》、《闻砧》诗句。《晚晴簃诗汇》卷七五录其诗九首。《国朝文汇》乙集卷一〇录其《桃李园记》等文三篇。

吴骞《蟊塘渔乃》二卷成书。自序署"乾隆岁次著雍阉茂元月登高前一日自题"。又，卢文弨序署"乾隆四十有三年仲冬之月，东里弟卢文弨书"。(《蟊塘渔乃》卷首)

二月

初八日，张埙自序《林屋词》。序云："予十二岁咏初寒词，先君便赏之，嗣是习为词二十年，文坛诸君谬推予为能词。后又习为诗、习为古文，于是绝不作词。然积二十年之久，撰《碧箫词》五卷，沈文悫公序而刻之。又撰《春水词》二卷、《荣宝词》十卷、《瓷青馆悼亡词》二卷、《红桐书屋拟乐府》二卷。大概《碧箫》少作，最不足存；《瓷青》屡镜惨毒、词旨哀伤，当非正声；《荣宝》其庶几精华昭灼，有屯然难掩者矣。今年在关中，眼痛经旬，志局虽忙，不能纂书，乃哀乡作汰眉十之六七，排为七卷，总题曰《林屋词》。以《红桐》单行已著，并是拟古之作，不削入焉。""忆予始初唱和，徒侣里中有盛云思晓心、铅山有蒋心余士铨、曲阜有孔谱孟继涵，皆童年夙慧，诧无难事。盛之《拗莲词》、蒋之《听秋词》(今曰《铜琶词》)、孔之《斫冰词》皆未成集，既皆有名于世。寒暑易迈，云思先归道山，心余、谱孟齐脱朝籍，浮湛乡里，而予亦垂垂其老矣，岂不可感也夫！乾隆四十三年二月八日吴张埙记。"(转引自邓长风《明清戏曲家考略·张埙和他的〈竹叶庵文集〉》。)〔按，序中两云"二十年"，当是"三十年"之误。〕

三月

上浣，傅岩序吴恒宪《义贞记》传奇。署"时乾隆戊戌季春上浣，傅岩五峰氏书于淮阴官舍"。序云："观是剧者，毋徒目为优孟衣冠，而当作伦常之鉴也。"(《中国古典戏曲序跋汇编》卷一三)庄一拂《古典戏曲存目汇考》卷一二：《义贞记》，"此戏未见著录。乾隆间锄月山房刊本。演清代康、雍间，淮阴程允元与刘氏白头花烛事。凡二卷三十二出。李天根有《白头花烛》杂剧，徐鄂有《白头新》传奇，题材皆同。本事出黄钧宰《金壶七墨》。"吴恒宪又有《火牛阵》、《玉燕钗》传奇，已佚。〔按，吴恒宪一作吴恒宣。〕

二十六日，余元遴卒，年五十五。据朱筠《婺源余生墓志铭》(《笥河文集》卷一二)。《墓志铭》云："(元遴)学以朱子为的，而博览载籍，以大其闻见。克己检身，蔚然为儒者。"

会试。考官：内阁大学士于敏中、吏部侍郎王杰、内阁学士嵩贵。题"子曰其言"一节，"反古之道"一句，"且子食志 食志"。赋得"春服既成"得"鲜"字。据法式善《清秘述闻》卷七。

罗有高报罢。据王昶《罗台山墓志》（《春融堂集》卷五八）。

康基田选授河南怀庆府。据《茂园自撰年谱》。

孙星衍谒安徽学使刘权之，与洪亮吉校文幕中。遍游采石矶、黄山、天都峰诸胜。十二月返句容。据张绍南《孙渊如先生年谱》卷上。

王筠《繁华梦》传奇刊行。是剧凡二卷二十五出。其父王元常《繁华梦后序》："女筠，幼禀异质，书史过目即解。每以身列巾帼为恨，因撰《繁华梦》一剧，以自抒其胸臆。草创就，即呈余勘正。其中有涉于繁冗者，为细加删润，缀以评语，勒为一编。因剞劂无力，藏诸箧中者已十年矣。戊戌三月，偶出以就正于观察息圃张公，公即转呈毕太夫人，共为激赏，各赐序及诗，以弁册首。观察公仍独立捐金，趋付梓人，俾闺中小言得以出而问世。吾女亦可以欣然自慰，不复以巾帼为恨矣。刻成，为志其缘起如此。南圃王元常题于槐庆堂。"嘉庆甲子其子王百龄跋："此剧为龄母太孺人之作。太孺人秉异质，通书史，常以不获掇巍科，取显宦为憾，因撰是编，以抒胸臆。"又有张凤孙（号息圃）序，署"乾隆戊戌春日，石湖张凤孙拜题于青门节署，时年七十有三"；张藻（即毕沅母）、曹仁虎、朱珪题辞。（《明清妇女戏曲集·繁华梦》附录）焦循《剧说》卷五引《雨村诗话》："闺媛填传奇，古人所少。长安女史王筠，幼阅书，以身列巾帼为恨，尝撰《繁华梦》传奇，自抒胸臆。以女人王氏登场，生于二出始出，亦变例也。"

春

立春日，梅花村人作《柚堂居士著述序》。署"乾隆戊戌立春，梅花村人述"。（《柚堂文存》卷首）

谢墉调礼部左侍郎。据阮元《吏部左侍郎谢公墓志铭》（《揅经室二集》卷三）。

谢启昆调任扬州知府。据翁方纲《复初斋集外诗》卷一二《送蕴山之扬州任，仍用前韵三首》。

冯廷丞以失察江西文字狱得罪，逮刑部，旋被赦。章学诚自永清入京省之。据胡适《章实斋年谱》。

翁方纲、钱载、杨芳灿、吴锡麒、张燕昌等集会。据《复初斋集外诗》卷一二《竹井相国招同蘱庭大司马、萚石阁学、耦堂侍御、蓉裳编修、縠人吉士，集檀栾草堂看海棠》、《芑堂明经自吴中携来明人尺牍数百通，蕴山太守、韵亭编修、药林孝廉集诗境轩同观联句》。

俞蛟与章次山、郑少白游京师万柳堂。据俞蛟《梦厂杂著》卷五《万柳堂记》。

徐爔作《镜光缘》传奇。自序云："余幼时，质钝多疾。至弱冠，知与功名远矣。遂涉猎群书，而独于词曲最为心喜，寓目者不下数百家，自填者亦有数种，如《双环记》、《联芳楼》,皆以自己笔端,代古人口吻,摹写成剧,非有寄托。兹之所谓《镜光缘》者,乃余达衷情,伸悲怨之曲也。事实情真,不加粉饰,两人情义都宣泄于镂声绘句之间,留于天下后世,或有同心者能默鉴其情否?嗟乎!太史公谓屈大夫作《离骚》皆从怨生,余之作《镜光缘》,虽人异而文殊,而其怨则同也。此词生于怨,怨生于情,情生于镜中画里。镜中画里,我亦不知其有何物,能使我若是之情深哉!"署"时乾隆四十有三年岁在戊戌杏月,镜缘子徐爔自书于枫江之梦生草堂"。[按,序所云《双环记》、《联芳楼》,今佚。]又,《凡例》云:"传奇十六出,比诸小传一篇,纪其始末,故字字实情实事,不加装饰。若其登场就演,另填三十二出,已付梨园矣。""此十六出,俱止生、旦、贴三脚色所演,其余或一偶见,则不成戏矣。此本原系案头剧,非登场剧也。只视其事之磨折,情之悲楚,乃余高歌当哭之旨也。"顾诒燕序云:"余读《镜光缘》,不敢以词曲视之,直举人生变幻百出之情,汇而成帙,与三教因缘之旨相契合,又能操之纵之,抑之扬之,咀而味之,超而脱之,其殆情之如意珠也夫。"署"乾隆戊戌仲秋三日,蔄亭顾诒燕拜撰"。(《中国古典戏曲序跋汇编》卷一三)庄一拂《古典戏曲存目汇考》卷一一:《镜光缘》,"《今乐考证》著录。乾隆间梦生堂刊本。其他戏曲书簿未见著录。凡二卷十六出。谱余义、李秋蓉事,乃作者自况。徐爔取其偏旁即余义。李本吴人,幼孤,栖尼庵中,为尼鬻入娼家。徐访之,适李揽镜顾,徐谓:'此镜中花也。'李曰:'或是镜中缘耳。'有友潘某,高姬志,赎之北游以俟徐,比徐至京,则姬已殁,遂收瘗于五湖。""沈起凤《谐铎》云:'李秋蓉为吴江徐公子宠姬,妙解音律,与同里某生垂帘论曲,折服之。迨开帘,则李婢也。婢尚如此,其主可知。'其事虽未必尽实,然与此剧则有关。"是剧本年刊行。据《贩书偶记》卷二〇。

四月

二十五日,高宗御太和殿,传胪。赐一甲戴衢亨、蔡廷衡、孙希旦进士及第,二甲冯培、吴省兰、张九镡、钱栻、祖之望、管世铭、杨抡、冯敏昌、祁韵士、章学诚等进士出身,三甲李鼎元、钱世锡、江濬源、戴祖启、陈诗等同进士出身。据《历科进士题名录》、《清通鉴》。[按,吴省兰会试未中,特准与殿试。据吴省钦《吴白华自订年谱》。]

王尔扬撰李范墓志称皇考案发。据《清代文字狱档》。

五月

初七日,唐鉴(1778—1861)生。鉴字镜海,湖南善化人。嘉庆十四年进士,改庶吉士。十六年,授检讨。官至太常寺卿。致仕后主讲金陵书院。谥确慎。著有《唐确慎公集》十卷、《国朝学案小识》十五卷。事迹见曾国藩《唐确慎公墓志铭》(《曾文正公文集》卷三)、《清史列传》本传、《清史稿》本传。[生日据朱彭寿《清代人物大事纪年》。]

刘翱供状案发,七月止。据《清代文字狱档》。

杨芳灿廷试一等，引见以知县用，发甘肃。七月归。据杨芳灿自订、余一鳌补订《杨蓉裳先生年谱》。

章学诚返永清，续修《永清志》。据胡适《章实斋年谱》。

钱大昕主钟山书院讲席。课试之暇，与袁枚、严长明等为文酒之会。在钟山书院凡四年。据钱大昕自编、钱庆曾校注《竹汀居士年谱》。

六月

初九日，汤贻汾（1778—1853）生。贻汾字若仪，号雨生、粥翁，湖南武进人。以祖大奎、父荀业难荫袭世职，授守备，累擢浙江乐清协副将。尚气节，工诗画，政绩文章为时重。晚辞官侨居江宁。及城陷，从容赋绝命词，赴水死。谥贞愍。著有《琴隐园诗集》三十六卷、《词集》四卷、《逍遥巾》杂剧、《剑人缘》传奇。事迹见顾寿桢《汤将军传》、蒋敦复《汤将军行略》、杨象济《书汤雨生将军事》（《续碑传集》卷六四）、《清史稿》戴熙传附。[生日据朱彭寿《清代人物大事纪年》。]

十五日，申甫卒，年七十三。据王昶《都察院左副都御史申君墓志铭》（《春融堂集》卷五六）。《笏山诗集》十卷乾隆五十七年刊行。据《贩书偶记》卷一五。王昶《蒲褐山房诗话》："为诗抒写性情，羌无故实。白乐天、杨诚斋、查初白，其兔园册子也。好句如：'行攀石磴无人迹，静听流泉冷客心'；'几日闲眠关竹户，一番细雨长秋花'；'寒归木末全无叶，暖入梅梢渐有花'；'尚有晚香留紫菊，不妨小闰到黄杨'，至今有吟讽者。殁后，毕秋帆中丞为选择而梓之，凡四卷。"（《湖海诗传》卷九）《晚晴簃诗汇》卷七五录其诗三首。

黎大本私刻《资孝集》案发，七月止。据《清代文字狱档》。

蒋士铨北上入京。蒋士铨自编《清容居士行年录》："彭芸楣叠书促入京，以上数问臣名。乃于六月买舟，携知廉、知让北上。"在京与翁方纲等多有交游。据《复初斋集外诗》卷一二《香亭太常、心余、伯恭、穀人、鱼门编修同观唐天祐三年王审知德政碑拓本》等。

闰六月

袁继咸《六柳堂集》案发，九月止。据《清代文字狱档》。

李调元自序《赋话》十卷。序云："予视学粤东，经艺之外，与诸生讲论，尤津津于声律之学。凡岁试月课之余，有兼工赋者，莫不击节叹赏，引而启迪之，而苦未有指南之车也。因敝簏中见杭郡汤稼堂前辈刻有《律赋衡裁》一书，颇先得我心，爰出予少时芸窗所艺习者，并列案头，以日与诸生相指示。时用纸条摘录其最典丽者各数联，以教之使知法。而又间以稼堂所评骘者，拈出之以定其归。庶几乎溯流穷源，不至断港绝潢，而悉如百川之至于海也。新旧所得渐多，因汇为一集，名曰《赋话》。付诸梓以示诸生，使诸生一一披阅而寻味之，亦足以代予之谆谆面训也乎。乾隆四十三年戊戌又六月，巴西李调元书于连州试院。"（《赋话》卷首）

629

夏

翁方纲、桂馥、张燕昌等集会。据《复初斋集外诗》卷一二《夏日未谷、芑堂、无轩、芝山、毅堂过谈怀小松》、《未谷、芑堂、无轩、芝山同集毅堂寓斋观所藏古印》。

汪柱作《诗扇记》传奇。自序云:"岁次戊戌,客于洞圆中。长夏炎气蒸人,不耐静坐。偶阅《人中画》小说,见其抒写司马君赘华府游戏故事,笔意生动,颇能脱离合悲欢旧套。因导谱调,演成是剧。其间稍更名姓,亦多另为润饰处。而诗扇题咏仍存原本,殆不欲没其才也。剧成,临风一咏,特自怡悦耳,未必人人皆曰可。洞圆山客自记。"吴佺序云:"所尤喜者,离合之际,不习寻常窠臼,觉白马将军,犹未免惊扰蒲东,而牛鬼蛇神,花精猿怪,又何足云。"(《中国古典戏曲序跋汇编》卷一四)是剧凡二卷三十二出。汪柱另有《破牢愁》、《妻梅子鹤》、《赏心幽品》(《楚正则采兰纫佩》、《陶渊明玩菊倾樽》、《江采蘋爱梅赐号》、《苏子瞻画竹传神》)等杂剧六种,参见庄一拂《古典戏曲存目汇考》卷八。

七月

朔日,王昶序杨芳灿《真率斋初稿》十卷词二卷。署"戊戌七月朔日青浦王昶序"。又,顾敏恒序署"己亥正月望日顾敏恒序"。(《芙蓉山馆全集》卷首)是书明年刊行,据《贩书偶记续编》卷一五。

汪沆序厉鹗《樊榭山房文集》。署"乾隆四十三年岁次戊戌秋七月,受业汪沆拜序"。(《樊榭山房文集》卷首)

八月

初四日,李文藻卒,年四十九。据钱大昕《李南涧墓志铭》(《潜研堂文集》卷四三)。《墓志铭》云:"其诗古文皆自摅所见,不傍人门户,视近代模拟肤浅以为大家,蔑如也。然口不道前辈之短,以为非盛德事。过岭后,治公事日不暇给,而诗益工,邮亭僧院,信笔留题,虽舆隶皆知为才子也。"《李南涧诗集序》:"南涧之性情与予略相似:予好聚书,而南涧抄书之多过于予;予好金石文,而南涧访碑之勤过于予;予好友朋,而南涧气谊之笃过于予;予好著述,而南涧诗文之富过于予。""南涧既以磊落英伟之文登进士第,乃捧檄瘴疠之乡,舟车奔走,日不暇给,而诗益奇而工。殁后其仲弟以遗稿示予,官为一集,盖仿王筠之例。读之,似近而远,似质而雅,似浅而深,中有所得,而不徇乎流俗之嗜好。此非有不平而鸣者也,此不言穷而工者也,此真合乎古诗人之性情而必传之诗也。予不辞而序之者,盖深知夫人之志趣,而非强为之辞也。"(《潜研堂文集》卷二六)江藩《国朝汉学师承记》卷六:"居官有政绩,粤人至今称之。性好博览,不为世俗之学。聚书数万卷,手自雠校,丹铅不去手。又好碑版文字,游历所至,学宫、寺观、岩崖、石壁,必停骖搜讨。"王昶《蒲褐山房诗话》:"素伯穷经志古,肆力于汉、唐注疏。""诗不多作,亦颇工稳。如《观音岩》诸诗，尤为雄健。惜年未中寿，殁于粤西。"(《湖海诗传》卷二五）法式善《梧门诗话》卷一〇："南涧深于经术，诗特风趣。"《晚晴簃诗汇》卷九〇录其诗二首。《国朝文汇》乙集卷三二录其《重修鲁仲连先生祠墓记》、《吏部左侍郎俞公传》文两篇。

十四日，翁方纲等小集。据《复初斋集外诗》卷一二《戊戌中秋前一日，丹叔、苣堂、伯恭、竹厂同集诗境小轩，苣堂出薛素素画像并陈老莲画同观，予为赋诗。明日，闻薛像归于伯恭，复题二首》。

姚鼐自扬州梅花书院归里，时年四十八岁。据郑福照《姚惜抱先生年谱》。

卢文弨序《戴氏遗书》，是时《戴氏遗书》已开雕，尚未竣工。序署"乾隆四十有三年八月东里卢文弨书"，见《戴震集》附录、《抱经堂文集》卷六。

杨兆璜（1778—1845）生。兆璜字殐秋，号古生、东霞，福建邵武人。嘉庆十四年进士。历官浙江金华知县、广西柳州、直隶广平知府。著有《东霞集》。事迹见王拯《休致直隶广平府知府杨君墓表》、陈庆镛《广平知府杨君墓志铭》（《续碑传集》卷四二）。

九月

二十一日，鲍倚云卒，年七十一。据姚鼐《鲍君墓志铭》（《惜抱轩文集》卷一三）。《国朝文汇》乙集卷二七录其《翟清阁先生诗集序》等文三篇。《晚晴簃诗汇》卷九七录其诗三首。

吴文溥访袁枚于吴中。袁枚《随园诗话》卷五："戊戌九月，余寓吴中。有嘉禾少年吴君文溥来访，袖中出诗稿见示，云将就陕西毕抚军之聘，匆匆别去。予读其诗，深喜吾浙后起有人，而叹毕公之能怜才也。录其《游孤山》云……。其他佳句如：'不知新月上，疑是水沾衣。''底事春风欠公道，儿家门巷落花多？'深得唐人风味。"

秋

罗有高自京南还，道彭绍升家，居两月。据彭绍升《罗台山述》（《二林居集》卷二二）。

洪朴作《蕴山先生诗序》。有云："庐陵尝言诗穷而后工，予谓不然。优柔平中，乐之盛也。必谓变风变雅，优于二南二正，岂其然哉？"（《国朝文汇》乙集卷四〇）

十月

韦玉振为父刊刻行述案发。据《清代文字狱档》。

十一月

三十日，陶澍（1779—1839）生。澍字子霖，号云汀，晚号髯樵，又号桃花渔者，湖南安化人。嘉庆七年进士，选庶吉士。散馆，授编修。官至两江总督。谥文毅。著有《陶文毅公全集》六十四卷。事迹见魏源《皇清诰授荣禄大夫太子少保晋赠太子太保敕祀贤良祠兵部尚书兼都察院右都御史江南江西总督管理盐政谥文毅陶公行状》、魏源《皇清太子太保两江总督陶文毅公墓志铭》、魏源《皇清太子太保两江总督陶文毅公神道碑铭（《陶文毅公全集》卷末）、王焕镳《陶文毅公年谱》、《清史列传》本传、《清史稿》本传。

以《一柱楼诗》案，徐述夔、沈德潜论罪。据《四库全书·皇朝通志》卷五三《谥略六》。又，扬州知府谢启昆以治此案迟延，褫职戍军台。寻捐复原官，留江南。据《清史稿》谢启昆传。

十二月

十二日，沈维鐈（1779—1849）生。维鐈字子彝、鼎甫，号小湖，浙江嘉兴人。嘉庆七年进士，选庶吉士，授编修。官至工部侍郎。著有《补读书斋遗诗》十卷。事迹见其子宗涵等《皇清诰授荣禄大夫工部左侍郎兼署钱法堂事务加一级显考鼎甫府君年谱》、陈庆镛《诰授荣禄大夫工部左侍郎沈公墓志铭》（《续碑传集》卷一○）、《清史稿》本传。

龙凤祥《麝香山》印存案发，乾隆四十四年一月止。据《清代文字狱档》。

陶煊、张燦同辑《国朝诗的》案发，乾隆四十四年一月止。据《清代文字狱档》。

黄培芳（1779—1859）生。培芳字子实，号香石，晚号粤岳山人，广东香山人。嘉庆九年副贡生。历官内阁中书、陵水教谕、肇庆府学训导。与谭敬昭、张维屏并称"粤东三子"。著有《岭海楼诗文钞》、《香石诗话》。事迹见《清史列传》张维屏传附。〔生卒时间据江庆柏《清代人物生卒年表》。〕

冬

赵怀玉游杭州。据赵怀玉《收庵居士自叙年谱略》卷上。

本年

重修《大清一统志》，王昶充总修官。又，本年邵晋涵、孔广森、孔继涵、汪端光、张燕昌、王初桐、金德舆、徐书受、汪大经、杨芳灿、杨揆等常以谭艺过从。据严荣《述庵先生年谱》。

黄景仁在京师受业王昶门下。王昶《黄子景仁墓志铭》："乾隆戊戌，黄子仲则来受业门下。读其诗，固已奇之；及久与之处，落落然，招之不来，麾之不去，因以益奇其人。"毛庆善、季锡畴《黄仲则先生年谱》："侍郎年谱中是年邵二云庶常晋涵、孔众仲庶常广森、蕵谷主事继涵、汪剑潭孝廉端光、张芑堂明经燕昌、王竹所上舍初桐、及门人金云庄主事德舆、徐尚之上舍书受、汪书年上舍大经、杨蓉裳上舍芳灿、其弟荔裳揆常，以谈艺过从，而不及先生。而前二年丙申，侍郎自金川奏凯回京，寓烂面胡同，京洛名流，如陆健男学士锡熊、金辅之殿撰榜、周书昌编修永年、戴东原庶常震、任幼植吏部大椿、洪素人刑部朴、其弟舍人榜、张商言舍人埙、吴泉之助教省兰、吴竹桥上舍蔚光、吴胥石孝廉兰庭，及门人张汉宣彤、黄仲则景仁、胡元量谨，执经谭艺，极文酒之盛。似丙申岁先生已在门人之列。大抵年谱统乎后而言之，当从墓铭为核也。又按司寇《哭黄仲则》诗云：'暨我从戎归，君来依绛帐。每谓王与朱，南北两哲匠。生平所服膺，喜得并瞻仰。时偕车笠朋，并坐书画舫。刻烛夜常分，扣门日相访。'是先生友朋文酒之乐，此时为极盛也。"

汪中与程瑶田订交。据罗继祖《程易畴先生年谱》。

本年或稍后，张惠言与杨云珊、徐书受订交。[按，云珊名元锡，武进监生。]张惠言《茗柯文》三编《杨云珊览辉阁诗序》："余年十八九时始求友，最先得云珊。时余姊之婿董超然与云珊锐意为诗。三人者，居相迩，朝夕相过，过即论诗。余心好两人诗，未暇学也。其后三四年，各以衣食奔走南北，率数年乃一得见，见辄出新诗各盈卷。而余学诗，久之无所得，遂绝意不复为。"补编卷下《送徐尚之序》："乾隆戊戌、己亥间，余尚少，方学制艺文，而余姊之婿董超然喜为诗，与尚之交最密，余以此识尚之，读其诗文。"[按，董超然名达章。]

洪亮吉在安徽学使署。先后随试太平、徽州、宁国、池州诸州府。据吕培等《洪北江先生年谱》。

黎简赴县试，以《拟韩昌黎石鼎联句诗》为学政李调元所赏，补弟子员，人号之曰黎石鼎。据黄丹书《明经二樵黎君行状》（《碑传集三编》卷三七）。

张九钺复之南丰，馆旧嘉禾书院。两月返。据张家栻《陶园年谱》。

焦循始为诗文。《雕菰集》目录后识语："自乾隆戊戌、己亥习为诗古文辞。"

舒位随父官粤之永福，读书署后铁云山，因以自号。据陈文述《舒铁云传》（《国朝文汇》乙集卷六〇）。

张问陶有《壮志》、《汉阳》二诗。见《船山诗草》卷二《戊丁集》。是为集中最早之诗，时问陶十五岁，随父在汉阳。又，戊、己、庚、辛之年，皆在汉阳。

《禁书总目》一卷（内府官编）浙江书局刊行，**《违碍书籍目录》一卷**江宁布政使刊行，**《各省咨查禁毁书籍目录》**无卷数刊行。据《贩书偶记续编》卷八。

王昶编《琴画楼词钞》二十五卷刊行。凡张梁《澹吟楼词》、厉鹗《樊榭山房词》、陆培《白蕉词》、张四科《响山词》、陈章《竹香词》、朱方蔼《小长芦渔唱》、王又曾《丁辛老屋词》、吴烺《杉亭词》、汪士通《延青阁词》、吴泰来《昙香阁琴趣》、江昱《梅鹤词》、储秘书《花屿词》、赵文哲《媕雅堂词》、张熙纯《昙华阁词》、陆文蔚《采莼词》、过春山《湘云遗稿》、朱昂《绿阴槐夏阁词》、江立《夜船吹篴词》、朱泽生《鸥边渔唱》、吴元润《香溪瑶翠词》、王初桐《杯湖欸乃》、宋维藩《滇游词》、吴锡麒《有正味斋词》、吴蔚光《小湖田乐府》、杨芳灿《吟翠轩初稿》，各一卷。据《中国丛书综录》。

永恩《诚正堂集》刊行。《钦定八旗通志》卷一二〇：《诚正堂稿》八卷、《诚正堂词稿》一卷、《诚正堂文稿》一卷、《诚正堂时艺》一卷，"礼亲王永恩撰。王有《敬谨斋初稿》六卷，已著录。是编标题王号曰礼，则乾隆四十三年奉旨复号后所重订也。""刻于乾隆戊戌，王自为之序。"

朱黼《画亭诗草》十八卷、《词草》一卷、《词续》二卷太岳山房刊行。据《贩书偶记》卷一五。

朱昂《百缘语业》一卷刊行。据《贩书偶记》卷二○。

纪昀《馆课存稿》四卷圣经堂刊行。据《贩书偶记续编》卷一五。

天花藏主人《济颠全传》二十回金阊书业堂刊行。又名《醉菩提全传》。据《贩书偶记》卷一二。

钱侗(1778—1815)生。侗字同人,号赵堂,江苏嘉定人,大昭子。应天津召试,列二等,充补文颖馆校录。嘉庆十五年,举顺天乡试。越三年,丁忧归。归二年而卒。著有《乐斯堂文集》。事迹见姚椿《钱同人墓志铭》(《晚学斋文集》卷八)、《清史列传》钱大昭传附、《清史稿》钱大昭传附。

吴慈鹤(1778—1826)生。慈鹤字韵皋,号巢松,江苏吴县人。嘉庆十四年进士,改庶吉士,散馆授编修。官至翰林院侍讲。著有《岑华居士兰鲸录》八卷、《凤巢山樵求是录》六卷、《二录》四卷、《岑华居士外集》二卷、《岑华馆词》二卷、《凤巢山樵词》一卷。事迹见《国朝诗人征略》初编卷五八、《清史列传》吴锡麒传附。

林伯桐(1778—1847)生。伯桐字桐君,号月亭,广东番禺人。嘉庆六年举人。阮元、邓廷桢皆重之,元延为学海堂学长,廷桢聘课其二子。道光二十四年,选授德庆州学正。越三年卒于官,年七十。著有《毛诗通考》三十卷、《易象释例》十二卷、《修本堂文集》四卷、《外集》四卷、《骈体文钞》二卷。事迹见《国朝诗人征略》二编卷五四、《清史列传》曾钊传附、《清史稿》曾钊传附。[江庆柏《清代人物生卒年表》谓其生卒年为1775—1845年,此据《清史列传》。]

黄定齐(1778—1855)生。定齐初名定九,字克家,晚号蒙庄,浙江鄞县人。游幕为生。著有《垂老读书庐诗草》二卷附文草一卷。事迹见黄以周《族蒙庄府君谱传》(《儆季文钞》卷六)。

孙洙卒,年六十八。据张慧剑《明清江苏文人年表》。

公元1779年(乾隆四十四年　己亥)

正月

李骐《虬峰集》案发。据《清代文字狱档》。

杨芳灿启程赴甘肃。四月至兰州。途径关中毕沅节署,与严长明、张埙为诗酒之会。据杨芳灿自订、余一鳌补订《杨蓉裳先生年谱》。

罗有高卒,年四十六。据彭绍升《罗台山述》(《二林居集》卷二二)王昶《罗台山墓志》:"台山为文章,陋摹拟,绝依傍,旁通曲鬯,务抒其所独契,后世当有知之者。"(《春融堂集》卷五八)《蒲褐山房诗话》:"与长洲彭进士绍升、吴县汪文学缙、益都李明府文藻交善,方外则扬州高旻寺僧照月也。"(《湖海诗传》卷二九)江藩《国朝宋学渊源记·附记》:"汪爱庐师读其《与法镜野论春秋书》,评曰:'上帝临坛,万灵拱肃;世尊下降,诸天震动。'尺木居士谓有高奋乎百世之下,希三代之英,可谓豪杰之士。又称其文华梵交融,奏刀恚然,倾倒至矣。""昔日与友人程君在仁挑灯道故,程君曰:'罗先生可谓天下第一学人。'予曰:'为宋儒之学,不及道原;归西方之教，不如照月；肆训诂之学，不如戴太史；文则吾不知也。'又曰：'其学佛猛勇精进，必往生净土。'予曰：'人之所以学佛者，为了生死耳。闭户参究，回光反照，即可以了矣，何事仆仆道路为！亦可谓疲于津梁矣。当钟鸣漏尽之时，尚不知反，几死道路，危哉！且屡上公车，求一进士而不可得，名利之心甚炽，而能了不染之心耶？清净世界中，一朵莲花岂容此凡夫趺坐其上！'"李祖陶《国朝文录续编·尊闻居士文录引》："《尊闻居士集》，瑞金罗台山先生著。瑞金为宁都州属邑，台山生易堂诸子之后，习闻其绪论久矣，然不欲以其学自画。少负奇气，慨然慕张齐贤之为人。及交宋道元，引之见邓慕濂先生，始折节读经史，以优行贡成均。长洲彭允初见其行卷，异之，结为密友，遂相从谈禅，遍读三藏之书，始欲法之以为文。继遂淫焉、癖焉、醉焉、饱焉，若非此不足以安身而立命者。世未尝不异其才而悲之而惜之也。其为人不可一世，而独低首于朱梅崖文，亦转学梅崖，遂至失其故步。甚有佶倔如《盘》、《诰》，艰深如《法言》，不可句读如《绛守园居记》者，不可谓非好奇之过。然而独到之篇，蹑天根而探月窟；神来之作，掣雷霆而走江河，实有唐宋人未诣其奥，汉魏人未极其奇，而独与周秦诸子相往来者。王兰泉先生志墓，称其外服儒风，内修梵行，于世出世，法非同而同，非别而别，非缘而缘，非相而相，所以倾倒之者至矣。予小子何足以知之？今录其文之醇者为二卷，其过于奇诡者不敢录也。"平步青《霞外捃屑》卷七上《罗台山》："台山之学，以九容为规矩，以九思为主绎，以有物必有则为依归。为人造次无惰容疾言。于儒宗明道、象山，于经宗古注，于小学宗《说文解字》。其为文，陋摹拟，绝依傍，多发明物则精思，而依于规矩，时造极精微。同时讲学，法镜野、鲁山木、阎怀庭、韩公复诸家，皆不逮其精审。碑版文尤得《左》、《史》神韵。虽遁而学禅，而皈心宗乘，服膺玉林语录，兼通天台、慈恩诸家。为文益洸洋恣肆，而精核妙悟，亦彼教中杰出者欤！集八卷，尺木所刊行，故于禅喜文字，收之尤夥。所为哀辞二千余言，于台山学行，发明无遗。尺木最深竺乘，同时服膺者，大绅外惟台山一人，宜其相视莫逆。据乐莲裳《耳食录》二集，则台山拳勇尤绝人，宜喜言武事云。台山文，微至密栗，盖出入荀、庄，而探原于三礼。李迈堂选其文入《国朝文续录》，以为步趋梅厓而失之。梅厓有意学韩而不至，不及台山多矣。集中如《鞞琫容刀》，其军三单解，极似刘公是。《故朝议大夫永北知府袁公传后纪》中，谳赵如勋狱一段，质厚有汉西京气。"《国朝文汇》乙集卷三七录其《书立命说辨后》等文三篇。《晚晴簃诗汇》卷九二录其诗十首。《尊闻居士集》八卷有乾隆四十七年刊本、道光十八年陈氏刊本、光绪七年宁度韩氏刊本。据《贩书偶记》卷一五。

二月

初十日，许桂林（1779—1821）生。桂林字同叔、月南，号北堂，江苏海州人。嘉庆二十一年举人。拣选知县。著有《味无味斋诗集》。于诸经皆有发明，尤笃信穀梁之学，有《春秋穀梁传时日月书法释例》四卷、《易确》二十卷等，凡四十余种。事迹见《国朝诗人征略》二编卷五七、《清史列传》柳兴恩传附、《清史稿》柳兴恩传附。[生日据朱彭寿《清代人物大事纪年》。]

陈希圣诬告邓谦收藏禁书案发。据《清代文字狱档》。

黄检私刻其祖父黄廷桂奏疏案发，乾隆四十五年三月止。据《清代文字狱档》。

凌廷堪始志于学，出游仪征。据张其锦《凌次仲先生年谱》。

王昶归里迁葬，三月抵家。据严荣《述庵先生年谱》。

三月

李天英访袁枚于西湖。袁枚《随园诗话》卷六：“己亥三月，小住西湖。有李明府名天英者，号蓉塘，四川诗人，时来见访。录其《雪后寄施南田》云……李松圃郎中称其诗有奇气。信然。”又，赵翼来访，袁枚为其《瓯北集》题诗云：“乍投名纸已心惊，再读新诗字字新。愿见已经过半世，深谈争不到三更。花开锦坞登楼宴，竹满云栖借马行。待到此间才抗手，西湖天为两人生。”“集如金海自雕搜，满纸风声笔未休。生面果然开一代，古人原不占千秋。交非同调情难密，官到残棋局可收。我倘渡江双桨便，定来瓯北捉闲鸥。”见《小仓山房诗集》卷二六《谢赵耘菘观察见访湖上，兼题其所著〈瓯北集〉》。

春

彭端淑卒，年八十一。据李朝正、徐敦忠《彭端淑诗文注》附录《年谱》。王昶《蒲褐山房诗话》：“乐斋与弟遵泗以诗古文名蜀中，时号二彭。”“乐斋诗大抵质实厚重，不为鬐鹲之习者也。”（《湖海诗传》卷五）张邦伸《锦里新编·彭端淑》：“论者谓蜀中制义，自韩太史琢庵后，董樗斋继之，为能发摅经旨；诗自三费后，傅济庵、王楼山继之，为能步武唐贤；古文散体则绝少问津者。白鹤堂时文学归、唐，诗学汉、魏，古文学《左》、《史》，皆诣极精微，几乎跨越一代，独有千古矣。至今士林奉为圭臬，称乐斋先生。”蔡长耕《白鹤堂稿序》：“乐斋先生之文凡三变矣。始趋天、崇，继喜隆、万，而终归于正、嘉。大要以唐、归为宗，参之金陈以尽其变，再参之汤、陶诸公以活其机，不可以一家名之也。”（《彭端淑诗文注》附录）李祖陶《国朝文录·白鹤堂文录引》：“予夜读乐斋集竟，跃然曰：‘此真参之太史以著其洁者！太史公之洁，唐柳子厚知之，宋欧阳公有之，明归震川实允蹈之。入本朝来，自魏叔子外未之敢许，乃今得之于乐斋。’大略其人眼高于项，力大于身，读书能提要钩元，行文则摆脱一切，浩浩落落，绝无渣滓。视人世泛滥之文，如以朝衣朝冠坐于涂炭。观其以白鹤名堂，可知其用意之所在矣。集中传最佳，议论之文未能奥衍，要之可当一洁字。”《晚晴簃诗汇》卷六八录其诗二首。《国朝文汇》甲集卷六〇录其《耗羡私议》等文五篇。

四月

初一日，张溶（滋林老人）序《说呼全传》。署“乾隆四十有四年清和月吉，滋林老人书于西虹桥畔之罗翠山房”。孙楷第《中国通俗小说书目》卷二：《说呼全传》

十二卷四十回，"存。清乾隆己亥（四十四年）金阊书业堂刊大字本。……又己亥宝仁堂本。……清无名氏撰。题'半闲居士学圃主人同阅'。首乾隆四十四年滋林老人序。目录标题与正文不尽同。据章，滋林老人为张溶，字默虞。"

　　智天豹编造本朝万年书案发，五月止。据《清代文字狱档》。

　　彭绍升自序《测海集》六卷。据朱彭寿《清代人物大事纪年》。

　　王筠《全福记》传奇刊行。是剧凡二卷二十八出。朱珪序云："长安女史王筠，余同年南圃王君之女也。生有慧性，于诗书无不淹贯。自恨不为男子，特撰《繁华梦》一剧，以自抒发。庚寅，南圃访余晋阳臬署，出以相示，余曰：'曲则佳矣。但全剧过于冷寂，使读者悄然而悲，泫然以泣，此雍门之琴，易水之歌也。奏于华筵绮席，恐非所宜耳。'南圃以为然。归以告筠，筠唯唯。越次年，而《全福记》又脱稿矣。南圃脱邮筒寄余京邸。余展而读之，见其竖义落想，处处出人意外，而且另辟蹊径，都不剿袭前书。《繁华梦》如风雨凄凄，《全福记》如春光融融。譬诸兰桂异蕊而同芳，尹邢殊姿而并丽，真闺阁之俊才，而词林之双璧矣。《繁华梦》于戊戌春见赏于吴门观察张公，为之捐金授梓。今年夏，甘泉令袁侯见《全福记》而悦之，爰与同人等相佽助，登诸梨枣，俾与前书并出问世。南圃索弁言于余，余惟闺秀多才，指不胜屈，未有以填词著者。兹则绿窗二编，先后辉映，等于阳春白雪之调。信乎！琅玡灵淑之气，钟于女流，而家学渊源，其胚胎洵有所自也。因为书以贻之。乾隆四十四年己亥麦秋，北平朱珪石君题。"（《明清妇女戏曲集·全福记》附录）

五月

　　洪亮吉入都，参与四库全书校雠事。据吕培等《洪北江先生年谱》。又，此时黄景仁以家室累大困。洪亮吉《候选县丞附监生黄君行状》："后二年，而亮吉游京师，君果以家室累大困，亮吉复为营归资，俾君妇及子奉君母先回，而君已积劳成疾矣。"（《卷施阁文甲集》卷一〇）

　　查礼授四川按察使。据《铜鼓书堂遗稿》查淳《后序》。

　　康基田调守开封。据《茂园自撰年谱》。

　　焦循补县学生，时年十七岁。据闵尔昌《焦理堂先生年谱》。

六月

　　王大蕃撰寄奏疏书信案发，乾隆四十八年十一月止。据《清代文字狱档》。

　　和邦额自序《夜谭随录》。序云："予今年四十有四矣，未尝遇怪，而每喜与二三友朋，于酒觞茶榻间，灭烛谈鬼，坐月说狐。稍涉匪夷，辄为记载。日久成帙，聊以自娱。昔坡公强人说鬼，岂曰用广见闻，抑曰谭虚无胜于言时事也。故人不妨妄言，己亦不妨妄听。夫可妄言也，可妄听也，而独不可妄录哉？虽然，妄言妄听而即妄录之，是亦怪也。则《夜谭随录》即谓为志怪之书也可。乾隆己亥夏六月霁园主人书于峨术斋之南窗。"（《夜谭随录》卷首）昭梿《啸亭续录》卷三《夜谈随录》："有满洲县令和邦额著《夜谈随录》行世，皆鬼怪不经之事，效《聊斋志异》之辙，文笔粗犷，殊不及也。其中有记与狐为友者云：'与若辈为友，终为所害。'用意已属狂谬。至陆生楠之事，直为悖逆之词，指斥不法。乃敢公然行世，初无所论劾者，亦侥幸之至矣。"《中国古代小说总目》文言卷"《夜谭随录》十二卷"条："其版本有'足本'和'非足本'二大系统。'足本'凡一百四十一篇，篇后有作者及其好友恩茂先等的附语和评语，卷下题署'霁园主人闟斋氏著，葵园主人兰严氏评阅'，如乾隆己亥本衙藏本、进步书局《笔记小说大观》本和上海商务印书馆平装铅印本等。'非足本'凡一百四十篇，较足本少《红衣妇人》一篇，刊落篇末评语和眉批，并对原书加以删改润饰，如光绪丁亥鸿宝斋石印本、广益书局石印本、梁溪图书馆沈小英序本、大达图书公司朱惟公序本等。各种版本分卷颇相歧异，在十二卷本之外，另有一种四卷本。"

夏

黄景仁、洪亮吉入都门诗社。毛庆善、季锡畴《黄仲则先生年谱》："是年夏，洪稚存以将应京兆试入都，先生邀与同寓，遂偕稚存入都门诗社。时翁学士方纲、蒋编修士铨、程吏部晋芳、周编修厚辕、吴编修锡麒、张舍人埙共结诗社，邀先生及稚存入会。每一篇出，人争传之。"

七月

杨芳灿署西和县事。旋署环县事。据杨芳灿自订、余一鳌补订《杨蓉裳先生年谱》。

姚鼐编《古文辞类纂》七十五卷成书。《古文辞类纂序目》："鼐少闻古文法于伯父薑坞先生及同乡刘耕南先生，少究其义，未之深学也。其后游宦数十年，益不得暇，独以幼所闻者置之胸臆而已。乾隆四十年，以疾请归，伯父前卒，不得见矣。刘先生年八十，犹喜欢谈说，见则必论古文。后又二年，余来扬州，少年或从问古文法。夫文无所谓古今也，惟其当而已。得其当，则六经至于今日，其为道也一。知其所以当，则于古虽远，而于今取法，如衣食之不可释；不知其所以当，而敝弃于时，则存一家之言，以资来者，容有俟焉。于是以所闻习者，编次论说，为《古文辞类纂》。其类十三，曰：论辨类，序跋类，奏议类，书说类，赠序类，诏令类，传状类，碑志类，杂记类，箴铭类，颂赞类，辞赋类，哀祭类。一类内而为用不同者，别之为上下编云。""凡文之体类十三，而所以为文者八：曰神、理、气、味、格、律、声、色。神、理、气、味者，文之精也；格、律、声、色者，文之粗也。然苟舍其粗，则精者亦胡以寓焉？学者之于古人，必始而遇其粗，中而遇其精，终则御其精者而遗其粗者。文士之效法古人，莫善于退之，尽变古人之形貌，虽有摹拟，不可得而寻其迹。其他虽工于学古，而迹不能忘，扬子云、柳子厚，于斯盖尤甚焉，以其形貌之过于似古人也。而遽摈之，谓不足与于文章之事，则过矣。然遂谓非学者之一病，则不可也。乾隆四十四年秋七月，桐城姚鼐纂集序目。"（《古文辞类纂》卷首）此后姚鼐又随时修订是书，至晚年方定稿。初以钞本流传，嘉庆末年刊行。

章学诚主修《永清志》成书。据胡适《章实斋年谱》。《永清志序例》十五篇，见

《文史通义·外篇二》。

八月

十八日，王昶赴京师。十月十七日抵京。沿途过吴门，与彭绍升、江声会；过无锡，顾光旭、周际清、杨揆、杨抡邀游寄畅园；过扬州，与汪端光、江德量、汪中相见。据严荣《述庵先生年谱》。

又，王昶此次南下，尝过钱塘，王文治与之谈及吴颖芳。王昶《吴西林先生小传》："乾隆己亥，余至钱塘，见王侍讲文治，为言先生宗梵行，研《唯识论》尤精。是时厉征君久没，钱塘诸老宿零落殆尽，兼通内外典无如先生者。将偕侍讲访之，以事未果。"（《春融堂集》卷六五）

洪亮吉应顺天乡试，不售。吕培等《洪北江先生年谱》："八月，应顺天乡试，不售。时翁学士方纲、蒋编修士铨、程吏部晋芳、周编修厚辕、吴编修锡麒、张舍人埙共结诗社，首邀先生及黄君景仁入会。每一篇出，人争传之。是以先生遇虽甚困，而友朋之乐，以此二年为最。"

朱筠督学福建。据罗继祖《朱笥河先生年谱》。

秋

恩科乡试。是科各省考官有蔡新、谢墉、翁方纲、钱载、王杰、吴省钦、朱珪、戴衢亨、吴俊、韦谦恒、周永年等。据法式善《清秘述闻》卷七。所取举人有赵希璜（《清史列传》冯敏昌传附）、伊秉绶（赵怀玉《扬州知府伊君秉绶墓表》）、石韫玉（陶澍《恩赏翰林院编修前山东按察使司按察使琢堂石公墓志铭》）、刘凤诰（石韫玉《故宫保刘公墓志铭（有序）》）、纪大奎（《清史稿》刘大绅传附）、周镐（钱振锽《周牧山传》）、钱塘（江藩《国朝汉学师承记》卷三）、江德量（江藩《国朝汉学师承记》卷七）、法式善（阮元《梧门先生年谱》）、李銮宣（秦瀛《云南巡抚四川布政使石农李公神道碑》）、许鸿磐（道光《济宁直隶州志》卷八）、海宁周嘉猷（朱彭寿《清代人物大事纪年》）、莫元伯（林昌彝《射鹰楼诗话》卷八）等。张锦芳中副榜。据邵晋涵《翰林院编修张君行状》（《南江文钞》卷一〇）。张问安（蔡坤编辑、蔡璐参校《张船山先生年谱》）、孙星衍（张绍南《孙渊如先生年谱》卷上）、黄景仁（毛庆善、季锡畴《黄仲则先生年谱》）、曾衍东（《小豆棚》卷一二《场中儿啼》）报罢。

章学诚始馆座师梁国治家。据胡适《章实斋年谱》。

十月

初八日，刘大櫆卒，年八十二。据吴定《海峰先生墓志铭》（《国朝文汇》乙集卷四三）。《墓志铭》云："自古文亡于南宋，前明归太仆震川暨我朝方侍郎灵皋继作，重起其衰，至先生大振。其才之雄，兼集《庄》、《骚》、《左》、《史》，韩、柳、欧、曾、苏、王之能，瑰奇恣睢，铿锵绚烂，足使震川、灵皋惊退改色。诗亦孕育百氏，供我使令。元明以来，词章之盛，未有盛于先生者也。"英翰《海峰先生文序》："先生受知方望溪侍郎以大其学，而继起受其法者则有姚姬传郎中。三家代嬗，并负通儒硕望，自是论文章者必归宗桐城，犹前世号称江西诗派。流衍所及，赓续无穷，不其伟与！尝受其集读之，章采焕若俪云霞之在天，而驭气以行，浩乎江河东注，莫之敢御。能事至此，始极天下之至乐。世或以先生之文主品藻，参诸方、姚，有轩轾之论。要之惊才绝诣，继往开来，质之百世而下，不可谓非文人之雄也。"署"同治甲戌春三月满洲英翰序"(《海峰先生文》卷首)。段玉裁《戴东原先生年谱》附录："先生言：'刘耕南小文章好，大文章不好。'"张惠言《书刘海峰文集后》："余学为古文，受法于执友王明甫；明甫古文法受之其师刘海峰。本朝为古文者十数，然推方望溪、刘海峰。余求海峰文六年，然后得而读之。海峰之文，有学《庄子》、《史记》为之者，弗至也。学欧阳、王介甫为之，时至焉。学归熙甫，辄至焉。名取远，迹取迩，其效然耶？后有作者，终不得为庄周、司马之为耶？明甫之言曰：海峰治经功半于望溪，其文必倍胜于望溪；然则海峰为之而不至焉者，果系于世之远迩耶？明甫又言：海峰为古文既成，乃箸籍为望溪弟子。呜呼！两人故相为先后哉？"(《茗柯文》补编卷上)李祖陶《国朝文录·海峰文钞文录引》："桐城刘海峰先生，豪于文者也。当望溪方先生之文与道合也，经旨愈深，文心愈峻，几若《二十一史》大半可删，而耳闻目见之事皆不足以供发挥也。海峰为其邑子，继之而起。其文冲口而出，循手而成，铜铁金银皆可入其炉灶，羽毛华实并足供其剪裁。长逾千言，短或二三百字，皆行以浩瀚之气，运以洁朴之思，间或溢为怪奇，抑或茫无畔岸，其于望溪范围疑若撞拟而堕坏之矣。而海峰实从望溪学文，望溪亦以奇才许之，两不相忤，且交相重。故说者谓文必有所法，而始能有所变而后大也。虽然，望溪学人之文也，海峰才人之文也。学人之文约六经之旨，才人之文取百家之长；约六经之旨则简而愈该，咀之而其味愈出；取百家之长则奇而或诡于正，即正亦一览无遗蕴矣。《易》曰：'修词立其诚。'望溪之文之谓也；《礼》曰：'词欲巧。'海峰之文之谓也。然而善学望溪者，要推海峰。择取其洁朴者存之，固俨然当代一作手矣。"李慈铭《越缦堂读书记·刘海峰文集、诗集》："桐城刘大櫆诗文皆不能成家。其文尤乏佳处，虽稍有气魄而粗疏太甚。其生平于古人文法亦甚留心，而所作往往轶于轨度；又或摹仿成拙，转多可笑。诗稍胜于文，苦无作意。而程鱼门、姚姬传辈极推之，姬传称之尤力。其为作传有云：'康熙间方侍郎名闻海外，刘先生一日以布衣走京师，上其文侍郎。侍郎告人曰：苞何足道哉！邑子刘君者乃今之韩、欧也'云云。又为之作八十寿序，中亦举此事为言。且举周书昌语，谓'昔有方侍郎，今有刘先生，天下文章其出于桐城乎？'夫望溪虽稍散弱，不及震川，而气澹神清，粹然有味，自深得于欧、曾者，岂海峰所可望耶？姚氏寿序中又云：'黄舒之间天下奇山水也，郁千余年，一方无数十人名于史传者。独浮屠之隽雄，自梁、陈以来，不出二三百里，肩臂交而声相应和也，其徒遍天下奉之为宗，岂山川奇杰之气有蕴而属之耶？夫释氏衰歇则儒士兴，今殆其时矣'云云，其推崇可谓至矣。岂果天下之公言乎？姬传为人，不至以乡曲之故阿好如此，盖其性习相近，遂致此蔽耳。"《国史文苑传·刘大櫆》："大櫆虽游方苞之门，所为文造诣各殊。苞盖择取义理于经，所得于文者义法。大櫆并古人神气、音节得之，兼集《庄》、《骚》、《左》、《史》、韩、柳、欧、苏之长。其气肆，其才雄，其波澜壮阔。尝著《观化篇》，奇诡似《庄子》。其他言义理者又极醇正。诗能包括前人，镕诸家为一体，雄豪奥秘挥斥出之。著有《海峰文集》八卷《诗集》八卷。从游多以诗文鸣者，而姚鼐、吴定为最著。"（《海峰先生文》卷首）《国朝文汇》甲集卷五七录其《读伯夷传》等文十一篇。袁枚《随园诗话》卷一〇："桐城刘大櫆（耕南），以古文名家。程鱼门读其全集，告予曰：'耕南诗胜于文也。'"谓其《听琴》、《独宿》诗"真清绝也"。《晚晴簃诗汇》卷六七："海峰以古文辞名世，上承灵皋，下开惜抱。顾灵皋不能诗，海峰则颇致力于此。所论次《历朝诗选》，上下古今，力趋正轨，与渔洋《古诗选》意旨略同，而门径较为扩大。其诗意兴豪迈，波澜老成，以视惜抱，未易轩轾。"录其诗十七首。

石卓槐《芥圃诗》案发，乾隆四十五年五月止。据《清代文字狱档》。

周榘卒，年六十八。据袁枚《幔亭周君墓志铭》（《小仓山房文集》卷二六）、张慧剑《明清江苏文人年表》。李斗《扬州画舫录》卷一〇："（幔亭）工诗，善八分书，以'松影入窗无'句受知于公［俊按，指卢见曾］，折节造庐，书'德馨堂'额赠之。招来扬州，有《寿高御史生辰诗》，脍炙一时。"

十二月

初八日，张藻（女）卒。据史善长《弇山毕公年谱》。藻字于湘，青浦人，毕沅母。著有《培远堂诗集》四卷。事迹见《清代闺阁诗人征略》卷三。袁枚《随园诗话》卷一一录其诗句颇夥。李岳瑞《春冰室野乘》卷上《毕太夫人训子诗》："国朝闺秀能诗词者多，而学术之渊纯，当以娄东毕太夫人为第一。"《晚晴簃诗汇》卷一八五录其诗十五首。

二十日，于敏中卒，年六十六。据江庆柏《清代人物生卒年表》。《素余堂集》三十四卷嘉庆十一年刊行。据《贩书偶记》卷一六。《国朝文汇》乙集卷七录其《文渊阁大学士谥文定刘公墓碑》文一篇。《晚晴簃诗汇》卷七四录其诗一首。

祝廷诤《续三字经》案发。据《清代文字狱档》。

王昶补授都察院左副都御史。又有旨授河南布政使，户部尚书梁国治请留内用，上允其奏。据严荣《述庵先生年谱》。

本年

纪昀擢詹事，旋晋内阁学士，总理中书科。据朱珪《经筵讲官太子少保协办大学士礼部尚书管国子监事谥文达纪公墓志铭》（《知足斋文集》卷五）。

袁树官江宁南捕通判。据方濬师《随园先生年谱》。

王汝璧丁忧回籍。据《国史列传》本传（《铜梁山人诗集》卷首）。

张惠言补廪膳生，时年十九岁。据恽敬《大云山房文稿初集》卷四《张皋文墓志铭》。

孙星衍入江宁太守章攀桂幕。据张绍南《孙渊如先生年谱》卷上。

翟灏补金华府学教授。越六年，以年至乞休。据梁同书《翟晴江先生传》（《频罗庵遗集》卷九)）。

张九钺游扬州。据张家枌《陶园年谱》。

章学诚在京交王念孙、顾九苞、任大椿、刘台拱等。据张慧剑《明清江苏文人年表》。

王文治此际已耽于佛学。王昶《蒲褐山房诗话》："年未五十，即耽禅学，精于《楞伽》、《唯识》二书。"（《湖海诗传》卷二二）姚鼐《食旧堂集序》："先生好浮屠道，近所得日进。尝同宿使院，鼐又度江宿其家食旧堂内，共语穷日夜，教以屏欲澄心，返求本性，其言绝善。鼐生平不常闻诸人也。然先生豪纵之气亦渐衰减，不如其少壮。然则昔者周历山水，伟丽奇变之篇，先生自是将不复作乎？"（《惜抱轩文集》卷四）

章学诚作《校雠通义》四卷。此书今存三卷，第四卷佚。据胡适《章实斋年谱》。

刘嗣绾有《半粟山房集》（戊戌、己亥）、《寄泖集》（己亥）。《半粟山房集》小序："庭前老桂一株，已枯其半，而著花较早，金粟因缘，半人身世，敢云妙悟，或证闻思。"《寄泖集》小序："己亥秋侍大父华亭学舍。湖山觞咏，晨夕追随。寻以抱疴，沈困累月。是卷诗大半病中补作。峰泖间无日无卧游兴也。"（《尚䌹堂诗集》卷二、卷三）

孙原湘《天真阁集》收诗起自本年。据《天真阁集》卷首孙原湘自识。

夏敬渠《野叟曝言》约成于本年前后。据赵景深《野叟曝言作者夏二铭年谱》。〔按，萧相恺《关于小说史研究中若干问题的考辨》谓《野叟曝言》成书于乾隆十五年前后。〕孙楷第《中国通俗小说书目》卷四：《野叟曝言》，"存。清光绪辛巳（七年）毗陵汇珍楼活字本，二十卷，一百五十二回……板心上题'第一奇书'，首光绪辛巳知不足斋主人序及凡例。此为初刻原本。光绪壬午（八年）申报馆排印本，二十卷，一百五十四回，首光绪壬午西岷山樵序。此本增多二回，于刊本之缺失者皆已补完。序自谓足本，然实是增补本。"是书《凡例》云："一、作是书者，抱负不凡，未得黼黻休明至老，经猷莫展，故成此一百五十余回洋洋洒洒文字，题名曰《野叟曝言》，亦自谓野老无事，曝日清谈耳。一、原本编次，以备、武、撵、文、天、下、无、双、正、士、熔、经、铸、史、人、间、第、一、奇、书二十字，分为二十卷，是作者意匠经营，浑括全书大旨。今编字分卷，概仍其旧。一、是书之叙事、说理、谈经、论史、教孝、劝忠、运筹、决策，艺之兵、诗、医、算，情之喜、怒、哀、惧，讲道学、辟邪说、描春态、纵谐谑，无一不臻顶壁一层。至文法之设想、布局、映伏、钩绾，犹其余事，为古今说部所不能仿佛。诚不愧第一奇书之目。一、书中间有秽亵，似非立言垂教之道。然统前后以观，而秽亵之中仍归劝戒，故亦存而不论。一、稗官野史，本非纪事之体，间与正史相合，亦有不合者。此书截成化十年以后，为太子监国之年，而下移武宗之年，归并弘治，而终于三十三年。盖不如是不足以畅作者之心。而有弘治十八年天子病愈改元压哭一事，隐存正史之实，自可按合，阅者勿以为虚无征也。一、此书原本评注俱全，其关合正史处一一指明，如景王之为宸濠、安吉之为万安刘吉、法王之为妖僧继晓，皆一望而知。熟于有明掌故者，自可印证，不以无注为嫌也。"（《野叟曝言》卷首）

杨芳灿《真率斋初稿》十卷词二卷刊行。据《贩书偶记续编》卷一五。

陈章《孟晋斋诗集》二十四卷勤有堂刊行。第二十三卷以下为词。据《贩书偶记》卷一五。

刘珊（1779—1824）生。珊字介纯，号海树，湖北汉川人。嘉庆十二年举人。十六年成进士。历官安徽桐城、天长、合肥知县、泗洲知州、颍州知府。卒于官。著有《亦政堂诗集》十二卷《续集》五卷、《文集》二卷、《词》一卷、《刘氏藏书记》十二卷。事迹见陆继辂《颍州知府刘君墓志铭》（《崇百药斋三集》卷一二）。

陈均（1779—1828）生。均字受笙，号敬安，浙江海宁人。嘉庆十五年举人。教习知县。著有《松籁阁诗集》。事迹见《晚晴簃诗汇》卷一二一。［生卒年据朱彭寿《清代人物大事纪年》。］

黄濬（1779—1866）生。濬字睿人，号壶舟，安徽太平人。道光二年进士。官江西彭泽、萍乡知县。以事谪戍乌鲁木齐。二十五年遣返。著有《壶舟诗文存》、《蝶归楼》传奇。事迹见嘉庆《太平县志》卷一〇、同治《彭泽县志》卷六（《方志著录元明清曲家传略》）。［生卒年据张寅彭《新订清人诗学书目》。］

徐贞（女，1779—1809）生。贞字兰贞，别署珠楼女史，浙江平湖人，吴骞侧室。著有《珠楼遗稿》一卷。事迹见吴骞《徐姬小传》（《珠楼遗稿》卷首）。

洪榜卒，年三十五。据李灵年、杨忠主编《清人别集总目》。《国朝文汇》乙集卷三八录其《戴先生行状》文一篇。《晚晴簃诗汇》卷九三录其诗二首。

王文清卒，年九十二。据秦薰陶《王九溪先生年谱》（谢巍《中国历代人物年谱考录》著录）。《晚晴簃诗汇》卷六六录其诗二首。

邵齐然卒，年五十三。据江庆柏《清代人物生卒年表》。王昶《蒲褐山房诗话》："闇谷兄弟五人，先后登科第，入馆阁，而闇谷尤以风度胜，故京洛名人交口誉之。及以部郎出守杭州，修学校，纂志书，文教一新。因与巡抚监司龃龉，怏愤而卒。闇谷尤工书，学苏文忠，时与河东运使沈君栻齐名。""存诗虽少，而清宛可诵，足见一斑。"（《湖海诗传》卷一三）

史震林卒，年八十七。据康正果《风骚与艳情》第八章。［按，《中国文言小说家评传·史震林》谓其生卒年为1692—1778年。］袁枚《随园诗话》卷一三："史梧冈进士，名震林，湛深禅理，半世长斋。知余不喜佛，而爱与余谈，以为颇得佛家奥旨。余亦终不解也。"录其《观荷》诗。卷一五："曹震亭与史梧冈潜心仙佛，好为幽冷之诗。……史云：'一峰两峰阴，三更五更雨。冷月破云来，白衣坐幽女。'皆阴气袭人。"《补遗》卷二："史梧冈好禅，不甚作诗，而往往有新意。"录其《游仙》诗。恽敬《子惠府君逸事》："金坛进士史梧冈先生所著《西青散记》，多记山中隐居及四方游历琐事。为诗文性灵往复，颇亦洒然。"（《大云山房文稿二集》卷三）《晚晴簃诗汇》卷七四录其诗二首。《国朝文汇》乙集卷八录其《记何山逸士》等文三篇。丁绍仪《听秋声馆词话》卷一六《史震林词》："金坛史梧冈教授震林长斋佞佛，不慕荣利。"录其《耦耕书院对早梅洗砚喜段玉函至·浣溪沙》、《冬日与梦觇入南山访友未遇，借宿村舍·丁香结》，谓"翛然之致，雅如其人"。

周於礼卒，年五十九。据江庆柏《清代人物生卒年表》。《国朝文汇》乙集卷二〇录其《梁鹤圃传》、《李侯小传》文两篇。《晚晴簃诗汇》卷八〇录其诗一首。

公元1780年（乾隆四十五年　庚子）

正月

二十二日，沈复娶陈芸，时二人皆十八岁，芸长复十月。据沈复《浮生六记》卷一《闺房记乐》。

黄景仁、桂馥、洪亮吉、吴锡麒、翁方纲等时相过从。毛庆善、季锡畴《黄仲则先生年谱》："正月，桂未谷明经与先生集翁学士斋中，以宋铸'山谷诗孙'铜印赠先生，先生喜而有诗。洪稚存、吴榖人、翁覃溪、李少鹤俱有赠诗，闵正斋为作《传印图》，赵渭川有题诗。又按，是年与稚存及冯编修敏昌、张解元锦芳共唱和，仍在诗社。"

高宗第五次南巡，五月回京。据《钦定南巡盛典》。其间江浙上演迎銮大戏。梁廷楠《曲话》卷三："乾隆中，高宗纯皇帝第五次南巡，族父森时服官浙中，奉檄恭办梨园雅乐。先期命下，即以重币聘王梦楼编修文治填造新剧九折，皆即地即景为之，曰《三农得澍》，曰《龙井茶歌》，曰《祥征冰茧》，曰《海宇歌恩》，曰《灯燃法界》，曰《葛岭丹炉》，曰《仙酝延龄》，曰《瑞献天台》，曰《瀔波清宴》。选诸伶艺最佳者充之，在西湖行宫供奉。每演一折，先写黄绫底本，恭呈御览，辄蒙褒赏，赐予频仍。今日重披法曲，犹仰见当年海宇乂安，民康物阜。古稀天子省方问俗，桑麻阡陌间与百姓同乐，一种雍熙气象，为千古所希有，真盛典也。"石韫玉《独学庐余稿·沈氏四种传奇序》："岁在庚子、甲辰，高庙南巡。凡扬州盐政、苏杭织造所备迎銮供御大戏，皆出自先生［俊按，指沈起凤］手笔。"

二月

孙星衍至金陵应召试，报罢。与方正澍、顾敏恒、储润书读书金陵城西古瓦官寺。孙星衍翻阅释藏全部，得《一切经音义》等，因辑而刊行，始传于世。夏返句容。据张绍南《孙渊如先生年谱》卷上。

姚鼐为门下孔广森作《仪郑堂记》。见《惜抱轩文集》卷一四。

月末，朱筠因将乐知县李廷彩之邀，偕及门数人游玉华洞。据《笥河文集》卷七《游玉华洞记》。

三月

恩科会试。考官：礼部尚书德保、礼部尚书曹秀先、工部尚书周煌、工部侍郎胡高望。题"则众物之"一句，"罔之生也"一句，"尽信书则"一句。赋得"春日载阳"得"风"字。据法式善《清秘述闻》卷七。

沈叔埏、赵怀玉、杨揆等应召试，赐举人，授内阁中书。蒋知让赐举人。据《钦定南巡盛典》卷七四。

屠绅以报最入京，遇师范话旧。晤洪亮吉、徐书受。据沈燮元《屠绅年谱》。

四月

魏塾妄批江统《徙戎论》案发。据《清代文字狱档》。

五月

十五日，高宗御太和殿，传胪。赐一甲汪如洋、江德量、程昌期进士及第，二甲吴蔚光、庄述祖、王宗琰、谢振定、钱塘、李惇、程琰（即程际盛）等进士出身，三甲武忆、宋鸣珂、运昌（即法式善）等同进士出身。据《历科进士题名录》、《清通鉴》。

戴移孝《碧落后人诗集》案发，九月止。据《清代文字狱档》。

赵翼北上，旋以病归。佚名《瓯北先生年谱》："五月，起文赴部。行至台庄，忽两臂中风，不能举，疗治不愈，乃回舟。计自癸巳归里侍养者五年，丁艰及营葬又四年，今赴补又病废，知命有所限也。乃息意荣进，专以著述自娱，自此皆里居之日矣。"

黄钺复入京。明年七月归芜湖。据黄富民《黄勤敏公年谱》。

七月

二十九日，朱仕琇卒，年六十六。据鲁仕骥《朱先生仕琇行状》（《碑传集》卷一一二）。《行状》云："其为文章始学韩子，其后更博采秦汉以来诸家之长，而独成其体于韩子之后。其教学者为文，即举韩子之所以教人者而综其要，以立诚为本，以文从字顺各识职为旨归，以中有自得而能自为为究竟。"朱筠《朱梅崖先生墓志铭》："其生平以古文词自力，归于自得，要其意，欲追古之立言者。以为清穆者惟天，澹泊者惟水，含之咀之，得其妙以为文者惟人。夫其橐钥从人之途，唐韩、宋欧阳，上薄二汉，放乎周、秦，岿然而与六经之指合。其得之意，极其状也，嵚崟渺漭，若党鬼神。而推而准之，平直圆方，察人伦五，以平吾气，以宁吾心，斩斩自成名一家。"（《笥河文集》卷一二）李祖陶《国朝文录续编·梅崖文录引》："《梅崖文集》二十卷，建宁朱斐瞻先生著。我朝古文，康熙以前最正，大抵矩矱八家，而侯、魏、汪三家尤为家弦户诵。至先生始为异论，谓宋以后文为不足观，谓魏叔子文三十年前已不愿为，而惟醉心于周秦诸子，亦犹李空同不读唐以后书也。特空同务为嚣张，撮拾《史》、《汉》字句以为古拗；先生较为静重，摹仿周秦格韵以为精醇。其才力大逊王、李，而功夫之深细过之。高者自拟典、诰，次亦颉颃韩、柳。每篇自评，沾沾然俯视一切，虽未免近于夸饰，而其文亦多可观。至晚年意降心平，仍以元明诸公为归宿。其《答李千人书》也，谓：'仕琇少年虚矫恃气，今出吏更世事多，颇深悔其妄。近稍敛就平实，检阅明朝归熙甫、王遵岩、方希直、高子业、徐昌毂诸人诗文，觉已有所不及。'《答黄临皋书》又谓：'比读震川遗集，甚有得。因念平生醉心韩、李，使不择所以出之者，未为善学也。欧、苏、曾、王各自成家，驯至姚牧庵、虞伯生，渐合源流，至震川而益备。向时志意高，颇轻视之，今阅历久而心降，始知前辈之未易及也。'而《答族弟和鸣书》至谓'仕琇往日言过高而无实，恐诸贤相寻，误用精神，为可惜'，盖不惟自悔，兼恐误人矣。"李慈铭《越缦堂读书记·梅崖居士集、外集》："《朱梅崖外集》文气醇朴而法散语枝，殊有南宋迂冗之习。然立意不苟，固粹然有道言也。""其文卑冗，全不识古文义法，而高自标置，甚为可厌。究其所得，特村学究之稍习古文者耳。余在家时粗阅一过，意便轻之。迨入都，则士大夫多有称之者。嗣见其《外集》，文虽冗曼而颇得淳实之气，又疑向时阅之不尽。两日来悉心批诵，则笔弱语陋，疵累百出。恽子居尝谓梅崖于望溪有不足之辞，其去望溪，盖不可以道里计也。余雅不喜菲薄前人，而势有不得不言者，今日因举其集中尤荒谬之文，用笔批勒之，以诏来学，毋使村野驱鸟人孟浪言古文字。"《清史列传》本传："仕琇治古文，自晚周以迄元、明百余家，究悉其利病，而一以荀况、司马迁、韩愈为大宗。""时治古文者，多尊桐城方苞，仕琇独病其肤浅，故或谓其矫枉过正，邻于艰涩。然淳古冲澹，大兴朱筠特推其斩斩自成一家。"《梅崖居士文集》三十卷《外集》八卷乾隆四十七年刊行。据《贩书偶记》卷一五。《国朝文汇》乙集卷一八录其《原法》等文十九篇。《晚晴簃诗汇》卷七九录其诗二首。

上半年高宗南巡及七十大寿，诸臣献赋。 洪亮吉日校四库书，夜则代人作颂述之文。自二月至本月所制凡五六十篇，得酬金四百两。据吕培等《洪北江先生年谱》。

程景伊卒，年六十九。 据朱彭寿《清代人物大事纪年》、张慧剑《明清江苏文人年表》。王昶《蒲褐山房诗话》："文恭赡于词章，兼精吏牍，初不以道学名，而濂洛五子之教，素所服膺，故肫诚朴实，颇知大体。其见于诗者，冲和真淡，虽非风骚正则，不愧有德之言。"(《湖海诗传》卷九)《晚晴簃诗汇》卷七五录其诗三首。《国朝文汇》乙集卷八录其《琴园诗草序》等文三篇。

八月

艾家鉴试卷内书写条陈案发，十一月止。 据《清代文字狱档》。

尹庆兰重过随园。 袁枚《随园诗话》卷九："(似村)乙酉别去，庚子八月忽奉太夫人就芜湖观察两峰之养，重过随园。见和云：'迎人鸡犬闲如旧，满驾琴书卖欲无。'《临别》云：'故人垂老别，归舫任风移。退一步来想，斯游本不期。'"

九月

二十九日，张维屏(1780—1859)生。 维屏字子树，号南山、松心子，广东番禺人。计偕入都，翁方纲赏异之。与黄培芳、谭敬昭称"粤东三子"。道光二年进士，改官知县，署黄梅。调补广济，引疾去。丁艰服阕，愿就闲，援例改郡丞，权南康。未一载，复罢归。著有《松心草堂集》，辑有《国朝诗人征略》。事迹见陈澧《张南山先生墓碑铭》(《续碑传集》卷七九)、金菁茅《张南山先生年谱撮略》、《清史列传》本传、《清史稿》本传。[生日据朱彭寿《清代人物大事纪年》。]

吴英拦舆献策案发。 据《清代文字狱档》。

刘遴宗谱案发。据《清代文字狱档》。

杨芳灿题补伏羌县，即赴任。任至乾隆五十年。据杨芳灿自订、余一鳌补订《杨蓉裳先生年谱》。

秋

乡试。是科各省考官有蔡新、钱载、窦光鼐、赵佑、邵晋涵、钱沣等。据法式善《清秘述闻》卷八。所取举人有张锦芳（《清秘述闻》卷八）、洪亮吉（吕培等《洪北江先生年谱》）、杨伦（赵怀玉《广西荔浦县知县杨君墓志铭》）、刘廷楠（曾国藩《广东嘉应州知州刘君事状》）、曾燠（包世臣《曾抚部别传》）。徐书受中副榜。据洪亮吉《河南南召县知县候补知州徐君墓志铭》（《广清碑传集》卷一〇）。黄景仁第三次应顺天乡试，不售。适程世淳督学山东，邀黄景仁往，遂为山东之游。未数月，以武英殿书签例得主簿，仍复入都。据毛庆善、季锡畴《黄仲则先生年谱》。张问安第三次报罢。据蔡珅编辑、蔡璐参校《张船山先生年谱》。

袁枚序钱琦诗。见《小仓山房续文集》卷二八。又，钱琦《澄碧斋诗钞》十二卷、《别集》一卷本年刊行。据《贩书偶记》卷一五。

十月

十六日，管同（1780—1831）生。同字异之，号育斋，江苏上元人。嘉庆初，姚鼐主讲钟山书院，同从游久。道光五年，陈用光典试江南，同中式。后馆安徽巡抚邓廷桢安庆署。著有《四书纪闻》二卷、《七经纪闻》四卷、《因寄轩文初集》十卷、《二集》六卷、《补遗》一卷。事迹见方东树《管异之墓志铭》（《考盘集文录》卷一〇）、方宗诚《管异之先生传》（《续碑传集》卷七六）、《清史列传》梅曾亮传附、《清史稿》梅曾亮传附。

孙星衍归常州，游吴门。岁末抵西安。张绍南《孙渊如先生年谱》卷上："十月归常州，游吴门。以王光禄鸣盛、江布衣声撰注《尚书》，造门访谒，与谈郑学。陕西抚部毕公沅时以母忧家居，闻君名，延之里第，与钱明经坫同修《关中胜迹图志》。时蒋侍御和宁、钱少詹大昕、赵观察翼来吴门，毕公邀游灵岩山馆，君与钱君皆在坐。其冬，毕公奉命复抚陕，欲邀偕往。君以远游必告，乃返句容，至岁除行抵西安节署。"

王昶丁忧归里。据严荣《述庵先生年谱》。

十一月

令删改抽彻剧本。据《大清高宗纯皇帝实录》卷一一一八。

钱大昕、孙星衍同游茅山。据钱大昕《潜研堂文集》卷二〇《游茅山记》。

冬

姚鼐选隆、万、天、崇及国朝人四书文二百五十一篇授敬敷书院诸生课读。所选

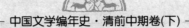

以《钦定四书文》为主，而增益后来名家及小题文。据郑福照《姚惜抱先生年谱》。

章学诚辞去梁国治馆。 据胡适《章实斋年谱》。

伊龄阿奉旨于扬州设局修改曲剧。 张其锦《凌次仲先生年谱》："先生手抄诸经跋云：乾隆庚子冬，两淮巡盐御史长白伊公龄阿奉旨删改古今杂剧传奇之违碍者。次年属余襄其事。"李斗《扬州画舫录》卷五："乾隆丁酉，巡盐御史伊龄阿奉旨于扬州设局修改曲剧。历经图思阿并伊公两任，凡四年事竣。总校黄文旸、李经，分校凌廷堪、程枚、陈治、荆汝为，委员淮北分司张辅、经历查建珮、板浦场大使汤惟镜。""修改既成，黄文旸著有《曲海》二十卷。今录其序目云：乾隆辛丑间，奉旨修改古今词曲，予受盐使者聘，得与修改之列，兼总校苏州织造进呈词曲，因得尽阅古今杂剧传奇，阅一年事竣。追忆其盛，拟将古今作者各撮其关目大概，勒成一书。既成，为总目一卷，以记其人之姓氏。然作是事者多自隐其名，而妄作者又多伪托名流以欺世。且其时代先后，尤难考核。即此总目之成，已非易事矣。"［按，《扬州画舫录》与《凌次仲先生年谱》所记时间有异，此从《年谱》。］又，据《年谱》，参与其事者又有朱赟、罗聘、李斗、张宗泰、闵华、宫国苞、汪端光、谢溶生、金兆燕、汪沆、童钰等。

本年

谢墉调吏部右侍郎、国史馆副总裁。 据阮元《吏部左侍郎谢公墓志铭》（《揅经室二集》卷三）。

张九镡散馆授编修。 据张家杖《陶园年谱》。

冯敏昌散馆授编修。 据冯士镳《先君子太史公年谱》。

袁树擢广东肇庆太守。 据袁枚《小仓山房诗集》卷二六《香亭任江城别驾一年奉广东太守之命，赋诗送之》、方濬师《随园先生年谱》。胡德琳有诗送袁树之广东，见《碧腴斋诗存》卷八《香亭除广东太守，存斋赋诗送之，次韵四首》。

吴嵩梁以文字为杨馥所知，结忘年交。 嵩梁时年十五岁。据《江西通志·吴嵩梁传》（《续碑传集》卷七七）。

焦循入安定书院肄业。 据闵尔昌《焦理堂先生年谱》。

姚鼐主讲安庆敬敷书院。 自庚子至丁未，凡八年。据郑福照《姚惜抱先生年谱》。

卢文弨主讲苏州紫阳书院。 据张慧剑《明清江苏文人年表》。

洪亮吉、黄景仁与武亿在京聚饮。 江藩《国朝汉学师承记》卷四："庚子年，阳湖洪亮吉稚存、黄景仁仲则流寓日下，贫不能归，偕饮于天桥酒楼，遇君［俊按，指武亿］，招之入席，尽数盏后，忽左右顾盼，哭声大作，楼中饮酒者骇而散去。藩尝叩之曰：'何为如此?'曰：'予幸叨一第，而稚存、仲则寥落不偶，一动念，不觉涕泣随之矣。'藩戏之曰：'君乃今日之唐衢也。'"

洪亮吉、黄景仁、冯敏昌、张锦芳等结诗社。 吕培等《洪北江先生年谱》："是岁与黄君及钦州冯编修敏昌、顺德张解元锦芳唱和及诗社，所作共得诗百余篇、杂文数十篇。著《三国疆域志》二卷。"

张九钺游徽州。 著《萍舫集》。据张家杖《陶园年谱》。

汪端光次此期所作为《涉江集》。据张慧剑《明清江苏文人年表》。

黄景仁绘《揖樵图》。据毛庆善、季锡畴《黄仲则先生年谱》。

李海观《歧路灯》有本年过录本。卷首附原过录人题语云："先生名海观，字孔堂，号绿园。筮仕南黔之印江。余于丁酉岁，从学于马行沟。敬读此书，始悟其文章之妙，笔墨之佳，且命意措词大有关于世道人心。迨归，越明年，自春徂夏，抄于众人之手而成焉。""吕中一评《歧路灯》有曰：'以左丘、司马之笔，写布帛菽粟之文章。'允为的评。学者欲读《歧路灯》，先读《家训谆言》，便知此部书籍，发聋震聩，训人不浅，非时下闲书所可等论也。"（栾星《歧路灯研究资料》）

谢兰阶自序《彩毫缘》传奇。是剧未见著录，凡二卷三十二出。据庄一拂《古典戏曲存目汇考》卷一二。

庄逵吉自序《秣陵秋》传奇。署蓉塘别客。庄逵吉又有《江上缘》传奇，已佚。据庄一拂《古典戏曲存目汇考》卷一二。

陈揆（1780—1825）生。揆字子准，江苏常熟人。弱冠补博士弟子员。省试对策，洋洋数千言，以逾格被斥。遂绝意仕进，肆力于考据之学。平生与吴卓信、张金吾、孙原湘交最密。为文宗法归有光。著有《琴川志注》十二卷《续志》十卷、《稽瑞楼文钞》一卷，辑有《虞邑遗文录》十卷《补集》五卷、《稽瑞楼书目》二卷。事迹见孙原湘《陈子准传》（《天真阁集》卷四九）。［生卒年据朱彭寿《清代人物大事纪年》。］

汪师韩卒，年七十四。据谢巍《中国历代人物年谱考录》。袁枚《随园诗话》卷四："吟诗自注出处，昔人所无。欧公讥元稹注《桐柏观碑》，言之详矣。况诗有待于注，便非佳诗。韩门先生《蚊烟诗》十二韵，注至八行，便是蚊类书，非蚊诗也。《赠友》云：'知来匪鹊休论往，为主如鸿喜得宾。'上句注：'《淮南子》：乾鹊知来而不知往。'下句注：'《孔疏》：鸿以先至者为主，后至者为宾。'作诗何苦乃尔？惟张雪子云南典试归，将近长安而殁，先生哭之云：'路纡双节重，天近一星沉。'便觉清妙。又有《咏柳絮》一绝云：'沾襟撩袖自矜妍，未化为萍绝可怜。叹息春风竟何意，团揉无处不成绵。'"《清史列传》本传："师韩少以文名四方，时称为近代之刘贡父、王厚斋。兼工诗。""中年以后，一意穷经，诸经皆有著述，于《易》尤邃。"《国朝文汇》甲集卷六○录其《开州马氏族谱序》等文四篇。《晚晴簃诗汇》卷六八录其诗七首。

朱琰卒，年六十八。据朱彭寿《清代人物大事纪年》。王昶《蒲褐山房诗话》："其诗五言如'秋先桐叶下，凉在雨帘多'；'山平依槛立，水曲抱城流'；'钟晓沈荒寺，湖平断野矼'，七言如'烟开远岫双鬟晓，花漾晴波一镜春'；'远水白蘋明月渡，隔溪红袖夕阳楼'；'高阁夕阳残醉后，板桥流水独吟时'；'菰城水驿回孤棹，茅屋人烟又一村'；'叶落似将乡思坠，萤飞偏共客心流'，置之宋、元人集中，亦为佳作。"（《湖海诗传》卷三一）

金曰追卒，年四十四。据朱彭寿《清代人物大事纪年》。

储秘书卒，年六十三。据严迪昌《清词史》第三编第二章。王昶《蒲褐山房诗话》："其诗浅而实腴，清而不激，正如素练轻缣，雅宜时用。五言有：'鞭丝红稻雨，帆影白蘋秋'；'竹阴清石磴，花色淡秋衣'；'乱鸦盘古塔，冻鹊聚闲门'；'海月迎人满,山花背客妍';'苔阶微霰白,竹屋乱烟青';'玉梅残夜雪,银烛小楼春';'峡暗渔灯小,江空戍角高';'雪屋寒炊黍,风灯夜剪蔬'。七言有:'野雨舟横新水渡,晚凉人在绿阴村';'雨色尽归山一角,春光恰到柳三眠';'客辰先觉凉风至,乡思空随夜月盈';'衣袖尚存慈母线,盘飧重剪故园蔬';'故园重见花如雪,旧雨相看鬓有丝';'绿荫村边孤寺掩,春阴墙角一花明';'倚闾有母心空切,负郭无田计总非';'烛残客舍听蛩语,叶满长安送马蹄。'同人每传诵之。又工倚声,见予所采《国朝词综》,与其乡任曾贻、史承谦相埒。"(《湖海诗传》卷二五)法式善《梧门诗话》一○:"钱稼轩先生尝称,宜兴诗人储玉函最佳。今见《缄石斋诗》,多清丽之作。"《晚晴簃诗汇》卷九○录其诗四首。谢章铤《赌棋山庄词话续编》卷三《储秘书花屿词》:"《花屿词》一卷,宜兴储玉函秘书撰。玉函与史位存兄弟,投分甚深,故词格亦颇相似,沉着则不及耳。中年曾游吾闽,有《风入松》送友云:'东风吹散海边萍。去住总飘零。闽山一路多啼鴂,料归人、也自愁听。惆怅片帆天远,悬知两地云停。殊乡节物又清明。谁共踏青行。酒阑绪语星星记,怕梦回、还绕池亭。从此西窗暗雨,声声尽是离情。'"

崔应阶卒,年八十二。据邓长风《明清戏曲家考略·十五位明清戏曲作家的生平史料》。《晚晴簃诗汇》卷六九录其诗四首。胡德琳《双仙记跋》:"维我鄂渚老夫子,胸罗星斗,雅擅文章,思入风云,尤精音律。""《情中幻》述郑郎之遇,户诵家弦;《烟花债》传邢女之贞,笔歌墨舞。爰借双仙之遗事,补昭李、段之奇忠,非徒才子佳人情文曲尽,直使忠臣义士歌泣交生。"(《中国古典戏曲序跋汇编》卷一三)

公元 1781 年(乾隆四十六年 辛丑)

正月

二十一日,**龙汝言**(1781—1832)**生**。汝言字子嘉,号绰珊、济堂,安徽桐城人。嘉庆十三年由寄籍廪生赐举人,十六年召试授中书。十九年成进士,殿试一甲第一,授修撰。以校书偶误降职。后官内阁中书、兵部主事、员外郎。著有《赐砚堂集》十二卷。事迹见金天翮《龙汝言传》(《广清碑传集》卷一○)。[生卒时间据朱彭寿《清代人物大事纪年》。]

二月

初七日,**周济**(1781—1839)**生**。济字保绪,号未庵、止庵(一作止安),别号介存居士,江苏荆溪人。嘉庆九年举人,明年成进士。出为淮安府学教授。后隐居金陵春水园,潜心著述。晚复任淮安教授。周天爵移督湖广,邀济偕行。道卒,年五十九。著有《介存斋诗》六卷、《杂文》二卷、《味隽斋词》二卷,编有《宋四家词选》(又名《宋四家词筏》)。事迹见魏源《荆溪周君保绪传》、徐士芬《书周进士济》、沈铭石《周止庵先生传》、丁晏《止庵先生家传》(《续碑传集》卷七七)、《清史列传》陈鹤传附、《清史稿》本传。[生日据朱彭寿《清代人物大事纪年》。]

二十七日,**吴颖芳卒**,年八十。据王昶《吴西林先生小传》(《春融堂集》卷六五）。《小传》云：“少与厉征君鹗交，甚之学诗，于是上溯汉、魏，下及唐、宋诸大家，熟读详玩，成一诗数改而后定。”“古文尚平易，诗余尚婉曲，所作不多，皆不存。”《晚晴簃诗汇》卷七八：“西林与杭、厉同时，各有专长。其诗如水碧金膏，自然清丽。有过于雕刻者，为勇汰之。朴学工诗，惟此数子，非社集标榜一流所可拟已。”录其诗二十七首。

凌廷堪应伊龄阿之聘，至扬州参与修改曲剧。在扬州期间与阮元定交。据张其锦《凌次仲先生年谱》。阮元《次仲凌君传》：“乾隆四十六年游扬州，慕其乡江慎修、戴东原两先生之学。”（《揅经室二集》卷四）

三月

会试。考官：礼部尚书德保、吏部侍郎谢墉、兵部侍郎沈初、副都御史吴玉纶。题“所藏乎身”一句，“子曰女奚”二句，“孟子曰待 民也”。赋得“王良登车”得“行”字。据法式善《清秘述闻》卷八。洪亮吉（吕培等《洪北江先生年谱》）、赵怀玉（《收庵居士自叙年谱略》卷上）报罢。

梁三川《奇冤录》案发。据《清代文字狱档》。

尹嘉铨为父请谥并从祀文庙案发，乾隆四十八年十二月止。据《清代文字狱档》。

吕星垣游天平山。据其《游天平山记》（《国朝文汇》乙集卷四一）。

章学诚游河南，遇盗，失去《校雠通义》等书稿。后从故旧家存录本借抄，名曰《辛丑年钞》。然十成之中，仅得四五。自是每有撰著，必留副草。是时颇狼狈，投同年张维祺于肥乡县署。张聘其主肥乡清漳书院讲席。生活艰难，屡致书梁国治、邵晋涵等求救。据胡适《章实斋年谱》。

四月

十六日，洪亮吉偕同年崔景仪西行赴毕沅幕。五月望后抵西安。时吴泰来、严长明、钱坫、孙星衍皆在幕中。亮吉日协毕沅筹兵画饷，暇即分韵赋诗，间游汉唐古迹，又代州判庄炘修《延安府志》，岁抄方竣。是年道中纪游及唱和诗共得二百首，杂文数十篇。据吕培等《洪北江先生年谱》。

十七日，尹嘉铨以罪处绞，年七十一。据朱彭寿《清代人物大事纪年》、江庆柏《清代人物生卒年表》。《晚晴簃诗汇》卷六八录其诗五首。

二十五日，高宗御太和殿，传胪。赐一甲钱棨、陈万青、汪学金进士及第，二甲陈廷庆、曹振镛、张经田、翁元圻、杨伦、顾九苞等进士出身，三甲万承风、玉保、王友亮、许鸿磐、曾燠、丁杰、徐昆、戚学标等同进士出身。据《历科进士题名录》、《清通鉴》。

五月

焦禄谤帖案发，闰五月止。据《清代文字狱档》。

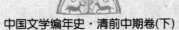

蒋士铨自选《藏园诗钞》定本凡十卷、杂文若干卷。据蒋士铨自编《清容居士行年录》。

闰五月

初六日，俞鸿渐（1781—1846）生。鸿渐字仪伯，号剑华，浙江德清人。嘉庆二十一年举人。著有《印雪轩文钞》三卷、《诗钞》十六卷、《随笔》四卷。事迹见俞樾《先府君行述》（《宾萌集》卷五）。

六月

二十七日，朱筠卒，年五十三。据罗继祖《朱笥河先生年谱》。江藩《国朝汉学师承记》卷四："先生博闻宏览，于学无所不通。说经宗汉儒，不取宋元诸家之说，《十七史》、涑水《通鉴》诸书，皆考其是非，证其同异，泛滥诸子百家而不为异说所惑。古文以班、马为法而参以韩、苏，诗歌出入唐、宋，不名一家。""屡主文柄，搜罗英俊，如大理寺卿陆锡熊、吏部主事程晋芳、礼部郎中任大椿，皆所取士也。戴编修震、汪明经中皆兀傲不群，好雌黄人物，在先生幕中，独于先生无闲言。阳湖孙观察星衍为诸生时，以不见先生为恨，属同邑洪君稚存为绍，愿遥执弟子礼。天下士仰慕风采，望风景附有如此。先生提唱风雅，振拔单寒，虽后生小子一善行及诗文之可喜者，为人称道不绝口，饥者食之，寒者衣之，有广厦千间之概。是以天下才人学士从之者如归市。""弟子以通经著者：兴化任大椿、龙溪李威、阳湖洪亮吉、孙星衍、偃师武亿、全椒吴鼒。"袁枚《随园诗话》卷一〇："（朱筠）考据博雅，不甚吟诗。"录其《登湖楼》一律。洪亮吉《北江诗话》卷一："朱学士筠诗，如激电怒雷，云雾四塞。""学昌黎、昌谷两家诗，不可更过。朱竹君学士诗，学昌黎而过者也。然才气毕竟不凡。"姚鼐《朱竹君先生传》："其文才气奇纵，于义理、事物、情态无不备，所欲言者无不尽。尤喜小学。"（《惜抱轩文集》卷一〇）昭梿《啸亭续录》卷三《诗文涩体》："宋子京诗文瑰丽，与兄颉颃。其《新唐书》好用僻字涩句，以矜其博，使人读之，胸臆间格格不纳，殊不爽朗。近日朱笥河学士诗文亦然。余尝谓法时帆祭酒云：'读《新唐书》及《朱笥河集》，如人害噎膈症，实难舒畅也。'法公为之大笑。"林昌彝《射鹰楼诗话》卷七："大兴朱笥河先生筠诗，古郁盘奥，诘屈聱牙，使人读之难于索解，不如其古文词，真气浑厚，神似龙门也。"朱庭珍《筱园诗话》卷二："朱竹君、翁覃溪，北方之雄，记问淹博。朱讲经学，不长诗文。"《晚晴簃诗汇》卷八二："诗初学昌谷、昌黎，五言力追汉、魏，晚乃导汇百家，变化创辟，神明于规矩之外。尤爱佳山水，使车所至，尝再登黄山、武夷，攀萝造巅，题名锲石而后返，故集中亦以登临揽胜之作为多云。"录其诗四十首。《国朝文汇》乙集卷二四录其《大宗间代立后议》等文十一篇。

四川进士杨卓莅青浦任，请王昶修县志。昶于明年往万寿道院志局修志。据严荣《述庵先生年谱》。

钱大昕归里省亲，以母病卒，遂不赴馆。据钱大昕自编、钱庆曾校注《竹汀居士年谱》。

七月

张九钺客夏口。据张家栻《陶园年谱》。

八月

十五日，王嘉曾卒，年五十三。据许巽行《诰授奉政大夫文渊阁校理翰林院编修加五级王公墓志铭》（《闻音室诗集》卷首）。

蒋士铨作《冬青树》传奇。自序云："窃观往代孤忠，当国步已移，尚间关忍死于万无可为之时。志存恢复，耿耿丹衷，卒完大节，以结国家数百年养士之局，如吾乡文、谢两公者，呜呼难矣哉！秋夜萧然，不能成寐。剪灯谱《冬青树》院本三十八首，三日而毕。摭拾附会，连缀成文。慷慨歌呼，不能自已。庾信之赋《哀江南》曰：'惟以悲哀为主。'殆或似之。经曰：'岁寒然后知松柏。'若两公者，即以为冬青之树，谁曰不宜？辛丑八月，离垢居士书。"（《九种曲》）又，洪亮吉《蒋青容先生冬青树乐府序》，见《卷施阁文乙集》卷四。是剧凡三十八出，演南宋灭亡事。

蒋士铨作《采樵图》传奇。自序云："吾郡上饶娄一斋先生，理学名儒。诞育贤女，结配非人，含恨而卒。其墓在江西省德胜门外河干，湮没已久。予于辛未访得碑址，先后作《一片石》、《第二碑》院本以表之，今复为《采樵图》十二出传演本事。盖《题画》以谏阻其夫之乱，故妃之隐志也。终以阳明立功遭忌，学道名山，一唱三叹，惟解人知之耳。辛丑中秋日，离垢居士书。"是剧凡十二出。演宁王朱宸濠妃娄氏事。

蒋士铨撰《定龛琐语》。据蒋士铨自编《清容居士行年录》。

梅窗主人作《百宝箱》传奇。梅窗主人自序云："辛丑秋八月，予方夜坐，漏下灯残，百虫絮语，忆十娘事，凄婉不能释，影响恍惚之间，冉冉如欲出者。吾亦不知当日者果有此人，亦果有此事，抑或说者虹影蜃楼，作此灿花之论也。而吾以一朝幻想，构成幻境，书成幻笔，为之谱入传奇，使得按拍而歌之，殆所谓无情而有情者耶。乾隆辛丑冬十月下浣梅窗主人序。"是剧又有序署"嘉庆丙寅二月下浣俟文辉谨序"。（《中国古典戏曲序跋汇编》卷一三）［按，或谓是剧为黄图珌作，误。］

九月

初三日，雨后，黄景仁偕孙星衍、洪亮吉游荐福寺。据毛庆善、季锡畴《黄仲则先生年谱》。

初四日，顾元熙（1781—1821）生。元熙字丽丙，号耕石，江苏长洲人。嘉庆十三年解元，明年成进士。历官翰林院编修、侍读、广东学政。事迹见《国朝文汇》乙集卷六七、朱彭寿《清代人物大事纪年》。

蒋士铨作《采石矶》传奇。自序云："才高识短，竖儒耳。太白才倾人主，气凌宦官，荐郭汾阳再造唐室，知人之功，虽姚、宋何让焉！后世诵其文者皆以诗人目之，浅之乎丈夫矣。予表文谢两公忠义后尚余墨沈，乃尽一日填《采石矶》杂剧八出，以见青莲一生遭逢志节，同声而哭者，或又破涕为笑矣。辛丑重九日，清容居士书。"（《中国古典戏曲序跋汇编》卷八）

秋

黄景仁游西安，访陕西巡抚毕沅，冬复入都。毛庆善、季锡畴《黄仲则先生年谱》："毕公抚陕时，爱才下士，校刊古书。时幕府之士甚众，其尤著者为长洲吴舍人泰来、江宁严侍读长明、嘉定钱州判坫及稚存、渊如。先生至，极诗文宴会之乐。"

十月

毕沅以失察甘肃冒赈事降为三品顶带，仍办理陕西巡抚印务，不准支给养廉。据史善长《弇山毕公年谱》。

李调元编《蜀雅》二十卷成书。序云："大半理不空绮，清丽居宗；句不贾奇，浑润为上。登大雅而刊淫哇，此中具费苦心也。"署"乾隆四十六年岁次辛丑孟冬月罗江李调元雨村撰"。（《蜀雅》卷首）是书本年忆书楼刊行。据《贩书偶记》卷一九。法式善《陶庐杂录》卷三："《蜀雅》二十卷，罗江李调元选。调元字雨村，刻书甚富。惜卷帙繁重，不克风行海宇。此书虽于全蜀诗人不能完备，而亦足觇大凡矣。闻有续刻，未见。"

十一月

吴碧峰刊刻《孝经对问》及《体孝录》案发，乾隆四十七年一月止。据《清代文字狱档》。

叶廷推《海澄县志》案发，乾隆四十七年二月止。据《清代文字狱档》。

蒋士铨记名以御史补用。据蒋士铨自编《清容居士行年录》。

张九钺与蔡元春会晤。张家栻《陶园年谱》："十一月，江宁蔡芷衫元春自武昌冲浪渡江见访，先生惊喜累日。盖先生二十年前，曾于施铁如祠部诗中神交其人，至是始觏面焉。因出所作属评定之，并序芷衫诗稿。"蔡元春，金陵名士。袁枚《随园诗话补遗》卷五："金陵有二诗人：一蔡芷衫元春，一燕山南以筠。蔡专主风格浑古，燕专尚心思雕刻：两家不可偏废也。""芷衫有少陵之风。咏《古道》云：'九折原通蜀，千盘复向秦。可怜嘶老马，长此怨离人。冰雪关河气，风尘阅历身。年年杨柳发，犹自傍前津。'又，《古台》云：'项王空戏马，刘表但呼鹰。'《古松》云：'鹤巢知几换，龙气欲盘空。'"

十二月

程明諲代作寿文案发，乾隆四十七年五月止。据《清代文字狱档》。

鳌图选福建海澄县知县。明年二月初三日引见，旋遭父丧，遂守制三年。据《沧来自记年谱》。

曹庭栋乙未八月至本月诗为《产鹤亭诗十一稿》。据《产鹤亭诗十一稿》卷首标识。自序署"乾隆四十六年十二月，慈山翁，时年八十有三"。

冬

沈复随蒋襄（字思斋）习幕于奉贤官舍。据沈复《浮生六记》卷四《浪游记快》。

因张维祺移官大名，章学诚亦去肥乡而至大名。岁暮辞归北京。据胡适《章实斋年谱》。

钱沣授江南道监察御史。据方树梅《钱南园先生年谱》。

金兆燕自序《婴儿幻》传奇。署"辛丑冬日棕亭金兆燕书"。据《古本戏曲剧目提要》。序见《棕亭古文钞》卷六。

本年

蒋士铨充国史馆纂修官，专修《开国方略》十四卷。据蒋士铨自编《清容居士行年录》。

翁方纲擢国子监司业，寻迁司经局洗马。据《国史馆儒林传稿》本传（《碑传集三编》卷三六）。

李兆洛从学于外祖奚宾（号蕉峰）。奚氏为制艺名师。据蒋彤《武进李先生年谱》卷一。

法式善散馆授检讨，旋派帮办翰林院清秘堂事，充四库提调。据阮元《梧门先生年谱》。

沈业富授河东盐运使。据阮元《翰林编修河东盐运使司沈公既堂墓志铭》（《挈经室二集》卷五）。

赵怀玉在内阁为官，与翁方纲、朱筠、程晋芳、管幹贞、张埙、吴锡麒等时相过从。据赵怀玉《收庵居士自叙年谱略》卷上。

蒋业晋官汉阳府同知，以讹误充发乌鲁木齐。据张慧剑《明清江苏文人年表》。

吉梦熊告病归里。据杨锺羲《雪桥诗话余集》卷五。

沈起凤阅传奇甚夥。沈起凤《兰桂仙跋》："乾隆辛丑岁，客惕庄全公尚衣署中，时奉旨查勘曲谱，所阅传奇不下七百余种。"（《中国古典戏曲序跋汇编》卷一三）

张云璈作《公车自序》。有"今岁辛丑，凡六上公车"云云。见《广清碑传集》卷九。

毕沅作《山海经新校正》十八卷、《关中金石记》八卷。据史善长《弇山毕公年谱》。

曹仁虎有《评华集》。据王鸿逵《曹学士年谱》。

彭兆荪《小谟觞馆诗集》诗始于本年。兆荪时年十三岁。自本年至乾隆五十二年丁未为《楼烦集》一卷。据缪朝荃《彭湘涵先生年谱》。

袁枚作《仿元遗山论诗》三十八首。见《小仓山房诗集》卷二七。其序云:"遗山《论诗》古多今少,余古少今多,兼怀人故也。其所未见与虽见而胸中无所轩轾者,俱付阙如。"方濬师《随园先生年谱》:"仿元遗山论诗,得六十八人,独不及沈归愚尚书。"

王昶为彭端淑、彭遵泗编定《二彭集》。王昶《二彭集序》:"辛丑居里,乃始发箧读之,汰其稍近俗者,定乐斋诗文为《白鹤堂集》六卷,磬泉文为《求志堂集》四卷。"(《春融堂集》卷三八)

曾衍东南行游粤,依业师袁春舫大令于云阳、新会县署凡二年。据张宪文《曾衍东年表》(《小豆棚》附录)。又,其作《小豆棚》当不晚于本年。《小豆棚》卷一二《画版》:"辛丑游粤,在新会袁春舫业师署……予因次日束装北旋,不暇。舟次清远峡中,为补书其略如此。"

吕公溥自序《弥勒笑》传奇。是剧今存钞本,凡二卷二十出,系据张坚《梦中缘》传奇改编。据《古本戏曲剧目提要》。

方元音编《珍珠塔》弹词十八回。据张慧剑《明清江苏文人年表》。

陈焯编《湘管联吟》一卷、《续集》二卷、《附录》一卷、《附稿》一卷刊行。据《贩书偶记》卷一九。

汪玉珩《朱梅舫诗话》二卷刊行。据《贩书偶记》卷二〇。

王鵕《中州音韵辑要》二十一卷咸德堂刊行。据《贩书偶记》卷二〇。

游戏主人纂辑、粲然居士参订《笑林广记》十二卷刊行。是书有本年金阊书业堂刊本、乾隆五十六年三德堂刊本,均为十二卷。署"游戏主人纂辑、粲然居士参订"。前有掀髯叟序。

张澍(1781—1847)生。澍字时霖、伯瀹,号介侯,甘肃武威人。父应举,有孝行。嘉庆四年进士,选庶吉士。散馆改知县,历知贵州玉屏、四川屏山、兴文、大足、铜梁、南溪、江西永新、泸溪等县。后主讲兰州,晚岁定居西安。著有《养素堂诗集》二十六卷、《文集》三十六卷,另有《续黔书》八卷、《蜀典》十二卷等数十种。事迹见钱仪吉《张介侯墓志铭》(《续碑传集》卷七七)、冯国瑞《张介侯先生年谱》、《清史列传》本传、《清史稿》本传。

徐松(1781—1848)生。松字星伯,号孟品,大兴人。嘉庆十年进士,授编修。官湖南学政,坐事戍伊犁。撰《西域水道记》、《新疆事略》,特旨赦还。道光初起内阁中书,擢郎中,补御史,出知榆林府。未几卒。又著有《新斠注地理志集释》、《汉书西域传补注》、《唐两京城坊考》、《唐登科记考》、《新疆赋》共数十卷。事迹见缪荃荪《徐星伯先生事辑》、《清史列传》本传、《清史稿》本传。

屠倬(1781—1828)生。倬字孟昭,号琴邬,晚号潜园,浙江钱塘人。嘉庆十三年进士,改庶吉士,散馆授仪征知县。道光初擢江西袁州知府,未赴任,旋移九江知府,皆以疾辞。诗才与郭麐、查揆齐名。著有《是程堂集》十四卷、《二集》四卷、《耶溪渔隐词》二卷。事迹见《清史列传》陈文述传附。

黄本骥(1781—?)生。据江庆柏《清代人物生卒年表》。本骥字仲良,号虎痴,湖南宁乡人。道光元年举人。官黔阳教谕。著有《三长物斋诗略》五卷、《文略》六卷。事迹见《清史列传》本传。

朱云骏卒，年六十四。据江庆柏《清代人物生卒年表》。王昶《蒲褐山房诗话》："其诗冲和娴雅，不惟牧令中无此人，即梁溪诸君子亦无能京驾也。句如'薄醉易消乡梦后，残阳正拥乱峰间'；'芦花过雨添新绿，蔬甲迎秋缀嫩凉'；'白石清泉琴写韵，红花翠箪眼增明'；'白饭青刍冲雨客，乌丝红袖落花天'，皆清丽芊眠。或谓其如姚武功、梅都官，殆未然也。"（《湖海诗传》卷二〇）

钱塘周嘉猷卒。嘉猷字辰告，号两塍，钱塘人。乾隆二十二年进士。官山东知县。据朱彭寿《清代人物大事纪年》。《两塍集》二卷明年刊行，诗文各一卷。据《贩书偶记续编》卷一五。《晚晴簃诗汇》卷八八录其诗一首。

公元 1782 年（乾隆四十七年　壬寅）

正月

十二日，翁方纲自序《苏诗补注》八卷。署"乾隆四十七年春正月十有二日，大兴翁方纲书"。（《苏诗补注》卷首）

卓长龄等《忆鸣诗集》案发，六月止。据《清代文字狱档》。

袁枚出游浙江，五月还山。其间小住天台齐召南家。召南久归道山，弟周南、世南出其集属订。据方溶师《随园先生年谱》。

赵怀玉出都归里。经泰安游泰山，过京口访王文治。据赵怀玉《收庵居士自叙年谱略》卷上。

张问陶游沔阳。有《早春游沔阳舟发汉上口占》等诗。见《船山诗草》卷二《戊丁集》。

二月

十二日，彭绩、吴贤则同游西山。据彭绩《游西山记》（《国朝文汇》乙集卷三五）。

三月

高治清《沧浪乡志》案发。据《清代文字狱档》。

洪亮吉偕同人至牛头寺看桃花。抵终南山麓始返节署。据吕培等《洪北江先生年谱》。

春

黄景仁在京师，赴部候铨。据毛庆善、季锡畴《黄仲则先生年谱》。

汪中在淮安。州判刘玉麟（"麟"一作"麖"）有《送容甫之淮阴诗》。据汪喜孙《容甫先生年谱》。

四月

二十五日，**董士锡**（1782—1831）**生**。士锡字晋卿、损甫，武进人。副榜贡生，候选直隶州州判。年十六，从舅父张惠言游，为诗古文词，尤精虞氏易。游幕为生，尝主通州紫琅书院、扬州广陵书院、泰州书院。著有《齐物论斋集》二十三卷、《遁甲因是录》二卷。吴德旋《晋卿董君传》（《续碑传集》卷七七）、《清史列传》恽敬传附。［生日据朱彭寿《清代人物大事纪年》。］

方国泰收藏《涛浣亭诗集》案发，五月止。据《清代文字狱档》。

黄景仁以将赴选，谋资入秦，寓开元寺者三月。洪亮吉、孙星衍常相过访，或同游名胜，竟日而还。据吕培等《洪北江先生年谱》。又，孙星衍《别长安诗》注云："仲则游秦，曾与稚存及余访城南胜迹。"（《澄清堂稿》卷下）

五月

回民海富润携带《回字经》及汉字书五种案发，六月止。据《清代文字狱档》。

六月

二十四日，**英廉作《喜雨》诗**。程晋芳、吴锡麒、许兆棠等和之。据法式善《梧门诗话》卷一。

张问陶、秦朝釪等登大别山拂云楼。据《船山诗草》卷二《戊丁集·毕展叔怀园先生招陪秦峿斋朝釪、王奉斋廷璋两先生登大别山拂云楼，分韵得云字》。

洪亮吉至朝邑访庄炘。回途过潼关赴陆维垣之约。留二日即顺道游华山。七月初八日返节署。据吕培等《洪北江先生年谱》。

七月

初七日，**周之琦**（1782—1862）**生**。之琦字稚圭，号退庵，河南祥符人。嘉庆十三年进士，由翰林院编修累官至广西巡抚。著有《心日斋词集》，辑有《心日斋十六家词录》。事迹见周汝筠、周汝策《稚圭府君年谱》。

初九日，**金甡卒，年八十一**。据朱珪《上书房行走礼部左侍郎加二级金公墓志铭》（《知足斋文集》卷四）。朱珪《今雨堂诗稿序》："乃得尽读全集，望洋而叹，如观华严宝藏，目眙而神骇也。窃览吾师之诗，而思吾师之为人，直内而方外，其天性笃于伦纪，故于根源哀乐之地，醇深恺恻，老而弥挚，读之使人孝悌之心，油然怵然。而其立朝敬事，授经忠告，尤见正风大雅，恪恭直谅之所充流，有不愧乎表里如一者。若夫师友亲串之久而敦，闺庭子姓之雍而肃，自起家出入，以及予告林居，聚散近远，劝规愉戚，皆一一见诸诗。至于大篇险韵，陵韩蹈苏，腹便五车，役使万怪，又獭祭蠢楦者之所望而却走也。"（《知足斋文集》卷一）《静帘斋诗集》二十四卷嘉庆二十五年刊行。据《贩书偶记》卷一六。《晚晴簃诗汇》卷七七录其诗一首。《国朝文汇》乙集卷一一录其《孝节夏孺人传》文一篇。

《四库全书》告成。四库提要阮元附记:"乾隆四十七年,四库全书告成。特命如内廷四阁所藏,缮写全册,建三阁于江浙两省。谕令士子愿读中秘书者,就阁广为传写。所以嘉惠艺林,恩至渥,教至周也。四库卷帙繁多,嗜古者未及遍览。而提要一书,实备载时地姓名及作书大旨。承学之士,抄录尤勤。毫楮丛集,求者不给。乾隆五十九年,浙江署布政使司谢启昆、署按察使司秦瀛、都转盐运使司阿林保等,请于巡抚兼署盐政吉庆,恭发文渊阁藏本,校刊以惠士人。贡生沈青、生员沈凤楼等,咸愿输资,鸠工藏事,以广流传。六十年,工竣。学政阮元本奉命直文渊阁事,又籍隶扬州。扬州大观堂所建阁曰文汇。在镇江金山者曰文宗。每见江淮人士,瞻阅二阁,感恩被教,忻幸难名。兹复奉命视学两浙,得仰瞻文渊阁于杭州之西湖,而是书适刊成。士林传播,家有一编。由此得以津逮全书,广所未见。文治涵濡,欢腾海宇,宁有既欤?是以敬述东南学人欢忭感激微忱,识于简末,以仰颂皇上教育之恩于万一云尔。内阁学士兼礼部侍郎浙江学政阮元恭纪。"〔按,乾隆五十九年,谢启昆为浙江按察使,嘉庆二年任布政使;秦瀛为浙江温处道,嘉庆五年任按察使。阮元此处所记谢、秦二人官职有误。〕平步青《霞外捃屑》卷一《七阁》:"四库共存书三千四百六十种,计七万五千八百五十四卷。又辑简明目录,以便观览。底本仍存翰林院。四库书成,缮写七分,仿浙江范氏天一阁式,建阁藏庋。大内曰文渊,在文华殿后,甲午建,藏四库书第一分,壬寅成,凡三万六千册。又《荟要》一万二千册,凡两部二万四千册,共六万册。(沈兆沄《篷窗附录》云,《荟要》一藏圆明园)圆明园曰文源,藏全书第四分。热河避暑山庄曰文津,藏全书第三分。盛京曰文溯,藏全书第二分。并于瓜洲行宫大观堂之文汇阁、金山寺行宫之文宗阁、杭州西湖圣因寺行宫之文澜阁,亦各庋一分,皆写本。咸丰癸丑,发逆陷镇江、扬州。文汇、文宗二阁毁。庚申九月,淀园不戒,文渊阁毁。辛酉十一月,杭州再失,西湖孤山为贼踞焚,文澜阁亦毁。七阁仅存三矣。"

九月

上浣,水箸散人序吴航野客《驻春园小史》,署"乾隆壬寅年菊月上浣水箸散人书于椀香斋"。《中国古代小说总目》白话卷"《驻春园小史》(《第十才子书》、《双美缘》、《绿云缘》、《一笑缘》)六卷二十四回"条:"水箸散人序署时为乾隆壬寅,则此书当作于乾隆四十七年以前。据日本《商舶载来书目》,此书于日本宽政七年乙卯(中国乾隆六十年)已传入日本。此书卷首提到小说《绣屏缘》,而《绣屏缘》有康熙九年序,则此书写成当不会早于康熙九年。"是书有乾隆四十八年三余堂刊本、乾隆四十八年万卷楼刊本、乾隆四十八年三畏堂刊本、乾隆五十三年务本堂刊本(题名《绿云缘》,一名《第十才子书》)、嘉庆十六年椀香斋刊本(题《第十才子双美缘》)、嘉庆二十二年福文堂刊本、进步书局石印本(题《绘图一笑缘》)等。

二十一日,孙景烈卒,年七十七。据张洲《征仕郎翰林院检讨孙先生景烈行状》(《碑传集》卷四八)。《行状》云:"幼奇颖,读书沈思善悟,不为口耳之学。为文英气勃勃,不可遏抑。"江藩《国朝宋学渊源记》卷上:"主讲关中书院、兰山书院,教生徒以克己复礼。居平虽盛暑必肃衣冠。韩城王文端公为入室弟子，尝语人曰：'先生冬不炉，夏不扇，如邵康节；学行如薛文清。'又曰：'先生归籍三十年，虽不废讲学，独绝声气之交。为关中学者宗，有自来矣。'"《国朝文汇》乙集卷八录其《送张子德润谒选序》等文三篇。

查礼擢湖南巡抚。据吴省钦《诰授通议大夫兵部侍郎湖南巡抚都察院左副都御史查公神碑》（《白华后稿》卷二〇）。

张问陶以贫故，往湖南谒盐法道某公。据蔡珅编辑、蔡璐参校《张船山先生年谱》。有《将往湖南，秦岵斋先生以长歌赠行，作此奉答，即以留别》诗，见《船山诗草》卷二《戊丁集》。

赵怀玉、赵翼同游阳羡。据赵怀玉《收庵居士自叙年谱略》卷上。

汤大奎以输饷至甘肃，经过陕西时访旧友洪亮吉，并出《炙研琐谈》嘱为点定。据吕培等《洪北江先生年谱》。

凌廷堪去扬州，入都。程晋芳、翁方纲极器重之，翁荐之入四库馆校书。据张其锦《凌次仲先生年谱》。

秋

张问陶作《蟋蟀吟》、《秋燕飞》二首。见《船山诗草》卷二《戊丁集》。

秋冬间，赵怀玉、程景傅、庄勇成、庄绳祖、蒋熊昌、庄选辰等结吟社。赵怀玉《收庵居士自叙年谱略》卷上："是岁秋冬之间，与程命三学博景傅、庄勉余文学勇成、蚩英大令绳祖、蒋辛仲太守熊昌、庄皋直舍人选辰为吟社。他客或有增减，此六人常在座。每拈题分体后各出筋政，务为新奇以取胜，往往达旦不止。乡园友朋之乐，此为最盛。"

十月

初三日，童钰卒，年六十二。卒后袁枚为编其诗，得十二卷。据袁枚《童二树先生墓志铭》（《小仓山房续文集》卷二六）、《童二树诗序》（《小仓山房续文集》卷二八）。《随园诗话》卷二："上虞陈少亭爱童二树五言，为《摘句图》，仿阮亭之摘施愚山也。余尤爱其'早烟山际重，春雾水边多'，'看花蜂立帽，问水鹭随人'，'晴流鸣断堑，山影卧空田'数联。"卷六录其《黄河》、《金山》、《观潮》等诗。《晚晴簃诗汇》卷七〇录其诗六首。

王昶应闽浙总督陈辉祖之邀，往修《西湖志》。据严荣《述庵先生年谱》。

高鹗跋王瑞昌《操缦堂诗稿》。署"时乾隆四十七年壬寅小阳月"，见《高鹗诗文集》卷三《兰墅序跋》。瑞昌字继龄、冷村，汉军人。

十二月

二十九日，查礼以入觐卒于京师，年六十九。据吴省钦《诰授通议大夫兵部侍郎湖南巡抚都察院左副都御史查公神碑》（《白华后稿》卷二〇）。《铜鼓书堂遗稿》三十二卷乾隆五十三年刊行。据《贩书偶记》卷一五。《晚晴簃诗汇》卷七二：“其少作类皆清新婉约，出自性灵，服官后之作才气骏发。蒋心余《怀恂叔》诗有云：‘瘴乡三十年，镌诗遍岩壑。’又《题榕巢图》有云：‘山川几处借雕镂，木石居然无废弃。’盖诗以境殊，非复吟风弄月之旧矣。”录其诗十九首。《国朝文汇》乙集卷二五录其《宋谢文节公桥亭卜卦砚铭》、《殷贞女哀辞》文两篇。

冬

李调元辑《函海》成。《童山文集》卷三《函海序》：“余适由广东学政任满，蒙特恩监司畿辅，去京咫尺，而向在翰院同馆诸公，又时获鳞素相通，因以得借观天府藏书之副本。每得善本，辄雇胥录之，始于辛丑秋，迄于壬寅冬，哀然成帙，真洋洋大观矣。有客谀余所好，劝开雕以广其传，遂欣然为之。余蜀人也，故各书中于锦里诸耆旧著作，尤刻意搜罗，梓行者居其大半。而新都升庵博学鸿文，为古来著书最富第一人，现行世者除文集、诗集及《丹铅总录》而外，皆散轶不传，故就所见已刻未刻者，但睹足本，靡不收入。书成，分为三十函：自第一至十皆刻自晋而下以至唐宋元明诸人未见书，自十一至十六皆专刻升庵未见书，自十七至三十则附以拙刻，冀以仰质高明。名曰《函海》，盖不徒以海侔其经史子集之富丽，而实以年力半衰，欲借读书以化其凿枘不入之顽质也。近年来海内皆推尊杭州鲍氏所刻《知不足斋丛书》为善本，兹所得则又皆知不足斋所未采者。”《函海》有乾隆四十九年初刻本、嘉庆重校本、道光重校本、光绪七至八年广汉钟登甲乐道斋重刻本。

本年

纪昀授兵部右侍郎，仍兼直阁事。据朱珪《经筵讲官太子少保协办大学士礼部尚书管国子监事谥文达纪公墓志铭》（《知足斋文集》卷五）。

谢墉转吏部左侍郎。据阮元《吏部左侍郎谢公墓志铭》（《揅经室二集》卷三）。

曹仁虎转侍读。与孙士毅、褚廷璋、刘跃云等为唱和诗。著有《伊人集》。据王鸿逵《曹学士年谱》。

钱泳与潘奕隽订交。据胡源、褚逢春《梅溪先生年谱》。

吴蕡识袁枚。吴蕡《国朝八家四六文钞·小仓山房外集题辞》：“往者乾隆壬寅，余在江宁，因戴君未堂识简斋先生。先生见余所撰《南巡颂》、《重次千字文》，深赏之。”

李调元与蒋士铨相遇于顺城门之抚临馆。李调元《雨村曲话》卷下：“铅山编修蒋心余士铨曲，为近时第一。以腹有诗书，故随手拈来，无不蕴藉，不似笠翁辈一味优伶俳语也。余往粤东，过南昌，其时蒋已入京，其子知廉来谒。问其诗，已付水伯。以所著《空谷香》、《冬青树》、《香祖楼》、《雪中人》四本见贻。余诗曾有‘《空谷香》中人去远’之句，盖怀心余也。舟中为批点一过，不觉日行数百里，但见青山红树，云烟奔凑，应接不暇，扬帆直过十八滩，浑忘其险也。心余与余交最契。其再补官也，为贫而仕，非其本怀。壬寅相见于顺城门之抚临馆，欢甚。曾许题余《醒园图》。未几，病痹，右手不能书。今已南归矣。然闻其疾中尚有左手所撰十五种曲，未刊。蒋与武陵袁枚，时人有两才子之目。晚年俱落落不得志。余尝欲选二家诗为《袁蒋探骊》，不果。袁诗曾为选刊粤中。蒋诗竟弃波涛，良可惜也。"

张九钺游镇江、吴门、杭州。据张家杖《陶园年谱》。

章学诚主讲永平敬胜书院，自京师移家赴之。后此偶客北京，多依甄松年为主。又，本年删存近作为《辛壬剥复删存》。据胡适《章实斋年谱》。

李汝珍随兄汝璜之海州，至嘉庆六年皆在板浦一带。汝璜明年就任板浦场盐课司大使。汝珍在海州得受业于凌廷堪，与许乔林、许桂林诸人交。据胡适《镜花缘的引论》、孙佳讯《镜花缘公案辨疑》。

方东树初学为文，效范云作《慎火树》诗，乡先辈咸叹异之。据郑福照《方仪卫先生年谱》。

包世臣随父读书金陵，时年八岁。据胡韫玉《包慎伯先生年谱》。

舒位自粤西入都。《瓶水斋诗集》卷七《舟次长沙除夕》自注："岁壬寅，自粤西入都，泊此度岁，弹指十有六年。"

《四库全书总目》二百卷成书。纪昀《诗序补义序》："余于癸巳受诏校秘书，殚十年之力始勒为总目二百卷，进呈乙览。"（《纪晓岚文集》第一册卷八）朱珪《协办大学士礼部尚书文达纪公昀墓志铭》："公绾书局，笔削考核，一手删定，为《全书总目》，褒然巨观。"（《知足斋文集》卷五）刘权之《纪文达公遗集序》："乾隆三十七年，朱笥河学士奏闻高宗纯皇帝敕辑《永乐大典》，并搜罗遗书。特命吾师总纂《四库全书》，《总目》俱经一手裁定。"阮元《纪文达公遗集序》："高宗纯皇帝命辑《四库全书》，公总其成。凡六经传注之得失，诸史记载之异同，子集之支分派别，罔不抉奥提纲、溯源彻委。所撰定《总目提要》多至万余种，考古必衷诸是，持论务得其平，光稽古之圣治传于无穷。准诸献王之写定《周官》、《尚书》、《礼》、《礼记》、《孟子》、《老子》，厥功尤茂焉。"陈鹤《纪文达公遗集序》："我师河间纪文达公以学问文章著声公卿间四十余年，国家大著作非公莫属。其在翰林校理《四库全书》七万余卷。《提要》一书，详述古今学术源流、文章体裁异同分合之故，皆经公论次方著于录。"（《纪晓岚文集》第三册附录）洪亮吉《北江诗话》卷一："乾隆中四库馆开，其编目提要皆公〔俊按，指纪昀〕一手所成，最为赡博。"江藩《国朝汉学师承记》卷六："《四库全书提要简明目录》皆出公〔俊按，指纪昀〕手。大而经史子集，以及医卜词曲之类，其评论抉奥阐幽，词明理正，识力在王仲宝、阮孝绪之上，可谓通儒矣。"昭槤《啸亭杂录》卷一○《纪晓岚》："北方之士，罕以博雅见称于世者，惟晓岚宗伯无书不读，博览一时。所著《四库全书总目》，总汇三千年间典籍，持论简而明，修词澹而雅，人争服之。"王昶《都察院左副都御史陆君墓志铭》："（上）特命陆君锡熊偕纪君昀任之。""凡十年书成，论者谓君〔俊按，指陆锡熊〕之功为最多。"（《春融堂集》卷五五）李慈铭《越缦堂读书记·四库全书总目提要》："《总目》虽纪文达、陆耳山总其成，然经部属之戴东原，史部属之邵南江，子部属之周书仓，皆各集所长。书仓于子，盖集毕生之力，吾乡章实斋为作传，言之最悉。故是部综录独富，虽间有去取失宜，及部叙未当者，要不能以一疵掩也。耳山后入馆而先殁，虽及见四部之成，而

《目录》颁行时，已不及待。故今言《四库》者，尽归功文达。然文达名博览，而于经史之学实疏，集部尤非当家。经史幸得戴、邵之助，经则力尊汉学，识诣既真，别裁自易；史则耳山本精于考订，南江尤为专门，故所失亦鲜。子则文达涉略既遍，又取资贷园，弥为详密。集部颇漏略乖错，多滋异议。""《四库》子部《提要》，多出历城周书仓永年之手。书仓专精丙部，而纪河间之学，亦长于诸子，故精密在史部、集部之上。即以类书一门言之，钩贯淹通，于极繁重之书，皆指瑕寻闲，得其条理，诚自古目录家所未有。然亦有失之眉睫者，如……以是知考据之难也。"徐珂《清稗类钞·著述类·四库全书提要》："献县纪文达公昀总纂《四库全书》，一切体例皆其手定，每进一书，仿刘向、曾巩例作提要以冠之简首，高宗辄览而善之。评骘精审，识力在王仲宝、阮孝绪上。自言一生精力，全萃此书，洵古今大著作也。时陆耳山副宪与文达同主其事，耳山博闻强记，资禀绝人，由中书入直军机，曾奉敕编《通鉴辑览》者也。"

毕沅编《乐游联唱集》。史善长《弇山毕公年谱》："公著《乐游联唱集》。时在幕府者，长洲吴舍人泰来、江宁严侍读长明、阳湖洪孝廉今翰林院编修亮吉、孙文学今山东兖沂曹道星衍、嘉定钱明经今乾州州判坫，皆吴会知名士。"张绍南《孙渊如先生年谱》卷上："是时节署多诗人，约分题赋诗，各体拟古共数十首。同人诗成，君未就，与同人赌以半夕成之，但给抄胥一人，约演剧为润笔。既而闭户有顷，抄胥手不给写，至三更出诗数十首，有东坡生日诗在内，即文不属稿之作也。中丞叹为逸才，亟为演剧。"

洪亮吉撰《汉魏音》四卷，又撰淳化、长武二县志。据吕培等《洪北江先生年谱》。

刘嗣绾有《刻楮集》（庚子至壬寅）。小序云："此庚子、辛丑、壬寅三年中作也。时方事举子业，间以其暇托兴词章，率多缘情体物之作。"（《尚絅堂诗集》卷四）

吴翌凤自去年至本年诗为《辛壬杂诗》。小序云："余自甲午后偶有所作，皆应酬牵率，具不足存。丁酉冬奉先君子之讳，并不复作诗矣。岁辛丑始更为之。合壬寅之作，通为一卷，曰《辛壬杂诗》。"（《与稽斋丛稿》卷四）

钱沣为师范删定《金华山樵诗前集》。据方树梅《钱南园先生年谱》。

钱大昕《廿二史考异》一百卷成书。据钱大昕自编、钱庆曾校注《竹汀居士年谱》。

袁枚序钱维乔诗。《小仓山房续文集》卷二八《钱竹初诗序》："竹初明府为少司寇钱文敏公之季弟。生而婧雅，有仲容之姣。传其家学，丽词云委。余曩以清才目之，尚未审其学之深、力之宏也。前年，余还杭州，读其全集，能破万卷而总百家。昔人云：'应场和而不壮，刘桢壮而不和。'竹初为能兼之。今年春，余从天台归，竹初方宰鄞县，见饷《古风》二章，修言修言，进而愈上。"

信天斋癯道人作《如意缘》传奇。是剧本事出《醒世恒言·乔太守乱点鸳鸯谱》。今存旧抄残本，仅十出。据《古本戏曲剧目提要》。又，庄一拂《古典戏曲存目汇考》卷一二：《如意缘》，"此戏未见著录。乾隆壬寅忠孝堂钞本。署信天斋癯道人撰。吴晓铃藏。凡二卷二十出。即《四异记》嫂奸姑故事"。

鲁仕骥（九皋）《山木居士外集》四卷刊行。据《贩书偶记》卷一五。

沈彩（女，陆烜室）《春雨楼集》十四卷首一卷末一卷刊行。据《贩书偶记》卷一八。

　　汪韫玉（女）《听月楼遗草》二卷刊行。据《贩书偶记》卷一八。

　　张海珊（1782—1821）生。海珊字越来、铁甫，江苏震泽人。年二十一，为邑诸生。学使者奇其文，而海珊方抗心希古，不屑屑举子业。平生于程朱用力最深。道光元年，乡试中式第一，榜发，已前卒。著有《小安乐窝集》、《丧礼问答》、《火攻秘录》。事迹见张生洲《张先生海珊行状》（《碑传集》卷一四一）、《清史列传》张士元传附、《清史稿》张士元传附。

　　胡培翚（1782—1849）生。培翚字载平、载屏，号竹村，安徽绩溪人。嘉庆二十四年进士。官内阁中书、户部广东司主事。致仕后主讲钟山、惜阴、云间、娄东、庐州、泾川诸书院。著有《燕寝考》、《仪礼正义》、《禘祫问答》、《研六室文钞》。事迹见汪士铎《户部主事胡先生墓志铭》（《续碑传集》卷七三）、金天翮《胡培翚传》（《广清碑传集》卷一〇）、《清史列传》本传、《清史稿》本传。

　　焦廷琥（1782—1821）生。廷琥字虎玉，江苏扬州人，循子。优廪生。善承家学，阮元称为端士。著有《益古演段开方补》一卷、《地圆说》二卷、《密梅花馆文录》一卷《诗录》一卷。事迹见《清史列传》焦循传附、《清史稿》焦循传附。［生卒年据闵尔昌《焦理堂先生年谱》。］

　　沙维枸卒。据张慧剑《明清江苏文人年表》。维枸字斗初，长洲人。布衣。著有《耕道堂集》。王昶《翁石瓠布衣赏雨茆屋诗序》：“客山逝后，沙斗初维枸、张昆南冈复以布衣称诗吴下。斗初隐于贾，所至登临吊古，其诗发扬蹈厉，磊落而多奇。昆南业于医，又善琴，其诗醇古淡泊，清新微秒。二人之诗不同，然其宽静正直，恭俭而好礼则同，称其为布衣韦带之诗也。”（《春融堂集》卷三九）汪缙《沙斗初诗序》：“予尝妄谓古今作者，正变不可胜穷，会而通之，厥要有三：曰宗趣，曰容节，曰神明。诗必有原有委，其宗趣也；辞与事称，表里相得，其容节也；胸怀与题吞吐氤氲而出，其神明也。沙子诗盖以盛唐为宗，出入建安以下，迄于大历诸家为趣；发无浮响，动不逾格为容节；宣导一时之所会为神明云。”（《国朝文汇》乙集卷三四）王昶《蒲褐山房诗话》：“斗初与张昆南皆居下津桥，自号两布衣。斗初隐于商，来往江西、湖北间。长髯巨颡，如酒豪剑客。诗亦多悲壮激发之音。昆南隐于医，丰颐红颊，神情恰旷。间好古琴。诗亦多清和闲适之趣。两人性情各别，而好吟咏则同。皆为吴企晋所契，啸侣开樽，呼朋命屐，靡不与两人共。尝刻为《二布衣集》。”（《湖海诗传》卷一二）

　　李本宣尚在世，年八十。据张慧剑《明清江苏文人年表》。

公元 1783 年（乾隆四十八年　癸卯）

正月

　　十一日，冯登府（1783—1841）生。登府字云伯，号勺园、柳东，浙江嘉兴人。嘉庆二十三年举人，二十五年进士。以庶常改授江西将乐县知县，不两月，以亲病解绶。服阕，教授宁波。中年游闽，修《盐法志》、《福建通志》。与阮元、徐士芬、李泰交等为文字交。著有《三家诗异文疏证》六卷《补遗》三卷《续补遗》二卷、文集八卷、诗集四卷。事迹见《嘉兴府志》本传(《碑传集补》卷四八)、佚名《冯柳东先生年谱》。

二十八日，吴省钦自编《白华前稿》六十卷成，凡文二十三卷、诗三十六卷、诗余一卷。自序署"乾隆四十八年癸卯正月二十八日，南汇吴省钦书于武昌使院"。(《白华前稿》卷首)

毕沅复还原品顶带，仍准支给廉俸。据史善长《弇山毕公年谱》。

康基田擢河北道。据《茂园自撰年谱》。

二月

乔廷英、李一互讦诗句悖逆及乔廷英家藏明傅梅《雉园存稿》案发，三月止。据《清代文字狱档》。

冯起炎注解《易》、《诗》二经欲行投呈案发，四月止。据《清代文字狱档》。

王昶以有旨补授直隶按察使，遂自西湖志局返里，北上入京。旋改调陕西按察使，遂于四月出都至西安。据严荣《述庵先生年谱》。

毕沅与幕中文士成《宫阁围炉诗》二卷。史善长《弇山毕公年谱》："公以去冬关中年丰人乐，因与吴舍人(泰来)及幕中文士为消寒之会。自壬寅十一月十七日始，每九日一集，至癸卯二月二日止，分题拈韵，成《宫阁围炉诗》二卷。"

赵怀玉与其弟球玉、汪云游海宁两尖山。据赵怀玉《游两尖山记》(《国朝文汇》乙集卷四七)。

三月

十四日，戴祖启卒，年五十九。据钱大昕《国子监学正戴先生墓志铭》(《潜研堂文集》卷四六)。《国朝文汇》乙集卷四五录其《陕甘资政录诸山总序》等文三篇。

汪中往江宁修《南巡盛典》。《经旧苑吊马守贞文》作于其客居江宁时。汪喜孙《容甫先生年谱》："刘先生台拱最爱此文，题云：'容甫已矣，百身莫赎。'按是篇写定于临终之年。"又，《狐父之盗颂》创作年月失考，汪喜孙《先君年表》一并系于本年。

洪亮吉、庄逵吉同游郿县。访马嵬驿，登太白山，上五丈原，回途过盩屋，遍访仙游、楼观诸胜。据吕培等《洪北江先生年谱》。

黄景仁力疾出都，将复至西安。洪亮吉《候选县丞附监生黄君行状》："例得主簿，入资为县丞，铨有日矣。为债家所迫，复抱病逾太行，出雁门，将复游陕。"(《卷施阁文甲集》卷一〇)

春

沈复从蒋襄(字思斋)就维扬之聘。据沈复《浮生六记》卷四《浪游记快》。

章学诚卧病京寓，甚危。邵晋涵延医治之。病中喜与邵氏论学，每至夜分。病愈后，回敬胜书院。据胡适《章实斋年谱》。

张问陶《春日有感》诗有云"春风旅食武昌鱼"，当由湖南仍返汉上。见《船山诗草》卷二《戊丁集》。

黄钺复入京。应京兆试不第，冬归芜湖。据黄富民《黄勤敏公年谱》。

赵怀玉等春夏间仍举吟社，然其盛已不及去年。据赵怀玉《收庵居士自叙年谱略》卷上。

金学诗与王昶相遇于西湖，学诗以《播琴堂集》相示，嘱为序。据王昶《金二雅播琴堂诗集序》（《春融堂集》卷三九）。

四月

二十五日，黄景仁卒于沈业富运城官署，年三十五。据洪亮吉《候选县丞附监生黄君行状》（《卷施阁文甲集》卷一〇）。左辅《黄县丞状》："诗天才超逸似太白，而灵气幽光，窈渺无极。词精心结撰，甚至处古大家殆罕其匹也。"王昶《黄仲则墓志铭》："至其为诗，上至汉、魏，下逮唐、宋，无弗效者，疏瀹灵腑，出精入能，刻琢沈挚，不以蹈袭剽窃为能。词出入辛、柳间，新警略如其诗。"吴兰修《黄仲则小传》："诗学太白，出入于嘉州、昌谷，如子晋之笙，湘灵之瑟，清越苍凉，既于幽怨。其词激楚，如猿啼鹤唳，秋气抑何深也。"吴蔚光《两当轩诗钞序》："仲则死后，称仲则诗者益多，而余已先归田，弗获收其遗稿，与子潇言之，以为憾。嗣毕制府秋帆、翁学士覃溪，尝为选刻十之四五；王侍郎述庵，亦有仲则诗百余纸，将选入《湖海诗传》，然皆非全豹也。最后乃得安阳明府赵君渭川，渭川古义，不忘死友，尽刻其遗集。"（《两当轩集》附录）洪亮吉《北江诗话》卷一："黄二尹景仁诗，如咽露秋虫，舞风病鹤。""黄二尹景仁，久客都中，寥落不偶，时见之于诗。如所云：'千金无马骨，十丈有车尘。'又云：'名心淡似幽州日，骨相寒经易水风。'可以感其高才不遇、孤客酸辛之况矣。""黄二尹景仁诗：'太白高高天尺五，宝刀明月共辉光'，'独立市桥人不识，一星如月看多时'，豪语也；'全家都在风声里，九月衣裳未剪裁'，'足如可析似劳薪'，苦语也；'似此星辰非昨夜，为谁风露立中霄'，'买得我拚珠十斛，赚来谁费豆三升'，隽语也。"延君寿《老生常谈》："其学太白处，如……此真能直闯太白堂奥，东坡而后，罕有其匹。""仲则学东坡，亦有神肖处。如……其学坡公，能在语言之外，脱胎换骨，浅者仓卒无能领会。其他歌行佳者，可得五六十篇，有集可按。本朝此体，几无二手。"厉志《白华山人诗说》卷二："其气诣之醇，实时下所罕觏耳。"林昌彝《射鹰楼诗话》卷一七："武进黄仲则《绮怀》诗：'玉钩初放钗初坠，第一销魂是此声。'传神之笔，可为《绮怀》诗绝唱。前明王次回、近代袁香亭喜作香奁诗，皆不能有此神妙。然仲则天生情种，以此促其天年。杜樊川薄幸之名，亦才人之一病也。"朱庭珍《筱园诗话》卷二："黄仲则才力恣肆，笔锋锐不可当，如骁将舞梨花枪陷阵，万人辟易，所向无前，自是神勇；又如西域婆罗门，吐火吞刀，变幻莫测，具大神通。仲则七古佳篇，造诣颇似如是。如《余忠宣祠》、《焦节妇行》、《黄山松歌》、《前、后观潮行》等作，其才气横绝一时，可谓诗坛飞将，有大神通矣。故当时推其似太白也。然自非大将本领气度，能不动声色，立摧强敌，而弥见整暇，如武侯以纶巾羽扇，指挥百万兵，进退分合，从容自得；又如郤縠敦《诗》说《礼》，祭遵雅歌投壶，虽为将不失名士风流也。佛家贵正眼法藏，不尚神通。拈花微笑时，万法俱化，不屑以神通见，而自在神通，充满法身，不可思议，何必演幻法乎！诗家亦然。真正大作者，才力无敌，而不逞才力之悍；神通具足，而不显神通之奇。敛才气于理法之中，出神奇于正大之域，始是真正才力，自在神通也。仲则七古，尚未望见此境，然足以自豪，卓有可传矣。五古殊欠古厚，律诗则不免靡靡之音。盖天赋奇才，中年早死，故养未纯粹，诣未精深耳。"又，《两当轩集》附录第四《诗话》摘录吴锡麒、吴嵩梁、郭麐、梁章钜、张维屏、包世臣等诸家诗评。陈廷焯《白雨斋词话》卷四："黄仲则《竹眠词》鄙俚浅俗，不类其诗。《词选》附录一首，尚见作意，余无足观矣。"张德瀛《词征》卷六《黄仲则小令》："黄仲则小令，情辞兼胜。慢声颇多楚调，岂以有诗无幽、并豪士气，而于词一泄之邪。"李慈铭《越缦堂读书记·两当轩集》："阅黄仲则《两当轩集》。系常州新刻本，诗词俱较多，然都无取，盖仲则生平已删之作。又有诗话数则，其论李东川、高青丘诗亦未尽当。"《晚晴簃诗汇》卷九八录其诗三十四首。[按，仲则诗词，入选《吴会英才集》、《湖海诗传》、《词综》、《三家词选》而外，本年翁方纲为选《悔存诗钞》八卷，收诗约五百首，刊于嘉庆元年；嘉庆四年赵希璜选刻、二十二年郑炳文修补《两当轩诗钞》十四卷，收诗八百五十四首，《悔存词钞》二卷，收词七十九首；咸丰八年仲则孙志述刻《两当轩全集》二十二卷《附录》六卷《考异》二卷，收诗一千零七十二首、词二百一十四首、文六篇，后此本毁于战乱；光绪二年黄志述妻吴氏重刻《两当轩全集》二十二卷考异二卷附录四卷，收诗一千一百七十首、词二百一十六首、文六篇；今人李国章整理本《两当轩集》，以光绪本为底本，略有增补。]

戴如煌《秋鹤近草》案发。据《清代文字狱档》。

钱沣晋太常寺少卿。据方树梅《钱南园先生年谱》。

袁枚出游黄山，六月还山。据方濬师《随园先生年谱》。

五月

十六日，顾成志卒，年六十七。据朱珪《顾治斋文学墓志铭》（《知足斋文集》卷四）。《国朝文汇》乙集卷一〇录其《支雪樵传》文一篇。《晚晴簃诗汇》卷八六录其诗二首。

法式善充日讲起居注官。据阮元《梧门先生年谱》。

洪亮吉得黄景仁临终遗札，由西安假驿骑，四昼夜驰七百里抵安邑，为措资送其柩归里。八月朔日抵里，为其营葬。据吕培等《洪北江先生年谱》。

六月

钱沣转通政司副使。据方树梅《钱南园先生年谱》。

姚鼐作《老子章义序》。据郑福照《姚惜抱先生年谱》。

五月

楼绳等呈首《河山氏谕家言》暨《巢穴图略》案发。据《清代文字狱档》。

七月

下旬，汪中往芜湖。八月归里。据汪喜孙《容甫先生年谱》。

王汝璧补吏部郎中。据《国史列传》本传（《铜梁山人诗集》卷首）。

八月

钱沣以本官兼湖南学政，冬抵任。据方树梅《钱南园先生年谱》。

王汝璧授直隶顺德知府。据《国史列传》本传（《铜梁山人诗集》卷首）。

英廉卒，年七十七。据《国朝耆献类征初编》卷二四引《国史馆本传》、朱彭寿《清代人物大事纪年》。《梦堂诗稿》十五卷本年刊行。据《贩书偶记续编》卷一五。袁枚《随园诗话》卷三："英梦堂相公，诗才清绝。"《补遗》卷五："英梦堂相公，生有诗骨，吐属不同。"录其《除夕》、《出郊》诗。法式善《八旗诗话》一一一："诗自汉魏以来大家名家，皆沈潜探讨，掇菁遗粕，当与元之遗山、明之青丘，后先较胜。钱择石常谓梦堂诗老之诗，温润缜密，超然意象之表。昔姜尧章论诗，以不求与古人合而不能不合，不求与古人异而不能不异，其诗老之独造而自得乎？"洪亮吉《北江诗话》卷一："冯文肃英廉诗，如申、韩著书，刻深自喜。"王昶《蒲褐山房诗话》："相国初通籍时，雅嗜芸缃，尤敦车笠，与樊榭及吴朴庭燽文、符幼鲁曾、查莲坡为仁为酬和友。诗坛酒社，翰墨飞腾，虽江左风流，不是过也。既而职长六曹，殚心时务，或举旧稿为言，辄逊语谢之，盖不欲以文人自命矣。"（《湖海诗传》卷五）《晚晴簃诗汇》卷六八录其诗四首。

九月

张问安京兆试报罢，归汉阳。其妻陈氏本月卒，年二十九。有《秀远斋诗稿》附刊于亥白诗后，即《永毕轩合稿》是也。据蔡珅编辑、蔡璐参校《张船山先生年谱》。

凌廷堪本年始习时艺，初应顺天乡试报罢，本月回板浦省亲。此二年在京，通儒雅士时在都中者，如邵晋涵、任大椿、王念孙、周永年、吴锡麒、鲍之钟、冯敏昌、孙星衍、张埙、邹炳泰、程晋芳、洪朴等悉与之交。惟以未见纪昀为憾。据张其锦《凌次仲先生年谱》。

秋

乡试。是科各省考官有刘墉、尹壮图、翁方纲、谢墉、戴衢亨、褚廷璋、曹仁虎、吴俊、鲍之钟等。据法式善《清秘述闻》卷八。所取举人有沈清瑞（《清秘述闻》卷八）、郑士超（曾钊《郑士超传》）、恽敬（吴德旋《恽子居先生行状》）、胡长龄（江藩《国朝汉学师承记》卷六）、李符清（《国朝文汇》乙集卷五〇）、秦恩复（《扬州府志》本传）等。徐书受报罢，遵例以本班分发河南。据洪亮吉《河南南召县知县候补知州徐君墓志铭》（《广清碑传集》卷一〇）。孙星衍（张绍南《孙渊如先生年谱》卷上）、王芑孙（《渊雅堂编年诗稿》卷三）报罢。

　　程晋芳请假出都，由中州历太华，明年抵关中，入毕沅幕。据翁方纲《皇清诰授奉政大夫翰林院编修加四级戢园程先生墓志铭》（《复初斋文集》卷一四）。

　　章学诚作《诗教》二篇、《言公》三篇。文载《文史通义·内篇一》、《内篇二》。据胡适《章实斋年谱》。

十月

　　法式善官国子监司业。据阮元《梧门先生年谱》。

　　张凤孙卒，年七十八。据朱彭寿《清代人物大事纪年》。《晚晴簃诗汇》录其诗四首。《国朝文汇》甲集卷五九录其《仕学论》等文四篇。

十一月

　　翁方纲为黄景仁选《悔存诗钞》八卷。翁序云："今年夏，闻黄君仲则殁于解州。其冬，运使沈公抄寄其诗来，俾予编次。既而洪君稚存所为仲则《行状》，称其诗可传者凡二千首。今是抄仅千首，予又删其半，存五百首而已，又不知尚有可传之作若干首落何处也。予既惜其诗不尽抄，而于所抄乃从严删者，何哉？予初识仲则于吾里朱竹君学使坐上，读其诗大奇之，自此仲则时以其诗来质，其信予之笃，出于中心之诚。予今是抄，如见仲则，亦相待以不欺而已。予最不服欧阳子穷而益工之语，若少陵之写乱离，眉山之托仙佛，其偶然耳。使彼二子者生于周、召之际，有不能为《雅》、《颂》者哉！世徒见才士多困踬不遇，因益以其诗坚之，而彼才士之自坚也益甚，于是怨尤之习生，而荡僻之志作矣。仲则天性高旷，而其读书心眼，穿穴古人，一归于正宗不佻，故其为诗，能诣前人所未造之地，凌厉奇矫，不主故常。其有放浪酣嬉，自托于酒筵歌肆者，盖非其本怀也。仲则为文节后裔，每来吾斋，拜文节像，辄凝目沈思久之。予亦不著一语，欲与之相观于深处，而孰知其饥寒驱迫，无暇刻发箧陈书之隙，而其精气已长往矣。然而其诗尚沈郁清壮，铿锵出金石，试摘其一二语，可通风云而泣鬼神，何必读至五百首哉！所以兢兢致慎，删之又删，不敢以酒圣诗狂相位置者，欲使仲则平生抑塞磊落之真气，常自轩轩于天地间，江山相对，此人犹生，正不谓以长歌当痛哭也。稚存评其诗出于太白，然此或人多知之者，吾是以不具论。乾隆四十八年冬十有一月望，大兴翁方纲序。"（《两当轩集》附录）是书嘉庆元年刘大观刊行。

十二月

　　十八日，孔继涵卒，年四十五。据翁方纲《皇清诰授朝议大夫户部河南司主事孔

君墓志铭》(《复初斋文集》卷一四)。李慈铭《越缦堂读书记·杂体文稿》:"孔荭谷《杂体文稿》七卷。……其学邃于算术,旁及名物、音训。《文稿》亦多考证之作,而好持高论,又文义僻涩,往往繁征杂引,不能自明其意。"《越缦堂读书记·红桐书屋诗集、斫冰词》:"《红桐书屋诗集》四卷,诗学宋体,而喜用经疏中冷典僻字。《斫冰词》三卷,颇爱雕琢,亦有捃撦割缀之病,皆非当家。要之学人之文,虽工拙不侔,自与杜撰浅陋者异矣。"《晚晴簃诗汇》卷九四录其诗四首。《国朝文汇》乙集卷四〇录其《广三游论》等文四篇。

二十五日,汪全德（1783—?）**生**。全德字修甫,号小竹、竹素,仪征人,端光子。嘉庆十年进士。官翰林院庶吉士、工部主事、江西吉南赣宁道。著有《崇睦山房词》一卷。事迹见朱彭寿《清代人物大事纪年》。[江庆柏《清代人物生卒年表》谓其生卒年为1773—1819年,此据朱彭寿。]

洪亮吉偕陆寿昌、赵怀玉北上赴试。明年正月十八日抵都门。据吕培等《洪北江先生年谱》。

冬

吉梦熊客韩江,卢文弨、钱载先后经过。后梦熊仿宋张先、苏轼为前、后《六客词》例,作前、后《六客诗》。杨锺羲《雪桥诗话余集》卷五:"吉渭厓通政前、后《六客诗》序云:癸卯岁,仆客韩江。同年蒋春农舍人、秦序堂观察、张松坪、吴涵斋二太史,晨夕相共。冬至月之初三日,卢抱经学士从晋阳归,秦观察招饮于旧城读书处。越三日,钱箨石少宗伯从京邸来,张太史邀会于尔雅堂。前后六人,惟钱、卢两不相值。""抱经临别,曾约作诗,并限诗第一句云:'六人三百七三岁。'仆效其语而效宋人前、后《六客词》,作诗二首,以纪一时聚会之幸。"

本年

纪昀转兵部左侍郎。据朱珪《经筵讲官太子少保协办大学士礼部尚书管国子监事谥文达纪公墓志铭》(《知足斋文集》卷五)。

谢墉再官江苏学政。据阮元《吏部左侍郎谢公墓志铭》(《揅经室二集》卷三)。

刘大绅授山东新城知县。据《清史稿》本传。

檀萃复入滇,官禄劝知县。据金天翮《檀萃师范传》(《广清碑传集》卷九)。

钱载致仕归。据朱休度《礼部侍郎秀水钱公载传》(《碑传集》卷三六)。

钱泳与韩是升、蒋耀宗、彭绍升等订交。本年作诗始存稿。据胡源、褚逢春《梅溪先生年谱》。

王昶在西安与吴泰来等时相唱和。严荣《述庵先生年谱》:"时吴企晋舍人为关中书院院长,严东友侍读、钱献之州判垿、庄似撰明府炘、徐友竹上舍坚、洪稚存孝廉、孙渊如上舍星衍及王敦初上舍复皆在长安,公务消闲,辄以诗词唱和为乐。"

张九钺游粤东。八月在永安赋《哀友诗》十二首。十二友者,韩锡胙、汪轫等。据张家桢《陶园年谱》。

彭兆荪由宁武入都，援例为国子生。应顺天乡试，试毕仍回宁武。据缪朝荃《彭湘涵先生年谱》。

胡敬参与瓣香吟会。胡理《诰授朝议大夫翰林院侍讲学士书农府君年谱》："是岁始侍祖考入瓣香吟会。时吟会月举，耆宿咸集，祖考命府君侍坐，因得及见诸老辈。遂于制艺之外，益肆力于诗古文辞，一遵老辈法度，以气清为要义。袁简斋太史见府君诗文，有'乾坤清气得来难'之誉，府君以为知己之言。"

李兆洛从学于黄崇孩。好读《资治通鉴》及《文献通考》，不期年贯澈首位，其节目要处皆能成诵。据蒋彤《武进李先生年谱》卷一。

刘嗣绾有《二十四航集》。小序云："是岁秋试，小住白门。六朝山色中，酒篷吟榭，留题殆遍，汇其游草，别为一编。"（《尚絅堂诗集》卷五）

舒位在京作《太学石鼓歌（用韩石鼓歌韵）》。见《瓶水斋诗集》卷一。

洪亮吉作记游诗百余首、《澄城县志》二十卷。据吕培等《洪北江先生年谱》。

吴进次所作诗为《一咏轩诗草》二卷。据张慧剑《明清江苏文人年表》。

郭麐《灵芬馆集》存诗始于本年。见《灵芬馆诗初集》卷一。

汪中诗多为四十岁以前作。汪喜孙《汪先生遗诗跋》："先君四十以前喜作诗，既专治经术，不欲以诗名，遂不复作，并稿亦散佚。喜孙录先君诗，非先君志也。然人子于先人手泽，终身不忘，矧为所尝尽心者哉！喜孙臧沈太守官牍稿，每篇后，有先君手录诗稿，其余散碎断落，旁行斜上，不可辨别，则先君不自护惜，可知矣。乾隆甲寅，先君下世，刘先生采辑数十首，南昌曾抚部刊于《朋旧遗诗》。伏以先君早年，坎坷之境，悉著于篇，诗格上进汉、晋，下拟唐人。吾郡自国初来，作者数家，诗派之正，先君为之倡。喜孙弱冠，知读父书，益肆搜罗，序次年月，都为一卷。并取郑先生诚斋及黄仲则、刘又徐《赠答诗》附后。有《朋旧遗诗》所选，而此册未载，以先君自删，不敢有加焉。嘉庆十五年十二年孤喜孙志。"（《孤儿编》卷二）

李麟平作《桐花凤》传奇，时年十四岁。或举示州牧，异之。方试，言于督学使者，使者疑其私，竟置焉。据梁廷楠《昭文县知县李君墓志铭》（《续碑传集》卷七二）。

孔毓埏《远秀堂集》八卷刊行。据《贩书偶记》卷一五。

赖捐庵撰、查随庵辑《词镜》三卷附《词论》刊行。据《贩书偶记》卷二〇。

周天度《十诵斋诗集》四卷、《词》一卷、《杂文》一卷刊行。据《贩书偶记》卷一五。王昶《蒲褐山房诗话》："让谷学问渊奥，先以经学荐举。及为诗，以雄博见长。"谓其《与吴南涧说丁山湖之胜》、《望九华山》、《题张墨岑画》、《归途》"诸作尤为时人传诵"。（《湖海诗传》卷一四）《晚晴簃诗汇》卷八一："让谷瑰奇沈博，受业陈句山之门。时文雄丽，雅不自喜。""尝与董浦、茨檐、西颢、南竹、句山立松里诗社相唱和。让谷论诗主少陵，于近人喜翁山。诗亦朴厚，无浮光凡艳。"录其诗八首。

吴兰庭《五代史记纂误补》四卷刊行。据《贩书偶记续编》卷五。

钱仪吉（1783—1850）生。仪吉初名逵吉，字蔼人、新梧，号衎石、星湖，嘉兴人。嘉庆十三年进士，选庶吉士。改户部主事，累迁至工科给事中。后客游广东，卒于大梁书院。著有《经典证文》、《说文雅厌》、《三国晋南北朝会要》,辑有《碑传集》。事迹见苏源生《书先师钱星湖先生事》(《碑传集补》卷一〇)、《番禺县续志·寓贤传》(《碑传集三编》卷三七)、《清史列传》本传、《清史稿》本传。

李贻德(1783—1832)生。贻德字天彝,号次白,嘉兴人。嘉庆二十三年举人。馆孙星衍所,相得甚欢。著有《春秋左氏解贾服注辑述》、《诗考异》、《诗经名物考》、《周礼剩义》、《十七史考异》、《揽青阁诗钞》、《梦春庐词》。事迹见徐士芬《李次白传》(《续碑传集》卷七六)、《清史列传》孙星衍传附、《清史稿》孙星衍传附。

厉志(1783—1843)生。志初名允怀,字心甫,号骇谷、白华山人,定海人。诸生。与镇海姚燮、临海姚濂齐名,有"浙东三海"之称。著有《白华山人诗集》十六卷、《诗说》二卷。事迹见《重修浙江通志稿》本传(《广清碑传集》卷一二)。[生卒年据蒋寅《清诗话考》下编三。]

储麟趾卒,年八十三。据江庆柏《清代人物生卒年表》。陆继辂《宗人府丞储公别传》:"宜兴储氏,世以制举文名天下,至公始好为诗古文辞。"(《崇百药斋文集》卷一六)《晚晴簃诗汇》卷七五录其诗一首。

余鹏翀卒,年二十八。据武亿《余少云哀词》(《授堂文钞》卷五)。王昶《蒲褐山房诗话》:"少有逸材,工水墨画。竹君督学皖桐,赏之,由是名誉日起。然依人为活,往来燕、晋,所遇名山水,辄以诗写之,发其抑塞磊落、肮脏不平之气。"(《湖海诗传》卷三八)

公元1784年(乾隆四十九年 甲辰)

正月

初二日,桂超万(1784—1863)生。超万字玠舟,号丹盟,安徽贵池人。道光十二年进士。历官江苏阳湖、直隶栾城、万全、丰润知县,北运河务关同知,江苏扬州、苏州知府,福建粮储道、按察使。著有《宦游纪略》六卷《续》一卷、《惇裕堂文集》四卷、《养浩斋诗稿》九卷附《诗评》一卷《续稿》五卷、《梅村山水记》一卷。事迹见《清史列传》本传、《清史稿》本传。[生日据朱彭寿《清代人物大事纪年》。]

十一日,管绳莱(1784—1839)生。绳莱字孝逸,江苏武进人,世铭孙。累举不第,入赀为知县,选湖南安化。以亲老改近省,道光六年选任安徽含山。十一年夏以疾去官,十九年春卒于家。著有《万绿草堂诗集》二十卷《文集》四卷、《凤孙楼词》二卷。事迹见程鸿诏《武进管君传》(《续碑传集》卷四一)、李兆洛《管生孝逸传》(《养一斋文集》续编卷五)。

高宗第六次南巡,四月回京。据《钦定南巡盛典》。其间夏敬渠拟献所著《纲目举正》,有所阻。夏氏所欲献者乃《纲目举正》,长期误传为《野叟曝言》,赵景深《野叟曝言作者夏二铭年谱》已辨之。又,扬州盐政、苏杭织造所备迎銮供御大戏,皆出自沈起凤之手。据石韫玉《独学庐余稿·沈氏四种传奇序》。又,杨伦应召试,名列二等。据赵怀玉《广西荔浦县知县杨君墓志铭》(《亦有生斋集》文卷一八)。

恽敬往京师,赴礼部试,遂留京师十年之久。据《大云山房文稿初集》卷四《女婴圹铭》、《亡妻陈孺人权厝志》。

二月

袁枚出游岭南，明年正月还山。方濬师《随园先生年谱》："香亭时守肇庆，花朝后作岭南之游。""抵南昌，蒋苕生先生力疾追陪，作平原十日饮。""次年正月十一日还山，计行程一万三千余里。"袁枚此行，与折遇兰、李宪乔定交。《随园诗话》卷六："余在粤，自东而西，常告人曰：'吾此行，得山西一人，山东一人。'山西者，普宁令折遇兰，字霁山；山东者，岑溪令李君宪乔，字义堂。二人诗有风格，学有根柢，皆风尘中之麟凤也。""甲辰秋，余在广州，有传蒋苕生物故者。未几，接苕生手书，方知讹传。到桂林，告岑溪令李献乔明府。李喜，口号一绝云：'狂生有待两公裁，未便先期一岳摧。岂为路逢章子厚，端明已自道山回。'李心折袁、蒋两家诗，与赵云松同癖。"又，袁枚至桂林前后，一时风雅为盛。《随园诗话》卷一〇："桂林向有诗会。李松圃比部、马嵘山中翰、浦柳愚山长、朱心池明府、朱兰雪布衣，时时分题吟咏。余到后，得与文酒之会，同访名山古刹。临行时，五人买舟相送，依依不舍，见赠篇什，不能尽录。"杨钟羲《雪桥诗话三集》卷七："当乾隆甲辰、乙巳间，少鹤官岑溪令，偕兄石桐与松圃定交，时袁存斋亦来桂林，四方名宿如杨石墀、李桐冈、许密斋、王若农、浦柳愚、朱心池、刘松岚，觞咏赠答，极一时缟纻之盛。存斋至比之赵文子垂陇之会。"

三月

会试。考官：内阁大学士蔡新、礼部尚书德保、兵部侍郎纪昀、工部侍郎胡高望。题"知止而后"一节，"不逆诈不 觉者"，"吾为之范 获十"。赋得"摛藻为春"得"宾"字。据法式善《清秘述闻》卷八。洪亮吉（吕培等《洪北江先生年谱》）、赵怀玉（赵怀玉《收庵居士自叙年谱略》卷上）皆未第。

张问陶由汉阳入都，闰三月抵都。有《甲辰三月由汉阳入都纪别》、《舟抵襄阳》、《开封客夜感事》、《邺中吊谢茂秦》、《闰三月十五夜行》等诗，见《船山诗草》卷二《戊丁集》。

闰三月

二十九日，斌良（1784—1847）生。斌良字备卿、吉甫，号笠耕、梅舫，瓜尔佳氏，满洲正红旗人，玉德子。由荫生历官刑部侍郎，为驻藏大臣。善为诗，以一官为一集，得八千首。其弟法良汇刊为《抱冲斋全集》。事迹见法良《先仲兄少司寇公年谱》、《国朝诗人征略》二编卷六二、《清史稿》本传。

高宗召试江南士子。汪彦博等赐举人，授内阁中书。据《钦定南巡盛典》卷七四。吴嵩梁赴金陵应召试，不遇。归受诗法于蒋士铨，得杜陵宗派。后出游吴越间，诗名藉起。据《江西通志·吴嵩梁传》（《续碑传集》卷七七）。

翁方纲迁少詹府少詹事。据张维屏《翁覃溪先生年谱稿》(《碑传集三编》卷三六)。

春

高宗命续录四库全书三分置于江、浙。昭梿《啸亭杂录》卷一〇《三分书》："乾隆中，上既开四库全书馆，分发京师诸处。甲辰春，翠华南幸，念江、浙为艺林之薮，其天府秘本，多有贫士难购办者，因命续录三部，分置扬州大观堂之文汇阁，镇江口金山寺之文宗阁，杭州圣因寺之文澜阁，俾江、浙士子得以就近观摩誊录。实艺林之盛事也。"

沈复随侍其父于吴江何明府幕中。本年，何明府因事被议，沈复随父转就海宁王明府之聘。据沈复《浮生六记》卷四《浪游记快》。

凌廷堪客扬州，与汪中订交。中手书十六人姓名示廷堪，曰："此皆海内通人也，与吾夙相交契者。今得君，合十有七矣。"十六人者，钱大昕、钱塘、钱坫、金曰追、李赓芸、江声、江藩、韩廷秀、庄述祖、程瑶田、金榜、刘台拱、李惇、邵晋涵、孔广森、卢文弨。又，廷堪在扬州，再晤阮元，作《后大鹏遇希有鸟赋》以见意。据张其锦《凌次仲先生年谱》。

四月

三十日，高宗御太和殿，传胪。赐一甲茹棻、邵瑛、邵玉清进士及第，二甲魏成宪、温汝适、吴芳培、李骥元、叶蓁等进士出身，三甲成书等同进士出身。据《历科进士题名录》、《清通鉴》。

洪亮吉出都，经山西赴陕西。道中为《田家诗》。以资斧告匮，迂道运城访沈业富。五月至盩屋见毕沅。后返西安。据吕培等《洪北江先生年谱》。

六月

十六日，彭启丰卒，年八十四。据王芑孙《清故光禄大夫经筵讲官兵部尚书致仕彭公神道碑铭》(《惕甫未定稿》卷一〇)。《芝庭集》十八卷有乾隆五十年家刻本，为其子绍升及门人汪元亮、王芑孙所编次。据张舜徽《清人文集别录》卷六。王昶《蒲褐山房诗话》："芝庭尚书以醇德朴行著于朝野，而性耽风雅，使节所至，遇佳山水，必游历乃去。集中句如：'杨柳春风江上棹，杏花细雨酒家楼'；'疏风影动林梢月，宿雨凉生槛外山'；'三径杜门高士迹，扁舟访旧故人心'……写景关情，神妙独到。当世好为生涩槎枒者，未能津逮也。"(《湖海诗传》卷四)李慈铭《越缦堂读书记·芝庭先生集》："其诗庸率不足观，文亦平弱，而冲和有自得之致。其碑志传状之作颇夥，多有关文献，而文体亦洁。如《明巡按山东御史宋忠烈公祠堂碑》、《明周忠介公祠堂碑》、《惠定宇传》……皆立言醇雅，序次不蔓。奉直大夫汪君、赠通议大夫袁君两《志》言乡里善人之状，《右赞善钱君志铭》叙交旧之谊，皆简质有味，极似欧、曾，

《钱志》铭辞尤警绝也。"《国朝文汇》甲集卷五六录其《宋徐靖节公祠堂碑》等文四篇。《晚晴簃诗汇》卷六六录其诗九首。

二十一日，程晋芳卒于关中书院，年六十七。袁枚《翰林院编修程君鱼门墓志铭》："君学无所不窥，经、史、子、集、天星、地志、虫鱼、考据俱宣究，而尤长于诗。古文醇洁，有欧、曾遗意。"（《小仓山房续文集》卷二六）翁方纲《皇清诰授奉政大夫翰林院编修加四级戢园程先生墓志铭》："君遇益隆，学益进，家益贫，然其豪气真挚，发于天性。视书籍若饥渴，视朋友如性命，救人之患，周人之急，尤不减其家全盛时也。君诗善言情，缠绵往复，于家世盛衰、侪偶聚散，娓娓数百言，燃烛拈髭，俯仰今昔。"（《复初斋文集》卷一四）徐书受《翰林院编修程鱼门先生墓表》："于学无所不贯，而尤长于诗古文。诗著□六巨编，虽甚冗冗不辍，倘汰其十一而存其精英，实一代之正宗，近今名家所莫及。文亦遒简而有法度。"（《碑传集》卷五〇）袁枚《随园诗话》卷一〇："鱼门太史于学无所不窥，而一生以诗为最。余寄怀云：'平生绝学都参遍，第一诗功海样深。'寄未一月，而鱼门自京师信来，亦云'所学，惟诗自信'，不谋而合，可谓知己自知，心心相印矣。"卷一二："程鱼门《覆舟》诗原稿，写眼前惊悸情景最真。后改本有意修饰，转不如前。"洪亮吉《北江诗话》卷一："程史部晋芳诗，如白傅作诗，老妪都解。"王昶《蒲褐山房诗话》："鱼门业传盐策，家本素封，而覃研典籍，虚怀求益。少问经义于从叔廷祚，学古文于刘海峰大櫆，又与商宝意、袁子才唱和，故博闻宏览，而才情丰蔚，诗文并擅其胜。"（《湖海诗传》卷三二）江藩《国朝汉学师承记》卷七："君生而颀长，美须髯，酒酣耳热，纵论时事，则掀髯大笑，少所容贷。至于奖掖后进，则有誉无否也。不善治生，家事皆委之仆人，坐此贫不能供饘粥，以至责户剥啄之声不绝于耳。而君伏案著书，若无事者然。""君始为古文词，及官京师，与笥河师、戴君东原游，乃治经，究心训诂。"杨锺羲《雪桥诗话三集》卷七："鱼门诗自谓出于桐城两方。"《晚晴簃诗汇》卷九四录其诗十三首。《国朝文汇》乙集卷三九录其《正学论》等文八篇。

七月

初一日，曹秀先卒，年七十七。据彭元瑞《光禄大夫太子太傅礼部尚书曹文恪公墓志铭》（《恩余堂辑稿》卷二）。《移晴堂四六》二卷乾隆间刊行。据《贩书偶记》卷一五。《晚晴簃诗汇》卷七四录其诗三首。

八月

十一日，郑虎文卒，年七十一。据朱彭寿《清代人物大事纪年》。汪喜孙《郑先生虎文家传》："先生须眉秀异，吐音洪亮，身不满七尺，而心雄万夫。（邵《序》）有济用才，居闲无所施，徒以文学名于世。居京师，搢绅戚好，公私事有疑者，往往得先生一言而决。事或不易了，以属先生，从容指画，咸就条理，身不出户，小大皆辨。为人草奏陈利病，辄见采纳施之事，人并受福，而莫知谁为之也。（《墓志》）为文及诗，一宗汉魏，而出入于杜工部、韩昌黎；歌行超妙，转似东坡。其趣博，其指严，他人强效，莫能及。(《墓志》)尝自言生平于古人所作，纵观博取，不持意见，但领会其空中流行之脉耳。酿花成蜜，得鱼忘筌，意在斯乎！(沈《序》)先生于书，无所不阅，诗文随笔立就，不自收拾。(邵《序》)汲引后进，凡独行奇节，以及博学宏文，无不为之表彰。所论大都经史疑义及当时世务，澜翻四出，援引古今，谈必以夜，夜必漏尽而止。(邵《序》)词馆先后辈，靡不推重之。"(《尚友记》卷一)《晚晴簃诗汇》卷七七录其诗六首。《国朝文汇》乙集卷一一录其《金陀荟萃序》等文八篇。

十七日，珠泉居士作《续板桥杂记缘起》。署"时甲辰中秋望后二日，茗南珠泉居士书于雉皋舟次"。《缘起》云："余曩时读曼翁《板桥杂记》，留连神往，惜不获睹前辈风流。怠闻丙申以来，繁华似昔，则梦想白门柳色，又历有年所矣。庚子夏五，枞阳观察招赴金陵，曾于公余遍览秦淮之胜。旋以居停罢官，束装归里，计为平安杜书记者，无多日也。辛丑春重来白下，闲居三月，时与二三知己选胜征歌，兴复不浅。嗣余就聘崇川，三年羁迹，青溪一曲，邈若山河。今秋于役省垣，侨居王氏水阁者十日，赤栏桥畔，回首旧欢，无复存者。惟云阳校书，犹共晨夕。因思当日，不乏素心，曾几何时，风流云散。安知目前之依依聚首者，不一二年间，行又蓬飘梗泛乎？爰于回棹余闲，抚今追昔，续成是记。亦类分雅游、丽品、轶事三卷，非敢效颦曼翁，聊使师师、简简之名，得偕江水以俱长尔！至于闻见无多，记叙谫陋，续貂之病，阅者原之。"(《续板桥杂记》卷首)

十九日，靳荣藩卒，年五十九。据朱珪《大名府知府靳君墓志铭》(《知足斋文集》卷三)。法式善《梧门诗话》卷八："咏史诗独见其大。"《晚晴簃诗汇》卷七九："价人注吴梅村诗，世称详核。其所自作，亦与之相近，但不逮其华赡耳。"录其诗七首。

李惇卒，年五十一。据汪喜孙《李先生惇家传》(《尚友记》卷一)。《家传》云："是时古学大兴，元和惠氏、休宁戴氏，咸为学者所宗。自江以北，则王先生念孙为之倡，而先生和之，先君及刘先生台拱继之，并才力所诣，各成其学，虽有讲习，不相依附。"

九月

初八日，叶佩荪卒，年五十四。据朱珪《湖南布政使司布政使叶君墓志铭》(《知足斋文集》卷三)。《晚晴簃诗汇》卷八四录其诗五首。[按，袁枚《随园诗话补遗》卷三："吾乡多闺秀，而莫盛于叶方伯佩荪家。其前后两夫人、两女公子、一儿妇，皆诗坛飞将也。"录其室周映清、继室李含章、女叶令仪、长媳陈长生、次媳周星薇等人诗多首。《晚晴簃诗汇》卷一八五录周映(暎)清诗二十七首、李含章诗三十首、叶令仪诗六首、叶令嘉诗一首、叶令昭诗一首、陈长生诗八首、周星薇诗一首。]

中浣，梦觉主人序《红楼梦》。署"甲辰岁菊月中浣梦觉主人识"(《甲辰本红楼梦》卷首)。是书最早题名《红楼梦》。

汪沆卒，年八十一。据邵晋涵《征士汪先生家传》(《南江文钞》卷九)。《槐塘诗稿》十六卷《文稿》四卷乾隆五十一年刊行。据《贩书偶记》卷一五。杨锺羲《雪桥诗话余集》卷四："卢抱经谓槐塘虽少得诗法于厉先生。然厉之诗密栗洗削，幽峭孤迴；而先生之诗则淡沲逶迤，丰容流美，其天性固自不同。其论诗务在摅胸展臆，自罄其性情之真。"《晚晴簃诗汇》卷七三录其诗十首。《国朝文汇》乙集卷一二录其《山游集序》等文五篇。

秋

凌廷堪回板浦，冬复入都。据张其锦《凌次仲先生年谱》。

十月

焦循补廪膳生，时年二十二岁。据闵尔昌《焦理堂先生年谱》。

冬

赵翼应两淮鹾使全德之聘，主扬州安定书院讲席。佚名《瓯北先生年谱》："时扬州在籍乡官多京华故人，谢少司寇溶生、秦观察黉、张翰编坦、吴翰编以镇、沈运使业富皆翰林前辈，晨夕过从，颇极诗酒之乐。自是两年皆在扬州。"

二月至岁暮，陈端生在浙江成《再生缘》第十七卷。又，本年其父玉敦任云南临安府同知，《再生缘》前十六卷钞本因而传入云南。据郭沫若《陈端生年谱》。《再生缘》二十卷，前十七卷为陈端生所著，后三卷为梁德绳所续。初以钞本流传，至道光元年始由侯芝改而作序，并于次年秋由宝宁堂刊行。据郭沫若《谈〈再生缘〉和它的作者陈端生》（《再生缘》卷首）。施淑仪《清代闺阁诗人征略》卷六引《西泠闺咏》："□□名□□，勾山太仆女孙也，适范氏。婿诸生，以科场事为人牵累谪戍。因屏谢膏沐，撰《再生缘》南词。托名女子丽明堂，男装应试，及第为宰相，与夫同朝而不合并，以寄别凤离鸾之感。曰：'婿不归，此书无完全之日也。'婿遇赦归，未至家而□□死。许周生、梁楚生夫妇为足成之，称全璧焉。'南花北梦，江西九种'，梁溪杨蓉裳语也。'南花'谓《天雨花》，'北梦'谓《红楼梦》，谓二书可与蒋青容九种曲并传。《天雨花》亦南词也，相传亦女子所作，与《再生缘》并称，闺阁中咸喜观之。"

本年

曾燠散馆授户部主事。据包世臣《曾抚部别传》（《续碑传集》卷二一）。

王汝璧调保定知府。据《国史列传》本传（《铜梁山人诗集》卷首）。

刘台拱大挑二等，以教职用。逾岁，铨授丹徒县训导。据朱彬《刘学士台拱行状》（《碑传集》卷一三五）。

阮元岁试入仪征县学第四名。据张鉴《雷塘庵主弟子记》卷一。

凌扬藻补广州郡学弟子员。据《国朝诗人征略》二编卷五六引《药洲事略》。

孙星衍客西安节署。时王昶为臬使，幕中多才俊，纂《金石萃编》，因留下榻旬日。据张绍南《孙渊如先生年谱》卷上。

去年和今年，章学诚应永定河道陈琮之招，撰《河志》。又，本年就保定莲池书院之聘，举家迁至保定。有《甲辰存录》。据胡适《章实斋年谱》。

卢文弨主讲娄东书院，本年校刊《白虎通》。据张慧剑《明清江苏文人年表》。

武亿主召南书院。据武亿《授堂诗钞》卷四《甲辰主召南书院示诸生诗八首》。

张惠言始馆歙县金家，凡三年。张惠言《茗柯文》四编《祭金先生文》："三年在门。"

舒位以应试落选滞京，作《五杂组》诗自嘲。见《瓶水斋诗集》卷一。

胡长龄、范崇简、李懿曾等在里结山茨社。据张慧剑《明清江苏文人年表》。

钱泳馆苏城，鲍廷博、陈焯、张燕昌、吴骞等至吴门皆与之结忘年交。据胡源、褚逢春《梅溪先生年谱》。

李兆洛从学于高荃，与李庆来等订交。据蒋彤《武进李先生年谱》卷一。

刘嗣绾有《献赋集》（癸卯、甲辰）。小序云："卯冬同人相约献赋，往返吴门，旋以明春应试金陵行在。露初星晚，互相唱酬。有负题桥，无惭画壁。"（《尚絅堂诗集》卷六）

洪亮吉作《公羊穀梁古义》二卷、诗文合百余首。据吕培等《洪北江先生年谱》。

吴泰来序王昶诗约在本年。见《国朝文汇》乙集卷三〇《述庵诗钞序》。

戴延年《秋灯丛话》有成稿。据张慧剑《明清江苏文人年表》。

张九钺游大梁。著《游梁集》。姬人何氏卒，九钺《六如亭》传奇由是而作。据张家杙《陶园年谱》。张家杙《六如亭》题词注云："从祖姬人何姓，善音律，亦解吟诗。尝随从祖由江右而海南，巾屦亲持，贞操不改。从祖一吟一咏，一动一静，赖以安焉。乾隆癸卯，从祖以解组薄游太行、嵩洛间。未逾年，姬人以疾卒于里。濒行，犹口占七言十绝，倩人邮寄河南，以慰老年岑寂。《六如亭》之记，盖始如此。"又，蝶园居士序云："《六如亭记》，吾楚张紫岘先生所作也。先生讳九钺，字度西，以诗古文辞负海内重望五十年，兼工小令、长调。晚年旅食四方，哀感怅触，辄作南北宫词以排闷。曾游惠阳，访白鹤居六如亭。因取坡公岭南海外旧闻，及侍姜朝云诵经栽茶、偈化建亭事，复于宋人小志中，得惠阳温女超超许婿听吟，殉志遗话，合为三十六出，总名曰《六如亭记》，以了禅门一段公案。"（《中国古典戏曲序跋汇编》卷一三）杨恩寿《词余丛话》卷二："张度西先生由举人官知县，工诗古文辞，宏博浩瀚。纵笔所之，一轨于正。……取东坡与朝云轶事，谱《六如亭》传奇，叙次悉本正史、年谱，无颠倒附会之处。观空于佛，结穴于仙，使放逐之臣、离魂之女，仗金刚忍辱波罗蜜，同解脱于梦幻、泡影、电露而证无上菩提，洵卫道之奇文、参禅之妙曲也。"

蒋鸣珂编《古今诗话探奇》二卷刊行。据《贩书偶记》卷二〇。

吴宁《榕园词韵》一卷《发凡》一卷冬青山馆刊行。据《贩书偶记》卷二〇。

陈昙（1784—1851）生。昙字仲卿，广东番禺人。诸生。道光间以岁贡纳作校官，曾任澄海训导。著有《邝斋杂记》八卷。事迹见《中国古代小说总目》文言卷。

谢堃（1784—1844）生。堃字佩禾，江苏甘泉人。国子监生。中年后幕游四方，客山东曲阜最久。工诗善画。著有《春草堂骈体文》一卷、《古今体诗》六卷、《词录》一卷、《诗话》五卷及《绣帕记》等传奇，又辑有《兰言集》四十卷。事迹见民

国《甘泉县续志》卷二四（《方志著录元明清曲家传略》）。［生卒年据朱彭寿《清代人物大事纪年》。］

刘开（1784—1824）生。开字明东、东明、方来，号孟涂，安徽桐城人。年十四以文谒姚鼐，鼐大奇之，尽授以诗古文法。游客公卿，才名动一时。少补县学生，屡试于乡不售，一试京兆亦不售。受聘修《亳州府志》，卒于志局。著有《孟涂诗文集》四十四卷。事迹见方宗诚《刘孟涂先生墓表》、《记刘孟涂先生轶事》（《续碑传集》卷七六）、《清史列传》姚鼐传附、《清史稿》梅曾亮传附。

祝喆卒，年五十六。据江庆柏《清代人物生卒年表》。王昶《蒲褐山房诗话》："西涧为豫堂先生子。工画梅，横斜偏反，各极自然，直与陈楞山、金寿门辈异曲同工。诗学山谷老人，疏瘦苦涩，不肯堕寻常经术。钱嗣伯编修评云：风度闲雅，气韵高秀，往往寻味于人所不味，而风致弥佳，超然尘壒之表。"（《湖海诗传》卷二三）《晚晴簃诗汇》卷八九："明甫为豫堂典籍子，与择石侍郎子百泉编修世锡、縠原比部子秋滕大令复迭相唱和。明甫诗镌刻幽秀，缒深凿险，无一习见语扰其笔端。尤工体物之作。秀水诗派源出西江而变其面目，诸子皆能世其家业，固不独竹垞有西畯也。"录其诗十首。

公元 1785 年（乾隆五十年　乙巳）

正月

纪昀晋左都御史。据朱珪《经筵讲官太子少保协办大学士礼部尚书管国子监事谥文达纪公墓志铭》（《知足斋文集》卷五）。

赵怀玉丁忧归里。据赵怀玉《收庵居士自叙年谱略》卷上。

彭绩卒，年四十四。据彭绍升《秋士先生墓志铭》（《二林居集》卷一〇）。吴翌凤《彭秋士遗集序》："彭君则以郊、岛为宗，劖削刻露，不肯作人人共道语。"（《国朝文汇》乙集卷三五）《国朝文汇》乙集卷三五录其《游西山记》等文三篇。《晚晴簃诗汇》卷六三录其诗十二首。

二月

初八日，**贺长龄**（1785—1848）生。长龄字耦耕（一作耦庚），号西涯，晚号耐庵，湖南善化人。嘉庆十三年进士，选庶吉士，授编修。官至云贵总督。以永昌回民事降补河南布政使。乞病归，旋以前案落职。著有《耐庵奏议存稿》十二卷、《江苏海运全案》十二卷、《耐庵文存》六卷、《诗存》三卷，又尝与魏源同编《皇朝经世文编》一百二十卷。事迹见唐鉴《诰授荣禄大夫前云贵总督贺君墓志铭》（《续碑传集》卷二四）、《清史列传》本传、《清史稿》本传。

十六日，**法坤宏卒**，年八十七。据韩梦周《法迂斋先生墓志铭》（《国朝文汇》乙集卷二七）。《国朝文汇》乙集卷一〇录其《书潍县知县郑板桥事》等文十一篇。《晚晴簃诗汇》卷七五录其诗二首。

二十四日，**蒋士铨卒**，年六十一。据《清容居士行年录》士铨孙补记。袁枚《随园诗话》卷三:"余尝规蒋心余云:'子气压九州矣;然能大而不能小,能放而不能敛,能刚而不能柔。'心余折服曰:'吾今日始得真师。'其虚心如此。"卷八:"蒋苕生与余互相推许,惟论诗不合者:余不喜黄山谷,而喜杨诚斋;蒋不喜杨,而喜黄:可谓和而不同。"延君寿《老生常谈》:"蒋心余诗,予所极心折者,第一卷有《拟秋怀诗》数首,不徒于少年时作大言炎炎,终竟能卓然有所树立,诗亦坚栗深造,力扫浮言。其《醉言》句云:'读书心久死,每被酒力活。'亦非深能领略知味者不能道。集中七古,当以《题表忠观碑后》为第一。"洪亮吉《北江诗话》卷一:"蒋编修士铨诗,如剑侠入道,犹余杀机。"王昶《蒲褐山房诗话》:"苕生诸体皆工,然古诗胜于近体,七古又胜于五古,苍苍莽莽,不主故常。正如昆阳夜战,雷雨交作;又如洞庭君吹笛,海立云垂,信足以开拓万古之心胸,推倒一时之豪杰也。"(《湖海诗传》卷二一)尚镕《三家诗话·三家分论》:"苕生诗有不可及者八:才大而奇,情深而正,学博而醇,识高而老,气豪而真,力锐而厚,格变而隐,词切而坚。但恃其逸足,往往奔放,未免蹈裴晋公讥昌黎之失也。"朱庭珍《筱园诗话》卷二:"江西诗家以蒋心余为第一。其诗才力沈雄生辣,意境亦厚,是学昌黎、山谷而上摩工部之垒,故能自开生面,卓然成家。七古佳作最多,新乐府亦非近人所及。又善叙事,每遇节妇烈女,忠臣孝子,则行以古文传记之法,不惟叙述其事,并将姓氏、年月、地名之类,或顺或逆,或前或后,一一点出。其叙事既勃勃有生气,而点其世族、名字、居址、时地,又错综参差,具见手法,真大手笔也。惜存诗过多,不免贪多好奇。且全集所叙忠孝节烈,均只一幅笔墨,亦觉数见不鲜。其失手之作,颇犯槎枒颓放粗硬之病。然自树赤帜,必传无疑矣。"《晚晴簃诗汇》卷八八录其诗二十七首。钱杕《忠雅堂文集序》:"先生幸逢右文圣世,登词馆,举台班,故其雍容揄扬,则忠君爱上之念也;发挥事业,则大雅群拚之选也。今观集中碑传序记铭赞书跋,浑然敦厚,蔼然肫挚,流溢行墨间。至其自作府君行状及家祭告哀诸篇,声泪与俱,不自知其泣鬼神而咽金石。盖先生发于至性,而动为世道人心计,诚非苟然。"廖炳奎《忠雅堂古文跋》:"世推先生之诗,言情而出以蕴藉,用事而妙于剪裁,金银铜铁熔于一炉,而不觉其杂;酸咸辛甘调于一鼎,而愈觉其和。无他,有我以主之,有气以运之之故也。愚谓先生之文亦然。其命意之高超,有如五老峰之耸峙云霄也;其用笔之峭拔,有如小孤之秀绝江心也;其词源之倾筐倒篋,有如庐山瀑布之叠出而不穷也;其布局之沈郁顿挫、包罗万象,有如彭蠡湖之停潴汪洋,渺不知其涯涘也。先生登玉堂、举台班,其进奉文字雍容大雅,惜抱匡世之才而未克展其用;碑传序记,每遇忠孝节烈事,表微阐幽,不遗余力,真不愧史笔;铭赞书跋,肫挚敦厚之情蔼然溢于笔墨之表;至其自作府君行状及家祭告哀诸篇,声泪俱下,盖发于至情至性,不自知其泣鬼神而咽金石。先生之文,实有关于世道人心而非苟作也。继庐陵而起者,舍先生其谁与逯?"李祖陶《国朝文录·忠雅堂集文录引》:"袁、赵诗皆嚣张于外,先生则冥搜于内,戛戛独造,于李、杜、韩、苏外别开生面,故日久论定,岿然如天柱孤峰。钱塘陈云伯诗所云'当代论诗品,清容第一流。劝惩皆雅颂,褒贬即春秋'是也。若文则未尝以此名世,亦无有以称之者。乃予观其文集,议论、叙事之作无一不佳,大都取诸性分,务出心裁,磊磊明明,精光迸露。而研炼峭劲,仍复古法森严,简者惜墨如金,不溢一字;长或峰峦相倚,盘郁至万余言。如状其先君适园公之瑰意奇行，《史记》、《汉书》、《三国志》、《五代史》笔法并见其中，虽以匹唐荆川之叙广右战功可也。至于志节迈乎古人，而才略实堪用世。其《上榕门太傅书》自谓，生平非有关于世道人心之书未尝涉猎，不乐以文人自见，而欲以其明体达用之学利物济人，既不能然则以其得诸见闻者告之同志。读集中移某中丞，与观察、太守、邑宰等书，可以概见。其他表孤忠，葬老友，笃师谊，念旧交，笔墨横飞，皆至性缠绵而不能已。盖儒生而抱康济之志，文苑而兼任侠之风，事则可法可传，词则可歌可诵。即以文论，亦卓然驾小仓山房之破律败度者而上之矣。"《国朝文汇》乙集卷二八录其《何鹤年遗集序》等文八篇。谢章铤《赌棋山庄词话》卷一《论学稼轩》："蒋藏园为善于学稼轩者。"陈廷焯《白雨斋词话》卷四："蒋心余词，气粗力弱，每有支撑不来处。匪独不及迦陵，亦去板桥甚远。""《铜弦词》惟《浮香舍小饮》四章、《廿八岁初度》两章为全集完善之作。虽不免于叫嚣，精神却团聚，意境又极沈痛，可以步武板桥。"《词坛丛话·心余词不逮曲》："心余太史，才名盖代。其传奇各种，脍炙人口久矣。词不逮曲，然倔强盘屈，自是奇才。"《心余词取法其年》："心余词，取法其年。虽未入室，然亦骎骎乎升其年之堂矣。"《心余词气不可掩》："心余词，桀傲不驯，然其气自不可掩。彼好为艳词丽句者，对之汗颜无地矣。"梁廷楠《曲话》卷三："蒋心余太史士铨九种曲，吐属清婉，自是诗人本色。不以矜才使气为能，故近数十年作者，亦无以尚之。"杨恩寿《词余丛话》卷二："《藏园九种》为乾隆时一大著作，专以性灵为宗，具史官才、学、识之长，兼画家皱、瘦、透之妙，洋洋洒洒，笔无停机。乍读之，几疑发泄无余，似少余味；究竟无语不炼，无意不新，无调不谐，无韵不响。虎步龙骧，仍复周规折矩，非凫西、笠翁所敢望其肩背。"平步青《霞外捃屑》卷九《藏园曲》："蒋清容先生《红雪楼九种曲》，逼真《玉茗四梦》，为国朝院本第一。""《香祖楼》尤为精绝，真得还魂神髓。"

冯敏昌改主事。据冯士镳《先君子太史公年谱》。

以毕沅调抚河南，洪亮吉赴开封。吕培等《洪北江先生年谱》："时毕公（沅）调抚河南，趣先生至开封。遂于月杪由陕入汴。至则豫省方积旱，又河工事填委，不复有关中唱酬之乐矣。"又，吴泰来随之河南，主讲大梁书院。孙星衍自关中回句容省亲。四月至大梁节署。据张绍南《孙渊如先生年谱》卷上。

三月

初二日，钱宝琛（1785—1859）**生。**宝琛字楚玉、伯瑜，晚号颐寿老人，江苏太仓人。嘉庆二十四年进士。历官贵州学政、云南按察使、浙江布政使、湖南巡抚、江西巡抚。著有《存素堂诗稿》十四卷《文稿》四卷。事迹见其自订、子鼎铭等注《颐寿老人年谱》。

二十一日，黎恂（1785—1863）**生。**恂字雪楼，晚号拙叟，贵州遵义人。嘉庆十五年举人，十九年进士。官浙江桐乡知县凡五年。调归安，未行，丁忧归。后官云南，历平夷、新平、沅江、大姚、云州等州县，官至东川府巧家厅同知。咸丰元年称病归。著有《蛉石轩诗文集》、《四书纂义》、《读史纪要》、《千家诗注》、《北上纪程》、《运铜纪程》。事迹见郑珍《云南东川府巧家厅同知舅氏雪楼黎先生行状》(《续碑传集》卷四三)。

四月

初一日,周煌卒,年七十二。据彭元瑞《光禄大夫太子太傅兵部尚书海山周文恭公墓志铭》(《恩余堂辑稿》卷二)、陆勇强《四位清代文学家疑年考略》(《贵州社会科学》2001 年第 2 期)。《国朝文汇》乙集卷七录其《吴铖传》文一篇。《晚晴簃诗汇》卷七四录其诗八首。

十五日,程恩泽(1785—1837)生。恩泽字云芬,号春海,安徽歙县人。嘉庆九年举人。十六年成进士,改翰林院庶吉士。散馆,授编修。官至工部、户部侍郎。著有《程侍郎遗集》。事迹见阮元《诰授荣禄大夫户部右侍郎兼管钱法堂事务春海程公墓志铭》、梅曾亮《程春海先生集序》、张穆《程侍郎遗集初编序》(《程侍郎遗集》卷首)、《清史稿》本传。[生日据朱彭寿《清代人物大事纪年》。]

阮葵生官刑部右侍郎。据阮元《刑部侍郎唐山阮公传》(《揅经室二集》卷三)。

六月

十八日,陈沆(1785—1826)生。沆初名学濂,字太初,号秋舫,湖北蕲水人。嘉庆十八年举人,二十四年状元,授修撰。官至四川道监察御史。与董桂敷、姚学塽、贺长龄、陶澍、龚自珍等友善。著有《近思录补注》十四卷、《诗比兴笺》四卷、《简学斋诗文钞》十二卷。事迹见周锡恩《陈修撰沆传》(《碑传集补》卷八)、《清史列传》本传。[生日据朱彭寿《清代人物大事纪年》。]

二十一日,吴省钦序赵翼《瓯北集》。署"乾隆乙巳六月二十一日,馆侍南汇吴省钦撰"。(《瓯北诗钞》卷首)

二十三日,陆燿卒,年六十三。据冯浩《湖南巡抚陆君燿墓志铭》(《碑传集》卷七三)。《切问斋集》十六卷乾隆五十七年晖吉堂刊行。据《贩书偶记》卷一五。王昶《蒲褐山房诗话》:"朗夫癯然而瘦,清操自励,间涉书史,亦多为朴实有用之学,其文集亦然。"(《湖海诗传》卷一五)李祖陶《国朝文录续编·切问斋文录引》:"其学以六经为质的,以诸史为证据,以练达时务为门庭,以措诸实用为归宿。故其辑《经世文钞》也,屏除一切性命理气及考据丛碎之卮言,而专取其截然有当于实用者。而所作述闻,于方技蔓衍之书,人所习焉不察者,亦根据古义驳而正之。文亦简严正大,典则不刊。无论非词章家所能,即以经术自命者,亦不能如是之有体而有要也。"《晚晴簃诗汇》卷八四录其诗五首。《国朝文汇》乙集卷二一录其《书天人篇后》等文五篇。

二十八日,潘德舆(1785—1839)生。德舆字彦辅,号四农,江苏山阳人。道光八年乡试第一,屡试礼部不第。大挑以知县发安徽,未赴任卒。著有《养一斋诗文集》二十四卷、《外集》十四卷、《诗余》三卷、《诗话》十三卷。事迹见鲁一同《安徽候补知县乡贤潘先生行状》(《续碑传集》卷七一)、《清史列传》本传、《清史稿》本传。

夏

钱大昕至鄞县，钱维乔出诗稿见示，大昕为序。钱大昕《春星草堂诗集序》："竹初先生负绝异之姿，而生长名门，目濡耳染，自相师友。十龄能赋，弱冠成名，才子之称，播在人口，固已凌鲍、谢而轶温、李矣。然而文章虽贵，遇合偏艰；孝廉之船，往而辄返；中书之省，过而不留；南北奔波，舟车轳辘。逆旅非无知己，当场难索解人。重以骨肉摧伤，心肠郁结，意有所触，宣之于声，而诗格益奇。洎乎牵丝东浙，簿书讼牒，旁午纷纠，几于日不暇给。而先生从容应之，非徒不废啸歌，而且益多而工，然后知文章无妨于政事。彼以一行作吏，此事便废为辞者，虽不作吏，亦未必工也。乙巳夏，大昕来鄞，先生出诗稿见示。读之，思深而力厚，格高而气和，得古人之性情，而不袭其面目；兼古人之门径，而不局于方隅。此真才人也，此大才人也，兼诗家之四长而无复遗憾，先生于此不凡矣。"（《潜研堂文集》卷二六）

王家相据老农所状水车声，作《水车谣》述旱。见《晚晴簃诗汇》卷一二一。

七月

二十二日，曹庭栋卒，年八十七。据朱彭寿《清代人物大事纪年》。所著《易准》四卷、《昏礼通考》二十四卷、《孝经通释》十卷、《逸语》十卷、《琴学内篇》一卷《外篇》一卷、《老老恒言》五卷、《产鹤亭诗集》七卷，四库存目著录。所编《宋百家诗存》二十八卷，四库全书收录。袁枚《随园诗话》卷二："嘉善曹六圃廷栋，少宰蓼怀之孙，隐居不仕。自号慈山居士，自为寿藏，不下楼者二十年，著作甚富。余爱其晚年佳句，如：'废书只觉心无著，少饮从教睡亦清。''病教揖让虚文减，老觉婆娑古意多。''诗真岂在分唐宋，语妙何曾露刻雕。'余称其诗，专主性情。慈山寄札谢云：'老人生平苦心，被君一语道破。'"法式善《梧门诗话》卷七："六圃著《产鹤亭诗》，大似北宋人。"《晚晴簃诗汇》卷七八录其诗九首。

二十六日，林则徐（1785—1850）生。则徐字少穆，号石麟，晚号竢村老人、竢村退叟、七十二峰退叟，福建侯官人。嘉庆九年举乡试。十六成年进士，选庶吉士，授编修。官至两江总督、湖广总督、两广总督。道光二十一年革职，远戍伊犁。后出为陕甘总督、云贵总督。谥文忠。著有《云左山房文钞》、《云左山房诗钞》、《云左山房词》。事迹见金安清《林文忠公传》、李元度《林文忠公别传》、曾寅光《林文忠公逸事》（《续碑传集》卷二四）、魏应麒《林文忠公年谱》、《清史列传》本传、《清史稿》本传。

八月

既望，祝德麟序赵翼《瓯北集》。署"乾隆乙巳秋八月既望，受业祝德麟谨序"。序云："房师赵耘菘先生刻向者所为诗二十四卷成，名曰《瓯北集》，于己亥春邮示。越三年，又益以近稿三卷，命德麟事校雠之役。"（《瓯北诗钞》卷首）

十八日，姚柬之（1785—1847）生。柬之字祐之，号伯山，安徽桐城人。道光二年成进士。历官河南临漳知县、广东揭阳知县、肇庆知府、贵州大定知府。著有《伯山文集》八卷、《诗集》十卷、《日记》一卷、《易录》七卷。事迹见方东树《贵州大定府知府姚君墓志铭》（《续碑传集》卷四二）、马其昶《姚大定传》（《广清碑传集》卷一〇）、《清史稿》本传。[生日据朱彭寿《清代人物大事纪年》。]

二十九日，图龢布卒，年六十六。据朱珪《翰林院侍讲学士佟先生图龢布墓志铭》（《碑传集》卷四八）。《枝巢诗草》四卷乾隆五十二年刊行。据《贩书偶记》卷一五。法式善《梧门诗话》卷八："朱石君先生谓其《归田》诸诗，高者逼陶、韦，即事言景，亦北宋之音也。"《晚晴簃诗汇》卷八〇录其诗七首。

张问陶出都，秋冬在镇江、南京。有《乙巳八月出都感事》、《登焦山》、《金陵阻风即目》等诗，见《船山诗草》卷二《戊丁集》。

九月

初五日，郭尚先（1785—1833）生。尚先字元开、伯抑，号兰石，福建莆田人。嘉庆十二年举人，十四年进士。历官四川学政、大理寺卿。著有《增默庵文集》八卷、《诗集》二卷。事迹见林则徐《大理寺卿兰石郭先生墓志铭》（《碑传集补》卷七）、郭嗣蕃《兰石公年谱》、《清史列传》本传。

既望，翁方纲序赵翼《瓯北集》。署"乾隆岁次乙巳秋九月既望，同学弟大兴翁方纲拜书"。序云："今耘菘之诗裒然成卷帙，既登于梓者二十七卷，邮寄示余，且属以一言。"（《瓯北诗钞》卷首）

法式善官左庶子，应高宗之命改今名。据阮元《梧门先生年谱》。

吴长元（安乐山樵）《燕兰小谱》成书。吴长元《燕兰小谱弁言》："《燕无兰传》记燕姞梦兰曰：'兰有国香，人服媚之，是兰之气韵，无分乎南北也。'癸卯中夏，王郎湘云素善墨兰，因写数枝于折扇，一时同人赓和，以志韵事。余逸兴未已，更征诸伶之佳者，为《燕兰小谱》。始甲午迄今，共得六十四人，计诗百三十八首。又杂咏、佚事、传闻，共五十首。先之以画兰诗者，识原始也。继之以燕兰谱者，美诸伶也。终之以杂咏者，寓规讽也。诸伶之妍媚，皆品题于歌馆，资其色相，助我化工，或赞美，或调笑，或即剧传神，或因情致慨，其优劣略见于小叙中，而诗不沾沾于一律，大约风、比、兴三义为多。嗟乎！昔人识艳之书，如《南部烟花录》、《北里志》、《青泥莲花记》、《板桥杂记》，及赵秋谷之《海沤小谱》，皆女伎而非男优。即黄雪蓑《青楼集》所载，亦女旦也。惟陈同情《优童志》见其《齐斋志集》中，惜名不雅驯，为通人所诮。《燕兰谱》之作，可谓一时创见，然非京邑繁华，不能如此荟萃，太平风景，良可思矣。后之继咏者当不乏人。余何惮投燕石而引夫宋玉也耶！乾隆乙巳季秋安乐山樵太初自识。"竹酬居士《燕兰小谱跋》："安乐山樵《燕兰小谱》，凡诗二百二首，始癸卯重午，后暨今中秋所作也。予昔假馆于兰修丁香老屋，见湘云画兰，索山樵同咏。山樵更征诸郎之得名者，悉直品题，缓吟低唱，以抒写其沈郁无聊之慨。特借径诸郎，故不必人求其备。诗惟其肖，其中隽永风雅，感慨调笑，得风人比兴之旨，而神韵直逼渔洋。盖其一片婆心，欲挽淫靡而归于雅正，非董爱江维扬《竹枝词》比也。山樵每脱稿，必示予击赏，已非一日。爱书大略，以贻同好。读者得其味于酸盐之外可耳。乙巳小春月竹醉居士跋。"（《清代燕都梨园史料》）袁枚《随园诗话补遗》卷三："吾乡安乐山樵著《燕兰小谱》，皆南北伶人之有色艺者。盖在古人《南部烟花录》、《北里志》之外，别创一格。"

十月

初七日，姚莹（1785—1853）生。字石甫，号明叔、展和，安徽桐城人。嘉庆十三年进士。官至台湾道。被诬入狱，事白分发四川，官至广西按察使。著有《中复堂全集》。事迹见吴嘉宾《广西按察使前福建台湾道姚公传》、徐子苓《诰授通议大夫广西按察使司按察使姚公墓志铭》、徐宗亮《诰授通议大夫署湖南按察使广西按察使姚公墓表》、姚浚昌《姚石甫先生年谱》（《中复堂全集》附录）、《清史列传》本传、《清史稿》本传。

十一月

冯敏昌出都。时方候诠，乃纵游豫、陕、燕、楚间。据冯士镳《先君子太史公年谱》、谢兰生《冯鱼山先生传》（《碑传集三编》卷三七）。

洪亮吉自豫归里。在固始逗留数日。回里后岁歉甚，复节啬衣食，赡诸亲友。间亦与钱维乔、蒋熊昌诸人为消寒小集。据吕培等《洪北江先生年谱》。

鳌图拣发江苏知县。十二月至江苏，派苏州候补。据《沧来自记年谱》。

冯廷丞卒，年五十七。据汪中《大清诰授通议大夫湖北提刑按察使司按察使兼管驿传冯君碑铭》（《述学外编》）。《碑铭》云："君多识史事，尤精于地理。"《晚晴簃诗汇》卷八一录其诗一首。

冬

章学诚至京师，馆同年潘庭筠家。与任大椿近邻，时相谈宴。留旬月出都。据胡适《章实斋年谱》。

本年

禁秦腔戏班。《北京梨园掌故长编·晓谕戏馆》："五十年议准：嗣后城外戏班，除昆、弋两腔仍听其演唱外，其秦腔戏班，交步军统领五城出示禁止。现在本班戏子概令改归昆、弋两腔，如不愿者听其另谋生理。倘有怙恶不遵者，交该衙门查拿惩治，递解回籍。"（《清代燕都梨园史料》）

阮元科试一等第一名，补廪膳生员。据张鉴《雷塘庵主弟子记》卷一。

钱大昕主娄东书院。在娄东书院凡三年。据钱大昕自编、钱庆曾校注《竹汀居士年谱》。

卢文弨再主南京钟山书院。据张慧剑《明清江苏文人年表》。

杨伦主讲江汉书院。据张慧剑《明清江苏文人年表》。

吴镇主兰山书院。据杨芳灿《诰授朝议大夫湖南沅州府知府吴松厓先生墓碑》（《芙蓉山馆文钞》卷七）。

张九钺游太行，撰《晋南随笔》，著《太行集》。据张家杙《陶园年谱》。

徐爔、金学诗、王元文、杨复吉等先后在播琴堂等地作集会。据张慧剑《明清江苏文人年表》。

张惠言馆歙县岩镇金家，得交刘大櫆门人王灼，又交邓石如。张惠言《茗柯文》二编卷下《鄂不草堂图记》："岩镇市之南，旧有园曰先春。……乾隆乙巳，余客岩镇，时园荒无人，尝以岁除之日与桐城王悔生披篱而入，对语竟日。是时朔风怒号，树木叫啸，败叶荒草，堆积庭下。时有行客窥门而视，相与怪骇，不知吾两人为何如人也。壁间有旧题，则金君文舫及其伯筠庄、季星岩联句诗，盖五六年前游咏之盛，犹可想见。而其时筠庄官京师，文舫、星岩侍观察公于吾郡，皆不得相见。读其诗，俯仰今昔，又为之慷慨。"补编卷上《跋邓石如八分书后》："怀宁邓布衣石如，工为小篆八分。乾隆五十年，余遇之于歙县，此卷其时所书也。余之知为篆书，由识石如。"《清史稿》邓石如本传："（石如）游黄山，至歙，鬻篆于贾肆。编修张惠言故深究秦篆，时馆修撰金榜家，偶见石如书，语榜曰：'今日得见上蔡真迹。'乃冒雨同访于荒寺，榜备礼客之于家。"

孙星衍与孔广森相见于中州节署。吴鼒《国朝八家四六文钞》卷首孙星衍《原序》云："岁乙巳，余客中州节署，值舁轩以公事至。时秋飙中丞爱礼贤士，严道甫侍读、邵二云阁校、洪稚存奉常皆在幕府，王方川编修亦出令来豫，极友朋文字之乐。"署"乾隆五十二年十一月阳湖孙星衍撰"。

凌廷堪入国子监读书。据张其锦《凌次仲先生年谱》。

沈复随侍其父于海宁官舍。据沈复《浮生六记》卷三《坎坷记愁》。

洪亮吉作纪游诗百首，修《固始县志》。据吕培等《洪北江先生年谱》。

蒋业晋自乌鲁木齐放还。据张慧剑《明清江苏文人年表》。

章学诚在保定莲池书院。有《论课蒙学文法》二十六通。大旨主张以古文入手课童子，先读《左传》，次及《史记》；作文则先论事，次论人，次数典，最后叙事。又，章学诚自评："甲辰、乙巳……所作亦有斐然可观，而未通变也。"据胡适《章实斋年谱》。

彭兆荪《小谟觞馆文集》文始于本年。据缪朝荃《彭湘涵先生年谱》。

吴翌凤合近三年之诗为《东斋余稿》。小序云："东斋者，余自名所适馆之地也。斋有花，有石，又有楼可眺远，尤于秋月冬雪为宜。余客此斋者十有八年。"（《与稽斋丛稿》卷五）

刘嗣绾有《茳花阁集》（甲辰、乙巳）。小序云："余家园有画舫斋，阑砌零落，夏秋间惟红蓼数株，映带烟水，因易名茳花阁。竟日坐对，令人有江湖之思。"（《尚絅堂诗集》卷七）。

吴蔚光、毛琛、王岱、张燮、孙原湘、王家相等作《三桥春游曲》，述里巷事。据张慧剑《明清江苏文人年表》。

顾公燮作《消夏闲记》。据《中国古代小说总目》文言卷。

袁枚序《瓯北集》、《藏园诗》当在本年。据文意推知。《赵云松瓯北集序》："或谓云松从征西滇，官海南、黔中，得江山助，故能以诗豪。余谓不然。世之行万里、历险艰者，或十倍焉，而无加于诗如故也。或惜云松诗虽工，不合唐格，余尤谓不然。夫诗宁有定格哉？《国风》之格，不同乎《雅》、《颂》；皋、禹之歌，不同乎《三百篇》；汉、魏、六朝之诗，不同乎三唐。谈格者，将奚从？善乎杨诚斋之言曰：'格调是空间架，拙人最易藉口。'周栎园之言曰：'吾非不能为何、李格调以悦世也。但多一分格调者，必损一分性情，故不为也。'玩此二公之言，益信。"《蒋心余藏园诗序》："然而自古清才多，奇才少。""蒋君心余奇才也。""然君有所余于诗之外，故能有所立于诗之中。其摇笔措意，横出锐入，凡境为之一空。如神狮怒蹲，百兽慑伏；如长剑倚天，星辰乱飞；铁厚一寸，射而洞之；华岳万仞，驱而行之。目巧之室，自为奥阼，袒而搏战，前徒倒戈。人且羡，且妒，且骇，且却走，且訾謷，无不有也。然而学之者，非折胁即绝膑矣，非壶哨即鼓儳矣。故何也？则才之奇，不可袭而取也。"（《小仓山房续文集》卷二八）

汪辉祖《越女表征录》六卷刊行。据《中国丛书综录》。

蔡新《辑斋文集》八卷首一卷（《经史讲义》）附录二卷、《诗稿》八卷首一卷刊行。据《贩书偶记续编》卷一五。

赵帅《伟堂词钞》四卷刊行。据《贩书偶记续编》卷二〇。

顾澍《金粟影庵词初稿》一卷刊行。据《贩书偶记》卷二〇。

徐庄焘（女）《剪水山房诗钞初编》一卷附诗余一卷刊行。据《贩书偶记》卷一八。

周乐清（1785—1860）生。乐清字安榴，号文泉，别号炼情子，浙江海宁人。荫生。历官湖南、山东等地州判、知县、知州。著有《静远草堂诗文集》、《诗话》、《麈谈》及《补天石传奇》八种（实为杂剧）。事迹见民国《海宁州志稿》卷二八等（《方志著录元明清曲家传略》）。［生卒年据《古本戏曲剧目提要》。］

尚镕（1785—1836）生。镕字乔客、宛甫，江西南昌人。诸生。尝主三山、聚星、唐县诸书院。著有《持雅堂诗文钞》、《三家诗话》。事迹见《清史列传》符葆森传附。［生卒年据蒋寅《清诗话考》下编三。］

卢镐卒，年六十三。据周维德辑校《蒲褐山房诗话新编》。王昶《蒲褐山房诗话》："董君秉纯称其诗高处直逼柴桑，险韵长歌，亦得眉山一体。蒋君学镛称其学凡三变，卒底于成。惜为诗不自收拾，后人仅存四卷，未足以尽其长也。"（《湖海诗传》卷一五）

王太岳卒，年六十四。据王昶《国子监司业王公行状》（《春融堂集》卷六三）。《行状》云："公言经兼训诂，论道学兼取陆、王，诗文自魏晋迄于唐之杜、韩、柳，皆能拟其形容而契其意旨。"王昶《蒲褐山房诗话》："先生诗宗魏、晋，下及唐人，醇古淡泊，可称高格。"（《湖海诗传》卷九）洪亮吉《北江诗话》卷一："王方伯太岳诗，如白头宫、监，时说开、天。"《清史稿》邵齐焘传附："太岳莅官有惠政，尤留心水利，与齐焘最善，骈文清刚简直亦相近。"《晚晴簃诗汇》卷七七："诗格清遒，骎骎及古，粹然雅音。"录其诗十五首。《国朝文汇》乙集卷一二录其《泾水论》等文四篇。

夏之蓉卒，年八十八。据茹敦和《翰林院检讨夏先生墓志铭》（《国朝文汇》乙集卷二四）。［按，朱彭寿《清代人物大事纪年》谓其去年卒，年八十八。］《国朝文汇》甲集卷六〇录其《李东阳论》等文六篇。

王显绪卒，年六十九。据江庆柏《清代人物生卒年表》。《晚晴簃诗汇》卷七四录其诗二首。盛百二尚在世，时年六十六岁。《皆山楼吟稿》收诗编年排列，卷四《和文麓曾太守廷埁、简龚司马孙枝原韵》题下注"乙巳"，此为集中最晚之年份。盛百二此后事迹未详。王昶《蒲褐山房诗话》："诗宗小长芦，亦抒写自如，异乎世之涂泽者。"（《湖海诗传》卷二〇）《晚清簃诗汇》卷八四录其诗二首。《国朝文汇》乙集卷二六录其《编审论》等文四篇。

公元1786年（乾隆五十一年　丙午）

正月

十五日，张问陶归抵汉阳。有《元夜到汉阳，喜全家无恙，即约同归遂宁》诗，见《船山诗草补遗》卷二。

二十八日，吴清皋（1786—1849）生。清皋字鸣九，号壶庵、小穀，浙江钱塘人。嘉庆十八年举人。由内阁中书官至南昌知府。著有《壶庵诗》二卷、《骈体文》二卷。事迹见朱彭寿《清代人物大事纪年》。

阮元至江阴，馆于学使谢墉署中。据张鉴《雷塘庵主弟子记》。

二月

洪亮吉偕钱维乔等买舟至浙江省从舅氏。遍游锡山、虎溪诸胜。在钱塘游龙井、天竺、灵隐、净慈，与邵晋涵等为诗酒之会。留月余复归里。据吕培等《洪北江先生年谱》。

法式善官翰林院侍讲学士。据阮元《梧门先生年谱》。

三月

二十五日，梅曾亮（1786—1856）生。曾亮初名曾荫，字伯言、葛君、柏枧，江苏上元人。少入钟山书院肄业，为姚鼐所赏。道光二年成进士，用知县，援例改户部郎中。居京师二十余年，与宗稷辰、朱琦、龙启瑞、王拯、邵懿辰辈游处，曾国藩亦起而应之。后依河督杨以增。年七十一卒。著有《柏枧山房诗文集》。事迹见《江宁府志·梅曾亮传》、吴敏树《梅伯言先生诔辞》、朱琦《柏枧山房文集书后》（《碑传集补》卷四九）、吴常焘《梅郎中年谱》（《柏枧山房诗文集》附录）、《清史列传》本传、《清史稿》本传。［生日据朱彭寿《清代人物大事纪年》。］

洪亮吉重赴开封节署。据吕培等《洪北江先生年谱》。

四月

二十九日，陈銮（1786—1839）生。銮字芝楣，号仲和、玉生，江夏人。嘉庆十三年举人，二十五年探花，授编修。官至两江总督。著有《耕心书屋诗文集》，辑有《先正格言》十卷、《三楚历朝名贤墨迹·抚楚贴》十卷。事迹见方宗诚《赠太子少保江苏巡抚署两江总督陈公神道碑铭（代）》（《续碑传集》卷二三）、《清史列传》本传、《清史稿》本传。[生日据朱彭寿《清代人物大事纪年》。]

张问陶抵涪州。五月抵遂宁。有《自乙巳仲秋出都至今年首夏，舟行八阅月始抵涪州，居外舅周东屏先生宅浃月，复买小舟归遂宁，即事有作》、《初归遂宁作》等诗，见《船山诗草补遗》卷二、《船山诗草》卷二《戊丁集》。

佚名《离合剑莲子瓶》刊行。《中国古代小说总目》白话卷"《莲子瓶演义传》四卷二十三回"条："道光绿云轩刊本，内封题'莲子瓶全传'、'道光壬寅季春镌'、'绿云轩藏板'。首有《序》，末署'道光壬寅年孟夏上浣日白叟山人识'，钤有'绿云轩志'、'拙老并题'。据此可知'白叟山人'和'绿云轩'为一人，此人又号'拙老'。目录叶题'新刻离合剑莲子瓶全集'，署'时在乾隆丙午清和既望'。正文卷首题'新刻离合剑莲子瓶全集'。正文半叶八行，行十六字。版心题'莲子瓶'。此本目录叶署时为乾隆丙午五十一年，比内封所署道光二十二年要早五十六年，亦即绿云轩所藏之书版刻于乾隆五十一年，绿云轩只是利用旧版配上新刻的内封和序言一并印行。"

鸥梦词人序秋绿词人《桂香云影》杂剧。署"时在柔兆敦牂阴月，鸥梦词人序于珠湖小沧浪馆"。是剧演明季江浙倭乱时期汪梦桂与刘桂云姻缘事。据《古本戏曲剧目提要》。

六月

二十日，吴镇自序《松花庵逸草》。署"乾隆五十一年六月二十日，松厓吴镇自序"。有云："《松花庵逸草》者，予所自删而蓉裳杨明府复为选而评之之诗也。"（《松花庵逸草》卷首）

鳌图署震泽县事。据《沧来自记年谱》。

康基田调江南淮徐道。据《茂园自撰年谱》。

七月

初一日，王元启卒，年七十三。据翁方纲《皇清例授文林郎赐进士出身福建将乐县知县惺斋王先生墓志铭》（《祇平居士集》卷首）。王昶《蒲褐山房诗话》："惺斋冲和厚重，神观从容，足为后生矜式。工古文，尤熟于宋儒诸书。"（《湖海诗传》卷一三）《晚晴簃诗汇》卷八〇录其诗一首。《国朝文汇》乙集卷二〇录其《谈易窥豹序》等文六篇。

十六日，汪喜孙（1786—1847）**生。**喜孙又名喜荀，字孟慈，号且住庵，江都人，中子。嘉庆十二年举人。历官内阁中书、户部员外郎、河南怀庆知府。著有《且住庵诗文稿》。事迹见其自订《年谱》、《清史列传》汪中传附。

杨芳灿自兰州启程入都。十一月引见，奉旨仍回甘肃，以知州题补。九月经汴梁毕沅节署，与洪亮吉、钱坫、徐坚、方正澍、王复、吴泰来为文酒之会。据杨芳灿自订、余一鳌补订《杨蓉裳先生年谱》。

潘炤作诗咏李益、霍小玉事。潘炤《乌阑誓自序》云："丙午七夕，余客上党，与李月槎郡伯话乞巧事。秦人风俗，张锦绣，树瓜果，宫掖尤尚。是以骊山当夜，感而密誓，为《长恨歌》传情张本。然霍小玉之恨，有甚于惊鸿者，因出唐人蒋防《传》共观而叹焉。月槎怂系以诗，爱仿《长恨歌》即白香山韵。甫脱稿，月槎击节称赏，为付削刀，遂传其事，夫亦缘耶？"乾隆五十九年，潘炤又作《乌阑誓》传奇演其事。（《中国古典戏曲序跋汇编》卷一三）

袁鉴为袁枚重刊时文集《袁太史稿》。袁鉴序云："家兄简斋先生之制艺风行海内也久矣。唐人读杜铨之文，以释褐者，不下千计，非虚语也。然先生性不喜时文，虽髫年入学，旋即食饩，秋闱受荐，终觉于此事不工。直至弱冠，召试博学鸿词，报罢后，不得已仍为干禄之文。乃受前辈赵横山副宪之教劝，观国初诸名家。其时馆于今相国稽公弟，得以闭户覃思。场前作四十余篇，略有进境，随即速非，今所传于世者是也。门下士秦涧泉状元最先开雕，吾乡周新之孝廉继之，苏州徐明经又继之。板屡翻后，颇多讹舛。今年余来白下，作承宣司，有教士之责，为梓而新之，俾诸生有所矜式。"署"乾隆五十一年秋七月，弟鉴书于江宁藩署"。（《袁太史稿》卷首）

八月

王昶奉旨授云南布政使。明年抵任。据严荣《述庵先生年谱》。

袁枚出游武夷。据方濬师《随园先生年谱》。其间顺道探访赵翼，时赵翼已辞扬州讲席，在里养病。据《瓯北集》卷三〇《子才访草堂，见示近年游天台、雁荡、黄山、匡庐、罗浮诸诗，流连竟夕喜赋》。又，途遇同邑诗人陆梦熊，别后陆寄《晚香堂诗》二十余卷。据《随园诗话》卷一二。

九月

方成珪（1786—?）**生。**成珪字国宪，号雪斋，浙江瑞安人。嘉庆十三年举人。历官海宁州学正、宁波府教授。著有《宝研斋诗钞》二卷。事迹见《清史列传》本传。〔江庆柏《清代人物生卒年表》谓其生卒年为1784—1849年，此据朱彭寿《清代人物大事年表》。〕

秋

乡试。是科各省考官有彭元瑞、朱珪、汪学金、吴省兰、汪如洋、韦谦恒、鲍之钟、潘奕隽。据法式善《清秘述闻》卷八。所取举人有阮元（张鉴《雷塘庵主弟子记》卷一）、章宗源（孙星衍《章宗源传》）、徐镰庆（王芑孙《署湖北蕲州知州徐君墓志铭》）、顾敏恒（杨芳灿自订、余一鳌补订《杨蓉裳先生年谱》）、张惠言（恽敬《张皋文墓志铭》）、王灼（马其昶《刘海峰先生传》附）、汪廷珍（江藩《国朝汉学师承记》卷六）、许宗彦（阮元《浙儒许君积卿传》）、孙星衍（张绍南《孙渊如先生年谱》卷上）、萨玉衡（朱彭寿《清代人物大事纪年》）、何道生（法式善《朝议大夫宁夏知府何君墓表》）、马宗琏（马其昶《马鲁陈先生传》）等。吴蒿中副榜贡生。据金天翮《吴蒿传》（《广清碑传集》卷一〇）。鲍桂星中副榜。据《觉生自订年谱》。

萨玉衡乡试中式。玉衡字檀河、葱如，闽县人。官陕西洵阳知县。著有《白华楼诗钞》。事迹见《清史列传》伊秉绶传附。陈寿祺《萨檀河白华楼诗钞序》："清兴，称诗于吾乡者，无虑百数十家，然必以许天玉、张无闷为巨擘。近日又以侯官郑西瀍、郑涵山、闽县林畅原、萨檀河为最，而萨子尤雄特。""其为诗骏伟广博，譬诸快剑长戟之撞拟，黄钟大吕之锵洋。大瀛吹波，鱼龙出没，沃日蒸霞，万象融混，建章神明，嶕峣瑰丽，铜凤金爵，照烂天表。美哉盛乎，非萨子其孰能为此哉！"（《国朝文汇》乙集卷五七）林昌彝《射鹰楼诗话》卷一一："闽县萨檀河先生玉衡著有《白华诗钞》四卷，瑰玮裔皇，沈博绝丽，如鸾翔凤舞，乐奏钧天，几欲跨其远祖《雁门集》而上之。""昌彝谓先生之诗，学人之诗也，才足以副之，亦梅村、竹垞之流亚也。"录其《将入都别家兄敬如》等诗。卷一七："拜岳忠武王墓诗，朱竹垞长排外，以闽县萨檀河大令七律四诗为最高，青丘《忠武王墓》诗虽脍炙人口，不逮也。萨诗佳在气格沈雄，用事典切，故能独出冠时。"卷二一："其绝句尤隶事生新，鲜若霞绮。"录其《题陈秋坪画洛神》等诗。《晚晴簃诗汇》卷一〇五录其诗三首。

凌廷堪再应顺天乡试报罢。据阮元《次仲凌君传》（《揅经室二集》卷四）。

彭兆荪应顺天乡试不第，试毕回宁武。据缪朝荃《彭湘涵先生年谱》。

高鹗乡试落第。其应试前后有《无题（一片春云下楚宫）》二首、《秋日同兆挹波、王冷村登蓟门亭》、《看放榜归感书》等诗，见《高鹗诗文集》卷一《月小山房遗稿》。

张问安、张问陶兄弟同赴成都应乡试，下第归。问陶有《丙午下第归遂宁，重阳后七日暂住涪州，别亥白兄、寿门弟》诗，见《船山诗草补遗》卷二。

黄钺入京应试，不第，冬归芜湖。据黄富民《黄勤敏公年谱》。

曾衍东应山东乡试报罢。据张宪文《曾衍东年表》（《小豆棚》附录）。

翁方纲督学江西。据张维屏《翁覃溪先生年谱稿》（《碑传集三编》卷三六）。

俞蛟有事维扬，主盐政董兰坡六阅月。据俞蛟《梦厂杂著》卷五《平山堂记》。

十月

洪亮吉应登封令陆继萼之聘，赴登封修县志。游嵩山，访嵩阳书院。据吕培等《洪北江先生年谱》。

谢墉任满回京，阮元遂以公车同行，十一月抵京。据张鉴《雷塘庵主弟子记》卷一。阮元《南江邵氏遗书序》："岁丙午，元初入京师，时前辈讲学者有高邮王怀祖、兴化任子田，暨先生而三，元咸随事请问，捧手有所授焉。"（《揅经室二集》卷七）

刘阮山《七夕圆》（又名《槎合记》）传奇成书。自序云："丙午岁，余砚食莆城。于闰七月初七夜偶阅彭羡门《闰七夕词》，觉二十年来，别恨离愁，茫茫交集。因思发抒胸臆，托兴填词，以凭空结撰之人，作本传实叙之事。又博采史迁所记《封禅》、《平准》、《河渠》三书，及司马相如、张骞、外戚、滑稽、酷吏、大宛、南越诸列传，为曲中之波澜，三阅月而成三十四出。其大旨以守礼别欲为情场竖犯澜之砥，以用情于男女者推广于父子、君臣、兄弟、朋友之间，斯又引而不废之微意也。若夫篇中撷拾多汉武以后事，知不免为识者所讥。然玉茗堂《还魂记》亦有宋书生看不见大明律语，则又当以谅临川者谅余也已。孟冬既望，兰陵刘阮山书于螺江之带星草堂。"又，董达章序云："穷极变幻，无乖伦理之常；写尽荒唐，不改性情之正。吾读刘子阮山《槎合记》传奇一种，殆远胜于风月填词者矣。"署"乾隆岁次昭阳赤奋若清和之月，半野道人董达章题撰"。（《中国古典戏曲序跋汇编》卷一三）是剧未见著录，凡二卷三十四出。刘阮山又有《精卫石》传奇，已佚。据庄一拂《古典戏曲存目汇考》卷一二。

十一月

孙星衍前以返句容应本省乡试，本月复至大梁。据张绍南《孙渊如先生年谱》卷上。

孔广森卒，年三十五。据朱苍楣《仪郑堂遗文跋》（《仪郑堂文》卷末）。《仪郑堂遗稿》一卷明年刊行。据《贩书偶记续编》卷一五。江藩《国朝汉学师承记》卷六："广森深于戴氏之学，故能义探其原，言则于古也。世人徒赏其文词之工，抑其末矣。"吴鼒《国朝八家四六文钞·仪郑堂遗稿题词》："㸑轩太史四六文乃兼有汉、魏、六朝、初唐之胜。常从戴氏受经，治《春秋》、《三礼》，多精言，故其文托体尊而去古近。惜奔走家难，劳思夭年，所艺不传，传者不及十之三四。"

十二月

初七日，袁枚应张止原居士之招，游灵岩。与钱泳两宿舟中，谈古文金石之学。据袁枚《随园诗话》卷一四。

十三日，梁国治卒，年六十四。据其自订、子承纶等补订《丰山府君自订年谱》。《晚晴簃诗汇》卷八○："文定笃内行，起巍科，登政地，而恽穆恬淡，不改其素。与陶凫亭论诗，好用险韵。尝为《晚眺》联句，拟用'乍'、'怕'二韵作出语，曰：'花气入帘深。'凫亭续曰：'竹露滴衣乍。'又继之曰：'危阑影自疑。''老树声可怕。'文定诵之不置。"录其诗三首。

十三日，汤大奎战死，年五十九。据洪亮吉《福建凤山县知县赠云骑尉世袭死节汤君墓表》（《卷施阁文乙集》卷七）。洪亮吉《北江诗话》卷一："汤大令大奎诗，如故侯门第，樽俎尚存。"

章学诚作《月夜游莲池记》。本年仍在莲池书院。据胡适《章实斋年谱》。

冬

汪如洋督学云南。据程恩泽《翰林院修撰汪先生墓志铭》(《程侍郎遗集》卷八)。如洋为陈端生表弟,《再生缘》第十七卷钞本因而得以相继传入云南。据郭沫若《陈端生年谱》。

凌廷堪回板浦省亲。此二年在都,与孔广森、武亿定交。据张其锦《凌次仲先生年谱》。

王昶访董元度。王昶《蒲褐山房诗话》:"乾隆丙午冬,余以入觐过保定,曲江适主莲池书院,往访之,则已颓然老矣。仕途偃蹇,连蹇而殁,故其诗清婉中多感慨之作。"(《湖海诗传》卷一四)元度时年七十八岁,此后事迹未详。《晚晴簃诗汇》卷八一:"曲江诗和平尔雅,不为绮靡浮艳之态,亦无钩章棘句之习。盖根柢于义山,而归宿于放翁。通籍后,南游苏、扬间,寄卢雅雨署中最久。"录其诗四首。

本年

曹仁虎视学广东。据王鸿逵《曹学士年谱》。

曾燠丁忧归。据包世臣《曾抚部别传》(《续碑传集》卷二一)。

袁树降职。方濬师《随园先生年谱》:"香亭以十二年前摄霍邱县篆失察民人升旧案部议降调,奉旨送部引见。"

赵怀玉应金德舆之招,往桐乡课其子。因得与鲍廷博、方薰晨夕相处。据赵怀玉《收庵居士自叙年谱略》卷上。

李兆洛从学于吕岳。据蒋彤《武进李先生年谱》卷一。

张九钺游嵩山,著《嵩游草》。据张家枞《陶园年谱》。

张惠言、王灼皆去歙县岩镇。据张惠言《茗柯文》二编卷下《鄂不草堂图记》。张惠言馆金家期间,曾撰《与金先生论保甲事例书》,见《茗柯文》补编卷上。

袁枚为程晋芳抚孤。方濬师《随园先生年谱》:"程鱼门太史卒后,妻孥无以为养。先生为致书毕秋帆制军,慨然筹三千金,交桐城章淮树代主营运。太史旧欠先生五千金,先生焚其券,人称风谊。至是复作《毕尚书抚孤行》,推美于毕公,不自居功也。"

吴垲与陆继辂相识于杨伦座上。八年后始定交于乡试号舍。据陆继辂《山东曹州知府吴君垲墓志铭》(《碑传集》卷一一〇)。

刘嗣绾有《禅榻集》。小序云:"维摩示疾,禅榻为缘。苦无祛病之方,微悟养生之旨。知我者,其在药炉经卷中乎。"(《尚絅堂诗集》卷八)

汪中作《自序》。据汪喜孙《先君年表》。

舒位于京邸作《春秋咏史乐府》一卷,凡一百四十首。见《瓶水斋诗别集》卷一。

焦循有《荒年杂诗》九首。据闵尔昌《焦理堂先生年谱》。

洪亮吉作纪游诗约百五十首,撰《东晋疆域志》、《十六国疆域志》,修《登封县志》,为友人改纂《怀庆府志》。据吕培等《洪北江先生年谱》。

钱维乔在鄞县知县任,以林栖居士名,作《乞食图》传奇。据张慧剑《明清江苏文人年表》。钱维乔《寒香亭跋》:"曩予遭黄门之戚,因填《碧落缘》、《鹦鹉媒》传奇二种。洎一行作吏,尘事束缚,未免效梁敬叔之叹。雨窗灯青,复点笔成《乞食图》一种。每当胸有所郁结,嬉笑怒骂,皆成文章,不自知其洒然而中节也。至于春女秋士,才合情通,不过文人借端,非真好为绮语耳。"(《中国古典戏曲序跋汇编》卷一二)庄一拂《古典戏曲存目汇考》卷一二:《乞食图》,"《今乐考证》著录。乾隆刊本。其他戏曲书簿未见著录。一名《虎阜缘》,又名《后崔张》。《竹初乐府三种》之一。凡二卷三十二出。演张灵、崔莹事,本黄周星《张崔合传》。"梁廷楠《曲话》卷三:"钱竹初明府亦工音律,所著《鹦鹉媒》、《乞食图》二种,不及心余之爽豁,心余亦不及其清丽也。"又,此两种传奇乾隆五十一年至五十三年刊行。据《贩书偶记》卷二〇。

赵式曾自序《琵琶行》杂剧。庄一拂《古典戏曲存目汇考》卷八:《琵琶行》,"此戏未见著录。乾隆间琴鹤轩刊本。有乾隆丙午(1786)自序,凡四折。正目作'白司马寻现在欢,茶商妇梦少年事;设祖饯表故人心,弹琵琶伤迁客事'。敷衍白居易《琵琶行》故事。其弟鹤轩评云:或谓蒋太史清容有《琵琶行》杂剧,谓之《四弦秋》,必沈韶遇郑婉故事。倘亦为迁客商妇写怨,恐彼吴越人,不能作燕赵语。作者自序亦云:予寓浔阳,谱《琵琶行》四折,曲皆北调,诗俱集白。"

法式善《同馆试律汇钞》、《补钞》成书,刊行之。据阮元《梧门先生年谱》。[按,《贩书偶记续编》卷一九著录韦谦恒、吴省钦同辑、法式善编《同馆试律汇钞》二十四卷本年刊行。]

江藩《乙丙集》二卷成书。据《贩书偶记续编》卷一五。

方正澍《子云诗集》十卷刊行。据《贩书偶记》卷一五。

张埙《竹叶庵文集》三十三卷刊行。《贩书偶记》卷一五:"乾隆五十一年刊。卷一至二十四诗,卷二十五至三十三词。第二十四卷分上下,此下卷又分二卷,乃续刊者。"

戚学标《三台诗话》二卷刊行。据《贩书偶记》卷二〇。

徐志鼎《吉云草堂集》九卷、《玉雨词》二卷刊行。附蒋泰来《寅谷遗稿》一卷。据《贩书偶记续编》卷一五。

王鎏(1786—1843)生。鎏初名仲鎏,字子兼、亮生,江苏吴县人。诸生。文为汤金钊所赏。屡应乡试不第,入赀当选教职。游京师,入何凌汉、沈维鐈幕。归效宋陈起,隐于书肆。著有《乡党正义》十六卷、《毛诗多识编》十二卷、《四书地理考》十四卷、《钱币刍言》、《墅舟园文集》,辑有《国朝文述》。事迹见张履《王君亮生传》(《续碑传集》卷七七)。

周树槐(1786—1858)生。树槐字星叔,湖南长沙人。嘉庆十三年举人,明年成进士。历官山西沁源、江西吉水等县知县。年未五十,即致仕归。著有《壮学堂文集》十二卷。事迹见《清史列传》邓显鹤传附。[生卒年据江庆柏《清代人物生卒年表》。]

戈载(1786—1856后)生。载字殳甫,号顺卿、宝士,江苏吴县人。宙襄子。诸生。居苏之枫桥,家饶于赀,兼有园亭之胜,故得专力于词。与朱绶、沈传桂等为

"吴中后七子"。著有《翠薇花馆诗集》二十卷、《翠薇花馆词》三十卷、《词林正韵》三卷《发凡》一卷，编有《词律订》、《词律补》、《乐府正声》、《续绝妙好词》、《宋七家词选》。事迹见丁绍仪《听秋声馆词话》卷六、张慧剑《明清江苏文人年表》。〔生卒时间据严迪昌《清词史》第三编第三章。〕

郭元灝卒，年五十三。据郭麐《先君子行略》（《灵芬馆杂著》卷一）。《晚晴簃诗汇》卷九九："清源为频伽尊人，砥学砺行，芸台、惜抱皆亟称之。"录其诗一首。

罗元焕约本年卒，年七十一。据《粤台征雅录》卷首陈仲鸿序及劳潼序。

汪寄本年前后在世。著有《希夷梦》四十卷不分回。是书不题撰人。嘉庆十四年本堂藏板本卷首自序署"新安蜉蝣氏汪寄志原"，文中有"丙午仲春，西入华岳"之语，以此知作者为乾隆间人。是书又有光绪四年翠筠山房藏板本。后之印本，改题《海国春秋》，作十二卷四十回。据《中国古代小说总目》白话卷。

公元 1787 年（乾隆五十二年　丁未）

正月

十五日，杨芳灿、杨揆赴甘肃。道经汴梁，在毕沅节署与孙星衍、洪亮吉、吴泰来、钱坫、方正澍集会，观沈起凤新剧。毕沅选刻《吴会英才集》。据杨芳灿自订、余一鳌补订《杨蓉裳先生年谱》。

黄钺往杭州谒朱珪。时珪以礼部侍郎督学浙江，招入幕中。据黄富民《黄勤敏公年谱》。

汪中谒朱珪于钱塘，作《广陵对》。汪喜孙《容甫先生年谱》："正月，谒大兴朱侍郎于钱唐节署。侍郎问广陵遗事，先君以为广陵之地，在天为维首，在地为归墟，历十有八姓，二千余年，而亡城降子不出于其间，作《广陵对》三千言。先君自谓属事精卓。喜孙不知问学，窃以先君是篇于割据、战争、谋臣、力士、建名、立义、殉节、死难之迹事辨时地，具有知人论世之识，可以揽政治之兴衰、形势之扼要，不独史学淹贯、文章尔雅，成著述一家言也。先君博采周秦以来广陵佚事，撰《广陵史氏记长编》，改名《广陵通典》，次及杨吴而止崖，成书十卷。于后撷其精华成《广陵对》。"

二月

赵翼随李侍尧赴闽治军。据佚名《瓯北先生年谱》。

王昶抵云南布政使任。据严荣《述庵先生年谱》。

康基田升江苏按察使。据《茂园自撰年谱》。

三月

二十二日，夏敬渠卒，年八十三。据赵景深《野叟曝言作者夏二铭年谱》。《晚晴簃诗汇》卷一一一："二铭负才振奇，长于史学。所著《纲目举正》，论古有独到处。

老而不遇，借稗官家言以泄其郁勃，识者哀之。诗亦过事驰骋，其肫挚含蓄者特见深婉。"录其诗五首。

会试。考官：内阁大学士王杰、刑部侍郎姜晟、内阁学士瑞保。题"子路共之"二句，"故君子尊"三句，"孟子曰道"全章。赋得"四时为柄"得"乾"字。据法式善《清秘述闻》卷八。

洪亮吉三应礼部试，不售。据吕培等《洪北江先生年谱》。

刘台拱第七次应礼部试，又不第，至是遂绝意进取。据朱彬《刘学士台拱行状》。

阮元会试下第，留馆京师。作《考工记车制图解》成。据张鉴《雷塘庵主弟子记》卷一。阮元《任子田侍御弁服释例序》："元居在江、淮间，乡里先进多治经之儒，若兴化顾进士文子九苞、李进士成裕惇、刘广文端临台拱、任侍御子田大椿、王黄门石臞念孙、汪明经容甫中，皆耳目所及，或奉手有所受。丁未、戊申间，元在京师，见任侍御相，问难为尤多。"(《揅经室一集》卷一一)

张惠言赴礼部会试，中中正榜，例充内阁中书，以特奏通榜皆报罢。本年考取景山宫官学教习。据恽敬《张皋文墓志铭》(《大云山房文稿初集》卷四)。

凌廷堪应江西学使翁方纲之招，自板浦起身往南昌。时谢启昆为扬州知府，翁方纲房首也，一见遂定交焉。五月同舟至南昌。时吴嵩梁、蒋知廉、蒋知节、胡虔等皆在南昌。据张其锦《凌次仲先生年谱》。

袁枚为何士颙编诗稿二卷。序云："金陵有二诗人，一为陈古渔，一为何南园。陈诗矫健，何诗清婉。三十年来，过从甚欢。今年俱委化去，余蓦然心伤，为梓其诗以存之。因陈诗虽多，已有《诗概》一集行世；其子能读父书，事有可待。而何则名未出于一乡，家又式微。予闻病即往，搜其诗得稿若干，选成两卷。""南园名士颙，江宁诸生，卒年六十有二。"袁枚又有前序一篇，作于乾隆戊戌九月(《南园诗选》卷首)。《南园诗选》二卷本年刊行。据《贩书偶记续编》卷一五。《晚晴簃诗汇》卷九九录何士颙诗二首。又，据此序，陈毅(古渔)亦卒于本年。《晚晴簃诗汇》卷八六录陈毅诗三首。

春

某尚书请禁王士禛、朱彝尊、查慎行、吴绮诗词，为管世铭所阻。陈康祺《郎潜纪闻初笔》卷九《某尚书请禁王渔洋、朱竹垞、查他山三家诗》："乾隆丁未春，礼部尚书某掎摭王渔洋、朱竹垞、查他山三家诗及吴蔼次长短句内语疵，奏请毁禁。事下枢廷集议，请将《曝书亭集·寿李清》七言古诗一首，事在禁前，照例抽毁。其渔洋《秋柳》七律、他山《宫中草》绝句及蔼次词，语意均无违碍。奏上，报可。时管侍御世铭方内直，实主其议也。见《韫山堂诗》集注。"

章学诚闻戊戌进士开选，因往吏部投牒。生计索然，转食友家者几一年。冬间已垂得知县矣，忽决计舍去。十月回保定。据胡适《章实斋年谱》。

赵怀玉等游扬州。赵怀玉《收庵居士自叙年谱略》卷上："管阳复通恭复视江南漕务，驻扬州。春初以书来招，因与程学博景傅、蒋太守熊昌、程司务莲渡江访之，即宿使馆。时史侍御梦琦亦馆扬州，连日游平山诸盛。”

四月

二十五日，高宗御太和殿，传胪。 赐一甲史致光、孙星衍、董教增进士及第，二甲秦恩复、沈清瑞、何道生、汪彦博、陆元铉、顾敏恒等进士出身，三甲翁树培、沈叔埏、刘廷楠等同进士出身。据《历科进士题名录》、《清通鉴》。

杨芳灿、杨揆抵甘肃。 杨揆为福康安延入幕，杨芳灿回伏羌即题补灵州，十月抵任。据杨芳灿自订、余一鳌补订《杨蓉裳先生年谱》。

五月

月初，洪亮吉抵里。 时竞渡方盛，与庄宝书、陈宾、陆寿昌等日为泛舟之游。购卷施阁于宅西。据吕培等《洪北江先生年谱》。

初四日，许乃普（1787—1866）生。 乃普字滇生、季鸿，号养园，浙江钱塘人。嘉庆二十五年榜眼，授编修。官至吏部尚书。谥文恪。著有《堪喜斋集》。事迹见《清史列传》本传、《清史稿》本传。[生日据朱彭寿《清代人物大事纪年》。]

法式善充文渊阁详校官。 据阮元《梧门先生年谱》。

六月

十一日，方士淦（1787—1849）生。 士淦字莲舫、濂舫，号啖蔗居士，安徽定远人。嘉庆十三年举人。历官内阁中书、湖州知府等。道光元年罢职，谪戍伊犁。八年赐环归里。著有《啖蔗轩诗存》三卷、《蔗余偶笔》一卷。事迹见其《啖蔗轩自订年谱》。

徐鑅庆由京师还，游大梁，将谒毕沅。 路大水止于卫，遂游百泉。据其《游百泉记》（《国朝文汇》乙集卷五〇）。

夏

张问陶游盐亭、潼川。 有《盐亭》、《潼川夏日游琴泉寺同遂宁李明府作》诗，见《船山诗草》卷二《戊丁集》。

七月

二十一日，张洲卒，年六十。 据薛著廷《南林张君墓志铭》（《国朝文汇》乙集卷二八）。《墓志铭》云：“文宗八家，而以《左》、《史》坚其骨；诗溯三唐，而以《骚》、《选》疏其气。”《国朝文汇》乙集卷二八录其《王猛论》等文六篇。

八月

初八日，曹仁虎卒，年五十七。 据王鸿逵《曹学士年谱》。王鸿逵编《曹学士遗集》三十卷《年谱》一卷,有嘉庆间次鸥山馆钞本。据《贩书偶记》卷一五。钱大昕《日讲起居注官翰林院侍讲学士曹君墓志铭》:"博极群书,精于证据。诗宗三唐,而神明变化,一洗粗率佻巧之陋。格律醇雅,酝酿深厚,卓然为一时宗。少时与王、吴、赵诸君唱酬,汇刻其诗,流传海舶,日本国相以饼金购之。在京华与馆阁诸同好及同年友为诗社,率旬日一集,或分题,或联句,或分体,每一篇出,传诵日下,今所传《刻烛》、《炙砚》二集是也。"(《潜研堂文集》卷四三)《习庵先生诗集序》:"习庵于学无所不通,而于诗尤妙绝一世。每分韵联句,同人皆争奇斗巧,自诩绝出。及见习庵作,咸退避无间言。古风、近体流播人间,海外异域多有传其稿者,而全集未传于世。"(《潜研堂文集》卷二六)洪亮吉《北江诗话》卷一:"曹学士仁虎诗,如珍馐满前,不能隔宿。"王昶《蒲褐山房诗话》:"来殷以声华名望为都下所推,然端静自守,恂恂粥粥,不至朝贵薰灼之门。其诗初宗四杰,七言长篇风华缛丽;壮而浸淫于杜、韩、苏、陆,下逮元好问、高启、何景明、陈子龙及本朝王士禛、朱彝尊诸公,横空排奡,才力富有。七律尤高华工整,独出冠时。雄浑之语则有:'双峡天低连雪岭,五丁地险接维州';'校尉尽看红抹首,材官齐号黑云都';'奸细几曾诛赵信,征人空见老班超';'紫雾千盘开汉碣,碧霞四气拱秦封';'西京专阃推横海,东汉登坛数伏波';'初添蜀郡三城戍,更遣秦川四道兵';'执法乌台秦御史,谈经绛帐汉儒林'。情韵之语则有:'梨花小院重重树,燕子高楼面面风';'叱犊声闻黄稻陇,归鸦影点绿杨树','东风树树生红豆,南浦迢迢送绿波';'明窗曲几弹棋地,小雪疏梅咏絮天';'初听成雷喧白鸟,闲看避雨徙无驹';'涧道水声疏雨歇,江天帆影夕阳多';'客路正当归雁后,乡心多在落花初';'白蘋千点鹭初散,红雨一帘莺乱啼'。时诗道杂而多端,或仿白居易,或仿黄庭坚、杨万里,或至仿袁宏道,信手涂抹,率以流易佻巧为能。如郭舍人之俳谐,郑五之歇后,黄茅白苇,弥望皆是。及来殷诗出,乃奏金石以破蟋蟀之鸣。然其集未行世,人知之者尚少。"(《湖海诗传》卷二五)《晚晴簃诗汇》卷九〇录其诗七首。

凌廷堪由汉口往河南,客毕沅署。据张其锦《凌次仲先生年谱》。

吴翌凤至武昌游姜晟幕。据《与稽斋丛稿》卷七《登楼集》小序。此前近两年之诗为《东斋续稿》,见《与稽斋丛稿》卷六。

严长明卒,年五十七。据姚鼐《严冬友墓志铭》(《惜抱轩文集》卷一三)。《墓志铭》云:"君于书无不读,或举问,无不能对。为诗文用思周密,和易而当于情。"钱大昕《内阁侍读严道甫传》:"予与侍读交廿余年,听其议论,经纬古今,混混不竭,可谓闳览博物,文学之宗矣。"(《潜研堂文集》卷三七)潘奕隽《严道甫诗序》:"今之言诗者夥矣,或好摹古之作若土偶,生气不存焉;或取齿牙之利类俳优,古法尽沦焉;或标新领异失之巧;或怒目张拳失之霸:如是乎其言诗,果有当于古人之诗否也?今观道甫之作,气恬而法密,神清而韵和。其才大,不矜才;其气盛,不使气。读其诗,如见其人,殆一代之正声乎?"(《国朝文汇》乙集卷三八)洪亮吉《北江诗话》卷一:"严侍读长明诗,如触目琳琅,率非己有。"卷四:"严侍读长明诗,致清远善,能借古人意境转进一层。记其在《秦中消寒四集·同咏腊梅》句云:'几时过小雪,一树恰斜阳。'可云工巧。然生平不能造意、造句,是以尚难方驾古人。"法式善《梧门诗话》卷七："严侍读长明诗思新颖，又善运用古人成句，略一转移，愈觉生新。"《晚晴簃诗汇》卷九〇："道甫天才骏迈，思笔奇伟，为朱石君、毕秋帆、袁简斋所倾倒。其游岱、华诸诗，瑰辞险语，镌刻造化。简斋称其'以七尺躯、三寸管与五千仞奇峰相俶诡'，可谓形容尽致。钱竹汀作道甫传，述其告学者之言曰：'士不周览古今载籍，不遍交海内贤俊，不通知当代典章，遽欲握笔撰述，纵使信今，亦难传后。'其自命如此。道甫著述宏富，尤长于金石之学。诗在黄仲则之上，以其学问博也。洪北江《诗话》评其诗'如触目琳琅，率非己有'，未免门户之见。"录其诗七首。《国朝文汇》乙集卷三四录其《与戴未堂论史记历书帖》等文六篇。

九月

鳌图署昭文县事。据《沧来自记年谱》。

彭兆荪随父由宁武引疾归里，兆荪时年十九岁。据缪朝荃《彭湘涵先生年谱》。又，其旅居宁武时诗为《楼烦集》。据张慧剑《明清江苏文人年表》。

钱泳结束苏城坐馆生活，启程赴毕沅节署。胡源、褚逢春《梅溪先生年谱》："九月启行，十月到开封，至巡抚节署。时同在幕中者，为吴竹屿泰来、孙渊如星衍、洪稚存亮吉、章硕斋学诚、冯鱼山敏昌、方子云正澍、凌仲子廷堪、徐阆斋嵩，皆一时名宿也。"

秋

熊超自序《齐人记》杂剧。署"乾隆五十二年丁未岁秋月撰于新邑吴祠，超自识"。超字禹书，号豁堂，修水人。诸生。事迹见其《豁堂自记》。熊华序云："丁未春，豁堂授徒新邑吴祠，以知慧剑，破烦恼城，因作《豁堂记》、《馆中问答》诸篇，非佛非儒，亦庄亦老，名缰利锁，两手撒开，梦境尘关，一拳打破。复作《齐人记》以示余，余观插科打诨，摘句填词，能释孟书正旨。分为四出：曰《处室》，曰《睸夫》，曰《泣庭》，曰《骄妻》。无不倍极工巧，不下传奇手。嗟乎！曩所叹齐人求富若贵且泣者，乃果演出一局大戏矣。"署"乾隆五十三年菊月侄月轩熊华识"。熊华又撰有《总论》一篇。(《中国古典戏曲序跋汇编》卷八)

十一月

洪亮吉重赴开封节署。据吕培等《洪北江先生年谱》。

因周震荣之介，章学诚至河南见毕沅。有《上毕抚台书》，书附旧刻《和州志例》二十篇、《永清县志》二十五篇。据胡适《章实斋年谱》。

十二月

初八日，曹学闵卒，年六十九。据钱大昕《宗人府丞曹公神道碑》（《潜研堂文集》卷四一）。《神道碑》云："诗文皆摅写性情，不事藻饰。"朱珪《紫云山房诗文钞序》："公由翰林起家，洊历卿尹。诗则乐天，文则敬轩，荦荦无虫篆雕刻之习，如其为人也。"（《知足斋文集》卷一）翁方纲《慕堂诗钞序》："夫诗之涉应酬者不必言也，即其工声律者亦非尽由己出也。若夫陶冶性灵，以恬淡闲适为诗者，斯近于诗味矣。然而恬淡之中有寄傲焉，闲适之中有枯寂幽僻，则所以言志者适所以高志已矣。先生之学，晚益精于名理，盖其见道切己，不为文饰，故所发皆有用之言，而非所谓理过乎辞者也。先生尝校刊河汾诸老诗集，与予往复商榷，皆中理要。其论古、其赠友，皆从一片心地静光中得，而恬淡闲适之风味，自然纳于怀抱，非夫摹仿格调以为之者也。"（《复初斋集外文》卷一）王昶《蒲褐山房诗话》："作诗恬淡自然中议论英特，非依仿格调以为之者。"（《湖海诗传》卷一七）《晚晴簃诗汇》卷八四："孝如学行诚笃，人乐与交。诗亦平实，颇肖其人。翁覃溪称诗在香山、放翁间。且言：'自古诗人在中条、王官谷者，若义山、表圣、裕之及近日莲洋，皆以才力跨越前后。而先生独以性情冲淡，与道大适，脱然于名誉之外。'斯言得之矣。"录其诗六首。《国朝文汇》乙集卷二五录其《志仁堂诗序》、《教授赵培元先生墓表》文两篇。《紫云山房文钞》一卷《诗钞》一卷《汾阳曹氏志传合刻》一卷嘉庆十四年刊行。据《贩书偶记》卷一六。

冬

纪昀以校勘《四库全书》至避暑山庄。纪昀《阅微草堂笔记》卷一二《槐西杂志二》："余校勘秘籍，凡四至避暑山庄：丁未以冬、戊申以秋、己酉以夏、壬子以春，四时之盛胥览焉。"

茹纶常再编《容斋诗集》十卷刊行。据《容斋诗集》二刻茹纶常自序。

本年

孙星衍授翰林院编修。据张绍南《孙渊如先生年谱》卷上。

谢振定授编修。据秦瀛《礼部员外郎前监察御史谢君墓志铭》（《小岘山人续文集》卷二）。

纪昀迁礼部尚书，充经筵讲官，管鸿胪寺印钥。[按，朱珪《经筵讲官太子少保协办大学士礼部尚书管国子监事谥文达纪公墓志铭》（《知足斋文集》卷五）、江藩《国朝汉学师承记》卷六皆言纪昀迁礼部尚书、充经筵讲官在丙午年，误。《纪晓岚文集》附录《年谱》已辨之。]

屠绅迁寻甸州知州。又，本年屠绅第二次运铜至京，师范后十余日至，未遇，作诗寄寻甸州署。回滇时，屠绅经常州，晤同邑金捧阊。赵怀玉、吴锡麒亦有诗词相赠。据沈燮元《屠绅年谱》。

金鹗补弟子员，时年十七岁。据郭协寅《金诚斋先生传》（《碑传集补》卷四〇）。

张惠言与恽敬在京师订交。张惠言《送恽子居序》："年二十七，来京师，与子居交。"（《茗柯文》初编）吴德旋《恽子居先生行状》："五十二年，充咸安宫官学教习。时同州庄述祖珍艺、庄献可大久、张惠言皋文、海盐陈石麟子穆、桐城王灼悔生先后

集京师，先生与之为友，商榷经义古文，而尤所爱重者皋文也。"（《初月楼文钞》卷八）

　　沈复应徽州绩溪克明府之招。据沈复《浮生六记》卷四《浪游记快》。

　　张九钺应刘文徽太守聘，修《永宁登封志》。据张家栻《陶园年谱》。

　　焦循馆郡城寿氏之鹤立斋。有《水龙吟·记水灾》、《贺新郎·七夕夜泛舟虹桥》。以所撰序事文就正于汪中，汪中令焚之，曰："序事文须无一语似小说家言，当时时以《左传》、《国语》、《史记》、《汉书》为之鹄。"循心服之。据闵尔昌《焦理堂先生年谱》。

　　章学诚失莲池书院讲席。据胡适《章实斋年谱》。

　　毕沅编《中洲金石记》五卷。据史善长《弇山毕公年谱》。

　　洪亮吉作诗二百首，撰《乾隆府厅州县图志》。据吕培等《洪北江先生年谱》。

　　彭兆荪自本年至乾隆五十五年庚戌诗为《南鸿集》一卷。据缪朝荃《彭湘涵先生年谱》。

　　刘嗣绾有《竹中集》。小序云："家园隙地，种竹盈亩，偶然得句，啸咏其间。"（《尚絅堂诗集》卷九）。

　　袁枚以雍正丁未入泮，今又丁未，戏仿重赴鹿鸣故事，作《重赴泮宫诗》，和者百余人。据袁枚《随园诗话》卷一二。

　　钱大昕《疑年录》四卷成书。据钱大昕自编、钱庆曾校注《竹汀居士年谱》。

　　黄文莲《书传盐梅》二十卷、《道德经订注》二卷刊行。据《贩书偶记》卷一、卷一二。文莲字芳亭，号星槎，上海人。乾隆十五年举人。官全椒教谕、泌阳知县。事迹见《清史稿》曹仁虎传附。所著《听雨楼集》二卷，沈德潜选入《七子诗选》。《晚晴簃诗汇》卷八〇录其诗二首。

　　王鸣盛《十七史商榷》一百卷洞泾草堂刊行。据《贩书偶记》卷五。钱大昕《西沚先生墓志铭》："《十七史商榷》百卷，主于校勘本文，补正讹脱，审事迹之虚实，辨纪传之异同，于舆地、职官、典章、名物，每致详焉。独不喜褒贬人物，以为空言无益实用也。"（《潜研堂文集》卷四八）李慈铭《越缦堂读书记·十七史商榷》："乾嘉间经儒蔚兴，跨唐跻汉而兼精史学者，惟钱氏大昕及王氏鸣盛，皆嘉定人也。王氏经学最著者有《尚书后案》，其杂家考据之学有《蛾术编》，而此书为史事之荟萃，所论兼及《旧唐书》、《旧五代史》，仍名十七史者，并新旧合言之也。援引之博，核订之精，议论之名通，皆卓绝今古。尤详于新、旧《唐书》。"

　　赵佑《清献堂全编》刊行。据《中国丛书综录》。

　　周昂《西江瑞》传奇此宜阁刊行。是剧凡二十四出，演文天祥等南宋君臣事。据《古本戏曲剧目提要》、庄一拂《古典戏曲存目汇考》卷一一。

　　董基诚（1787—1847）生。基诚字子诜，号玉椒，江苏阳湖人，祐诚兄。嘉庆二十二年进士，官刑部郎中、开封知府。工辞章，与祐诚文合刊为《栘华馆骈体文》四卷。亦善词，著有《螾巢集》、《玉椒词》。事迹见《清史列传》董祐诚传附。（朱彭寿《清代人物大事纪年》谓其生于乾隆五十四年（1789）八月初六日，卒年不详。此据张慧剑《明清江苏文人年表》）

李惺（1787—1864）生。惺字伯子，号西沤，四川垫江人。嘉庆二十二年进士，改庶吉士，散馆授检讨。屡迁国子监司业、左春坊左赞善。道光十二年丁父忧归，服除，遂乞终养。著有《西沤全集》。事迹见黄彭年《西沤先生墓志铭》（《碑传集补》卷八）、《清史列传》本传。

廖景文尚在世，年七十以上。据邓长风《明清戏曲家考略·十四位明清戏曲家生平著作拾补》。《晚晴簃诗汇》卷七九录其诗二首。

公元1788年（乾隆五十三年　戊申）

正月

章学诚作《徐尚之古文跋》。据胡适《章实斋年谱》。

二月

二十三日，朱骏声（1788—1858）生。骏声字丰芑，号允倩，晚号石隐山人，吴县人。少师钱大昕。嘉庆二十三年举人，官黟县训导。咸丰元年，以截取知县入都，进呈所著《说文通训定声》等，赏国子监博士衔。旋迁扬州府学教授，引疾，未之官。他著有《左传旁通》十卷、《左传识小录》三卷、《夏小正补传》一卷、《离骚补注》一卷。事迹见其自订、其孙师辙补注《石隐山人自订年谱》、《清史列传》本传、《清史稿》钱大昭传附。

章学诚主讲归德文正书院。据胡适《章实斋年谱》。

蒋元益作《陈氏省园记》。见《国朝文汇》乙集卷一四。

李平山、汪镜湖、吕星垣等游道场山。据吕星垣《道场山宴游记》（《国朝文汇》乙集卷四一）。

三月

初一日，章学诚有《与洪稚存书》，写文正书院事颇详。春夏间，屡致书邵晋涵、孙星衍诸友。据胡适《章实斋年谱》。

十一日，张问陶入都，五月抵京。有《三月十一日由栈道入京师，发成都作》诗，见《船山诗草》卷三《戊申集》。

高宗巡幸天津，王芑孙、王苏应召试，赐举人。据秦瀛《王惕甫墓志铭》（《小岘山人续文集》补编）、光绪《江阴县志》王苏本传。

赵翼以军事已毕，乃辞李侍尧归。本月十一日起行，沿途游历浙江山水。归后又应全德之聘，主安定书院讲席。自是常往来常、扬二郡。据佚名《瓯北先生年谱》。

王昶调江西布政使。十月抵任。据严荣《述庵先生年谱》。

康基田升江宁布政使。据《茂园自撰年谱》。

程瑶田大挑得嘉定县教谕。十月莅任。据罗继祖《程易畴先生年谱》。

春

洪亮吉在开封节署，赋寒食纪游诗四十首，和者数十人。据吕培等《洪北江先生年谱》。

四月

赵怀玉为大梁之游。旋以毕沅调任，遂于九月返。过京口，王文治订观家伎，为留一日。据赵怀玉《收庵居士自叙年谱略》卷上。

六月

吕星垣独游龙井。吕星垣《游龙井记》："乾隆戊申，余客卢存斋运使，距涌金门一里。余又董崇文、紫阳两书院课，不与闻鹾政。故常泛舟湖中，尽四时雨晴之胜。六月十八日，存斋诣海宁，幕下诸君并出湖上，余独辞诸君，往宿宝石山庄。"（《国朝文汇》乙集卷四一）

七月

贺世盛《笃国策》案发。据《清代文字狱档》。

毕沅授湖广总督兼署湖北巡抚。据史善长《弇山毕公年谱》、胡源、褚逢春《梅溪先生年谱》。

八月

姜晟还朝，吴翌凤合此一年之中诗为《登楼集》。见《与稽斋丛稿》卷七。

九月

本月至年底，洪亮吉、汪中、毛大瀛、方正澍、章学诚等先后至武昌毕沅节署。吕培等《洪北江先生年谱》："八月，毕公擢督两湖，先生偕行，以九月五日抵武昌节署。时杨进士伦亦主讲于此，时与出游晴川、黄鹤诸胜，唱和甚多。岁暮，毕公甫自荆州堤工回署，汪明经中、毛州判大瀛、方上舍正澍、章进士学诚亦先后抵署，谈燕之雅，不减关中。"又，钱泳因至吴门为毕沅选刻晋、唐、宋、元诸墨迹，明年四月始抵武昌。据胡源、褚逢春《梅溪先生年谱》。

秋

恩科乡试。是科各省考官有德保、谢振定、赵佑、邹炳泰、余集、茹棻、图敏、温汝适等。据法式善《清秘述闻》卷八。所取举人有舒位（光绪《顺天府志》本传）、张士元（钱仪吉《鲈江张先生传》）、梁履绳（卢文弨《梁孝廉处素小传》）、宋世荦

（《清史稿》吕飞鹏传附）、张燮（孙原湘《诰授奉政大夫浙江宁绍台海防兵备道张君墓志铭》）、温汝能（《国朝诗人征略》初编卷四九）、黄钺（黄富民《黄勤敏公年谱》）等。

温汝能乡试中式。 汝能字希禹，号谦山，顺德人。官内阁中书。黄培芳《香石诗话》卷二："顺德温谦山舍人汝能著有《谦山诗文钞》。洪稚存撰序称其'一见如旧相识，每剧谈终日，脱略形骸，论古今天下事，娓娓不倦，予并奇其人，遂与之订交焉。因尽览其诗古文词，无体不备，盖出入于唐、宋诸大家而深臻其奥者也。其所与游，则吴榖人侍讲、陈古华太守、张船山检讨、赵味辛中翰诸君，皆予宿契。退食之暇，诗酒招邀，互相酬唱，世俗贵游之习，生气趋竞之场，概不能染。然后知谦山之诗与其为人所以高出流品者，固别有在也'。李秋田谓其诗才最捷，句如'瀑从双壁合，客拥一桥寒'……皆能以幽淡胜。谦山好义乐施，乡间倚重，刻书甚夥，有功艺林。近有《粤东文海》、《诗海》之选，尤为大观云。"

张问陶中式顺天乡试，兄张问安举于乡。 据蔡珅编辑、蔡璐参校《张船山先生年谱》。问陶有《重阳京兆榜发志喜》诗。又本年所作《怀亥白兄寿门弟二首》有云："功名是何物，坐使骨肉拆。荣利已薰心，别离尤动魄。"见《船山诗草》卷三《戊巳集》。

高鹗中式顺天乡试，晤其"故人"畹君。 据其《南乡子·戊申秋隽，喜晤故人》、《金缕曲·不见畹君三年矣。戊申秋隽，把晤灯前，浑疑梦幻。归来欲作数语，辄怔忡而止。十月旬日，灯下独酌，忍酸制此，不复计工拙也》（见《高鹗诗文集》卷二《兰墅砚香词》）。又，《兰墅砚香词》（又名《簏存草》）收录乾隆三十九年至本年作品。据题下自注"自甲午迄戊申"。

顾凤毛中副榜贡生。 据焦循《顾小谢传》（《碑传集补》卷四〇）。

凌廷堪第三次应顺天乡试，始中副榜贡生。 冬回板浦省亲。据张其锦《凌次仲先生年谱》。

焦循应乡试不第。 据闵尔昌《焦理堂先生年谱》。

彭兆荪应江宁乡试，不售。 据缪朝荃《彭湘涵先生年谱》。

纪昀以校勘《四库全书》再至避暑山庄。 据纪昀《阅微草堂笔记》卷一二《槐西杂志二》。

章学诚作《文史通义》十篇，目不可考。 又，自八月二十八日至十月十六日，作诸体古文词十三篇。《题戊申秋课》："作文之勤，多在秋尽冬初，灯火可亲，节序又易生感也。平日所负文债，亦每至秋冬一还，然终未能悉扫无余。""涉世之文与著作之文，相间为之，使其笔墨略有变化。"又作《庚辛之间亡友别传》。据胡适《章实斋年谱》。

十月

袁枚重游沭阳。 方濬师《随园先生年谱》："十月，重游沭阳，宿吕峄亭观察家。自甲子至戊申四十五年矣。有《过虞沟题虞姬庙》诗。虞姬，沭阳人也。"

十一月

十六日，蒋元益卒，年八十一。据《时庵自撰年谱》其弟补记。《国朝文汇》乙集卷一四录其《陈氏省园记》文一篇。

顾凤毛卒，年二十七。据焦循《顾小谢传》（《碑传集补》卷四〇）。

十二月

汪中作《题机声灯影图》五言绝句十二首。序云："中年多病，久不作诗。比至居忧，此事遂绝。某出此卷索题，有伤其事，聊作数章，以当一哭。"据汪喜孙《容甫先生年谱》。

冬

袁枚访明新于武佑场，盘桓三日，极唱酬之乐。据袁枚《随园诗话补遗》卷二。

本年

孙星衍移居琉璃厂，官翰林院编修，充三通馆校理。据张绍南《孙渊如先生年谱》卷上。

法式善转侍读学士，充日讲起居注官。据阮元《梧门先生年谱》。

曾燠服阕补湖广司，入值军机处。据包世臣《曾抚部别传》（《续碑传集》卷二一）。

陈寿祺十八岁，值台湾平，撰上福康安百韵诗并序，沉博绝丽，传诵一时。据阮元《隐屏山人陈编修传》（《碑传集》卷五一）。

姚鼐主歙县紫阳书院。据郑福照《姚惜抱先生年谱》。

张九钺主周南书院讲席。应汤毓倬聘，修《偃师志》。著《洛中集》。据张家栻《陶园年谱》。

冯敏昌主孟县河阳书院。乾隆五十五年冬辞馆。据冯士镳《先君子太史公年谱》。

梁章钜入鳌峰书院肄业。山长为孟超然。据梁章钜《退庵自订年谱》。

杨揆入勒保幕。据杨芳灿自订、余一鳌补订《杨蓉裳先生年谱》。

沈复因"见热闹场中卑鄙之状不堪入目"，自绩溪返苏州，易业为酒商。不一载，营业亏本，仍复入幕，馆江北四年。据沈复《浮生六记》卷四《浪游记快》。

吴蔚光向袁枚推荐孙原湘等六人。袁枚《随园诗话》卷一一："戊申，过虞山，竹桥太史荐士六人。孙子潇《长干里》云：'门前春风其来矣，珠箔无人自卷起。'《对酒》云：'黄金能买如花人，不能买取花时春。'陈声和《西庄草堂》云：'水高帆过当窗影，风起花传隔岸香。'《偶成》云：'生怕晓风吹絮落，愿为残烛照花眠。'皆少年未易才也。"

胡敬受业于施炌，自是制艺一以清真雅正为宗。胡瑆《诰授朝议大夫翰林院侍讲学士书农府君年谱》："是岁府君受业于外祖施澹珍公（名炌，见祖考年谱），自后制艺一以清真雅正为宗。乙丑抡元闱墨为世所传诵者，其渊源实出于此。"

章学诚在归德，校正《校雠通义》。冬，离归德赴毕沅署。据胡适《章实斋年谱》。

张惠言在歙州，王灼读其《黄山赋》，劝为古文。《茗柯文》三编《文稿自序》："余友王悔生见余《黄山赋》而善之，劝余为古文，语余以所受于其师刘海峰者。"自歙归，以古辞赋示钱伯坰，钱劝其为古文，张愧谢未能。《茗柯文》二编卷下《送钱鲁斯序》："越十余年，余学为古辞赋。乾隆戊申，自歙州归，过鲁斯而示之，鲁斯大喜，顾而谓余：'吾尝受古文法于桐城刘海峰先生，顾未暇以为，子悦为之乎？'余愧谢未能。已而余游京师，思鲁斯言，乃尽屏置曩时所习诗赋若书不为，而为古文，三年乃稍稍得之。"

沈缵（女）从任兆麟学，次所作为《翡翠楼集》。据张慧剑《明清江苏文人年表》。缵字蕙孙，号散花女史，吴县人，起凤女，诸生林衍潮室。另有《啸余集》、《浣纱词》。事迹见《清代闺阁诗人征略》卷六。《晚晴簃诗汇》卷一八五录其诗十五首。

屠绅在广通以所撰《琐蛣杂记》示师范。据沈燮元《屠绅年谱》。《琐蛣杂记》（又名《六合内外琐言》）十二卷乾隆五十八年刊行。据《贩书偶记》卷一二。平步青《霞外捃屑》卷六《六合内外琐言》："《六合内外琐言》二十卷，署黍余裔孙编，垂瀑山人校。文多采之屠笏岩《琐蛣杂记》，余当别有所本，自撰盖无几也。卷十六有'吾乡席帽山下'语，则当为江阴人。'论曰'题洪稚存、吴云衣、戴蒳塘、谭兰楣、汪剑潭、翁凤西、徐铁庵、蒋莹溪、金玥堂、董蕙畴、赵缄斋、秦簪园、钱漆林、张船山、蒋榕庵、庄葆琛、冯鹭庭、赵渭川、李韦庐、王倚峤、王铁夫、宗芥飙、钱南园、刘澄斋、英煦斋、周宿航诸人。而吴稷塘、李雨村、胡果泉、姜杜芳诸公，独称先生。所述多常州人，殆饫闻乡先生说。乾隆末所著。庸意即《琐蛣杂记》之初名。"

阮元以所著《考工记车制图解》付梓。据张鉴《雷塘庵主弟子记》卷一。

吴镇编《声调谱》一卷、《八病说》一卷刊行。据《贩书偶记续编》卷二〇。

袁枚《子不语》二十四卷刊行。自序云："余生平寡嗜好，凡饮酒、度曲、搏蒱可以接群居之欢者，一无能焉。文史外无以自娱，不得不移情于稗乘广记。尚矣！《晬车》、《夷坚》二志，缺略不全；《聊斋志异》殊佳，惜太敷衍。于是就数十年来闻见所及足以游心骇耳者，编而存之，非有所惑也，譬如嗜味者餍八珍矣，而不广尝夫蚳醢葵菹，则脾困；嗜音者备《咸》、《韶》矣，而不旁及侏傁僸佅，则耳狭。以妄驱庸，以骇起惰，不有博弈者乎？为之犹贤，是亦裨谌适野之一乐也。昔颜鲁公、李邺侯功在社稷，而好谈神怪；韩昌黎以道自任，而喜驳杂无稽之谈；徐骑省排斥佛、老，而好采异闻，门下士竟有伪造以取媚者。四贤之长，吾无能为役也；四贤之短，则吾窃取之矣。书成，即以《子不语》三字名其篇。"（《新齐谐 续新齐谐》附录）是书初名《子不语》，后见元人说部有同名者，乃改名为《新齐谐》。今有本年随园刻本、嘉庆二十年美德堂刻本等。袁枚又有《续新齐谐》十卷，成书时间未详。

周昂《玉环缘》传奇刊行。是剧凡三十八出，演韦皋与玉箫女事。事本唐传奇《玉箫传》。据《古本戏曲剧目提要》。又，周昂所著《兕觥记》传奇亦本年刊行。据张慧剑《明清江苏文人年表》。

薛传均（1788—1829）生。传均字子韵，甘泉人。嘉庆十二年补博士弟子员，十赴省试皆报罢。早岁肄业于梅花书院，师事歙县洪桐生。晚就福建学政陈用光之聘，用光见所著书，恨相见晚。旋以疾卒于汀州试院。传均于《十三经注疏》功力最深，大端尤在小学。著有《说文答问疏证》六卷、《文选古字通》十二卷、《闽游草》一卷。事迹见刘文淇《文学薛君墓志铭》（《续碑传集》卷七二）、包世臣《清故文学薛君之碑》（《艺舟双楫》论文四）、《清史列传》本传、《清史稿》凌曙传附。

康发祥（1788—1865）生。发祥字瑞伯，号伯山，江苏泰州人。岁贡生。官儒学训导。著有《伯山文钞》一卷、《诗钞》十七卷、《诗话》十二卷。事迹见张慧剑《明清江苏文人年表》。

黎恺（1788—1843）生。恺字雨耕、子元，晚号石头山人，贵州遵义人，恂弟。道光五年举人，十五年大挑二等，补贵阳府开州训导。卒于官。著有《近溪山房诗钞》三卷、《石头山人词钞》一卷。事迹见曾国藩《遵义黎君墓志铭》（《曾文正公文集》卷三）。

翟灏卒，年七十七。据梁同书《翟晴江先生传》（《频罗庵遗集》卷九）、蒋寅《清诗话考》上编二。袁枚《随园诗话》卷九："学人之诗，吾乡除诸襄七、汪韩门二公而外，有翟进士讳灏、字晴江者。"谓其《咏烟草五十韵》"典雅出色，在韩慕庐先生《烟草》诗之上"，《薄暮骤雨》"句殊奇险"。王昶《蒲褐山房诗话》："晴江诗以清峭刻琢见长，盖与杭堇浦、金江声、厉樊榭辈为南屏诗社，故风格似之。居杭城东北临江乡，附近有百年老棠树，遂取'甘棠'名其村。村民咸以蚕桑为生，不知有习举子业者。自晴江读书取科第，于是其弟涵、心渊、瀚元、洲澍、傅霖皆以能诗称。临江淳闷之俗，变而泽于诗书矣。晴江见闻淹博，又能搜奇引癖，所撰《四书考异》、《尔雅补郭》、《通俗编》，贯穿精审，为世所推。又为《湖上便览》，亦有资于游者。"（《湖海诗传》卷一七）《晚晴簃诗汇》卷八三录其诗十首。

王鸣韶卒，年五十七。据钱大昕《鹤溪子墓志铭》（《潜研堂文集》卷四八）。《墓志铭》云："性落拓，澹于荣利，而好为诗古文，兼工书画。外舅论诗宗眉山、剑南，真书似裴、柳，行书似李北海，鹤溪子尽得其传。又与邑高士周晋瞻牧山谈画理，遂精其艺，与陆孝廉即仙称二妙云。"王昶《蒲褐山房诗话》："殚精散体文，亦极得嘉定四先生矩矱。"（《湖海诗传》卷三〇）《国朝文汇》乙集卷三三录其《太仓州钟楼铜钟记》文一篇。

王元文卒，年五十七。据张慧剑《明清江苏文人年表》。《北溪诗集》二十卷《文集》二卷附《预嘱》嘉庆壬申刊行。据《贩书偶记续编》卷一五。《国朝文汇》乙集卷四八录其《荀子论》、《上山东廉使朗甫陆公书》文两篇。《晚晴簃诗汇》卷八六录其诗一首。

乔亿卒，年八十七。据张慧剑《明清江苏文人年表》。《中国丛书综录》："《乔剑溪遗集》，（清）乔亿撰。清乾隆嘉庆间刊本。《小独秀斋诗》二卷补遗一卷附录一卷；《窥园吟稿》二卷附《江上吟》一卷；《三晋游草》一卷附录一卷；《夕秀轩遗草》一卷附《惜余存稿》一卷；《剑溪文略》一卷附《燕石碎编》一卷；《剑溪外集》一卷；《杜诗义法》二卷；《剑溪说诗》二卷又编一卷；《大历诗略》六卷，（清）乔亿辑。"《晚晴簃诗汇》卷九七录其诗六首。

吴泰来卒，年六十七。据张慧剑《明清江苏文人年表》。洪亮吉《北江诗话》卷一："吴舍人泰来诗，如便服轻裘，仅堪适体。"王昶《蒲褐山房诗话》："企晋才情明秀，尤嗜征君所注《精华录训纂》，故作诗大旨一本渔洋。吴中数十年来，自归愚宗伯外，无能分手抗行者。"（《湖海诗传》卷二三）《晚晴簃诗汇》卷八九录其诗九首。《国朝文汇》乙集卷三○录其《丁辛老屋集序》、《述庵诗钞序》文两篇。冯金伯《词苑萃编》卷八《吴企晋词》引蒋西原云："吴企晋，水月方清，云岚比润，偶作诗余，亦是苏门长啸。"陈廷焯《白雨斋词话》卷四："吴竹屿《昙香阁词》如水木之清华，云岚之秀润，高者亦湘云流亚。""风流婉雅，是竹屿本色。吴中七子，璞函而外，固当首屈一指。"《词坛丛话·吴竹屿词逼真南宋》："吴竹屿词，风流闲雅，逼真南宋诸君。同时作者虽多，然璞函之外，无出湘云、心余、竹屿之右者。"

尹庆兰卒，年五十三或五十四。据上海古籍出版社《萤窗异草》前言。袁枚《随园诗话》卷九："尹望山相公，四督江南；诸公子随任未久，多仕于朝。惟似村以秀才故不当差，常侍膝下，诗才清绝。"卷一三："尹似村诗，虽经付梓，而非其全集也。集外佳句云：'鹊非报喜何妨少，雨纵浇花也怕多。'……数联可谓专写性情，独近剑南矣。"《补遗》卷四录其《赎出典裘》断句，谓"独写性灵，清妙乃尔"。卷五录其《偶成》诗，谓"有天籁"。卷七录其《哭松儿》二首、《和梅岑〈忆旧〉》诗。法式善《梧门诗话》卷三："似村秀才庆兰诗多冷峭，真朴可爱。"《八旗诗话》二二三："诗较杨诚斋阔大，范石湖深至，殆能驱使性灵，而不为性灵所使者。"徐珂《清稗类钞·文学类·庆似村抱膝孤吟》："（似村）诗以风韵胜，近白香山、陆放翁。"《晚晴簃诗汇》卷一一○录其诗四首。一说《萤窗异草》三编十二卷（署名长白浩歌子）系庆兰所作。（另说《萤窗异草》为光绪初年申报馆文人所作）

杨潮观卒，年七十九。据张慧剑《明清江苏文人年表》。袁枚《邛州知州杨君笠湖传》："君与余为总角交，性情决不相似。余狂，君狷；余疏俊，君笃诚；余厌闻二氏之说，而君酷嗜禅学，晚年戒律益严：故议论每多抵牾。然君居家，闻余至必喜。在邛州，特寄金三百，属置宅金陵，将傍余以终老。殁后其子抡以状乞传。庄子曰：'仁义之人贵际。'际者，大德不逾之谓也。古之人游、夏交讥，管、晏乃合传，虽异犹同，其即君与余之谓耶？"（《小仓山房续文集》卷三四）《随园诗话》卷八录其《山行遇雨》、《马跑泉》诗，谓"所言皆有道气"。王昶《蒲褐山房诗话》："笠湖性情偶傥，工画竹，诗亦多杰句。尤工度曲。"（《湖海诗传》卷六）

公元1789年（乾隆五十四年 己酉）

正月

初二日，洪亮吉北上赴试。毛大瀛为饯行。由汉阳北上，元夕后抵开封，居徐书受寓斋数日。渡河至武陟，访王复不遇，因游济源。与冯敏昌游太行、王屋诸胜。二月抵都，寓孙星衍琉璃厂寓斋。据吕培等《洪北江先生年谱》、法式善《梧门诗话》卷一。

十五日，张新梅自序《百花梦》传奇。署"时乾隆岁次己酉花朝，江南游子自题"。是剧凡二卷三十二出，今存嘉庆八年春市隐庄藏板本。

钱大昕主苏州紫阳书院讲席。在紫阳书院凡十六年。前任院长为蒋元益，于去冬谢世。据钱大昕自编、钱庆曾校注《竹汀居士年谱》。

　　张问陶游涿州。有《游涿州智度、云居两废寺》、《早春与林朴园芬陪刘将军煊及涧南兄弟游楼桑村》等诗，见《船山诗草》卷三《戊巳集》。

　　周震荣为章学诚刊行《庚辛之间亡友列传》，并作跋。据胡适《章实斋年谱》。

　　德保卒，年七十一。据朱彭寿《清代人物大事纪年》。法式善《八旗诗话》一五二："生平以诗为性命，所著韵语十余集，和雅浩博，卓为正声，子侍郎英和厘为三卷。"《晚晴簃诗汇》卷七四录其诗五首。

二月

　　十三日，曾钊（1789—1854）**生。**钊字敏修，号冕士，广东南海人。道光五年拔贡生。官合浦县教谕，调钦州学正。阮元延为学海堂学长。著有《周易虞氏义笺》七卷、《周礼注疏小笺》四卷、《诗说》二卷、《读书杂志》五卷、《面城楼集》十卷。事迹见缪荃荪《曾钊传》（碑传集补》卷四一）、《清史稿》本传。[生日据朱彭寿《清代人物大事纪年》。]

　　二十一日，阮葵生卒，年六十三。据阮元《刑部侍郎唐山阮公传》（《揅经室二集》卷三）。《传》云："公性孝友，笃于宗族，尤好奖掖后进，与钱辛楣、程鱼门诸君交，京邸设消寒、吟秋两会为诗酒社。""古文章疏于宣公、温公、韩、范诸公外，尤爱范忠宣、胡文恭，诗赋出入汉、魏、六朝，而以流丽为主。"《晚晴簃诗汇》卷八一录其诗七首。

　　王昶授刑部侍郎。据严荣《述庵先生年谱》。又，此次入京，始见何道生诗。王昶《蒲褐山房诗话》："乾隆己酉，予由江西入京，始见其诗。风骨清苍，如千金战马，腾溪注涧，无所不宜。山西自泽州相国以来，若莲洋居士，清妙则有余，排奡则不及也。"（《湖海诗传》卷四〇）

三月

　　恩科会试。考官：内阁大学士王杰、礼部侍郎铁保、工部侍郎管幹珍。题"点尔何如 之撰"，"溥博如天"二句，"苟为不熟"二句。赋得"草色遥看近却无"得"夫"字。据法式善《清秘述闻》卷八。洪亮吉第四次应试。榜发，不售。五月八日抵里。据吕培等《洪北江先生年谱》。张问安、张问陶同下第，同归遂宁。问陶有《下第西归》诗，见《船山诗草》卷三《戊巳集》。黄钺下第。据黄富民《黄勤敏公年谱》。

　　胡昌基游陈山。据其《游陈山记》（《国朝文汇》乙集卷四二）。

　　月杪，章学诚游太平，馆于安徽学使署中。据胡适《章实斋年谱》。

春

　　张惠言见钱伯坰为王学愚所书《绎山碑》、《石鼓文》，叹其卓绝。据张惠言《茗柯文》补编卷上《与钱鲁斯书》。

方成培卒，年五十九。周暟《布衣词合稿序》："己酉春，岫云殁于客邸。""其诗文乐府酷似姜白石，生平行迹亦似之，惟不能歌耳。"（转引自邓长风《明清戏曲家考略三编·十三位清代戏曲家的生平材料》）

四月

二十五日，高宗御太和殿，传胪。赐一甲胡长龄、汪廷珍、刘凤诰进士及第，二甲钱楷、阮元、张锦芳、贵征、伊秉绶、那彦成等进士出身，三甲范鹤年等同进士出身。据《历科进士题名录》、《清通鉴》。

孙星衍散馆试《历志赋》。用《史记》"恫恫如畏"，大学士和珅疑为别字，置二等，引见，奉旨以部员用。据阮元《山东粮道渊如孙君传》（《揅经室二集》卷三）、张绍南《孙渊如先生年谱》卷上。

五月

自去年九月至本月，吴翌凤在学使者幕，扁舟江汉，凡历七郡，阅二十余旬。此际诗为《见山楼集》。见《与稽斋丛稿》卷八。

任大椿以郎中授陕西道监察御史，未莅任而病。据施朝幹《任幼植墓表》（《碑传集》卷五六）。

自四月十一日至五月初八日，章学诚作《文史通义》内外二十三篇，二万余言。自言"生平为文，未有捷于此者"。据胡适《章实斋年谱》。

六月

初二日，徐爔自序《写心杂剧》。署"时乾隆五十四年岁次己酉六月二日，种缘子徐爔鼎和书于枫江之梦生草堂"。是剧先成十六种，为《游湖》、《述梦》、《醒镜》、《入山》、《游梅遇仙》、《痴祝》、《虱谈》、《青楼济困》、《哭星粲弟》、《湖山小隐》、《酬鬼》、《祭牙》、《月夜谈禅》、《悼花》、《觅地》、《求财卦》。后删去《觅地》、《求财卦》，增加《问卜》、《原情》、《七十寿言》、《覆墓》，成十八种。《覆墓》有"今嘉庆十年四月十二日"云云。庄一拂《古典戏曲存目汇考》卷八：《写心杂剧》，"《今乐考证》著录。乾隆己酉梦生堂刊本。题名《蝶梦庵词曲》。剧分十八种，皆一折短剧。作者以一生事迹，分为十八节，每节以一折记之，创空前之局。"

上浣，舒元炜序《红楼梦》。署"乾隆五十四年岁次屠维作噩且月上浣，虎林董园氏舒元炜序并书于金台客舍"（己酉本《红楼梦》卷首）。

任大椿卒，年五十二。据施朝幹《任幼植墓表》（《碑传集》卷五六）。〔按，据姚鼐《墓志铭》，大椿四月授陕西道监察御史，甫一月而卒。〕章学诚《任君大椿别传》："君之文，长于辞赋。少年为《文选》学，诗文时得其似，不能精也。然读书辄能知作者意，不以己之所守概人。"施朝幹《任幼植墓表》："（大椿）始为诗赋，幽深崛奇。既乃专门考古，学者宗之。"（《碑传集》卷五六）姚鼐《陕西道监察御史兴化任君墓志铭》："君学博奥，而于为诗则尚清远，不多征引，曰此非诗所贵也。"（《惜抱轩文集》卷一三）江藩《国朝汉学师承记》卷六："子田与东原同举于乡，于是习闻其论说，究心汉儒之学。"袁枚《随园诗话》卷二："年家子任进士大椿，诗学选体，独《了义寺》一首，脱尽齐、梁金粉。"洪亮吉《北江诗话》卷一："任侍御大椿诗，如灞桥铜狄，冷眼看春。"卷五："侍御于《三礼》最深，所著《深衣考》等，礼家皆奉为矩度。故其诗亦长于考证，集中金石及题画诸长篇是也。然终不以学问掩其性情，故诗人、学人，可以并擅其美。犹记其《送友》一联云：'无言便是别时泪，小坐强于去后书。'情至之语，余时时喜诵之。"林昌彝《射鹰楼诗话》卷八："江南兴化任幼植侍御大椿（乾隆三十四年进士）有《芝田遗稿》一卷。侍御深于经学，著有《弁服释例》、《深衣释例》、《小学钩沈》、《吕忱字林考逸》、《吴越备史注》，又别绘《九经三传沿革例》诸书。诗宗唐人，不轻下笔，其名句可采者，如'放船归思减，久客别人难'，'尽日吟情连雁鹜，一秋风色在蒹葭。'"《晚晴簃诗汇》卷九三："诗工乐府及五言，英光沈思，远追鲍、谢，近攀韦、柳。"录其诗九首。

章学诚自太平返亳州。道经扬州，访沈业富，七月抵亳州。据胡适《章实斋年谱》。

夏

纪昀以校勘《四库全书》第三次至避暑山庄。据纪昀《阅微草堂笔记》卷一二《槐西杂志二》。其间撰《滦阳消夏录》六卷，序云："乾隆己酉夏，以编排秘籍，于役滦阳。时校理久竟，特督视官吏题签庋架而已。昼长无事，追录见闻，忆及即书，都无体例。小说稗官，知无关于著述；街谈巷议，或有益于劝惩。聊付抄胥存之，命曰《滦阳消夏录》云尔。"（《阅微草堂笔记》）

张埙卒，年五十九。据邓长风《明清戏曲家考略·张埙和他的〈竹叶庵文集〉》。袁枚《随园诗话》卷六："瘦铜诗多雕刻。"卷一六："吴门张瘦铜中翰，少与蒋心余齐名。蒋以排奡胜，张以清峭胜，家数绝不相同，而二人相得。""瘦铜自言，吟时刻苦，为钟、谭家数所累。又工于词，故诗境琐碎，不入大家。然其新颖处，不可磨灭。咏《风筝美人》云：'只想为云应怕雨，不教到地便升天。'《借书》云：'事无可奈仍归赵，人恐相沿又发棠。'真巧绝也。至于'酒瓶在手六国印，花露上身一品衣'，则失之雕刻，无游行自在之意。"洪亮吉《北江诗话》卷一："张舍人埙诗，如广筵招客，间杂屠沽。"王昶《蒲褐山房诗话》："商言才情横厉，硬语独盘。后乃学于山谷、后山。沿于文长、中郎打油钉铰之习，时露行墨间。然如《新丰》云：'百家鸡犬英雄宅，万岁粉榆故旧情。'《夜宴》云：'花露半晴题却扇，人扶残醉唱回波。'亦殊工丽。"（《湖海诗传》卷二九）《晚晴簃诗汇》卷九三："瘦铜与翁覃溪、孔荭谷游，喜考订金石书画，诗才秀健，后乃出入山谷、后山，每作盘空硬语。"录其诗五首。

八月

章学诚游湖北，十月回亳州。据胡适《章实斋年谱》。
段玉裁入都，王念孙初与相晤，共商古音。据闵尔昌《王石臞先生年谱》。

钱泳在武昌百余日，旋以事返吴门。方正澍、洪亮吉、徐嵩等饯于黄鹤楼。据胡源、褚逢春《梅溪先生年谱》。

九月

初五日，吴兰修（1789—?）生。兰修字清观，号石华、荔村，广东嘉应人。嘉庆十三年举人。道光元年，署番禺县学训导。与林伯桐、张维屏等结希古堂文社。四年，阮元建学海堂，与赵均董其役。堂成，举为学长，兼粤秀书院监院。后官信宜县学教谕。著有《荔村吟草》、《桐华阁词钞》。事迹见《番禺县续志·官师传》本传（《碑传集三编》卷三八）、《清史列传》宋湘传附。〔生日据朱彭寿《清代人物大事纪年》。〕

洪亮吉应常州太守李廷敬之聘，入署修府志并选《唐百家诗》。据吕培等《洪北江先生年谱》。

秋

乡试。是科各省考官有孙士毅、赵佑、窦光鼐、冯应榴、陈廷庆、江溶源、温汝适等。据法式善《清秘述闻》卷八。所取举人有陈寿祺（阮元《隐屏山人陈编修传》）、桂馥（蒋祥墀《桂君未谷传》）、凌廷堪（阮元《凌君廷堪传》）、姚文田（刘鸿翱《礼部尚书姚文僖公墓志铭》）、李文耕（王赠芳《通议大夫原任贵州按察使昆阳李公行状》）等。胡昌基副榜贡生（《国朝文汇》乙集卷四二）。彭兆荪再赴江宁乡试，不售。据缪朝荃《彭湘涵先生年谱》。

鳌图调宰金山。据《沧来自记年谱》。

赵怀玉就医吴门。既愈，过桐乡与金德舆共游杭州。据赵怀玉《收庵居士自叙年谱略》卷上。

法式善访褚廷璋。法式善《梧门诗话》卷一〇："己酉秋，予访筠心先生官菜园上街，剧谈至夕，踏月而归。是日，留素册十六帙乞诗。翌日先生为书《西域》诸作，真足当一代诗史。"

十月

二十三日，刘文淇（1789—1854）生。文淇字孟瞻，江苏仪征人。嘉庆二十四年优贡生。官候选训导。著有《左氏旧注疏证》八十卷、《左传旧疏考正》八卷、《楚汉诸侯疆域志》三卷、《扬州水道记》四卷、《读书随笔》二十卷，《青溪旧屋文集》十卷《诗》一卷。事迹见日本小泽文四郎《刘孟瞻先生年谱》、《清史列传》本传、《清史稿》本传。

杨揆回京。据杨芳灿自订、余一鳌补订《杨蓉裳先生年谱》。

十一月

章学诚作《与沈枫墀论学》书。于考订、辞章、义理三者皆有平允之论。据胡适

《章实斋年谱》。

十二月

洪亮吉自常州返舍，与钱维乔、庄逵吉为消寒小集。据吕培等《洪北江先生年谱》。

张问安、张问陶复计偕北上，在凤县度岁。问陶有《十二月十日发成都，留别内子》、《和亥白同发出都韵》、《除日同亥白登豆积山游唐冲妙先生张果祠》等诗，见《船山诗草》卷四《出山小草》。

冬

翁方纲视江西学役竣，还都。据张维屏《翁覃溪先生年谱稿》（《碑传集三编》卷三六）。

本年

黎简拔贡。据林昌彝《射鹰楼诗话》卷一三。

洪坤煊拔贡。据戚学标《孝廉地斋洪君墓碣》（《鹤泉文钞续选》卷七）。

严如熤拔贡。据陶澍《陕西按察使司按察使晋赠通奉大夫布政使衔乐园严公墓志铭》（《陶文毅公全集》卷四五）。

陆继辂、张琦、庄曾仪、祝百五、祝百十、丁履恒等交游。陆继辂《百衲琴谱序》："忆余与丙季定交在乾隆己酉之岁。丙季兄子常年二十有七，最长；次张宛邻，次吴仲甫，次丙季，次庄传永，次丁若士，次余及余从子劭文。尔时识疏而志大，挟其一隅之见，几以为天下士尽于此矣。"（《崇百药斋续集》卷三）

毕沅在湖北任上，多以诗记行。据史善长《弇山毕公年谱》。

范来宗以亲老陈情终养，后不复出。据杨锺羲《雪桥诗话续集》卷六。

汪中游武昌，入毕沅幕。为毕沅作《黄鹤楼铭》，程瑶田书石，钱坫篆额，时人谓之三绝。又作《汉上琴台之铭》。据汪喜孙《容甫先生年谱》、《先君年表》。

张九钺仍主周南书院讲席。修《巩县志》。撰《山川考略》二卷。著《志余吟》。据张家杖《陶园年谱》。

谢启昆主白鹿洞书院讲席。据谢启昆《树经堂诗初集》卷六《己酉主鹿洞讲席翁覃溪师赋诗寄赠次韵奉答兼示诸生二首》。

卢文弨主讲常州龙城书院。据张慧剑《明清江苏文人年表》。

李兆洛肄业于常州龙城书院。其时臧庸、顾文炳亦在，颇任校雠役，讲训诂学，兆洛意殊不屑，院长卢文弨深器异之。据蒋彤《武进李先生年谱》卷一。

刘嗣绾有《戊己集》（戊申、己酉）。小序云："戊申、己酉间，余以秋赋，因辍远游。"（《尚絅堂诗集》卷一○、卷一一）

王昙《落花诗》作于本年或稍后数年。据其"三十韵华栩栩过"云云。平步青

《霞外捃屑》卷八下《王仲瞿落花诗》："《耐冷谭》卷五：秀水王仲瞿《落花诗》三首，全为自己写照，而格高韵远，人共谓其胜于唐六如也。"

杨随安嘱张惠言为其作赋，未果。张惠言《茗柯文》二编卷上《杨随安渔樵问对图赋并序》："杨子图其貌为一渔一樵，取邵康节氏之文，题之曰《渔樵问对》。于时岁在己酉，以书命余于京师曰：'其为我赋之。'余时甫涉《易》学，自以未知道，不敢以为。"

许宝善《自怡轩诗》十二卷附一卷刊行。据《贩书偶记续编》卷一五。

冯云鹏《红雪词甲集》二卷、《乙集》二卷、《词余》一卷本年至嘉庆十二年刊行。据《贩书偶记》卷二〇。

马青上《对山诗余》四卷编年起乾隆三十五年迄本年。据《贩书偶记》卷二〇。

汪辉祖《佐治药言》一卷续一卷刊行。据《中国丛书综录》。

瘿情庐主《瘿情庐三种曲》传奇刊行。庄一拂《古典戏曲存目汇考》卷一二：《一文钱》，"此戏未见著录。乾隆己酉刊本。演钱塘金镕，贫乞无以为家，仗义出一钱代偿流民，因此得难民女为妻，并致巨富。书称传奇，仅四出，实系杂剧体"；《少年游》，"此戏未见著录。乾隆己酉刊本。演陶梦龙、李师师事。以宋人《李师师外传》杂以周邦彦及《宣和遗事》中所叙贾奕事。言陶本幼聘师师为妻，因乱，师师为人诱至京师，售于娼家。后夫妻相值。金兵南下，陶战死。师师被掳金营，亦骂贼触石以殉"；《凤凰杯》，"此戏未见著录。乾隆己酉刊本。演顾文玉、韩燕玉事。文玉上京应试，为山盗韩豹所掳。韩妹燕玉，以凤凰杯一对相赠，暗纵逃生。路中此杯为陆文裕夺去，险丧生命。经燕玉掠陆入山始知，后二人重会云。明正德时事"。

朱绶（1789—1840）生。绶字仲环、仲洁，号酉生，江苏元和人。道光十一年举人。尝游梁章钜幕。"吴中后七子"之一。著有《知止堂文集》九卷、《知止堂诗录》十二卷、《词录》三卷。事迹见《清史列传》顾莼传附、张慧剑《明清江苏文人年表》。

黄式三（1789—1862）生。式三字薇香，号儆居，浙江定海人。岁贡生。父母卒后，誓不再应乡试。于学不立门户，尤长于《三礼》。著有《儆居集》十八卷。事迹见谭献《黄先生传》、施补华《定海黄先生别传》（《续碑传集》卷七三）、《重修浙江通志稿》本传（《广清碑传集》卷一一）、《清史列传》本传、《清史稿》本传。

江春卒，年六十九。据朱彭寿《清代人物大事纪年》。《晚晴簃诗汇》卷一〇三："当时淮南富庶甲天下，鹤亭与卢雅雨都转同好延揽名流，鼓吹风雅，文人学士皆归焉。其文采不敌玲珑山馆马氏昆季，豪举过之。从弟砚农诗较有格，尤工填词，蕴藉胜于兄云。"录其诗三首。

范驹卒，年三十三。据张慧剑《明清江苏文人年表》。

博明卒。据江庆柏《清代人物生卒年表》。博明字希哲、西斋，满洲人。乾隆十七年进士，改庶吉士，散馆授编修。累官云南迤西道，降兵部员外郎。事迹见法式善《八旗诗话》一七五。所著《西斋诗辑遗》三卷嘉庆五年刊行。据《贩书偶记》卷一六。《晚晴簃诗汇》卷八一录其诗二首。

公元 1790 年（乾隆五十五年　庚戌）

正月

二十一日，**张应昌**（1790—1874）**生**。应昌字仲甫，晚号寄庵，浙江钱塘人。嘉庆十五年举人。官至内阁中书舍人。著有《春秋属辞辨例编》八十卷、《补正南北史小录》二十八卷、《彝寿轩诗钞》十二卷、《烟波渔唱》四卷，编有《国朝诗铎》二十六卷。事迹见《国朝诗铎》卷首诸序、朱彭寿《清代人物大事纪年》。

韦谦恒自序诗集。署"乾隆庚戌正月，中宪大夫国子监祭酒仍兼教习庶吉士木翁韦谦恒书于京师宣武门外之长生瓦研斋"。（《传经堂诗钞》卷首）《传经堂诗钞》十二卷本年刊行。据《贩书偶记》卷一五。

二月

十四日，**钱泳、王文治、潘奕隽、潘奕基、张复纯在吴门游毕沅灵岩山馆**。据胡源、褚逢春《梅溪先生年谱》。

十九日，**潘相卒**，年七十八。据朱彭寿《清代人物大事纪年》。《国朝文汇》乙集卷三六录其《马波渡石桥记》、《郑君岳南墓志铭》文两篇。《晚晴簃诗汇》卷九二录其诗四首。

章学诚修《亳州志》成。据胡适《章实斋年谱》。

三月

初三日，**钱泳、彭绍升、潘奕隽、张东畲、郭毓圻、陆谨庭集毕沅乐圃**。观所藏书法名画，弹琴赋诗。据胡源、褚逢春《梅溪先生年谱》。

中浣，**杨芳灿序吴镇《兰山诗草》**。署"乾隆庚戌三月中浣，梁溪后学杨芳灿序"。（《兰山诗草》卷首）

会试。考官：内阁大学士王杰、吏部侍郎朱珪、内阁学士邹奕孝。题"皆自明也"一句，"君命召不"二句，"使数人要 于朝"。赋得"老当益壮"得"方"字。据法式善《清秘述闻》卷八。

凌廷堪会试中式，复试时以头场首艺磨勘停殿试。五月自京经水路回板浦，七月到家。据张其锦《凌次仲先生年谱》。

赵怀玉游穹隆山，寻访旧迹。据赵怀玉《收庵居士自叙年谱略》卷上。

春

袁枚扫墓杭州。据方濬师《随园先生年谱》。袁枚《随园诗话补遗》卷一："庚戌春，扫墓杭州，女弟子孙碧梧邀女士十三人，大会于湖楼，各以诗画为贽。余设二席以待之。"

沈复随侍其父于邗江幕中。据沈复《浮生六记》卷三《坎坷记愁》。

翁方纲擢内阁学士，敕充曲阜释奠分献官。据张维屏《翁覃溪先生年谱稿》（《碑传集三编》卷三六）。

四月

二十五日，高宗御太和殿，传胪。赐一甲石韫玉、洪亮吉、王宗诚进士及第，二甲李赓芸、黄钺、李銮宣、王苏、陈庆槐等进士出身，三甲邢澍、陈之纲、叶继雯、张问陶、桂馥等同进士出身。据《历科进士题名录》、《清通鉴》。

阮元散馆授编修。据张鉴《雷塘庵主弟子记》卷一。

钱琦卒，年八十二。据袁枚《哭钱玙沙先生有序》（《小仓山房诗集》卷三二）、谢巍《中国历代人物年谱考录》。《晚晴簃诗汇》卷七四录其诗九首。

五月

十五日，徐宝善（1790—1838）生。宝善号廉峰，安徽歙县人。嘉庆二十三年举人。二十五年成进士，改庶吉士，散馆授编修。出为山西道监察御史，旋复原官。著有《壶园集》四卷。事迹见彭邦畴《翰林院编修前山西道监察御史廉峰徐君墓志铭》（《续碑传集》卷一八）。

康基田以事革职，旋被逮入都，发军台效力。九月奉旨发往南河，以同知用。十一月，奏署淮徐道。据《茂园自撰年谱》。

袁枚过访钱载。时袁年七十五，钱年八十三，丙辰词科今存者仅此二人。据袁枚《随园诗话补遗》卷一。

夏

汪中自武昌归里，入扬州文宗阁校书。汪喜孙《容甫先生年谱》："是时高宗纯皇帝诏修四库书告成，颁于江苏、浙江，敕建文汇、文宗、文澜三阁以储之。毕督部沅、谢侍郎墉、王侍郎昶交荐先君司校勘之役，盐政戴公全德礼致先君典文宗阁秘书。先君检理本书，是正文字，竭二年之力，校勘始毕。"

何道生与法式善同寓涞阳僧舍，唱酬无虚日。张道渥作《山寺说诗图》纪其事。据法式善《梧门诗话》卷三。

六月

张问安入周兴岱学使幕，偕赴粤。乾隆五十七年九月归。据蔡坤编辑、蔡璐参校《张船山先生年谱》。张问陶有《送亥白之粤东》诗，见《船山诗草》卷四《出山小草》。

图敏卒于山东泰安旅舍。据法式善《梧门诗话》卷八。图敏字时泉，满洲旗人。乾隆三十七年进士，改庶吉士，授编修。官至内阁学士。著有《时泉百一草》。法式善《八旗诗话》二一三："时泉先生简于为诗，祭告岳渎，辙迹几遍九烟，作诗遂多，独以朴实制胜。"《晚晴簃诗汇》卷九五录其诗一首。

七月

初一日，姚鼐作《香岩诗稿序》。见《惜抱轩文集》卷四。

初五日，张问陶、王学浩、张吉安等游二闸。《船山诗草》卷四《出山小草·新秋五日，与椒畦、莳塘、补之、旗樵泛舟二闸，得五律四首》，自注云："时椒畦、莳塘、补之、旗樵皆将由吴适粤，余亦拟于暮秋西归。"

洪亮吉充国史馆纂修官。据吕培等《洪北江先生年谱》。

杨揆补授内阁中书，旋入军机处行走。据杨芳灿自订、余一鳌补订《杨蓉裳先生年谱》。

陈廷庆游桃花源，时新任辰阳太守。据其《前游桃花源记》（《国朝文汇》乙集卷四八）。

施朝幹序祝德麟诗。署"乾隆五十有五年秋七月戊申，年眷侍生施朝幹谨序"。序云："余尝论近时浙人之诗，商宝意法掩其才，袁简斋才轶于法，若杭堇浦则所谓川人之为庖，求如浙中庖者之妙，了不可得。止堂有过人之才，御之以唐人之法，又以自在流行之真气，出入掺纵乎其中，当于朱锡鬯、查悔余二公之后，卓然为浙中诗家一大宗。"（《悦亲楼诗集》卷首）

八月

初八日，吴嘉洤（1790—1865）生。嘉洤（一作嘉诠）字清如，江苏吴县人。为诸生时即以诗古文词知名于世，与朱绶等有"吴中七子"之目。道光十八年进士。官至户部员外郎。致仕后掌教平江书院。著有《珠尘集》、《秋绿词》、《仪宋堂诗文集》、《乘桴小草》。事迹见亢树滋《吴先生传》（《续碑传集》卷二〇）。[生日据朱彭寿《清代人物大事纪年》。]

二十七日，彭泰来（1790—1866）生。泰来字子大，号春洲，广东高要人。嘉庆十八年拔贡生。屡试不售，遂绝意进取。著有《昨梦斋文集》四卷、《诗义堂集》二卷《后集》二卷、《南雪草堂诗钞》三卷。事迹见李光廷《彭春洲先生诗谱》、陈旦《彭春洲先生墓表》（《诗谱》卷首）、《清史稿》张维屏传附。

屠绅在寻甸任，师范来访。据沈燮元《屠绅年谱》。

九月

鳌图调宰常熟。据《沧来自记年谱》。

秋

罗碧泉与许兆桂论及《红楼梦》。许兆桂《绛蘅秋序》："乾隆庚戌秋，余至都门，詹事罗碧泉告余曰：近有《红楼梦》，其知之乎？虽野史，殊可观也。维时都人竞称之，以为才。余视之，则所有景物皆南人目中、意中语，颇不类大都。既至金陵，乃

知作者曹雪芹为故尚衣后，留住于南，心慕大都，曾与随园先生游，而生长于南，则言亦南。"（阿英编《红楼梦戏曲集》）

杨畹耕与周春谈及《红楼梦》。周春《红楼梦记》："乾隆庚戌秋，杨畹耕语余云：'雁隅以重价购钞本两部：一为《石头记》，八十回；一为《红楼梦》，一百二十回，微有异同。爱不释手，监临省试，必携带入闱，闽中传为佳话。'时始闻《红楼梦》之名，而未得见也。壬子冬，知吴门坊间已开雕矣。"（朱一玄编《红楼梦资料汇编》）

十月

望日，卢文弨自序《钟山札记》四卷。署"乾隆五十五年十月之望，杭东里人卢文弨识"。（《钟山札记》卷首）

彭兆荪随父赴颍州教授任。十二月抵达。据缪朝荃《彭湘涵先生年谱》。

十一月

徐涛卒，年三十五。据郭麐《灵芬馆诗初集》卷一《哭江庵六首》、张慧剑《明清江苏文人年表》。袁枚《随园诗话补遗》卷二："（涛）长于近体。"录其《赠龙雨樵明府》、《题清雾瑶台》、《病中与郭频伽秀才邓尉探梅》诗。

十二月

张问陶、石韫玉、洪亮吉等时相过从。张问陶《船山诗草》卷五《松筠集》有《十二月十三日，与朱习之、石竹堂、钱质夫饮酒。夜半，忽有作道士装者入门，视之，则洪稚存也，遂相与痛饮达旦。明日作诗分致四君，同博一笑》、《十八夜，与稚存、质夫、子卿饮酒朱习之家，醉后同车访竹堂、茶山、沧湄，皆各小谈乃去。夜近四鼓，归松筠庵，与稚存同榻抵足狂谈，达旦不寐》等诗。

冬

苏去疾访友于安庆，与姚鼐遇于江津舟中。各出其诗相示，分持而去。据姚鼐《苏献之墓志铭并序》（《惜抱轩文后集》卷七）。

袁枚作诗自挽。袁枚《随园诗话补遗》卷六："庚戌冬，余有感于相士寿终七六之言，戏作《生挽》诗，招同人和之。"洪亮吉《北江诗话》卷四："袁大令枚，自作《生挽》诗，虽极旷达，然尚不如夛青山人李锴二语。盖其胸次之高，悟道之早，又非大令所能及。其句云：定知无物还天地，何不将身占水云？"

张衢《芙蓉楼》传奇成书。张衢《芙蓉楼偶言》云："往余与来七在郊，在王门填词，时以丝竹相娱乐，因谋制《芙蓉楼》传奇。草创大概，约为五十出。在郊曰：'恐转折太繁，不能遂成之。'余笑曰：'不能遂成？试为之。'日间酬应不暇，每夜挑灯独坐，必度数曲，凡积成二十余出。后以旋南急切，未竟此事。而在郊已死矣。归来又作头巾故态，咿唔牖下，不暇从事于声律。前岁已酉之秋，文战既北，意败力歇。

偶阅元人传奇数种，因忆及前词，遂锐意续成之，至去冬而脱稿。""是书成，讥我者谓余不习举子业，竟效俳优者之所为，此真井蛙之见。夫文章莫大于传奇，悲歌必尽其情，贤奸各呈其态，非熟于人情世故，不足以与此。且其中或技能，或术语，咄嗟立办；或典故，或方言，触绪纷来。既非枵腹人所能袭取。既南人不能北语，北人不能操南音者，其于声律，终未许其置喙焉。况数十出中，回环照应，打成一片，是真一大八股也。故善读书者不必定此书，善作文者不必定此文，一以贯之。吾于传奇，盖有得焉，奚必沾沾于举子业哉！"又，自序署"乾隆辛亥暮春，萧山病痱道人张衢题于艮心轩"。姚权序云："《芙蓉楼》词传诵久矣。情斋少年时落拓燕市，慕佳人之信修，登高丘而求配，盖悲不遇而作也。词中或白描，或设色，集元明人之大成，才子风流名不虚传。"（《中国古典戏曲序跋汇编》卷一三）是剧凡二卷五十出，乾隆五十六年刊行，今存咸丰元年刊本。

本年

孙星衍官刑部直隶司主事，诸名士常宴集其琉璃厂寓所。张绍南《孙渊如先生年谱》卷上："君所居，扫室焚香，为诸名士燕集之所。毕督部入觐，招名公卿雅集于此。阮公元时以孝廉馆内城，与君尤密。又有同部魏君成宪、方君体、伊君秉绶、杨君梦符、王侍御念孙、徐民部大榕、张太史问陶诸君相过从，海内能文讲学之士皆乐登君之堂。高丽使臣朴齐家入都，由书肆见君所校古书，介所知投刺访谒。君以唐刻石经持赠，因为书'问字堂'三字并赋诗以谢。"

曾燠迁贵州司员外郎。据包世臣《曾抚部别传》（《续碑传集》卷二一）、《清史列传》本传。

谢启昆擢江南河库道。后迁浙江按察使。据《清史稿》本传。

张锦芳散馆授编修。充万寿盛典纂修官。据邵晋涵《翰林院编修张君行状》（《南江文钞》卷一〇）。

恽敬教习期满，引见以知县用。据吴德旋《恽子居先生行状》（《初月楼文钞》卷八）。

庄述祖谒选得山东昌乐县，明年之任。据李兆洛《珍艺先生传》（《养一斋文集》卷一五）。

王汝璧以事降补同知。据《国史列传》本传（《铜梁山人诗集》卷首）。

李兆洛补武进县学生，县试第三，府试及学院试皆第一。与祝百十定交。据蒋彤《武进李先生年谱》卷一。

洪坤煊廷试高等，不果用。据戚学标《孝廉地斋洪君墓碣》（《鹤泉文钞续选》卷七）。

张九钺出洛，主临淮书院讲席。著《倦游集》。据张家杙《陶园年谱》。

姚鼐主讲江宁钟山书院，时年六十岁。自本年至嘉庆庚申，凡十一年。据郑福照《姚惜抱先生年谱》。又，《复鲁絜非书》作于五十岁至六十岁间。据《年谱》附录《文目编年》。

章学诚在武昌编《史籍考》。毕沅方编《续通鉴》，学诚亦襄助其事。据胡适《章实斋年谱》。

舒位走广西，迎母还居吴门，复移家湖州乌镇。据张慧剑《明清江苏文人年表》。

焦循馆于深港卞氏。撰《群经宫室图》二卷。据闵尔昌《焦理堂先生年谱》。

张铉、张釜、茅元铭、郭堃、鲍文逵等为松溪五友。据鲍鼎《张夕庵先生年谱》。〔按，张铉，一作张弦。〕

随园唱和，殆无虚日。袁枚《随园诗话补遗》卷三："乾隆庚戌，金陵风雅，于斯为盛。吾乡孙补山宫保为总督，沧州李宁圃翰林为知府，泾阳张荷塘孝廉宰上元，辽州王柏崖廪生为典史，西江陶莹明经为茶引所大使，盱眙毛俟园孝廉为上元广文，随园唱和，殆无虚日。"

四大徽班进京。徐慕云《中国戏剧史》卷一："乾隆时戏剧甚形发达，名伶相继辈出。帝三次南巡，皆喜赏览戏剧。北归后，召苏、皖间名伶入都，供奉南府，是为四大徽班入京之始。（一说系乾隆五十五年，召四班入都祝厘者）四班者，即三庆、四喜、春台、和春是也。优伶中以徽人为多，故徽调乃盛极一时。"

洪亮吉与同年张问陶唱酬甚多，所得诗文数十首。据《船山诗草》卷五、《卷施阁诗》卷一〇。

彭兆荪自本年至乾隆六十年乙卯诗为《星社集》二卷。据缪朝荃《彭湘涵先生年谱》。

刘嗣绾有《碧山后社集》。小序云："吾乡碧山吟社，文采风流，数百年未绝。里中拟续此举，同社星散，事不果行。聊名余集，以俟来者。"（《尚絅堂诗集》卷一二）

张问陶有《题孙渊如星衍前辈雨粟楼诗》。见《船山诗草》卷五《松筠集》。

张惠言作《邓石如篆势赋并序》。见《茗柯文》初编。

休休居士作《凤栖亭》传奇。休休居士姓厉，名未详，字（或号）孚若，仪征人。是剧《今乐考证》著录，凡四卷二十四出，演麻风女赵爱珠与柳绪婚恋事。有本年爱竹山房刻本。据《古本戏曲剧目提要》。

王初桐献所作《东山祝嘏九成乐曲》九卷。据张慧剑《明清江苏文人年表》。

王昶《述庵诗钞》十二卷刊行。据《贩书偶记》卷一五。

赵翼《陔余丛考》四十三卷刊行。据《中国丛书综录》。

汪辉祖《善俗书》一卷刊行。据《中国丛书综录》。

袁枚《随园诗话》十六卷刊行。《随园诗话补遗》卷四："余编《诗话》，为助刻资者，毕弇山尚书、孙稆田慰祖司马也。"又，《补遗》十卷，其卷十记有嘉庆二年丁巳严小秋事，则《补遗》结集定稿当不早于嘉庆二年。梁章钜《退庵随笔·学诗一》："袁简斋《随园诗话》所录，非达官，即闺媛，大意在标榜风流，颇无足观。而中间论诗数条，则实足以引导后学。"尚镕《三家诗话·三家分论》："《随园诗话》大率取清真之作，然艳词侧体太多，殊玷风雅。其极推梦楼，讥议蒋、赵之类，亦皆颠倒是非，不符公论。"朱庭珍《筱园诗话》卷二："《随园诗话》持论多无稽臆说，所谓佞口也。如谓律诗如围棋，古诗如象棋。作古体，不过两日，可得佳构；作律体，反十日不成一首，是视律难于古也。渠意谓古诗无平仄对偶，法度甚宽，故以律诗为难，而不知古诗有平仄，有对偶，其法倍严，特非袁、赵辈所可梦见耳。"

任兆麟编《吴中女士诗钞》（又名《吴中十子合集》）四卷去年至今年刊行。据《贩书偶记》卷一九。兆麟初名廷麟，字文田，号心斋，震泽籍，兴化人，大椿族弟。诸生。事迹见江藩《国朝汉学师承记》卷六、《清史列传》任大椿传附。著有《有竹居集》十六卷，嘉庆己卯两广节署刊行。据《贩书偶记》卷一六。

方履籛（1790—1831）生。履籛字彦闻、术民，大兴人，原籍江苏阳湖。嘉庆二十三年举人。官福建永定、闽县知县。以骈文著称。尤嗜金石文字，所积几万种。著有《伊阙石刻录》、《富薇斋碑目》、《河内县志》、《万善花室集》。事迹见梅曾亮《方彦闻墓表》（《柏枧山房文集》卷一三）、陈寿祺《清敕授文林郎署福建闽县知县方君墓志铭》（《左海文集》卷九）、《清史列传》本传、《清史稿》董祐诚传附。

钱塘卒，年五十六。据钱大昕《溉亭别传》（《潜研堂文集》卷三九）。《别传》云："溉亭少时，执经于先君子。予长于溉亭七岁，相与共学。予入都以后，溉亭与其弟坫及予弟大昭相切磋，为实事求是之学，蕲至于古人而止。比予归田，而溉亭学已大成，每相见，辄互证其所得。吾邑言好学者称钱氏，而溉亭尤群从之白眉也。惜其未及中寿，而撰述或不尽传。"《清史稿》钱大昕传附："（塘）于声音、文字、律吕、推步尤有神解。"《国朝文汇》乙集卷四六录其《练祁先茔表》文一篇。《晚晴簃诗汇》卷一〇四录其诗三首。

李海观卒，年八十四。据栾星编《歧路灯研究资料》。杨淮《国朝中州诗钞》卷一四："生平学问博洽，凡经学子史，无不贯通，而尤练达人情。老年酒后耳热，每自称通儒。"道光《宝丰县志》卷一二："沈潜好学，读书有得，及凡所阅历，辄录记成帙。每以明趋向、重交游，训诫子弟。襄城刘太史青芝称其'有志斩伐俗学，而力涸筋疲于茹古'。"（《歧路灯研究资料》）《晚晴簃诗汇》卷七四录其诗二首。

公元 1791 年（乾隆五十六年　辛亥）

正月

敦诚、鲍桂星、王灼、恽敬、张惠言等会饮。据敦诚《四松堂集》卷二《辛亥早春，与鲍琴舫饮北楼，其友人王悔生、恽简堂、张皋文为不速之客。琴舫有作，次韵二首》。

张问陶有《题王铁夫苣孙楞伽山人诗初集（夫人曹墨琴，名贞秀，能诗，尤工楷法)》、《读桃花扇传奇偶题十绝句》等。见《船山诗草》卷五《松筠集》。

二月

初三日，张问陶乞假得请，二十九日出都。离都前与诸友同游钓鱼台。《船山诗草》卷六《乞假还山集上》有《辛亥二月三日得假寄舍弟寿门》、《十九日习之招同子卿、竹堂、稚存、琴山、质夫、立凡携酒游钓鱼台》、《二十六日质夫召集同人重游钓鱼台看桃花》、《二月二十九日出都述怀》。又《得假后出都无资，颇有羁旅之感，作诗呈诸亲友》云："去无资斧居无俸，贫到今年始是贫。"

初五日，刘宝楠（1791—1855）生。宝楠字楚桢，号念楼、秋槎，江苏宝应人。少从从父台拱受业，以学行闻乡里。为诸生时，与仪征刘文淇齐名，人称"扬州二刘"。道光十五年举乡试，二十年成进士。历知直隶文安、元氏、三河诸县。著有《论语正义》二十四卷、《释谷》四卷、《汉石例》六卷、《宝应图经》六卷、《胜朝殉扬录》三卷、《文安堤工录》六卷、《念楼集》八卷。事迹见戴望《故三河县知县刘君事状》（《续碑传集》卷七三）、《清史列传》本传、《清史稿》本传。［生日据朱彭寿《清代人物大事纪年》。］

大考翰林，诗以"眼镜"为题，限"他"字五言八韵。钦定阮元、吴省兰二人一等，胡长龄、刘凤诰、邵晋涵等十人二等，余集、谢振定、曹振镛、祁韵士、汪如洋、钱栻、法式善、谢墉、李骥元、翁树培等七十四人三等，李鼎元等八人四等，集兰一人不入等。各有升降赏罚。据李调元《淡墨录》卷一六《考翰林眼镜题》。［按，《淡墨录》谓此事在五月，此据阮元《梧门先生年谱》。］

钱泳至金陵访袁枚。据胡源、褚逢春《梅溪先生年谱》。

赵怀玉过吴门，程世铨邀同顾至、顾广圻探梅西崦。过光福访徐坚。据赵怀玉《收庵居士自叙年谱略》卷上。

三月

十四日，麟庆（1791—1846）生。麟庆字见亭，完颜氏，满洲镶黄旗人。嘉庆十四年进士。历官内阁中书、兵部主事、右中允、《实录》总纂提调官、安徽徽州、颍州知府、河南开归陈许河道、河南按察使、贵州布政使、护理巡抚、湖北巡抚、江南河道总督兼兵部侍郎、右副都御史。著有《河工器具图式》四卷、《鸿雪因缘图记》六卷、《琅环妙境藏书目录》四卷。事迹见宗稷辰《前江南河道总督完颜公墓志铭》（《躬耻斋文钞》卷一〇）、《清史稿》本传。［生日据朱彭寿《清代人物大事纪年》。］

张问陶道经洛阳，徐书受邀同游。见《船山诗草》卷六《乞假还山集上·三月二十二日洛阳旅次，徐尚之通判（书受）邀同董超然、柴雪桥、家复庵、愚亭叔侄及从弟受之携酒游樱桃沟魏氏山庄》。

黄钺主徽州紫阳书院。黄富民《黄勤敏公年谱》："朱文正公出抚安徽，荐主紫阳书院山长。春三月，往徽州。"

四月

初一日，张问陶夜经骊山，作五律二章题临潼店壁。诗见《船山诗草》卷六《乞假还山集上》。

十八日，李保泰跋赵翼《瓯北诗钞》。署"乾隆五十六年岁次辛亥四月望后三日，宝山后学李保泰谨跋"（《瓯北诗钞》卷首）。是书十七卷，系据《瓯北全集》三十三卷哀集编次得之，分体编排，本年刊行。

王汝璧署宣化府同知。据《国史列传》本传（《铜梁山人诗集》卷首）。

赵翼游庐山。据佚名《瓯北先生年谱》。

五月

初七日，刘大观携诗访袁枚。袁枚《随园诗话补遗》卷三："辛亥端阳后二日，广西刘明府大观袖诗来见。方知官桂林十余年，与比部李松圃、岑溪令李少鹤诸诗人，皆至好也。"录其《率郡人种花》、《甘棠渡》诗。

十四日，翁心存（1791—1862）生。心存字二铭，号邃庵，江苏常熟人。道光二年进士，选庶吉士，授编修。官至体仁阁大学士。谥文端。著有《知止斋诗集》十六卷。事迹见陈澧《体仁阁大学士赠太保翁文端公神道碑铭》、杨彝珍《体仁阁大学士翁文端公神道碑铭》、孙衣言《体仁阁大学士赠太保文端翁公墓志铭》（《续碑传集》卷四）、翁同爵等《先文端公年谱》、《清史列传》本传、《清史稿》本传。

二十日，董祐诚（1791—1823）生。祐诚初名曾臣，字方立，江苏阳湖人。嘉庆二十三年举人，越五年卒。其学于典章、礼仪、舆地、名物皆肆力探索，而尤精历算。著有《董方立文甲集》二卷、《乙集》二卷、《兰石词》一卷、《三统术衍补》一卷，所作骈体文与兄基诚文合刊为《橚华馆骈体文》四卷。事迹见李兆洛《董方立传》（《养一斋文集》续编卷五）、《清史列传》本传、《清史稿》本传。

张问陶在成都留二十日，旋归遂宁。有《留成都二十日，将归遂宁别内子》、《夏日家居即事》等诗，见《船山诗草》卷六《乞假还山集上》。

孙星衍升刑部江苏司员外郎，以避本省调办直隶司。据张绍南《孙渊如先生年谱》卷上。

鳌图调宰长洲。据《沧来自记年谱》。

七月

二十一日，纪昀自序《如是我闻》四卷。序云："曩撰《滦阳消夏录》，属草未定，遽为书肆所窃刊，非所愿也。然博雅君子，或不以为纰缪，且有以新事续告者。因补缀旧闻，又成四卷。欧阳公曰：'物尝聚于所好。'岂不信哉！缘是知一有偏嗜，必有浸淫而不自已者，天下事往往如斯，亦可以深长思也。辛亥七月二十一日题。"（《阅微草堂笔记》）

张问陶复往成都，九月归。《船山诗草》卷七《乞假还山集下》有《初秋客成都，得亥白兄广州诗札》、《九月四日将归遂宁，发成都龙泉驿道中口占》等。

程瑶田自嘉定乞假还歙。据罗继祖《程易畴先生年谱》。

沈起凤《谐铎》十二卷刊行。殷杰序署"时乾隆辛亥仲秋下浣星岩愚弟殷杰"。韩藻序云："龚渔大凡凤负异才，近耽净业，发菩提心而度世运，广长舌以指迷。言则白傅谈诗，老妪亦参妙解；事则道元画壁，渔罟尽乐皈依。有裨人心，无惭名教。"署"时乾隆重光大渊献相月既望寅愚弟韩藻谨序"。（《谐铎》卷首）是书本年藤华榭刊本，有韩、殷二序；乾隆五十七年巾箱本，增王昶序和黄桂芳、马惠、沈青瑞跋；光绪十七年上海广百宋斋铅印本；上海书局、文蔚书局、锦文堂书店石印本；《清代笔记丛刊》本；《笔记小说大观》本；1985 年人民文学出版社排印本。

周永年卒，年六十二。据桂馥《周先生传》（《晚学集》卷七）。《传》云："先生于经史百氏之言览括略尽，观其大义，不雠章句。自谓文拙，不存稿，故殁后无传焉。"

八月

钱泳应绍兴知府李亨特之聘修郡志。据胡源、褚逢春《梅溪先生年谱》。

九月

初五日，季芝昌（1791—1861）生。芝昌字云书，号仙九，江苏江阴人。道光十二年一甲三名进士，授编修。官至左都御史、闽浙总督。谥文敏。事迹见《丹魁堂自订年谱》、曾国藩《闽浙总督季公墓志铭》（《曾文正公文集》卷三）、《清史稿》本传。

十月

初六日，钱泰吉（1791—1863）生。泰吉字辅宜，号警石，浙江嘉兴人。少与从兄仪吉以学行相磨，远近盛称"嘉兴二石"。以廪贡生得海宁州学训导，在任几三十年。后依曾国藩，卒于安庆。著有《甘泉乡人稿》二十四卷《余稿》二卷。事迹见曾国藩《海宁州训导钱君墓表》（《曾文正公文集》卷三）、《清史列传》钱仪吉传附、《清史稿》钱仪吉传附。

洪亮吉充石经馆收掌及详覆官。据吕培等《洪北江先生年谱》。

张问陶又赴成都，在成都度岁。《船山诗草》卷七《乞假还山集下》有《初冬赴成都，过安居题壁》、《十月二十八日成都得稚存九日书》、《辛亥腊月初三日客成都，题雪中狂饮图，怀稚存、容堂》等诗。

陈树基自序《西湖拾遗》。署"乾隆辛亥孟冬月钱塘梅溪陈树基撰"。全书四十八卷，首三卷为图像，卷一《西湖全图》，卷二《西湖十景图》，卷三《西湖人物图》。末卷为《止于至善》。话本小说实为四十四篇。分别选自《西湖二集》、《西湖佳话》、《醒世恒言》。编者对原文有所改动。是书有本年自愧轩刊本、嘉庆十六年覆本、道光二十七年晋祁书业堂刊本。据《中国古代小说总目》白话卷。

十一月

二十七日，达受（1791—1858）生。达受本姓姚，字六舟、秋楫，号寒泉、际仁，浙江海宁人。故名家子。历主苏州大雪庵、杭州南屏、海宁白马寺方丈。耽翰墨，善别古器，精摹拓，阮元呼曰"金石僧"。著有《祖庭数典录》一卷、《六书广通》六卷、《两浙金石志补遗》四册，皆毁于战火。今存《白马庙志》一卷、《小绿天庵吟草》一卷。事迹见其自订《宝素堂金石书画编年录》。

法式善补工部员外郎。据阮元《梧门先生年谱》。

吴翌凤自己酉闰五月至本月诗为《倚梧吟》。小序云："荆南回櫂，即应薇省之聘。

时张少安亦在宾幕，旧雨联床，颇多乐趣。"（《与稽斋丛稿》卷九）

十二月

十九日，毕沅大会名流于武昌，祀苏轼生日，张九钺与焉。据张家栻《陶园年谱》。

武亿赴山东博山县知县任。在任有循吏之称。创范泉书院，进其秀者与之讲敦伦理，务实学。明年，被劾罢职，莅任仅七月。据朱珪《前博山县知县诏起引见武君墓志铭》（《知足斋文集》卷五）、江藩《国朝汉学师承记》卷四。

冬

骆绮兰（女）拜袁枚为师。袁枚《随园诗话补遗》卷三："句容骆氏，相传为右丞之后，故大家也。有秋亭女子名绮兰者，嫁于金陵龚氏，诗才清妙。""辛亥冬，从京口执讯来，自称女弟子，以诗受业。"录其《游西湖》、《春闺》、《云根山馆题壁》、《对雪》诗，云："四首一气卷舒，清机徐引，今馆阁诸公能此者，问有几人？"

翁方纲督学山东。据张维屏《翁覃溪先生年谱稿》（《碑传集三编》卷三六）。

冯敏昌返京师，奉旨在户部浙江司行走。自是在外云游七年矣。据冯士镳《先君子太史公年谱》。

程伟元刊刻《新镌全部绣像红楼梦》一百二十回活字本（简称程甲本）。程伟元序云："《红楼梦》小说本名《石头记》，作者相传不一，究未知出自何人，惟书内记雪芹曹先生删改数过。好事者每传抄一部，置庙市中，昂其值得数十金，可谓不胫而走矣。然原目一百廿卷，今所传只八十卷，殊非全本。即间称有全部者，乃检阅仍只八十卷，读者颇以为遗。不佞以是书既有百廿卷之目，岂无全璧？爰为竭力搜罗，自藏书家甚至故纸堆中无不留心，数年以来，仅积有廿余卷。一日偶然于鼓担上得十余卷，遂重价购之，欣然翻阅，见其前后起伏，尚属接筍，然漶漫不可收拾。乃同友人细加厘剔，截长补短，抄成全部，复为镌板，以公同好，《红楼梦》全书始至是告成矣。书成，因并志其缘起，以告海内君子。凡我同人，或亦先睹为快者欤？小泉程伟元识。"高鹗序云："予闻《红楼梦》脍炙人口者，几廿余年，然无全璧，无定本。向曾从友人借观，窃以染指尝鼎为憾。今年春，友人程子小泉过予，以其所购全书见示，且曰：'此仆数年铢积寸累之苦心，将付剞劂公同好。子闲且惫矣，盍分任之？'予以是书虽稗官野史之流，然尚不谬于名教，欣然拜诺，正以波斯奴见宝为幸，遂襄其役。工既竣，并识端末，以告阅者。时乾隆辛亥冬至后五日，铁岭高鹗叙并书。"

本年

李兆洛科试优等第一，补廪膳生员。据蒋彤《武进李先生年谱》卷一。

端木国瑚补弟子员。据端木百禄原著、陈谧补辑《太鹤山人年谱》。

洪亮吉在京与法式善、刘锡五、伊秉绶、何道生、王芑孙唱酬甚多。据吕培等

《洪北江先生年谱》。

张惠言在京师识陆致远。据张惠言《茗柯文》四编《陆以宁墓志铭》。

宋鸣珂补南城兵马司指挥。忽得狂疾,自戕死。据法式善《梧门诗话》卷三。鸣珂字楈桓,号澹思,奉新人。乾隆四十五年进士。著有《南川草堂诗钞》及《杜陵春》、《罗浮梦》传奇。同治《奉新县志》:"少负异秉,尤长于诗。问学于桑主事调元、陈布政奉兹二人,诗皆追摹老杜。三十后,专以同邑帅家相为宗。论者谓《卓山集》佳处不减杜陵,鸣珂亦不减卓山云。"(《方志著录元明清曲家传略》)《晚晴簃诗汇》卷一○五录其诗二首。

吴锡麒主真州书院。据张慧剑《明清江苏文人年表》。

焦循馆于郡城牛氏。据闵尔昌《焦理堂先生年谱》。

杨揆从福康安征卫藏。据赵怀玉《通奉大夫四川布政使司布政使赠太常寺卿杨公墓志铭》(《亦有生斋集》文卷一八)。

张九钺辞临淮书院讲席归。明年二月抵里。著《陶园集》。据张家杜《陶园年谱》。

舒位游食浙江石门,作长诗《兰州水烟篇》。见《瓶水斋诗集》卷三。

刘嗣绾有《楚游集》。小序云:"辛亥春,就食武昌,馆于藩署。"(《尚䌹堂诗集》卷一三、卷一四)

章学诚作《史德篇》等。据胡适《章实斋年谱》。

汪辉祖《春陵襃贞录》一卷刊行。据《中国丛书综录》。

李心耕编《二余诗集》刊行。凡李心敬(女)《蠹余草》一卷,归懋仪(女)《绣余小草》一卷。据《中国丛书综录》。

方成培、周暟《布衣词合稿》十三卷刊行。凡方成培《味经堂词》六卷(《横枝词》一卷,《芳影词》一卷,《后岩箫雅》一卷,《寒山乐府》一卷,《寒山乐府续稿》一卷),周暟《荫槐楼词稿》七卷(《潇湘听雨词》五卷,《芳草词》一卷,《香草题词》一卷)。据《清词别集知见目录汇编》。

周昂编《中州全韵》二十二卷首一卷此宜阁刊行。据《贩书偶记》卷二○。

陈毅编《所知集》三编十二卷眠云阁刊行。据《贩书偶记续编》卷一九。[按,法式善《陶庐杂录》卷三著录为十卷。]

陆嵩(1791—1860)生。嵩初名介眉,字希孙,号方山,江苏元和人。道光五年拔贡生。乡试累不第,遂游陈用光、沈维鐈诸学使幕。十八年选授镇江训导,咸丰八年辞归。著有《意苕山馆诗稿》十六卷、《续集》一卷、《古文》二卷。事迹见《清史列传》顾莼传附。[生卒年据朱彭寿《清代人物大事纪年》。]

毛岳生(1791—1841)生。岳生字申甫(一作生甫)、兰生,宝山籍,家嘉定,大瀛孙。以难荫改文学生。未弱冠,赋《白雁诗》得名。从姚鼐学古文,以钩棘字句为工。著有《休复居诗文集》十二卷。事迹见姚椿《毛生甫墓志铭》(《晚学斋文集》卷八)、葛其仁《五友传》(《续碑传集》卷七九)、《清史列传》梅曾亮传附、《清史稿》梅曾亮传附。

刘淳(1791—1849)生。淳初名天民,字孝长,号莘农,湖北天门人。嘉庆十八年拔萃,为鲍桂星所赏。二十一年举于乡。至都,名大起,见者以为贾谊、苏轼复生。

屡试礼部不第，遂放浪燕赵、吴越之间。以大挑二等授远安教谕，不数月弃官归里。著有《云中集》六卷。事迹见王柏心《刘孝长传》（《续碑传集》卷七八）、《清史列传》本传。［生卒年据江庆柏《清代人物生卒年表》。］

叶廷琯（1791—1868）生。廷琯字调生，号十如居士、龙威邻隐、蜕翁，江苏吴县人。诸生。著有《楸花庵诗钞》、《鸥陂渔话》、《吹网录》。事迹见张慧剑《明清江苏文人年表》。

季锡畴（1791—1862）生。锡畴字范卿，号菘耘，江苏太仓人。诸生。尝受业于李兆洛之门，与赵允怀、邵渊耀以文字相切劘。著有《菘耘文钞》四卷。事迹见叶裕仁《季菘耘先生生传》（《续碑传集》卷七九）。

茹敦和卒，年七十二。据朱彭寿《清代人物大事纪年》。李祖陶《国朝文录续编·竹香斋文录引》："其序许红桥寿也，谓古文自欧、曾而后，以震川先生为大宗。迨本朝之初，又得尧峰汪氏。其余作者林立，争奇竞雄，要不得为正体。闻此言于乾隆之季，可谓歧途中得指南车矣。为文不蹈袭前人一字。故记南乐城隍及神武两庙，皆撇开本事而另说事之有关于地方者；其谓《柏舟》为未嫁之女，较朱文端、朱尚斋之说尤明；谓《礼运》'窆于山川'即葬家之说，则并为郭璞、杨筠松诸人探其本矣；《卓倚考》谓卓即古之阁，倚即古之几，亦前人所未道者；传牟康民、倪孝靖诸君及向节妇等篇，皆足为异日史家之采。其文直书所见，滂沛自如，古节古音，了无俗韵，盖有得于太史公之书，虽写米盐零杂簿帐亦自成文者。故卷帙虽不多，而实篇篇皆可诵云。"《国朝文汇》乙集卷二四录其《牟康民传》等文四篇。

金兆燕卒，年七十四。据邓长风《明清戏曲家考略三编·二十九位清代戏曲的生平材料》。林昌彝《射鹰楼诗话》卷二三："'半帘疏雨客何处，满地落花春欲归'，此全椒金棕亭学正兆燕句也（乾隆三十一年进士），风雅可诵。著有《棕亭诗钞》，集中游黄山诸作多奇崛。生平不耐静坐，爱跳跃，多言笑，时人目为喜鹊。"民国《全椒县志》卷四："诗才尤高绝，盘礴如湖州，佶屈如柳州。其绵以渺者，追陆希谢，而取材于骚经。尤深骈散文，皆有法度。"《皖志稿·集部考》卷二〇："兆燕夙爱王士禛、朱彝尊，后闻赵执信贪多爱好之论，始稍稍厌去之，为寻源之学。唐赤子称其骈散诗词，异曲同工，各不让专家。启丰德潜尤称其《黄山》诗。王昶《湖海诗传》亦谓其奇崛可喜。锡麒谓其'兴来如赠，情往若答，纵横排宕，不可以派别绳之'。此最善状其诗。即以评其散文、诗余，亦无不可也。"（《方志著录元明清曲家传略》）《贩书偶记》卷一五："《棕亭古文钞》十卷、《骈体文钞》八卷、《诗钞》十八卷、《词钞》七卷，全椒金兆燕撰。道光丙申赠云轩刊。"

蒋知廉卒，年四十。据姚鼐《蒋君墓碣》（《惜抱轩文集》卷一一）。吴嵩梁《弗如室诗钞序》："五言持风格，七言沈宕有奇气，然皆出以浑成。当其冥心孤往，凭几坚坐，杳若空山，暨乎一发沛然，江河千里，而波涛之冲击，岛屿之萦纡，咸出没于风帆沙鸟间。所谓牢笼万态者，非耶？"（《国朝文汇》乙集卷六一）

沈清瑞卒，年三十四。据张慧剑《明清江苏文人年表》。吴翌凤《感旧诗九首·沈清瑞》小传："诗笔绮丽，拟庾、徐小赋尤工。"（《与稽斋丛稿》卷一二）法式善《梧门诗话》卷一〇："沈芷生诗笔清妍似六朝，词曲亦灵隽。"杨锺羲《雪桥诗话续集》

卷六:"清瑞读书强记,诗文祖祢齐、梁,出入四杰。"《晚晴簃诗汇》卷一〇五录其诗六首。

敦诚卒,年五十八。据吴恩裕《曹雪芹丛考》卷四第四篇。法式善《八旗诗话》一七:"敬亭履迹未出京圻,而江湖之浩荡,川岳之欽奇,时时在胸臆间。下笔清峭拔俗,妙写难状,识者以郏善长、柳子厚拟之。诗幽邀,静靓如行绝壑中,逢古梅一株,著花不多,而香气郁烈。"《晚晴簃诗汇》卷一〇:"敬亭家有园林四松草堂、梦陶轩、拙鹊亭、五笏庵,皆其游憩地也。性嗜酒,别构小舍,效村肆酒垆,悬帘户外,署曰葛巾居,恒与客共饮其中。"录其诗十一首。

公元1792年(乾隆五十七年 壬子)

正月

十九日,曹锡宝卒,年七十四。据朱珪《掌陕西道监察御史特恩赠副都御史曹公墓志铭》(《知足斋文集》卷五)。《墓志铭》云:"(锡宝)作诗尤其长于五古,有陶、谢、韦、孟真意。"《晚晴簃诗汇》卷八八录其诗十首。

法式善以阿桂荐,补左庶子。据阮元《梧门先生年谱》。

二月

朔日,翁方纲序《王文简古诗平仄论》。署"乾隆五十七年二月朔"。又卷末按语署"壬子九月二十五日记于小石帆亭"。

花朝日,遂宁灵泉寺僧道嵘序张问陶诗。见《船山诗草》卷首。

二十五日,陆锡熊卒,年五十九。据王昶《都察院左副都御史陆君墓志铭》(《春融堂集》卷五五)。《晚晴簃诗汇》卷九〇:"诗集分子目七,前六篇皆所自定,后为剩稿,乃其子庆循所搜辑。王兰泉称其诗工而不稚,婉而能切。吴毂人作集序,以为有冲和粹美气象,是可传也。"录其诗五首。

袁枚重游天台山,五月返家。据《小仓山房诗集》卷三四《二月二十八日出门重游天台》、《五月二十一日到家》。

程伟元重刊《新镌全部绣像红楼梦》一百二十回活字本(简称程乙本)。程伟元、高鹗《红楼梦引言》:"一、是书前八十回,藏书家抄录传阅几三十年矣,今得后四十回合成完璧。缘友人借抄,争睹者甚夥,抄录固难,刊板亦需时日,姑集活字刷印。因急欲公诸同好,故初印时不及细校,间有纰缪。今复聚集各原本详加校阅,改订无讹,惟识者谅之。一、书中前八十回钞本,各家互异。今广集核勘,准情酌理,补遗订讹。其间或有增损数字处,意在便于披阅,非敢争胜前人也。一、是书沿传既久,坊间缮本及诸家所藏秘稿,繁简歧出,前后错见。即如六十七回,此有彼无,题同文异,燕石莫辨。兹惟择其情理较协者,取为定本。一、书中后四十回系就历年所得,集腋成裘,更无他本可考。惟按其前后关照者,略为修辑,使其有应接而无矛盾。至其原文,未敢臆改,俟再得善本,更为厘定,且不欲尽掩其本来面目也。一、是书词意新雅,久为名公巨卿赏鉴,但创始刷印,卷帙较多,工力浩繁,故未加评点。其中用笔吞吐、虚实掩映之妙，识者当自得之。一、向来奇书小说，题序署名，多出名家。是书开卷略志数语，非云弁首，实因残缺有年，一旦颠末毕具，大快人心，欣然题名，聊以记成书之幸。一、是书刷印，原为同好传玩起见，后因坊间再四乞兑，爰公议定值，以备工料之费，非谓奇货可居也。壬子花朝后一日，小泉、兰墅又识。"高鹗《重订红楼梦小说既竣题》云："老去风情减昔年，万花丛里日高眠。昨宵偶抱嫦娥月，悟得光明自在禅。"（《高鹗诗文集》卷一《月小山房遗稿》）

三月

初九日，奎林卒。据朱彭寿《清代人物大事纪年》。奎林字直方，富察氏，满洲正黄旗人。以恩泽封公，由侍卫官至伊犁总统将军。事迹见王昶《湖海诗传》卷二九、昭梿《啸亭杂录》卷二。法式善《八旗诗话》二二〇："诗乃情深致远，绝不类其为人，殆诗书气与忠义心有相为表里者与。"《晚晴簃诗汇》卷八五录其诗三首。

十一日，张问陶游梵云山开善寺。见《船山诗草》卷七《乞假还山集下·三月十一日李驭之云骧招游梵云山开善寺，醉后有作，刻寺东大竹上》。

二十四日，梁绍壬（1792—?）生。绍壬字应来，号晋竹，浙江钱塘人。道光元年举人。官候选盐大使。著有《两般秋雨庵随笔》八卷。事迹见朱彭寿《清代人物大事纪年》。

二十六日，潘曾沂（1792—1853）生。曾沂初名遵祁，字功甫，号瑟庵，自号小浮山人、复生居士，江苏吴县人。世恩长子。嘉庆二十一年举人，以恩荫官内阁中书，道光四年辞归。著有《功甫文集》十一卷、《诗集》三十二卷、《船庵集》六卷、《闭门集》六卷、《东津馆文集》三卷、《船庵词》一卷。事迹见《小浮山人手订年谱》及附录冯桂芬《潘功甫先生暨配严宜人墓志铭》、吴嘉洤《潘功甫舍人家传》。

高宗诣西陵，巡幸五台山。进呈戏有佚名《异艳堂六种曲》，为《大佛升殿》、《千秋海宴》、《山灵朝扈》、《诸仙祝嘏》、《万国来朝》、《四海升平》。今存乾隆间精钞进呈本。据《古本戏曲剧目提要》。

张九钺主澧阳书院讲席。八月归。据张家杶《陶园年谱》。

张九镡往长子世浣河津官署养老。据张家杶《陶园年谱》。九镡后卒于河津官署。《清史列传》张九钺传附："其诗春容大雅，不矜尚诡异，自然名贵。"《晚晴簃诗汇》卷一〇一录其诗七首。《国朝文汇》乙集卷四五录其《夹谷论》等文四篇。

春

沈复馆真州。本年，因失欢于家长，沈复携陈芸离家别居。据沈复《浮生六记》卷三《坎坷记愁》。

纪昀以校勘《四库全书》第四次至避暑山庄。据纪昀《阅微草堂笔记》卷一二《槐西杂志二》。

袁枚与赵伟堂广文游焦山，遇诗僧巨超，茶话良久，采其诗入《随园诗话》。据《随园诗话补遗》卷七。

四月

钱泳自绍兴归，即有都门之游。六月抵京。十月出京，十一月回抵锡山。据胡源、褚逢春《梅溪先生年谱》。

张惠言编定《七十家赋钞》。《茗柯文》初编《七十家赋钞目录序》："右赋七十家，一百八十篇，通人硕士，先代所传；奇词奥旨，备于此矣。其离章断句，阙佚不属者，与其文不称词者，皆不与是。"曾国藩《重刻茗柯文编序》："皋闻先生编次《七十家赋》，评量殿最，不失铢黍。"（《曾文正公文集》卷一）

闰四月

章学诚《纪年经纬考》成书。据胡适《章实斋年谱》。

张锦芳卒，年四十六。据邵晋涵《翰林院编修张君行状》（《南江文钞》卷一〇）。《逃虚阁诗集》六卷嘉庆六年刊行。据《贩书偶记续编》卷一五。《国朝诗人征略》初编卷五〇引《岭南四家诗钞》："冯鱼山谓吾粤自曲江而后，风雅中微，前明作者稍起而振之。至药房出，而汪洋驰骛，牢笼百态，直可接武曲江。"引《听松庐诗话》："鱼山谓药房可接武曲江，宋芷湾谓读药房诗令人心醉。余谓鱼山诗阔大，而或失之粗豪；二樵诗奇崛，而或失之劖凿。药房诗不及鱼山之大，亦不及二樵之奇，然言必称乎心，才必范以法，文根于情，味余于声，是真得温柔敦厚之旨者。"林昌彝《射鹰楼诗话》卷二二："顺德张药房太史锦芳著有《逃虚阁诗集》。太史诗笔雅健，虽不能上拟鱼山绝大之笔、二樵绝奇之才，《岭南群雅》谓其'诗宗大苏，上溯韩、杜，而亦不愧一时之秀'。余谓太史七言古喜作长短句，大苏诗则无是也，集中佳者尤在五古。"录其五古《观音岩》、《度庾岭》、《筒车》，谓"诸诗置之昌黎、柳州集中，几无以辨矣"。

五月

二十一日，宗稷辰（1792—1867）生。稷辰初名绩辰，字其凝，号迪甫、涤甫，浙江会稽人。道光元年举人。屡试礼部不第，主虎溪、濂溪讲席。九年援例入内阁，累官至山东运河道。著有《躬耻斋文钞》十四卷《后编》六卷、《诗钞》十四卷《后编》十一卷、《四书体味录》二十卷。事迹见王柏心《诰授中议大夫盐运使衔山东通省兵备道崇祀乡贤涤甫宗先生墓志铭》（《碑传集补》卷一七）、《清史稿》本传。［生日据朱彭寿《清代人物大事纪年》。］

杨复吉跋汪师韩《诗学纂闻》一卷。跋云："韩门先生《湖上草堂集》曾付枣梨，旋即散佚。予求之数载，竟不克觏。今春抱经先生寄示国朝人杂著十余种，此帙暨《谈书录》在焉。因并得抄入丛书，盖犹是当时雕本也。壬子仲夏，震泽杨复吉识。"（《诗学纂闻》卷末）

十二日，自怡轩主人序杜纲《娱目醒心编》。署"乾隆五十七年岁在壬子五月十有二日自怡轩主人书"。平步青《霞外捃屑》卷六《娱目醒心编》："《娱目醒心编》十六卷，不署作者姓名，玉山草亭老人编，茸城自怡轩主人评，序在乾隆壬子五月。卷三叙吴江马元美子必昌，娶唐有德女长姑。必昌卒，长姑以计要父，及元美娶其妹幼姑为姑。后生三子，长举崇祯进士，不知何名。此事越人盛传之，与《明斋小识》卷三青浦徐氏为翁娶姑同。卷三叙德清蔡节庵事……卷五叙李福达狱，可证《明史》；卷八叙安亭张烈女事，可证《归震川集》：皆详尽。卷十四叙吴保安赎郭仲翔事，则演许棠《奇男子传》为之，与《今古奇观》无差异也。"是书有本年序刊本、邺余堂藏板本、道光九年达道堂藏板（树德堂）本、咸丰二年三星堂刊本等。据《中国古代小说总目》白话卷。

六月

初五日，汪缙卒，年六十八。据朱彭寿《清代人物大事纪年》。江藩《国朝宋学渊源记·附记》："其文在荆川、百川之间；至于发挥经旨，涵泳道德，唐、方二家所不及也。喜为诗，以陈子昂、杜少陵为则。不二师见其虎丘题壁诗，诧曰：'此白衣大有根器。'后见寒山、拾得诗，喜其字字句句皆从性海流出，于是以诗作佛事，有空山无人、水流花开之妙境，非若王安石之句摹字拟也。尤工古文，人所不能言者能言之，人所不敢言者能言之，人所不能畅者能畅之，人所不能曲者能曲之。其出儒入佛之作，则言思离合，水月圆通，有不可思议者。尺木居士许之曰：'嘘气成云。'王光禄西庄云：'读大绅文，十洲三岛悉在藩溷间矣。'然而先生之志不在此也，有诗曰：'消沉文字海，万古涕淋浪。'先生之志，盖在向上一义矣。壮岁读《陈龙川文集》，慕其为人，思见用于世；既而读宋五子书，又读西来梵策，始悟其非。谓赵宋以来，儒与佛争，儒与儒争，缪葛纷纭，莫能是正。乃统其同异，通其隔阂，仿明赵大洲《二通》之作，著《二录》、《三录》以明经世之道；又著《读书四十偈私记》以通出世之法。尝谓藩曰：'吾于儒佛书，有一字一句悟之十余年始通者。读《二录》、《三录》，当通其可通者，不可强通其不可通者。'尺木居士谓先生论儒佛，一彼一此，忽予忽夺，似未深知先生者。先生岂无权量于其间耶！"（缙）作《无名先生传》曰：'先生讲学，不朱不王；先生著书，不孟不庄；先生吟诗，不宋不唐；先生为人，不狷不狂；先生处世，不圆不方。'复作歌曰：'先生有耳听清风，先生有眼看明月，先生有身神仙人，先生有家山水窟。先生于事无不有，人欲说之壁挂口。'自述其孤往也如此。"袁枚《随园诗话》卷一三："苏州汪缙，诗学七子。《游穹隆》云：'星满天坛河泻影，月离海峤树生烟。'《栖霞》云：'云理大壑封秦树，雷劈阴崖见禹碑。'"李慈铭《越缦堂读书记·汪子遗书》："阅《汪子遗书》，吴县汪缙大绅所著也，首有长洲王芑孙序。首言大绅所为书曰《二录》，曰《三录》，曰《诗录》，曰《文录》。殁后彭允初为刻其《三录》，而允初卒。方坳堂为刻其《诗录》，至是得其《二录》稿于允初之门人江铁君沄，始于嘉庆乙丑为刻行之，而未及《文录》也。后附诸家评语及江铁君跋。据彭允初评语，则三录上中之文，经罗台山及允初所改定也。其《二录》分上下录，上录五篇曰《内王》（王通），曰《附陈》（陈亮），曰《内王附陈》，曰《尊朱》，曰《明尊朱之指》。又录后四篇，曰《格物说》上中下，曰《规矩说》。《三录》分上中下三录：

上录曰《准孟》八篇，以《孟子》为准也；中录曰《绳荀》，以荀子为亚孟子而绳其出入也；下录曰《案刑家》上下篇，《案兵家》上下篇，《案阴符家》上下篇，皆案其出入也。两录有自序三篇及录后序一篇，述其家世及为学之略，其意以二《录》当内圣，《外录》当外王。其论治杂王霸，论学宗陆王，而皆以朱子为归宿。文笔颇汪洋恣肆，似纵横诸子家，当时得名甚胜。然二《录》大抵出入泛衍，虚空笼罩，而实不得其要领。《三录》之论荀子，亦仅得肤浅，要其议论驰骋博辩，固亦一时之雄矣。《案阴符家》下篇以《阴符》为道家入兵刑家之枢纽，名言也。"《晚晴簃诗汇》卷九七："爱庐偕彭尺木讲学，沟通儒、释。其所著《文录》、《二录》、《三录》，博大精深，有非尺木所能及者。诗初宗少陵，晚多悟境，又近寒山、拾得。"录其诗十四首。《国朝文汇》乙集卷三四录其《衡王》等文八篇。《汪子文录》十卷道光三年刊行，《汪子诗录》四卷嘉庆三年刊行，《汪子二录》二卷、《三录》三卷嘉庆十年刊行。据《贩书偶记》卷一六。又，《汪子遗书》光绪八年刊民国十五年彭清鹏补刊，据《中国丛书综录》。

鳌图授太仓州牧。据《沧来自记年谱》。

段玉裁序《戴东原集》。署"壬子六月，弟子金坛段玉裁谨序"。（《戴震集》附录）

纪昀自序《槐西杂志》四卷。序云："余再掌乌台，每有法司会谳事，故寓直西苑之日多。借得袁氏婿数楹，榜曰'槐西老屋'。公余退食，辄憩息其间。距城数十里，自僚属白事外，宾客殊稀。昼长多暇，晏坐而已。旧有《滦阳消夏录》、《如是我闻》二书，为书肆所刊刻。缘是友朋聚集，多以异闻相告。因置一册于是地，遇轮直则忆而杂书之，非轮直之日则已，其不能尽忆则亦已。岁月骎寻，不觉又得四卷。孙树馨录为一帙，题曰《槐西杂志》，其体例则犹之前二书耳。自今以往，或竟懒而辍笔欤，则以为《挥麈》之三录可也；或老不能闲，又有所缀欤，则以为《夷坚》之丙志亦可也。壬子六月，观弈道人识。"（《阅微草堂笔记》）

沈玮序徐承烈《听雨轩笔记》。序云："清凉道人，少窥二酉，壮历四方。蜀冈邗水之间，五岭三江之胜，皆遍历焉。倦游归里，负耒躬耕畎亩。作息之余，偶成笔记四编，以述生平所闻见。盖考古者十之二三，志怪者居其七八。而每于叙述中间，出庄论雄谈，以寓微意。"［按，是书四卷分别为《杂纪》、《续纪》、《余纪》、《赘纪》。《杂纪》自序署"乾隆辛亥八月朔日"。］

夏

纪昀奏请赈灾。朱珪《经筵讲官太子少保协办大学士礼部尚书管国子监事谥文达纪公墓志铭》："壬子，以畿辅水灾，奏请截留官粮万石，设十厂赈饥，得旨。六月开厂，后增五厂。自季夏至明年四月，全活无算。"（《知足斋文集》卷五）

乐钧《耳食录》初编十二卷刊行。乐钧自序云："脱稿于辛亥，灾梨于壬子，史公所谓与耳食何异者此也，遂取以名编。乾隆壬子夏日，临川乐钧元淑甫撰。"吴嵩梁序云："吾友莲裳，早负俊才，高韵离俗，以綮花之笔，抒镂雪之思。撷拾所闻，纪为一编，曰《耳食录》。事多出于儿女缠绵、仙鬼幽渺，间以里巷谐笑助其波澜，胸情所寄，笔妙咸臻。虽古作者，无多让焉。同好诸君，请付剞劂。适仆至都，因属为叙。"署"乾隆壬子六月立秋日，东乡吴嵩梁兰雪撰"。

七月

初五日，**龚自珍**（1792—1841）生。自珍又名巩祚，字璱人，号定盦，晚号羽琌山民，浙江仁和人。年十二，从段玉裁学《说文》。初由举人援例为中书，道光九年成进士。官宗人府主事、礼部主事。十九年，告归。越二年，卒于丹阳书院。著有《龚自珍全集》。事迹见吴昌绶《定盦先生年谱》、黄守恒《定盦年谱稿本》、张祖廉《定盦先生年谱外纪》、《清史列传》本传、《清史稿》本传。

初七日，**彭蕴章**（1792—1862）生。蕴章字琮达、咏莪，号小园、涧东墨客、诒穀老人，江苏长洲人，启丰曾孙。由举人入赀为内阁中书。道光十五年成进士，授工部主事。累迁至文渊阁大学士。著有《彭文敬集》四十四卷。事迹见《诒穀老人手订年谱》、董沛《彭文敬公传》（《续碑传集》卷四）、《清史稿》本传。

八月

二十一日，**吴振棫**（1792—1870）生。振棫字宜甫，号仲云、再翁，浙江钱塘人。嘉庆十九年进士，选庶吉士，授编修。官至云贵总督。著有《花宜馆诗钞》十六卷、《续钞》一卷、《文略》一卷、《养吉斋丛录》二十二卷。事迹见缪荃荪《光禄大夫云贵总督吴公神道碑》（《碑传集补》卷一四）、陈三立《兵部尚书云贵总督吴公墓志铭》（《广清碑传集》卷一一）、《清史列传》本传、《清史稿》本传。[生日据朱彭寿《清代人物大事纪年》。]

赵怀玉启程北上，十月抵京。沿途过淮上访管幹贞，过济宁访黄易，过东昌访庄宝书、杨介祉。据赵怀玉《收庵居士自叙年谱略》卷上。

吴翌凤自去年十二月至本月诗为《宋中游草》。此际与王复多有唱和。见《与稽斋丛稿》卷一〇。

九月

二十二日，**洪坤煊**卒，年三十三。据戚学标《孝廉地斋洪君墓碣》（《鹤泉文钞续选》卷七）。《晚晴簃诗汇》卷一〇八录其诗一首。

法式善奉派办翰林院事，充功臣馆提调。据阮元《梧门先生年谱》。

张问陶自成都返遂宁，兄问安亦自粤返。据《船山诗草》卷七《乞假还山集下·还家诗》。

仲振奎卧疾都门，得读《红楼梦》，遂作《葬花》一折。据仲振奎《红楼梦传奇自跋》（阿英编《红楼梦戏曲集》）。

秋

乡试。是科各省考官有刘墉、王昶、铁保、吴省钦、金士松、曹振镛、石韫玉、戴衢亨等。据法式善《清秘述闻》卷八。所取举人有宋湘（《清秘述闻》卷八）、吴鼒（江藩《国朝汉学师承记》卷四）、程含章（《国朝诗人征略》二编卷四七）、谢兰生（《番禺县续志·寓贤传》本传）、洪坤煊（戚学标《孝廉地斋洪君墓碣》）、李宗瀚（邓显鹤《工部左侍郎临川李公行状》）、陈鹤（秦瀛《工部主事陈稽亭墓志铭》）、曾衍东（《小豆棚》附录彭左海《传》）、鲍桂星（《觉生自订年谱》）等。彭兆荪赴江宁乡试，又不第。据缪朝荃《彭湘涵先生年谱》。金捧闿报罢。据张慧剑《明清江苏文人年表》。

袁枚序吴镇《松花庵诗集》。署"乾隆壬子秋日，随园老人钱塘袁枚序"。又，王鸣盛序署"壬子仲冬月长至日，吴郡西沚王鸣盛拜撰，维时行年七十有一"。（《松花庵诗集》卷首）

十月

《御制十全记》成书。据蔡冠洛《清代七百名人传》附录《清代大事年表》。

十一月

二十八日，张问安、问陶兄弟赴京师，舟发成都。据《船山诗草》卷八《扁舟集·壬子十一月二十八日舟发成都纪事》。

洪亮吉抵贵州学政任。据吕培等《洪北江先生年谱》。

姚鼐作《晚香堂集序》。见《惜抱轩文集》卷四。

十二月

初六日，张问安、问陶兄弟携酒游凌云山。除夕，祭诗于巫山神女庙。《船山诗草》卷八《扁舟集》有《壬子十二月六日，与亥白兄携酒游凌云山》、《壬子除夕，与亥白兄神女庙祭诗作》。

赏心居士自序《征四寇传》。署"乾隆壬子岁腊月赏心居士书于涤云精舍"。序云："闲阅《水浒》一书，见其榜曰第五才子，则与《三国志》诸书同列，而非野史稗官所可同日语也，明矣。然自纳款倾葵之后，尊卑列序之余，竟恝然而止，杳不知其所终，是与天地珍重生才之心，岂不大相径庭哉。夫以群焉蚁聚之众，一旦而驰驱报国，灭寇安民，则虽其始行不端，而能翻然悔悟，改弦易辙以善其终，斯其志固可嘉而其功诚不可泯，倘不表诸简册，以示将来，英雄之志未免有不白，爰续是帙于卷后而付梓焉，使当日南征北讨荡平海宇之勋，赫然在人耳目，则不独群雄之志可伸，而是书亦有始有卒矣，岂不快哉。"是书凡十卷四十九回，有中胜堂藏板本。孙楷第《中国通俗小说书目》卷六：《征四寇传》十卷（亦题《水浒后传》，又名《荡平四大寇传》或《续水浒传》），"存。通行本。亚东图书馆排印本。首乾隆壬子赏心居士序。自六十七回起至百十五回止，即截取百十五回本后半为之。"

冬

焦循于书肆破书中得一帙，杂录前人论曲、论剧之语，引辑详博，而无次序。后嘉庆乙丑，焦循以此书为基础，参以旧闻，成《剧说》六卷。据《剧说》卷首识语。

赵翼辞安定书院讲席。自是不复应人聘。据佚名《瓯北先生年谱》。

戚蓼生卒，约六十余岁。据周汝昌《红楼梦新证》附录《戚蓼生考》。《湖海诗传》卷三一录其《马底驿》诗一首。

本年

杨揆以内阁侍读升用。据赵怀玉《通奉大夫四川布政使司布政使赠太常寺卿杨公墓志铭》（《亦有生斋集》文卷一八）。

曾燠授两淮盐运使，明年莅任视事。据包世臣《曾抚部别传》（《续碑传集》卷二一）、《清史列传》本传。

庄述祖调潍县知县。据李兆洛《珍艺先生传》（《养一斋文集》卷一五）。

伊朝栋予告，养疴于京师。据姚鼐《资政大夫光禄寺卿加二级宁化伊公墓志铭并序》（《惜抱轩文后集》卷八）。

焦循馆于郡城郑氏。据闵尔昌《焦理堂先生年谱》。

魏长生由扬州回蜀，以书问候李调元，李有诗记之。据中国戏曲研究院《剧话提要》。

刘大观访法式善诗龛，留诗一卷而去。据法式善《梧门诗话》卷九。

舒位在石门观演《长生殿》。据《瓶水斋诗集》卷四《观演长生殿乐府》。

毕沅主持《续通鉴》成书。据胡适《章实斋年谱》。

汪中《述学内篇》三卷、《外篇》一卷成书。汪喜孙《容甫先生年谱》："段君骧述茂堂先生之言曰：'先君每言工文词者不必通经术；通经术者不必工文词。惟《述学》兼而有之，在当代为有数之书。'"又，明年汪中病新愈，王念孙致书促刊《述学》，"盖虑先君不及见是书之成也。校录未终，赍志以殁。"据《年谱》。刘逢禄《容甫先生遗书序》："嘉庆初，余读仪征阮侍郎《叙录》，书内有《述学》一编，汪容甫先生所撰述也。其学综周秦两汉，而深通其条贯；其文兼汉魏六朝，下至中唐而止。不苟为炳炳麟麟，渊渊乎文有其质，儒家之隽才也。"王念孙《述学序》："《述学》者，亡友汪容甫中之所作也。余与容甫交垂四十年，以古学相底厉。余为训诂、文字、声音之学，而容甫讨论经史，榷然疏发，挈其纲维。余拙于文词，而容甫澹雅之才，跨越近代，每自愧所学不若容甫之大也。""至其为文，则合汉、魏、晋、宋作者而铸成一家之言，渊雅醇茂，无意摩放而神与之合，盖宋以后无此作手矣。当世所最称颂者，《哀盐船文》、《广陵对》、《黄鹤楼铭》，而它篇亦皆称此。盖其贯穿于经史、诸子之书，而流衍于豪素，撢厥所元，抑亦酝酿者厚矣。"王鎏《书汪容甫先生述学后》："容甫先生以沈博绝丽之才、好学深思之力，生平所著书曰《述学》，盖尊所闻之义也，其亦戒夫不知而作与？今读其《广陵对》、《黄鹤楼铭》、《哀盐船文》，则枚、马之词术焉；《居丧释服解义》、《春秋述义》，则郑、孔之经义焉；《泰伯庙铭》、《祀先蚕文》，则贾、董之叙述焉；《贾子新书序》、《吕氏春秋序》，则刘向、扬雄之论著焉。至其孝友之性、直谅之风、经济之志、恻怛之情，往往于其文遇之。若《自序》、《吊黄祖父（文）》、《狐父之盗颂》，则读之者，又未尝不因其词之激，而感其遇之穷也。"（汪喜孙编《汪氏学行记》卷四）李慈铭《越缦堂读书记·述学》："汪氏喜骋雄辩，颇似毛西河。同时凌次仲为作墓志，言其天资高迈，好嫚骂，尤恶宋儒，闻人举其名则骂不休云云，亦与西河相似，惜其著述传者仅此书耳。""近儒中文章精卓，盖无出其上者，惟意不仅以文传，亦不屑屑于家数文法，而所据必经义，所泽必古辞，简栗谨严，故能自成一子。其余力所及，若《狐父之盗颂》、《吊黄祖文》，出于愤盈，语谐而益痛，亦太史公传货殖、游侠意也。""汪容甫先生《述学》，余所最爱，其书包蕴宏深，隽杰廉悍，足以成一家言。"

英和《恩福堂课艺》为去年至本年所作。王重民《中国善本书提要》：《恩福堂课艺》二卷，"清英和撰。按英和乾隆五十八年进士。此皆其中进士前，乾隆五十六七年所作课艺也。上册有嘉庆八年、十年拟作各一篇，盖后来附入。卷端有《识语》，称'戊子冬题于戍所'，则道光八年戍黑龙江时所题者。封面为英和自署，有'李静庵先生正订'一行。按《恩福堂笔记》卷下云：'业师李静庵先生，讳深源，松江华亭人，乾隆丁酉举于乡，屡困南宫，不得已，就县分。'兹录其《识语》于后：'余学制艺于长沙萧云巢先生，植其基，而于松江李静庵先生得其要。辛亥春徂壬子夏读经之余，间日一篇，届秋期，先生所点窜者，莫不心领神会，一字无遗。登贤书，成进士，先生之力也。癸丑春闱，先生亦与试，出闱示草，首艺讲，末提比，起句恰与先生出落同，非深有得于素日讲贯者能如是耶？因辑窗课，以志不忘。西席诸君多待试者，尝置案头，于戊子冬余赴戍时手致之，遂于戍所题识。'"

汪中作《与毕尚书沅书》。云："某少日问学，实私淑顾宁人处士。故尝推六经之旨以合于世用。及为考古之学，实事求是，不尚墨守，以此不合于元和惠氏。所为文恒患意不逮文，文不称物。不专一体。"据汪喜孙《容甫先生年谱》、《先君年表》。

洪亮吉自京师寄《饮酒诗》十首，张问陶有诗和之。见《船山诗草》卷七《乞假还山集下·饮酒诗十篇和稚存》。

陈用光校刻姚鼐《文集》十卷，姚鼐以内有须删订者，不欲传播，嘱勿更刊。据郑福照《姚惜抱先生年谱》。

刘嗣绾有《雪苑集》、《燕囊集》、《围炉集》。《雪苑集》小序："新正由武昌取道襄阳赴豫，仍馆商丘陈氏。顾旧雨寥落，孤灯坐对，惟吴子枚庵相酬唱而已。"《燕囊集》小序："触暑北行，袄被千里。"《围炉集》小序："时寓宣武坊之兵马司前街，同好间一过从，纸阁油窗，围炉选话，销寒之兴复不浅已。"（《尚絅堂诗集》卷一五、卷一六、卷一七）

石韫玉编定所著《独学庐初稿》十三卷。据张慧剑《明清江苏文人年表》。

赵翼《皇朝武功纪盛》四卷刊行。据《中国丛书综录》。

汪启淑刻所著《水曹清暇录》十六卷。据张慧剑《明清江苏文人年表》。

丁芸编《同声集》刊行。凡丁芸《墨农诗草》一卷、毛琳《溪南诗草》一卷、陈秀《水山诗草》一卷。据《中国丛书综录》。

吴镇《松厓诗录》二卷刊行。又,《松花庵全集》三十一卷乾隆间刊行,附文国幹《竹屿诗草》一卷、《文稿》一卷。据《贩书偶记》卷一五。

杨揆《桐华吟馆诗稿》八卷、《词稿》二卷刊行。又《桐华吟馆诗稿》十二卷、《词稿》二卷、《文钞》一卷嘉庆丁卯刊行。据《贩书偶记》卷一六。

葛秀英(女)《澹香楼诗草》二卷、《词草》一卷刊行。据《贩书偶记》卷一八。

翁方纲《小石帆亭著录》六卷刊行。据《贩书偶记》卷二○。卷一《新城县新刻王文简公古诗平仄论》,卷二《赵秋谷所传声调谱》,卷三《五言诗平仄举隅》,卷四《七言诗平仄举隅》,卷五《七言诗三昧举隅》,卷六《渔洋先生书目》。

邵飘《历代名媛杂咏》三卷刊行。又,《梦余诗钞》二卷光绪三年刊行。据《贩书偶记》卷一五。法式善《梧门诗话》卷一三:"邵梦余诗善写性灵,才笔清艳,阮云台称为商宝意后一人。"李慈铭《越缦堂读书记·梦余诗钞》:"阅吾乡邵无恙《梦余诗钞》。其《述怀》五古三首、《忆花树》五古三首,皆至性蔼然,诗亦清老。《风篁岭》一首、《龙井》一首,秀炼似岑嘉州。近体尤多明秀之作。最爱其《出白门》一绝云:'杏花如雪柳丝轻,渡口濛濛细雨生。惆怅行人过江去,十三楼畔正清明。'淡远自然,可入《唐贤三昧》。邵氏世居龙尾山之巘(俗作巘)石湖,岩壑清疏,故其诗善言越中风景。如《忆村居》四首云……一何清绮,足令久旅增感,羁目暂娱。吾乡乾隆间如平中书远(字蕴山,亦字三山,户部侍郎恕之弟,乾隆庚子进士)、柴中书模(字絜亭,乾隆庚子进士,庶吉士,改官直军机处,早卒)皆能诗,与无恙交好,今其集皆无存者。是集中载平君断句有云:'玉缸影过催行酒,铜碗声来唤卖冰。'为当时传诵。"《晚晴簃诗汇》卷九四录邵飘诗二首。

陈世熙编《唐人说荟》六集掘秀轩刊行。又,王文诰于嘉庆十一年以《唐代丛书》为名刊行,二者实为一书。又有道光二十三年序刊本、宣统三年上海天宝书局石印本,皆以《唐人说荟》为名。据《中国古代小说总目》文言卷。

无闷居士(孙洙)《广新闻》四卷刊行。据《贩书偶记》卷一二。

珠泉居士《续板桥杂记》三卷、《雪鸿小记》一卷刊行。据《贩书偶记续编》卷一二。

司马章《花间乐》、《双星会》传奇刊行。据庄一拂《古典戏曲存目汇考》卷一二。袁枚《随园诗话补遗》卷三:"白下秀才司马章,字石圃,风神潇洒,年少多情。与周麟官校书有三生之约,而格于家范,乃撰《双星会》曲本,以舒结辖。"录其《辛亥记游·浪淘沙》、《南柯子》(渡口传桃叶)、《临江仙》(午睡昏沉偏恋枕)词。

张履(1792—1851)生。履初名生洲,字渊甫,江苏震泽人。嘉庆二十一年举人。官句容训导。受业于张海珊,尤精《三礼》。著有《积石文稿》十八卷、《积石诗存》四卷。事迹见汤纪尚《张学博传》(《续碑传集》卷七一)、《清史列传》张士元传附、《清史稿》张士元传附。

徐荣(1792—1855)生。荣初名鉴,字铁生、铁孙,汉军正黄旗人。少肄业粤秀书院,举为学海堂斋长。道光十六年成进士,历官浙江遂昌、嘉兴、临安知县、绍兴知府、杭嘉湖道。卒于战。工诗,精隶属,善画梅,时人以"三绝"推之。著有《怀古田舍诗钞》三十三卷。事迹见陈继聪《徐观察传》(《续碑传集》卷五九)、《清史列传》谭莹传附。

沈传桂(1792—1849)生。传桂字隐之、闰生,号伽叔,江苏长洲人。道光十二年举人,官松陵县教谕。著有《海粟斋诗钞》、《清梦庵二白词》五卷。事迹见张慧剑《明清江苏文人年表》。[生卒年据江庆柏《清代人物生卒年表》。]

沈涛(1792—?)生。据江庆柏《清代人物生卒年表》。涛初名尔政,字西雍,号匏庐,浙江嘉兴人。嘉庆十五年举人。历官江苏如皋知县、江西盐法道等。著有《柴辟亭诗集》四卷、《十经斋文集》四卷、《匏庐词》二卷、《匏庐诗话》三卷。事迹见《清史列传》本传、《清史稿》黄易传附。

方坰(1792—1834)生。坰字思臧,号子春、朔夫,浙江平湖人。嘉庆二十一年举人。道光十年,官武义训导,以母丧归。十四年,选授钱塘训导,未抵任卒。著有《生斋诗文稿》十七卷。事迹见《清史列传》本传。

顾敏恒卒,年四十五。据杨芳灿自订、余一鳌补订《杨蓉裳先生年谱》、张慧剑《明清江苏文人年表》。《辟疆园遗集》十卷乾隆六十年刊行。据《贩书偶记》卷一五。洪亮吉《北江诗话》卷一:"顾进士敏恒诗,如半空鹤唳,清响四流。"《晚晴簃诗汇》卷一〇五:"笠舫诗思深辞赡,论古尤见识力。亦嗜倚声,兼师玉田、梦窗,并工骈文。尝游贵池,撰《昭明太子庙碑》,随园见之,以为六朝高手。既知出笠舫,深为叹赏。笠舫为作《感知赋》,一时诵之。"录其诗二首。

翟翠卒,年四十一。据包世臣《翟秀才传》(《艺舟双楫》论文四)。

芮熊占卒。据《晚晴簃诗汇》卷八九。熊占字飞庵,宝坻人。乾隆二十五年副贡生。著有《蕉亭闲咏》。与刘端宸、刘端明齐名,有《宝坻三子诗》之刻。事迹见《国朝诗人征略》初编卷四二。《晚晴簃诗汇》卷八九录其诗五首。

公元 1793 年(乾隆五十八年 癸丑)

正月

十八日,**汪端**(女,1793—1839)生。端字允庄,号小韫,浙江钱塘人,陈裴之室。著有《自然好学斋诗钞》十卷,辑有《明三十家诗选》。事迹见胡敬《汪允庄女史传》(《续碑传集》卷八五)、《清代闺阁诗人征略》卷八、《清史稿》本传。

张问陶《论文八首》作于本月或下月。有"文场酸涩可怜伤,训诂艰难考订忙。别有诗人闲肺腑,空灵不属转轮王"云云。见《船山诗草》卷九《骡车集》。

袁枚至京口,游金、焦诸胜。据《小仓山房诗集》卷三四《正月二十七日出门,二月十四日还山》等。

二月

张问安、问陶抵都。据《船山诗草》卷一〇《京朝集·癸丑二月二十日入都,后三日范摄生夫子筵上送王子卿归江南》。

三月

会试。考官：吏部尚书刘墉、礼部侍郎铁保、工部侍郎吴省钦。题"古者民有"二句，"或生而知"三句，"孔子曰操"三句。赋得"繁林翳荟"得"贤"字。据法式善《清秘述闻》卷八。张问安（蔡坤编辑、蔡璐参校《张船山先生年谱》）、赵怀玉（赵怀玉《收庵居士自叙年谱略》卷上）报罢。

王汝璧授正定府知府。据《国史列传》本传（《铜梁山人诗集》卷首）。

春

张九钺复如澧阳书院。旋辞归。据张家枛《陶园年谱》。

四月

二十五日，高宗御太和殿，传胪。赐一甲潘世恩、陈云、陈希曾进士及第，二甲张燮、唐仲冕、左辅、英和、李宗瀚等进士出身，三甲凌廷堪等同进士出身。据《历科进士题名录》、《清通鉴》。〔按，凌廷堪于乾隆五十五年会试中式，此次补殿试。据张其锦《凌次仲先生年谱》。〕

二十七日，张问陶散馆授检讨。据《船山诗草》卷一〇《京朝集·散馆授职检讨》、《船山诗草补遗》卷四《癸丑四月廿六日雨中赴海淀，次日散馆》。

五月

初五日，许宝善序杜纲《北史演义》六十四卷。署"乾隆五十八年岁在癸丑端阳日，愚弟许宝善撰"。是书有本年吴门甘朝士局刊本、嘉庆二年自怡轩重刊本、道光二十二年敬业山房刊本等。据《中国古代小说总目》白话卷。

十八日，吴廷栋（1793—1873）生。廷栋字竹如、彦甫，号拙修老人，霍山人。道光五年拔贡。官至刑部侍郎。著有《拙修集》十卷、《续编》四卷、《补编》一卷。事迹见方宗诚《光禄大夫刑部右侍郎神道碑铭》（《续碑传集》卷一二）、《吴竹如先生年谱》、《清史稿》本传。

陈廷庆再游桃花源，同游者贺建亭等。据其《后游桃花源记》（《国朝文汇》乙集卷四八）。

六月

初四日，祁寯藻（1793—1866）生。寯藻字春圃，山西寿阳人，韵士子。嘉庆十九年进士，选庶吉士，授编修。官至体仁阁大学士。谥文端。著有《馒饤亭集》三十二卷、《后集》十二卷。事迹见祁寯藻《观斋行年自记》、《清史稿》本传。

夏

钝夫作《离骚影》，自署"楚客"。任鉴题辞云："武陵古烈妇遭时多难，作《绝命诗》一章，投江以死，其忧愁怨思与屈平何以异？然屈子能以文章自显，烈妇虽有诗而不得传其姓氏，则其志其遇尤可悲也。癸丑夏，大庚钝夫先生掌教朗江，演其事，作《离骚影》杂剧示众，显微阐幽，功莫巨焉。史迁云：'非附青云之士，乌能施于后世？'信乎，忠孝节烈之必有待于记事也。余不敏，于填词之学少所讲习，然《琵琶》以至孝弁冕诸词，《离骚影》以节烈步其后尘，传之奕世，又不知几千万人涕泗行下矣。"署"荆溪任鉴"。又，王澍跋署"鹿全老人王澍书后，时癸丑长至，水仙将开，载酒探梅，品箫度曲于柳叶湖舟次"。龙轩跋云："予自垂髫，习闻郡西郭烈妇古墓，传信传疑，讫无定论。驯至白首，始获睹其诗而倡修其墓。工峻，其事、其诗已有播之乐府、被诸管弦者。于此可见微显阐幽，人同此心，亦不可谓非。天有显道，实至而名自归也。因与同好呕谋锓板，以广其传。"署"乾隆癸丑黄钟月，武陵龙轩跋"。赵孝英跋云："如《离骚影》者，谓之乐府可，即谓《三百篇》之乐章，亦无不可。"署"玉畦女史赵孝英跋"。（《中国古典戏曲序跋汇编》卷一三）

七月

曾燠在扬州九峰园作秋禊之会。李斗《扬州画舫录》卷七："癸丑秋，曾员外燠转运两淮，修禊是园，为吴毂人翰林锡麒、吴退庵□□煊、詹石琴孝廉肇堂、徐阆斋孝廉嵩、胡香海进士森、吴兰雪上舍嵩梁、吴白厂明经照。丹徒陆晓山绘图。转运序云：'……乃以七月朔越三日，会宾客于邗水之上。……'转运莅扬州，旦接宾客，夕诵文史，部分如流，觞咏多暇，著有《邗上题襟集》，秋禊诗载其中。至于北郊诸名胜，转运燕游唱和。如十一月望日黄建斋邀游平山堂，夜饮湖上，即席和韵奉答。毂日蜀冈探梅，用昌黎《人日城南登高》韵。《康山留客》诸诗，皆传诵一时。"钱泳《履园谭诗·以人存诗》："南城曾宾谷中丞，以名翰林出为两淮转运使者十三年。扬州当东南之冲，其时川、楚未平，羽书狎至，冠盖交驰，日不暇给。而中丞则旦接宾客，书理简牍，夜诵文史，自若也。署中辟题襟馆，与一时贤士大夫相唱和。如袁简斋、王梦楼、王兰泉、吴毂人、张警堂、陈东浦、谢芗泉、王蒨町、钱裴山、周载轩、陈桂堂、李啬生、杨西禾、吴山尊、伊耐园及公子述之、蒲快亭、黄贲生、王惕甫、宋芝山、吴兰雪、胡香海、胡黄海、吴退庵、吴白庵、詹石琴、储玉琴、陈理堂、郭厚庵、蒋伯生、蒋藕船、何岂匏、钱玉鱼、乐莲裳、刘霞裳诸君，时相往来。较之西昆酬倡，殆有过之。中丞尝于九峰园作秋禊之会，赋诗云……一时和者甚多。"

二十三日，阮元抵济南，就任山东学政。据张鉴《雷塘庵主弟子记》卷一。

二十五日，纪昀自序《姑妄听之》四卷。序云："余性耽孤寂，而不能自闲。卷轴笔砚，自束发至今，无数十日相离也。三十以前，讲考证之学，所坐之处，典籍环绕如獭祭。三十以后，以文章与天下相驰骤，抽黄对白，恒彻夜构思。五十以后，领修秘籍，复折而讲考证。今老矣，无复当年之意兴，惟时拈纸墨，追录旧闻，姑以消遣岁月而已。故已成《滦阳消夏录》等三书，复有此集。缅昔作者，如王仲任、应仲远，引经据古，博辨宏通；陶渊明、刘敬叔、刘义庆，简淡数言，自然妙远。诚不敢妄拟前修，然大旨期不乖于风教。若怀挟恩怨，颠倒是非，如魏泰、陈善之所为，则自信无是矣。适盛子松云欲为剞劂，因率书数行弁于首。以多得诸传闻也，遂采庄子之语名曰《姑妄听之》。乾隆癸丑七月二十五日，观弈道人自题。"（《阅微草堂笔记》）

福康安班师回京，杨揆补侍读，旋放四川川北道，十二月抵任。据杨芳灿自订、余一鳌补订《杨蓉裳先生年谱》。张问陶有《赠杨荔裳观察即送其之川北道任》、《闻言皋云刑部朝标、朱少白同年锡庚将赴杨荔裳观察揆之招，戏简一首》（《船山诗草》卷一〇《京朝集》）。

八月

初五日，王友亮序临汾徐昆《柳崖外编》。署"乾隆癸丑仲秋五日，年愚弟王友亮拜书"。序云："今年春以所梓《柳崖外编》遗余，余呈家母，览之亟为叹赏。问曰：'徐舍人汝之同年乎？吾见时贤说部多矣，非太俚即大奇。是编以文言道俗情，又不雷同于古作者，无愧《聊斋》再世矣！'余间语后山，后山甚喜，乞为题辞。因述老母之言，并叙余两人订交之始，以见后山才望，自翰苑以及闺帏，咸知称道。"是书有乾隆五十八年贮书楼存板本、次年晋祁书业堂藏板本等，均为十六卷。后世流传八卷本为原书前半部。民国间海虞赵琴石题诗加评本，亦为八卷。

张问安自京师还蜀。出都前，孙星衍、王芑孙等为之饯行，见张问陶《船山诗草》卷一〇《京朝集·连日与渊如、铁夫、兰士、容堂饮酒饯亥白兄还山》。

九月

王汝璧升大名道。据《国史列传》本传（《铜梁山人诗集》卷首）。

十月

江德量卒，年四十二。汪中经纪其丧。据汪喜孙《容甫先生年谱》。《晚晴簃诗汇》卷一〇二录其诗四首。

十一月

初三日，梁履绳卒，年四十六。据卢文弨《梁孝廉处素小传》（《抱经堂文集》卷三〇）。《小传》云："君生宦家，家门鼎盛：祖则文庄公，父则侍郎公，伯祖太史苃林公，伯父侍讲山舟公。设以常人处此，不为群屐风流，则为裘马清狂，日以酒食游戏相征逐为事，不复知有文字之乐者，比比然矣。君独萧然若寒士，衣不求新，出则徒步，不以所能病人，不以所不知愧人，博学而能屡守之，以故不涉于爱憎之口。自其曾大父溪父先生以来，学问文章照曜海内，代精八法，得其片楮，珍同拱璧，君克自奋厉，继承家学。其于众经中尤精《左氏传》，盖其舅氏元和陈君名树华，著有《春秋内外传考证》，君复綦辑诸家之说而折其衷，疏为三编。先以其成者示余，余读而善之。其续纂者尚未竟也，遗草具在，检拾而加以整比焉，此则曜北之责已。君诗清新越俗，向与其兄及所亲合刻有《梅竹联吟集》，可见其崖略。书法虽不名家，然端谨不苟，如其为人。且通《说文》，故下笔鲜俗字。"袁枚《随园诗话补遗》卷二："考据之学，本朝最盛。然能兼词章者，西河、竹垞二人之外无余子也。近日处素、谏庵两昆弟，颇能兼之。"

十九日，曾燠招集三贤祠，致祀坡公。汪中有诗，未存稿。据汪喜孙《容甫先生年谱》。

盛时彦跋纪昀《姑妄听之》。跋云："河间先生典校秘书廿余年，学问文章，名满天下。而天性孤峭，不甚喜交游。退食之余，焚香扫地，杜门著述而已。年近七十，不复以词赋经心，惟时时追录旧闻，以消闲送老。初作《滦阳消夏录》，又作《如是我闻》，又作《槐西杂志》，皆已为坊贾刊行。今岁夏秋之间，又笔记四卷，取庄子语题曰《姑妄听之》。以前三书，甫经脱稿，即为钞胥私写去。脱文误字，往往而有。故此书特付时彦校之。时彦尝谓先生诸书，虽托诸小说，而义存劝戒，无一非典型之言，此天下所知也。至于辨析名理，妙极精微；引据古义，具有根柢，则学问见焉。叙述剪裁，贯穿映带，如云容水态，迥出天机，则文章亦见焉。读者或未必尽知也，第曰：'先生出其余技，以笔墨游戏耳。'然则视先生之书去小说几何哉？夫著书必取熔经义，而后宗旨正；必参酌史裁，而后条理明；必博涉诸子百家，而后变化尽。譬大匠之造宫室，千楹广厦，与数椽小筑，其结构一也。故不明著书之理者，虽诂经评史，不杂则陋；明著书之理者，虽稗官脞记，亦具有体例。先生尝曰：'《聊斋志异》盛行一时，然才子之笔，非著书者之笔也。虞初以下，干宝以上，古书多佚矣。其可见完帙者，刘敬叔《异苑》、陶潜《续搜神记》，小说类也；《飞燕外传》、《会真记》，传记类也。《太平广记》，事以类聚，故可并收。今一书而兼二体，所未解也。小说既述见闻，即属叙事，不比戏场关目，随意装点。伶玄之传，得诸樊嬺，故猥琐具详；元稹之记，出于自述，故约略梗概。杨升庵伪撰《秘辛》，尚知此意，升庵多见古书故也。今燕昵之词，媟狎之态，细微曲折，摹绘如生。使出自言，似无此理；使出作者代言，则何从而闻见之？又所未解也。留仙之才，余诚莫逮其万一；惟此二事，则夏虫不免疑冰。刘舍人云："滔滔前世，既洗予闻；渺渺来修，谅尘彼观。"心知其意，恍有人乎？'因先生之言，以读先生之书，如叠矩重规，毫厘不失，灼然与才子之笔，分路而扬镳。自喜区区私议，尚得窥先生涯涘也。因附记于末，以告世之读先生书者。乾隆癸丑十一月，门人盛时彦谨跋。"(《阅微草堂笔记》)

十二月

王昶以老乞归，上许之。方岁暮，谕俟来岁春融归里。据严荣《述庵先生年谱》。

冬

孙星衍自琉璃厂寓所移居孙公园。据张绍南《孙渊如先生年谱》卷上。

程枚以《一斛珠》传奇定本示凌廷堪。凌廷堪《一斛珠传奇序》："癸丑冬，余自京师归，时斋始出定本见示。盖至是，稿凡八易，忽忽几二十年矣。时斋将以付梓，属余作序。余以为近时度曲家未睹东篱、兰谷之面目，但希青藤、玉茗之瞠笑，折腰龋齿，自以为工。得时斋此剧以药之，庶几其有瘳乎？若以梅妃复幸，少陵登科，仅目之为梨园补恨事，则浅之乎视时斋矣。"（《校礼堂文集》卷二八）是剧凡二卷四十出，本曹邺《梅妃传》，杂取杜甫事附之。

本年

王文治、王宸、史善长、严观、杨揖等在武昌，集毕沅署中，观演杨潮观所作《吟风阁杂剧》。据张慧剑《明清江苏文人年表》。

秦瀛由户部郎中出为温处兵备道。据陈用光《刑部侍郎秦小岘先生墓志铭》（《小岘山人诗文集》卷首）。

石韫玉任湖南学使。据张慧剑《明清江苏文人年表》。

江濬源官临安知府。据姚鼐《朝议大夫临安府知府江君墓志铭》（《惜抱轩文后集》卷八）。

杨伦选四川新都知县，以亲老改掣山东临淄，特旨调江西贵溪。据赵怀玉《广西荔浦县知县杨君墓志铭》（《亦有生斋集》文卷一八）。

洪亮吉在贵州学政任。作纪游诗及杂文共百五十首（篇），撰《意言》二十篇。吕培等《洪北江先生年谱》："先生每课士，皆终日坐堂皇，评骘试卷，积弊悉除。又历试诸府，皆拔其尤者送入贵阳书院肄业一岁，捐廉俸数百金助诸生膏火。又购经史足本及《文选》、《通典》诸书，俾资讽诵。其在省日，每月必自课之，令高等诸生进署讲贯诗文，娓娓不倦。款以饮馔，奖之银两。由是黔中人士皆知励学好古。"

赵怀玉在内阁行走，与法式善、孙原湘、张问陶、杨伦时相过从。据赵怀玉《收庵居士自叙年谱略》卷上。

方东树受业钟山书院，时姚鼐为山长。又，本年入县学补弟子员。郑福照《方仪卫先生年谱》："先生随侍讲席最久，与上元梅伯言曾亮、管异之同、同里刘孟涂开并为姚先生所最称许，世目为姚门四杰。入县学补弟子员，逾数年补增广生。先生自二十后多客四方，生平仅一应岁试，其年学使为汪瑟庵尚书廷珍，应乡试十次。道光戊子后始不复应。"

李亨特调任杭州知府，有书相招，钱泳遂至杭州。游西湖、象山。秋归。据胡源、褚逢春《梅溪先生年谱》。

李兆洛校读赵一清《水经注释》、乐史《太平寰宇记》、顾祖禹《读史方舆纪要》。据蒋彤《武进李先生年谱》卷一。

张问陶有诗寄袁枚。《船山诗草》卷一○《京朝集·癸丑假满来京师，闻法庶子云同年洪编修亮吉寄书袁简斋先生，称道予诗不置。先生答书曰："吾年近八十，可以死；所以不死者，以足下所云张君诗犹未见耳。"感先生斯语，自检己酉以来近作，手写一册，千里就正，以结文字因缘，书毕并上绝句一首。先生名满天下，颂赞之词日满耳目，此二十八字不过留为吾家记事珠而已。然他日有为先生作志传者，欲形容先生爱才之心老而弥笃，或即引予此诗以为佳证，不又为后人增一段诗话耶》："先生八十方知我，不死年年望寄诗。叠纸细书三百首，邮筒飞递未应迟。"此事始末，《随园诗话补遗》卷五云："洪稚存在史馆，得一诗人，必通书相告。今春，盛称蜀中翰林张船山（问陶）之才，仿青田《二鬼》诗，作《两生行送张还蜀》云……船山答云……"卷六云："余访京中诗人于洪稚存。洪首荐四川张船山太史，为遂宁相国之后，寄《二生歌》见示，余已爱而录之矣。""蒙以诗稿见寄，名曰《推袁集》，尤足感也。"又见《小仓山房尺牍》卷七《答张船山太史书》、卷九《答张船山太史》、《复洪稚存学使》等。

毕沅自订《灵岩山人集》四十卷。史善长《弇山毕公年谱》："公自订集四十卷始于甲子，迄于癸丑，故自题集后云新编四十九年诗也。"《灵岩山人诗集》四十卷《年谱》一卷（史善长撰）嘉庆四年经训堂刊行。据《贩书偶记》卷一六。

章学诚有《癸丑存录》。据胡适《章实斋年谱》。

刘嗣绾有《寓园集》、《篱下集》。《寓园集》小序："春夏间寓居澄怀园。"《篱下集》小序："寄人篱下，昔贤所嗟。然黄花烂漫，一尊陶然。秋士在焉，可以永日。"（《尚絅堂诗集》卷一八、卷一九）

王昶自乾隆四十一年至本年诗编为《杏花春雨书斋集》。据严荣《述庵先生年谱》。

吴翌凤自去年九月至本年诗为《庐云小录》。见《与稽斋丛稿》卷一一。

王芑孙、曹贞秀夫妇手书张问陶《论文诗》、《西征曲》合为一卷见赠，张作诗答谢。见《船山诗草》卷一〇《京朝集》。

许宝善编定所著散曲集《自怡轩乐府》四卷，杜纲为加评。据张慧剑《明清江苏文人年表》。

曾燠始刊所编《邗上题襟》诸集。法式善《陶庐杂录》卷三："《邗上题襟集》、《续集》、《后续集》无卷数，南城曾燠辑。始于乾隆癸丑年，陆续付雕。皆其朋好唱酬赠答之作，颇称繁富。"又，孙殿起《贩书偶记》卷一九："《邗上题襟集》一卷《续集》一卷，南城曾燠辑。乾隆六十年至嘉庆二年两淮官署刊。"

王初桐《海右集》四卷、《济南竹枝词》一卷、《罐塈山人词集》（《杯湖欸乃》三卷、《杏花村琴趣》一卷）、《北游日记》四卷等刊行。据《中国丛书综录》。谢章铤《赌棋山庄词话续编》卷四《王初桐罐塈山人词集》："《罐塈山人词集》（《杯湖欸乃》三卷、《杏花村琴趣》一卷），嘉定王于阳（初桐）撰。于阳一字竹所。自序云：'填词三十年，有词五百余阕，虽世所推许，多近甜熟，不存也。三十年来，仅得三百余阕，而应酬之作，亦不存之。排为四卷，计词二百余阕，所存十之三，所去十之七。'然则竹所之于词，可谓勤矣。其词于南北宋诸家莫不津逮，述庵虽选入《词综》二集，要非浙西宗派所能牢笼也。"录其《最高楼·支硎山访张雨亭》、《水调歌头·响竹轩剧饮》等。又："自刘改之以《沁园春》咏指甲、咏小脚后，词家刻划闺秀，辄从其体。竹所最多，发、唇、舌、颈、胸、腰、心、泪、唾、汗、气、香、声、影凡十四阕。《静志居琴趣》有《洞仙歌》十七阕，竹所继之，亦有十六阕。词皆稳帖，是何绮思之深也。集前有王西庄鸣盛评语，集后有张未轩龙辅跋尾声，皆有益于词境。"又，初桐时在山东齐河县任县丞。据张慧剑《明清江苏文人年表》。

赵希璜《四百三十二峰草堂诗钞》三十卷安阳县署刊行，初印本十四卷。据《贩书偶记》卷一五。

吴锡麟《新定寓稿》四卷念典斋刊行。据《贩书偶记续编》卷一五。

周秉鉴等编《甫里逸诗》二卷、《逸文》一卷易安书屋刊行。据《贩书偶记续编》卷一九。

戚学标《风雅遗闻》四卷、《风雅逸音》四卷刊行。据《贩书偶记续编》卷二〇。

阮元编《山左诗课》四卷七录书阁刊行。据《贩书偶记》卷一九。

何曰愈（1793—1872）生。曰愈字德持，号云畦、退庵，广东香山人。应顺天乡试不中，捐纳州吏目。历官四川会理州吏目、西藏察多木粮台、四川岳池知县、屏山知县。著有《玉帐狐胲》四卷、《存诚斋文集》十四卷、《余干轩诗集》十二卷、《退庵诗话》十二卷。事迹见陈澧《诰封光禄大夫四川岳池县知县何公神道碑铭》（《碑传集补》卷二四）、《清史稿》牛树梅传附。

黄爵滋（1793—1853）生。爵滋字德成，号树斋，江西宜黄人。道光三年进士，选庶吉士，散馆授编修。官至刑部侍郎。著有《仙屏书屋初集诗录》十六卷、《后集诗录》二卷、《仙屏书屋初集文录》。事迹见孙衣言《光禄大夫前刑部左侍郎黄公行状》（《续碑传集》卷一〇）、《清史列传》本传、《清史稿》本传。

钱载卒，年八十六。据吴荣光《中国古代名人生卒·历史大事年谱》。朱休度《礼部侍郎秀水钱公载传》："载诗凌纸怪发，险入复入，横出复出，于古不名一家，更历万里游，壮观岳□，吸灵奇之气而张之，故老益肆益硬。"（《碑传集》卷三六）袁枚《随园诗话补遗》卷一："先生吟诗，多率真任意，有夫子自道之乐。"录其《村居》、《先人别业》诗句，谓"皆有骀宕之致"。洪亮吉《北江诗话》卷一："钱宗伯载诗，如乐广清言，自然入理。"王昶《蒲褐山房诗话》："诗率然而作，信手便成，不复深加研炼，殆其乡李日华、姚绶一辈人也。"（《湖海诗传》卷一四）陈衍《石遗室诗话》卷四："《箨石斋诗》造语盘崛，专于章句上争奇而罕用僻字僻典，盖学韩而力求变化者。""王兰泉《湖海诗传》乃谓箨石为诗多率意而成，非知言也。"《晚晴簃诗汇》卷八一："郭频伽曰：箨石斋诗淳音古意，自成一家。视曝书亭较深，视樊榭山房较大。集中古今体各有极至之处，亦皆有颓放自适者，终不得不推为大家。""于辛伯曰：箨石宗伯诗沈厚博大，不假雕饰，不知者每以率易目之。"录其诗三十七首。《国朝文汇》乙集卷二三录其《陶氏洛山墓田记》等文四篇。

江昉卒，年六十七。据严迪昌《清词史》第三编第一章。《晚晴簃诗汇》卷一〇三录其诗四首。冯金伯《词苑萃编》卷八《江橙里词》引沈沃田云："江橙里少嗜倚声，饶有清致，刿钵肝肾，磨濯心志，盖几几乎追南渡之作者而与之并。虽自汰甚严，所存不啻半铢一粟，而其苦心孤诣，善学古人，审音者固望而可知也。练溪在歙之北乡，江氏世居于此，故以名其词云。"《橙里意境清远》引《淮海英灵集》："橙里意境清远，慕姜白石、张叔夏之风，其词清空蕴藉，无繁丽昵亵之情，除激昂嚣号之习，可谓卓然名家。"陈廷焯《白雨斋词话》卷四："江橙里词清远而蕴藉，沈沃田称其'刿钵肝肾，磨濯心志，苦心孤诣以为词'，可谓难矣。然余观《练溪渔唱》，句琢字炼，归于纯雅，只是不能深厚。盖知学南宋，而不得其本原。（本原何在，沈郁之谓也。不本诸《风》、《骚》,焉得沈郁?)国朝词家,多犯此病。故骤览之,居然姜、史复生;深求之,皆姜、史之糟粕。"

李怀民卒,年五十六。据王宁焯《石桐先生墓志铭》(《中华大典·明清文学分典》)。《墓志铭》云:"先生古诗宗陶、韦,律法中、晚唐人。""先生文亦工,以试不售,世遂无知者,徒称其诗而已。"袁枚《随园诗话》卷一〇:"李怀民与弟宪桥选唐人主客图,以张水部、贾长江两派为主,余人为客,遂号所咏为《二客吟》。怀民《赠人盆桂》云:'送花如嫁女,相看出门时。手为拂朝露,心愁摇远枝。'《送张明府》云:'在县常无事,还家只有身。随行一舟月,出送满城人。'宪桥《咏鹤》云:'纵教就平立,总有欲高心。''不辞临水久,只觉近人难。'《历下厅》云:'马餐侵皂雪,吏过扫阶风。'《送流人》云:'再逢归梦是,数语此生分。'二人果有贾、张风味。"《国朝诗人征略》初编卷四一引《听松庐诗话》:"石桐先生生于渔洋、秋谷之后,而能自辟町畦,独标宗旨,可谓岸然自异,不肯随人步趋者。其五言朴而腴,淡而永,苦思而不见痕迹,用力而归于自然,五字中含不尽之意,五字外有不尽之音。粗人观之,乃曰易易,盖未知此中甘苦也。"《晚晴簃诗汇》卷九八:"早孤,与弟莲塘、少鹤致力于诗十余年。依张为《主客图》例,搜集元和以后诸家五言诗,推张籍、贾岛为主,朱庆余、李洞以下为客,名曰《重订中晚唐诗人主客图》,一时青齐间称诗者翕然从之。其诗体格谨严,词旨清朗,时时有独到语,不堕当时风气。遂谓与渔洋、秋谷鼎立,则推崇过当矣。"录其诗十一首。

吴进卒,年八十。据江庆柏《清代人物生卒年表》。《晚晴簃诗汇》卷九八:"揖唐诗写人人意中之事,眼前之景,不貌为高古,而真挚动人。诗集初至都门,一时传诵,谓百年来无此作矣。程鱼门序其诗:'淡若苏州,酸若东野。'吴山夫则谓:'溯其渊源,盖初宗孟东野,后究心于韦左司,参之王、孟暨香山。五言短古,融会诸贤,自成一家。质而绮,枯而腴,高寒古淡,画家所谓逸品也。'覃溪题诗云:'幽幽深谷兰,秋水日潺潺。真香非众臭,奇音不轻弹。宠辱毁誉忘,神出古逸间。'"录其诗十八首。

程穆衡卒,年九十一。据张慧剑《明清江苏文人年表》。《国朝文汇》乙集卷八录其《迓亭记》等文三篇。

公元1794年(乾隆五十九年 甲寅)

正月

曾燠招汪中游蜀冈,汪中有诗,失稿。据汪喜孙《容甫先生年谱》。

洪亮吉自编《卷施阁诗》二十卷成。张远览序署"时乾隆五十九年岁在甲寅新正十日,镇远县知县署黎平府下江通判河南张远览谨序"(《卷施阁诗》卷首)。

李世杰卒,年七十九。据管世铭《诰授荣禄大夫兵部尚书谥恭勤李公墓志铭》(《国朝文录续编·蕴山堂文录》卷一)。《晚晴簃诗汇》卷八五录其诗四首。

二月

二十六日,**李彦章**(1794—1836)生。彦章字兰卿、则文,号榕园,福建侯官人。

嘉庆十六年进士。历官内阁中书、山东盐运使。著有《榕园全集》。事迹见《晚晴簃诗汇》卷一二五、朱彭寿《清代人物大事纪年》。

赵怀玉补内阁中书。自乾隆四十五年至此已十五载矣。据赵怀玉《收庵居士自叙年谱略》卷上。

王昶予告归里。据张问陶《船山诗草》卷一一《京朝集·花朝陶然亭公钱王兰泉昶先生予告归里七律二首》。七月抵家，以"春融"颜其堂。据严荣《述庵先生年谱》。

袁枚三游天台。《随园诗话补遗》卷七："甲寅花朝前一日，余赴友人三游天台之约。"

张问陶、刘锡五、法式善、王芑孙、徐嵩、李如筠集何元烺、何道生昆季寓斋。何道生嘱潘大焜各肖其像，作《南城雅游》画卷。据《船山诗草补遗》卷六。

三月

上巳日，张问陶等修禊于钓鱼台。据《船山诗草》卷一一《京朝集·上巳孙少迂铨邀同徐寿征明理、吴寄庐铉、际呆上人钓鱼台修禊，大醉，骑驴归，即事有作》。初六日，游二闸。据《船山诗草》卷一一《京朝集·三月六日王葑亭给谏招同罗两峰山人、吴毂人编修、法梧门祭酒、董观桥吏部、徐后山、赵味辛两舍人、童春厓孝廉、缪梅溪公子载酒游二闸，遇雨，醉后作歌，即题两峰所作大通春泛图后》。

上巳日，吴骞等修禊于海盐涉园。据吴骞《涉园修禊记》（《愚谷文存》卷八）。

二十四日，魏源（1794—1857）生。源字默深，湖南邵阳人。道光二年，举顺天乡试。入赀为中书，至二十五年成进士。以知州发江苏，权东台、兴化、高邮，坐迟误驿递免职。晚侨寓兴化。著有《圣武记》十四卷、《海国图志》一百卷，另有《书古微》、《诗古微》、《元史新编》、《古微堂诗文集》。事迹见姚永朴《魏默深先生传》（《续碑传集》卷二四）、魏耆《邵阳魏府君事略》、顾云《邵阳魏先生传》（《广清碑传集》卷一一）、《清史列传》本传、《清史稿》本传。

鲁九皋卒，年六十三。据姚鼐《夏县知县新城鲁君墓志铭》（《惜抱轩文集》卷一三）。《墓志铭》云："君为人敦行谊，谨于规矩，而工为文。人观其言动恭饬有礼，而知其学之邃。读其文，冲夷和易而有体，亦知其必为君子也。尝逾岭至建宁谒朱梅崖，而受其为古文之法，于四方学者苟有闻，君必虚心就而求益。虽以鼐之陋，君尝渡江至怀宁见鼐而有问焉。君古文虽本梅崖，而自傅以己之所得，持论尤中正。里居授其学于子弟及乡之隽才，又授于其甥陈用光，且使用光见鼐。盖新城数年中古文之学日盛矣，其源自君也。其为科举之文，不徇俗好，自以古文法推而用之。"王昶《蒲褐山房诗话》："絜非学本儒先，躬行实践，不为声韵之学，独留意于古文。少师朱君仕琇，由刘海峰大樾而溯灵皋方氏，以上至曾、王。"（《湖海诗传》卷三二）《晚晴簃诗汇》卷九三录其诗三首。《国朝文汇》乙集卷三九录其《宗祠主祭议》等文六篇。《山木居士全集》无卷数，底稿本，首本年自序；《山木居士集》十二卷、《外集》二卷、附《鲁宾之文钞》一卷（鲁缤撰）、《鲁习之文钞》一卷（鲁嗣光撰），道光十一年陈用光刊行，十四年桐华书屋重刊。据《贩书偶记》卷一五。《是程集》道光五年刊行，凡《审题要旨》一卷、《制义准绳》一卷、《诗学源流考》一卷。据《中国丛书综录》。

春

彭兆荪自颍州扶父柩归里。据缪朝荃《彭湘涵先生年谱》。

四月

朱孝纯《海愚诗钞》十二卷由其子刊行。姚鼐、王禹卿同为录订，姚鼐序之。见《惜抱轩文集》卷四《海愚诗钞序》。

姚鼐序《海愚诗钞》不久，又序谢启昆《树经堂诗集》。《惜抱轩文集》卷四《谢蕴山诗集序》："今者观察河淮，自定其诗集成若干卷，而往时宏篇丽制，人所惊叹以谓不可逮者，先生固已多所摈去矣。夫岂非才高而心逾，下识精而志弥远者欤？是以其诗风格清举，囊括唐宋之菁，备有闶阆幽深之境。信哉，诗人之杰也。且夫文章、学问，一道也，而人才不能无所偏擅。矜考据者每窒于文词，美才藻者或疏于稽古，士之病是久矣。鼐于前岁见先生著《西魏书》，博综辨论，可谓富矣。乃今示以诗集，乃空灵骀荡，多具天趣，若初不以学问长者，余又以是知先生所蕴之深且远，非如浅学小夫之矜于一得者。然则谓之诗人，固不足以定先生矣。"

五月

法式善升国子监祭酒。据阮元《梧门先生年谱》。

孙星衍升刑部广东司郎中。退食之暇，补集郑、马注《古文尚书》，撰《问字堂文集》。据张绍南《孙渊如先生年谱》卷上。

冯敏昌授刑部河南司主事。据冯士镳《先君子太史公年谱》。

吴翌凤抵里。自正月至本月，沿途之作为《抽飔集》。集中有《感旧诗九首》，怀薛起凤、余萧客、林蕃锺、彭绩、沈清瑞诸人。见《与稽斋丛稿》卷一二。

六月

二十日，梅植之（1794—1843）生。植之字蕴生，自号嵇庵，江苏江都人。道光十九年举人。博览经史，工书善琴，尤以诗名。著有《嵇庵诗集》六卷、《续集》四卷、《文集》二卷。事迹见刘文淇《贡士梅君墓志铭》（《续碑传集》卷七七）、《清史稿》吴熙载传附。

七月

既望，李懿曾与曹竹人、植莘、宋六雨、丁巢丹、范完初、冯晏海、李立莘等同游金陵鸡鸣寺。据李懿曾《游鸡鸣寺记》（《国朝文汇》乙集卷五〇）。

十七日，嵇璜卒，年八十四。据袁枚《太子太师文渊阁大学士锡山嵇文恭公墓志铭》（《小仓山房续文集》卷三二）。《晚晴簃诗汇》卷六七录其诗五首。

八月

十五日，汪如洋卒，年四十。据程恩泽《翰林院修撰汪先生墓志铭》（《程侍郎遗集》卷八）。《墓志铭》云："先生著述甚夥，多散逸，惟《葆冲书屋诗集》若干卷，手自编也。诗奄有唐宋诸大家风，卓焉可传。"王昶《蒲褐山房诗话》："其诗清圆朗润，不袭槎枒楛瘦之习。"（《湖海诗传》卷三六）《晚晴簃诗汇》卷一〇二录其诗六首。

二十九日，丁晏（1794—1876）生。晏字俭卿，号柘堂、石亭、淮亭，江苏山阳人。道光元年举人。先后主讲阜宁观海、盐城表海、淮关文津等书院。著有《颐志斋丛书》。事迹见其子寿恒等《柘堂府君年谱》、佚名《丁柘堂先生历年纪略》、《清史列传》本传、《清史稿》本传。

阮元序桂馥《晚学集》。署"乾隆五十九年八月仪征阮元"。（《晚学集》卷首）是书后于道光间由孔宪彝厘为八卷刊行，见孔宪彝《后序》（《晚学集》卷末）。又，《贩书偶记》卷一六著录《晚学集》八卷《未谷诗集》四卷嘉庆丙辰刊行，又名《桂氏遗书》。恐误，嘉庆丙辰年桂馥尚未卒。李慈铭《越缦堂读书记·晚学集》："集凡八卷，说经之文十居其八，而于小学尤邃。""桂君小学专门，精于隶篆书，遍究其沿袭讹变。集中如《说隶玉篇跋》、《集韵跋》、《书陆氏诗疏后》、《书尔雅后》、《书广韵后》、《再书广韵后》、《答杨书严论音况书》诸篇，皆小学渊薮，治六书者不可不读。其他文考证，间有可取，而识见庳狭，又多措大气。"

孔广林《东城老父斗鸡忏》传奇成书。自序署"乾隆五十九年焉逢摄提格中秋日幼髯"。是剧初创于乾隆四十一年。完稿后又易稿十四次，方于嘉庆十六年写定。演唐代"神鸡童"贾昌事。据《古本戏曲剧目提要》。

九月

二十九日，汪中应戴全德之荐，往杭州校刊文澜阁四库全书。据汪喜孙《容甫先生年谱》。

毕沅因竹溪县"邪教"夺犯殴差一案降补山东巡抚，卸交总督印务。据史善长《弇山毕公年谱》。

王昶自序《青浦诗传》。署"邑后学王昶撰，时乾隆甲寅秋杪，年七十有一"。是书凡三十二卷附词二卷，选诗人三百余家，本年刊行。

秋

恩科乡试。是科各省考官有窦光鼐、吴省钦、铁保、余集等。据法式善《清秘述闻》卷八。所取举人有梁章钜（《退庵自订年谱》）、王昙（陈文述《王仲瞿墓志》）、欧阳辂（王先谦《欧阳辂传》）、张澍（冯国瑞《张介侯先生年谱》）等。

姚椿以国子生应顺天乡试，才名噪京师。一时所与游，皆前辈绩学之士。据沈曰富《姚先生行状》（《续碑传集》卷七八）。

徐爔以送子秋试至江宁，度曲赠袁枚。据袁枚《随园诗话补遗》卷八。

十月

凌廷堪部选得宁国府教授缺，明年三月抵任。任至嘉庆十年。据张其锦《凌次仲先生年谱》。

钱泳启程往游福州，十二月抵达。据胡源、褚逢春《梅溪先生年谱》。

十一月

二十日，汪中卒，年五十一。据汪喜孙《容甫先生年谱》。《年谱》云："先君三十以前，工诗善词赋，肆力于诸史，既乃专治经学。""既而由声音训诂之学兼通名物象数，由名物象数之学精研大义，故《知新记》多古字古义，而于先秦韵学论之尤详。晚年择其精者为《述学》。""先君三十以后古文词初学昌黎，既博览先秦两汉之书，镕式百家，不名一体。""翁阁学方纲好金石文字，先君持论不合。同时袁知县枚、章进士学诚、张舍人埙并以诗文名，先君辨论无所让。阮督部元序《述学》以为先君孤秀独出。""卢学士文弨祭先君文云：君实不狂，而众曰狂，皮里春秋，泾渭分明。"刘台拱《容甫先生遗诗题辞》："为文钩贯经史，镕铸汉唐，闳丽渊雅，卓然自成一家。早岁喜为诗，三十以后绝不复作。旧稿多散失，今录其仅存者若干首。"（《容甫先生遗诗》卷首）孙星衍《汪中传》："汪中非狂士也。方中困厄时，俗人揶揄之，因愈激烈骂坐。然中文原本经术，皆先王之法言。"（《五松园文稿》卷一）江藩《国朝汉学师承记》卷七："君治经宗汉学。""于时流不轻许可，有盛名于世者必肆讥弹。人或规之，则曰：'吾所骂者，皆非不知古今者，惟恐莠乱苗尔。若方苞、袁枚辈，岂屑屑骂之哉！'然钱少詹事竹汀、程教授易畴、王观察怀祖、孔检讨众仲、刘训导端临、李进士孝臣诸君子，或以师事之，或以友事之，终身称道弗衰焉。""君少喜为诗，不为徘徊光景之作；尤善属文，土苴韩、欧，以汉、魏、六朝为则。"章学诚《立言有本》："江都汪容甫工词章而优于辞令，苟善成之，则渊源非无所自。""无如其人聪明有余而识力不足，不善尽其天质之良而强言学问，恒得其似而不得其是。"章氏又有《述学驳文》四篇批驳汪中。洪亮吉《北江诗话》卷一："汪明经中诗，如病马振鬣，时鸣不平。"林昌彝《射鹰楼诗话》卷二一："诗不多作，故无专集，其见于诸家选本及流传名句者，如《太白楼》云：'青天明月不改色，今日登楼无此人。'又'畏谗多礼数，居贱习忧劳'，'素心忘世味，黄绶屈诗人'，'惊心岁月中年速，过眼云烟旧恨多'，皆出于性情而无俗响。"平步青《霞外捃屑》卷八下《汪容甫》："汪容甫氏，经学词术，足称乾隆中巨手。持论偶有偏宕，亦才人恒有。吾乡章实斋氏颇訾之，不能掩也。诗集未刊，《湖海诗传》卷三十五仅从《淮海英灵集》录其《辛卯三月二十一日夜和黄仲则》七古一首，《蒲褐山房诗话》谓诗非所长，非定论也。钱金粟《文苑纪事》

采其遗诗，谓得唐人法。""予读先生子孟慈太守所纂年谱中，载佳作甚夥。"《晚晴簃诗汇》卷一〇〇录其诗十首。《国朝文汇》乙集卷四四录其《广陵对》等文六篇。

十二月

小除，潘炤自序《乌阑誓》传奇。署"乾隆甲寅小除，枫江鸾坡炤自序于阳城之小百尺楼"。是剧凡二卷三十六出，演霍小玉、李益事。

乐钧自序《耳食录》二编八卷。署"乾隆甲寅岁十二月，乐宫谱元淑自序于京邸芳阴别业"。（《耳食录》卷首）《耳食录》道光元年青芝山馆两编合刊本、同治七年藏修堂合刊本、同治十年味经堂合刊本。笔记小说大观本、清代笔记丛刊本删并为五卷。蒋瑞藻《小说考证》续编卷四引《瓶庵笔记》："莲裳本粹于诗词骈俪之学，为嘉道间名士，此书尤为才人寄兴之作。"

本年

姚文田以举人应高宗天津召试，授内阁中书。据刘鸿翱《礼部尚书姚文僖公墓志铭》（《续碑传集》卷八）。

谢振定官江南道监察御史。据秦瀛《礼部员外郎前监察御史谢君墓志铭》（《小岘山人续文集》卷二）。

钱沣补户部河南司员外，旋擢湖广道监察御史。据方树梅《钱南园先生年谱》。

庄述祖授曹州府桃源同知。据李兆洛《珍艺先生传》（《养一斋文集》卷一五）。

杨伦官江西贵溪知县。据王芑孙《渊雅堂编年诗稿》卷一二《送杨西禾伦进士之任江西贵溪县》。

恽敬选授富阳知县，张惠言为序送行。据吴德旋《恽子居先生行状》（《初月楼文钞》卷八）、张惠言《茗柯文》初编《送恽子居序》。

张惠言景山宫官学教习期满，例得引见。闻母疾，请急归，遂居母丧。据恽敬《大云山房文稿初集》卷四《张皋文墓志铭》。

张九钺主昭潭书院讲席。自此以往凡十年。据张家枚《陶园年谱》。

因毕沅离任，章学诚亦自湖北返乡（或在明年）。实斋楚游五年，《史籍考》功程已十之八九，竟不得卒业。据胡适《章实斋年谱》。

褚廷璋以年老解京职还，任教吴江震泽书院。据张慧剑《明清江苏文人年表》。

包世臣以父卒，自金陵还。家居三年。据胡韫玉《包慎伯先生年谱》。

洪亮吉在贵州学政任上。历试诸府，游五榕山、南泉山等名胜。作诗文百余首（篇），撰《释岁》、《释舟》二篇。据吕培等《洪北江先生年谱》。

张问陶、袁枚有诗互寄。见《船山诗草》卷一一《京朝集·寄简斋先生》、《小仓山房诗集》卷三五《答张船山太史寄怀即仿其体》。张又有《甲寅十一月寄贺袁简斋先生乙卯三月二十八日八十寿》，见《船山诗草》卷一一《京朝集》。

吴蒿赋五言二百四十韵寄袁枚。袁枚复书曰："读大篇，才大如海，情重如海，悔数年来知君之浅也。"据吴蒿《国朝八家四六文钞·小仓山房外集题辞》。

751

赵翼戏讽袁枚。《瓯北集》卷三七《题竹初为袁、赵两家息词后》诗序云:"余戏述子才游荡之迹,作呈词控于巴拙存太守,子才亦有诉词。太守不能断,竹初以息词了此案。"梁绍壬《两般秋雨庵随笔》卷一《瓯北控词》载赵翼呈词,有"虽曰风流班首,实乃名教罪人"云云。

刘嗣绾有《问津集》、《槐天集》、《澹香秋圃集》。《问津集》小序:"甲寅春,驾幸津门。应试行在,小住问津书院。同寓者为姚子秋农、吴子香竹、戴子春塘、汪子籍庵、倪子米楼。"《槐天集》小序:"槐阴如盖,一绿到门。几砚翛然,用涤烦暑。"《澹香秋圃集》小序:"是秋移寓内城阿相邸第。斋宇闲敞,杂花绚秋,萧然有老圃风,不自知其在公侯之门也。"(《尚絅堂诗集》卷二〇、卷二一、卷二二)

毕沅作《绘声漫稿》暨《海岱骖鸾集》共一卷。据史善长《弇山毕公年谱》。

王昙旅经山东穀城,作《穀城西楚霸王墓碑》。见《烟霞万古楼文集》卷一。

朱海《妄妄录》成书。是书今有道光十年刊本,十二卷。据《中国古代小说总目》文言卷。

王兰阯(一作王兰沚)作《无稽谰语》五卷。有本年家刻本。又,光绪二十九年石印本改题为《续夜雨秋灯录》六卷,其最末一卷抽自潘纶恩《道听途说》。据《中国古代小说总目》文言卷。

西园老人、张器也序黄耐庵《岭南逸史》。孙楷第《中国通俗小说书目》卷四:《岭南逸史》二十八回,"存。清嘉庆十四年刊小本,封面题楼外楼藏板。又一小本封面题文道堂藏板。清黄耐庵撰。题'花溪逸士编次','醉园狂客评点','琢斋张器也、竹园张锡光同恭校'。首乾隆甲寅(五十九年)西园老人序,又张器也序。文道堂本无此二序,别有嘉庆辛酉(六年)李梦松序,又凡例四则。耐庵广东人,名里俟考。"是书有嘉庆六年序文道堂藏板本、嘉庆十四年楼外楼藏板本、道光二十二年芸香堂藏板本等。据《中国古代小说总目》白话卷。

孔昭虔作《荡妇秋思》杂剧。是剧凡四折,有道光间钞本。据《古本戏曲剧目提要》。

王文治参订叶堂所编《纳书楹曲谱》。据张慧剑《明清江苏文人年表》。杨恩寿《词余丛话》卷二:"王梦楼先生以书法名海内。性喜词曲,行无远近,必以歌伶一部自随。客至,张乐共听,穷朝暮不倦。其辨论音律,穷极要眇。长洲叶氏纂《纳书楹》,遍取元、明以来院本,审定宫商,世所称'叶谱'也,其中多先生所纠正,论者谓'叶谱功臣'云。"平步青《霞外捃屑》卷六《纳书楹曲谱》:"《纳书楹曲谱》廿二卷,长洲叶堂辑,王梦楼先生为之参订。堂字广明,号怀庭。正集四卷,自《琵琶记》外,元曲《气英布》至《长生殿》止,凡二十四种。续集四卷,则《长生殿》、《红梨记》之次者,又《玉簪》、《红梅》、《南西厢》次者,至《西楼记》、《燕子笺》、《郁轮袍》止,凡三十八种。外集二卷,则《金雀记》、《狮吼记》、《春灯谜》等凡三十二种。补遗四卷,原本《大成宫谱》。曲必有谱,谱必叶宫。而文义之有讹,四声之离合,辨析尤精。如论阮大铖专以尖刻为能,自谓学玉茗,实未窥毫发;笠翁恶札,从之滥觞;臧晋叔孟浪编《元人百种》,不知韲殁多少好曲:皆至当不易。其《北西厢》及《临川四梦》,卷分上下,别为全谱,单行于世。目睹书目辛集,无《北西厢》。"

顾光旭编《梁溪诗钞》五十八卷刊行。法式善《陶庐杂录》卷三："《梁溪诗钞》五十八卷,顾光旭集。汉一人,晋一人,宋一人,唐一人,北宋九人,南宋十二人,元十四人,明三百人,国朝七百余人,流寓、闺媛、方外附焉,凡千一百十人。仿《中州集》例,小传简而该。前有老人王一峰序。刻于乾隆五十九年。"〔按,《贩书偶记》卷一九著录是书嘉庆丙辰双桥草堂刊行。〕又,谢振定《梁溪诗冢图咏跋》:"丁巳岁,余至自胥门,友人方台山、陆铁箫为余言:无锡顾晴沙先生选刻《梁溪诗钞》既竟,贾生素斋拾其余为诗冢于九龙山之麓,一时名流咸往会葬。"(《国朝文汇》乙集卷四六)

李衍孙编《国朝武定诗钞》十二卷《补遗》二卷附《武定明诗钞》四卷刊行。据《贩书偶记》卷一九。

严光禄《石帆诗钞》十卷刊行。据《贩书偶记》卷一五。又,据江庆柏《清代人物生卒年表》,严光禄本年卒。光禄字石帆,桐城人。贡生。候选训导。《晚晴簃诗汇》卷九八:"分《东山》、《大梁》、《射襄》三集,凡十卷。圆融秀澈,颇与高青丘相近。"录其诗九首。

雷琳、汪琇莹、莫剑光同抄《渔矶漫钞》十卷刊行。据《贩书偶记》卷一二。平步青《霞外捃屑》卷六《渔矶漫钞》:"《漫钞》本抄撮群书而成,非雷自撰。以《四库总目》例之,当入子部杂家类杂纂。特每条不注明引用书目,蹈明末人习气,非著书体,为可议耳。"

钱兆鳌《质直谈耳》八卷刊行。据《贩书偶记》卷一二。

吴文溥《南野堂诗集》七卷首一卷味兰居刊行。据《贩书偶记》卷一五。又,吴文溥再访袁枚约在本年。袁枚《随园诗话补遗》卷七:"秀州诗人吴文溥,别十五年,今秋忽来,诗已付梓。读之,转多窒碍,不如从前之明秀:信境遇之累人,而师友之功不可少也。录其新句之可爱者,如:'竹里不知屋,水边闻有鸡。''问径花相引,开门鸟乱啼。''风静溪逾响,云来树欲移。'皆佳。又一绝云:'酒后客来重酌酒,飞花留客送残春。主人醉倒不相劝,客转持杯劝主人。'"

曾廷枚《瓣香山房诗集》十二卷刊行。据《贩书偶记》卷一五。

沈初《兰韵堂御览诗》六卷、《经进文稿》二卷、《诗集》十二卷续一卷、《文集》五卷续一卷、《西清笔记》二卷本年至嘉庆庚辰刊行。据《贩书偶记》卷一五。

苏州宝研斋选订李玉旧所著《一捧雪》、《人兽关》、《永团圆》、《占花魁》四剧为《一笠庵四种曲》刊行。据张慧剑《明清江苏文人年表》。

熊少牧(1794—1878)生。少牧字书年,号雨胪,湖南长沙人。道光十五年举人。官候选内阁中书。著有《读书延年堂集》四十八卷、《续集》十四卷。事迹见李元度《五品衔候选内阁中书熊雨胪先生墓志铭》(《碑传集补》卷五○)。

汪远孙(1794—1836)生。远孙字久也,号小米,钱塘人。嘉庆二十一年举人。官内阁中书。著有《借闲生诗》三卷、《诗余》一卷。事迹见胡敬《内阁中书小米汪君传》(《崇雅堂文钞》卷二)、《清史列传》梁玉绳传附。

俞万春(1794—1849)生。万春字仲华,号忽雷道人,晚号黄牛道人,浙江山阴人。诸生。随父居广东，数平黎民、瑶民及汉民之变。以功叙官，不就。还浙江，寄居西湖，悬壶行医。晚皈依佛门，闭门家居，以著述自娱。著有《荡寇志》（又名《结水浒传》）。事迹见《荡寇志》卷首诸序。

吉梦熊卒，年七十四。据张慧剑《明清江苏文人年表》。朱珪《研经堂集序》："今年癸亥，君之嗣君士璜明府，以《研经堂诗文稿》示余，而请为序。余卒读之，其体雅正清和，想见其生平。盖公之为人，廉悍卓荦，词气侃侃。由翰林改官御史，洊至九卿，衡文不苟，闽人称之。旁通六壬耶律之书，而不诡于理，犹是儒家言也。"（《知足斋文集》卷一）《研经堂文集》三卷、《诗集》十三卷、《乡贤录》一卷道光壬辰孟冬刊行。据《贩书偶记续编》卷一五。《国朝文汇》乙集卷二三录其《姜上均征君乡贤录序》、《送毕秋帆庶子任巩阶秦道序》文两篇。

甘运源卒，年七十七。据朱彭寿《清代人物大事纪年》。林昌彝《射鹰楼诗话》卷八："汉军甘道渊巡检运源，著有《啸（崖）〔岩〕诗存》。番禺张南山云：'道渊隐于下僚，诗多警句。'""句如'蚕丛千里国，鸟道百盘山'，'火畬烧白草，盐井上青烟'，'破砚寒暄共，残书师友存'，皆宏亮可读。"昭梿《啸亭杂录》卷九《甘啸岩》："少随父司马公游川、楚、滇、黔，西至卫、藏，故诗体浑厚遒劲，有唐人风味。"《续录》卷二《稗事数则》："幼师刘海峰，书画精绝。诗文上宗七子，殊有豪气，为旗籍文士之冠，然不甚工楷书。"杨钟羲《雪桥诗话》卷七："年七十七卒于官。素工画，楚楚有致。""诗学宋人。时李眉山、陈石闾二先生方领袖词坛，见道渊诗，许为健将，朝夕观摩，学益进。"《晚晴簃诗汇》卷七八录其诗十五首。

李集卒，年七十九。据朱彭寿《清代人物大事纪年》。《愿学斋文钞》十四卷，皆考订之文，嘉庆己卯万善堂刊行。据《贩书偶记》卷一六。王昶《蒲褐山房诗话》："绎夘早耽理学，晚为循吏。诗非所好，而清深苍老，实合于古人绳度，称其家传无愧。"（《湖海诗传》卷二八）《晚晴簃诗汇》卷九二录其诗一首。《国朝文汇》乙集卷三六录其《双忠录叙》等文五篇。

金逸（女）卒，年二十五。据江庆柏《清代人物生卒年表》。袁枚《金纤纤女士墓志铭》："当是时，吴门多闺秀。如沈散花、汪玉轸、江碧珠等，俱能诗，俱推纤纤为祭酒。"（《小仓山房续文集》卷三二）法式善《梧门诗话》卷一六："遗诗四百余篇，哀艳凄响，落纸成秋。"又："癸亥春，竹士来京师，始得尽读瘦吟楼全集。空灵幽澹，美不胜收，不止世所传诵'夜凉弹醒水仙花，蝴蝶逢秋瘦一分'数语也。"《晚晴簃诗汇》卷一八六录其诗二十四首。

公元 1795 年（乾隆六十年 乙卯）

正月

既望，卢文弨序凌廷堪《校礼堂初稿》。署"时乾隆六十年孟陬月既望，杭东里人卢文弨序，时年七十有九"。序云："君之乡戴东原庶常，吾之益友也。自戴没，而有程君易田，吾亦得而友之。今君复又继起，顾戴不能为诗与华藻之文，而君兼工之。诗不落宋元以后，文则在魏晋之间，可以挽近时滑易之弊。"（《校礼堂文集》卷首）

十八日，朝鲜朴宗善投诗于张问陶，并索诗携归国。见《船山诗草补遗》卷四《正月十八日，朝鲜朴检书宗善从罗两峰山人处投诗于予，曰："曾闻世有文昌在，更道人将军圣传，珍重鸡林高纸价，新诗愿购若干篇。"时两峰处适有予近诗一卷，朴与尹布衣仁泰遂携之归国。朴字菱洋，尹字由斋，戏用其韵作一绝句志之》。

毕沅官复湖广总督。据史善长《弇山毕公年谱》。

焦循应阮元之招游山东，五月归扬州。有《游山左诗钞》一卷。据闵尔昌《焦理堂先生年谱》。又，循在山左，阮元修《山左金石志》，循与之。据焦循《剧说》卷二。

王鸣盛序孙星衍《问字堂集》六卷。署"岁在乙卯首春，同学弟西沚居士王鸣盛拜撰，维时行年七十有四"。序云："阳湖孙君渊如寄所刻集，署曰'问字堂'。'问字'之名虽未详所谓，要孙君之意，则主于识字而已。"（《问字堂集》卷首）

二月

二十八日，雷以诚（1795—1884）生。以诚初名鸣，字省之、作霖，号鹤皋、霍郊，湖北咸宁人。道光三年进士，授刑部主事，累迁至刑部侍郎。以事革职，戍伊犁，旋释还。补陕西按察使，迁布政使，入为光禄寺卿。致仕后主讲河东江汉书院十余年。著有《大学解》、《读经传杂记》、《雨香书屋诗钞》。事迹见《湖北通志》本传（《碑传集补》卷四）、《清史列传》本传、《清史稿》本传。[生日据朱彭寿《清代人物大事纪年》。]

袁枚在扬州见谢振定。袁枚《随园诗话补遗》卷九："乙卯二月，在扬州见巡漕谢香泉先生，乃程鱼门所拔士也，倜傥不凡。《游泰山》五古数章，直追韩、杜。"

闰二月

十六日，张问陶、王麟生、徐丽生、查堂等游钓鱼台。见《船山诗草》卷一二《京朝集·闰二月十六日清明，与王香圃麟生、徐石溪、查兰圃、小山兄弟携酒游钓鱼台，看桃花，归过白云观、法源寺，即事二首》。

二十八日，孙星衍宴毛大瀛、吴锡麒、张问安、张问陶、徐嵩、王芑孙等于樱桃传舍。据王芑孙《渊雅堂编年诗稿》卷一二《闰二月廿八日孙渊如刑部星衍招同毛海客大令大瀛、吴穀人编修锡麒、张亥白孝廉问安、张船山检讨问陶、徐朗斋孝廉嵩、徐心田上舍明理小饮寓斋……》。

会试。考官：左都御史窦光鼐、礼部侍郎刘跃云、内阁学士瑚图礼。题"民之所好"二句，"柴也愚参"四句，"齐人曰所知也"。赋得"闰月定四时"得"和"字。据法式善《清秘述闻》卷八。张问安又报罢。据蔡坤编辑、蔡璐参校《张船山先生年谱》。梁章钜会试不第，遂留京过夏，考取景山官学教习。据梁章钜《退庵自订年谱》。

三月

十四日，许宝善序杜纲《南史演义》。署"乾隆六十年岁在乙卯三月望前一日愚弟许宝善撰"。是书三十二卷,有本年陈景川局刊本、道光十年□□堂刊本、同治四年鹭门文德堂刊本等。据《中国古代小说总目》白话卷。

十七日,**邵晋涵招吴锡麒、孙星衍、赵怀玉、汪端光、张问陶集双藤簃看花**。见《船山诗草补遗》卷四《三月十七日邵二云侍读招同吴縠人编修、孙渊如刑部、赵味辛中书、汪剑潭助教集双藤簃看花》。

袁枚作八十自寿诗,和者甚众。后定为六卷刊行,门人戈襄为序、撰《凡例》。《凡例》云:"四方来诗一千三百余首,经先生选存者若干首。"方濬师《随园先生年谱》:"程爱川宗洛和'愁'字韵云:'百事早为他日计,一生常看别人愁。'和'朝'字韵云:'八千里外常扶杖,五十年来不上朝。'为先生称赏。"

赵翼《廿二史札记》成书。自为《小引》署"乾隆六十年三月"。又,钱大昕序署"嘉庆五年岁次庚申六月十日嘉定钱大昕序",李保泰序署'嘉庆五年五月宝山后学李保泰拜书'。(《廿二史札记》卷首)

春

袁枚、陈基同游四明。袁枚《随园诗话补遗》卷九:"乙卯春,余偕陈竹士游四明。渠路上诗云:'风外潺潺识坝来,百夫缆曳客船回。波心一掷如飞弩,怒把春江水划开。'"又,"苏州陈竹士秀才与余同游四明,一路吟咏甚多。见赠云:'神仙从古恋烟霞,一首诗成万口夸。到处探奇逢地主,避人祝寿走天涯。生来不饮偏知酒(先生不饮,而严于评酒),老去忘情尚爱花。路走二千年八十,山游不遍不归家。'《咏蚕》云:'蚕娘辛苦说天晴,听唱罗敷《陌上行》。蓬底绿云吹不断,采桑风送剪刀声。'《湖庄》云:'晓寒临水重,春梦近花多。'《钱塘江阻风》云:'水能驱岸走,风不放潮归。'皆妙。"〔按,陈基及其配金逸皆为袁枚弟子。〕

管世铭自序《读雪山房唐诗》。是书自乾隆乙未始编,历七载而成,共得诗三千九百余首,编为三十四卷。又著凡例分冠于诸体目录之前。

四月

二十日,高宗御太和殿,传胪。赐一甲王以衔、莫晋、潘世璜进士及第,二甲郑士超、赵良霭等进士出身,三甲高鹗、周有声等同进士出身。据《历科进士题名录》、《清通鉴》。

钱泳自福州返杭州。六月归锡山。据胡源、褚逢春《梅溪先生年谱》。

马履泰序桂馥《未谷诗集》。署"乾隆六十年乙卯四月,仁和马履泰书于泺源讲舍"。(《未谷诗集》卷首)

谢墉卒,年七十七。据阮元《吏部左侍郎谢公墓志铭》(《揅经室二集》卷三)。《墓志铭》云:"公九掌文衡,而江南典试者再,督学者再。论文不拘一格,皆衷于典雅,经义、策问,尤急甄拔。""公所著《安雅堂文集》十二卷,以经史、小学为本,虽心好沈博绝丽之文,而择言必雅。国家有大庆大功,雍容揄扬,拟诸雅颂。《安雅堂诗集》十卷,格律凝重,直溯盛唐。东墅少作及存稿《四书义》二卷,典丽独绝,尤深文律。《六书正说》四卷，发明三代造字本义，诠证秦汉诸儒之说，刊正二徐、郑樵、戴侗、杨桓、周伯琦等谬误。"《晚晴簃诗汇》卷八一录其诗二首。《国朝文汇》乙集卷二三录其《校刻逸周书序》、《重刊荀子序》文二篇。

五月

初八日，**张问陶、吴锡麒、王友亮等游金园**。见《船山诗草》卷一二《京朝集·五月八日兰圃、小山兄弟招同莪亭给谏、穀人编修及徐石溪孝廉携酒游金园（徐名丽生）》。

十六日，**柳兴恩**（1795—1880）**生**。兴恩初名兴宗，字宾叔、宝叔，江苏丹徒人。道光十二年举人。受业于阮元。光绪六年卒，年八十有六。著有《宿壹斋诗文集》等。事迹见《儒林传稿·柳兴恩传》（《续碑传集》卷七四）、《清史列传》本传、《清史稿》本传。[生日据朱彭寿《清代人物大事纪年》。]

康基田擢江苏按察使。据《茂园自撰年谱》。

六月

二十二日，**黄富民**（1795—1867）**生**。富民字小田、景元，号植园，安徽当涂人，世居芜湖，钺子。道光五年拔贡，朝考选官礼部，迁郎中。以父致仕，省亲回籍。二十一年父卒后，居家不复出。晚年以太平军战事，避居东南。著有《礼部遗集》九卷，又尝评点《儒林外史》。事迹见黄富民《黄勤敏公年谱》、朱彭寿《清代人物大事纪年》。

夏

阮元偕马履泰、桂馥、武亿、朱文藻等宴集于济南小沧浪亭。适孙星衍将任兖沂曹济兵备道，阮元以诗促其之官。据法式善《梧门诗话》卷一三。

张锦《新西厢》传奇贮书山房刊行。据《贩书偶记续编》卷二○。锦字（或号）菊知，别号菊知山人，阳城人。另有《新琵琶》传奇。庄一拂《古典戏曲存目汇考》卷一二：《新西厢》，"此戏未见著录。乾隆刊本。凡十六出。前后离合，仍同《西厢》旧本，而于崔、张淫亵之处，极力翻改。"《新琵琶》，"此戏未见著录。乾隆刊本。吴晓铃藏。"

七月

初五日，**张问陶、王友亮、吴锡麒等会饮**。见《船山诗草》卷一二《京朝集·七月五日莪町给事、穀人编修招集有正味斋，酒半得雨，口占一律》。

八月

十四日，**张问陶、张问安、吴锡麒等会饮**。见《船山诗草》卷一二《京朝集·中秋前一日，与莳亭给事、縠人、琴柯编修、兰畴、小山昆季及亥白兄载酒出南西门，饮于草桥之东卖花翁丁氏花圃》。

陈芸为沈复纳妾憨园。后憨为有力者夺去，不果。芸竟以之死。据沈复《浮生六记》卷一《闺房记乐》。

沈初自序《西清笔记》二卷。序云："甲寅冬，自九江还省城度岁。入春雨雪匝旬，燕居多暇，宾客谈次，或有询内廷故事者，辄疏数条以对。自念侍直三十载，前辈零落殆尽，兹存者，偕余入直或又在后。昔钱文敏尚书尝慨然诵'长江后浪催前浪'之语，信然。顾余亦将老矣，感沐圣慈，得亲禁近，儒臣荣遇，古无以加。就所疏记，编次成卷，为《西清笔记》。他日茅檐曝背，以示子孙，欧阳子所谓'顾瞻玉堂，如在天上'者，不啻过之。如谓载笔以备掌故，则吾岂敢。乾隆乙卯仲秋月下澣沈初。"（《西清笔记》卷首）

九月

初九日，张问陶、王友亮、吴锡麒等重游草桥丁氏花圃。见《船山诗草补遗》卷四《乙卯重阳，与王莳亭给事、吴縠人赞善、关鹤舟上舍、查兰畴、小山昆仲及亥白兄重游草桥丁氏花圃，以菊花须插满头归分韵得满字》。

上浣，杨景淐自序《鬼谷四友志》。署"岁乾隆六十年岁次旃蒙单阏授衣之上浣日，书于乐志轩中，东泖杨澹游书"。（《鬼谷四友志》卷首）

十三日，桂馥招吴锡麒、吴蔚、张问陶等集陈嵩咏筐轩看菊。见《船山诗草补遗》卷四《九月二十三日，桂未谷馥同年招同吴縠人赞善、吴山尊孝廉、胡城东唐、吴子华文桂上舍、宋芝山学正集陈肖生嵩咏筐轩看菊，芝山即景作图，邀同人分韵题诗得门字》。

十八日，钱沣卒，年五十六。据方树梅《钱南园先生年谱》。洪亮吉《北江诗话》卷一："钱通副沣诗，如浅话桑麻，亦关治术。""昆明钱侍御沣，为当代第一流人。即以诗而论，亦不作第二人想。五言如'寒渚一孤雁，烟篱五母鸡'，'风连巫峡动，烟入洞庭宽'；七言如'夜不分明花气冷，春将狼藉雨声多'，'晓帘才卷燕交入，午睡欲终蝉一吟'，'拆皆成字蒸新麦，望即生津钉小梅'，'门接山光来异县，墙分花气与芳邻'，皆戛戛独造。至五言古《长风》三首及《还家》三首、七言长短句《赴随州》一篇，无意学古人而自然入古，其杜老《北征》、元叟《舂陵行》之比乎！"法式善《梧门诗话》卷一二："钱南园通参诗，多雄伉之音，古体尤擅场。"曾国藩《葛寅轩先生家传》："乾隆之末，海内文人以靡丽辨博相高，昆明钱南园侍御沣独以刚方立朝。"（《曾文正公文集》卷二）《晚晴簃诗汇》卷九四："南园以气节著，其诗、书、画皆卓然成家。姚惜抱谓和珅自张威福，能讼言其失于章奏者，钱侍御一人而已。又称其诗苍郁劲厚，得古意。法梧门称其精深博大，非讲声律者所能窥。"录其诗十七首。《国朝文汇》乙集卷四〇录其《涂二余静宁纪事诗序》等文三篇。

二十日，窦光鼐卒，年七十六。据秦瀛《都察院左都御史窦公墓志铭》（《小岘山人文集》卷五）。《墓志铭》云："尝言学贵有用，如昌黎折王庭凑、阳明平宸濠，乃真学问。故公于书无不窥，而不屑沾沾于章句训诂。世之人仅以文章称公，未为知公者也。然即公文章亦足见公学之有本。盖公诗似少陵，古文如昌黎，制义则发挥圣贤义理，自成一家之文云。"《东皋诗集》三卷嘉庆三年刊行。《晚晴簃诗汇》卷七七录其诗七首。《国朝文汇》乙集卷一一录其《永康县学宫建修碑记》等文四篇。

孙星衍抵山东兖沂曹济兼管黄河兵备道任。据张绍南《孙渊如先生年谱》卷上。龚庆《济上停云集跋》："先生于乾隆乙卯岁任兖沂曹济兵备道，适阮督部元视学山左，诸名士会萃一方，多文燕唱酬之作。曾刊《济上停云集》，板存黄司马易家。"（《济上停云集》卷末）

曾衍东自序《小豆棚》。署"乾隆六十年岁在乙卯九月，曾衍东七如氏书"。自序云："我平日好听人讲些闲话，或行旅时见山川古迹、人事怪异，忙中记取。又或于一二野史家钞本剩录，亦无不于忙中翻弄。且当车马倥偬、儿女嘈杂之下，信笔直书，无论忙之极忙，转觉闲而且闲。盖能用忙中之闲，而闲乃自忙中化出。无他，贵心闲耳。"（《小豆棚》附录）《中国古代小说总目》文言卷"《小豆棚》十六卷"条："彭左海所作本传，称原书八卷，似是依采录先后为序编次；至乾隆六十年作自序时，已大体结稿，嗣后又有增补。今存残钞本一至六卷。又残钞本五、六两卷，上有批语及修改文字，多为作者手笔。光绪六年项震新重加整理，依类厘析为十六卷，略有删汰，存二百零三篇。书前有自序、彭左海所作曾衍东小传及项震新《叙》。有上海申报馆仿聚珍版初印本及重印本。"

秋

恩科乡试。是科各省考官有彭元瑞、邹炳泰、金士松、吴省钦、施朝幹、李骥元、言朝标、万承风等。据法式善《清秘述闻》卷八。所取举人有朱彬（朱为弼《赠吏部尚书郁甫朱公墓志铭》）、孙原湘（赵允怀《翰林院庶吉士兼武英殿协修孙先生行状》）、王引之（龚自珍《工部尚书高邮王文简公墓表铭》）、黄丹书（《国朝诗人征略》初编卷五二）等。汪潮生中副榜。据包世臣《汪冬巢传》（《碑传集补》卷四七）。

周孝埕乡试侥得而失。会川楚例开，入赀为部主事。据朱绶《刑部主事周君墓志铭》（《续碑传集》卷二〇）。

谢启昆任山西布政使。据谢启昆《树经堂诗初集》卷一二《乙卯仲秋将赴晋藩之任同人饯余于湖上即席成诗二首书以志别》。

彭兆荪赴京口，寓兴山寺，游焦山。据缪朝荃《彭湘涵先生年谱》。

俞显《石函集》十卷岁寒书屋刊行。据《贩书偶记》卷一五。

十月

初九日，赵怀玉招罗聘、邵晋涵、吴锡麒、李鼎元、李骥元、桂馥、周有声、伊秉绶、张问陶等举续重阳之会。见《船山诗草补遗》卷四《十月九日赵味辛舍人招同两峰山人、二云、榖人、墨庄、凫塘诸前辈、未谷、介兹同年、希甫舍人、春柳、墨卿比部、琴柯编修集敦经悦史之堂，举续重阳之会，分韵得满字》。

上浣，李调元《淡墨录》十六卷成书。自序云："《淡墨录》者，所记皆本朝甲乙两榜诸名臣之言行也。"署"乾隆乙卯初冬上浣，绵州雨村居士李调元撰"。（《淡墨录》卷首）

章学诚赴扬州，明年二月归会稽。在扬州所作文，统名《邗中草》。据胡适《章实斋年谱》。

唐仲冕宰吴江，以书致袁枚。据袁枚《随园诗话补遗》卷九。

十一月

二十八日，卢文弨卒于常州龙城书院，年七十九。据段玉裁《翰林院侍读学士卢公墓志铭》（《抱经堂文集》卷首）。《清史稿》本传："文弨历主江、浙各书院讲席，以经术导士，江、浙士子多信从之，学术为之一变。"《抱经堂文集》三十四卷本年刊行。据《贩书偶记》卷一五。《晚晴簃诗汇》卷八一录其诗二首。《国朝文汇》乙集卷二一录其《新安汪氏增辑列女传序》等文八篇。

阮元抵杭州，就任浙江学政。据张鉴《雷塘庵主弟子记》卷一。钱泳《履园谭诗·以人存诗》："阮云台宫保以嘉庆元年提督浙江学政，诸生中有长于一艺者，必置高等，赏叹不已。是以人材蔚起，小学奋兴，为一时之盛。"

康基田调补山东按察使。据《茂园自撰年谱》。

十二月

二十六日，赵怀玉招吴锡麒、李鼎元、吴嵩、张问陶等会饮。见《船山诗草》卷十二《京朝集·乙卯十二月二十六日立春，味辛舍人招同縠人赞善、墨庄舍人、延更编修、山尊孝廉、肖生居士小集敦经悦史之堂，分韵得浩字》。

李斗《扬州画舫录》十八卷刊行。自序云："斗幼失学，疏于经史，而好游山水。尝三至粤西，七游闽浙，一往楚豫，两上京师。退而家居，则时泛舟湖上，往来诸工段间。阅历既熟，于是一小巷一厕居无不详悉。又尝以目之所见，耳之所闻，上之贤士大夫流风余韵，下之琐细猥亵之事、诙谐俚俗之谈，皆登而记之。自甲申至于乙卯，凡三十年。所集既多，删而成帙，以地为经，以人物记事为纬。""凡志书所详、别无异闻者概不载入。或事有可录而闻见有未及者，遗漏之讥，亦所不免。倘有以益我者，俟更为续录以补之。乾隆六十年十二月仪征李斗记。"是书有本年家刻本、嘉庆间自然庵刊本、同治十一年重印本，有乾隆五十八年腊月望日袁枚序、嘉庆二年春阮元序。又，谢溶生序未署撰年。

冬

焦循应阮元之招游浙江。据闵尔昌《焦理堂先生年谱》。

彭兆荪由京口赴淮上，客王秉韬观察幕，为其子授经。后以嘉庆二年秋，王移官粤西而罢。据缪朝荃《彭湘涵先生年谱》。

本年

袁枚再送袁树之广东。据方濬师《随园先生年谱》。袁枚《随园诗话补遗》卷九："香亭弟家居八年，有终老林泉之意。今岁因家事浩繁，治生无策，复作出山之云。恐余尼其行也，不以相告。引见后，方知之。离别之际，黯然伤神。盖余年八十，弟亦六十有六矣。"袁树此后事迹未详。《随园诗话》卷七："香亭弟偶吟，往往如吾意所欲出，不愧吾家阿连也。"录其《过吴门》、《消夏杂咏》诗。《补遗》卷三："香奁诗，至本朝王次回，可称绝调。惟吾家香亭可与抗手。"录其《无题》诗。卷一○："弟香亭诗才清婉。而近日从澳门寄诗来，殊雄健，信乎江山之助，不可少也！"录其《渡海》、《越岭至深澳》、《忆随园》诗。《晚晴簃诗汇》卷九一录其诗九首。

洪亮吉贵州学政任满。作诗数十首，撰《贵州水道考》三卷。门人为校刊《附鲒轩诗》八卷、《卷施阁文甲集》十卷《乙集》八卷《诗》二十卷。据吕培等《洪北江先生年谱》、《中国丛书综录》。吴元炳《授经堂重刊遗集序》："少尝读其《卷施阁集》，沈博绝丽，有万殊之体。"（《年谱》附录）

周镐大挑以知县分发浙江。据姚莹《朝议大夫福建漳州府知府周公墓志铭》（《东溟文集》卷六）。

张惠言往富阳依知县恽敬，遇杨云珊。《茗柯文》三编《杨云珊览辉阁诗序》："乾隆乙卯，余依恽子居富春。云珊适至，留数日，将别，子居饯之观山之颠，把酒瞰江，风雨骤至，山水汨没，鱼龙叫啸。云珊慷慨长歌，意气甚盛。"

吴蔚在都门，始从吴锡麒游。据吴蔚《国朝八家四六文钞·有正味斋续集题词》。

屠绅还滇，徐书受设宴送行，分韵赋诗。据沈燮元《屠绅年谱》。

舒位在京与王昙话旧。据《瓶水斋诗集》卷五《城南雨夜与姨生王仲瞿孝廉话旧》。

吴翌凤自去年六月至本年，复游姜晟幕于长沙。此间诗为《湘春漫兴》二卷。集中有《怀友诗十四首》，怀鲍廷博、毛大瀛、吴骞、戴延年、王复、杨伦、王芑孙、刘嗣绾诸人。见《与稽斋丛稿》卷一三、一四。

毕沅撰《五溪筹笔集》一卷。据史善长《弇山毕公年谱》。

彭兆荪自本年至嘉庆三年戊午诗为《佣书集》二卷。据缪朝荃《彭湘涵先生年谱》。

刘嗣绾有《策蹇集》。小序云："城闉间隔，致叹索居。驴背行吟，随兴所至。寻有归志，冲寒独行。"（《尚絅堂诗集》卷二三）

石韫玉续定所著为《独学庐二稿》至《五稿》。据张慧剑《明清江苏文人年表》。

江周作《赤城霞》传奇二卷。是剧又名《赤城缘》。黄文旸、沈业富等作跋。据张慧剑《明清江苏文人年表》。

石韫玉《花间九奏》杂剧当作于本年以前。以其有乾隆间花韵庵原刻本。凡九种：《伏生授经》、《罗敷采桑》、《桃叶渡江》、《桃源渔父》、《梅妃作赋》、《乐天开阁》、《贾岛祭诗》、《琴操参禅》、《对山救友》。陈康祺《郎潜纪闻初笔》卷三《石殿撰能辟邪说扶名教》："吴门石琢堂殿撰韫玉，以文章伏一世，其律身清谨，实不愧道学中人。

未达时，见淫词小说，一切得罪名教之书，辄拉杂摧烧之。家置一纸库，名曰'孽海'，收毁几万卷。一日，阅《四朝闻见录》中有劾朱文公疏，诬诋极丑秽，忽拍案大怒，亟脱妇臂上金跳脱，质钱五十千，遍搜东南坊肆，得三百四十余部，尽付诸一炬，可谓严于卫道矣。是年，南闱发解，庚戌魁多士。夫因果之说，儒者不道，然以一穷诸生，毅然以辟邪说、扶名教自任，其胸襟气节，岂复第二流人物所有。"郑振铎《花间九奏跋》："以烧毁淫词小说之卫道士而写作杂剧，殊是异事。然韫玉虽富道学气，其于戏曲名作，盖未尝不加赞赏提倡，沈起凤蕶渔之传奇即藉其力以刊布于世。""九作之中，惟《桃源渔父》、《梅妃作赋》二剧，题材略见超脱，曲白间有隽语。其他胥落庸腐无生动之意。以儒生写作杂剧，其不能出色当行也固宜。"(《中国古典戏曲序跋汇编》卷八)

毕沅以所纂《续资治通鉴》委钱大昕终审，议在苏州开雕。瞿中溶、李锐助大昕校阅是书。据瞿中溶《瞿木夫先生自订年谱》。

杨芳灿编《辟疆园遗集》刊行。凡顾敏恒《笠舫诗稿》六卷、顾敦愉《霭云草》一卷、顾敬恂《筠溪诗草》二卷、顾勋宪《幽兰草》一卷。据《中国丛书综录》。

徐斐然辑《国朝二十四家文钞》刊行。二十四家者，王猷定、顾炎武、侯方域、施闰章、魏禧、计东、汪琬、汤斌、姜宸英、朱彝尊、陆陇其、储欣、邵长蘅、毛际可、李良年、陈廷敬、潘耒、徐文驹、冯景、方苞、李绂、茅星来、沈廷芳、袁枚，人各一卷。据《中国丛书综录》。李慈铭《越缦堂读书记·国朝二十四家文钞》："阅归安徐斐然所选《国朝二十四家文钞》，共三百五十一首，前有嘉庆元年归安吴兰亭、太顺曾镛两序。其中如毛际可、徐廷驹、茅星来等皆滥竽充数，且采及陆陇其、袁枚，而如黄梨洲、徐巨源、顾黄公、王山史、李寒支、彭躬庵、傅湘帆、毛西河、张京江、陶子师、储画山、杭堇浦、陈和叔、刘海峰、邵思复、方朴山、全谢山、姚惜抱、钱竹汀、彭二林诸家，皆乾隆以前以文集早行，世所共知者，俱不录一字；其稍僻及后出者，更不必论。即其所选，如陈说岩之《午亭文编》、冯山公之《解春集》，虽文未成家，而皆仅登五首，又颇拙劣。魏勺庭、邵青门、方望溪三家名作林立，而多遗大篇，取其小品。以王于一之《李一足》、《汤琵琶传》，侯朝宗之《马伶》、《李姬传》为近俳不录，而采王之《孝贼传》、《义虎记》，侯之《郭老仆墓志》，乃弥近小说。勺庭《刘文炳》、《江天一》诸传最为出色，乃屏不收，而取其《大铁椎传》，则俚率游戏，直是《水浒传》中文字。青门《卢忠烈公传》为集中第一首，乃舍之而登老储之作。盖斐然本三家村学究，耳目陋狭，即予所约举之二十家，尚未能知。又专以时文挑拨之法妄论古文，务取其浅近滑易者，系以庸劣之批尾，乃井蛙自足，遽定为'国朝二十四家'，一何可笑耶！所录惟竹垞、湛园二家甄别较当，其不取沈归愚、蓝鹿州等亦差为有识。予阅此最早，尝为补订轷石、壮悔、叔子、望溪四家，今乱后失其本矣。"

周秉鉴编《假年录》无卷数易安书屋刊行，即《甫里倡酬集》。据《贩书偶记续编》卷一九。

李调元《看云楼集》二十二卷乾隆间刊行。据《贩书偶记》卷一五。

王文治《梦楼诗集》二十四卷食旧堂刊行。据《贩书偶记》卷一五。王昶《蒲褐山房诗话》："晚年刻其诗□□卷，中多秀句。如：'将离更唱红兰曲，相忆应看青李书。''烟花自润非关雨，水藻俱馨不独花。''光生明月琉璃地，暖勒余春芍药天。''芳草心情淹妓馆，梅花时节上僧楼。'皆堪吟玩。"（《湖海诗传》卷二二）

施朝幹《六义斋诗集》四卷、《云岫词》一卷刊行。据《贩书偶记》卷一五。

刘大绅《寄庵诗钞》五卷刊行。凡《东游草》、《南归草》、《东游续草》、《北征草》、《潭西草》五种。据《贩书偶记》卷一五。

宋绵初《韩诗内传征》四卷、《补遗》一卷、《疑义》一卷、《叙录》二卷志学堂刊行。据《贩书偶记》卷一。绵初字守端，高邮人。乾隆四十二年拔贡生，官五河、清河训导。事迹见江藩《国朝汉学师承记》卷七、《清史列传》王念孙传附、《清史稿》王念孙传附。

李调元《雨村诗话》十六卷、《补遗》四卷本年至嘉庆六年刊行。据《贩书偶记》卷二〇。

陶元藻《香影词》四卷刊行。据《清词别集知见目录汇编》。谢章铤《赌棋山庄词话续编》卷四《陶元藻泊鸥山房词》："《泊鸥山房词》四卷，会稽陶凫亭元藻撰。凫亭一字篁村，袁简斋见其题壁诗，极倾倒，所谓'江湖沿路访斯人'者。《国朝词综》谓其有《香影词》四卷，或即此乎。篁村虽以明经终，而生平交游甚广，阅历已深，既有才名，尚求浓福。其腊月五日初度，填《洞庭春色》末阕有云：'古不云乎，达人知命，较凭枯荣。奈兴悲古庙，重瞳有泪，见嗤远使，金榜无名。何处更矜嘴爪健，对快马康庄话不平。笑前夕，授南柯太守，衣锦宵行。'于时篁村年七十余矣，何于世情尚未解脱耶。《归朝欢·题常山旅店壁》云：'叔子不如铜雀伎。奴价何年能胜婢。腰包脚里雪风天，乘车戴笠炎凉地。送穷穷不已。枥间休学长鸣骥。苦行僧，一瓶一钵，矍饮终何济。未消碗磞闻琴起。壮不如人今老矣。长门空赋孰酬金，南皮有约堪沈李。人生行乐耳。去多时日来无几。盍归乎，非竹非丝，山水清音里。'行役感慨，其气尚豪。篁村词投赠题画应酬之作颇多，单微之思，遥寄之情，固未暇及也。曾游吾闽，有《饮林氏园亭·满江红》，《黄莘田斋头观吴门顾二娘所制砚·石州慢》等阕。"

周暟《黄鹤楼填词》二卷刊行。据《贩书偶记》卷二〇。周暟别署梅花词客，歙县人。生平事迹未详。庄一拂《古典戏曲存目汇考》卷一二：《黄鹤楼》，"此戏未见著录。乾隆荫槐堂刊本。凡二十六出。题目作'陆萼华弱龄称志女，田喜生百岁作新郎；吕洞宾千里留善果，费先生隔世续排场'。黄鹤楼在黄鹄山上四小阁，因以名剧。田喜生樵采于山，得金方娶妇，百四十四岁寿终，居名百四十村，楼亦因黄鹄山而名。事见《子不语》。至费祎骑鹤，吕岩吹笛二事，乃为作者点染。"

端静闲人（女）撰、其男法式善编《带绿草堂遗诗》一卷刊行。据《贩书偶记》卷一八。

骆绮兰（女）《听秋轩诗集》四卷、《闺中同人集》一卷、《赠言》三卷金陵龚氏刊行。据《贩书偶记续编》卷一八。

严廷中（1795—1864）生。廷中字秋槎，号石卿，别号岩泉山人、红豆道人，云南宜良人。诸生，屡困乡试。由邑庠援例为县丞，历署山东姜山、文登、蓬莱、诸城、福山诸县。归里后主讲雉山书院。著有《红蕉吟馆诗集》二卷、《诗余》一卷、《药栏诗话》三卷及杂剧《秋声谱》、《铅山梦》、《河楼絮别》等。事迹见民国《宜良县志》卷九、民国《新纂云南通志》卷二三二(《方志著录元明清曲家传略》)。

陈庆镛(1795—1858)生。庆镛字笙叔,号乾翔、颂南,福建晋江人。道光十二年进士,选庶吉士,散馆授户部主事。官至陕西道监察御史、候选道员。著有《籀经堂文集》、《三家诗考》、《说文释》、《古籀考》。事迹见陈棨仁《中议大夫掌陕西道监察御史候选道特赠光禄寺卿衔崇祀乡贤陈公墓志铭》(《续碑传集》卷一九)、《清史稿》本传。

何庆元(1795—1850)生。庆元字积之,号漱石、余堂,湖南桂阳人。为徐松、汤金钊所赏,拔贡太学。李克钿、陈起诗、魏源等皆与之交。道光十一年乡试中式,十五年成进士,改庶吉士。假归侍养。著有《知新阁散体文钞》。事迹见何俊《漱石先生行状》(《续碑传集》卷一八)。

倪济远(1795—?)生。据江庆柏《清代人物生卒年表》。济远字孟杭,号秋槎,广东南海人。嘉庆二十二年进士。历官广西北流、贺县、恭城知县。著有《味辛堂诗存》四卷。事迹见《清史列传》张维屏传附。《晚晴簃诗汇》卷一二七录其诗六首。

钱世锡卒,年六十三。据《国朝诗人征略》初编卷四五引《衍石笔记》。王昶《蒲褐山房诗话》:"嗣伯长于登临行旅之作,而博雅足以副之。瘦硬通神,不减其父。晋中诗尤佳,断句亦清激。"(《湖海诗传》卷三六)《晚晴簃诗汇》卷一○一录其诗十首。

李中简卒,年七十五。据江庆柏《清代人物生卒年表》。《国朝文汇》乙集卷一八录其《诸葛忠武侯论》等文七篇。《晚晴簃诗汇》卷八○:"诗清新遒上,五古源出子寿、伯玉,七古专学大苏,近体兼效中晚唐。"录其诗六首。

秦朝釪卒,年七十四。据蒋寅《清诗话考》下编二。

郑沄卒。据张慧剑《明清江苏文人年表》。沄字晴波,号枫人,江苏仪征人。乾隆三十年,以举人应召试,授内阁中书。官至浙江督粮道。著有《玉勾草堂诗集》二十卷、《梦余集》一卷、《鸥鹭集》一卷、《玉勾草堂词》一卷。吴衡照《莲子居词话》卷四《郑沄词》:"广陵吟事作于马氏两征君。嗣是才士麇集,竹西弦管之盛,真不负兹佳山水、闲风月也。郑太守枫人先生沄稍后起,倚声之学,终推为擅场。太守襟度潇洒,官杭州时,鹊炉鸥舫,判牒湖山。迄今想玉勾草堂宦况,仿佛红豆词人之在吴兴也。《杭州府志》,以郑《志》为佳。"《晚晴簃诗汇》卷九○录其诗三首。

第四章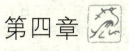

嘉庆元年丙辰至嘉庆二十五年庚辰（1796—1820）共 25 年

·引　言·

恽敬《上曹俪笙侍郎书》：然望溪之于古文，则又有未至者。是故旨近端而有时而歧，辞近醇而有时而窳。近日朱梅崖等于望溪有不足之辞，而梅崖所得，视望溪益庳隘。文人之见，日胜一日，其力则日逊焉，是亦可虞者也。敬生于下里，以禄养趋走下吏，不获与世之大人君子相处，而得其源流之所以然。同州诸前达多习校录，严考证，成专家，为赋咏者或率意自恣，而大江南北以文名天下者，几于昌狂无理，排溺一世之人，其势力至今未已，敬为之动者数矣。所幸少乐疏旷，未尝捉笔，求若辈所谓文之工者而浸渍之，其道不亲，其事不习，故心不为所陷，而渐有以知其非。后与同州张皋文、吴仲伦、桐城王悔生游，始知姚姬传之学出于刘海峰，刘海峰之学出于方望溪。及求三人之文观之，又未足以餍其心所欲云者。由是由本朝推之于明，推之于宋、唐，推之于汉与秦，断断焉析其正变，区其长短，然后知望溪之所以不满者，盖自厚趋薄，自坚趋瑕，自大趋小；而其体之正，不特遵岩、震川以下未之有变，即海峰、姬传亦非破坏典型、沈酣淫诐者，不可谓传之尽失也。若是则所谓为支、为敝、为体下，皆其薄、其瑕、其小为之；如能尽其才与学以从事焉，则支者如山之立，敝者如水之去腐，体下者如负青天之高。于是积之而为厚焉，敛之而为坚焉，充之而为大焉，且不患其传之尽失也。然所谓才与学者何哉？曾子固曰："明必足以周万事之理，道必足以适天下之用，智必足以通难知之意，文必足以发难显之情。"如是而已。皋文最渊雅，中道而逝，仲伦才弱，悔生气败。敬蹉跎岁时，年及五十，无所成就必矣。天下之大，当必有具绝人之能，荒江老屋，求有以自信者，先生能留意焉，则斯事之幸也。（《大云山房文稿初集》卷三）

《清史列传》陆继辂传：是时常州一郡多志节卓荦之士，而古文巨手亦出其间。恽敬、张惠言，天下推为阳湖派，与桐城相抗，继辂与董士锡所为文，亦拔戟自成一队。

王先谦《续古文辞类纂例略》：自惜抱继方、刘为古文学，天下相与尊尚其文，号桐城派。……姚氏见之真，守之严，其撰述有以入乎人人之心，如规矩准绳，不可逾越，乃古今天下之公言，非姚氏私言也。宗派之说，起于乡曲竞名者之私，播于流俗之口，而浅学者据以自便，有所作弗协于轨，乃谓吾文派别耳。近人论文，或以桐城、阳湖离为二派，疑误后来，吾为此惧。更有所谓不立宗派之古文家，殆不然与！（《续

古文辞类纂》卷首）

徐珂《清稗类钞·文学类·阳湖文派》：桐城、阳湖，名为两派，其实一源。武进钱伯坰受业于刘大櫆，归而以其师说，诵于友人张惠言、恽敬。二子者，遂弃其声韵骈俪之学而学古文，号曰阳湖派。惠言精研经传，其学从流而溯源。敬泛滥百家，其学由博以返约。致力不同，而文之澄然而清，秩然有序，质之古人，如一辙也。继之者有无锡秦瀛、阳湖陆继辂、宜兴吴德旋，德旋又受业于姚鼐。惠言弟子有同邑董士锡，后起者有阳湖吴铤、谢咏芝。

汪喜孙《与顾涧薲书（二）》：近辑乾嘉以来词赋，以续皋文先生《七十家赋选》之后。窃谓近日赋手，直追汉、魏、晋、宋，不独出鸿词诸公之上。惟邵学士不免熟之一字；钱少詹不能追六朝以上；孙渊如观察仅馆试赋，未有传作。张编修规模汉、晋，惜其太似古人，然较之吴园次、尤西堂、陈其年，则渊雅绝伦矣。李申耆浸淫八代，惜未多见。董晋卿、金朗甫，皆隽才也。以此更思阁下《百宋一廛》，为自来未有之作。又非石又善作晋宋人小赋，亦可录寄否?（《汪孟慈集》卷五）

朱庭珍《筱园诗话》卷二：同时岭南之黎二樵，江左之王惕甫，楚南之邓湘皋、欧阳磵东，西川之张雨山，丹徒之严丽生，松江之姚春木，皆一时才士，各有所长，海内知名，至今人多称之，先后有集刊行，然造诣均不如兰雪。可与兰雪敌手者，惟闽中张亨甫际亮而已。又皖江有鲁通甫，徽州有齐梅麓，皆负才名，亦不及兰雪也。以上所列，皆嘉、道中天下诗家，然兰雪、亨甫为优。此平心之论，非阿好语。

恽敬《香石诗钞序》：敬在江右，交顺德黎仲廷十年。仲廷弃官归岭南，旋复游吴越，过江右，与敬会于百花洲，甚相乐也。仲廷箧中携《香石诗钞》四卷，清浏荡漾，远具胜情，于是始知香山黄子实之名。而子实之友番禺张子树、阳春谭子晋之诗，亦得次第读之。子树之诗高迈，子晋之诗浑逸，翁覃溪学士目为粤东三子者也。（《大云山房文稿二集》卷三）

法式善《梧门诗话》卷一一：郭频伽诗清雄，屠琴坞诗超拔，查梅史诗瑰丽，三君可称鼎峙。

林昌彝《射鹰楼诗话》卷二一：吾闽近代诗以雄特见者，如谢甸男广文、萨檀河大令、陈苇仁先生。

张德瀛《词征》卷六《评嘉道以还词》：洪稚存于同时诗人皆有评骘，辄以八字括之，盖祖涵虚子评诸家词之意也。愚观嘉道以还，词人辈出，张皋文惠言词，如邓尉探梅，冷香满袖。孙平叔尔准词，如落叶哀蝉，增人愁绪。冯晏海云鹏词，如鹿爪挡弦，别成清响。顾简塘翰词，如金丹九转，未化婴儿。刘赞轩勷词，如金丝间出，杂以洪钟。李申耆兆洛词，如承恩虢国，淡扫蛾眉。吴荷屋荣光词，如穿谷谽谺，飞泉溅响。恽子居敬词，如瑶台月明，凤笙独奏。汪小竹全德词，如深闺少妇，畏见姑嫜。边袖石浴礼词，如静夜鸣蚕，助人叹息。谢枚如章铤词，如古木拳曲，未加绳墨。汪紫珊世泰词，如春蚕丝尽，奄奄无力。张南山维屏词，如中郎瓶史，遍陈诸制。邓笏臣嘉纯词，如圆荷小叶，因风卷舒。承子久龄词，如就驾銮仪，矜栗辣峙。黄香石培芳词，如净几明窗，尽堪容膝。张翰风琦词，如雏莺调舌，宛转关情。陆祁生继辂词，如谢家子弟，玉立森森。杨伯夔夔生词，如绮窗花片，绰约可人。俞小甫延瑛词，如陈寿摛文，但取质直。钱季重季重词，如舜华在林，昼炕宵聂。顾涧宾广圻词，如春水初涨，更染岚翠。吴石华兰修词，如灵和新柳，三眠三起。董方立祐诚词，如秋花数丛，没人萧艾。黄春帆位清词，如蕲王奋战，箭瘢满身。董琴南国华词，如山斋清供，不厌清癯。龚定盦自珍词，如琉璃砚匣，光采夺目。金朗甫式玉词，如黄筌作画，婉约传神。谭康侯敬昭词，如野桃含笑，风趣独绝。许积卿宗彦词，如荷珠走盘，清光不定。彭甘亭兆荪词，如碧眼胡儿，贩采奇宝。陶凫乡梁词，如修桐初乳，清响四流。倪秋槎海远词，如女郎踏青，时闻娇喘。黄韵珊宪清词，如齐烟九点，灭没空碧。鲍逸卿俊词，如桓溪鸜鹆，鼿鼻作音。姚梅伯燮词，如密香骑凤，碧城容与。汪白也度词，如黑净登坛，直露本色。黄琴山景崧词，如天半晴虹，蜿蜒有态。孙曙舟家縠词，如田间游气，上透碧霄。仪墨农克中词，如中郎八分，波磔取势。黄花耘本骐词，如舒锦临风，烂然入目。沈吉晖星炜词，如桃花岩石，触手生温。陈棠谿其锟词，如五色仙蝶，迎风善舞。边竺潭保枢词，如六朝金粉，艳态迷人。汪绛人初词，如筑石邀云，自含清致。赵秋舲庆熹词，如魏征妩媚，我见犹怜。萧子山抡词，如绿珠吹笛，惯作哀音。孙子余鼎臣词，如女萝摆风，兔丝吹动。杜小舫文澜词，如四壁秋蛩，助人叹息。周自庵寿昌词，如枯荷得雨，点滴分明。李舜卿洽词，如蜂脾酿蜜，有美中含。许龙华光治词，如浅渚平流，纤鳞不起。何青耜兆瀛词，如春暮柳丝，瘦无一把。项莲生廷纪词，如元章冠服，酷肖唐贤。汪谢城曰桢词，如疏雨打窗，翛翛送响。叶莲裳英华词，如王家蜡凤，慧心独造。杨蓬海恩（涛）［寿］词，如新秧初插，流膏润润。张孟彪文虎词，如风前障扇，不受尘污。周畇叔星誉词，如仙人炼汞，九转初成。徐若洲鸿谟词，如十笏茅庵，时闻清磬。刘子树湝年词，如抱经老儒，棱角峭厉。汪穀庵瑔词，如樾馆秋声，自含虚籁。王莲舟济词，如劲弓五石，力求穿札。俞荫甫樾词，如帝女机抒，别出新裁。王壬秋闿运词，如崇冈建楼，危檐陡立。杜仲丹贵墀词，如劲风满林，骤闻金筈。黄小田富民词，如灌园野叟，闲话斜阳。彭贻孙君縠词，如隙地种桑，不宜兰蕙。尹仰衡恭保词，如易水作歌，忽闻变徵。樊嘉父增祥词，如一缕游丝，空中荡漾。谭仲修献词，如草根清露，融为夜光。闺秀吴蒉香藻词，如眉楼小影，曼睩腾波。赵仪姞棻词，如新燕营巢，自能护体。郑娱清兰孙词，如瑶石含光，可鉴毛发。吴佩湘清蕙词，如篱落疏花，自饶幽韵。已上所列，凡七十余家，其未论及者，暇日当补述也。［按，每条评语后原有词人籍贯及词集名，此从略。］

谭献《复堂词话》：填词至嘉庆，俳谐之病已净，即蔓衍阐缓，貌似南宋之习，明者亦渐知其非。常州派兴，虽不无皮傅，而比兴渐盛。故以浙派洗明代淫曼之陋，而流为江湖；以常派挽朱、厉、吴、郭（原注：频伽流寓）佻染饾饤之失，而流为学究。近时颇有人讲南唐、北宋，清真、梦窗、中仙之绪既昌，玉田、石帚渐为已陈之刍狗。周介存有“从有寄托入，以无寄托出”之论，然后体益尊，学益大。近世经师惠定宇、江艮庭、段懋堂、焦里堂、宋于庭、张皋文、龚定盦多任务小词，其理可悟。（《复堂日记》丙子）

谭献《复堂词话》：锡鬯、其年行而本朝词派始成。顾朱伤于碎，陈厌其率，流弊亦百年而渐变。锡鬯情深，其年笔重，固后人所难到。嘉庆以前，为二家牢笼者，十居七八。（《箧中词》）

谭献《复堂词话》:《茗柯词选》(珂谨按:即《宛邻词选》)出,倚声之学,日趋正鹄。张氏甥董晋卿造微踵美,止庵切磋于晋卿,而持论益精。其言曰:"慎重而后出之,驰骋而变化之,胸襟酝酿,乃有所寄。"又曰:"词非寄托不入,专寄托不出。一物一事,引伸触类,意感偶生,假类必达,斯入矣;万感横集,五中无主,赤子随母笑啼,野人缘剧喜怒,能出矣。"以予所见,周氏撰定《词辨》、《宋四家词筏》(珂谨按:即《宋四家词选》)推明张氏之旨而广大之,此道遂与于著作之林,与诗赋文笔,同其正变。止庵自为词,精密纯正,与茗柯把臂入林。(《箧中词》)

蒋敦复《芬陀利室词话》卷一《周保绪词》:近来浙、吴二派,俱宗南宋。独常州诸公,能瓣香周秦以上,窥唐人微旨,先生其眉目也。

蒋敦复《芬陀利室词话》卷一《许穆堂词》:国初盛称云间陈李三宋词,一以《花间》为宗。至王述庵司寇续辑《词综》,瓣香竹垞,沿于浙派矣。

昭梿《啸亭续录》卷五《明末风俗》:世皆以明人重理学,尚气节,维挽唐、宋颓风,有返朴还淳之盛,殊不知近日陋伪,实皆起于明末之时。徐鸿儒数于山东烧香聚众,称白莲教,沿至嘉庆初年,三省教匪弄兵九载。其后京师复有林清之变,皆其流毒。乡塾兴高头讲章,议论纰缪,北省村儒,奉为圭臬,不复知先儒注疏为何物也。马吊兴自万历末年,致有张、李之变。近日士大夫尚有好者,玩愒时日,莫甚于此。小说盲词,古无是物,自施耐庵作俑,其后任意编造,层见叠出,愚夫诵之,几与正史并行。助乱长奸,言之切齿。剧曲虽由元代,然脚色无多,好者尚寡。自魏伯龙改为昆曲,院本增多。近日弋阳□黄诸曲,大足诲淫败俗。各部署书吏,尽用绍兴人,事由朱赓执政,莫不由彼滥觞,以至于今,未能已也。

毛庆臻《一亭考古杂记》:乾隆八旬盛典后,京板《红楼梦》流行江浙,每部数十金。致翻印日多,低者不及二两。其书较《金瓶梅》愈奇愈热,巧于不露,士夫爱玩鼓掌。传入闺阁,毫无避忌。作俑者曹雪芹,汉军举人也。由是《后梦》、《续梦》、《复梦》、《翻梦》,新书迭出,诗牌酒令,斗胜一时。(朱一玄编《红楼梦资料汇编》)

梁恭辰《北东园笔录四编》卷四:《红楼梦》一书,海淫之甚者也。乾隆五十年以后,其书始出。相传为演说故相明珠家事:以宝玉隐明珠之名,以甄(真)宝玉贾(假)宝玉乱其绪,以开卷之秦氏为入情之始,以卷终之小青为点睛之笔。摹写柔情,婉娈万状,启人淫窦,导人邪机。自是而有《续红楼梦》、《后红楼梦》、《红楼后梦》、《红楼重梦》、《红楼复梦》、《红楼再梦》、《红楼幻梦》、《红楼圆梦》诸刻,曼衍支离,不可究诘。评者尚嫌其手笔远逊原书,而不知原书实为厉阶,诸刻特衍诲淫之谬种,其弊一也。(朱一玄编《红楼梦资料汇编》)

平步青《霞外捃屑》卷九《石头记》:嘉庆初年,《后梦》、《续梦》、《补梦》、《重梦》、《复梦》五种,接踵而出。《后》、《续》还魂之妄,说鬼谵诿,已觉无谓。《重梦》则现身说法,并忘原书意淫二字本旨矣。《复梦》易贾作祝,极誉钗、袭,殆认贼作子,文之不通,更无论已。道光中,又有《梦补》、《圆梦》、《幻梦》三种,陈厚甫、严问樵两前辈各谱传奇。严后出而远跨陈上。近时复有《增补》、《梦影》二种,每下愈况,益不足观。

公元 1796 年（嘉庆元年　丙辰）

正月

　　初一日，高宗禅位于仁宗。张问陶作《嘉庆元年丙辰元旦，太上皇帝纪元周甲授受礼成，恭纪乐府十四章》，见《船山诗草》卷一。

　　上浣，程瀚序周暟《滕王阁》传奇，署"**嘉庆元年岁在丙辰春王月上浣，芙蓉山樵程瀚拜撰**"。是剧凡三十四出。演王勃、骆宾王事。

　　中浣，敦敏作《敬亭小传》。见敦诚《四松堂集》卷首。

　　二十日，彭绍升卒，年五十七。据朱彭寿《清代人物大事纪年》。《二林居集》二十四卷嘉庆四年味初堂刊行。据《贩书偶记》卷一六。江藩《国朝宋学渊源记·附记》："生性纯厚，禀家教，读儒书，谨绳尺。初慕洛阳贾生之为人，思有以建白，树功名；后读先儒书，遂一志于儒言儒行，尤喜陆、王之学。及与薛起凤、汪缙二先生游，乃阅《大藏经》，究出世法，绝欲素食。久之，归心净土，持戒甚严。好作有为功德，鸠同人施衣施棺，恤嫠放生，乡人多化之。修净业后，一切屏去，惟读古德书。间作汉隶，收弄金石文字。""治古文，言有物而文有则。熟于本朝掌故，所著《名臣事状》、《良吏述》、《儒行述》，信而有征，卓然可传于后世。论学之文，精心密意，纪律森然。谈禅之作，亦择言尔雅，不涉禅门语录恶习。""居士深于陆王之学，故于朱子不能无疑焉，亦各尊其所闻而已。"袁枚《随园诗话》卷一四录其《钱塘旅舍杂句》、《病起》诗句，谓"皆见道之言，不着人间烟火"。王昶《蒲褐山房诗话》："所著《居士》等集，使读者咸知有乐邦安养之羡，支那撰述，无以逾之。然文章流别，亦能识其源委。古文宗法震川，而诗亦克承其家学。晚年怛化，石君司农称其已登灌顶位。昔陈思尝主遮须，白傅亦归兜率，以今证古，或不诬也。"（《湖海诗传》卷二一）李祖陶《国朝文录·二林居文录引》："夫世有逃墨而归于儒者，亦有逃儒而入于释者，两家相背而驰，如南辕北辙之必不可合。先生于儒书契其精微，于佛经亦不仅得其糟粕。放生戒杀，即鸢飞鱼跃之天怀；藏密洗心，即面壁闭关之旨趣。是一是二，得不谓之异人欤？其行文纯是清气，自谓得之于佛经。空山鹤唳，静夜钟鸣，闻之足以起悟，是固然已。然予尤爱其叙述国朝人物事迹详备，并其精微之意而传之，固非不立文字者所能，亦非徒侈章句者所及。惜予未空俗谛，尚未能深探其本云。"李慈铭《越缦堂读书记·二林居集》："夜阅《二林居集》，共文二十四卷。中其如《彭秋士志铭》之简秀，《书邓自轩先生集后》之隽逸，亦不多见。然天怀淡定，语皆心得，无一矜持造作之言，悠然令音，多可玩味。惜其佞佛参禅，时夹入《金刚经》字为可省耳。"《国朝文汇》乙集卷三一录其《张良陈平论》等文九篇。《晚晴簃诗汇》卷八八录其诗五首。

　　二十一日，蒋湘南（1796—1854）生。湘南字子潇，号芙生，固始人。道光五年拔贡。明年入都应朝考，与陈用光、顾莼、吴嵩梁、魏源、龚自珍、齐彦槐、俞正燮诸人游。南归入吴慈鹤幕。十四年中副榜，十五年中举。数试礼部不第，大挑选虞城教谕，不就。后主关中、同州书院讲席。卒于凤翔。著有《七经楼文集》六卷、《春晖阁诗集》六卷。事迹见夏寅官《蒋湘南传》（《碑传集补》卷五〇）、《清史列传》潘咏传附。

[生日据朱彭寿《清代人物大事纪年》，卒年据孙文光《中国近代文学大辞典》。]

张问陶、张问安、吴锡麒等集会。《船山诗草》卷一三《京朝集》有《元夜，吴香竺同年瑛招同吴縠人前辈昆仲、胡梁园枚舍人及亥白兄集严少峰荣吉士寓斋，分韵得入字》、《正月十八日，縠人赞善招同亥白兄陪顾亭王丈及东林、香圃昆仲集有正味斋，分韵得啼字》。

崔述授福建罗源县知县。据陈履和《敕授文林郎福建罗源县知县崔东壁先生行略》（《碑传集补》卷三九）。

朱休度自编《壶山自吟稿》二卷成。又，《附录》一卷明年成书。据朱彭寿《清代人物大事纪年》。

二月

十二日，屈秉筠招集女史十二人宴于蕴玉楼。《清代闺阁诗人征略》卷六："柔兆执徐之岁百花生日，婉仙夫人招集女史十二人宴于蕴玉楼，谋作雅集图以传久远。患其时世妆也，爰选古名姬，按月为花史。""分隶既定，作十二阄，各拈得之。自正月至十二月，为谢翠霞、屈婉仙、言彩凤、鲍遵古、屈婉清、叶苕芳、李餐花、归佩珊、赵若冰、蒋蜀馨、陶菱卿、席佩兰，长幼间出，不以齿也。爰命画工以古之装写今之貌，号《蕊宫花史图》。"（《天真阁外集》）

三月

二十九日，程际盛卒，年五十八。据吴省钦《中宪大夫掌湖广道兼掌京畿道监察御史程公墓志铭》（《白华后稿》卷二四）。王昶《蒲褐山房诗话》："作诗曾问业于归愚宗伯，绰有唐音。"（《湖海诗传》卷三六）

会试。考官：礼部尚书纪昀、左都御史金士松、兵部侍郎李潢。题"虽曰未学"二句，"莫见乎隐"二句，"不忿不忘"二句。赋得"春雨如膏"得"稀"字。据法式善《清秘述闻》卷八。赵怀玉（《收庵居士自叙年谱略》卷下）、张问安（蔡坤编辑、蔡璐参校《张船山先生年谱》）报罢。

谢振定以毁和珅妾弟所乘违制之车罢职。据吴云《礼部员外郎江南道监察御史谢公墓表》（《碑传集》卷五七）。

章学诚作《与汪辉祖书》。有云："近日学者风气，征实太多，发挥太少，有如蚕食叶而不能抽丝。故近日颇劝同志诸君多作古文词，而古文词必由纪传史学进步，方能有得。""拙撰《文史通义》，中间议论开辟，实有不得已而发挥，为千古史学辟其榛芜。然恐惊世骇俗为不知己者诟厉，姑择其近情而可听者，稍刊一二，以为就正同志之质，亦尚不欲遍示于人也。"（胡适《章实斋年谱》）

春

张惠言在富阳，作《水调歌头·春日赋示杨生子掞》五首。陈廷焯《白雨斋词话》

卷四："皋文《水调歌头》五章，既沈郁，又疏快，最是高境。陈、朱虽工词，究曾到此地步否？不得以其非专门名家少之。""热肠郁思，若断仍连，全自《风》、《骚》变出。"

恽敬请张惠言修县志，未及属稿，恽调任贵州，张去富阳之歙县。据张惠言《茗柯文》二编卷下《周维城传》。张将之歙，谒阳湖杨茹征。《茗柯文》二编卷下《杨君茹征墓志铭》："前年春，惠言将之歙，谒君别，君命嵋谷馆之。夜分，与嵋谷论《易》，君在别室，听久，更来相与谭，名理多获，以是知君之未尝不学也。"至歙，居江村江氏。《茗柯文》三编《记江安甫所抄易说》："余以嘉庆丙辰至歙，居江村江氏。"补编卷下《江制川五十寿诗序》："余之得交于君，由其子学于余。君为子择师，隆而礼之，甚至。而与余尤相得，为昆弟交，愧余之无能益于君也。然余游新安前后六七年，信而与之游者，金君荫陶，君之从祖鄂堂，及君三人而已。"在歙，谒金榜。《茗柯文》四编《祭金先生文》："丙辰之春，再谒几席；先生欣然，曰'子可益'。"三编《文稿自序》："嘉庆之初，问郑学于歙金先生。"

洪亮吉自黔南至京师。张问陶有《丙辰春日喜稚存至自黔南》，见《船山诗草》卷一三《京朝集》。

四月

初一日，王昶赴娄东书院讲席任。据严荣《述庵先生年谱》。

二十五日，仁宗御太和殿，传胪。赐一甲赵文楷、汪守和、帅承瀛进士及第，二甲戴殿泗、陈鹤、赵慎畛、黎承惠（即黎世序）等进士出身，三甲姚学壄等同进士出身。据《历科进士题名录》、《清通鉴》。

吴骞游龙池山。据吴骞《游龙池山记》（《愚谷文存》卷八）。

五月

张问陶生日集会。见《船山诗草》卷一三《京朝集·丙辰五月生日，与亥白兄及谢康侯生晋、查兰圃堂、俞澧兰大樟、王香圃麟生、二痴恩注叔侄小集飞鸿延年之室，以"天生我才必有用"分韵得必字》。

纪昀序敦诚《四松堂集》。序云："桂圃侍郎既刻其先德之遗集，复哀辑伯氏敬亭先生诗二卷，文二卷，笔麈一卷，总题曰《四松堂集》，问序于余。余读之，遥情幽思，脱落畦封，多使人想像于笔墨外。其诗，古体胜今体，古体七言又胜于五言。高者摩韩、苏之垒，次亦与剑南、遗山方轨并行。其文，似从公安、竟陵入，而逸致清言，上追魏、晋，如读临川王《世说新书》；范水模山，妙写难状，如读郦善长《水经注》、柳子厚南迁诸游记。其笔麈，亦宛肖六一之《试笔》、东坡之《志林》，无三袁纤俗、钟谭佻薄之习。盖神思高迈，气韵自殊，遂青出于蓝，翛然自成一家也。其亦人杰也哉！虽平生足迹不出京圻，未能周游海岳，以名山大川开拓心胸、震耀耳目，以发其雄豪磊落之气；又甫得一官，即投闲色养，中年坎壈，哀乐损人，未能一展经纶之才，以发其崇论闳议；且天不假年，甫五旬余而奄化，未能如放翁、诚斋吟卷积至万篇，皆天之所限，非人力之所能及。然游览未广，而一丘一壑，一觞一咏，随在怡然自得。鹏鷃逍遥，远近一理，得郭子元之悬解焉。境遇不齐，而情所应至，率其性真，念所应忘，解以禅悦，梦蝶栩栩，任其梦觉，得漆园叟之妙悟焉。年命所促，而沉酣典籍，密咏恬吟，能立言以传于后世，有桓谭五百年后之思焉。则皆天限之以运数，而人胜之以学识者也。其学识至，不限于运数，则先生之学识深矣。以是学识发为文章，文章之卓越可知矣。然则侍郎以同气之故，校刻斯集，为因人以存其文。后之读斯集者，翠然高望，慨然远想，固可因文以见其人矣。嘉庆丙辰长至后五日，河间纪昀撰，时年七十有三。"（《四松堂集》卷首）[按，"长至"或在十一月。]

袁枚为潘炤《乌阑誓》传奇题词。署"嘉庆丙辰夏五，随园老人袁枚于广陵醝署借读一过并题，为诗友鸢坡主人翻曲弁首也"。是剧凡三十六出，演霍小玉事。

袁枚以所编《随园女弟子诗选》交汪穀付梓。汪穀序云："随园先生风雅所宗，年登大耄，行将重宴琼林矣。四方女士之闻其名者，皆钦为汉之伏生、夏侯胜一流，故所到处，皆敛衽扱地以弟子礼见。先生有教无类，就其所呈篇什，都为拔尤选胜而存之，久乃裒然成集。携过苏州，交穀付梓。"署"嘉庆丙辰夏五月，新安汪穀心农氏序"。（《随园女弟子诗选》卷首）是书六卷，收席佩兰、孙云凤、金逸、骆绮兰、张玉珍、廖云锦、孙云鹤、陈长生、严蕊珠、钱琳、王玉如、陈淑兰、王碧珠、朱意珠、鲍之蕙、王倩、卢元素、戴兰英、吴琼仙诸人诗。《随园诗话补遗》卷一○："余女弟子虽二十余人，而如蕊珠之博雅，金纤纤之领解，席佩兰之推尊本朝第一：皆闺中三大知己也。"

六月

十五日，邵晋涵卒，年五十四。据钱大昕《日讲起居注官翰林院侍讲学士邵君墓志铭》（《潜研堂文集》卷四三）。《墓志铭》云："君生长浙东，习闻蕺山、南雷诸先生绪论，于明季朋党、奄寺乱政及唐、鲁二王起兵本末，口讲手画，往往出于正史之外。自君谢世，而南江文献无可征矣。""自四库馆开，而士大夫始重经史之学。言经学则推戴吉士震，言史学则推君。君于国史，当在儒林、文苑之列。"王昶《蒲褐山房诗话》："二云学问，经经纬史，包孕富有，而不以诗赋见长。在史馆最久，数十年来，名卿列传多出其手。据实直书，未尝有所依阿瞻徇也。"（《湖海诗传》卷三二）洪亮吉《邵学士家传》："于学无所不窥，而尤能推求本原，实事求是。"（《卷施阁文甲集》卷九）阮元《南江邵氏遗书序》："余姚翰林学士邵二云先生，以醇和廉介之性为沈博邃精之学，经学、史学并冠一时，久为海内共推，无俟元之缕述矣。""先生本得甬上姚江史学之正传，博闻强记，于宋、明以来史事最深，学者唯知先生之经，未知先生之史。于经则覃精训诂，病邢昺《尔雅疏》之陋，为《尔雅正义》若干卷，发明叔然、景纯之义，远胜邢书，可以立于学官。在四库馆与戴东原诸先生编缉载籍，史学诸书多由先生订其略，其提要亦多出先生之手。"（《揅经室二集》卷七）吴蕡《国朝八家四六文钞·卷施阁文乙集题词》："邵先生能为扬、班而不能为任、沈、江、鲍、徐、庾之体。间撰供奉文字，局于格式，未能敌其经学之精深也。"李慈铭《越缦堂读书记·南江文集》："卷一、卷二皆应试经进文及赋，卷三皆所纂四库书提要，卷四为记序杂文，而论说考辨碑状志传之属竟无一首，盖其子秉华辑拾丛残所成者，失南江之真矣。札记四卷，条举《左传》、《穀梁》、《三礼》、《孟子》、《史》、《汉》、《三国志》、《五代史》、《宋史》之文加以考证，皆其读书时随手签记，故零星奇只，不尽有关于要旨。惟《左传》、《孟子》为最详，各盈一卷。《仪礼》次之。余则寥寥备数而已。"《晚晴簃诗汇》卷九四录其诗十三首。《国朝文汇》乙集卷三九录其《越女表微录序》等文四篇。

二十一日，孙士毅卒，年七十七。据查揆《太子太保文渊阁大学士孙文靖公神碑铭》（《筼谷文钞》卷一一）。《百一山房诗集》十二卷嘉庆二十一年孙均刊行。郭麐《灵芬馆诗话》卷一〇："集中五七言浑厚沈雄，皆自出其胸中之所有，不屑依傍前贤，而骨体自高。五七律不作唐以后语，七律尤高华典赡，精光昱然。"《晚晴簃诗汇》卷九〇录其诗一首。

冯敏昌丁忧归，明年五月始抵家。自是不复出。据冯士镳《先君子太史公年谱》。

袁枚命子通录《行役杂咏》等诗入《补遗》。《小仓山房诗集补遗》卷二《行役杂咏有序》："乾隆元年，余才弱冠，赴粤西，一路赋诗甚多。六十岁编集，嫌其少作，尽行删削。不料嘉庆元年六月，偶观杭堇浦先生《词科掌故》，载余诗文甚多，颇有可存者。因命阿通录出，分入《补遗》。"［按，《小仓山房诗集》乾隆随园刻本为三十二卷，嘉庆初随园刻本始收全正、补三十九卷。据《袁枚全集》前言。］

梁玉绳自序《志铭广例》二卷。见《志铭广例》卷首。

许宝善选、俞鳌辑《自怡轩词选》八卷刊行。据《贩书偶记续编》卷二〇。

夏

王芑孙官华亭教谕。据张问陶《船山诗草》卷一三《京朝集·丙辰夏日，王铁夫就华亭广文任》。

包世臣游芜湖，受知于中江讲院侍御程世淳，程又荐之于徽宁道宋镕。据胡韫玉《包慎伯先生年谱》。

袁枚检得旧文九十余篇编入文集付梓。据《小仓山房诗集》卷三六《消暑无事，偶检破簏得未刻古文九十余篇。中有尚可存者理而出之，竟留其半，大概皆少作也。然非老耄之不能割爱，即当时之过于矜严。姑付开雕以质观者》。［按，《小仓山房文集》乾隆随园刻本为三十二卷，嘉庆初随园刻本始收全三十五卷。据《袁枚全集》前言。］

金捧阊作《客窗偶笔》四卷。《自叙》云："丙辰夏，予客平陵，寓准提庵五六月，横空暑气，卅七年弹指光阴，独居深念，行自伤焉，南浦魂消。""惟以研弄笔墨为消遣法，爰述所闻于庭训，与夫故老之流传、耳目之睹记，汇成一编。言皆有据，事匪无因。"署"嘉庆元年六月廿有四日，江阴金捧阊题"。是书有赵学辙行间夹批，有嘉庆二年刊巾箱本，又有咸丰己未三槐堂刊巾箱本。又，《客窗二笔》四卷成于嘉庆三年，未刊，残存十九篇，有赵翼文后总评。同治十二年金捧阊之孙金应澍将二书合并重刊，包括《偶笔》四卷和《二笔》残文一卷，即《八千卷楼书目》所著录者，取名《守一斋客窗笔记》。据《中国古代小说总目》文言卷。

七月

初一日，汪辉祖自序《病榻梦痕录》。见《病榻梦痕录》卷首。

初七日，吴锡麒招法式善、赵怀玉、桂馥、洪亮吉、伊秉绶、何道生、张问陶集澄怀园看荷。见《船山诗草补遗》卷五《七夕，吴縠人侍讲招同法时帆祭酒、赵味辛舍人、桂未谷大令、洪稚存编修、伊墨卿比部、何兰士水部集澄怀园看荷》。

十八日，张问陶、洪亮吉、伊秉绶、戴敦元、法式善等集赵怀玉寓斋为桂馥、刘大观饯行。见《船山诗草补遗》卷五《七月十八日，与洪稚存、伊墨卿、吴玉松、戴金溪、法时帆、马秋药重饯桂未谷明府、刘松岚刺史于赵味辛寓斋，醉归，车中有作》。

洪亮吉充咸安宫官学总裁。据吕培等《洪北江先生年谱》。

焦循以子病，送之吴中就医。归家一月，复为金衢之游，十二月归里。有《浙江诗钞》一卷。据闵尔昌《焦理堂先生年谱》。

八月

吴锡麒序罗聘《香叶草堂诗钞》。署"嘉庆元年岁在丙辰秋八月，钱塘愚弟吴省钦拜撰"。（《香叶草堂诗钞》卷首）《香叶草堂诗钞》一卷本年刊行。

九月

王复、黄易、武亿为嵩、少、伊、阙之游。据王芑孙《渊雅堂编年诗稿》卷一四《家秋塍大令复以嘉庆元年九月与黄小松易、武虚谷亿为嵩、少、伊、阙之游，寻碑选胜，作图纪事。其年十二月往求孙渊如星衍篆题其首。明年五月以书抵予华亭官所求诗》。

黎简《五百四峰堂诗钞》二十五卷编成付刻。自序云："简自龆龀，先君子即教之为诗。既得其意而喜为之。其间存而惭，惭而焚者屡矣。既又复存，存又复惭，于二十余年中，若有未可尽焚者。自乾隆辛卯至于乙卯，所得诗分廿五卷，梓之。少而壮，其渐以老，可概其心力之利钝也，体格之仍变也。诗人之殊途，医门之多病也；药之虽偏沴乎，近之者又其性也。且彼风气者，方置吾于其枢，吾不能挠其柄也。昔所非而今是，今所是而后非，吾乌知其鹄之正也哉！嘉庆元年丙辰九日黎简自序。"（《黎简诗选》附录）林昌彝《射鹰楼诗话》卷五："顺德黎二樵明经简，著有《五百四峰堂诗稿》。五古如《羚羊峡》、《寄闺人》、《罗浮》诸篇，粤西各滩诸作，七古如《徐天池怪石松树歌》、《苦热行》、《刀歌》等作，笔力巉绝，雄视万古。吾乡陈恭甫先生以为昌谷、山谷之后，自成一家，信然。五言律直逼少陵。""又名句如'独花如有怨，止水不增寒'，'水影动深树，山光窥短墙'，'短长道路供离别，少壮交游半死生'，'细雨人归芳草晚，东风牛藉落花眠'，皆传作也。"李慈铭《越缦堂读书记·五百四峰堂诗钞》："其诗幽折瘦秀，迥不犹人。二樵以绘事名，诗中皆画境也。"

秋

阮元初见吴文溥诗，定为浙中诗士之冠。阮元《定香亭笔谈》卷二："丙辰秋，按试至嘉兴，与试诗人虽多，尚未厌余所望。试毕将行，有诸生献其父诗《南野堂集》二帙，舟中阅之，知为嘉兴吴澹川文溥所作，披吟终日，定为浙中诗士之冠。《关中草》、《闽游编》，尤为直逼古人。"又，与阮元同至浙东者，有蒋征蔚。《定香亭笔谈》卷一："元和蒋蒋山征蔚，治经史小学，兼通象纬，著述甚精。诗文才力雄富，无所不有。岁丙辰，与余为越东之游，走笔为《甬东诗》八首，传诵至海外。有《少游》、《浙游》诸集，余为总订之，曰《经学斋诗》，并序之，谓其研精覃思，梦见孔、郑、贾、许时，不失颜、谢山水怀抱也。"陈康祺《郎潜纪闻二笔》卷一六《阮文达爱才》："乾嘉间，元和三蒋：伯荜于野，仲征蔚蒋山，季夔希甫，皆工诗，人各一集，几乎王、谢家风矣。蒋山尤渊博。"

十月

初四日，孙星衍序王复诗集。署"嘉庆元年岁在丙辰十月四日，赐进士及第署山东提刑按察使分巡兖沂曹济驿传水利黄河兵备道前兼署山东全省运河道刑部郎中翰林院编修孙星衍序"。序云："秋塍名父之后，其尊甫比部君有《丁辛老屋集》行世，传家文献不坠，故其诗才得渔洋、竹垞之长，雍和丽则，无浮靡佻巧之习。""予与秋塍有元白之交，故为略述其同游踪迹如此。"（《岱南阁集》卷二《王大令复诗集序》）

十三日，钱九韶卒，年六十五。据朱彭寿《清代人物大事纪年》。《晚晴簃诗汇》卷一一二录其诗一首。

张问安自京师归蜀。据蔡坤编辑、蔡璐参校《张船山先生年谱》。

恽敬抵贵州江山知县任。据恽敬《大云山房文稿初集序录》、《纪言》（《初集》卷首、卷三）。又，《大云山房文稿》所收文始于本年。

戴璐《藤阴杂记》十二卷成书。据朱彭寿《清代人物大事纪年》。

十一月

十三日，张问陶得袁枚手书，答诗代柬。诗见《船山诗草》卷一三《京朝集》。

十九日，温汝适、张问陶、赵怀玉等集会。据《船山诗草》卷一三《京朝集·十一月十九日，温步容编修招同赵味辛、童春厓及哲昆、熙堂、竹溪、氾香吟舫小集，分韵得船字》。

恽敬以父丧去官。据吴德旋《恽子居先生行状》（《初月楼文钞》卷八）。

十二月

十二日，仪克中（1797—1838）生。克中字协一，号星农，广东番禺人。道光十

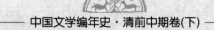

二年举人。著有《剑光楼诗词钞》六卷。事迹见缪荃荪《仪克中传》(《碑传集补》卷四一《曾钊传》附)、《清史列传》谭莹传附。[生日据朱彭寿《清代人物大事纪年》。]

十九日，张问陶、赵怀玉、温汝能、方体、伊秉绶、温汝适、洪亮吉等集于卷施阁。据《船山诗草》卷一三《京朝集·嘉庆丙辰腊月十九日，与赵味辛、温谦山如能两舍人、方茶山、伊墨卿两比部、温箕坡、洪稚存两编修集于稚存卷施阁，为东坡先生生日设祀，稚存属摹先生画像并题长句纪之》。

小除夕日，洪亮吉招吴锡麒、戴殿泗、戴敦元、伊秉绶、方体、赵怀玉、刘锡五、温汝能、张问陶等祭诗于卷施阁。据《船山诗草补遗》卷五《丙辰小除夕，洪稚存编修招同吴縠人侍读、戴东山殿泗吉士、戴金溪敦元礼部、伊墨卿、方茶山两比部、赵味辛、刘澄斋、叶云素、温谦山四舍人及予与四桥祭诗于卷施阁，同人嘱予作贾长江画像祀之，因题长句纪事》。

章学诚抵安庆，投安徽巡抚朱珪。据胡适《章实斋年谱》。

冬

周之琦补开封府学庠生，时年十五岁。据周汝筠、周汝策《稚圭府君年谱》。

本年

程瑶田举孝廉方正。据江藩《国朝汉学师承记》卷二。又，本年举孝廉方正者，有江声(《国朝汉学师承记》卷三)、邵志纯(《湖海诗传》卷四一)、钱大昭(钱庆曾《竹汀居士年谱续编》)、陈鳣(钱泰吉《陈鳣传》)、吴定(《清史列传》刘大櫆传附)等。赵绍祖辞孝廉方正之荐。据朱琦《赵琴士征君传》(《续碑传集》卷七六)。

钱林入学为附生，时年三十五岁。据汪喜孙《钱学士墓表》(《碑传集补》卷八)。

陈沆应童子试，学使鲍桂星惊叹其才，首拔之。据周锡恩《陈修撰沆传》(《碑传集补》卷八)。

毕沅督剿白莲教。据史善长《弇山毕公年谱》。

纪昀转兵部尚书。据朱珪《经筵讲官太子少保协办大学士礼部尚书管国子监事谥文达纪公墓志铭》(《知足斋文集》卷五)。

何道生擢工部员外郎。据法式善《朝议大夫宁夏知府何君墓表》(《碑传集补》卷二二)。

杨揆授四川按察使，以事未赴任。据赵怀玉《通奉大夫四川布政使司布政使赠太常寺卿杨公墓志铭》(《亦有生斋集》文卷一八)、杨芳灿自订、余一鳌补订《杨蓉裳先生年谱》。

屠绅任广州通判。据沈燮元《屠绅年谱》。

桂馥官云南永平知县。张问陶《船山诗草》卷一三《京朝集》有《送桂未谷馥之任永平》、《墨卿比部斋中与縠人侍读、味辛舍人、春松比部、研农农部、兰士水部钱未谷明府之永平，以玉壶买春赏雨茅屋分韵得雨字》。

吴嵩梁主兴鲁书院。据吴嵩梁《香苏山馆诗集》卷三《嘉庆元年主讲兴鲁书院谒尚贤祠……》。

毛燧传主武昌芍庭书院。据张慧剑《明清江苏文人年表》。

吴翌凤自长沙转客浏阳，掌教南台书院。据吴翌凤《清浏杂咏》小序（《与稽斋丛稿》卷一五）、陈其荣《逊志堂杂钞序》（《逊志堂杂钞》卷首）。

钱泳馆杭州督粮道张映玑署中。据胡源、褚逢春《梅溪先生年谱》。

王昙再试礼部报罢。持当事荐札，南行业医。据舒位《瓶水斋诗集》卷五《仲瞿再试礼部报罢，将归，意不自聊。乃乞河间公多作书，致江东诸大夫，荐为医。公既许之，而皆余为属稿，几蒙阔匾之诮。忽忆东坡有言，学书者纸费，学医者人费。然则尔我将分任其咎乎？相与嘔噱，仍为三绝句解嘲》。

舒位作幕河间，再与王昙会。据《瓶水斋诗集》卷五《王仲瞿至自河间，即用其去年雨夕见酬诗韵》、《自都赴河间杂诗》。

歙县岩镇先春园归金氏所有，张惠言、王灼重游故地。据张惠言《茗柯文》二编卷下《鄂不草堂图记》。

石韫玉在里，与修《苏州府志》。据张慧剑《明清江苏文人年表》。

毕沅撰《采芑集》一卷。据史善长《弇山毕公年谱》。

李兆洛撰《历代略》，句四言，始秦终明，以三千余言括之。据蒋彤《武进李先生年谱》卷一。

姚鼐作《复秦小岘书》。有"天下学问之事有义理、文章、考证三者之分"，"必兼收之，乃足为善"云云。见《惜抱轩文集》卷六。

章学诚作《文德》、《答问》、《古文十弊》诸篇。又，《丙辰札记》乃今明两年所作。据胡适《章实斋年谱》。

郭麐此前词为《蘅梦词》二卷。据《蘅梦词》卷首郭麐自序。

无名氏（托名曹雪芹，或云即逍遥子）《后红楼梦》三十回成于本年或稍前。仲振奎《红楼梦传奇跋》："丙辰客扬州司马李春舟先生幕中，更得《后红楼梦》而读之，大可为黛玉、晴雯吐气。"又据嘉庆三年九月秦子忱《续红楼梦弁言》，可知《后红楼梦》刊于嘉庆二年或稍前。首逍遥子序。裕瑞《枣窗闲笔》："至于《后红楼梦》三十回，又和诗等二回，则断非雪芹笔，确为逍遥子伪托之作。"姚燮《读红楼梦纲领》：此书"白云外史著，托名曹雪芹原稿"。吴克岐《忏玉楼丛书提要》："考原书与此书文字之优劣悬殊，稍识之无者能辨之，虽雪芹江郎才尽，亦不至如此。解盦居士《石头丛话》以为某广文作，必有所本，然究未详其谁氏。"又，据潘炤《西泠旧事》跋，逍遥子字钜卿，斋名梅花香雪，嘉庆十四年尚在世。梁恭辰《劝戒四录》卷四："《红楼梦》一书"（按即《后红楼梦》），"以开卷之秦氏为入情之始，以卷终之小青为点睛之笔，摹写柔情，婉娈万状，启人淫窦，导人邪机。"孙楷第《中国通俗小说书目》卷四："此书《续红楼梦凡例》及梁恭辰《劝戒近录》四均引。在续作中，此当为最早之书。"是书版本有：白纸刊本；黄纸刊本，附刻吴下诸子和大观园菊花社原韵诗、吴下诸子为大观园菊花社补题诗二卷；本衙藏版本；宣统二年上海章福记石印本等。参见《中国古代小说总目》白话卷。

孔昭虔作《葬花》杂剧。是剧凡一折，有道光间钞本。阿英编《红楼梦戏曲集》

收录。

赵文楷《菊花新梦稿》杂剧当作于本年以前。是剧今存咸丰元年钞本。据《古本戏曲剧目提要》。

戚学标编《三台诗录》三十二卷《续录》四卷附《词录》二卷刊行。据《贩书偶记》卷一九。

张廷俊编《台山怀旧集》刊行。法式善《陶庐杂录》卷三："《台山怀旧集》十二卷附《同怀集》一卷,仁和张廷俊选,卷末附以己作。序言仿顾阿瑛之《玉山草堂》、王渔洋之《感旧》。采择芜略,实不及也。刻版于嘉庆元年。"

朱良炜、陈泰编《国朝江左诗钞》十卷刊行。据《贩书偶记》卷一九。

檀萃《滇南集》古诗五卷律诗七卷寿谱图一卷（又名《滇南诗前集》）、《草堂外集》十五卷石渠阁刊行。据《贩书偶记》卷一六。

陶元藻编《全浙诗话》五十四卷怡云阁刊行。据《贩书偶记》卷二〇。又,陶元藻《凫亭诗话》二卷约乾隆间刊行。据《贩书偶记续编》卷二〇。

吴文溥《南野堂笔记》十二卷味兰居刊行。据《贩书偶记》卷一一。又,吴文溥另有《南野堂续笔记》五种,凡《慎余编》一卷、《少见录》一卷、《师贞备览》一卷、《苗疆指掌》一卷、《汉唐石刻目录》一卷。据《中国丛书综录》。

程际盛《清河偶钞》四卷刊行。据《贩书偶记》卷一一。

邓旵《异谈可信录》二十三卷碧山楼刊行。据《贩书偶记》卷一二。

梁廷楠（1796—1861）生。廷楠字章冉,别号藤花主人,广东顺德人。副贡生,官澄海县训导、内阁中书,加侍读衔。著有《南汉书》、《金石称例》、《曲话》等,汇刻为《藤花亭十种》。又有《了缘记》传奇及《圆香梦》、《江梅梦》、《断缘梦》、《昙花梦》杂剧四种,称为"小四梦"。事迹见《国史馆传稿·梁廷楠传》（《碑传集三编》卷三八）。

汪文台（1796—1845）生。文台字士南,安徽黟县人。诸生。与同邑俞正燮齐名。著有《十三经注疏校勘记识语》四卷、《七家后汉书》二十一卷、《淮南子校勘记》一卷。事迹见朱师□《黟三先生传》（《碑传集补》卷五〇）、《清史稿》俞正燮传附。

陈世庆（1796—1854）生。世庆字聪彝,福建德化人,奉兹孙。诸生。为吴嵩梁所赏,妻以次女,后依嵩梁居京师。鲍桂星见其咏鹤诗,呼为"鹤秀才"。著有《九十九峰草堂诗钞》。事迹见《清史列传》陈奉兹传附。[生卒年据朱彭寿《清代人物大事纪年》。]

严保庸（1796—1854）生。保庸字伯常,号问樵,丹徒人。嘉庆二十四年,举乡试第一。道光九年成进士,改庶吉士,散馆授山东栖霞知县。以官署为词场歌榭,致为弹章所劾,遂告归。著有传奇《兰花步》、杂剧《梦中缘》（《红楼新曲》）、《同心言》、《奇花鉴》、《吞毡报》、《双烟记》等均佚,存者惟《盂兰梦》杂剧。事迹见光绪《丹徒县志》卷三二、三四（《方志著录元明清曲家传略》）。[生卒年据江庆柏《清代人物生卒年表》。]

陈森（1796—1870）生。森字少逸,别署采玉山人,江苏常州人。诸生。游幕于京师、广西。著有《梅花梦传奇》、《品花宝鉴》六十回。事迹见《品花宝鉴》卷首自序。[生卒年据《中国文学家大辞典》近代卷。]

李宪乔卒，年四十三。据袁行云《清人诗集叙录》卷四一。《晚晴簃诗汇》卷九八："少鹤诗名在群从中最高。袁简斋游粤西，见少鹤诗文，目为今之东坡。诗出入唐、宋诸大家，而能空所依傍，盖有真意以运之也。"录其诗二十首。

韦谦恒卒，年七十七。据江庆柏《清代人物生卒年表》。王昶《蒲褐山房诗话》："皖桐诗派，前推圣俞，后数愚山，以啴缓和平为主。约轩承其乡先生之学，故不以驰骋见长。六一居士序《宛陵集》谓'古雅纯粹'，汪尧峰序愚山诗谓'简切淡远'。举似约轩，可谓得其法乳者。"（《湖海诗传》卷二八）《晚晴簃诗汇》卷九二录其诗十首。《国朝文汇》乙集卷三四录其《书旁搜集后》、《祀施黄二先生记》文两篇。

海宁周嘉猷卒，年四十六。据邵甲名《（周慕䕬）年谱》（谢巍《中国历代人物年谱考录》著录）。《晚晴簃诗汇》卷一〇一："诗缘情绮靡，雅近飞卿。"录其诗二首。

敦敏约本年卒。据吴恩裕《曹雪芹丛考》卷四第四篇。《晚晴簃诗汇》卷一〇："乾嘉之际，宗人能诗者，樗仙、嵩山、臞仙，三家鼎立，迭相酬唱。懋斋兄弟稍后起，取径晚唐，颇具逸趣。"录其诗六首。

陈端生（女）卒，年四十六。据郭沫若《陈端生年谱》。

金学诗尚在世，时年六十一岁。据金学诗自订《二雅年谱》（谢巍《中国历代人物年谱考录》著录）。《国朝文汇》乙集卷三三录其《唐府兵得古大意论》等文五篇。《晚晴簃诗汇》卷九〇录其诗一首。

公元 1797 年（嘉庆二年　丁巳）

正月

初七日，朱贲卒，年八十。据江藩《朱处士墓表》（《碑传集补》卷四五）。《墓表》云："其为诗文，根柢经史，如有原之水，挹而不穷。"《国朝诗人征略》初编卷三三引《盟鸥溆笔谈》："扬州诗人穷而在下，而能一洗俗调者，近惟如皋江片石、江都朱二亭二人。"《晚晴簃诗汇》卷九九："吴南野曰：'二亭贫不累心，贞不戾俗，刻苦为诗，目空前辈，工夫在一字两字之间，他人莫及也。'符南樵曰：'二亭诗以蕴藉胜，得中晚唐人风味。亦有似陆剑南者。'"录其诗三首。

十三日，吴镇卒，年七十七。据杨芳灿《诰授朝议大夫湖南沅州府知府吴松崖先生墓碑》（《芙蓉山馆文钞》卷七）。黄培芳《香石诗话》卷二："吴松崖太守镇，狄道州人，著有《松花庵集》。有押'秋'字句云：'疏桐连夜雨，寒雁几声秋。''芦花湘浦雪，风叶洞庭秋。''看山双桨暮，听雨一篷秋。'一时称为三秋居士。"《晚晴簃诗汇》卷九四："关中诗人盛于国初，而陇外较逊。至乾隆间，松崖崛起，与泰安胡静庵钎并执骚坛牛耳。静庵诗尚朴健，名位未显；松崖则才格并高，研求声律，故其诗音节尤胜。归林下后，掌教兰山书院，裁成后进，颇有继起者，当为西州诗学之大宗。"录其诗二十二首。况周颐《蕙风词话》卷五《吴镇松崖词》："甘肃人词流传绝少。狄道吴信辰先生镇《松崖诗录》附词一卷。先生由举人官至湖南沅州知府，主讲兰山书院。蚤岁诗学为牛空山入室弟子。其集多名人序跋，如袁简斋、王西庄诸先生，并推许甚至。杨蓉裳跋其词云:'叶脱而孤花明,云净而峭峰出。'余评之曰:'铿丽沈至,是能融五代入南宋者。'"录其《点绛唇·天台》、《玉蝴蝶·赤壁怀古》、《意难忘·别人》、《忆少年·题桐阴倚石图》等。

二十二日,阮元主持始修《经籍籑诂》。据张鉴《雷塘庵主弟子记》卷一。

立春日,童赓阳、童篯、赵怀玉、洪亮吉、温汝适、温汝能等集吾心书屋。据《船山诗草》卷一三《京朝集·立春日,童春厓赓阳、二厓篯招同味辛、稚存、簨坡、谦山、竹溪集吾心书屋,分韵得流字》。

谢启昆任浙江布政使。据谢启昆《树经堂诗初集》卷一四《嘉庆二年正月十日抵浙藩之任纪》。

王昶以浙中当事皆折简相招,因赴浙游数月。据严荣《述庵先生年谱》。在浙期间,邵志纯、项墉来谒。《湖海诗传》卷四一:"嘉庆丁巳,余至钱塘,右庵同项金门墉来谒,执弟子礼甚恭。"

自去年年末至今年年初,屈轶开文社于高丘村庄。招集邑中知名士,极一时觞咏之乐,黄廷鉴与焉。据黄廷鉴《享帚山庄四友记》(《第六弦溪文钞》卷二)。

二月

杨揆授甘肃布政使。奏留四川办理军务,嘉庆四年二月之官。据赵怀玉《通奉大夫四川布政使司布政使赠太常寺卿杨公墓志铭》(《亦有生斋集》文卷一八)。

舒位随王朝梧入黔,参与制苗军事。据《瓶水斋诗集》卷六《二月一日偕王疏雨备兵朝梧自燕入黔录别三首》。

黄钺就六安书院山长之聘。据黄富民《黄勤敏公年谱》。

章学诚作《陈东浦方伯诗序》。据胡适《章实斋年谱》。

三月

初三日,洪亮吉奉旨在上书房行走。据吕培等《洪北江先生年谱》。

十七日,章学诚作《与朱少白书》。有云:"诗与八股时文,弟非不能一二篇差强人意者也。且其源流派别,弟之所辨,较诗名家、时文名家转觉有过之而无不及矣。然生平从不敢与人言诗言时文者,为此中甘苦未深,漆雕氏所谓于斯未能信耳。"(胡适《章实斋年谱》)平步青《霞外捃屑》卷七上《笥河别传》:"章氏学诚《与朱少白书》云:'先生《别传》,始获笔偿,自谓略得先生心术行诣。'铭志之文显而实,别传之旨约而微,其文实胜惜抱。今《笥河文集》卷首,少白但刻姚作,岂以《传》中《文鸟赋》字句小有点窜,不慊于心;抑章氏所籑《墓志铭》已招群询,《别传》推奉尤过,少白从其言,匿不复出耶?"

春

张惠言观杨随安所作《渔樵问对图》。纵言及于《易》,因作《杨随安渔樵问对图赋并序》，以遂杨子八年前索赋之请。文见《茗柯文》二编卷上。

五月

初五日，张惠言、张琦、金应珹、金应珪、江承之泛舟丰溪，至覆舟山。张惠言作《满庭芳·五月五日泛丰溪》，见《茗柯文编·茗柯词》。

十二日，王友亮卒，年五十六。据姚鼐《中议大夫通政司副使婺源王君墓志铭并序》（《惜抱轩文后集》卷七）。吴嵩梁《双佩斋诗集序》："先生之于诗，盖笃好出于天性，而治之至精且勤者矣。天又予以时与地焉，俾得有所助发，以克尽其才。籍本婺源，家于江宁，湖山佳丽，擅绝东南。为京朝官久，所与倡酬，皆天下知名士。其思力之雄，无往不入，而皆造乎自然。千门万户，匠而成之；五和七均，澹而出之。不欲以矜气凌人，曼声悦俗，故所诣复乎与古作者抗衡。"（《国朝文汇》乙集卷六一）袁枚《随园诗话补遗》卷四："近学郊、岛诗者最少。独蒉亭给谏，于无意中往往似之。"录其《秋虫》、《在闸河水浅》、《及渡江得顺风》等诗句。《清史列传》袁枚传附："（友亮）诗格与袁枚相近。其为文议论正大，叙事有法，亦似程晋芳。"《晚晴簃诗汇》卷一〇四录其诗六首。《国朝文汇》乙集卷四八录其《理数论》等文六篇。

因陈东浦之介，章学诚至扬州投曾燠。至秋始得见曾。岁暮辞归。有《丁巳岁暮书怀投赠宾谷转运因为志别》七古，叙己之生平颇详。据胡适《章实斋年谱》。

六月

十四日，李星沅（1797—1851）生。星沅字子湘，号石梧，湖南湘阴人。未第时客陶澍幕。道光十二年成进士，选庶吉士，授编修。官至两江总督。谥文恭。著有《李文恭公文集》十六卷《诗集》八卷、《李文恭奏议》二十二卷。事迹见李元度《李文恭公别传》、朱琦《记李文恭公遗札后》（《续碑传集》卷二四）、《清史列传》本传、《清史稿》本传。[生日据朱彭寿《清代人物大事纪年》。]

张惠言说《易》诸书已成，董士锡、江安甫从之学《易》。张惠言《茗柯文》三编《记江安甫所抄易说》："余以嘉庆丙辰至歙，居江邨江氏。明年，余书稍稍成。时余之甥董士锡从余，与安甫年相及，相善，并请受《易》，各写读之。所居橙阳山门前有小池，夫渠盈焉。时五六月间，每日将入，两生手一册，坐池上解说。风从林际来，花叶之气掩冉振发，余于此时心最乐。"又，《周易虞氏义序》、《虞氏易礼序》、《虞氏易事序》、《周易郑荀义序》、《易义别录序》、《易纬略义序》见《茗柯文》二编卷上。

闰六月

二十六日，顾光旭卒，年六十七。据王昶《甘肃凉庄道署四川按察使司顾君墓志铭》（《春融堂集》卷五四）。王昶《蒲褐山房诗话》："生平诗文而外，尤精书法。"（《湖海诗传》卷一五）《晚晴簃诗汇》卷八一："晴沙由谏垣出守宁夏，后从军入川，所至有惠政。诗音节兴象，直逼唐人。以陇蜀诸作为最胜。"录其诗十五首。《国朝文

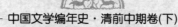

汇》乙集卷二三录其《重葺邵文庄公祠堂记》文一篇。

七月

初三日，毕沅卒，年六十八。据史善长《弇山毕公年谱》。钱大昕《太子太保兵部尚书湖广总督世袭二等轻车都尉毕公墓志铭》："生平笃于故旧，尤好汲引后进，一时名儒才士，多招致幕府。公务之暇，诗酒唱酬，登其门者以为荣。性好著书，虽官至极品，铅椠未尝去手。谓经义当宗汉儒，故有《传经表》之作；谓文字当宗许氏，故有《经典文字辨正书》及《音同义异辨》之作；谓编年之史莫善于涑水，续之者有薛、王、徐三家，徐虽优于薛、王，而所见书籍犹未备，且不无详南略北之病，乃博稽群书，考证正史，手自裁定，始宋讫元，为《续资治通鉴》二百二十卷，别为《考异》附于本条之下，凡四易稿而成；谓史学当究流别，故有《史籍考》之作；谓史学必通地理，故于《山海经》、《晋书·地理志》皆有校注，又有《关中胜迹图记》、《西安府志》之作；谓金石可证经史，宦迹所至，搜罗尤博，有《关中》、《中州》、《山左金石记》。诗文下笔立成，不拘一格，要自运性灵，不违大雅之旨。"（《潜研堂文集》卷四二）袁枚《随园诗话》卷一一："吴中诗学，娄东为盛。二百年来，前有凤洲，继有梅村。今继之者，其弇山尚书乎？《过吴祭酒旧邸》诗云：'我是娄东吟社客，瓣香私淑不胜情。'其以两公自命可知。然两公仅有文学，而无功勋；则尚书过之远矣！尚书虽拥节钺，勤王事，未尝一日释书不观。手披口诵，刻苦过于诸生。诗编三十二卷，曰《灵岩山人诗集》。灵岩者，尚书早岁读书地也。""公有《荆州述事》诗十首，仁人之言，不愧次山《舂陵行》。""毕尚书宏奖风流，一时学士文人，趋之如鹜。尚书已刻黄仲则等八人诗，号《吴会英才集》。"洪亮吉《北江诗话》卷一："毕宫保沅诗，如飞瀑万仞，不择地流。""毕宫保沅诗，如洪河大川，沙砾杂出，而浑浑沦沦处，自与众流不同。平生所作，歌行最佳，次则七律。忆其《荆州水灾记事》云：'劈空斧落得生门。'又云：'人鬼黄泉争路没，蛟龙白日上城游。'真景亦可云奇景。至《河南使署喜雨》诗云：'五更陡入清凉梦，万物平添欢喜心。'则又民物一体，不愧古大臣心事矣。"王昶《蒲褐山房诗话》："秋帆制府少得诗法于其舅张郎中少仪。登大魁，入词垣，爱才下士，海内文人咸归幕府。凡有吟咏，信笔直书，天骨开张，无绘句缋章之习。"（《湖海诗传》卷二二）昭梿《啸亭杂录》卷一〇《毕制府》："毕制府沅，庚辰状元，历任两湖总督。性畏懦，无远略。教匪之始，毕受相国和珅指，不以实入告，致使蔓延日久，九载始靖，人争咎之。姚姬传先生至曰：'戮毕沅之尸，庶足以谢天下。'其受谤也若此。然好儒雅，广集遗书，敬重文士，孙渊如、洪稚存、赵味辛诸名士，多出其幕下。尝岁以万金遍惠贫士，人言宋牧仲后一人，信不虚也。"《晚晴簃诗汇》卷八九录其诗十四首。《国朝文汇》乙集卷三〇录其《竹屿消夏录序》等文三篇。

康基田擢江苏巡抚，仍兼管南河事务。据《茂园自撰年谱》。

庄述祖致仕归。据李兆洛《珍艺先生传》（《养一斋文集》卷一五）。

姚鼐作《方正学祠重修建记》。见《惜抱轩文集》卷一四。

八月

初二日，徐贞归吴骞，徐时年十九岁。据吴骞《徐姬小传》（《珠楼遗稿》卷首）。

二十一日，阿桂卒，年八十一。据那彦成等《阿文成公年谱》卷三四。《晚晴簃诗汇》卷七五："读《心悟》诸篇，知勋业根于儒术，诗亦光明俊伟，为有德之言。"录其诗六首。

纪昀转礼部尚书。据《纪晓岚文集》附录《年谱》。

张惠言、张琦兄弟编定《词选》二卷。张惠言序云："词者，盖出于唐之诗人，采乐府之音以制新律，因系其词，故曰词。《传》曰：意内而言外谓之词。其缘情造端，兴于微言，以相感动。极命风谣里巷男女哀乐，以道贤人君子幽约怨悱不能自言之情。低徊要眇以喻其致。盖诗之比兴，变风之义，骚人之歌，则近之矣。然以其文小，其声哀，放者为之，或跌荡靡丽，杂以昌狂俳优。然要其至者，莫不恻隐盱愉，感物而发，触类条鬯，各有所归，非苟为雕琢曼辞而已。自唐之词人李白为首，其后韦应物、王建、韩翃、白居易、刘禹锡、皇甫松、司空图、韩偓并有述造，而温庭筠最高，其言深美闳约。五代之际，孟氏、李氏君臣为谑，竞作新调，词之杂流，由此起矣。至其工者，往往绝伦。亦如齐梁五言，依托魏晋，近古然也。宋之词家，号为极盛，然张先、苏轼、秦观、周邦彦、辛弃疾、姜夔、王沂孙、张炎渊渊乎文有其质焉。其荡而不反，傲而不理，枝而不物。柳永、黄庭坚、刘过、吴文英之伦，亦各引一端，以取重于当世。而前数子者，又不免有一时放浪通脱之言出于其间。后进弥以驰逐，不务原其指意，破析乖剌，坏乱而不可纪。故自宋之亡而正声绝，元之末而规距隳。以至于今，四百余年，作者十数，谅其所是，互有繁变，皆可谓安蔽乖方，迷不知门户者也。今第录此篇，都为二卷。义有幽隐，并为指发。几以塞其下流，导其渊源，无使风雅之士惩于鄙俗之音，不敢与诗赋之流同类而风诵之也。嘉庆二年八月武进张惠言。"道光十年四月张琦《重刻词选原序》："嘉庆二年，余与先兄皋文先生同馆歙金氏，金氏诸生好填词。先兄以为词虽小道，失其传且数百年。自宋之亡而正声绝，元之末而规矩隳。窔宦不辟，门户卒迷。乃与余校录唐宋词四十四家，凡一百一十六首，为二卷，以示金生，金生刊之。而歙郑君善长复录同人词九家为一卷，附刊于后，版存于歙。"谢章铤《赌棋山庄词话续编》卷一《张皋文词选》："张皋文《词选》，凡词四十四家，一百十六首。由唐逮宋，所选止此，可谓严矣。末附其友黄仲则景仁《竹眠斋词》、左仲甫辅《念宛斋词》、恽子居敬《兼塘词》、钱黄山季重《黄山词》、李申耆兆洛《蜩翼词》、丁若士履恒《宛芳楼词》、陆祁生继辂《清邻词》凡七家。郑善良抡元又益以皋文《茗柯词》与其弟翰风琦《立山词》、其徒金子彦应珹《兰簃词》、朗甫式玉《竹邻词》，而善长之作《字桥词》亦自列焉。二张及七家，皆常州人。二金及郑，则歙产也。合十家，或一二阕，或十数阕，其题多咏物，其言率有寄托。相其微意，殆为朱、厉末派饾饤涂泽者别开真面，将欲为词中之铮铮佼佼者乎。《续选》凡词五十二家，一百二十二首，则翰风外孙董子远毅所录，以补前选之遗，亦肄业之善本也。"谭献《复堂词话》："翰丰（珂谨按：即张琦）与哲兄（珂谨按：即张惠言）同撰《宛邻词选》，虽町畦未辟，而奥窔始开；其所自为，大雅遒逸，振北宋名家之绪。

其子仲远序《同声集》，有云：'嘉庆以来，名家均从此出。'信非虚语。周止斋益穷正变，潘四农又持异论。要之，倚声之学，由二张而始尊耳。(《箧中词》)""四农大令(珂谨按：即潘德舆)与叶生书，略曰：'张氏《词选》，抗志希古，标高揭己，宏音雅调，多被排摈；五代、北宋有自昔传诵，非徒只句之警者，张氏亦多恝然置之。窃谓词滥觞于唐，畅于五代，而意格之阂深曲挚，则莫盛于北宋；词之有北宋，犹诗之有盛唐，至南宋则稍衰矣'云云。张氏之后，首发难端，亦可谓言之有故。然不求立言宗旨，而以迹论，则亦何异明中叶诗人之侈口盛唐耶？宜《养一斋词》平钝浅狭，不足登大雅之堂也。然其针砭张氏，亦是诤友。(《箧中词》)"陈廷焯《白雨斋词话自序》："伊古词章，不外比兴。……嗣是六百余年，沿其波流，丧厥宗旨。张氏《词选》，不得已为矫枉过正之举，规模虽隘，门墙自高，循是以寻，坠绪未远。而当世知之者鲜，好之者尤鲜矣。"卷一："张氏惠言《词选》可称精当，识见之超，有过于竹垞十倍者，古今选本，以此为最。但唐、五代、两宋词，仅取百十六首，未免太隘。""总之，小疵不能尽免，于词中大段，却有体会；温、韦宗风，一灯不灭，赖有此耳。"卷四："张皋文《词选》一编，扫靡曼之浮音，接《风》、《骚》之真脉；附录一卷，简择尤精。洵有如郑抡元所云：'后之选者，必不遗此数章。'具冠古之识者，亦何嫌自负哉。"卷五："皋文《词选》精于竹垞《词综》十倍，去取虽不免稍刻，而轮扶大雅，卓乎不可磨灭。古今选本，以此为最。"卷六："《词选》后附录诸家词，大旨皆不悖于《风》、《骚》。惟冠以仲则一首，殊可不必。仲则于词，本属左道，此一词不过偶有所合耳，亦非超绝之作。"

卢文弨《抱经堂文集》三十四卷刊行。《抱经堂文集》目录后徐鲲识语："乙卯之春，抱经先生整比自著文集。至冬十一月已刻成二十五帙，尚未定卷次先后，而先生遽归道山。鲍君以文力任剞劂，蒇工，以鲲与先生有知己之感，因属校雠。末学肤浅，岂足窥先生之奥窔？幸孙颐谷侍御相与商榷采选，指示体裁，又与桑孝廉典林定标目之例，去取严审，庶无遗憾。然先生余稿尚夥，其续刻十余卷当谊诿梁君曜北定之，梁君亦谊不容辞也。忆先生尝言前辈文集有系后人编次者，体例多未尽善，故于垂暮之年手编付梓，以及见书成为幸，乃此志未遂，留恨而殁，呜呼惜哉！嘉庆二年秋七月，萧山后学徐鲲谨识。"(《抱经堂文集》卷首)

九月

初二日，王复卒，年五十一。武亿《偃师县知县王君行实辑略》："七月中，毕公薨问至自湖南，君一痛陨绝。既苏，家人强慰藉之，益忽忽感喟，遂致不起。其卒盖以九月二日，年五十有一。"(《授堂文钞》卷八)〔按，王复生卒年多作1748—1798年，系据武亿此文"乾隆二十六年辛巳，刑部弃世，君年十有四"及"(卒)年五十有一"推知。然毕沅卒于本年七月初三日，王复闻其"薨问"似不至于在一年以后，故此处"七月中"疑指本年。〕王昶《蒲褐山房诗话》："秋塍承其尊人穀原之学，殚见洽闻，诗才凌厉。少即与汪云壑、祝西涧、蒋春雨诸人联吟斗险，众避其锋。既而入京师，游秦中，从予及秋帆抚军最久。迨筮仕中州，初任商丘令，又偕幕寮彭受园等流连觞咏。寻调偃师，继汤君毓卓之后。""君继其后，风流弥劲，游龙门砥柱，极山水之胜，作长卷以纪之。同安阳令赵君希璜皆以仙吏称。句如'明月渔火全无影，夜静江涛渐有声'；'草色青迷沽酒处，杏花红点渡江时'；'凉气吴衫轻易透，离愁鲁酒薄难降'；'碧窗晨展泥金帖，红烛宵浮药玉船'；'吟来诗句清呈佛，老去容颜瘦有神'；'新词且共歌盐角，旧酝还来拨瓮头'；'烛花送喜春争发，弓月流辉夜未深'，皆绘藻相宣，宫商叶应。"（《湖海诗传》卷三八）林昌彝《射鹰楼诗话》卷二一："秀水王秋塍大令复，著有《树萱堂诗集》。大令诗篇风流蕴藉，为其乡竹垞、樊榭嗣音。"录其《月暗》、《送褚蔼岩之淮阴》等诗。《晚晴簃诗汇》卷一〇三录其诗八首。

康基田授河东河道总督。据《茂园自撰年谱》。

张问陶归里奔丧。据蔡坤编辑、蔡璐参校《张船山先生年谱》。《船山诗草》卷一四《奇零集》有《丁巳九月褒斜道中即事》、《九月十九日峡中遇警，三更发神宣驿，天明至朝天，由水驿趋昭化》等诗。

邹炳泰自序《午风堂丛谈》八卷。署"嘉庆丁巳九月朔日邹炳泰"。自序云："纪晓岚宗伯谓置之宋人说部中，堪与对垒，以明人冗杂之书为不足道。王述庵侍郎谓其考据精确似王深宁，记载阂富似洪容斋，则何敢云？然论务平允，意寓劝诫，亦学人资古之义也。"（《午风堂集》卷首）

秋

包世臣至皖谒朱珪，客其节署。据胡韫玉《包慎伯先生年谱》。

十月

初三日，孟超然卒，年六十七。据陈寿祺《为孟考功夫子请祀乡贤呈词》（《左海文集》卷一〇）。《亦园亭全集》嘉庆二十年刊行，凡《瓶庵居士诗钞》四卷、《瓶庵居士文钞》四卷等十二种。据《中国丛书综录》。林昌彝《射鹰楼诗话》卷二〇："诗亦冲和恬澹，不失温柔敦厚之旨。"录其《马鞍岭》、《天王山刘将军碑》等诗。《晚晴簃诗汇》卷八九："符南樵曰：梁茝林中丞尝言，孟瓶庵诗不规规于古人，而绝似中唐人吐属。其《病中杂诗》云：'残灯无焰坐沈冥，故友追思泪欲零。莫望夜来还对雨，剧怜曙后有孤星。平生肝胆真磨剑，后死文章愧汗青。三复子由肠断句，山阳邻笛不堪听。'又《秋蝉》云：'汝性最高洁，应无日暮愁。奈何不结舌，及此鸣高秋。'其清音沈调类如此。""瓶庵归田后，主讲鳌峰书院十余年，教士以朱子之学为归，诗和雅而有远致，不堕理障。七言近体如《为人题观我图》云：'梦蝶漆园吾丧我，举杯太白影随人。'《书赵秋谷饴山集后》云：'酒失略如苏子美，琴声犹忆董庭兰。'隶事工切，意度遒然，皆佳句也。"录其诗七首。《晚晴簃诗汇》卷八九录其诗七首。《国朝文汇》乙集卷三〇录其《蜀志氏族谱后序》等文四篇。丁绍仪《听秋声馆词话》卷一八《孟超然词》："吏部名超然，以部曹提学四川，清操绝俗，生平积学砥行，所著书皆切伦常日用，词仅存一阕。"谢章铤《赌棋山庄词话》卷五《孟超然词》："孟瓶庵（超然）先生敦品绩学，为闽中有数人物。自为部郎，曲试蜀粤，及归，掌教鳌峰，谆谆以培育人才为己任。诗文雅洁，多明理见道之言。辛亥夏，余偶读先生所著《瓜棚避暑录》，见为孙羡门题《九曲移居图》，乃知先生于词，亦当家者，录之以资谈助。"《清史列传》本传："闽之学者，以侯官李光地、宁化雷铉为最。超然辈行稍后，而读书有识，不为俗学所牵，则先后一揆也。"

十一月

十七日，袁枚卒，年八十二。据姚鼐《袁随园君墓志铭》（《惜抱轩文集》卷一三）。《墓志铭》云："君古文、四六体，皆能自发其思，通乎古法。于为诗尤纵才力，所至世人心所欲出不能达者，悉为达之。士多效其体，故随园诗文集，上自朝廷公卿，下至市井负贩，皆知贵重之，海外琉球有来求其书者。君仕虽不显，而世谓百余年来，极山林之乐，获文章之名，盖未有及君也。"孙星衍《故江宁县知县前翰林院庶吉士袁君枚传》："先生有吏才，通达政体，而议论务出于宏厚，虽不竟其用，亦一代循吏也。退而惜以文自见，然其成就有足观焉。"（《碑传集》卷一〇七）洪亮吉《北江诗话》卷一："袁大令枚诗，如通天神狐，醉即露尾。""诗固忌拙，然亦不可太巧。近日袁大令枚《随园诗集》，颇犯此病。"王昶《蒲褐山房诗话》："三十年中，扫门纳履，为向来名人所未有。才华既盛，信手拈来，矜新斗捷，不必尽遵轨范。且清灵隽妙，笔舌互用，能解人意中蕴结。""然谢世未久，颇有违言。吴君嵩梁谓：'其诗人多指摘，今予汰淫哇，删芜杂，去纤佻，清新隽逸，自无惭于大雅矣。'孙君渊如又谓：'其神道碑、墓志铭诸文，纪事多失实。'予谓岂惟失实，并有与诸人家状多不合者。""盖子才游履所至，偶闻名公卿可喜可愕之事，著为志传，以惊爆时人耳目，初不计信今传后也。"（《湖海诗传》卷七）昭梿《啸亭续录》卷四《随园先生》："随园先生，天姿超迈，笔法精粹，古文尤为卓作，予深佩之。惟考订实非所长，其诗话、随笔中，错误不一而足。"尚镕《三家诗话·三家分论》："若生有生吞活剥之弊，而子才点化胜之。云松有夸多斗靡之弊，而才子简括胜之。""子才专尚性灵，而太不讲格调，所以喜诚斋之镂刻，而近于词曲。""子才律诗往往不对，盖欲上追唐人高唱也，然失之率易矣。""子才古文自是侯朝宗以后作者，近人因其诗之纤巧，并诋其文，恽子居至以猖狂无理斥之，皆非平心之论。"黄培芳《香石诗话》卷二："王兰泉论子才云：'时吴越老成凋谢，子才来往江湖，从者如市。'余谓此固由老成凋谢，亦由其学轻浮，聪俊少年喜其易入。盖子才之诗，矜新斗捷，用功一旬半月，即与之相肖。若使范以李、杜、韩、苏，深山大泽未易窥测，人亦未必从而趋之。"朱庭珍《筱园诗话》卷二："袁既以淫女狡童之性灵为宗，专法香山、诚斋之病，误以鄙俚浅滑为自然，尖酸佻巧为聪明，谐谑游戏为风趣，粗恶颓放为雄豪，轻薄卑靡为天真，淫秽浪荡为艳情，倡魔道妖言，以溃诗教之防。一盲作俑，万瞽从风，纷纷逐臭之夫，如云继起。因其诗不讲格律，不贵学问，空疏易于效颦。其诗话又强词夺理，小有语趣，无稽臆说，便于借口。眼前琐事，口角戏言，拈来即是诗句。稍有聪慧之人，挟彼一编，奉为导师，旬月之间，便成诗人；钝根人多用两月工夫，亦无不可。于彼教自雄，诚为捷径矣。不比正宗专门，须有根柢学力，又须讲求理法才气，屡年难深造成功，用力之久且勤也。是以谬种蔓延不已，流毒天下，至今为梗。"陈廷焯《白雨斋词话》卷八："《小仓山房诗》，诗中异端也，稍有识者无不吐弃之，然亦实有可鄙之道，不得谓鄙之者之过。假令简斋当日，删尽芜词，仅存其精者百余首（多存近体，少存古体，不必存绝句，极多以百余首为止，更不可再多），传至今日，正勿谓不逮阮亭、竹垞诸公也。惟其不能割舍，夸多斗靡，致使指摘交加，等诸极恶不堪之列，亦其自取。习倚声者，尤不可不察。"李祖陶《国朝文录续编·小仓山房文录引》："《小仓山房文集》初出时，家弦户诵，上自公卿大夫，下至学官弟子，案头无不有此一集。以其华言巧语，工于作态，长于言情，而才驱气驾亦足以推排一世也。予少时心亦好之，而以为如此便是古文，亦复容易。稍长，摈不复视。至今《文录》刻成，不在四十家之列，类无不骇且怪者。番禺张南山司马谓有意抑子才之文，余作书答之谓：'子才文固佳，但立言不慎。集中开首一篇为《俭戒》，夫俭而可戒，则奢当法矣。即何怪胡椒八百石、珊瑚六七尺者之接踵于世也。碑志最富，除尹文端公外无一篇能称其为人者。序记无一首可观，惟赵瓯北、蒋心余两篇稍稍用意。然细按《忠雅堂诗》，实无一语道着，盖只夸其外见之才而不原其内蕴之志，犹相士只以皮耳，转不如金桧门总宪寥寥数语之足见生平。书事多类小说家言，议论亦多偏宥。惟书札慷慨论列，为可观耳。且以高名而倡邪说，以闲客而趋热途，驯至风俗人心为之大坏，有意抑之以示教也。'司马见之亦无以难。今取其集复阅之，碑志最多，行文亦有熔范，但刊落事迹而以藻色润饰之，既不见本来面目，亦不见全副精神，异日何以备史家之采？如朱文端公神道碑，排场颇大，而以鄂文端碑较之，则如小巫之见大巫矣。于清端公传，叙述颇工，而以陈午园传比之，则一为班书，一为小说矣。其他如赵良栋传、姚启圣碑，而以朱竹垞、全谢山文较之，更不足以当一噱。盖此等笔墨非南丰所云'蓄道德而能文章'者不能，子才仅仅能文，而欲借此等大人物以自表襮，何异矮人观场，只知听锣鼓，不知观色目，宜《蒲褐山房诗话》之讥之而笑之也。诸序纯用率笔，小有情趣，全无体裁。诸记笔颇苍老，而气质太粗，亦无雅人深致。其他议论之文，率多小言破道，如己不说经，即排人解经；己不持廉，即诋人矫廉；己之诗多绮语，即以绮语为是；己之文无关系，即不以无关系为非。且往往借六经孔孟语以自盖，如曹孟德挟天子以令诸侯者然，弥为可哂。然披沙以拣金，金自灿烂；伐林以采干，干自青苍。书札固多佳文，而如《书柳子封建论后》一篇，尤足空前绝后。"《晚晴簃诗汇》卷七六录其诗四十一首。《国朝文汇》乙集卷九录其《高欢宇文泰论》等文十五篇。

十二月

初二日，**王鸣盛卒，年七十六。**据钱大昕《西沚先生墓志铭》（《潜研堂文集》卷四八）。《墓志铭》云："（西沚）蚤岁论诗，溯原汉、魏、六朝，宗仰盛唐。中年稍变化，出入香山、东坡。晚年独爱李义山，谓少陵以后一人。前后吟咏甚富，手自删定为二十四卷。王琴德谓其以才辅学，以韵达情，粹然正始之音，非虚骄恃气者所及。古文纡徐醇厚，用欧、曾之法阐许、郑之学，一时推为巨手。"洪亮吉《北江诗话》卷一："王光禄鸣盛诗，如霁日初出，晴云满空。"王昶《蒲褐山房诗话》："先时与惠松

崖交，深究群经古义。著《尚书后案》及《军赋考》，皆阐发郑君之说。又为《十七史商榷》，据各史纪传志表，考其同异而折衷之。更著《蛾术编》，列说十门，以见其学无所不该。古文宗（导）[遵]岩、震川，诗兼综三唐。初为沈文愨公入室弟子，既而旁涉宋人。归田后，复守前说。于空峒、大复、凤洲、卧子，及国朝渔洋、竹垞，咸服膺无间。故虽转益多师，终归大雅。"（《湖海诗传》卷一六）林昌彝《射鹰楼诗话》卷二二："光禄诗综三唐，旁涉宋人，句如'疏钟烟外寺，远火渡头船'，'晓涨云浮岸，春山翠压城'，'残岁辞家随断雁，大江积雪上孤舟'，'三户遗墟春草碧，六朝旧事暮江平'，'芦中问渡真穷士，汉上题襟少故人'，皆风雅可诵。"《晚晴簃诗汇》卷八三："西庄为诗，少宗汉、魏、盛唐。在都下见钱箨石、蒋心余辈喜宋诗，往往效之。后悔，复操前说，于明季李崆峒、何大复、李于麟、王元美、陈卧子及国朝王贻上、朱锡鬯之诗服膺无间。论者谓以才辅学，粹然正始之音。西庄为沈文愨高第弟子，与钱竹汀、王述庵、惠定宇交最笃，名亦相亚。其诗博雅安翔，敛才就范，不染牛鬼蛇神之习。惜诗名为他学所掩，不甚著耳。西庄尝论文章源流，谓诗以李义山为最，将尽改生平所作，效其体制。已而叹曰：'吾老矣，恐无及。'案西庄之诗与义山绝不类，亦犹白乐天《长庆集》与西昆体大相径庭，而白公乃亦有再生为子之说，所谓'文章千古事，得失寸心知'也。"录其诗二十八首。《国朝文汇》乙集卷二四录其《曲沃县志序》等文九篇。

康基田再调江南河道总督，仍留山东协办工程。据《茂园自撰年谱》。

王昶以老病辞娄东书院讲席归。据严荣《述庵先生年谱》。

王宸卒，年七十八。据朱彭寿《清代人物大事纪年》。王昶《蒲褐山房诗话》："其平生所著有《绘林伐材》十卷，上自黄帝时史皇，下逮国朝乾隆时人，亦画史之总龟也。"（《湖海诗传》卷二三）《晚晴簃诗汇》卷八九录其诗三首。

翁春卒，年六十二。据王芑孙《华亭二布衣传》（《惕甫未定稿》卷九）。王昶《蒲褐山房诗话》："石瓠远性风疏，逸情云上，萧条孤寄，不与世俗相关。汪上舍大经序其诗云：'嗜恬淡，甘寂寞。'菽水奉母，耕读教弟，年逾四十不娶，不就有司试。为诗一唱三叹，如朱弦越疏，足以尽石瓠矣。集中佳句如：'莼鲈入梦三间屋，风雨论心一纸书'；'病起自惊寒食雨，花开又负故园春'；'帘波暖近调笙路，柳色寒欺侧帽风'；'游迹重寻鸿爪外，故人半忆马蹄间'；'人来山色苍茫里，春在梅花浅淡时'。许川晦、罗昭谏不是过也。"（《湖海诗传》卷三九）

冬

仲振奎作《红楼梦》传奇。自跋云："壬子秋末，卧疾都门，得《红楼梦》于枕上读之，哀宝玉之痴心，伤黛玉、晴雯之薄命，恶宝钗、袭人之阴险，而喜其书之缠绵悱恻，有手挥目送之妙也。同社刘君请为歌辞，乃成《葬花》一折，遂有任城之行，厥后录录，不遑搦管。丙辰客扬州司马李春舟先生幕中，更得《后红楼梦》而读之，大可为黛玉、晴雯吐气。因有合两书度曲之意，亦未暇为也。丁巳秋病，百余日始能扶杖而起，珠编玉籍，概封尘网，而又孤闷无聊，遂以歌曲自娱，凡四十日而成此。"

署"嘉庆三年岁在戊午且月望日,红豆村樵自序于小竹西"。(阿英编《红楼梦戏曲集》)是剧今存嘉庆四年绿云红雨山房原刊本。

本年

何道生授山东道监察御史。据秦瀛《宁夏府知府兰士何君墓志铭》(《小岘山人续文集》卷二)。

唐仲冕署川沙同知。据王芑孙《渊雅堂编年诗稿》卷一四《唐陶山大令仲冕来署川沙同知,中秋有诗,枉赠次答二首》。

刘廷楠谒选得广东信宜县,明年之官。据曾国藩《广东嘉应州知州刘君事状》(《曾文正公文集》卷二)。

蒋因培援投效例得县丞,分发山东。据黄安涛《山东齐河县知县蒋君墓志铭》(《续碑传集》卷四〇)。

钱泳馆两浙转运使秦震钧署中。据胡源、褚逢春《梅溪先生年谱》。

温承恭闻蜀地用兵,因入蜀依姊婿华阳令徐念高。据《国朝诗人征略》初编卷五六引《听松庐文钞》。

焦循课徒村中。据闵尔昌《焦理堂先生年谱》。

张维屏入县学第一名。据金菁茅《张南山先生年谱撮略》。

刘开以文谒姚鼐,鼐大奇之,尽授以诗古文法。开时年十四岁。据方宗诚《刘孟涂先生墓表》(《续碑传集》卷七六)。

彭兆荪在淮上与郭麐订交。据缪朝荃《彭湘涵先生年谱》。

张问陶在京师。有《丙辰以来,二云学士下世,鱼山比部忧归,未谷大令之云南,铁夫校官之华亭,椒畦归昆山,亥白兄回里,比者縠人侍读亦将乞假归杭州,两峰山人亦将归扬州,酒人云散,一别如雨,慨然有作,忽不自知其言之悲也》诗,见《船山诗草》卷一三《京朝集》。

翁方纲序谢启昆咏史诗八卷。见《复初斋集外文》卷一。

顾广圻序戈宙襄《半树斋文集》。据赵诒琛《顾千里先生年谱》。

袁枚作《后知己诗》。方濬师《随园先生年谱》:"作《后知己诗》,自福文襄至纤纤女共十一人。"

洪亮吉作诗文七十余首,刊《东晋疆域志》竣。据吕培等《洪北江先生年谱》。

王昶自乾隆五十九年至本年诗编为《存养斋集》。据严荣《述庵先生年谱》。

章学诚作《丁巳札记》。有云:"近有无耻妄人,以风流自命,蛊惑士女,大率以优伶杂剧所演才子佳人惑人。大江以南,名门大家闺阁多为所诱,征诗刻稿,标榜声名。无复男女之嫌,殆忘其身之雌矣!此等闺娃,妇学不修,岂有真才可取?而为邪人播弄,浸成风俗。人心世道大可忧也。"又,《章氏遗书》中,《妇学》、《妇学篇书后》、《诗话》、《书坊刻诗话后》、《论文辨伪》诸篇皆有批袁枚之文。据胡适《章实斋年谱》。

李兆洛《蜩翼词》五首为张惠言《词选》所录,兆洛以为实业无就,虚以词名,非夙志也，乃致书祝百十为削其板或易他名。据蒋彤《武进李先生年谱》卷一。

刘永安《一亭霜》传奇作于本年或稍后。永安字古山，东海人。是剧凡二卷二十八出，演当时苗疆动乱实事。今存嘉庆间钞本，首载署"南洲七十七岁老人杜钧藕庄序"之《序》，及本年奏稿与内阁谕文，巡抚常明札事，程任斋观察《从军纪略》。据《古本戏曲剧目提要》。

毕沅《续资治通鉴》刊行。史善长《弇山毕公年谱》："公自为诸生时，读涑水《资治通鉴》，辄有志续成之。凡宋元以来事迹之散逸者网罗搜绍，贯串丛残，虽久典封圻而簿领余闻，编摩弗辍，为《续通鉴》二百二十卷，始自建隆，迄于至正，阅四十余年而后卒业。复为凡例二卷，序文一首，毕生精力，尽于此书。至是乃付剞劂，艺林鸿宝，海内争欲先睹为快。"胡思敬《国闻备乘》卷二《托名著书》："毕沅开府武昌，幕宾最盛。精研史学者推邵晋涵，今所传毕氏《续通鉴》一书，半系晋涵裁定。分任纂述者岁久不能具述，盖湮没久矣。"

戴璐《吴兴诗话》十六卷首一卷石鼓斋刊行。据《贩书偶记》卷二〇。

王楷苏《骚坛八略》二卷刊行。据《贩书偶记》卷二〇。

李懿曾《天海楼集》八卷刊行。凡《古文钞》四卷，《四六文钞》四卷。据《贩书偶记续编》卷一六。

姚鼐《九经说》十二卷刻成。自订《诗集》十卷付梓，明年夏刻成。据郑福照《姚惜抱先生年谱》。

祝德麟《悦亲楼诗集》三十卷、《外集》二卷刊行。据《贩书偶记》卷一六。

施朝幹《一勺集》一卷刊行。据《贩书偶记》卷一五。

何承燕《春巢诗钞》七卷、《词钞》四卷刊行。据《贩书偶记》卷一六。

熊琏（女）《澹仙诗钞》四卷、《词钞》四卷、《赋钞》一卷、《文钞》一卷茹雪山房刊行。据《贩书偶记》卷一八。钱泳《履园丛话》卷二四："自古妇人工诗画者甚多，而能评论古今、作诗话者绝少。如皋有熊澹仙夫人者，名琏，苦节一生，老而好学，尝著诗话四卷。""澹仙诗词俱妙，出于性灵，题黄月溪《乞食图》云：'田园荡尽故交稀，舞榭歌筵一梦非。未必相逢皆白眼，凭他黄犬吠鹑衣。'借题发挥，骂尽世人。澹仙又有感悼词数十首，集曰《长恨编类》，皆为闺中薄命者作也。"

康蕙兰（女）《留梦阁诗钞》一卷刊行。据《贩书偶记》卷一八。

李调元《新搜神记》刊行。据《中国古代小说总目》文言卷。

法式善《槐厅载笔》刊行。据阮元《梧门先生年谱》。

垣赤道人《吹影编》四卷酉山堂刊行。据《贩书偶记》卷一二。

王初桐《奁史》一百卷、《拾遗》一卷古香堂刊行。据《贩书偶记》卷一二。

壶隐痴人《群芳外谱》二卷问花楼刊行。据《贩书偶记》卷一二。

竹溪山人《粉妆楼全传》十卷八十回刊行。孙楷第《中国通俗小说书目》卷二：《粉妆楼全传》八十回，"存。清嘉庆二年宝华楼刊本。清光绪三十二年泉城郁文堂刊本。清无名氏撰。题'竹溪山人撰'。"是书又有嘉庆十一年会元藏板（黎光阁）本十二卷八十回、嘉庆二十二年务本堂刊本、道光七年文瑞堂刊本、咸丰三年维扬爱日堂藏板本、咸丰十一年维经堂藏板本等。据《中国古代小说总目》白话卷。

管庭芬（1797—1880）生。庭芬字培兰，号芷湘，浙江海宁人。诸生。著有《南唐杂剧》，尝刻《花近楼丛书》。事迹见朱彭寿《清代人物大事纪年》、庄一拂《古典戏曲存目汇考》卷八。

王嘉禄（1797—1824）生。嘉禄字绥之，号井叔，江苏长洲人，芑孙子。贡生。著有《嗣雅堂诗》二十八卷。事迹见张慧剑《明清江苏文人年表》。

施朝幹卒。据张慧剑《明清江苏文人年表》。朝幹字培叔，号铁如、小铁，仪征人。乾隆二十八年进士。官至太仆寺卿、湖北学政。卒于任。著有《六义斋集》、《正声集》。事迹见《清史列传》沈业富传附。袁枚《随园诗话补遗》卷五：“真州太常卿施朝幹，字铁如，与余有世谊。自幼吟诗，熟精《文选》，于汉、魏源流，最为淹贯。《闻曲》云：‘琵琶弦急对秋清，弹出关山离别情。借问黄河东去水：几时流尽断肠声？’真唐人高调也。余尤爱其《倚枕》诗，有‘平世受凡才’五字，真乃包括‘十七史’。”王昶《蒲褐山房诗话》：“铁如诗朴质清真，不尚才藻，生涩刻峭，得之孟东野、梅圣俞为多。”（《湖海诗传》卷二九）洪亮吉《北江诗话》卷一：“施太仆朝幹诗，如读甘谀鼎铭，发人深省。”卷五：“太仆诗，以四言、五言为最，次则歌行，即近体亦别出杼轴，迥不犹人。读其诗可以知其品也。五言《哭亡妇》云：‘白水贫家味，红罗旧日衣。’七言《志感》云：‘委蛇岁月羞言禄，寂寞功名称不才。’何婉而多风若此！”林昌彝《射鹰楼诗话》卷二三：“仪征施铁如府丞朝幹（乾隆二十八年进士）著有《正声集》。诗朴质清真，生涩刻峭，生平不与热官往来。句如‘春星兼鸟落，山雨接潮来’，‘中原秋色高嵩岳，孤剑寒云落大河’，皆高壮可诵。”《晚晴簃诗汇》卷九二：“王德甫曰：铁如少以诗名，王光禄鸣盛《吴中十子》之刻，铁如居其首。住京师，杜门却扫，忍饥诵经，故其诗文苍然而秀，穆然而深，秩然一规于正。”“（铁如）论诗谓当以复古之才，寓独造之意。所作朴质清真。钱竹汀称其气格在高、岑、李、王之间，可谓不愧所言矣。”录其诗十首。《国朝文汇》乙集卷三四录其《狄武襄论》等文三篇。

刘玉麐卒，年六十。据张慧剑《明清江苏文人年表》。李慈铭《越缦堂读书记·甓斋遗稿》：“阅宝应刘又徐玉麐《甓斋遗稿》，《学海堂经解》节取本也。虽仅盈一卷，而古义确凿，典制犁然。其辨大夫士及妇人宗庙皆有主一条极为明晰，所附薛氏传均、刘氏文淇、刘氏宝楠案语亦俱详备。”

褚廷璋卒，年七十。据江庆柏《清代人物生卒年表》。王昶《蒲褐山房诗话》：“筠心敏慧绝伦，风神谐畅，兼有荀令、谢郎之目。”“诗初学青丘，既学元、白，旨远词文，卓然大雅。”（《湖海诗传》卷二九）法式善《梧门诗话》卷一〇：“褚筠心廷（嶂）［璋］先生五言宗韦、柳，七古歌行宗韩、苏。”昭梿《啸亭续录》卷二《褚筠心》：“褚筠心先生廷璋，长洲人，为沈文悫公弟子。少时与赵舍人文哲、曹学士仁虎等结社，号‘吴门七子’。诗宗盛唐，无宋、元卑靡之习。尝修《西域同文志》，谙习新疆古迹，所作西域咏古诸诗，音律尤苍凉合格。先恭王尝曰：‘近世不为袁、赵所惑者，惟筠心一人而已。’性直梗，和相秉权时，先生以其非科目中人，不以先辈待之，和相慊然。以考事中之，改官部曹，先生终身不谒铨选，曰：‘此膝不为权臣屈也。’尝赏鉴余诗文，临归时，余题四律赠行。先生即日挑灯和之，其末作《玉胡蝶词》，尤多规劝,余心感其言。然性纡缓,多为人所愚,任湖南学政归,以宦囊开凶肆,以其利薄,人争笑之,而先生不顾也。"《晚晴簃诗汇》卷九一录其诗十一首。

公元1798年(嘉庆三年 戊午)

正月

十七日,张问陶自成都出发入京。三月抵京。据《船山诗草》卷一四《奇零集·正月十七日发成都口占》、《戊午三月自蜀至京师,王春波以桃源图见赠题句志之》。

二月

初九日,张问陶途宿宝鸡县,有题壁诗十八首。见《船山诗草》卷一四《奇零集·戊午二月九日出栈宿宝鸡县题壁十八首》。顾翰《船山诗草补遗序》:"又数年,有以先生《宝鸡道中题壁》诗钞示者,余始骇然以惊。见其跋涉关河,崎岖戎马,欲歌欲泣,情见乎辞,以为太白、少陵复出也。"尚镕《三家诗话·三家分论》:"张船山之诗,多近袁、赵体,亦能自出新意。其《宝鸡驿题壁十八首》,力诋将帅养痈,与云松《拟老杜诸将十首》,同一忠愤。但矫变沉雄,俱不能及老杜。"朱庭珍《筱园诗话》卷二:"张船山《宝鸡题壁十八首》,叫嚣恶浊,绝无诗品,以其谐俗,故风行天下,至今熟传人口,实非雅音也。其诗为纪嘉庆初川、楚教匪之变而作,盖伤时事之诗。少陵伤时感事诸篇,其时势人地,一一切合,得失分明,怀抱亦露,故有'诗史'之目,不止作忧乱愤激之词也。今船山十八诗,惟满纸兵戈争战,并痛诋当时大吏而已。究竟各省贼势如何,军情若何,布置若何,谁功谁罪,孰得孰失,一语不切,莫可考也。作者意欲如何,旨归安在,亦无可求也。是名有关系,实无关系,虽不作可也。然后来高堰、广州、桂林、长沙皆传有题壁诗,争相效尤,或仍十八首,或增至三十首,词旨浅俗,恶劣更甚,无一稍雅驯可观者,较船山作,又有天渊之隔矣。"

十七日,李棠阶(1798—1865)生。棠阶字树南,号文园、强斋,河内人。嘉庆二十四年举人。道光二年进士,选庶吉士,散馆授编修。累迁至广东学政、太常寺少卿。以事降三级调用,遂引疾家居,主讲河朔书院。咸丰三年,应命治河北团练。同治元年,授大理寺卿。后官至军机大臣、户部兼工部尚书。谥文清。著有《李文清公遗书》八卷、《诗集》若干卷。事迹见王辂《李文清公行实》(《续碑传集》卷一二)、《清史列传》本传、《清史稿》本传。

洪亮吉以弟卒,引疾归。据吕培等《洪北江先生年谱》。又,在里中八阅月,与钱维乔过从尤密。据洪亮吉《钱大令维乔诗序》(《更生斋文甲集》卷一)。

姚鼐为补王士禛《古体诗钞》之阙,以所选《五七言今体诗钞》十八卷付梓于金陵。据郑福照《姚惜抱先生年谱》。

余廷灿卒,年七十。据朱彭寿《清代人物大事纪年》。《存吾文稿》无卷数嘉庆辛酉云香书屋刊行,《存吾文稿》无卷数《诒縠堂诗集》一卷咸丰乙卯云香书屋重刊。据《贩书偶记》卷一六。李祖陶《国朝文录续编·存吾文录引》:"先生乾隆中叶成进士,入翰林,未及接见戴东原而宗仰其学。尝作《东原事状》,称其尽得古画、古义、古音声、古度数名物，直耸然跻身于嬴刘周末，与诸经师儒宿相语言，聚处于一堂。然东原深鄙宋儒言理，尝谓在山西方伯署中伪病十数日，作一书以打破宋儒家中太极图；而先生则尊崇濂溪，并作《无极主静解》以纠后人之谬。则戴氏之学矫枉过正，正不可不分别观矣。先生文不名一格，有高古者，有浓缛者，有舒宕者，有淡折者，大抵字字句句皆不掉以轻心。而《陈勤恪行状》与《戴东原事录》两篇尤为杰出，盖此题他家集中多有其文，读此而古法森然，其人之精神亦呼之欲出矣。"《国朝文汇》乙集卷三二录其《原文》等文五篇。《晚晴簃诗汇》卷九〇录其诗四首。

三月

杨芳灿奏署平凉知府，即赴省城。于六月初六日抵郡任事。据杨芳灿自订、余一鳌补订《杨蓉裳先生年谱》。

贾朝琮游吴门西洞庭。据其《重游西洞庭记》（《国朝文汇》乙集卷三八）。

袁廷梼招钱大昕、王昶、潘奕隽、段玉裁、蒋业晋诸人集渔隐小圃看花。戈襄又招集范村别墅，各有唱和诗。据钱庆曾《竹汀居士年谱续编》。

黄钺往六安书院。据黄富民《黄勤敏公年谱》。

春

阮元自序《小沧浪笔谈》四卷。序云："余居山左二年，发泰山，观渤海，主祭阙里。又得佳士百余人，录金石千余本。朋辈触咏，亦颇尽 湖山之胜。乾隆六十年冬，移任浙江，回念此二年中所历之境，或过而辄忘。就其尚能记忆者，香初茶半，与客共谈，且随笔疏记之。何君梦华、陈君曼生皆曾游历下者，又为余附录诗文于后，题曰《小沧浪笔谈》。小沧浪者，居沛南时，习游大明湖小沧浪亭。卷首数则皆记小沧浪事，遂为风舟之滥觞耳。嘉庆三年春仪征阮元序于浙江学署定香亭中。"（《小沧浪笔谈》卷首）

四月

彭兆荪北上应顺天乡试，至清江浦以病归里，不果。据缪朝荃《彭湘涵先生年谱》。

贾朝琮与石远梅游余杭西天目、洞霄宫。据贾朝琮《游西天目暨洞霄宫记》（《国朝文汇》乙集卷三八）。

吴鼐自序《国朝八家四六文钞》八卷。署"嘉庆三年太岁戊午余月丁酉朏全椒吴鼐撰"。（《国朝八家四六文钞》卷首）八家者，袁枚、吴锡麒、洪亮吉、孔广森、邵齐焘、曾燠、孙星衍、刘星炜。吴自序云："此数公者，通儒上材，或修述朴学，传薪贾、郑；或喝于乐府，嗣响《雅》、《骚》，传世行远，不名一技。兹集发于生徒之请，综为骈俪之则，采片石于抵鹊之山，挂只鳞于游龙之渊，所业在此也。"是书本年较经堂刊行。据《贩书偶记续编》卷一九。

五月

二十二日，项廷纪（1798—1835）生。廷纪初名鸿祚，又名继章，字莲生，浙江钱塘人。道光十二年举人，应礼部试不第。卒年三十八。著有《忆云词甲乙丙丁稿》四卷《补遗》一卷。事迹见谭献《项君小传》（《忆云词》卷首）、《清史稿》性德传附。[生日据朱彭寿《清代人物大事纪年》。]

六月

初七日，侯康（1798—1837）生。康初名廷楷，字君谟，广东番禺人。道光十五年举人。会试归发病，逾年卒。著有《春秋古经说》二卷、《穀梁礼证》二卷、《后汉书补注续》一卷、《三国志补注》一卷等。事迹见陈澧《二侯传》（《续碑传集》卷七七）、《清史列传》陈澧传附、《清史稿》陈澧传附。[生日据朱彭寿《清代人物大事纪年》。]

初十日，韩梦周卒，年七十。据丁锡田《韩理堂先生年谱》。徐侃《韩理堂先生传》："先生少与青州阎公怀庭为友，阎公学行亦最美。两先生自宋以后诸儒之论学者，皆能悉其得失，去其瑕疵，而取其醇美者，于明之薛文清、顾端文尤笃。先生为学，防己最严，诸可欲者绝不使之入，故于胸中洒然有融释之趣。吴中彭公允初尝云：'国家明得醇懿，涵养百余年，其征应于士类者，于阎、韩两公见之。'而先生旷邈之思，不可抠取，往往见于诗歌文词。"（《国朝文汇》乙集卷四五）《国朝文汇》乙集卷二七录其《为人后论》等文十三篇。《晚晴簃诗汇》卷八八录其诗四首。《理堂文集》十卷、《外集》一卷、《诗集》四卷、《日记》八卷道光三年至四年静恒书屋刊行。据《贩书偶记》卷一七。

十一日，许槤（1798—1873）生。槤字叔夏，号珊林，浙江海宁人。嘉庆二十四年举优行贡生，遂举乡试。道光十三年成进士。授直隶知县未赴，官荐修国子监。《金石志》书成，改知州，选山东平度。后官淮安、镇江、徐州知府、江苏粮储道、海运道。以六书名其家。著有《古均阁遗著》。事迹见谭廷献《许府君家传》（《续碑传集》卷七九）。[生卒时间据朱彭寿《清代人物大事纪年》。]

黄钺转应安庆敬敷书院山长之聘。据黄富民《黄勤敏公年谱》。

谢启昆、胡虔、陈鳣等编《小学考》成书。据胡适《章实斋年谱》。

夏

张惠言自歙来杭州，留数月。遇钱伯坰，时二人已阔别十三年。据张惠言《茗柯文》二编卷下《送钱鲁斯序》。

崔象川《白圭志》已成书。晴川居士《序》："戊午之夏，博陵崔子携书一部，名曰《白圭志》，请余为序。"是书凡四卷十六回，叙张庭瑞与杨菊英、刘秀英之婚恋事。有嘉庆十年绣文堂刊本、嘉庆十年补余轩刊本、嘉庆十二年永安堂刊本等。据《中国古代小说总目》白话卷。

七月

纪昀自序《滦阳续录》六卷。 自序云："景薄桑榆，精神日减，无复著书之志，惟时作杂记，聊以消闲。《滦阳消夏录》等四种，皆弄笔遣日者也。年来并此懒为，或时有异闻，偶题片纸；或忽忆旧事，拟补前编。又率不甚收拾，如云烟之过眼，故久未成书。今岁五月，扈从滦阳。退直之余，昼长多暇，乃连缀成书，命曰《滦阳续录》。缮写既完，因题数语，以志缘起。若夫立言之意，则前四书之序详矣，滋不复衍焉。嘉庆戊午七夕后三日，观弈道人书于礼部直庐，时年七十有五。"（《阅微草堂笔记》）

陈斌序宋大樽《茗香诗论》一卷。 见《茗香诗论》卷首。

吴骞自序《拜经楼诗话》四卷。 署"嘉庆三年岁次戊午秋七月吴骞识"。又，去年秦瀛序云："王新城尚书《渔洋诗话》、朱竹垞检讨《静志居诗话》而后，此其尤雅欤！槎客自序谓诗话非胸具良史才不易为。余观是书所引，淄渑黑白，较然不淆，且有可与史学相发明者。又惜其才与命妨，不克登著作之庐，而徒老于荒江墟市也。嘉庆二年六月朔日无锡秦瀛序。"（《拜经楼诗话》卷首）李慈铭《越缦堂读书记·拜经楼诗话》："此书论诗俱无所解，所采入诸诗亦都不足取。而考证数条多新确可据。"是书本年刊行。据《贩书偶记》卷二〇。

晦日，张问陶得刘大观宁远州书。 刘欲以岁俸五百金聘张主宁远某书院，张以他事不能出关，作诗代柬寄之。诗见《船山诗草》卷一四《奇零集》。

八月

中下旬，姚鼐携长子持衡游吴中，遂至西湖。 作古今体诗四十余首。九月杪还江宁。据郑福照《姚惜抱先生年谱》。

二十四日夜，张问陶读汪端光诗三首，愤闷竟夕。 有《八月廿四夜读剑潭见示七律三首，愤闷竟夕，依韵书怀，各叹所叹，要皆有生之累耳》。张问陶本年又有《读汪剑潭端光诗词题赠》、《和剑潭病中酬示原韵》等诗，皆见《船山诗草》卷一四《奇零集》。

顾宗泰赴广东高州知州任。 据《舤桅集》小序（《月满楼诗集》卷三六）。

王芑孙在华亭，自编诗集四十卷。 未及刊刻，以丁父忧返里而中辍。据《渊雅堂编年诗稿》卷首汪荣光等序。卷首王芑孙自序署"嘉庆三年秋八月朔"。又，门人为编古文十六卷。《惕甫未定稿》卷首自序署"嘉庆三年秋八月朔后三日，长洲王芑孙自序"。

姚鼐作《小学考序》。 见《惜抱轩文集》卷四。

阮元自序《淮海英灵集》二十二卷。 署"嘉庆三年秋八月癸巳乡人仪征阮元谨序"。自序云："吾乡在江、淮之间，东至于海。汉、唐以来，名臣学士概可考矣。我国家恩教流被百余年，名公卿为国树绩，其余事每托之歌咏。节臣、孝子、名儒、才士、畸人、列女辈出其间，虽不皆藉诗以传，而钟毓淳秀发于篇章者实不可泯。元幼时即思辑录诸家以成一集，而力未逮。入都后勤于侍直，亦未暇及此。乾隆六十年，自山左学政奉命移任浙江，桑梓非遥，征访较易，遂乃博求遗籍，遍于十二邑。陈编蠹稿，列满几阁。校试之暇，删繁纪要，效遗山《中州》十集之体，录为甲乙丙丁戊五集，又以壬集收闺秀，癸集收方外，虚己庚辛三集以待补录。曰'淮海英灵'者，宋高邮秦少游尝名其集曰'淮海'，唐殷璠选唐诗亦曰'河岳英灵集'矣。书成雕板，用广流传。余之录此集，非敢取乡先生之诗衡以格律而选定之也，亦非藉已故诗人为延誉计也。广陵者旧零落百余年矣，康熙、雍正及乾隆初年已刊专集渐就散失，近年诗人刻集者鲜，其高情孤调卓然成家者固多，即残篇断句仅留于敝簏中者亦指不胜数，亟求之犹惧其遗佚而不彰，迟之又久不更替乎。且事之散者难聚，聚者易传，后之君子怀耆旧之逸辙，采淮海之淳风，文献略备，庶有取焉。"（《揅经室二集》卷八）是书本年刊行。后阮亨又编《续集》十二卷，道光丙戌刊行。据《贩书偶记》卷一九。

阮元主持《经籍纂诂》一一六卷成书。明年十二月刊行。据张鉴《雷塘庵主弟子记》卷一。

玉保卒，年四十。据朱彭寿《清代人物大事纪年》。《晚晴簃诗汇》卷一〇四："阆峰为冶亭尚书之弟，平生宦迹与冶亭同。""其集亦多兄弟唱和之作，世人比之苏氏轼、辙。然阆峰之诗，实不敌冶亭远甚。"录其诗六首。

九月

中浣，秦子忱作《续红楼梦弁言》。署"嘉庆三年九月中浣，雪坞子忱氏题于兖郡营署之百甓轩"。据《弁言》，其写作《续红楼梦》三十卷当在去年即嘉庆二年夏初至冬末之间。

下浣，戴全德自序《红牙小谱》杂剧二种（《辋川乐事》、《新调思春》）。署"嘉庆三年季秋下浣，惕庄主人自叙于尚衣官舍"。自序云："余莅浔阳者三载，视榷之暇，日坐爱山楼以笔墨自娱，诗词而外旁及传奇、杂曲。花晨月夕，授雏伶歌之，聊以适性而已。戊午夏移官江苏，检视行箧，得新剧二出，付诸剞劂。外西调小曲，另分两帙。虽雕虫小技，大雅弗尚，而世态人情，颇有谈言微中者。比诸白傅吟诗，老妪都解可也。"（《中国古典戏曲序跋汇编》卷九）

二十八日，沈垚（1798—1840）生。垚字子惇、子敦，号敦三，浙江乌程人。道光十四年优贡生。精地学。游学京师，客死寓所。张穆哀其遗著，为《落帆楼稿》。事迹见孙燮《沈子敦哀辞》、夏寅官《沈垚传》（《碑传集补》卷四九）、《清史列传》徐松传附、《清史稿》徐松传附。［生日据朱彭寿《清代人物大事纪年》。］

孙星衍丁母忧归里，侨居金陵祠屋。据张绍南《孙渊如先生年谱》卷下。

阮元序陆继辂《崇百药斋文集》二十卷。署"嘉庆三年九月仪征阮元撰"。（《崇百药斋文集》卷首）

秋

乡试。是科各省考官有沈初、赵佑、铁保、万承风、吴省兰、蒋祥墀、曹振镛、伊秉绶、戴敦元、钱楷、赵良霮等。据法式善《清秘述闻》卷八。所取举人有张廷济（《清秘述闻》卷八）、黄承吉（《清秘述闻》卷八）、钱东垣（《清史稿》钱大昭传附)、吴荣光（《国朝诗人征略》二编卷五一)、朱凤森（邓显鹤《河南浚县知县朱君墓志铭》)、端木国瑚（《太鹤山人年谱》)、陈鳣（钱泰吉《陈鳣传》）等。李兆洛应江宁乡试报罢。据蒋彤《武进李先生年谱》卷一。庄逵吉报罢，值朝廷开川楚事，遂入赀为知县，发陕西。据陆继辂《潼关同知庄君墓志铭》（《崇百药斋文集》卷一七)。

王昶编《湖海诗传》毕，游江宁、扬州。严荣《述庵先生年谱》："是秋编《湖海诗传》毕，将梓。而江宁将军庆公霖为尹文端公第五子，甫抵任，以书来约。九月买舟至秣陵，遍游宝华、栖霞诸山，天界、鸡鸣、报恩诸寺。会江宁许秋岩太守、秦易堂司业诸君闻曾宾谷运使燠以俸满入都，送之至扬州，寓同年沈既堂运使业富家。宾谷屡集名流招饮赋诗联句，五日而归。"

姚鼐访王文治于丹徒。姚鼐《中宪大夫云南临安府知府丹徒王君墓志铭并序》："嘉庆三年秋，过丹徒访君，君邀之涉江。风雨中登焦山东升阁，临望沧海邈然，言蝉蜕万物无生之理。自是不复见君。"（《惜抱轩文后集》卷七）

十月

二十日，池生春（1798—1836）**生。**生春字籥庭、剑芝，号直庐，云南楚雄人。嘉庆二十四年举人。道光三年成进士，改庶吉士，散馆授编修。历官广西学政、国子监司业。著有《入秦日记》一卷、《直庐记》一卷、《诗文剩稿》四卷。事迹见吕璜《国子监司业广西学政楚雄池公墓志铭》、王锡振《国子监司业广西学政池公庙碑》（《续碑传集》卷一八)。

包世臣赴湖北。胡韫玉《包慎伯先生年谱》："十月，先生应陈祭酒之招至湖北。""是岁先生客武昌，与钱东湖先生相唱和。东湖，钱文敏公犹子，善诗。"

管世铭自编《韫山堂文集》八卷成，庄炘序之。据朱彭寿《清代人物大事纪年》。

道光刊本佚名《施公案》八卷九十七回卷首序署"嘉庆戊午年孟冬月新镌"。此当为《施公案》最早刊刻时间，原刊本未见。是书又名《施案奇闻》、《施公案传》、《百断奇观》等。据《中国古代小说总目》白话卷。

十一月

十二日，管世铭卒，年六十一。据陆继辂《掌广西道监察御史管君墓表》（《崇百药斋文集》卷一八)。洪亮吉《北江诗话》卷一："管侍御世铭诗，如朝正岳浚，卤簿森严。""管侍御世铭，以制举文得名。然所作诗，实出制举文之上。"录其《汉茂陵》诗，谓"神完气足，非仅以格调见长者"。法式善《梧门诗话》卷七："管侍御世铭诗极工，歌行尤凌厉一世，为制艺所掩，不知其诗实出制艺上也。"李祖陶《国朝文录续编·韫山堂文录引》："先生工于时文，能以墨卷之体裁，运先正之脉理。王介甫称李义山诗，由西昆之雕镂而造到老杜浑成地位者，故当于方、张、储、王之后，卓然自成一家。古文所存不多，而《诗说》一卷最善。不主毛、郑，亦不主考亭。""他文皆思深力厚，注以全幅精神。骈体诸疏亦多警句。读书论文杂言皆自写心得，有曰：'日读魏叔子文一二篇，可以增长知识；日诵施愚山古诗一二首，可以洗涤肺肠。'可以谓之公论矣。而《汉学说》一篇，能于时风众势之中，独为持平之论，尤为绝伦。"李岳瑞《春冰室野乘》卷上《管韫山侍御之直节》："管侍御以制艺雄一代，其《韫山堂稿》百年以来，几于家弦户诵。士束发受书，无不知有管韫山者。而其气节事功，转为文名所掩。""侍御韫山堂诗，宗法杜、苏，不随俗靡。方袁随园之执牛耳于东南也，天下之士从之如市，侍御独不肯附和。尝赋诗以见志曰：'耆旧风流属此翁，一时月旦擅江东。寸心自与康成异，不肯轻身事马融。'可谓婉而严矣。"《清史列传》钱沣传附："诗朗健深厚，生平不服袁枚，有'寸心自与康成异，不肯轻身事马融'之句。尤精古文，深于经术。"《晚晴簃诗汇》卷一○一录其诗十首。《国朝文汇》乙集卷四五录其《鹤半巢诗集序》、《助顺永宁侯庙碑记》文两篇。

洪亮吉至杭州访阮元、秦瀛，半月而归。据吕培等《洪北江先生年谱》。

鳌图调任徐州。据《沧来自记年谱》。

十二月

初九日，胡赓善卒，年七十四。据姚鼐《歙胡孝廉墓志铭并序》（《惜抱轩文集》卷一三）。《墓志铭》云："君论文，尤能起人意。又多藏书，喜借人阅，歙士多归之。"

中浣，仲振奎自序《怜春阁》。署"戊午嘉平中浣，红豆村樵书于小竹西"。是剧凡八出，演李塘与叶氏姊妹姻缘事。

瞿颉自序《元圭记》传奇。[7]署"戊午嘉平秋水阁主人自叙"。据《古本戏曲剧目提要》。庄一拂《古典戏曲存目汇考》卷一二：《元圭记》，"此戏未见著录。乌丝栏钞本。上海图书馆藏，署秋水阁主人，自序作于嘉庆戊午。二卷三十二出。演少康中兴故事，推陈出新，足补史迁之缺"。

曹文埴卒，年六十四。据朱彭寿《清代人物大事纪年》、江庆柏《清代人物生卒年表》。《石鼓砚斋诗钞》三十二卷、《试帖》二卷、《直庐集》八卷、《文钞》二十卷、《行状》一卷本年刊行，《行状》子振镛撰。据《贩书偶记续编》卷一六。《国朝文汇》乙集卷二九录其《棠樾鲍氏宣忠堂支谱序》等文三篇。《晚晴簃诗汇》卷八九录其诗六首。

冬

阮元浙江学政任满还京。据阮元《定香亭笔谈叙》（《定香亭笔谈》卷首）。钱泳与之同行抵京。据胡源、褚逢春《梅溪先生年谱》。

舒位离黔东还，在长沙度岁。据《瓶水斋诗集》卷七《舟次长沙除夕》。

本年

周之琦补廪膳生，时年十七岁。据周汝筠、周汝策《稚圭府君年谱》。

石韫玉出守川中。张问陶有《送石琢堂殿撰出守川中》诗，见《船山诗草》卷一四《奇零集》。

李兆洛有与祝百十书。谓日来留意八股，摒弃一切，颇觉意有余闲云云。据蒋彤《武进李先生年谱》卷一。

方东树授经陈用光家。郑福照《方仪卫先生年谱》："授经江右新城陈石士侍郎用光家。按，诗集中过丹徒及西湖诸诗皆由江宁赴江右途中作也。"

陈廷庆、崔瑶、孙韶、蔡元春、李荧、洪亮吉等在金陵莫愁湖集会。据张慧剑《明清江苏文人年表》。

方薰客杭州，以诗稿示程同文，程为之序。见《方长青山静居诗集序》（《国朝文汇》乙集卷五八）。

章学诚在杭州，借谢启昆之力，补修《史籍考》。《史籍考》今不存。冬在扬州曾燠官署。有《戊午钞存》一卷。据胡适《章实斋年谱》。

金捧阊客孙星衍兖州官署，作《客窗二笔》。据张慧剑《明清江苏文人年表》。

张惠言图《仪礼》十八卷，《易义》三十九卷亦成。据《茗柯文》三编《文稿自序》。

洪亮吉作诗文约百首（篇），刻《十六国疆域志》竣。据吕培等《洪北江先生年谱》。

阮元编《两浙輶轩录》成书。《揅经室二集》卷八《两浙輶轩录序》："余督学浙江时，辑《淮海英灵集》成，盖江、淮间一郡之诗采录尚易，欲辑江苏一省之诗则力有未能。继思余督学于浙，乘輶轩采风，非力之所不能为也。爰访遗编，求总集，遍于十一郡，自国初至今，得三千余家，甄而序之，名曰'两浙輶轩录'。嘉庆三年，书成，存之学官，未及刊板。六年，巡抚浙江，仁和（未）〔朱〕朗斋、钱塘陈曼生请出其稿，愿共刊之。乃畀之，重加编定，序而行之，别为条例，以志其详。此虽余少年好事之所为，然力有可为者则为之耳，未计其他也。独念吾乡自国初至今，诗人辈出，他时或有好事者，乘使者车至大江南北，辑而录之乎，是有望焉。"法式善《陶庐杂录》卷三："阮芸台中丞督学两浙时，有《两浙輶轩录》。己未年夏，芸台官侍郎，退直，邀余至琅环仙馆读画品诗，遂以此书委勘。尚未分卷数，束为十六捆。余约十日阅两捆，历三月始毕，间有为增入者。今其书分四十卷，得三千一百三十三人，诗九千二百四十一首，刻版于嘉庆六年。"

刘嗣绾有《中江集》。小序云："乙卯冬，奉讳里门。寻以故人之招，就食江右。丁巳夏，留中江。季冬，归里。戊午春仲，仍赴旧约。迁流多恨，忧患鲜欢，身世悄焉，安能无述。"（《尚絅堂诗集》卷二四、卷二五）

胡季堂《培荫轩诗集》四卷存诗约自乾隆十七年讫本年。据《培荫轩诗集》卷末其子镳识语。

方轮子作《柴桑乐》杂剧。方轮子，如皋人。是剧未见著录，凡八出，演陶渊明事。今存本年稿本。据《古本戏曲剧目提要》。

姚阶编《国朝词雅》二十四卷刊行。据《贩书偶记》卷二〇。

阮元辑《小琅嬛仙馆叙录书》刊行。凡汪中《述学》二卷、钱塘《溉亭述古录》二卷、孔广森《仪郑堂文集》二卷刊行。据《中国丛书综录》。

沈赤然《五研斋诗钞》二十卷刊行。据《中国丛书综录》。又，《五研斋文钞》十一卷、《诗钞》十二卷本年至嘉庆十二年刊行。据《贩书偶记》卷一六。

冯培《鹤半巢诗存》十卷刊行。据《贩书偶记》卷一六。管世铭《鹤半巢诗集序》："摅情感事，俯仰古今，皆穆如清风之音，温柔敦厚之旨。僻书勿用，自尔鲜明。正味森然，绝无圭角。盖本之以妙悟，积之以邃养，举山林台阁之习而一空之。"(《国朝文汇》乙集卷四五)胡玉缙《许庼经籍题跋》卷四：《鹤半巢诗存》十卷，"是编皆手自订定，凡古今体诗六百九十一首，前有嘉庆三年自序。'鹤半巢'者，取陆游诗'托宿新分鹤半巢'意也。其诗风格不甚高，而研炼中颇极自然，又能以气行之，律诗属对亦流走，往往出人意表。如《雪诗》：'斜飞时动牖，一望半平林。'《秋虫》：'独客难为夜，微吟并作秋。'《寄张舍人秦中》：'旅怀看落叶，生计入飘蓬。'……此类可喜亦可法。《题画》云：'春山滴翠化溪烟，飞尽鸬鹚水接天。却忆江村渔舍晚，一声柔橹到门前。'具见风致。《题褚谦山所藏毛宿亭遗画》云：'吾友平生诗画酒，烟云驱染自通灵。病来落纸无多墨，身后残山分外青。三月江南如短梦，九皋天上有遗翎(自注：甲辰春，宿亭随跸江南，途次抱病，还京未几卒，此幅乃病中作也)。故人仿佛呼应出，生气犹看动杳冥。'的是遗画，叙次尤备。他如《观钱裴山画壁松歌》，非泛言画松，可悟切题之法。《初夏》第三首，申谢灵运'首夏清和'之义，《杂诗》第六首，右孔、孟而左二氏，以及《纠蒋心余论诗之作》，俱不能为异说所囿。诗中自注，如《平定两金川凯歌》注，多资掌故。……据《寄怀李沧云诗》注，知培有《南窗杂志》及《廓尔喀纪略》，其书刻否，有无传本，今均不可知矣。"

蒋业晋《立厓诗钞》七卷交翠堂刊行。据《贩书偶记》卷一六。

李符清《海门诗钞》二卷、《文钞》一卷镜古堂刊行。又《海门诗选》三卷《文选》三卷，张晋编，嘉庆十一年刊行。据《贩书偶记续编》卷一五。

陈鸿宝《学福斋诗稿》六卷刊行。据《贩书偶记续编》卷一六。鸿宝字宝所，仁和人。王昶《蒲褐山房诗话》："宝所风神萧散，举止颇似晋、魏间人。""诗潇洒出俗，如见其人。"(《湖海诗传》卷一四)

孙梅《四六丛话》三十三卷、《选诗丛话》一卷吴兴旧言堂刊行。据《贩书偶记》卷二○。

《合锦回文传》刊行。孙楷第《中国通俗小说书目》卷四：《合锦回文传》十六卷不分回，"存。清嘉庆三年宝砚斋刊本。道光六年大文堂刊本。题'笠翁先生原本'，'铁华山人重辑'。每卷后有素轩评语"。

刘熙堂《游仙梦》传奇敦美堂刊行。庄一拂《古典戏曲存目汇考》卷一二：《游仙梦》，"此戏未见著录。嘉庆戊午敦美堂刊本，见《北平图书馆戏曲展览会目录》，郑振铎藏。今归北京图书馆。凡一卷十二出。演《红楼梦》贾宝玉入太虚幻境事"。

黄辅辰(1798—1866)生。辅辰字琴坞，贵州贵筑人。道光十五年进士。历官吏部文选司主事、考功司郎中、山西知府、陕西盐法道。著有《劝谕牧令文》、《小酉山房文集》。事迹见郭嵩焘《黄琴坞先生墓表》、刘蓉《陕西盐法凤邠道黄君墓志铭》(《续碑传集》卷三七)、《清史列传》本传、《清史稿》本传。[生卒年据郭嵩焘《墓表》为1802—1870年，此据刘蓉《墓志铭》。]

徐坚卒，年八十七。据《疑年录汇编》卷一一。王昶《蒲褐山房诗话》："所刻《茧园诗》八卷，多清隽之旨。句如：'山静传斋磬，林疏出茗烟'；'燕归新雨后，人去落花前'；'门低深隐树，径仄遍生苔'；'钟磬诸天近，松篁列嶂开'；'雷殷远山将送雨，江深高阁欲成秋'；'孤城背岭千家暝，万派朝宗二水分'，'荡漾舟行明镜里，往来人在画屏中'，'鸟啼深树初催麦，雨散低檐正熟梅'。山泽之癯，往往吟讽不能置云。"（《湖海诗传》卷一九）

祝德麟卒，年五十七。据江庆柏《清代人物生卒年表》。《国朝诗人征略》初编卷四〇引《听松庐诗话》："芷塘诗以性灵为主，亦能驱遣故实，盖欲力追其乡先辈查初白及其房师赵瓯北两先生。"《晚晴簃诗汇》卷九一录其诗七首。

陆继放卒，年六十六。据《古本戏曲剧目提要》。

公元 1799 年（嘉庆四年　己未）

正月

初三日，高宗卒，年八十九。据《清史稿》本纪。四库全书收录《御制乐善堂全集定本》三十卷、《御制文初集》三十卷《二集》四十四卷、《御制诗初集》四十八卷《二集》一百卷《三集》一百十二卷《四集》一百十二卷。《晚晴簃诗汇》卷二录高宗诗五十六首。

初五日，顾春（女，1799—1877）生。顾春字子春，号太清、太清道人、云槎外史，满族西林觉罗氏。奕绘侧室。著有《天游阁集》、《红楼梦影》。事迹见《清代闺阁诗人征略》卷八、《顾太清奕绘年谱简编》（《顾太清奕绘诗词合集》附录）。

十五日，邵志纯卒，年四十四。据朱彭寿《清代人物大事纪年》。王昶《湖海诗传》卷四一："右庵怀文抱质，有儒者恂恂气象，然高瞻远视，已所倾慕者无多。""古文雅驯，有黄文肃、柳侍制之风。诗稍次之。"

十六日，奕绘（1799—1838）生。奕绘字子章，号太素道人、幻园居士，高宗曾孙，荣恪郡王绵亿子。嘉庆二十年袭贝勒爵。官散秩大臣、正白旗汉军都统。著有《明善堂集》。事迹见《顾太清奕绘年谱简编》（《顾太清奕绘诗词合集》附录）。

洪亮吉为洞庭、包山之游，回舟复至香雪海探梅，月杪返里。据吕培等《洪北江先生年谱》。

伊秉绶知广东惠州府。张问陶有《送伊墨卿出守广东》，见《船山诗草》卷一四《奇零集》。

杨芳灿卸平凉府事，即委署宁夏水利同知。据杨芳灿自订、余一鳌补订《杨蓉裳先生年谱》。

吴省钦以疏荐王昙工内功拳法，可任西南兵事参谋，为仁宗斥责，罢京职。四月出京，由水程回籍。据《吴白华自订年谱》、张慧剑《明清江苏文人年表》。

张惠言北上赴试，金榜为之饯行。据张惠言《茗柯文》四编《祭金先生文》。

王昶入都。四月返，七月抵里。在京与法式善、何道生、张问陶时相过从谭艺。据严荣《述庵先生年谱》。

和珅以罪诛。据《清史稿》本传。

陈奉兹卒，年七十四。据姚鼐《江苏布政使德化陈公墓志铭》（《惜抱轩文集》卷一三）。姚鼐《敦拙堂诗集序》："今九江陈东浦先生，为文章皆得古人用意之深，而作诗一以子美为法。其才识沈毅，而发也骞以闳；其功力刻深，而出也慎以肆。世之学子美者，蔑有及焉。"（《惜抱轩文集》卷四）洪亮吉《北江诗话》卷一："陈方伯奉兹诗，如压雪老梅，愈形倔强。"《晚晴簃诗汇》卷八九："东浦官蜀最久，诗亦以蜀中诸作为最胜。江山风土足以发其才情，而无浮声嚣气。惜抱以朴厚推之，洵为知言。此作家之异于才人也。"录其诗十一首。

二月

杨揆就任甘肃布政使。据赵怀玉《通奉大夫四川布政使司布政使赠太常寺卿杨公墓志铭》（《亦有生斋集》文卷一八）。

王汝璧升山东按察使。据《国史列传》本传（《铜梁山人诗集》卷首）。

赵文楷、李鼎元充册封琉球使者。据赵文楷《石柏山房诗存》卷五《奉命册封琉球国王留别都中诸友》、赵怀玉《收庵居士自叙年谱略》卷下。

冯敏昌主端溪书院讲席。据冯士镳《先君子太史公年谱》。在端溪期间与莫元伯唱酬甚欢。据《国朝诗人征略》初编卷四五引《听松庐文钞》。

孙星衍自金陵归常州省墓，遂至浙中晤谢启昆、秦瀛。据张绍南《孙渊如先生年谱》卷下。

临汾徐昆自序《眉园日课》二十卷。署"嘉庆四年岁次己未二月花朝，平阳徐昆后山题于东城饮醇汲古之庐"。是书刊于嘉庆八年。据邓云乡《水流云在丛稿·眉园日课书后》。

茹纶常自序《容斋诗集》六卷。署"嘉庆四年己未仲春，容斋主人自识，时年六十有六"。序云："容斋主人之诗初刊于庚寅，再刊于丁未，迄今己未忽忽又十余年矣。"（《容斋诗集》三刻卷首）《容斋诗集》六卷附《古香词》一卷本年刊行。

三月

初一日，沈初卒，年七十一。据朱彭寿《清代人物大事纪年》。林昌彝《射鹰楼诗话》卷二〇："平湖沈文恪公初（乾隆二十八年进士）著有《兰韵堂集》，诗多入情之句，如'静中求我方知乐，局外看人未觉难'，'诗情添似桃花水，春梦轻于柳絮风'，皆婉秀可诵。"《晚晴簃诗汇》卷九二录其诗四首。《国朝文汇》乙集卷三四录其《涿州志序》等文五篇。

会试。考官：吏部尚书朱珪、左都御史刘权之、户部侍郎阮元、内阁学士文幹。题"是故君子 失之"，"曾子曰慎 厚矣"，"孟子曰尽 天矣"。赋得"鸣鸠拂其羽"得"鸣"字。据法式善《清秘述闻》卷八。端木国瑚（端木百禄原著、陈谳补辑《太鹤山人年谱》）、赵怀玉（《收庵居士自叙年谱略》卷下）报罢。

阮元任户部左侍郎、经筵讲官。据张鉴《雷塘庵主弟子记》卷一。

方东树自编文集《柠社杂篇》。据郑福照《方仪卫先生年谱》。

春

翁方纲授鸿胪寺卿。据张维屏《翁覃溪先生年谱稿》(《碑传集三编》卷三六)。

彭兆荪赴吴门,馆陈希哲中翰敦好斋,为其侄子、侄孙授读。辑《南北朝文钞》。据缪朝荃《彭湘涵先生年谱》。

四月

二十五日,**仁宗**御太和殿,传胪。赐一甲姚文田、苏兆登、王引之进士及第,二甲汤金钊、程同文、李翙、鲍桂星、宋湘、张惠言、吴荣光、吴廌、胡秉虔、钱昌龄(即钱宝甫)、陈寿祺等进士出身,三甲许宗彦、吴贤湘、钱枚、莫与俦、陈斌、宋其沆、张澍、陈钟麟、郝懿行等同进士出身。据《历科进士题名录》、《清通鉴》。

二十七日,**杨芳灿**卸宁夏水利同知事。自是官甘肃二十年矣。据杨芳灿自订、余一鳌补订《杨蓉裳先生年谱》。

洪亮吉充实录馆纂修官,又充会试磨勘官、殿试受卷官。据吕培等《洪北江先生年谱》。

张问陶服阕,仍官检讨。据蔡坤编辑、蔡璐参校《张船山先生年谱》。

方东树《老子章义》成书。郑福照《方仪卫先生年谱》:"先生少时曾著《屠龙子》,又注《阴符经》,均未刊,不详为何年。老年作诗有'发书陈箧汰《阴符》'之句,盖先生少时为学无所不通,后则渐归纯粹耳。"

王昶序邹炳泰《午风堂集》。署"嘉庆己未四月王昶序,时年七十有六"。(《午风堂集》卷首)《午风堂全集》本年刊行,凡《午风堂集》六卷、《午风堂丛谈》八卷。据《中国丛书综录》。

佚名自序《岂有此理》四卷。《贩书偶记》卷一二:"《岂有此理》四卷《更岂有此理》四卷,不著撰人姓名。嘉庆己未绛雪草庐刊巾箱本。"《中国古代小说总目》文言卷"《岂有此理》四卷"条:"书前有'绛雪草庐'序和'嘉庆四年孟夏书'自序。据书中卷一《绛雪斋记》,知作者斋名为绛雪斋,则二序均出作者本人。又据书中所记,知作者为苏州人,乾隆、嘉庆间秀才。""自序称,'书成,客历数其短而叱曰:是书语无端绪,文体淆杂,一弊也;命题怪诞,立说荒唐,一弊也;不庄不谐,非腐即纤,一弊也;裹狎经传,诋毁古人,一弊也;飞短流长,乖忤时好,一弊也;附会牵引,蹈穴架虚,一弊也;撮拾唾余,支离穿凿,一弊也;句疵语额,理法粗疏,一弊也'。""《贩书偶记》小说家类收录《岂有此理》,云有嘉庆四年绛雪草庐刊本,四卷。未见。今见道光甲申刊本,扉页有'启元松发兑'印记。"又,"《更岂有此理》四卷"条:"《贩书偶记》小说家类收录《更岂有此理》,云有嘉庆四年绛雪草庐刊本,四卷。未见。今有道光四年与《岂有此理》合刊本,书前有作者嘉庆五年自序,已在孙殿起所谓绛雪草庐刊本之后。疑《贩书偶记》所收嘉庆四年本为道光四年本之误。"

五月

禁止官员畜养优伶。据道光五年明亮等纂辑《中枢政考》卷一三《禁令》（王利器《元明清三代禁毁小说戏曲史料》第一编引）。

黄文旸至曲阜，馆于孔氏。据《扫垢山房诗钞》卷首孔宪增序。

六月

既望，蒴园漫士序《绮楼重梦》。署"嘉庆四年岁在屠维协洽且月既望，西泠蒴园漫士识"。孙楷第《中国通俗小说书目》卷四：《绮楼重梦》四十八回（原名《红楼续梦》，亦名《蜃楼情梦》），"存。嘉庆乙丑重刊袖珍本。清王某撰。署'兰皋主人'。首嘉庆四年西泠蒴园居士序。以第一回有'吾家凤洲先生'之语，知作者为王氏。书接高鹗书百二十回之后"。兰皋居士姓王，名兰沚，杭州人。作序之蒴园漫士即王兰沚之兄。是书有嘉庆间写刻本，目录题《绮楼重梦》，首回、末回又称此书为《红楼续梦》，有嘉庆四年蒴园漫士序；嘉庆十年瑞凝堂刊本，题云："是书原名《红楼续梦》，因坊间有《续红楼梦》及《后红楼梦》二书，故易其帧曰《绮楼重梦》。"嘉庆二十一年文会堂刊本，目录题《蜃楼情梦》，序末改署"嘉庆乙丑孟夏重编"等。据《中国古代小说总目》白话卷。

二十四日，张际亮（1799—1843）生。际亮字亨甫，别号华胥大夫，福建建宁人。道光十五年举人。刚直敢言，负狂名。与桐城姚莹善。二十三年，闻莹下狱，入都急难。途中病发，十月初九日卒于都门。著有《张亨甫全集》。事迹见姚莹《张亨甫传》（《东溟文后集》卷一一）、李云诰《张亨甫先生年谱》、《清史列传》本传、《清史稿》汤鹏传附。［生日据朱彭寿《清代人物大事纪年》。］

阮元自序《广陵诗事》十卷。序署"嘉庆四年夏六月，乡人阮元记于京邸之白圭诗馆"。（《广陵诗事》卷首）

茹纶常自序《容斋文钞》八卷。署"嘉庆己未长夏，漫叟茹纶常书于言息庐，时年六十有六"。（《容斋文钞》卷首）《容斋文钞》八卷本年刊行。据《容斋文钞》续编卷首茹纶常识语。

夏

王昶自编《春融堂集》六十八卷成。据卷首鲁嗣光《总序》。是书嘉庆十二年刊行，光绪十八年补刊。

七月

初三日，罗聘卒，年六十七。据吴锡麒《罗两峰墓志铭》（《碑传集补》卷五六）。张问陶《船山诗草》卷一五《己庚集·补戊午己未四友挽诗·罗两峰山人聘（己未卒于扬州）》："小诗也似丹青好，不逐烟云瞥眼过。"洪亮吉《北江诗话》卷一："罗山人聘诗，如仙人奴隶，曾入蓬莱。"《晚晴簃诗汇》卷九七录其诗二首。

八月

初九日，尤凤真序丁秉仁《瑶华传》。此时《瑶华传》已成书，后经多次修改，于嘉庆八年定稿。据《中国古代小说总目》白话卷。孙楷第《中国通俗小说书目》卷五：《瑶华传》十一卷四十二回，"存。清道光二十五年慎修堂刊本。石印本。清丁秉仁撰。题'吴下香城丁秉仁编著'，'茂苑尤凤真阆仙评'。首嘉庆乙丑（十年）武林冯瀚序，又四年、九年、十年尤凤真等序，八年自序。演明福王常洵女瑶华事。谓瑶华乃狐转生，多言妖异猥亵事，不根史实。"

十五日，陈少海自序《红楼复梦》。序云："曹雪芹先生以《红楼梦》一书，梓行于世，即李青莲所谓'叙天伦之乐事'而已。天伦，人之所同，而乐之之梦境不一，断无彼人之梦，而我亦依样葫芦梦之之理。雪芹之梦，美人香士，燕去楼空。余感其梦之可人，又复而成其一梦，与雪芹所梦之人民城郭，似是而非。此（城）[诚] 所谓复梦也。伦常具备，而又广以惩劝报应之事，以警其梦，亦由夫七十子之续之耳。若以他人之梦即而梦之，此为梦之所必无者。蛇画成而添以足，难乎其为蛇矣。雪芹有知，必于梦中捧腹曰：'子言是也。'梦既成而弁数言于简首。时嘉庆四年岁次己未中秋月，书于春州之蓉竹山房。红楼复梦人少海氏识。"（《红楼复梦》卷首）孙楷第《中国通俗小说书目》卷四：《红楼复梦》一百回，"存。嘉庆四年己未蓉竹山房刊本。未见。平湖宝芸堂刊本。上海申报馆排印本。石印本。清某氏撰。题'红香阁小和山樵南阳氏编辑'，'款月楼武陵女史月文氏校订'。首嘉庆四年己未女弟武陵女史陈诗雯（即校订人）又四年红楼复梦人少海氏自序。书接高书一百二十回之后。梁恭辰《劝戒四录》卷四引。"

二十日，张惠言族弟浩至自陕西，为述镇安"贼首"张汉潮等事。张作《记族弟平甫语呈座主阮侍郎》致阮元。见《茗柯文》三编。

洪亮吉上书指陈时政获罪，遣戍伊犁。二十七日起程，张惠言等送行。明年二月初十日抵伊犁戍所。此行凡一百六十一日。据吕培等《洪北江先生年谱》。洪亮吉获罪事，可参平步青《霞外捃屑》卷一《洪更生》。

陶必铨与友人重为浮丘之游，又游刘生之东园。据陶必铨《秋夜游东园记》（《国朝文汇》乙集卷四三）。

九月

初三日，江声卒，年七十九。据孙星衍《江声传》（《平津馆阁文稿》卷下）。江藩《国朝汉学师承记》卷二："经文注疏，皆以古篆书之。疑伪古文者，始于宋之吴才老，朱子以后，吴草庐、郝京山、梅鷟皆不能得其要领。至本朝阎、惠两征君所著之书，乃能发其作伪之迹、剿窃之原。若刊正经文，疏明古注，则皆未之及也。先生出而集大成，岂非伏、孔、马、郑之功臣乎！""先生精于小学，以许叔重《说文解字》为宗，《说文》所无之字，必求假借之字以代之。生平不作楷书，即与人往来笔札，皆作古篆，见者讶以为天书符篆，俗儒往往非笑之，而先生不顾也。""喜为北宋人小词，

亦以篆书书之。先生性耿介，不慕荣利。交游如王光禄鸣盛、王侍郎兰泉先生、毕制军沅，皆重其品藻，而先生未尝以私事干之，所以当事益重其人。""弟子数十人，元和顾广圻、长洲徐颐最知名。"《国朝诗别裁集》卷二九录其《病起即事》、《柳絮次陶庵韵》诗二首。[按，《别裁集》所取诗人"均属已往之人"(《凡例》)，此取江声，当因不知此人尚在世。]《国朝文汇》乙集卷三六录其《李孝子传论》等文三篇。

初九日，陈少海之妹陈诗雯序《红楼复梦》。署"嘉庆己未秋九重阳日书于羊城之读画楼，武陵女史月文陈诗雯拜读"。(《红楼复梦》卷首)

二十二日，李骥元卒，年四十五。据朱彭寿《清代人物大事纪年》。李调元《凫塘集序》："凫塘之诗，深知诗者也。自少而壮，自朝庙而江湖，律则戛玉敲金，古则横空盘硬，喜则和风甘雨，悲则啮雪咀霜，有王、孟、韦、柳之醇古澹腴，无卢、李、孟、贾之险僻古怪。盖其天资、学力二者兼到，陶熔于诸大家，而又加以鼓铸万汇。每有吟咏，无不振之以声气，敷之以彩色。譬之于陶，则八法皆备，求所谓不纯正，润滋光莹受冶画一圆转浑成完全者，殆无一焉，又何有淡薄、饾饤之诮乎？是能陶汇万物者也。"(《童山文集》卷五)王昶《蒲褐山房诗话》："凫塘诗有奇气，亦有逸气。起句如：'东风吹早雾，豁然露朝阳'；'秋风卷地来，黄叶打窗牖'；'山顶出天上，山根枕湖眠'；'龙山如龙头，垂胡饮江水'；'大江日下流，我沿江水上'；'天地为大炉，煎此潼川水'；'天云送春去，山色青无边'；'结交不结心，同室为异地。'又如：'荒鸡何与人，偏不稳楼宿。五更枕上鸣，唯愁客梦熟。'又：'河连天上月，沙聚云中雁'；'人来鸿雁飞，河动月光乱'；'看山如饮酒，快意辄心醉。'皆能自铸伟辞，未经人道。与兄墨庄工力悉敌，可称二难。但奉粟一囊，臣饥欲死，未免流浪江湖，因人作计，故激昂慷慨中有危苦潇飒之音。"(《湖海诗传》卷三七)法式善《梧门诗话》卷一〇："近日蜀中诗人，以李凫塘编修、张船山庶常为最。""凫塘诗缒幽凿险，所著《云栈集》，王兰泉司寇谓费此度、彭乐斋所不逮。"《清史列传》李调元传附："(骥元)文简古，学韩、柳；诗学大苏，有奇逸气。"《晚晴簃诗汇》卷一〇五录其诗十一首。

谢振定起授礼部主事。据秦瀛《礼部员外郎前监察御史谢君墓志铭》(《小岘山人续文集》卷二)。

谢启昆擢广西巡抚。据谢启昆《树经堂诗续集》卷三《己未九月奉命巡抚广西留别浙中诸同好用吴榖人赠行原韵二首》。

秋

陈球《燕山外史》初稿已成。嘉庆辛未吕清泰序云："蕴斋先生所著《燕山外史》，传窦生逸事，始由钟情，继至割情，终于忘情。其间悲欢离合，嬉笑怒骂，又将世情之炎凉富贵都收入阿罗汉布袋中，是色是空，参透真谛。忆己未之秋，蕴斋索余题词。甫读一过，第如入庄严法会，琉璃砗磲，缨络珠宝，光怪陆离；又如金钟玉磬，青鸾元雀，宣演法音，但以语言文字而犹着色相也。"(陈球著、傅声谷辑注《燕山外史注释》卷首)[按，《燕山外史》定稿在嘉庆十六年底以前。]

蓉鸥漫叟客白门，取青溪近事可供谈噱者作《青溪笑》杂剧。凡短剧十六种，为《捐金》、《倚玉》、《泛月》、《吟秋》、《品诗》、《掷钏》、《浣纱》、《赠蝶》、《伤春》、《说艳》、《家宴》、《公车》、《盟心》、《识俊》、《命字》、《皈禅》。数年后又作《续青溪笑》，凡短剧八种，为《劝美》、《说艳》、《桂苑》、《茶围》、《惊寒》、《教戏》、《珍旧》、《醒芳》。今皆有嘉庆间刻本。蓉鸥漫叟另有传奇四种，已佚。一说蓉鸥漫叟即张蠡秋。据《古本戏曲剧目提要》。

十月

二十七日，王柏心（1799—1873）生。柏心字子寿，号箎亭，监利人。道光二十四年进士，授刑部主事。旋乞假归，不复出。后参于戎幕，以致用为归。所著合刊为《百柱堂全集》。事迹见郭嵩焘《王子寿先生墓志铭》（《续碑传集》卷八〇）、《清史列传》本传。

二十九日，武亿卒，年五十五。据朱珪《前博山县知县诏起引见武君墓志铭》（《知足斋文集》卷五）。《授堂文钞》八卷嘉庆六年刊行，《授堂诗集》八卷附录二卷道光癸卯刊行。据《贩书偶记》卷一六。汪喜孙《武虚谷亿家传》："君通贯经籍，讲学依据汉儒师授，不蹈宋、明人空虚臆说之习。所著经义，原本三代古书，疏通贾、孔疑滞，凡数百事。所得列代金石，为古人未见者数十通，因之考正史传者，又数十事。今中州人知读古书、崇经学，搜访碑刻，备一方掌故，多自君倡之。"（《尚友记》卷二）伍绍棠《授堂文钞跋》："今观是书，如《释甲》一篇，奇博宏深，足与《卷施阁集》中《释舟》相仿佛。其余杂考证诸作，亦正不减王西沚、钱竹汀。近时钱氏《文献征存录》采先生《论周礼》及《与黄小松书》两篇，特一鳞片甲耳。考《儒林传》，称先生之学皆稽之经史百家传记，旁引远征，遇微罅辄剖决精蕴，比辞达意，以成一例。此集如《汉制六马考》、《古郑国处留辨》、《古玉圭图说》等篇，皆审确精详，持之有故，凿然中理。至《书白鹤观碑后》、《秦汉瓦当文字记跋尾》、《游巩县石窟寺记》、《偃师金石遗文补录序》，则又抉欧洪之秘奥，轶都赵之鉴裁，诚金石家所当奉为圭臬者也。顾余独疑先生治县有声，循良报最，又尝答故相和珅家仆，气节凛然，而集中曾无一语道及；即至文移禀状之类，亦只字不传：乃叹其善政得民，仁心及物，初不屑钓誉沽名，又岂世之岧峣磽礉者所能企望耶？是集为吾乡赵渭川大令所刻。""至原书本有赵大令序，惟残阙过甚，今辄删之，而附识于此。光绪乙亥立秋前二日，南海伍绍棠谨识。"（《授堂文钞》卷末）李慈铭《越缦堂读书记·授堂文钞》："其文多裨考据，笔近涩滞简质，或如注疏家，或如金石文。其曲折层累处亦颇有昌黎法，辞严义正而出以平实，多可玩味。其《汉制六马考》、《周礼名所由始考》、《谏官考》、《原字》、《广广韵注义》、《毁五岳寝庙议》、《一切经音义跋》、《巳亭记跋》、《题土壤镇壁》、《与李东川论安陵书》、《与朱少白论韩文考异书》、《答黄小松论隶释隶续书》、《与桂未谷论说文序所言札记指仪礼书》、《与李书源论竹书纪年书》、《程侍御三礼郑注考序》，尤精确不磨也。"《国朝文汇》乙集卷四八录其《送陈秋士县丞试用湖北序》等文四篇。《晚晴簃诗汇》卷一〇二录其诗四首。

钱大昕《十驾斋养新录》二十卷成书。自序署"嘉庆四年十月,书于十驾斋"。(《十驾斋养新录》卷首)

十一月

初七日,黎简卒,年五十三。据黄丹书《明经二樵黎君行状》(《碑传集三编》卷三七)。《行状》云:"君才思最敏,所为诗,援笔立就,而语皆深警。写物言情,时发前人所未发。兼工书、画、印章;篆、隶、真、草,得汉、晋人之髓。山水直造元四家堂奥。"王昶《蒲褐山房诗话》:"岭南自三家后,风雅寥寥。比来余所知者张庶常锦芳、冯户部敏昌、温编修汝适、潘金人有为、赵大令希璜,而简民为之冠。性好山水,屡入朱明洞天穷其幽胜。朋侪罕有当意者,惟与德清许宗彦、无锡孙尔準为诗文交。其诗峻拔清峭,刻意新颖,言人所不能言,苦心孤诣,竟以是终。五言如:'香云松叶灶,青雪竹房灯';'明澜闻水鸟,暗叶定风萤';'林暗山亭夜,城光野水秋';'海雨留鱼气,潮田起鸟群';'松雾浓沾瓦,花源曲到门';'潮送竹扉月,雨留花亩云。'七言如:'一枕春寒阁乡梦,千家人语入江声';'酒醒北郭风花路,梦断西林夜雨山';'苍凉日色沉沙树,悲壮江声入水村';'吴趋歌者谁相识,楚些魂兮不待招';'杨柳西楼怀鬼曲,辞章南俗托神弦';'排闷柳花吹酒店,飞空山影压鱼竿';'霜粘雁背菰蒲白,村少禽声稏稏黄';'溪云曲曲三篙水,浦树沉沉一桁山。'皆未经人道语,药亭诸公见之,亦当退避三舍。"(《湖海诗传》卷三八)洪亮吉《北江诗话》卷一:"近青浦王侍郎昶有《湖海诗传》之选,刊成寄余。余于近日诗人,独取岭南黎简及云间姚椿,以其能拔戟自成一家耳。""黎明经简诗,如怒猊饮涧,激电搜林。"卷三:"作诗造句难,造字更难。若造境、造意,则非大家不能。近日顺德黎明经简,颇擅此长。惜年甫四十而卒。然所存诸诗,尚足以睥睨一世。"[按,"年甫四十而卒",误。]何曰愈《退庵诗话》卷一二:"吾粤百数十年之诗,以鱼山先生为最大,而以山樵山人为最奇。"林昌彝《射鹰楼诗话》卷五:"长乐温伊初先生谓二樵诗如三神山草木,总与他方不同。所论甚确。余谓岭南三家,当挑梁药亭,配以二樵,较叶公论。"卷一二:"顺德黎二樵山人简诗,峻拔清峭,刻意新颖,刿目怵心,戞戞独造。《听松庐文钞》谓山人生平擅诗、书、画三绝,其诗由山谷入杜,而取炼于大谢,取劲于昌黎,取幽于长吉,取艳于玉溪,取瘦于东野,取僻于阆仙,锤焉凿焉,雕焉琢焉,于是以成其为二樵之诗。《听松庐诗话》云:'二樵先生诗,甘苦得失自知之,自言之,其《答同学》云:"简也亡于为诗,刻意轧新响。当其跨步时,语亦颇偶傥。"又《与人论诗》云:"士生古人后,讵有不践迹。始则傍门户,终日竖棨戟。禅校转渠帅,挥叱赴巨敌。一身数生死,百战资学识。绝顶无坦步,高唱有裂笛。弯弓石为肉,磨刀水先赤。要于其发端,真气贯虹霓。"诵此数言,可以知先生之诗矣。'又云:'"诗人望我,我方闭门;薜萝幽深,外有白云。"此二樵山人诗也。而余每于尘劳中诵此,如一服清凉散。又有句云:"清宵悠悠,抚我鸣琴;孰听其曲,自惜其心。""自惜其心"四字,道尽千古文人心事。'又云:'二樵诗好奇,以七古论之,有清奇者,如"湖上秋光阔无著,约束结成明月团";有雄奇者,如"刀色抱人不见人,人乃声出刀中央";有瑰奇者，如"黄昏碧火行木客，阴洞雄狐拜金马"；有幽奇者，如"长狐啸血成碧苔，一丝冷梦寻不回"：语皆匪夷所思。'又云：'二樵诗多单句可味者，五言如"情真使人醉"，又"积爱成至愚"，又"孤心入万象"，又"天气夜中分"，七言如"秋气谁先先与云"，又"吟咏气平心有悔"，又"一官才罢百骸尊"，又"渐减聪明愿息机"，又"卖文随力饭饥人"：若此者皆耐寻绎。'又云：'粤东黄梅天气，墙壁多出水，二樵句云"南风古墙汗"，又云"南雾万物湿"：语朴而炼。'又云：'二樵七律，多幽新僻隽之作，然亦有沈著者，如《牂牁》一首。'"卷一三："顺德黎二樵明经简（乾隆己酉拔贡），诗、书、画各臻其妙，其于诗天姿既超，又益以孤往之力，成其独造之能。《玉壶山房诗话》谓其诗'窈峭深警，新响轧轧，见者咸叹为苦吟，而不知其诗才绝敏，缒幽凿险之语，援笔立就，盖神乎技矣'。"录其《入羚羊峡寄闺人》、《寄黄药樵》、《晓出村舟中作》、《北风篇》、《邕州》、《春寒》等诗。《晚晴簃诗汇》卷一〇七录其诗三十四首。《清史列传》本传："（其诗）自成一家，似非经营惨淡不能成一语者，顾才思绝敏，无论长篇短什，援笔立就。为文杂《庄》、《骚》，不屑八家轨范。"

初十日，李调元自序《童山文集》。序署"嘉庆四年十一月初十日，童山老人李调元自弁"。（《童山文集》卷首）

十五日，阮元抵浙江巡抚任。据张鉴《雷塘庵主弟子记》卷一。

杨揆调任四川布政使。据赵怀玉《通奉大夫四川布政使司布政使赠太常寺卿杨公墓志铭》（《亦有生斋集》文卷一八）。

黄钺以朱珪荐，奉旨命来京。十二月十九日抵京。据黄富民《黄勤敏公年谱》。

十二月

初五日，何绍基（1800—1873）生。绍基字子贞，号东洲，晚号蝯叟、媛叟，道州人，凌汉子。道光十六年进士，选庶吉士，散馆授编修。历典福建、贵州、广东乡试，均称得人。咸丰二年，官四川学政。以条陈时务降归。历主山东泺源、长沙城南书院。著有《东洲诗文集》四十卷。事迹见林昌彝《何绍基小传》（《续碑传集》卷一八）、熊少牧《诰授中宪大夫翰林院编修貤封资政大夫道州何君墓志铭》（《碑传集补》卷九）、《清史列传》郭尚先传附、《清史稿》本传。[生日据朱彭寿《清代人物大事纪年》。]

蔡新卒，年九十三。据朱彭寿《清代人物大事纪年》。《晚晴簃诗汇》卷七四："诗亦雅健宏深，有正笏垂绅之度。"录其诗二首。

冬

何道生巡视济宁漕务。据法式善《朝议大夫宁夏知府何君墓表》（《碑传集补》卷二二）。

本年

禁止内城戏园。据光绪延煦等纂《台规》卷二五（王利器《元明清三代禁毁小说戏曲史料》第一编引）。

法式善任编修，在实录馆行走。据阮元《梧门先生年谱》。

沈起凤任全椒县学教谕。据张慧剑《明清江苏文人年表》。

恽敬服阕，入都谒选。据吴德旋《恽子居先生行状》（《初月楼文钞》卷八）。

钱泳在京师寓郑亲王惠园三月。与法式善、汪端光、王芑孙交游。旋南回。据胡源、褚逢春《梅溪先生年谱》。

孙星衍侨寓金陵祠屋。其屋故有古松五株，名为五松园。星衍作《五松居士传》。据张绍南《孙渊如先生年谱》卷下。

邓廷桢入钟山书院从姚鼐学。据邓邦康《邓尚书年谱》。

张维屏岁考一等三名，补廪。据金菁茅《张南山先生年谱撮略》。

章学诚有《上执政论时务书》、《上韩城相公书》、《上尹楚珍阁学书》、《与曹定轩侍御论贡举书》等有关时政之作。据胡适《章实斋年谱》。

左辅谒朱珪，论当今人才之患。据张惠言《茗柯文》三编《送左仲甫序》。此文作于五月十日。又，十二月，霍邱吴书常在京师向张惠言述左辅治霍邱政绩，同年仁和汤金钊亦向张述左氏政声，见《茗柯文》三编《书左仲甫事》。

姚椿谒王昶于杭州。沈曰富《姚先生行状》："嘉庆四年，见郡先达王侍郎昶于杭州。侍郎知先生能诗，叩以所得，先生曰：'以讽谕为主，以音节为辅，以独造为境，以自然为宗。'侍郎激赏不置，赠以诗，有中流砥柱、大雅扶轮之誉。"（《续碑传集》卷七八）［按，据严荣《述庵先生年谱》，王昶本年似未曾至杭州，其赴敷文书院在明年正月下旬。疑沈曰富《行状》所记此事或在明年。］

舒位还浙。又游苏州，与王昙会。复幕游长沙。据《瓶水斋诗集》卷七《余以乙卯岁花朝出门，恰于己未岁花朝到家，盖四年矣。口占两诗解嘲》、《苏州书赠王仲瞿》，卷八《之楚纪别》。

汪端赋春雪诗，读者谓不减"柳絮因风"之作，因以小韫呼之。端时年七岁。据胡敬《汪允庄女史传》（《续碑传集》卷八五）。

刘嗣绾有《劳歌集》、《独浪集》。《劳歌集》小序："己未春，公车历碌。余以二月初旬，始偕稚存洪太史束装就道。马头风雪，山路崎岖，斯劳者之歌乎！"《独浪集》小序："下第南归，关河独浪。合离生死，悢悢兮余怀也。"（《尚絅堂诗集》卷二六、卷二七）

彭兆荪自本年至嘉庆八年癸亥诗为《苇杭集》一卷。据缪朝荃《彭湘涵先生年谱》。

郭麐、郭凤侨寓嘉兴，麐定此期诗为《移家集》。据张慧剑《明清江苏文人年表》。

秦瀛序周春诗，春时年七十一岁。据秦瀛《周松霭诗序》（《小岘山人文集》卷三）。

瞿颉作《鹤归来》传奇。庄一拂《古典戏曲存目汇考》卷一二：《鹤归来》，"《今乐考证》著录。原刊本，山东大学藏。湖北书局重刊本。其他戏曲书簿未见著录。凡二卷三十五出。演瞿式耜事。作者为式耜六世从孙，为述祖德而作。""瞿氏此作，不但以《浩气吟》为蓝本，且加以改窜增并，另成一书。其题目作'老阁部一心报国，小书生万里收骸；风洞山两贤殉节，会元坊双鹤归来'。按《浩气吟》系太仓王忭所作。"又，瞿颉另有《雁门秋》（约本年作）、《桐泾月》（撰年未详）等传奇。据《古典戏曲存目汇考》卷一二。[按，瞿颉作《鹤归来》传奇，张慧剑《明清江苏文人年表》谓在嘉庆元年，此据郭英德《明清传奇史》第十八章。]

刘赤江《一片心》传奇约本年作。原剧出数不详，今仅存《梦会》、《逼婚》、《骂月》、《命将》四出。演书生戚我耘与柏意如婚恋事。今存咸丰元年青莲堂刻《续缀白裘新曲九种》本。据《古本戏曲剧目提要》。

钱东垣辑释《崇文总目》五卷（宋王尧臣等编）刊行。据《贩书偶记续编》卷八。

徐斐然编《今文偶见》四十八卷刊行。法式善《陶庐杂录》卷三："《今文偶见》四十八卷，归安徐斐然辑。分八门。学术三卷，风教六卷，政治六卷，道古五卷，论文六卷，献征十六卷，酬应三卷，游览三卷。前有冯浩序，刻于嘉庆四年。"

袁文揆编《滇南诗略》二十二卷刊行。法式善《陶庐杂录》卷三："《滇南诗略》十八卷、《补遗》二卷、《流寓》二卷，保山袁文揆编，嘉庆四年刻版。自序云：'王畴五、张月槎两太史，赵永锡大尹，孙髯翁布衣，杨裕如孝廉，征诗有启，讫未成书。伯兄仪雅纂《胜国遗诗》成，揆愈不敢弗终厥事。编国朝滇南诗，始顺治辛丑迄嘉庆辛巳 [俊按，误，疑为丁巳]。题曰《国朝滇南诗略》，从伯兄纂前明诗例也。'搜辑之功，可谓勤矣。金碧苍洱间奇气，何幸荟萃于此笔。"又，《贩书偶记》卷一九："《滇南明诗略》十卷首一卷（即《古诗略》）《国朝滇南诗略》二十二卷《流寓诗略》二卷《滇南诗略续刻》十卷，保山袁文典、袁文揆兄弟辑，嘉庆己未至壬戌肆雅堂精刊。"

杨芳灿编《荆圃倡和集》诗十卷词六卷刊行。据《贩书偶记》卷一九。

姚鼐补刻诗集五卷。据郑福照《姚惜抱先生年谱》。

王初桐《白门集》二卷、《金台集》一卷、《百花吟》一卷、《十二河山集》二卷、《齐鲁韩诗谱》四卷等刊行。据《中国丛书综录》。

舒梦兰《和陶诗》一卷南州曾燠刊行。又，《南征集》一卷、《秋心集》一卷《续》一卷、《婺舲余稿》一卷、《双丰公挽诗》一卷嘉庆间刊行，《双丰公挽诗》又名《猴山集》。据《贩书偶记续编》卷一六。

秦子忱《续红楼梦》三十卷刊行。孙楷第《中国通俗小说书目》卷四：《续红楼梦》三十卷，"存。嘉庆己未（四年）刊本。石印本。排印本。清秦子忱撰。首秀水郑师靖序。嘉庆三年自序。书谓黛玉还魂再生，自林黛玉死后写起。但所依傍者仍是高书。子忱号雪坞，官衮州都司。郑序云陇西人。名里未详。"

托浑布（1799—1843）生。托浑布姓博尔济吉特氏，字安敦，号爱山，蒙古氏族，隶正蓝旗。嘉庆二十三年、二十四年连举成进士。授湖南知县，累官至山东巡抚。著有《瑞榴堂集》。事迹见宗稷辰《兵部侍郎都察院右副都御史巡抚山东兼提督托公墓表》（《躬耻斋文钞》卷一〇）。

杨季鸾（1799—1856）生。季鸾字紫卿，湖南宁远人。年十二，以《春草诗》得名。及为监生，游京师，名益噪。然困踬科场，遂历游南北。咸丰元年举孝廉方正，后官翰林院侍诏。晚归湘,侨寓零陵,主讲濂溪书院。著有《春星阁诗钞》十五卷。事迹见李柏荣《魏默深师友记》卷五。

黄汝成(1799—1837)生。汝成字庸玉,号潜夫,江苏嘉定人。少为县学廪膳生,议叙通判衔。入赀为县学官,选安徽泗洲训导,以忧未赴。辑有《日知录集释》三十二卷《刊误》二卷,著有《袖海楼文稿》。事迹见李兆洛《黄潜夫家传》(养一斋文集》续编卷五)、葛其仁《黄潜夫传》、毛岳生《黄潜夫墓志铭》(《续碑传集》卷七七)。

顾广誉(1799—1866)生。广誉字惟康(一作维康),号访溪,晚号慎子,浙江平湖人。优贡生。咸丰元年举孝廉方正,未赴廷试,隐居教授四十余年。卒于上海龙门书院。著有《学诗详说》三十卷、《四礼权疑》八卷、《悔过斋文集》七卷《续集》七卷《补遗》一卷。事迹见叶裕仁《征士访溪顾君行状》(《广清碑传集》卷一一)、《清史列传》方坰传附、《清史稿》姚椿传附。[朱彭寿《清代人物大事纪年》谓其生卒年为1800—1867年,此据叶裕仁《行状》。]

吴藻(1799?—1862?)约本年生。藻字蘋香,号玉岑子,浙江仁和人。道光六年入陈文述门下为弟子。著有《花帘书屋诗》、《花帘词》、《香南雪北词》、《乔影》。事迹见《清代闺阁诗人征略》卷八、陆萼庭《女曲家吴藻传》(《广清碑传集》卷一一)、华玮编辑点校《明清妇女戏曲集·作家作品简介》。

方薰卒,年六十四。据吴荣光《中国古代名人生卒·历史大事年谱》。洪亮吉《北江诗话》卷一:"方山人薰诗,如独行空谷,时逗疏香。"王昶《蒲褐山房诗话》:"东南布衣能诗者,自李客山后,苏州张崑南、沙斗初,吾松翁石瓠,而嘉禾为兰坻。能画,尤工兰。性情和雅,翛然自得,故称其为隐君子也。"(《湖海诗传》卷三九)郭麐《灵芬馆诗话》卷四:"方兰士先生薰《山静居遗稿》八百余首,其五言古体深厚淳古,有汉、魏、盛唐之精微,而无其面目,一时诗人未能或之先也。"管庭芬《山静居诗话跋》:"石门方樗庵先生书画之名,流布大江南北;诗亦淡雅绝伦,已刊于世。"(《山静居诗话》卷末)《晚晴簃诗汇》卷九七录其诗五首。

公元 1800 年(嘉庆五年 庚申)

<u>正月</u>

初九日,金士松卒,年七十二。据纪昀《兵部尚书金文简公合葬墓志铭》(《纪晓岚文集》第一册卷一六)。《晚晴簃诗汇》卷八九录其诗三首。

十六日,余庆长卒,年七十七。据王昶《同知署广西平乐府知府余君墓志铭》(《春融堂集》卷五四)。王昶《蒲褐山房诗话》:"元亭生长楚中,独嗜陈季立、顾亭林之学。为人渊静闲止,薄宦川、滇,非其好也。告归后,益留心经术,古文亦清深简洁。诗偶为之,如:'牂牁名士推张叔,河北文章重魏收';'躬耕养母旌江革,尚节怀人识范云';'知有小园属开府,可能大树号将军';'高情已欲举黄鹄,中隐且从盟白鸥',颇工隶事。随予云南、江西幕中十余年,极称同志。"(《湖海诗传》卷一三)《晚晴簃诗汇》卷八〇录其诗二首。《国朝文汇》乙集卷一九录其《查慢梭金厂行记》

文一篇。

　　黄钺以户部额外主事在懋勤殿学习行走。据黄富民《黄勤敏公年谱》。

　　康基田以事革职。三月离河督任，仍在徐州办理工程。据《茂园自撰年谱》。

　　王昶应阮元之邀，主浙江敷文书院（旧名万松书院）。据严荣《述庵先生年谱》。

二月

　　十五日，万荣恩自序《潇湘怨》传奇（又名《红楼梦传奇》、《醒石缘》）。署"嘉庆庚申花朝，青心居士自记"。其《红楼梦传奇序》云："前忽于岁晚残冬，购得《红楼梦》一部，披卷览之，喜其起止顿挫，节奏天成，击节再三，流连太息者久焉。因不揣愚陋，谱作传奇。但其中卷帙浩繁，难以尽述。倘欲枝枝节节而为之，正恐舞榭歌台，曲未终而夕阳已下。红裙翠袖，剧方半而曙色忽升。虽曰穷态极妍，究非到处常行之技。故极加删校，仍不失为洋洋洒洒之文。庶几哉，见试红儿，冀研白雪。而世之睹斯编者、演斯剧者，琼筵绮席之间，檀板金尊之际，仅以为逢场之游戏也可，直以为尽人之点化也亦可。"又，秋舲主人《醒石缘叙》云："吾友万子玉卿少年倜傥，博学多文，以读书余力，借《红楼梦》说部谱为《醒石缘》传奇，内分《潇湘怨》、《怡红乐》二种。顷过我浣香馆，出以相示。试为翻撷之，见其中引商刻羽，滴粉搓酥，虽置之古传作中，几无复辨。"署"嘉庆庚申上巳后二日，秋舲主人拜题于浣香馆之五言城"。（阿英编《红楼梦戏曲集》）姚燮《今乐考证》著录十《国朝院本》："玉卿字心青居士，所填《红楼梦》曲曰《醒石缘》，中分二种：一曰《潇湘怨》，为前《红楼》事；一曰《怡红乐》，为后《红楼》事。词亦不亚于两家。"

　　二十二日，谭莹（1800—1871）生。莹字兆人，号玉生，广东南海人。阮元开学海堂课士，以莹及侯康、仪克中、熊景星、黄子高为学长。莹任学长三十年，英彦多出其门。道光二十四年，举于乡，官化州训导。久之，迁琼州教授，加中书衔。少与侯康等交莫逆，晚岁与陈澧齐名。著有《乐志堂文集》十八卷、《诗集》十二卷、《续集》三卷。又博考粤中文献，友人伍崇曜为汇刻之，曰《岭南遗书》五十九种、《粤十三家集》、《楚南耆旧遗诗》，益扩之为《粤雅堂丛书》。事迹见《南海县志》本传（《续碑传集》卷八〇）、《清史列传》本传、《清史稿》本传。［生日据朱彭寿《清代人物大事纪年》。］

　　孙星衍自金陵归常州省墓，又至浙江，八月返金陵。张绍南《孙渊如先生年谱》卷下："二月，归常州省墓。时曾运使燠署盐政，聘延君主讲安定书院。君同年阮公元抚浙，招君佐理幕务。至浙，并延主绍兴蕺山书院。渡江至绍兴，遂游会稽，观禹庙旁窆石，识为孙皓刻石。又游吼山。归浙省时抚部又设诂经精舍于西湖之滨，招致督学时所拔知名士于其中。与君及王少寇昶迭为主讲，命题课业，问以经史疑义，旁及小学、天部、地理、算法、词章，各听搜讨书传，条对以观其器识。湖干建伏郑祠堂，君亲书联额。又起第一楼，多邀高材生燕集。秦少寇瀛时官臬使，尝约吴祭酒锡麒及浙中诸名士为诗会。诸生执经问字者盈门，未及十年而诂经精舍士登巍科、入馆阁及撰述成一家言者不可胜数。"

赵佑卒，年七十四。据朱彭寿《清代人物大事纪年》。李祖陶《国朝文录·清献堂稿文录引》："予少时读其时文，见其有力如虎，能于五家外别开生面，知其必深于古。而全稿久未得见，近岁馆龙泉，始于石园李氏得之。所著说经之书如《尚书质疑》、《诗细读》、《春秋存稿》、《春秋三传杂案》及《四书温故录》诸书，类皆根柢注疏，以古健之笔判异同之案，大义卓然，不支不泛，非他考据家搜讨丛碎、无关典要者所能及也。古文不以体分而以年次，自谓欲以考其阅历之先后。说经之作既已分编，故散体文仅存十卷，大都戛戛独造，绝不依傍古人。且剪截浮芜，不使一闲文冗字。而高深雄杰之气象、浑灏流转之机神，既郁勃而盘回，亦完足而酣畅。异矣哉！世之以坛坫自雄者皆未之及也。说经之作多自成文，可与李穆堂集中考、解、论、说相配，然既已别行，亦不具录，今惟录本集之文为二卷。"《国朝文汇》乙集卷二二录其《濮镇纪闻序》等文七篇。《晚晴簃诗汇》卷八一："鹿泉屡掌文衡，文望与窦东皋埒，以善制举业名。""诗平实，少风韵，然章安句妥，亦学人诗也。"录其诗三首。

三月

上巳日，赵怀玉、汪端光、张问陶等集会。据《船山诗草》卷一五《己庚集·上巳胡砚农户部招同赵味辛、邵寿民两舍人、汪剑昙助教、张子白大令、许鹤汀孝廉出右安门草桥僧舍修禊，归复饮于砚农寓斋，分体得六言，分韵得潭字》。

初三日，孔广林自序《女专诸》杂剧。署"嘉庆五年上章涒滩三月三日，幼髯识"。自序云："浙中闺秀某，取明三大案，用一人贯穿之，成《天雨花》弹词三十卷。予欲演作传奇，而年衰多病，无能为役。姑摘其《刺贼》一段，成杂剧四折云。"(《中国古典戏曲序跋汇编》卷八)庄一拂《古典戏曲存目汇考》卷八："《女专诸》，"此戏未见著录。温经楼刊本，《清人杂剧二集》本。叙左仪贞事，改《天雨花弹词》中《刺贼》一段而成。凡四折，为《劫娇》、《诛篡》、《试砂》、《节宴》。作于嘉庆五年。"

钱泳自水路入京。五月抵京，谒诸王。一月而归。据胡源、褚逢春《梅溪先生年谱》。

春

张问陶有《小游仙馆排闷杂诗》、《偶理案上书帙各题一诗排闷》、《遣闷绝句》等诗。见《船山诗草》卷一五《己庚集》。

惜阴堂主人《二度梅全传》福文堂刊行。是书凡六卷四十回，另有嘉庆二十年文英堂刊本、嘉庆二十一年聚英堂刊本等。据《中国古代小说总目》白话卷。[按，是书作于清初。]

四月

王汝璧迁江苏布政使。据《国史列传》本传(《铜梁山人诗集》卷首)。

张惠言出山海关。据《茗柯文》补编卷下《关东纪程》。《清史稿》本传："尝奉命诣盛京篆列圣加尊号玉宝，惠言言于当事，谓旧藏宝不得磨治，又谓翰林奉命篆列圣宝，宜奏请驰驿，以格于例不果行。"约秋季回京师。

小停道人序屠绅《蟫史》。署"时龙集上章涒滩余月既望，小停道人书于听尘处"。序云："矧驱牛鬼蛇神于实录中，用彰龟鉴，化虫为蟫，恣其游泳，水即涔蹄，未始非世道人心之一助，此磊砢山人《蟫史》之所由作也。"又，杜陵男子序，撰年未详，序云："作者现桃源于笔下，别有一天；读者入波斯之市中，都迷两目。自我作古，引人入胜。不洵可以餍好奇之心，而供多闻之助哉！"（《蟫史》卷首）

闰四月

二十二日，冯应榴卒，年六十一。据秦瀛《鸿胪寺卿星实冯君墓表》（《小岘山人文集》卷五）。钱大昕《苏诗合注序》："窃谓王本长于征引故实，施本长于臧否人伦，查本详于考证地理，先生则汇三家之长。而于古典之沿讹者正之，唱酬之失考者补之，舆图之名同实异者核之，以及友朋商榷之言，亦必标举姓氏，其虚怀集益又如此。""是书出，而读苏诗者可以得所折衷矣。"（《潜研堂文集》卷二六）《晚晴簃诗汇》卷九○录其诗一首。

二十八日，方昂卒，年六十一。据纪昀《江苏布政使司布政使坳堂方公墓志铭》（《纪晓岚文集》第一册卷一六）。《晚晴簃诗汇》卷九四录其诗三首。

洪亮吉获赦免。于五月初一日自伊犁东还，九月初七日抵里，自号更生居士。据吕培等《洪北江先生年谱》。洪亮吉《北江诗话》卷一："余自伊犁蒙恩赦回，以出关、入关所作，编为《荷戈》、《赐环》二集，海内旧交作诗题集后者不下百首，惟同年曾运使燠一绝最为得体云：'君得为诗是国恩，长歌万里入关门。请看绍圣、元符际，苏轼文章戒不存。'"

五月

初五日，张惠言作《高阳台二首》。见《茗柯文编·茗柯词》。其序云："吾乡五月竞渡，为江南胜事，不得见者十六年矣。丁巳端午，寓居歙县，与舍弟翰风及金子彦兄弟泛丰溪，至覆舟山，赋《满庭芳》一阕。戊午，则在武林游观西子湖。己未，在京师看荷花于天香楼，亡生江安甫皆从焉。今年索居辽海，风雨如晦，怀人抚序，怅然感之。"

凌廷堪自序《梅边吹笛谱》。署"嘉庆庚申端午日，凌廷堪次仲书"。（《校礼堂文集》卷二八）

阮元等祀郑玄、许慎于西湖诂经精舍。阮元《揅经室二集》卷七《西湖诂经精舍记》："元少为学，自宋人始，由宋而求唐，求晋、魏，求汉，乃愈得其实。尝病古人之诂，散而难稽也。于督学浙江时，聚诸生于西湖孤山之麓，成《经籍纂诂》百有八卷。及抚浙，遂以昔日修书之屋五十间，选两浙诸生学古者读书其中，题曰'诂经精舍'。'精舍'者，汉学生徒所居之名。'诂经'者，不忘旧业且勖新知也。诸生请业之席，则元与刑部侍郎青浦王君述庵、兖沂曹济道阳湖孙君渊如迭主之。诸生谓周、

秦经训至汉高密郑大司农集其成，请祀于舍。孙君曰：'非汝南许浤长，则三代文字不传于后世，其有功于经尤重，宜并祀之。'乃于嘉庆五年五月己丑，奉许、郑木主于舍中，群拜祀焉。"

法式善升侍讲，充宫史纂修官。据阮元《梧门先生年谱》。

瞿中溶入紫阳书院肄业。据瞿中溶《瞿木夫先生自订年谱》。

六月

张问陶《庚申六月寄亥白兄成都（时有奉母出川之意，故作此决之）》叙时局。有"家山重破碎，白骨飞秋蓬。一郡增万鬼，尸走涪江红"云云。见《船山诗草》卷一五《己庚集》。

夏

赵翼编成《陆放翁年谱》一卷。据佚名《瓯北先生年谱》。

七月

杨芳灿启程赴京师。十月掣签得户部，分广东司行走。在京与张问陶、汪端光、赵怀玉、汪全泰、汪全德、吴锡麒、法式善、李鼎元等交游。据杨芳灿自订、余一鳌补订《杨蓉裳先生年谱》。

张惠言为亡生江承之校录遗作。[按，歙童子江承之本年正月卒，年十八。]《茗柯文》三编《虞氏易变表序》："《虞氏易变表》，亡生江承之安甫所作也。安甫受《易》三年，从余至京师，乃作此表。其义例屡变益审，故为完善。自《鼎》以下十五卦未成。安甫死之七月，余役陪京，馆舍无事，乃取其稿校录而补之，定为二篇，附于《消息》之后。呜呼！吾书苟传也，安甫为不死矣。"又，张惠言本年辑《安甫遗学》三卷，序之。又作《记江安甫所抄易说》。皆见《茗柯文》三编。

八月

初五日，金德舆卒，年五十一。据赵怀玉《刑部奉天司主事金君墓志铭》（《亦有生斋集》文卷一七）。《晚晴簃诗汇》卷八五录其诗一首。

上浣，赵良霭自序《肖岩诗钞》十二卷。署"嘉庆五年岁次庚申仲秋月上浣，肖岩赵良霭撰"。见《肖岩诗钞》卷首。《肖岩诗钞》十二卷、《文钞》四卷附《补遗》本年刊行。据《贩书偶记续编》卷一五。

十四日，苏廷魁（1800—1878）生。廷魁字赓堂、德辅，广东高要人。道光十五年进士，选庶吉士，授编修。官至东河总督。著有《守柔斋诗集》八卷。事迹见佚名《苏河督年谱》、《清史稿》本传。[生日据朱彭寿《清代人物大事纪年》。]

十七日，邵齐熊卒，年七十七。据钱大昕《内阁中书舍人邵君松阿墓志铭》（《潜研堂文集》卷四四）。《墓志铭》云："君昆弟皆治古文，而君好之尤专。谓文必本于学与行，然后为有物之言。古人立言，皆有益于人心风俗。否则，谰言长语，只足以长浮华，用以阿世则可，用以经世则未也。尝选唐宋以来古文十八家，名曰《文系》。于唐得三家：退之、子厚、习之；于宋取七家：永叔、明允、子瞻、子由、子固、同甫、晦庵；于元取一家：伯生；于明取四家：景濂、正学、伯安、熙甫；而以国朝汪苕文、方灵皋、陶晚闻三家继焉。独恶王安石之文，谓其意主争胜，言涉矜夸，观其文，知其人之悖，可戒不可法也。"《国朝文汇》乙集卷一五录其《李斯论》等文六篇。

张问陶分校秋闱，得姚元之、崔旭。 蔡坤编辑、蔡璐参校《张船山先生年谱》："姚字伯昂，仕至内阁学士，性严正不阿，有《竹叶亭杂记》八卷。崔字晓林，又字念堂，诗得先生传，与天津梅成栋诗合刊，名《燕南二俊诗钞》。"

纪昀《阅微草堂笔记》五种二十四卷刊行。 盛时彦序云："河间先生以学问文章负天下重望，而天性孤直，不善以心性空谈，标榜门户；亦不喜才人放诞，诗社酒社，夸名士风流。是以退食之余，惟耽怀典籍；老而懒于考索，乃采掇异闻，时作笔记，以寄所欲言。《滦阳消夏录》等五书，俶诡奇谲，无所不载；洸洋恣肆，无所不言。而大旨要归于醇正，欲使人知所劝惩。故诲淫导欲之书，以佳人才子相矜者，虽纸贵一时，终渐归湮没。而先生之书，则梨枣屡镌，久而不厌，是则华实不同之明验矣。顾翻刻者众，讹误实繁；且有妄为标目，如明人之刻《冷斋夜话》者，读者病焉。时彦夙从先生游，尝刻先生《姑妄听之》，附跋书尾，先生颇以为知言。迩来诸板益漫漶，乃请于先生，合五书为一编，而仍各存其原第，篝灯手校，不敢惮劳。又请先生检视一过，然后摹印。虽先生之著作不必藉此刻以传，然鱼鲁之舛差稀，于先生教世之本志，或亦不无小补云尔。嘉庆庚申八月，门人北平盛时彦谨序。"林昌彝《射鹰楼诗话》卷二〇："（《阅微草堂笔记》）其托狐鬼以劝世，可也；而托狐鬼以讥刺宋儒，则不可。宋儒虽不无可议，不妨直言其弊，托狐鬼以讥刺之，近于狎侮前人，岂君子所出此乎？"是书嘉庆丙子北平盛氏重刊，道光癸巳羊城重刊。据《贩书偶记》卷一二。

九月

初八日，法式善招赵怀玉、鲍之钟、吴锡麒、汪学金、谢振定、姚椿等十四人为西山之游。 据赵怀玉《收庵居士自叙年谱略》卷下。

孙星衍至吴门，十一月返金陵。 张绍南《孙渊如先生年谱》卷下："九月除母丧，归常州省墓。至吴门，主吴县唐令仲冕署。十一月，诸名士饯别于虎丘一榭园。坐中蒋丈业晋、段君玉裁、钮君树玉、袁君廷梼、黄孝廉丕烈、顾君莼、顾君广圻、何君元锡、李君锐、瞿君中溶、夏君文焘、陶君梁、沈君培、徐明经颐、唐公子鉴、李君福、戴生延祎各自题名于册。吴君履写《山塘话别图》。"

孙原湘自识《天真阁集》。 署"嘉庆五年岁次庚申秋九月孙原湘自识"。（《天真阁集》卷首）《天真阁集》五十四卷、《外集》六卷附席佩兰《长真阁集》七卷本年起陆续刊行。据《贩书偶记》卷一六。

姚兴泉序俞蛟《梦厂杂著》。 署"时嘉庆五年岁次庚申菊月下瀚，龙眠屋里山楼居士同学愚弟姚兴泉拜手"。（《梦厂杂著》附录）

集锦堂刊本《于公案奇闻》有本月序。署"时嘉庆庚申重阳选书"。孙楷第《中国通俗小说书目》卷六：《于公案奇闻》八卷二百九十二回，"存。集锦堂刊本。清无名氏撰。首嘉庆庚申（五年）无名氏序。按：《儿女英雄传》三十九回云'新出的《施公案》、《于公案》'，则书出当在道咸间。"

秋

恩科乡试。是科各省考官有英和、李宗瀚、刘凤诰、茹棻、姚文田、汪彦博等。据王家相《清秘述闻续》卷一。所取举人有陈文述（《杭州府志》本传）、陆继辂（李兆洛《贵溪县知县陆君墓志铭》）、陶澍（魏源《皇清太子太保两江总督陶文毅公墓志铭》）、陈用光（吴德旋《皇清诰授资政大夫礼部左侍郎陈公神道碑铭》）、吴嵩梁（《江西通志·吴嵩梁传》）、盛大士（《国朝文汇》乙集卷六一）、严可均（《乌程县志·严可均传》）、宋翔凤（民国《吴县志·宋翔凤事略》）、邓廷桢（邓邦康《邓尚书年谱》）、金式玉（恽敬《翰林院庶吉士金君华表铭》）、昇寅（宝琳、宝珣《昇勤直公年谱》）、童槐（童恩《皇清诰授通议大夫通政使司副使显考萼君府君年谱》）、钱林（汪喜孙《钱学士墓表》）等。彭兆荪赴江宁乡试，又不售。据缪朝荃《彭湘涵先生年谱》。瞿中溶报罢。据《瞿木夫先生自订年谱》。

包世臣赴试白门，始识张琦。张琦劝其勿多为诗。是冬，世臣又访张琦于歙。据胡韫玉《包慎伯先生年谱》。又，世臣在白门识李兆洛。据包世臣《李凤台传》（《国朝文汇》乙集卷六四）。

十月

朔日，翁方纲序谢启昆诗。署"嘉庆五年岁在庚申冬十月朔，北平翁方纲序"。（《树经堂诗初集》卷首）《树经堂诗初集》十五卷《续集》八卷《文集》四卷本年至嘉庆七年刊行。据《贩书偶记》卷一六。

张问陶入史馆。据《船山诗草》卷一五《己庚集·庚申十月初入史馆即事》。

张惠言、徐书受、董达章重晤于京师。张惠言《茗柯文》补编卷下《送徐尚之序》："尚之在河南，五摄知县事，皆有声，以忧去。嘉庆五年十月，起谒吏部，引见，仍试用河南。而超然适以应顺天试不得解，留京师，三人者遂复得偕晤。回顾始相识时，年各少壮，今二十载矣。超然与余须始白，而尚之发濂然，盖三人者皆将老矣。超然既困有司不得志，尚之亦局促于一官，非其所乐，独两人诗古文益奇，盖共性情气概，有非劳苦忧患所能损者。余又以知两人者之所得有在，而非世之役役者也。"

焦循应阮元之招，复为武林之游。明年春回扬州。据闵尔昌《焦理堂先生年谱》。

胡季堂卒，年七十二。据朱彭寿《清代人物大事纪年》。

十一月

法良（1800—?）生。据法良《先仲兄少司寇公年谱》。法良字可盦，斌良弟。官至兵部侍郎。著有《沤罗盦诗集》。事迹见《清史稿》斌良传附。

十二月

赵怀玉选山东青州府同知。据赵怀玉《收庵居士自叙年谱略》卷下。张惠言有《送赵味辛同知青州序》，见《茗柯文》三编。

鲍之钟、吴锡麒、汪学金、法式善、赵怀玉、谢振定、姚椿、张问陶分赋饮中八仙。据《船山诗草》卷一五《己庚集·与鲍雅堂户部、吴榖人、汪静厓两庶子、法时帆侍讲、赵味辛舍人、谢香泉礼部、姚春木上舍分赋饮中八仙，得李适之》。

张衢自序《玉节记》传奇。署"时嘉庆庚申腊月下浣，情斋张衢叙"。自序云："唐人撰《魏妇人传》，真虚真人命飞元玉女鲜于虚拊九合玉节。鲜于虚者，虚也。余假其名以为戏，亦犹司马相如之赋，以子虚称也。"又，王昶题词云："情文并美，蹊径亦新。里人度曲魏良辅，高士填词梁伯龙，可于是中独踞上座。"署"嘉庆庚申穀雨后一日，七十七老翁题于西湖万松岭见山堂，青浦王昶"。（《中国古典戏曲序跋汇编》卷一三）是剧凡二卷五十二出，今存咸丰元年刊本。

本年

金式玉考取景山宫官学教习。据恽敬《翰林院庶吉士金君华表铭》（《大云山房文稿二集》卷四）。

何道生授九江知府。据法式善《朝议大夫宁夏知府何君墓表》（《碑传集补》卷二二）。

恽敬选授山东平阴县知县，引见改授江西新喻。据吴德旋《恽子居先生行状》（《初月楼文钞》卷八）。

刘廷楠摄惠州河源县事。据曾国藩《广东嘉应州知州刘君事状》（《曾文正公文集》卷二）。

汪端光之粤西。张问陶有《送汪剑潭司马之粤西，并送大竹全泰竹素、小竹全德竹海》，见《船山诗草》卷一五《己庚集》。

舒位自湘东还。据《瓶水斋诗集》卷九《归兴》等。

顾宗泰自粤北还，以病暂居吴门。应当事之聘，主讲珠湖书院。据《珠湖听雨集》小序（《月满楼诗集》卷三八）。

管世灏馆于桐城汪氏之耕云草堂。明年成《影谈》四卷。据卷首自序及管题雁序。

朱骏声与张紫琳、褚逢椿等同肄业平江书院。据朱骏声《石隐山人自订年谱》。

张惠言自编文稿。《茗柯文》三编《文稿自序》："余少学为时文，穷日夜力，屏他务，为之十余年，乃往往知其利病。其后好《文选》辞赋，为之又如为时文者三四年。余友王悔生见余《黄山赋》而善之，劝余为古文，语余以所受其师刘海峰者。为之一二年，稍稍得规矩。已而思古之以文传者，虽于圣人有合有否；要就其所得，莫不足以立身行义，施天下致一切之治。荀卿、贾谊、董仲舒、扬雄，以儒；老聃、庄周、管夷吾，以术；司马迁、班固，以事；韩愈、李翱、欧阳修、曾巩，以学；柳宗元、苏洵、轼、辙、王安石，虽不逮，犹各有所执持，操其一以应于世而不穷，故其言必曰道。道成而所得之浅深醇杂见乎其文，无其道而有其文者，则未有也。故乃退而考之于经，求天地阴阳消息于《易》虞氏，求古先圣王礼乐制度于《礼》郑氏，庶窥微言奥义，以究本原。已而更先太孺人忧，学中废。嘉庆之初，问郑学于歙金先生。三年，图《仪礼》十八卷，而《易义》三十九卷亦成，粗以述其迹象，辟其户牖，若乃微显阐幽，开物成务，昭古今之统，合天人之纪；若涉渊海，其无涯涘。贫不能自克，复役役于时，自来京师，殆又废弃。呜呼！余生四十年矣，计自知学在三十以后，中间奔走忧患，得肆力于学者，才六七年。以六七年之力而求所谓道者，敢望其有得耶？使余以为时文辞赋之时毕为之，可得二十五年，其与六七年者相去当几何？惜乎其弃之而不知也。后此者尚有二十五年耶？其庶几有闻，其讫无闻乎？他日复当悔今日之所为如曩时，未可知也。然余之知学于道，自为古文始。故检次旧所为文，去其芜杂，自戊申至甲寅为一编，丁巳戊午为一编，存以考他日之进退云。"

张维屏撰《松心日录》。据金菁茅《张南山先生年谱撮略》。

洪亮吉作诗九十五首，补作《伊犁纪事》等诗九十七首，杂文十四篇。撰《天山客话》一卷、《纪程》一卷、《外家纪闻》一卷。据吕培等《洪北江先生年谱》。

刘嗣绾有《吴船集》。小序云："扁舟江渚，来往如梭。叩舷之歌，迄无和者。"（《尚絅堂诗集》卷二八、卷二九）

章学诚有《庚申新订》一卷。中多己未年之文。又有《浙东学术》一篇。据胡适《章实斋年谱》。

梁章钜辑《东南峤外书画录》三十卷。据梁章钜《退庵自订年谱》。

洪亮吉有《赵兵备翼以所撰唐宋金七家诗话见示率跋三首》诗。见《更生斋诗》卷四。以此知赵翼《瓯北诗话》元好问以前七卷已成。

洪亮吉序钱维乔诗约在本年归里后。《钱大令维乔诗序》云："季木近颇学释、道两家，他日所为诗，或稍杂道流禅悦之语，然此非季木诗之至也。故予序季木诗，亦以己未以前为断云。"（《更生斋文甲集》卷一）

杨揎编次所作诗文词为《双梧桐馆集》十八卷。据张慧剑《明清江苏文人年表》。

吴颢编《国朝杭郡诗辑》十六卷刊行。据《贩书偶记》卷一九。法式善《陶庐杂录》卷三："《杭郡诗辑》十六卷，吴颢编其郡人之诗。自黄机起，凡一千四百余人。刻于嘉庆五年。""其自序云：名家有集行世，仅存一二，其名位未显，姓氏将湮，或后嗣式微，则勉为多收。所采除专集及诗观、别裁外，有孙以荣《湖墅诗钞》、赵时敏《郭西诗钞》、柴杰《浙人诗存》。又于朱文藻处得二百余家，而同里梁山舟、叶古渠、同年叶绛岩、龚匏伯各汇交数十家。闺秀一门，芷斋汪夫人所集，壁池蔡夫人加朱墨者。盖以诗存人之意，多非断断讲求声律者比。"

江宁诸生为姚鼐刻《惜抱轩文集》十六卷。据郑福照《姚惜抱先生年谱》。

赵希璜《研栀斋文集》二卷安阳县署刊行。据《贩书偶记》卷一五。

梁玉绳《清白士集》二十八卷刊行。据《贩书偶记》卷一六。李慈铭《越缦堂读书记·清白士集》："集内共六种：《班史人表考》九卷、《吕子校补》二卷、《元号略》四卷、《志铭广例》二卷、《瞥记》七卷、《蜕稿》四卷。又《庭立纪闻》四卷，乃其子学昌所辑。""谏庵以诸生终,《蜕稿》乃其所作诗文,肤浅不足存。"

戚学标《鹤泉文钞》二卷、《文钞续选》八卷、《四书解》一卷本年至嘉庆十八年刊行。据《贩书偶记》卷一六。

潘素心(女)《不栉吟》二卷、《续刻》一卷刊行。又,《不栉吟续刻》三卷道光癸未刊行。据《贩书偶记》卷一八。

袁文揆、张登瀛编《滇南文略》四十七卷本年至嘉庆八年刊行。据《贩书偶记》卷一九。

檀萃《滇南草堂诗话》十四卷刊行。据《贩书偶记》卷二〇。

宗圣垣《九曲山房诗钞》十六卷刊行。据《贩书偶记续编》卷一五。

施朝幹《正声集》四卷、《词》一卷刊行。据《贩书偶记》卷一五。

曹振镛《话云轩咏史诗》二卷刊行。据《贩书偶记续编》卷一八。

沈杲之《两晋清谈》十二卷王如金刊行。据《贩书偶记》卷一二。

阮元《定香亭笔谈》四卷刊行。自序云:"余督学浙江时,随笔疏记近事,名曰《定香亭笔谈》。残篇破纸,未经校定。戊午冬日,任满还京。钱唐陈生云伯偕余入都,手写一帙,置行箧中。己未冬,云伯从余抚浙旋南,孝丰施孝廉应心复转写去,付之梓人。其中漏略尚多。爰出旧稿,属吴澹川、陈曼生、钱金粟、陈云伯诸君重订正之。诸君以其中诗文不妨详载,遂连篇附录于各条之后。余不能违诸君之意,因订而刊之,并识其缘起如此。嘉庆五年长至日,扬州阮元记。"(《定香亭笔谈》卷首)

刘寿昌《春泉闻见录》四卷迎晖轩刊行。据《贩书偶记》卷一二。又,孙楷第《戏曲小说书录解题》据嘉庆庚申家刊本作刘寿眉撰,且谓寿眉字春泉,顺天宝坻人。未详孰是。

方飞鸿(字宾来)《广谈助》安固项氏水仙亭钞本卷首有胡梦梅本年小引。王利器《历代笑话集》据此本卷三十《谐谑篇》选录二十则。孙诒让《温州经籍志》卷十七著录此书,云:"二十卷,未见。"则五十卷当为足本。据《中国古代小说总目》文言卷。

破额山人《夜航船》八卷刊行。据《中国古代小说总目》文言卷。

佚名《绿牡丹》六十四回(又名《四望亭全传》等)三槐堂刊行。据大冢秀高《增订中国通俗小说书目》。此为今存最早版本,则成书或在嘉庆初年。道光十一年芥子园藏板本首《序》署"二如亭主人谨书",《后叙》署"长洲爱莲居士漫题于芥子园"。此书版本另有道光九年厦门文德堂藏板本、道光十一年京都文善堂藏板本、道光十二年益友堂刊本、道光二十七年经纶堂刊本、道光二十七年宝翰楼刊本、咸丰八年成都黎照书屋刊本、咸丰十年宏道堂刊本、同治元年一也轩刊本等。据《中国古代小说总目》白话卷。

蔡廷弼《晋春秋》传奇有本年太虚斋藏本。题作"看云主人填词,宛委山人校订"。据《古本戏曲剧目提要》。〔按,前有蒋士铨序,则是剧当作于乾隆五十年之前。〕蒋序云:"铨启伻来辱赐书,获读《晋春秋》院本,字摘屈、宋之艳,句熏班、马之香,滴露研词,音节浏亮,其间虚实反正、离合浅深之法,各极其妙。晋重耳得此写照,光景常新,即唤起左盲而问之,亦必首肯乎!是编乃以余为老马识道,诓诿订讹，按拍倚声，毫发无憾。余虽有传奇九种，视此大笔淋漓，不免有积薪之叹。盖作者固难，而知音者亦复不易。余固知君于此道已三折肱，故能清辞丽句，如骊珠一串，迸落笔端，直欲合东篱、稗畦为一手，又何李老十种之足云？读既讫，复加评定，将关目起伏、勾勒照应之处标出之，以俟他时剞劂焉，庶不负作者之苦心矣。铅山世弟心余蒋士铨拜复。"（《中国古典戏曲序跋汇编》卷一三）庄一拂《古典戏曲存目汇考》卷一二：《晋春秋》，"《今乐考证》著录。嘉庆太虚斋刊本。《考证》署看云主人。其他戏曲书簿未见著录。凡二卷四十出。《凡例》谓申生死孝，荀息死忠，之推死隐，石姑死妒，编以忠孝廉节，为阐扬之旨云。"

桃源渔者《梦花影》**杂剧刊行。**凡二卷四折。据庄一拂《古典戏曲存目汇考》卷八。

沈谨学（1800—1847）生。谨学字诗华、秋卿，江苏元和人。以农为业，不废吟咏，一生潦倒。殁后友人辑其遗稿，刊为《沈四山人诗录》六卷。事迹见江湜《沈山人事略》（《碑传集补》卷三七）。

章宗源卒，年未五十。据孙星衍《章宗源传》（《五松园文稿》卷一）。宗源字逢之，大兴人。乾隆五十一年举人。著有《隋书经籍志考证》，仅存史部五卷。事迹见《清史列传》章学诚传附、《清史稿》章学诚传附。

李荣陛卒，年七十九。据江庆柏《清代人物生卒年表》。所著《厚冈文集》二十卷《诗集》四卷嘉庆间亘古斋刊行。据《贩书偶记》卷一六。李祖陶《国朝文录·厚冈先生文录引》："先生姓李氏，名荣陛，万载高村人。高村在万山中，从古未闻作者。先生崛起其间，浩博渊深，无有涯涘。而性复严毅不可犯，当时有大上老君之称。乾隆间以进士官云南知县，又督运滇铜至京。所到处皆考求山川脉络，于南干之龙曾蹑其首，于大江之水又沿其流，故所作云、缅山水志皆古书之所未闻，而所撰《九江彭蠡考》亦昔贤所未道。其他明古迹之湮沈，辨旧说之讹误，皆原原本本，而笔墨亦足以发之，大都浑浑灏灏，肃肃穆穆，排粗入细，亦复炼气归神，可谓博学而兼能文矣。惟应酬之作则实不工，谱序、寿序及启事诸篇虽不存可也。""大抵先生之学长于考辨，博稽独断，而一以义理为宗。"《国朝文汇》乙集卷三六录其《信美楼记》、《刘总兵铁柱记》文两篇。

毛大瀛卒，年六十五。据朱彭寿《清代人物大事纪年》。法式善《梧门诗话》卷一三："诗有奇气，尤工咏古。""尝见其《谒羊太傅祠》云：'岂能事业皆如意，未有英雄不好名。'可想其为人。又《襄阳咏古》云：'儿郎莫怪皆豚犬，乃父平生只好鹰。'尤有风趣。"

杜纲约本年卒。据《中国古代小说总目》白话卷。

汤修业尚在世，时年七十一岁。据张慧剑《明清江苏文人年表》。李慈铭《越缦堂读书记·赖古斋集》："其《于忠肃为都城隍辨》、《陈呆仁非忠臣辨》、《薛方山掌察抑王龙溪辨》、《吴复庵与唐凝庵争馆选辨》、《题黄忠端汪文言传后》、《书李恕谷集后》、《书吴次尾夺情论后》、《书丁自庵先生乾学家传后》、《与朱南崖学士珪论明史纲目书》、《王节愍之杕传》、《恽逊庵传》、《陆桴亭先生小传》、《郑姜庵郊传》，皆考据精确，持议平允。其为郑鄤申雪尤力。……狷庵文亦赖此一事，便足自传。其《忌祭说》、《生日之祭说》及《家祭管窥》五则，尽情酌理，亦多先得我心。"胡玉缙《许庼经籍题跋》卷四："《赖古斋文集》八卷，武进汤修业撰。修业字狷庵。其集前有包世臣序，凡文二卷、诗六卷，大率于格律风调、波澜意度不甚讲究，而直抒所见，凡论、辨、序、纪诸作，颇多关系。"《晚晴簃诗汇》卷九九录其诗一首。

公元 1801 年（嘉庆六年　辛酉）

正月

元旦，焦循有《元旦登吴山第一峰》诗。同作者，李锐、顾广圻、陈鸿寿、罗永符、许珩等。据闵尔昌《焦理堂先生年谱》。

人日，焦循作《开方通释自序》。又，九月朔，汪孝婴为焦循作《开方通释序》。据闵尔昌《焦理堂先生年谱》。

十五日，戴熙（1801—1860）生。熙字醇士，号鹿床，浙江钱塘人。道光壬辰进士，改庶吉士，授编修。官至兵部侍郎。殉难，赠尚书衔，谥文节。有《习苦斋诗文集》十二卷、《画絮》。事迹见《清史稿》本传、《清史列传》本传、邵懿辰《戴文节公行状》（《续碑传集》卷五四）。

十七日，毛燧传卒于武昌勺庭书院，年五十六。据赵怀玉《毛阳明家传》（《亦有生斋集》文卷一三）。

二十三日，郑献甫（1801—1872）生。献甫原名存纻，以字行，号小谷，广西象州人。道光乙未进士。官刑部主事。有《补学轩诗集》八卷、《补学轩文集》六卷、《续编》六卷。事迹见《清史列传》本传。[生日据朱彭寿《清代人物大事纪年》。]

上谕乡会试禁止书写卦画及篆体文字。诏曰："乡会试卷文字，引用经传语句，本有取裁，其隐僻子书等项，即不应滥行庶拾。若似此书写卦画及古篆书字样，尤非应试文体，且易启记认关节之弊。""嗣后乡会试场，着礼部通行知照知贡举监临，出示晓谕，如试卷内有书写卦画及篆体者，即照违试例贴出。其有违例中式者，将本生罚停一科，考官及应贴不贴之外帘各官，分别议处，以示惩警。并着礼部载入科场条例遵行。"（《清实录·仁宗实录》卷七八）

尹壮图赴省主讲五华书院。次年冬十一月，以母目病，坚辞讲席归。据《楚珍自记年谱》。

冯敏昌由端溪书院之省主粤秀书院讲席。在粤秀书院，除积弊不畏强侮，不虑人言，而书院旧染一新。是科中式者倍于常年。据冯士镳《先君子太史公年谱》。

焦循于泰州手录《王晓庵遗书》三册十四卷。据闵尔昌《焦理堂先生年谱》。

阮元立诂经精舍。《雷塘庵主弟子记》："舍有第一楼在西湖行宫之东，关帝庙照胆台之西。先是，先生督学时，曾集诸生辑《经籍纂诂》一书，至此，遂以其地立精舍，选两浙诸生学古者读书其中，题曰：'诂经精舍'。奉祀许叔重、郑康成两先生，并延青浦王述庵司寇、阳湖孙渊如观察先后主讲席其中。每月捐清俸为膏火，月率一课，只课经解史策古今体诗，不用八比文、八韵诗。亲择其中诗文之尤者以为集刻之。"孙星衍《诂经精舍题名碑记》："扬州阮云台先生以阁部督学两浙，试士兼用经古学，识拔高才生令其分撰《经籍纂诂》一书，以观唐以前经诂之会通。及由少司农巡抚兹土，遂于西湖之阳立诂经精舍祠，祀汉儒许叔重、郑康成。廪给诸生于上舍，延王少司寇昶及星衍为之主讲，佐抚部授学于经舍焉。其课士月一番，三人者，迭为命题评文之主，间以十三经、三史疑义，旁及小学、天部、地理、算法、词章，各听搜讨书传条对以观其识，不用局试糊名之法。暇日聚徒讲议服物典章，辨难同异，以附古人教学藏修息游之旨。简其艺之佳者刊为《诂经精舍文集》，既行于世。不十年间，上舍之士多致位通显，入翰林进枢密，出则建节而试士。其余登甲科、举成均，牧民有善政，及撰述成一家者，不可胜数。东南人材之盛莫与比。"

康基田题补江苏太仓州知州。十月，署松江府。是年基田于任内大浚浏河、七鸦浦出海河道，并葺云间书院。据其子康亮钧校刊《茂园自撰年谱》。

阮元撰《两浙防护录》成。通计八册。据《雷塘庵主弟子记》。

二月

十五日，翁方纲撰《诗考异字笺余序》。是年二月二十七日，方纲因年老奉旨以原品前往裕陵守护。三月十五日，方纲到马兰峪。据沈津《翁方纲年谱》。

二十九日，孙志祖卒，年六十五。孙星衍《江南道监察御史孙君志祖传》："以子所识，近代儒林若先生及邵学士晋涵、钱校官塘、武进士亿、汪明经中皆彬彬大雅之选。"（《碑传集》五十七）《清史稿》云："志祖清修自好，读经史必释其疑而后已。"《晚晴簃诗汇》收诗二首，诗话曰："颐谷有夙慧，兼通群经，正王肃之伪，撰《家语》疏证，搜谢承之佚撰《后汉书补正》，又辑《风俗通》佚文，补《文选》李氏注。尝绘《深柳勘书图》，自题二绝句曰：刘向扬雄今不作，校书难比著书难。金根日及愁多误，莫妄雌雄子细看。谢承后史谁曾睹，应劭遗编仅有存。排纂苦心忘岁月，柳花如絮记春痕。"王昶曰："诂谷性情潇淡，清修自好，由西曹而擢监垣，即以病归湖上。中年后，留心经籍。作《家语疏证》六卷。盖王肃假此以难郑君，诂谷条分缕晰，解其症结，有功于郑学者甚大。其外如《文选理学权舆补》一卷，《考异》四卷，《李注补正》四卷，刻于桐乡顾氏《读书楼丛书》中，皆见详核。子同元，能传家学。"（《湖海诗传》卷三一）

那彦成擢少詹事。九月，充顺天乡试副考官。升詹事。据徐士芬《那彦成传》（《续碑传集》卷九）。

潘世恩升任礼部右侍郎。据《思补老人自订年谱》。

二月起，赵翼、洪亮吉与里中耆宿为看花之会。《瓯北先生年谱》："春仲，游茅山。归与刘煊、刘种之、庄通敏、洪亮吉、蒋熊昌等人为看花之会，里中传为美谈。时洪亮吉自塞外归，与先生唱和尤数。"《洪北江先生年谱》："在里门，自二月以后，偕里中耆旧为壶碟之会。每逢花辰令节，即与赵观察翼、庄宫允通敏、征君宇逵、蒋通守骐昌、吴封君端彝、陈大令宾、蒋表兄廷耀等往还唱酬无间。每岁皆然。其于庄大令述祖、臧明经镛堂则时时相与商榷经义，屡有辨证焉。"

姚鼐至皖改主敬敷书院。自本年至甲子，主敬敷书院凡四年。本年，姚鼐作《陈仰韩时文序》、《吴伯知八十寿序》。据郑容甫《姚惜抱先生年谱》。

三月

初六日，《高宗纯皇帝圣制文三集》、《诗文余集》颁至阮元官邸。据《雷塘庵主弟子记》。

十三日，**汤鹏**（1801—1844）**生**。鹏字海秋，湖南益阳人。道光二年举人，明年成进士，授礼部主事。历任直军机处章京、户部主事、员外郎、山东道监察御史。有《浮邱子》六卷。事迹见《清史稿》本传、《清史列传》本传、王拯《户部江南司郎中汤君行状》（《续碑传集》卷二十）、梅曾亮《汤海秋墓志铭》（《柏枧山房文集》卷一四）。

十八日，祁韵士京察保荐一等。据《万里行程记》附《鹤皋年谱》。

二十六日，邢澍、钱大昕、何元锡、瞿木夫等同游顾渚山。后瞿木夫绘《顾渚春游图》。大昕、邢澍展图习赏，感而赋诗。大昕诗共计五章，皆为七绝，诗见《潜研堂诗续集》卷十。

黄丕烈为钱大昕刊《元史·艺文志》成，作后序。是年，长兴令邢公澍延大昕及可庐先生总修县志。阮元为钱大昕刊《三统术衍》。大昕集中《熊太夫人墓志铭》、《儒林郎董君墓表》等文作于是年。又有《邵西樵怀旧集序》、《王氏世谱序》、《陆豫斋家传》不载集中。据《钱辛楣先生年谱》。

鲍桂星散馆第三名，授职编修。寻充国史馆纂修。《觉生自订年谱》："时恭辑《高宗实录》，朱文正夫子为总裁，欲余与纂修，余力辞。文正讶之，余对曰：'愿处不争之地。'文正为怃然。"

戚学标自序《集李三百篇》。是书三卷成于是年。据朱彭寿《清代人物大事纪年》。

会试。考官：礼部尚书达椿、工部尚书彭元瑞、兵部侍郎平恕、工部侍郎蒋曰纶。题"尧舜帅天"二句，"百姓足君"四句，"民之为道"一节。赋得"天临海镜"得"天"字。据《清秘述闻续》卷一。

春

陈文述识杨芳灿于京师。先后与芳灿过从者五年。据陈文述《皇清诰授奉直大夫户部广东司员外郎充会典馆总纂修官蓉裳杨公传》。

英兵船六只来泊广州洋面，淹留数月。两广总督吉庆命洋商转令英船回国。六月，英船始离去。据肖令裕《英吉利记》。

李鼎元自琉球归。鼎元贻赵怀玉布、纸、扇、碗、刀五物，赵各答以诗凡十。据《收庵居士自叙年谱略》。

四月

初一日，汪辉祖始刻己作《三史同名录》。八月望后三日刻成。《三门草稿》亦刻于是年。《病榻梦痕录·梦痕余录》云："先是，《元史本证》、《分证》、《误证》、《遗证》，名《三门草稿》，甫定未及覆勘。子继培试竣重校，每门皆有增补，成五十卷。十月望日开雕。"

中浣，俞蛟自序《梦厂杂著》。 署"嘉庆六年四月中浣，梦厂居士俞蛟识于齐昌官舍之凝香室"。

二十四日，侯坤卒，年六十二。 据朱彭寿《清代人物大事纪年》。《晚晴簃诗汇》收诗二首。

晦日，唐仲冕、段玉裁、万承纪等饯孙星衍于石湖。 诸人看竞渡，万君为图纪事。据《段玉裁先生年谱》。

汤金钊散馆一等第二名，授编修。 据《先文端公自订年谱》。

莫与俦散馆，外用四川洪雅知县。 据万大章《独山莫贞定先生年谱》。

吴荣光散馆，列三等第三名，授编修。 据《荷屋府君年谱》。

张澍成《读〈山海经〉得诗》五十八首。 时澍散馆，改外职。七月，选贵州玉屏。据《张介侯先生年谱》。

阮元撰《经籍纂诂补遗》成。 据《雷塘庵主弟子记》。

殿试。 赐一甲顾皋、刘彬士、邹家燮进士及第，二甲邓廷桢、卞斌、叶绍本、陈用光、杜堮、刘彬华、岳震川等进士出身，三甲马宗琏等同进士出身。据《历科进士题名录》。

赵怀玉因选青州堂出都，作《述怀兼别同志》诗。 怀玉自壬子入都，至此凡十载。先请假视家，五月三十日，抵家。七月，以金德舆犹未葬，至桐乡哭之。八月，至吴门与王昙等为虎丘之游。九月，过京口访王文治，王招饮竟日，以诗赠行。后至扬州，会曾燠等。是时，汪喜孙来访。后过六安闸，遇吴锡麒乞养南归，聚话而别。过宝应，访刘台拱，商刻汪中遗集。过淮安，谒铁保。十月，抵济南，布政使吴俊相待厚。十二月，抵青州。据《收庵居士自叙年谱略》。

铁保奏交法式善选八旗人诗。 其原奏云："兹因汪廷珍现放安徽学政，与臣札商将此项诗集交翰院侍讲法式善专司校阅，翰林院侍读学士汪滋畹缮写装潢。伏查法式善等诗学素优，在馆行走多年，办理书籍实为熟手，兹得其接手经理，必能妥善。"(《梧门先生年谱》)

五月

十二日，阮元招段玉裁、孙星衍、程瑶田雅集于杭州诂经精舍。据《段玉裁先生年谱》。

刘大绅自序《寄庵诗钞》。《寄庵诗钞》十三卷本年成。据朱彭寿《清代人物大事纪年》。

六月

初一日至初五日，京师大雨成灾，顺天乡试因改期九月。据《杨蓉裳先生年谱》、

《病榻梦痕录·梦痕余录》。

十一日，金榜卒，年六十七。据《碑传集》四十九《翰林院修撰金先生榜墓志铭》。江藩《金修撰记》曰："（金榜）江慎修之高弟子。少有过人之资，与休宁戴编修震相亲善，承师友之训，所以学有根柢，言无枝叶也。""专治'三礼'，以高密为宗，不敢杂以后人之说，可谓谨守绳墨之儒矣。"《清史稿》云：榜治礼最尊康成，然博稽而精思，慎求而能断。所为《礼笺》一书，得朱珪赏识，朱珪评云："词精而意赅"，"大而天文、地域、田赋、学校、郊庙、明堂以及车旗服器之细，罔弗贯穿群言，折衷一是。"（《礼笺》卷首序）姚鼐《礼笺》卷首序云："修撰所最奉者康成，然于郑义所未衷，纠举之至数四，夫其所服膺者，真见其善而后信也，其所疑者，必核之以尽其真也，岂非通人之用心、烈士之明志哉？"吴定《翰林院修撰金先生榜墓志铭》云："详稽制度，卓然可补江、戴之缺而尾随之，必传于后无疑也。"（《碑传集》卷五十）

二十九日，冯浩卒，年八十三。据朱彭寿《清代人物大事纪年》。

曾燠邀洪亮吉游扬州平山堂数日。十月，镇洋汪学金邀亮吉游趣园，遂自苏州遍游娄东诸胜而返。亮吉是岁得诗二百十九首，文三十一篇。据吕培等《洪北江先生年谱》。

阮元自序《两浙辎轩录》。《两浙辎轩录》四十卷本年成。据朱彭寿《清代人物大事纪年》。

螯图集云龙书院肄业诸生会课于逍遥堂。彭城六十余年科第寥寥，自辛酉后科选不脱人。本年，螯图仍守徐州。据《沧来自记年谱》。

夏

王昶在敷文书院课诸生《西湖柳枝词》。严荣《述庵先生年谱》云："夏初，适课诸生《西湖柳枝词》。阮公阅之，叹其工。谓自杨铁崖后五百年，无更作者。选而刊之，共得三百余首。"又云："先生与当代名流往还书札最多，而诸城刘文清公及梁侍讲元颖墨迹尤为繁富。陈花南恐久而渐失，请合两家书镌之，名《刘梁合璧》，江浙上林亦以为墨宝。"又，王昶本年因目疾辞敷文书院讲席归。

吴熊光擢两湖总督。据包世臣《故大臣昭文吴公墓碑》（《续碑传集》卷二十一）。

王昶有怀纪昀诗一首。《长夏怀人绝句·河间纪宗伯晓岚》诗云："继天受宝启元符，内禅仪文万古无。共谓春卿儒术裕，禀经酌史赞鸿谟。"（《春融堂集》卷二十四《卧游轩集》）

胡敬受阮元之招分辑《两浙盐法志》。时冯培为此书总纂，陈鸿寿亦与修。据《书农府君年谱》。

七月

恽敬由新喻至南昌，十二月还新喻。本年得《说山》、《上秦小岘按察书》等文十六篇。见《大云山房文稿》。

鲍桂星、张澍等同游陶然亭。据《张介侯先生年谱》。

赵翼偕孙星衍、汪为霖游金陵牛首山。据《瓯北先生年谱》。

八月

十五日夜，宋湘、桂芳、张澍等小集庶常馆。诸人以"一年今宵明月多"分韵赋诗。据《张介侯先生年谱》。

汪棣卒，年八十二。据朱彭寿《清代人物大事纪年》。《晚晴簃诗汇》收其诗一首，诗话云："棣好文史，温厚恬旷，命笔微吟，贤哲风范。陈撰称其诗'色韵而不暗，声发而不沉，气畅而不嚣'。"

八九月间，陈用光、姚椿、吴锡麒、法式善、杨芳灿为延秋会。《听秋声馆词话》卷十："嘉庆初，兰村谒选入都，与钱谢庵、杨伯夔、吴兰园、程春庐诸公，为消寒会。时邵兰风将赴河间幕，咸赋词以赠。谢庵词最佳。"《杨蓉裳先生年谱》："京师老辈销寒、销夏，向有雅集。余与陈石士庶常用光、玉方比部希祖、姚春木公子椿、周生为汉为延秋会，毂人、时帆诸公皆与焉。以迓新凉且喜霁也。石士工诗古文，今官编修，友谊纯笃，与余为忘形交。""春木，余同岁生，今官四川方伯，一如先生长子，负异才，工诗古文辞。"

九月

初九日，沈兆霖（1801—1862）生。兆霖字尺生，号朗亭，浙江钱塘人。道光丙申进士，改庶吉士，授编修。官至户部尚书，署陕甘总督，谥文忠。有《沈文忠公集》。事迹见《清史稿》本传、《清史列传》本传、《先文忠公自订年谱》。

十五日，嘉庆帝命续编修《大清会典》。据《清实录·仁宗实录》卷八七。同年十一月辛巳，以大学士王杰、庆桂、刘墉、董诰为会典馆总裁官，吏部尚书刘权之、户部尚书朱、礼部尚书纪晓岚、兵部尚书丰绅济伦、刑部尚书禄康、工部尚书彭元瑞为副总裁官。（《清实录·仁宗实录》卷九十）该书后于二十五年十月十四日告成。

英和编庚申至本月古今体诗为《容台集》。是年，正月，英和授总管内务府大臣，调正红旗满洲副都统。三月署翰林院掌院学士。六月充江南乡试正考官。据《恩福堂年谱》。

王杰充顺天乡试正考官，张问陶、高鹗任同考官。船山作《赠高兰墅鹗同年》诗云："无花无酒耐深秋，洒扫云房且唱酬。侠气君能空紫塞，艳情人自说红楼（自注：传奇《红楼梦》八十回以后俱兰墅所补）。逶迤把臂如今雨，得失关心此旧游。弹指十三年已去，朱衣帝外亦回头。"因高鹗与船山同为乾隆五十三年顺天乡试举人，至是已十三周年，今又同为同考官，故作诗相赠。据《张问陶年谱》。

吴锡麒自京乞养回浙。杨芳灿有长律送之，诗存芳灿集中。据《杨蓉裳先生年谱》。

秦瀛修九谿营阮将军祠堂成。据《雷塘庵主弟子记》。

潘奕隽偕门人蒋云簪泰阶、陶梁游虎阜。途晤程维岳，为题其母夫人《双松图卷》。据《三松自订年谱》。

秋

乡试。中式者有：胡承珙（胡培翚《福建台湾道胡君别传》）、钱仪吉（苏源生撰《书先师钱星湖先生事》）、吕璜（《月沧自编年谱》）、焦循（闵尔昌《焦理堂先生年谱》）、林伯桐（《林伯桐传》）、胡敬（《书农府君年谱》）、沈维鐈（《鼎甫府君年谱》）、高澍然（《清史列传》本传）、乐钧（《国朝诗人征略》二编卷五三）。

宗室乡试。宗室乡会试自是年定为春秋两试，永以为例。是科题："亲亲而仁"二句。赋得"登高无秋云"得"无"字。第一名德朋阿，正蓝旗人。钱维福曰："宗室乡试行于乾隆三十八年，会试行于乾隆十年，十三年旋举旋止，规制不常。至嘉庆六年始定春秋两试，永以为例。"据《清秘述闻补》卷一。

姚文田任福建乡试考官。据《续碑传集》卷八《礼部尚书姚文僖公墓志铭》。

彭兆荪赴江宁乡试，与长州吴慈鹤交。作《秣陵寓馆题吴巢松诗集》诗。是年，兆荪仍馆吴门。据《彭湘涵先生年谱》。

包世臣白门应试不中。是年世臣往扬州，扬之工诗者三十人招饮小秦淮，泛月吟诗。世臣是年作《说储》上下篇。李兆洛以为"其说多与《日知录》相出入"。据《包慎伯先生年谱》。

冯登府荐卷。是年，登府馆徐氏。据《冯柳东先生年谱》。

管世灏《影谈》成书。管题雁《影谈序》云："从孙月楣，少负隽才，然性孤傲，深为逄掖者所恶。独随余客燕台者，三易寒暑，尝匹马过易水，作《吊荆卿》乐府，淋漓沉痛，如闻击筑变徵声，深邀汪云壑殿撰所赏。""迨予为阆风弟撰《夜郎神庙碑》，月楣涤笔拟构，体逸而旷大，似晋唐小品，合署击节，始知兼工为文。"题雁评《影谈》云："雅洁如《才鬼记》，纵横如《剑侠传》，嬉笑怒骂如《东坡志林》，阅毕哨然起曰：月楣诚狂矣，豪矣，诞而奇矣！以影为篇，岂以影响附和，不足存弓影杯蛇之疑；抑梦幻泡影，聊破其形影相吊之闷，是未可知。使月楣而鸿文就范，不难扬风扢雅，取青紫如拾芥，奈何终为草泽之癯，衣大布之衣，居衡荜之门，仅与田夫牧子往来，视尘海为畏途。"下署："嘉庆壬戌春暮。管题雁撰。"清蛰庵居士序云："（月楣）身长玉立，口若悬河，望而知为绩学之士。然性不偕俗，负奇任侠，颇为逄掖者所疾，以故名不出里巷，乡人鲜知之者。初游京师，撰《吊荆卿》乐府，为桐乡汪云壑殿撰所赏识，然久无所遇，因依其仲父阆风明府萍井县署，凡所擘划，悉中机宜，明府极倚重之。亡何，名府卒于官，遗孤尚幼，人共危之。先生慨然任扶榇之役，间关数千里，护持尽善，卒得归葬故乡，而绝无劳苦之色，尤人所难能者。自此境益困顿，仅为童子师，往来于荒村穷巷间，郁郁而殁，良足慨已。""是书为一时游戏之作，笔情刻酷，殊蹈刘四骂人之病；然其抑塞磊落之概，亦足窥其大略焉，其中诗赋小词诸作，皆为曾叔祖代撰，今玉度遗稿，乱后片纸无存，已悉为煨烬，而得藉先生之书，以略存梗概，亦足幸矣。"周春《影谈题词》云："管子雕龙才，海国诗文名，闲将生花笔，写此世俗情。"（上海时务书馆排印本《影谈》）《光绪杭州志·艺文志》

小说家类著录管世灏《影谈》四卷。今有《申报馆丛书》本、民国间上海进步书局石印本，1914 年上海时务书馆印本等。据《中国古代小说总目》文言卷。

十月

程瑶田刻《杜门程生小名千儿二章》。瑶田两为之记。千儿，瑶田小名也。据罗继祖《程易畴先生年谱》。

黄丕烈招段玉裁、钱大昕、陈鸿寿、顾莼集于红树山馆。诸人分韵赋诗。据《段玉裁先生年谱》。

十一月

初一日，朱骏声县试中式第四名。十二月初七日，府试中式第一名。据《石隐山人自订年谱》。

初八日，以纪昀为会典馆副总裁官。据《仁宗实录》卷九〇。

二十八日，吴兰庭卒，年七十二。据严元照《吴胥石先生墓志铭》（《胥石诗文存》附录）。《晚晴簃诗汇》收其诗四首。

杨芳灿获朱珪之举为会典馆纂修。是年，芳灿于京师与吴锡麒、法式善诸公多有文艺之事。《杨蓉裳先生年谱》云："在京师与榖人、时帆诸公为诗文会，一月一集。或于崇郊寺，或于陶然亭，或于诗龛及诸君寓斋。每集，论文角艺，为竟日之乐。"

章学诚卒，年六十四。夏，学诚为汪辉祖作《豫室志》，盖其绝笔也。《章实斋先生年谱》云："未死时，先生以所著文稿交萧山王宗炎榖塍编定，今时湖州所刻先生全书五十卷，前三十卷即依王宗炎所编次。"《清史稿》本传："自少读书，不甘为章句之学。从山阴刘文蔚、童钰游，习闻蕺山、南雷之说。熟于明季朝政始末，往往出于正史外，秀水郑炳文称其有良史才。继游硃筠门，筠藏书甚富，因得纵览群籍，与名流相讨论，学益宏富。著《文史通义》、《校雠通义》，推原官礼而有得于向、歆父子之传。其于古今学术，辄能条别而得其宗旨，立论多前人所未发。尝与戴震、汪中同客冯廷丞宁绍台道署，廷丞甚敬礼之。""学诚好辩论，勇于自信。有《实斋文集》。视唐宋文体，夷然不屑。所修和州、亳州、永清县诸志，皆得体要，为世所推。"梁启超《清代学术概论》曰："会稽有章学诚，著《文史通义》，学识在刘知幾、郑樵上。"又云："学诚不屑屑于考证之学，与正统派异。其言'六经皆史'，且极尊刘歆《七略》，与今文家异。然其所著《文史通义》，实为乾嘉后思想解放之源泉。其言'贤智学于圣人，圣人学于百姓'，'集大成者乃周公而非孔子'（《原道篇》）；言'六经皆史，而诸子又皆出于六经'（《易教》、《诗教》、《经解》诸篇）；言'战国以前无著述'（《诗教篇》）；言'古人之言，所以为公，未尝私据为己有'（《言公篇》）；言'古之糟粕，可以为今之精华'（《说林篇》）；言'后人之学胜于前人，乃后起之智虑所应尔'《朱陆篇》；言'学术与一时风尚不必求适合'（《感遇篇》）；言'文不能彼此相易，不可舍己之所求以摩古人之形似'（《文理篇》）；言'学贵自成一家，人所能者，我不必以不能为愧'（《博约篇》）。书中创见类此者不可悉数，实为晚清学者开拓心胸，非直史家之杰而已。"汪辉祖《梦痕余录》云："昔二云言：实斋古文根深实茂，重自爱惜，从无徇人牵率之作。文稿盈箧，数，月前属觳觫编次，异日当有传人也。"谭献《文林郎国子监典籍会稽实斋章公传》曰："先生文不空作，探原官礼而有得于向、歆父子之传。每一篇成，恒写寄友人，人间传录多有异同。所撰《通义》数十万言，嘉庆辛酉先生卒时，会以稿草寄萧山王宗炎，为次目录。道光壬辰，次子华绂写定《文史通义》内篇五卷，外篇三卷，《校雠通义》三卷，刻于大梁。"（《碑传集补》卷四十七）《文史通义》八卷、《校雠通义》三卷本年成书，均始刻于实斋卒后，见道光壬辰章华绂跋语。

张九钺辑诗稿十八卷手编目录，曰《北学集》。据《陶园年谱》。

十二月

朔日，阮元访顾千里、臧庸于诂经精舍。据《雷塘庵主弟子记》。

二十四日，翁方纲跋《啸堂集古录》。是月，翁方纲以"德有邻堂"名斋，并作诗一首。翁方纲诗，自己未二月至是年二月，为《嵩缘草》。据沈津《翁方纲年谱》。

二十六日，费丹旭（1802—1850）生。丹旭字子苕，号晓楼、环溪生、环渚生、三碑乡人、偶翁，浙江乌程人。有《依旧草堂遗稿》。事迹见汪曾唯《费丹旭传》（《碑传集补》卷五十六）。[生日据朱彭寿《清代人物大事纪年》。]

冬

左潢撰传奇《兰桂仙》。是剧《今乐考证》著录。凡二十出，分二卷。恩普序云："其大旨主于维持风化，扶掖人伦，其笔之雄伟隽秀，词之正大鲜妍，与玉茗、粲花抗衡，直夺元人之席，至其宫谱之谨严，音韵之谐协，尤征才大者用心之细。"有嘉庆七年藤花书舫刻本。据《古本戏曲剧目提要》。

本年

李遇孙拔优贡。据朱彭寿《清代人物大事纪年》。

陈鸿寿客苏州，与钱大昕、段玉裁、顾蒓等会于黄丕烈红椒山馆。据《思无邪室诗集》。

王豫至秣陵，与汤贻汾以诗订交。据《汤贞愍公年谱》。

方东树授经同里汪志伊家。据《方仪卫先生年谱》。

李汝珍自海州至河南，以县丞效力河工。据张慧剑《明清江苏文人年表》。

焦廷琥入学。据闵尔昌《焦理堂先生年谱》。

汪喜孙见赏于江藩。喜孙时年十六岁。江藩年四十一。据闵尔昌编《江子屏先生年谱》。

曾燠刻《尔雅音图》三卷。该书不题撰人姓氏。其书经文内用直音，中、下卷有图，下卷又分前后二卷，实为四卷。据胡玉缙《续四库提要三种》。

吴蔚光刻所著《小湖田乐府》总十三卷。据《贩书偶记》。

谢启昆重修《广西通志》二百八十卷成,见十月进书表。据朱彭寿《清代人物大事纪年》。

陆继辂、刘嗣绾、金学莲、郭麐、吴嵩梁等客扬州,为曾燠题襟馆中客。据《崇百药斋文集》二十。

恽敬在江西新喻知县任,作《九江考》。据《大云山房文稿初集》二。

魏源八岁,受书即解大义。据姚永朴《魏默深先生传》(《碑传集补》卷二十四)。

王念孙有《筹复滹沱故道说》。五月以后,淫雨昼夜不休,永定河水涨至二丈有余,越堤而过,南北岸同时漫溢。六月甲寅,王念孙因是革职查办,后免罪发往永定河工效力。据闵尔昌《王石臞先生年谱》。

陶澍辑是岁诗为《出山草》。据《陶文毅公年谱》。

张釜于丹徒纂修邑志。据鲍鼎编《张夕庵先生年谱》。

端木国瑚留京师。身弱多病,作《吓病鬼》。据《太鹤山人年谱》。

陈庚焕郡县举实学辞不就。据《惕园岁纪》。

纪昀叹服朱珪文。时朱珪病卧床,纪昀往视之,见所为文,叹服之。自官京师,即与朱珪先后衡文,昀颇有文人相轻意,与珪不肯相下。此后以不知珪为己过。据朱珪《经筵讲官太子少保协办大学士礼部尚书管国子监事谥文达纪公墓志铭》。

斌良己未至辛酉编《南行北归集》。据《先仲兄少司寇公年谱》。

顾广圻入校经室辑《十三经校勘记》。赵诒琛编《顾千里先生年谱》云:"阮云台抚浙,延先生及武进臧拜经、钱塘何梦华同辑《十三经校勘记》。寓武林之紫阳别墅。"又,本年顾广圻始识郭麐。

乾隆六十年至本年,万卷楼刊巾箱本《雨村诗话》十六卷。《雨村诗话》十六卷《补遗》四卷,李调元撰,有乾隆六十年至嘉庆六年万卷楼刊巾箱本(无补遗)、嘉庆元年蔚文堂刊本、道光二十六年暎秀书屋刊巾箱本、上海文瑞楼鸿章书局石印本(无补遗)。按此书自序略云:"《雨村诗话》前著名矣,而此复著何也?前以话古人,此以话今人。""谈诗者不博及时彦,非话也。兹之作也,上自名公巨卿、高人宿士,下逮舆台负贩、道释闺媛,无论只字单词,莫不口记手录。譬之于花,可谓四时俱备,五方备采矣。"自序署乾隆六十年乙卯,然卷末有袁枚嘉庆二年逝世之记载,当于全书编定后又有增补。《补遗》有嘉庆六年自序,中云:"乾隆乙卯六月,余已著有《雨村诗话》刊行矣,一时求之者颇盛。海内以诗见投者日踵于门。每有佳句,存之箧笥,爱不忍释,韫椟而藏,今又七年矣。嘉庆五年二月,忽遭烽火,避寇锦城,因得与当道诸公及四方流寓交接往来,几及半载,于是所积益夥。秋后回锦,稍有余闲,检金择玉,又得百十余篇。乃分为四卷,曰《雨村诗话补遗》。非谓我用我法,不失古规矩;亦云予取予求,聊以自怡悦耳。"全书约以袁枚、赵翼、蒋士铨为中心,评论记述乾隆中嘉庆初之诗人诗事。《补遗》亦略涉古人之评,非纯为今人。据张寅彭《新订清人诗学书目》。

《文选楼丛书》本《广陵诗事》刊行。阮元《广陵诗事》十卷有浙江节署刊本、嘉庆六年刊《文选楼丛书》本、光绪十六年扬州会馆重刊本、《丛书集成初编》本、台湾广文书局影印本。阮元自序云："余辑《淮海英灵集》既成，得以谈广陵耆旧之诗，且得知广陵耆旧之事，随书疏记，动成卷帙，博览别集，所获日多，遂名之曰《广陵诗事》。其间有因诗以见事者，有因事以记诗者，有事不涉诗而连类及之者。大指以吾郡百余年来名卿贤士、嘉言懿行，综而著之。庶几文献可征，不致零落殆尽，且余生于诸耆旧百余年后，亦藉此收罗残缺，以尽后学之责也。"

赵对澂《酬红记》传奇当作于本年。是剧《今乐考证》著录，又名《鹃红记》。赵对澂字念堂，号野航，别署浮槎山樵，嘉庆间在世。除《酬红记》外，尚著有《小罗浮馆词》等。是剧凡十出。吴兰雪《香苏馆集》云："嘉庆六年，富庄驿有蜀中女史鹃红题壁诗六首，赵君野航见而和之，且为谱《鹃红记》院本"。存嘉庆原刊本，民国三年扫叶山房重刊本题作"野航填词，小鹤正谱"。据《古本戏曲剧目提要》。

会文堂重刊《说唐演义全传》。据孙楷第《中国通俗小说书目》。

《五虎平西前传》十四卷一百二十回刊行。题作《新镌异说五虎平西珍珠旗演义狄青前传》。据孙楷第《中国通俗小说书目》。《小说考证》引《小浮梅闲话》云："狄青事，据《宋史》本传，但云临敌，披发带铜面具，出入贼中，皆披靡莫敢当，无他异也。然起家行伍，位至枢密使。史称言者以青家狗生角，且数有光怪，请出青于外以保全之。《欧阳文忠集》有《论狄青劄子》，极言其以武臣掌机密，而得军情，于国家不便，且以朱泚事为戒。则在当日已啧有烦言，小说家神奇其说，固无怪矣。"《清波杂志》云："向在建康，于邻人狄似处，见其五世祖武襄公收侬智高时所戴铜面具及所佩牌，上刻真武像，世言武襄乃真武神也。"此即小说家所本。

娄东羽衣客《镜花水月》刊行。前有嘉庆五年作者自序与壶天散人等题辞。自序称世间万物皆如同镜中花、水中月，全在若有若无之间，故以此为书名和意旨。娄东羽衣客其人未详，仅据自序所题，知为嘉庆间太仓（今属江苏）人。据《中国古代小说总目》文言卷。

俞蛟《梦厂杂著》成书。今有嘉庆十六年刊巾箱本、道光八年刊巾箱本、同治九年刊巾箱本。另有民国间石印本、铅印本多种。通行本为上海古籍出版社 1988 年排印本。

那逊兰保（1801—1873）生。博尔济吉特氏，字莲友，蒙古旗人。自署喀尔喀部落女史，宗室副都御史恒恩室，祭酒盛昱母。有《芸香馆遗诗》。事迹见《芸香馆遗诗》。

苏惇元（1801—1857）生。惇元字厚子，号钦斋，安徽桐城人。诸生。有《钦斋诗文集》。事迹见方宗诚《苏厚子先生传》（《碑传集补》卷三十八）。

朱孝纯卒，年六十七。据朱彭寿《清代人物大事纪年》。《晚晴簃诗汇》收其诗四首，诗话云："海愚能画，尤长于孤松怪石，亦工山水，知泰安府时，曾作《泰岱全图》。晚官扬州，每遇春秋佳日，招大江南北诸名士，为文酒之会，豪放自喜。"姚鼐云："今世诗人，足称雄才者，其辽东朱子颖乎？即之而光升焉，诵之而声闳焉，循之而不可一世之气勃然动乎纸上而不可御焉，味之而奇思异趣角立而横出焉，其惟吾子颖之诗乎？子颖既没而世竟无此才矣！子颖为吾乡刘海峰先生弟子，其为诗能取师法而变化用之。"（《惜抱轩文集》卷四《海愚诗钞序》）

屠绅卒，年五十八岁。据沈燮元《屠绅年谱》。《晚晴簃诗汇》收其诗七首，诗话云："笏岩早与洪北江游，《北江诗话》称其诗如'栽盆红药，蓄藻文鱼'。又《玉麈集》载数则，称其弱冠通籍，诗有隽才，最爱其古体《禾篇》、《赠周明府》、《送陈伯玉偕黄仲则饮旗亭》、《忆某上人》诸作。近体则举'风雨十年留铁瓮，云山一夕话铜官'二语，又极赏其《芒砀山行》有云'秦烟苍苍汉月白，行人屏息过大泽'，以为不减'亭长归来作天子'句。今全集不传，同邑金湘笙刊其《鹗亭诗话》，辑录遗诗十数篇附之。北江所称者仅存近体一首，余皆不可见矣。诗话多寓言，不尽论诗，又撰《六合内外》、《琐言》及《蟫史》，皆小说家言，诙诡好奇，可见其为人。"

檀萃卒，年七十七。曾力行尝撰《默斋先生穆传疏序》赞檀萃之文云："先生此疏不主故常，时与注合，亦时与注离，若康成笺诗，取义不尽与《毛诗》符者，所谓相辅而成，相需而备也，至于奇僻古字，推究偏旁，仿象结构，音之释之，宁使后贤攻我之误，不可使其阙而无传。于原文字阙而存方圈者，如其文可以大意属读，即取其文填于圈内以补之。又于第五卷东巡，据《束晳传》补出帝台；据《列子》补出化人。谓古读化为回，化人即回人，为今回教所自始，皆出于卓识。然皆为确论，断不可易者也。以天主化人同一教；以昆仑即须弥；以昆仑诸君长之膜拜，即三十三天之小天王迎接往来，亦比荒外侯服无绝殊者。改佛说之闳虚，就人境之卑实，尤无不可信者也。每卷之后，附以考传，论辨其奇创，往往得未曾有其透辟。又每每如遇其新，其引人入胜，读之唯恐其尽，抑且应接不暇，其移我情至此。吾不意先生老遭放废，羁离万里，朝不谋夕，与死为邻，而犹以旷达之胸襟，发游戏之笔墨。妙谛精蕴，皆原于经传子史，与正论不违，非识出天地之外，神游日月之表，不能有此撰著也，可不谓通儒乎！方今学士大夫，争为考辨之学，如此书之考辨，则可谓闳大而不遗虫鱼，非磊落之讥矣。""先生少年曾为《山海经赋》，俾学者便于记诵。近又为《夏小正》注，已梓行；又拟注《周书》、《大戴礼》。其拳拳述古明道之心，不以素患难窜蛮夷而或改。……先生不得归，益壮益坚，奋志于传述，其视赵邠卿注《孟子》奚以异？呜呼，其可及也哉！"（《中国历代小说序跋集·默斋先生穆传疏序》）

吴文溥卒，年六十二。据金陵生《吴文溥生卒考》（《文学遗产》1999 年第 1 期）。

公元 1802 年（嘉庆七年　壬戌）

正月

阮元撰《浙江图考》成。据《雷塘庵主弟子记》。

潘世恩兼署兵部右侍郎。七月，潘世恩调补兵部右侍郎兼署户部左侍郎。据《思补老人自订年谱》。

冯敏昌以母逝辞粤秀书院讲席。据冯士镳《先君子太史公年谱》。

二月

初一日，徐鑅庆卒，年四十五。据王芑孙《署湖北蕲州知州徐君墓志铭》（《惕甫未定稿》卷一三）。《清史列传》称其诗文"不专一格，能道其所历"，"文章高华，诗雄健，有少陵遗风"。

二十日，汪辉祖《元史本证》刻成。据《病榻梦痕录·梦痕余录》。

孙星衍自序所撰《寰宇访碑录》十二卷。据《孙渊如外集》三。

阮元刻《诂经精舍文集》。据《雷塘庵主弟子记》。

刘凤诰招赵怀玉饮于大明湖。八月，赵怀玉至曲阜，拜圣像，谒孔林。据《收庵居士自叙年谱略》。

那彦成迁内阁学士。据徐士芬《那彦成传》（《续碑传集》卷九）。

洪亮吉始主洋川书院。吕培等《洪北江先生年谱》："旌德谭君子文居下洋镇，自建洋川书院，延课诸郡生童，聘先生主讲席。遂以二月携第三子符孙、婿缪梓至洋川，与诸生讲经谈艺，每至宵分，远近闻风从游者日众。""先生自塞外归，尤喜导扬后进，每遇世交子弟才藻过人者，辄向名公巨卿称道不置。同里如刘编修嗣绾、庄上舍曾诒、黄孝廉载华、丁明经履恒、陆孝廉继辂、秀才耀通、黄上舍乙生、庄秀才绥甲、周孝廉仪暐、陆上舍铺、高秀才星紫、瞿孝廉溶等皆得奖励之益。其专心古学者如刘孝廉逢禄、董上舍士锡诸人，则以汉魏诸儒勖之。其在苏州、松江、镇江、徽州、宁国、池州及浙江东西诸郡，簪展所至，从游最多。每有异才，必加奖许。其尤邀心赏者，至折辈行相交。请质文字，累累常盈几案。至有数千里转辗介绍以求诗文题字者，如云南师大令范、袁明经揆、四川郭主簿兰芬等，不可胜计。至如羽士缁流素工吟咏者，亦欲得一言以为幸，偶归里中及所过之地，户屦恒满，樽酒过从，论文考古，动辄移暑，先生不惮其烦也。"是岁，亮吉得诗百七十七首，文三十五篇，著《左传诂》二十卷。

三月

初八日，吴存义（1802—1868）生。吴存义字和甫，江苏泰兴人。道光戊戌进士，改庶吉士，授编修。官至吏部侍郎。年六十七卒。有《榴实山庄诗钞》一卷、《榴实山庄词钞》一卷、《榴实山庄文稿》一卷。事迹见谭廷献《诰授资政大夫光禄大夫吏部左侍郎吴公行状》（《续碑传集》卷一二）。[生日据朱彭寿《清代人物大事纪年》。]

十六日，王引之访焦循于京师南柳巷郑柿里舍人寓中。赠以《周秦名字解诂》。时焦循以公车入都。王引之是年作《恭进起居注册前序》、《恭进起居注册后序》。据《王伯申先生年谱》。

十九日，李冠三邀焦循、汪星岩、徐德三、朱休臣、李滨石饮于京师龙王堂。据闵尔昌《焦理堂先生年谱》

二十二日，焦循与刘芙初、汪珊樵、唐竹虚游钓鱼台。据闵尔昌《焦理堂先生年谱》。

钱仪吉丁外艰。苏源生《书先师钱星湖先生事》："自是年至己巳，奉母里居之日多，沈潜经史，纂述极富。"

大计举劾，荐贤能官，阮元得李銮宣等十一人。据《雷塘庵主弟子记》。

阮元刻《王复斋钟鼎款识》成。据《雷塘庵主弟子记》。

会试。考官：礼部尚书纪昀、左都御史熊枚、内阁学士戴均元、内阁学士玉麟。题"为人君止"四句，"道之以德"一节，"居天下之"三句。赋得"山辉川媚"得"藏"字。据《清秘述闻续》卷一。

左辅设局修《合肥县志》。 次年志成，汪廷珍序之。据《杏庄府君自叙年谱》。

春

崔述乞归，乃得从容撰订《考信录》诸书。 此后十余年，《考信录》等书成。"曰《考古提要》二卷，《补上古考信录》二卷，是为《前录》；曰《唐虞考信录》四卷，《夏考信录》二卷，《商考信录》二卷，《丰镐考信录》八卷，《洙泗考信录》四卷，是为《正录》；曰《丰镐考信别录》三卷，《洙泗考信余录》三卷，《孟子事实录》二卷，《考古续说》二卷，《附录》二卷，是为《后录》。此三十六卷者，《考信录》之全篇也。又以生平所著与《考信录》相涉者，曰《王政三大典考》三卷，《读风偶识》四卷，《尚书辨伪》二卷，《论语余说》一卷，《读经余论》二卷，为《考信翼录》十二卷。"陈履和《敕授文林郎福建罗源县知县崔东壁先生行略》："《考信录》一书，尤为五十年精神所专注。其所以著书之故，则《提要》及《自叙》尽之矣。《叙》略曰：圣人之道，自唐宋诸儒以来，阐发精详，固非末学小生所能参其末议，然亦似尚有未尽者。盖自周道既衰，杨、墨并起，欲黜圣人之道以伸其说，往往撰为禹、汤、文、武、孔子之事以□之而黜之。其游说诸侯者，又多嗜利无耻之徒，恐人之议己也，则伪撰圣贤之事以自解说。其他权谋术数之学，欲欺世以取重，亦多托之于古圣人而真伪遂并行于世。然当其初，犹各自为教，而不相杂。至秦汉间，学者往往兼而好之，杂采其书以为传记。其后复有谶纬之书继出，而刘氏向、歆父子及郑康成皆信之，复采其文以释六经，兼以断简残编事多缺佚。释经者，强不知以为知，猜度附会，颠倒讹误者亦复不少。晋宋以降，复有妄庸之徒伪造古书以攻异己，亦往往采杨、墨之言以入尚书家语，学者以为圣人之经，固然莫敢议其失，而异端之说遂公行于天下矣。隋唐以后，学者唯重科目，故咸遵功令尚排偶，于是《诗》自《毛传》，《尚书》自伪《孔传》，五经自《孔子正义》以外，率视以为无用之物，于前人相沿之讹，皆习以为固然而不为意，甚或据汉魏以后之曲解驳周秦以前之旧文。至宋一二名儒迭出，别撰传注，始颇抉摘其失，其沿旧说之误而不觉者，尚多不可数。其编纂古史者，则又喜陈杂家小说之言以鸣其博，由是圣人之道遂与异说相杂，圣贤之诬遂万古不能白矣。盖尝思之，古之异端在儒之外，后世之异端在儒之内。在外者，距之排之而已，在内者，非疏而剔之不可。……自读书以来，奉先人之教，不以传注杂于经，不以诸子百家杂于经传。久之，始觉传注所言有不尽合于经者，百家所言往往有与经相背者，然后知圣人之心如天地日月，而后人晦之者多也。于是历考其事，汇而编之，以经为主，传注与经合者则著之，不合者则辨之，而异端小说不经之言则辟其谬而删销之，题曰《考信录》。盖八年而《洙泗考信录》始成，《补上古考信录》亦旋脱稿。……又数年，《唐虞考信录》甫脱稿，其他尚未订正成卷。……七年春北旋，乃得取《夏》、《商》、《丰镐》诸录从容撰订，数年而后脱稿，然犹不敢自信。暇中复取新旧诸录细阅而增改

酌定之，又数年而后成。"（《碑传集补》卷三十九）

吴熊光升太子少保。据包世臣《故大臣昭文吴公墓碑》（《续碑传集》卷二十一）。

四月

十四日，段玉裁跋手校《广韵》一通。十月，作《中宪大夫云南分巡迤南兵备道龚公神道碑》。是年，作《仁和龚氏四世祖德碑文》。去年及今年作《释拜》一文。是年，有《与刘端临》第二十七、二十八书。据《段玉裁先生年谱》。

二十六日，王文治卒，年七十三。据姚鼐《中宪大夫云南临安府知府丹徒王君墓志铭并序》（《惜抱轩文后集》卷七）。《晚晴簃诗汇》收其诗十二首。《诗汇》引王西庄语曰："先生诗如蓬莱、圆峤，五城十二楼，宏丽已极，而舟不能至，惟望见之。"又引姚鼐语曰："君少尝渡海至琉球，琉球人传宝其翰墨。为文尚瑰丽，至老归于平淡，其诗与书尤能尽古今之变，而自成其体。君尝自言：吾诗字皆禅理也。"其诗话曰："梦楼书名当时，与刘诸城颉颃，有'浓墨宰相，淡墨探花'之语，盖以风韵胜也。罢官后，高宗南巡，至杭州，见其所书碑，赏之，中朝故旧劝其再出，不应。晚喜声伎而禅悟超然，故诗亦返虚入浑，非复才人绮语。"洪亮吉《北江诗话》云："王侍讲文治诗，如太常法曲，究系正声。"钱泳《履园丛话》卷六《耆旧》曰："太守既工书法，诗亦深纯精粹，远过时流。有《梦楼诗集》二十四卷，袁简斋太史谓其细筋入骨，高唱凌云，非虚语也。其书亦天然秀发，得松雪、华亭用笔。至老年则全学张即之，未免流入轻佻一路，然较刘文清、梁侍讲两公，似有过之无不及耳。"

殿试。赐一甲吴廷琛、李宗昉、朱士彦进士及第，二甲朱珔、顾莼、费兰墀、陶澍、张鏊、沈维鐈、梁章钜、谢兰生等进士出身，三甲李文耕等同进士出身。据《历科进士题名录》。

鳌图等为文会于逍遥堂。是月，牡丹盛开，鳌图于逍遥堂招云龙山长张肃堂欣告、崔立甫、张惺斋、蒋东岩等分题拈韵，成诗册一。后钱维乔补图，赵翼补题，为一时盛事。十二月，鳌图奉旨调苏守，于次年二月朔之苏州府任。据《沧来自记年谱》。

孙星衍刊近作为《五松园文稿》。七八月，助纂《庐州郡志》成。九月，嘱洪莹刻《元和姓纂》。十月，至扬州，寓曾燠署斋，与署太守张古愚敦仁影刊宋本《尔雅图》。十一月，返金陵。据《孙渊如先生年谱》。

正月至四月，焦循在都会试。三月初四日，焦循与诸同年谒座师英和。四月初四日，焦循谒朱文正于西华门。四月十日夜，会试榜发，焦循下第。五月下弦，焦循于家作《壬戌会试记》。据闵尔昌《焦理堂先生年谱》。

五月

赵翼自序《瓯北诗话》十卷。见卷首《小引》。

舒位、王昙、孙原湘、赵怀玉同登少陵台。是时，舒位、王昙、孙原湘三孝廉下第，过兖州，赵怀玉署该州，因与同登少陵台。据《收庵居士自叙年谱略》。

京城文人五十余人以杨芳灿、法式善、祁韵士、谢振定俱五十初度，合觞于正乙

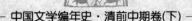

祠。《杨蓉裳先生年谱》云："五月，莫韵亭侍郎瞻菉、李沧云京兆婺，暨墨庄、船山诸同好共五十余人，以余与法梧门学士、贺虚斋侍御贤志、祁鹤皋郎中韵士、谢芗泉仪部振定俱五十初度，合觞于正乙祠，雅歌引觞，谈宴竟日。芗泉有《自寿》诗，余和之，存集中。沧云、墨庄作《五君咏》。"

翁方纲为张廷济题《汉裴岑碑》。据沈津《翁方纲年谱》。

朱骏声入紫阳书院附课肄业。据《石隐山人自订年谱》。

法式善由侍读升侍讲学士，编《宫史萝图》。据《梧门先生年谱》。

六月

初三日，张惠言卒，年四十二。据恽敬《张编修惠言墓志铭》（《碑传集》五十一）。嘉庆十四年阮元作《茗柯文编序》曰："武进张皋文编修，以经术为古文，于是求天地阴阳消息于《易》虞氏，求古先圣王礼乐制度于《礼》郑氏，岂托于古以自尊其文欤？又岂迂回其学而好为难欤？圣人之道在《六经》，而《易》究其原，《礼》穷其变，知扶阳抑阴之旨，然后交际之必辨其类，议论之必防其流式也。知经上下、定民志之旨，然后措施必求其实，有裨于治，许与必衷于彝典也。下及《骚》、《选》，其支流也。近时易学推惠氏栋，礼学推江氏永，而二家之文无传。盖义之附于经者，内也；义之征于文者，外也。由内及外，而发挥天人之际，推阐制数之精，其所蕴更宏，其所就更大。惜乎，编修之不究其用而遽没也。编修所著书，元为刊其《周易虞氏义》、《虞氏消息》、《仪礼图》，今其友李生甫、张云藻又为刊其编年文集为四卷。""若其文之不遁于虚无，不溺于华藻，不伤于支离，则又知言者所共喻也。"鲍桂星曰："武进张编修皋文，吾畏友也，与余丙午、己未同出朱文正夫子之门。君与其徒以第一流自期待，视今之为学者蔑如也。其学长于《易》、《礼》，于唐宋人说，皆欲瓻覆之。赋必马扬，古文则韩以下弗道。其徒之杰者，曰金朗甫，曰董晋卿，曰江安甫，曰杨云在。"（《受经堂汇稿序》）杨绍文曰："先生尝病魏晋以降经术文章罕能兼茂，故治经于《礼》主郑氏，于《易》主虞氏，为文章自周秦两汉而下至唐宋诸名家，皆悉其源流，辨其深浅醇杂而合之于道。其诲人也，各因其资之所近。"（《茗柯文编》）曾国藩曰："皋文先生编次七十家赋，评量殿最，不失铢黍；自为赋亦恢弘绝丽；至其他文，则空名澄澈，不复以博奥自高。平生师友多超特不世之才，而下笔称述，适如其量，若帝天神鬼之监临，褒讥不敢少溢，何其慎与！""自考据家之道既昌，说经者专宗汉儒，厌薄宋世义理心性之语，甚者诋毁洛闽，披所瑕疵，枝之搜而忘其本，流之逐而遗其源；临文则繁征博引，考一字，辨一物，累数千万言不能休，名曰汉学。前者自矜创获，后者附和偏颇，而不知返，君子病之。先生求阴阳消息于《易》虞氏，求前圣制作于《礼》郑氏，辨《说文》之谐声，剖晰毫芒，固亦循汉学之轨辙而虚衷研究，绝无凌驾先贤之意萌于至隐。文词温润，亦无考证辨驳之风。尽取古人之长，而退然若无一长可恃。其蕴蓄者厚，遏而蔽之，能焉而不伐，敛焉而愈光，殆天下之神勇，古之所谓大雅者与？"（《曾文正公文集》卷一）《续修四库全书·词选提要》云："明代词风，曼淫浮诞；清初浙派，起而矫之，一以南宋为宗。及其弊也，流为江湖；其效《乌丝》者，又近于叫嚣。诚有如惠言《自序》所谓：'后进弥以驰逐，不务原其指意，破析乖剌，坏乱而不可纪也。'因矫正之。以寄托遥深温柔忠厚为主，惟有温、韦，可接《风》、《骚》。遂秉此旨，选录唐、宋之词。浙派初兴，朱彝尊编选《词综》，时逞其博。常州派兴，选录是编，惟求其精也。求精太过，则近于苛；亦间有以浅为深者。……编中间下己意，虽未尽合，然诗无达诂，词亦宜然。见仁见知，各有会心，未可是彼而非此也。"丁绍仪《听秋声馆词话》卷一九："惠言专主比兴，所选词，自五季迄同时朋从仅四百余阕，矜严已甚。顾学之者，往往非平即晦。盖词固不尚尖艳，亦不宜过求纯正，如弹古瑟，谁复耐听？"徐珂《清代词学概论》："诗余一道，清初以来之浙派，至乾嘉而渐蔽，张氏起而改革之，振北宋名家之绪，阐意内言外之旨，而常州派始著于时。所辑《词选》，皆属倚声正鹄。其自著词，亦沈著醇厚。"陈廷焯《白雨斋词话》卷四："张皋文《词选》一编，扫靡曼之浮音，接风骚之真脉。"王国维《人间词话删稿》："固哉，皋文之为词也！飞卿《菩萨蛮》、永叔《蝶恋花》、子瞻《卜算子》，皆兴到之作，有何命意？皆被皋文深文罗织。"况周颐《蕙风词话附录》引夏敬观云："张皋文、周止庵辈尊体之说出，词体乃大。其所自作，仍不能如其所说者，则先从南宋词入手之故也。"陈廷焯《白雨斋词话》卷四云："皋文《水调歌头》五章，既沈郁，又疏快，最是高境。陈、朱虽工词，究曾到此地步否？不得以其非专门名家少之。如首章云：'难道春花开落，又是春风来去，便了却韶华。花外春来路，芳草不曾遮。'次章云：'招手海边鸥鸟，看我胸中云梦，蒂芥近如何。楚、越等闲耳，肝胆有风波。'三章云云。四章云云。五章云云。热肠郁思，若断仍连，全是《风》、《骚》变相。"陈洵云："皋文不取梦窗，周氏谓其为碧山门径所限。周氏知不由梦窗不足以窥美成，而必曰问途碧山者，以其蹊径显然，较梦窗为易入耳，非若皋文欲由碧山直造美成也。"（《海绡说词》）

十五日，汪士铎（1802—1889）**生。**士铎字振庵，号梅村，江苏江宁人。道光庚子举人，赐国子监助教衔。胡林翼巡抚湖北，聘出入幕府，所论多有补时局。旋归金陵隐居。光绪十五年七月七日卒，年八十八。有《悔翁诗钞》、《悔翁词钞》、《悔翁笔记》、《水经图注》等。事迹见《汪悔翁自书纪事》。

二十六日，谢启昆卒，年六十六。据姚鼐《广西巡抚谢公墓志铭并序》（《惜抱轩文后集》卷七）。《晚晴簃诗汇》卷九十收其诗二首。王昶曰："蕴山为覃溪少卿入室弟子，笃信师说。故宦辙所至，留心著撰，在京口邗江遇古迹题咏而表章之。又得秋帆制军史籍考未全之本，补缀成书，凡若干卷。至桂林，作《粤西金石志》，与覃溪《粤东金石志》并行。又招县丞王尚珏、孝廉方正胡虔等修《广西通志》，微显阐幽，搜罗博洽。为诗不名一家，而详于咏史，足资后来考证。"（《蒲褐山房诗话》卷二二）

郑澍若编《虞初续志》十二卷成。是书有本年养花草堂刊袖珍本，此后陆续有琅环山馆刻本（咸丰元年）、清代笔记丛书刊本、《笔记小说大观》本等，1986 年上海书店收入《虞初志合集》。此书所收文言小说以传记为主体。《续修四库全书提要》子部小说类著录《虞初续志》为十卷本，注云"通行本"。《提要》曰："是本所录只十卷；他本尚载珠泉居士《续板桥杂记》一卷，雪樵居士《秦淮闻见录》一卷。疑其书原为十二卷。"据上海进步书局石印本《虞初续志》、《中国古代小说总目》文言卷。

焦循有《村居草木诗》十一首。据闵尔昌《焦理堂先生年谱》。

黄丕烈从顾广圻处以二十金得元刊《吕氏春秋》、旧钞本《严氏诗缉》、明刻书《三史会要》。是年,黄丕烈作《再续得书十二图》。丕烈从都中得旧钞《建康实录》,再跋《张光弼诗集》并以旧钞本《乖崖先生文集》十二卷《附录》一卷赠蜀人张船山。据江标编《黄荛圃先生年谱》。

杨抡赴京谒选,寓杨芳灿斋。七月,因选期尚早,买舟回锡。据《杨蓉裳先生年谱》。

段玉裁在杭州会严元照。为题其《悔庵学文》云:"九能之文简净有法,非知古文者不能也。"(《悔庵学文》卷首)

王昶自序所编《明词》十二卷。据朱彭寿《清代人物大事纪年》。

夏

包世臣居常州李兆洛家。世臣于李兆洛家七阅月,因识武进董晋卿、阳湖钱伯坰。据《包慎伯先生年谱》。

程瑶田以所著《仪礼丧服文足征记》示阮元,阮元序之。阮元序文实为焦里堂代作。据《程易畴先生年谱》。

七月

阮元置西汉定陶鼎于焦山,同人滕之以诗。据《雷塘庵主弟子记》。

康基田擢广东布政使。任内通广州城内六渠,于广州添设羊石、珠江两书院,并修文昌宫、魁星阁。据《茂园自撰年谱》。

杨芳灿获举荐为会典馆总纂修官。据《杨蓉裳先生年谱》。

阮元聘程瑶田监铸杭州府文庙铸钟。及铸成,瑶田作《铸钟纪略》以记之,又为阮元作《阮氏作宝和钟律》,中夹《钟记》。复成《乐器三事能言》一卷。是年,瑶田作《让泉记》、《程青溪江山卧游图书后》等。据《程易畴先生年谱》。

焦循以阮元招往客武林,与程易田同处数月。闵尔昌《焦理堂先生年谱》:"易田出所著《丧服足征记》,先生以十日之力读之,叹其精审。"

孙玉庭擢授广西巡抚。据《寄圃老人自记年谱》。

顾广圻游西湖。作《有感》七律一首。九月,作《重有感》七律一首。是年,顾千里为黄丕烈校明钞《盐铁论》,至明年毕。据赵诒琛编《顾千里先生年谱》。

八月

张九钺八十二岁生辰,门人置酒为寿。九钺赋诗云:"八十二翁何所求,褒衣大袖作优游。笔凋墨碎狂仍写。饭软茶香饱即休。不合时宜酬应厌,频遭忧戚泰和留。且凭儿女乘觞日,醉摘金英插满头。"十一月,九钺序衣仙女史《庑下吟》。据《陶园年谱》。

初二日，朱珪以户部尚书协办大学士加太子少保衔。十一月，以阅八旗恩监生卷，入贡院。据《南厓府君年谱》。

阮元修杭州孔子庙成。据《雷塘庵主弟子记》。

九月

钱大昕至长兴，旋至南浔镇观刘桐藏书。又，本年，学使岁试，新进童生例送入学，钱大昕以六十年前博士弟子偕新生辈重谒先圣先师，礼成，赋诗一章以纪其事。本年，大昕有《与王石臞论广雅书》、《元史本证序》、《拜经楼诗集序》、《杜诗注释序》、《王冶山墓志铭》、《沈宿昭墓志铭》、《汪对琴墓表》，皆不载集中。据《钱辛楣先生年谱》。

十月

二十一日至二十四日，翁方纲校定手稿本《石鼓考》。方纲本年有《彭晋涵时文序》等。有诗《桃花寺行帐，见莫韵亭宗伯和予并蒂莲之作，仍用前韵》、《铁松观碑图》、《兰雪以诗索我所藏周定王东书堂砚，答二首》等，见《复初斋诗集》卷五十六。

上谕禁毁小说。上谕云："朕恭阅皇考《高宗纯皇帝实录》内载：'乾隆十八年七月钦奉谕旨：满洲习俗纯朴，自我朝一统以来，始学汉文，曾将《五经》及《四子》、《通鉴》等书翻译刊行。近有不肖之徒，不翻译正传，反将《水浒》、《西厢记》等小说翻译，使人阅看，诱以为恶，甚至以满洲单字还音钞写古词者俱有，满洲习俗之偷，皆由于此，不可不严行禁止等因，钦此。'仰见我皇考崇正黜邪，为风俗人心计者，至深且远。从前满洲尽皆通晓清文，是以尚能将小说古词，翻译成编，皇考深恐为习俗之害，严饬禁止。今满洲非惟不能翻译，甚至清话生疏，不识清字，其粗晓汉文者，又以经史正文，词义深奥，难于诵习，专取各种无稽小说，日事披览，而人心渐即于偷，此不独满洲为然，即汉人亦多蹈此陋习。如经为学问根柢，自应悉心研讨，至诸子百家，不过供文人涉猎，已属艺余；乃乡曲小民，不但经史不能领悟，即子集亦束置不观，惟喜瞽词俗剧，及一切鄙俚之词；更有编造新文，广为传播，大率不外乎草窃奸宄之事，而愚民之好勇斗狠者，溺于邪慝，转相慕效，纠伙结盟，肆行淫暴，概由看此等书词所致，世道人心，大有关系，不可不重申严禁。但此时若纷纷查办，未免假手吏胥，转滋扰累；著在京之步兵统领顺天府五城各衙门及外省各督抚饬地方官，出示劝谕，将各坊肆及家藏不经小说，现已刊播者，令其自行烧毁，不得仍留原板，此后并不准再行编造刊刻，以端风化而息诐词，将此通谕知之。"（《大清仁宗睿皇帝圣训》卷十六《文教》一，转引自王利器辑录《元明清三代禁毁小说戏曲史料（增订本）》）俞正燮《癸巳存稿·演义小说》云："嘉庆七年，禁坊肆不经小说，此后不准再行编造。"

龚自珍入都，从建德拔贡生宋璠学。据吴昌绶《定盫先生年谱》。

王昶自序所编《国朝词综》四十八卷。署"嘉庆七年十月青浦王昶撰"。序云：

"汪氏晋贤叙竹垞太史《词综》,谓词长短句本于《三百篇》并汉之乐府,其见卓矣,而犹未尽也。盖词实继古诗而作,而诗本于乐,乐本乎音。音有清浊、高下、轻重、抑扬之别,乃为五音十二律以著之。非句有长短,无以宣其气而达其音。故孔颖达《诗正义》谓风、雅、颂有一二字为句乃至八九字为句者,所以和人声而无不协也。三百篇后,楚辞亦以长短为声,至汉《郊祀歌》、《铙吹曲》、《房中歌》莫不皆然。苏、李诗出,画以五言;而唐时优伶所歌则七言绝句,其余皆不入乐。由唐而宋,多取词入于乐府,不知者谓乐之变,而其实词正,所以合乐也。且夫太白之'西风残照,汉家陵阙',黍离行迈之意也,志和之'桃花流水',考槃衡门之旨也。嗣是温歧、韩偓诸人,稍及闺襜,然乐而不淫、怨而不怒,亦犹是摽梅蔓草之意。至柳耆卿、黄山谷辈,然后多出于亵狎,是岂长短句之正哉? 余弱冠后,与海内词人游,始为倚声之学,以南宋为宗,相与上下其议论。因各出所著,并有以国初以来词集见示者,计四五十年来所积既多,归田后恐其散佚湮没,遂取已逝者择而抄之为《国朝词综》四十八卷。其蒐采编排,吴门陶子梁之力为多。方今人文辈出,词学亦盛于往时。我高宗纯皇帝念诗乐失传甚久,命儒臣取三百篇谱之,著以四上六五诸音,列以琴瑟笙箫之器,于是三百篇皆可奏之乐部。则是选诸词,苟使伶人审其阴阳平仄,节其太过而剂其不及,安有不可入乐者? 词可入乐,即兴诗之入乐无异也,是词乃诗之苗裔且以补诗之穷,余故表而出之,以为今之词即古之诗,即孔氏颖达谓之长短句。而自明以来,专以词为诗之余,或以小技目之,其不知诗乐之源流亦已慎矣。"

钱大昕序吴骞所编《拜经楼诗集》十二卷。据朱彭寿《清代人物大事纪年》。

焦循有《禹贡郑注释》一卷。是年,焦循有《杭州杂诗》二十二首。据闵尔昌《焦理堂先生年谱》。

潘奕隽偕范来宗游虞山,饭吴蔚光斋,夜饮张敦培家。奕隽自写《虞山秋眺图卷》,钱献之为题卷首。时献之已病偏废,盖左手书也。据《三松自订年谱》。

十一月

阮元撰集《皇清碑版录》。据《雷塘庵主弟子记》。

英和授翰林院掌院学士。据《恩福堂年谱》。

姚鼐赴六安州为修志书。是年,姚鼐作《节母张孺人传》(此文壬戌作,今在前集,当是刻成后补入)、《庐州府志序》(刊本题七年十月序)、《安徽巡抚荆公墓志铭》、《中宪大夫云南临安府知府丹徒王君墓志铭》等。据郑容甫《姚惜抱先生年谱》。

十二月

二十一日,李调元卒,年六十九。据邓长风《明清戏曲家考略·〈函海〉的版本及其编者李调元》。《晚晴簃诗汇》卷九十一收诗四首。程晋芳《童山诗集序》云:"吾友李君雨村,生峨眉秀异,处卓荦自负,于书无所不读,发为诗歌,嵌崟磊落,肖其为人。""合观全集,大矣,美矣! 而就其大旨论之,改官后工于翰林时,近作则又工于改官时。"嘉庆《罗江县志》卷二四云:"其为文章,喜大苏,诗宗王、孟,而著述则接踵升庵。"《筱园诗话》卷二云:"若李雨村调元,则专拾袁枚唾余以为能,并附和云松，其俗鄙尤甚，是直犬吠驴鸣，不足以诗论矣！学者于此等下劣诗魔，必须视如砒毒，力拒痛绝，不可稍近，恐一沾余习，即无药可医。"

二十六日，龚景瀚以引见卒于京师，年五十六。据陈寿祺《传》（《澹静斋文钞》卷首）杨芳灿云："海峰深于经术，诗古文气力雄厚，得韩、欧宗法。在川陕军营屡建劳绩。其《坚壁清野议》尤为卓识。"《晚晴簃诗汇》卷九十四收其诗七首，诗话曰："海峰起家牧令，所至皆有政声，川湖陕教匪之乱，官军追剿累年，不得要领，海峰屡参戎幕，建坚壁清野议，卒行其法，遂底荡平，卓荐入觐，方将大用，遽以病殁，时论惜之。其诗不事雕饰，性真激发，冲口成章，吊古悯时，善达民隐，尤与元道州为近，尝题《金文甫诗草》云：迩来词坛少宗匠，竖子碌碌矜毛锥。冶容涂泽取媚悦，奄然无气如居尸。后生识见苦不卓，纷华悦眼为所欺。亦足见其志尚矣。"

铁保补授广东巡抚。据铁保自编《梅庵自编年谱》。

冬

彭兆荪赴青浦，客王昶三泖渔庄。《彭湘涵先生年谱》："冬，赴青浦，客王述庵司寇三泖渔庄，校刊《湖海诗传》、《续词综》及《陈黄门全集》。先生是年有《冬日客三泖渔庄即事》诗九首。"是年，彭兆荪与钱侗交，时钱侗同客三泖渔庄。兆荪因作《错刀图歌为钱同人作》诗。是年，兆荪有诗二十四首，作《祭陈生采谷文》。

本年

陈廷庆、钱坫、吴锡麒、朱文藻等与王昶会青浦。据《湖海诗传》。

法式善识鲍文逵。法式善《鲍鸿起野云集序》云："鲍子鸿起，京口诗人也，承海门论山遗教，而有非海门论山所能牢笼者，京口人久为余述之。壬戌岁，抵京甫三日，介其乡人顾生子余，以诗质余。"（《存素堂文集》）

姚莹十八岁，与同里张阮林、方遵道等学古歌诗，有《蔗林五子诗钞》。据《姚石甫先生年谱》。

刘文淇十四岁，肄业梅花书院。时书院主讲为洪梧（字桐生，一字植垣，歙虹源人）。文淇从洪梧学凡四年，而后授徒糊口。据《刘孟瞻先生年谱》。

魏源九岁，应童子试。魏耆《邵阳魏府君事略》："九岁，应童子试。县令某公，于唱名时指茶瓯中画太极图曰：'杯中含太极'。时怀二麦饼，即应声曰：'腹内孕乾坤。'令大惊异。"

秦瀛引疾归。至嘉庆九年，病始愈。据陈用光《刑部侍郎秦小岘先生墓志铭》（《小岘山人诗文集》卷首）。

王杰以疾辞官。蒙恩予告在家食俸，加太子太傅。据阮元《王文端公年谱》。

和瑛任山东巡抚，同年因事去职。据《收庵居士自叙年谱略》。

颜检得授直隶总督，加兵部尚书衔。据《颜检传》（《续碑传集》卷二十一）。

赵慎畛补山东道监察御史。据姚莹《赵文恪公行状》（《续碑传集》卷二十二）。

邓廷桢散馆授编修。旋乞假南归。据《邓尚书年谱》。

杜堮散馆授职编修。据《杜文端公自订年谱》。

纪晓岚专管会典修书事，酌议奏改章程八条上之，下馆臣议行。据贺治起、吴庆荣《纪晓岚年谱》。

吴省钦建初日堂以为养疴之所。据《吴白华自订年谱》。

钱泳在家奉母。据《梅溪先生年谱》。

恽敬在新喻，得《驳史伯璇月星不受日光辩》等文十三篇。据《大云山房文稿》。

胡长龄自定所著《三余堂集》。据《崇川各家诗钞汇存》。

王昶延朱文藻、彭兆荪等校勘所著《湖海诗传》、《金石萃编》诸作。《述庵先生年谱》云："目疾愈甚，以生平所撰《金石萃编》、诗文两集及《湖海诗传》、《续词综》、《天下书院志》诸书卷帙浩繁，尚待编审校勘，不能审视，因延请朱映㴝秀才文藻、彭甘亭上舍兆荪及门人陈烈承秀才兴宗、钱同人秀才侗、陶凫香秀才梁各分任之，校其舛误及去取之未当者，刻日排纂。"

谢启昆有《怀人诗二十首》。其第一首为《覃溪师》，诗云："苏斋辟诗硠，俗物谢拘牵。茹古蠲饥渴，穷经忘岁年。蝇头书细字，麟笔纪长编。后世谁知我，相期百代前。"(《树经堂诗续集》)

王昶有《长夏怀人绝句五十首》。其中有《大兴翁鸿胪振三》，云："诗材直继黄、杨后，誉望人称朱、纪间。两汉残碑供考证，六经奥义更循环。(君有《两汉金石记》，近考辨经说尤多。)"(《春融堂集》)

洪亮吉著《左传诂》二十卷。据《洪北江年谱》。

斌良以荫生引见，授主事，分太仆寺行走。斌良自兹始编《司驭观政集》。据《先仲兄少司寇公年谱》。

李宗瀚刻《于怀麓堂集》。本年宗瀚视学湖南。据《梧门先生年谱》。

吴慈鹤作《官盐行》诗。据《岑华居士兰鲸录》。

金士松《乔羽书巢诗内集》六卷、《外集》四卷有本年刻本。据《贩书偶记》。

汪学金刻所著《静厓诗稿》三十卷。据《贩书偶记》。

吴毓昌所著《三笑新编》弹词四十八回此年刊行。据《弹词宝卷书目》。

阮元刻张惠言《周易郑氏注》、《周易郑荀义》、《虞氏易义》及《易义别录》诸书。据《许庼经籍题跋》卷一。

陆继辂以江西万承纪荐，馆上海，与同里庄逵吉合定《秣陵秋》传奇，此际于上海演出。据《崇百药斋文集》四。

湛贻堂刊《瓯北诗话》十二卷。《瓯北诗话》有嘉庆七年湛贻堂刊《瓯北全集》本、唐氏寿考堂成都刊本、同治十三年红杏山房重刊本、光绪三年刊《瓯北全集》本、宣统元年石印本、民国六年扫叶山房石印本、人民文学出版社《中国古典文学理论批评专著选辑》本、《清诗话续编》本。此书一名《十家诗话》，分卷论述李白、杜甫、韩愈、白居易、苏轼、陆游、元好问、高启、吴伟业、查慎行等十家，又有合论"众小家"与各体各一卷。

钱枚卒，年四十三。据朱彭寿《清代人物大事纪年》。[按，江庆柏《清代人物生卒年表》谓其卒于嘉庆八年十二月十二日，生年未详。]《晚晴簃诗汇》卷一百十四收其诗二首，诗话曰："枚叔初生时，袁简斋以己名与之。简斋乾隆己未进士，后六十年嘉庆己未，枚叔成进士。简斋子有诗纪事，枚叔和之云：'交谊通家容接坐，甲科前定幸追踪。文章四海推袁淑，名誉千秋感顾雍。'亦科名佳话也。"杨芳灿《微波词序》云："湘江泪竹，滴滴圆红，洛浦情澜，鳞鳞皴碧，回肠荡气，吊梦歌离，为此辞者，其古之伤心人欤！""《微波》一卷，片羽仅存，品贵阳春，名齐兰畹，峡云旧梦，江月前身，繁华乍零，凄凉远目，疏树早落，枨触离襟，调逸千秋，情深一往，世有解人，斯足传矣。"郭麐《灵芬馆词话》卷二："钱谢庵词，余从兰村集中见其'杨花开瘦鲤鱼肥'，为之击节。近得其《微波词》一卷，步武南塘，神韵超绝。"

马宗琏卒。据朱彭寿《清代人物大事纪年》。《晚晴簃诗汇》收其诗十二首，诗话曰："器之精研经训。阮文达视学两浙，辟为襄校，《经籍纂诂凡例》即出其手，后毕秋帆修《史籍考》，亦延为分纂。所著《左传补注》，王伯申称其书与顾亭林、惠定宇说相表里，可称鼎足。"

鲍之钟卒，年六十三。据江庆柏《清代人物生卒年表》。《晚晴簃诗汇》卷九十四收其诗七首，诗话曰："雅堂为海门征君子，乙酉召试第一，以《初月赋》为刘文清所赏，后官郎署，与洪北江、吴穀人、赵味辛唱酬，法梧门称为'诗龛四友'。洪北江评其诗'如昆仑琵琶，未除旧习'，盖诗派趋向不同也。"

黄易卒，年五十九。据《秋庵遗稿》卷末李汝谦识语。

沈起凤卒，年六十二。据江庆柏《清代人物生卒年表》。

公元 1803 年（嘉庆八年　癸亥）

正月

初一日，程瑶田自叙所著《通艺录》。时《通艺录》将刻成。《琴音记续编》及《修辞余钞》中《八十生日预示儿子文》、《家献可孝廉家传》、《后让泉记》、《丞隐记》诸文，皆七十九岁后作，当是以后增刻。据《程易畴先生年谱》。

初五日，沈叔埏卒，年六十八。据阮元《敕授承得郎吏部稽勋司主事沈君墓志铭》（《碑传集补》卷十一）。《晚晴簃诗汇》卷一百五收诗六首。

二十日，阮元立海宁安澜书院。据《雷塘庵主弟子记》。

铁保由广东巡抚调任山东巡抚。据《东华续录》嘉庆十五。

顾广圻校《经典释文》卷五。据赵诒琛编《顾千里先生年谱》。

段玉裁为严元照作《尔雅匡名序》。见《文集补编》。三月十八日作《王朴庄遗书序》。冬至日作《春秋左传校勘记目录序》。《与刘端临》第二十九、三十书当作于是年。据《段玉裁先生年谱》。

赵翼、洪亮吉等为词馆之会。《洪北江先生年谱》："正月，同年曾都转燠过访，因偕同里赵观察翼、刘宫赞种之、庄宫允通敏、舅氏曙斋先生、庄庶常诜男、谢庶常幹为词馆之会，留宴数日始行。"

瞿中溶佐辑《长兴志》成。据《瞿木夫先生自订年谱》。

二月

二十三日，吴琼仙（女）卒，年三十六。据洪亮吉《敕封承德郎翰林院待诏加三级徐君妻吴安人墓志铭》（《更生斋文甲集》卷三）。《写韵楼诗集》有道光十二年刊本。据胡文楷《历代妇女著作考（增订本）》。

阮元刻朱珪《知足斋集》。《雷塘庵主弟子记》："先生先后所刊海内学问之士著述，如钱辛楣宫詹《三统术衍》、《地球图说》、谢东墅《食物百咏》、张皋闻编修《虞氏易》、《仪礼图》、汪容甫明经《述学》、钱溉亭广文《述古录》、刘端临先生《遗书》、凌仲子先生《礼经释例》、焦里堂先生《雕菰楼集》、钟鼓崖明经《考古录》……胡西芩先生《诗集》、张解元贵《吏部诗集》、僧诵苕《蔗查集》、李四香《算书》，不下数十家。"

张釜与洪亮吉订交。《张夕庵先生年谱》："先是，稚存自成所归，钦先生，欲见不得，盖凡达官来谒，先生皆拒而不纳也。稚存故识凌江阁道士徐浣梧体微，乃属浣梧折简邀先生燕集。先弗以告。及先生至，而为绍介之，一语契合，遂成知己。写《万里荷戈图》赠之。稚存与先生书札，每呼高士云。"

纪昀序赵希璜《四百三十二峰草堂诗钞》。序曰："其诗根柢眉山，而精思陶冶，如花酿蜜，如黍作酒，得其神，不袭其貌，卓然自为一家。天下善学苏者，盖莫君若。"又，此序论诗歌流派曰："诗日变而日新，余校定《四库》，所见不下数千家，其体已无所不备。故至嘉隆，七子变无可变，于是转而言复古。古体必汉魏，近体必盛唐，非如是入宗派。然模拟形似，可以骇俗门而不可以炫真识。于是公安、竟陵，乘机别出，幺弦侧调，纤诡相矜，风雅遗音，迨明季而扫地焉。论者谓王、李之派，有拟议而无变化，故尘饭土羹；三袁、钟、谭之派，有变化而拟议，故僣规破矩。盖必心灵自运而后能不立一法不离一法，所谓神而明之，存乎其人也。"（《纪晓岚文集》卷九）

闰二月

二十日，嘉庆帝遇刺案发。据《清史编年》。

二十八日，杨伦卒，年五十七。据赵怀玉《广西荔浦县知县杨君墓志铭》（《亦有生斋集》文卷一八）。

汪辉祖厘定《元史正字草稿》为八卷。复令儿辈编写《二十四史希姓录》四卷，《读史掌录》十二卷，《过眼杂录》四卷。旧辑《历科会元墨》至辛丑而止，命子继培采甲辰以后墨卷补之。据《病榻梦痕录·梦痕余录》。

三月

初一日，焦循自序《毛诗地理释》。是书成于是年，凡四卷。是年十一月，焦循有《与黄春谷论诗书》、有《代阮抚军撰春秋上律表序》。据闵尔昌《焦理堂先生年谱》。

十七日，定翻译乡、会试与春秋文闱两试合并举行事宜五条。一、乡、会文场三年一举，翻译乡、会试五年一举，彼此参差，难以归一，应改为三年一举，如遇恩科，亦一体加恩；二、翻译场与文场各殊，以内龙门左右两旁六号为翻译举子坐号，庶与文场举子两不相混；三、于会试二场参进翻译头场，会试三场参进翻译二场。至顺天乡试头二场，人数众多，翻译只考一场，应于乡试三场参进；四、每科翻译完场后，封固送交军机处，请旨特派大臣校阅。乡试在文华殿阅卷，会试在内廷阅卷；五、加强文华殿阅卷地巡视稽查，严肃关防。据《清史编年》。

二十五日，魏成宪补授山东兖沂曹济道。据《仁庵自记年谱》。

王杰回籍。嘉庆帝制诗二首赠之，有云："名冠朝班四十年，清标直节永贞坚。枢庭久值宣纶绰，讲幄昔从授简编。""屡蒙恩旨秉文衡，艺苑群瞻桃李荣。直道一身立廊庙，清风两袖返韩城。"据阮元编《王文端公年谱》。

春

赵翼偕王昙等游洞庭东西两山。据《瓯北先生年谱》。

纪昀序赵希璜新修《安阳县志》。序云："今之志书，实史之支流。然一代之地志与一方之地志，其体例又不同也。故修地志者以史为根柢而不能全用史，与史相出入而不能离乎史。其相沿之通弊，则莫大于夸饰，莫滥于攀附。一夸饰，而古迹人物辗转附会；一攀附，而琐屑之事迹、庸沓之诗文相连而登。"评《安阳县志》："阅其目，井井有条，多合古法；观其书，则大抵以康氏《武功县志》、韩氏《朝邑县志》为椎轮而稍稍通变。先以图，次以表，契其纲矣；次以志，次以传，次以记，析其目矣；殿以艺文，仍仿古人之目录，不似近人之附载诗文，其体例不亦善乎！而每条必有考证，不徒以杂袭乎旧文，其叙述不亦确乎？最擅长者，在附安阳金石录十三卷……是志之精确，其本在是矣，岂区区夸饰附会者所可比乎？此弊一除，而攀附之弊不祛自退矣。虽以赵《志》为地志之通例可也。"（《纪晓岚文集》卷八）

四月

翁方纲有贺李符清开州牧一联。联曰："诗编太白三千首，颂迤城南尺五天。"据沈津《翁方纲年谱》。

六月

初二日，吴省钦卒，年七十五。据《吴白华自订年谱》。王昶曰："白华著撰，精心果力，不屑蹈袭前人。少日与赵损之、张少华同学渔洋、竹垞，既而别开蹊径，句必坚凝，意归清峻。入词垣，大考翰林第一。由是衡文荆、楚以及四川，遇山历水刻处，辄以五七字写之。或以东野、长江为比，未尽然也。散体文，于唐似孙樵、刘蜕，于宋似穆修、柳开，亦复戛然自异。"（《蒲褐山房诗话》卷二九）

赵怀玉丁父忧归。十月初三日，怀玉于去清河途遇刘大观。据《收庵居士自叙年谱略》。

吴嘉宾（1803—1864）生。吴嘉宾字子序，江西南丰人。道光戊戌进士，改庶吉士，授编修。历官侍读。殉难。有《尚絅庐诗存》二卷、《求自得之室文钞》一二卷、《诸经说》六种。事迹见《清史稿》本传、《清史列传》本传、《桐城文学渊源考》卷七。[生日据朱彭寿《清代名人大事纪年》。]

朱珪兼翰林院掌院学士，并以原衔充日讲起居注官。据《南厓府君年谱》。

英和充《续纂四库全书》总裁。据《恩福堂年谱》。

王懋昭自叙《三星圆》传奇。该剧又名《尧天击壤歌》。作于嘉庆八年至十年，凡四集八卷一百四出。演唐陈祖功、张炳事。今存嘉庆十五年尺木堂刊本。据《古本戏曲剧目提要》。

春夏间，孙渊如、刘大观、杨芳灿等雅集于陶然亭。《杨蓉裳先生年谱》："孙渊如、刘松岚大观继至。余约诸同好于陶然亭雅集。至者二十余人，各有诗。"

夏

阮元自序所编《两浙辋轩录补遗》十卷。据朱彭寿《清代人物大事纪年》。

黄丕烈邀同人十二，各题新得宋本《鱼元机集》。五月望日，黄丕烈重装宋本《甲乙集》于新居县桥巷之百宋一廛中，并取四卷残本展对一过，再跋宋十卷本后。秋，黄丕烈于顾千里处得宋刻《茅亭客话》十卷，又同得宋本《唐求诗集》一卷，七月白露后一日，跋《唐求诗集》。九月八日，黄丕烈偕陈仲鱼至山塘萃古斋书坊，得宋本《史记》、宋咸平本《吴志》、建文时刻本《元音》。是日，与仲鱼同访周香严于水月亭。冬，黄丕烈《札记》成，付刊。嘱顾千里为后序，又钱竹汀为之序。据江标编《黄荛圃先生年谱》。

七月

二十二日，翁方纲撰《苏米斋兰亭考序》。序云："是编于乾隆乙未秋初脱稿，时斋壁有所摹苏米书石，故以名之。今廿有七年矣，覆加校核，始芟去冗复，仅存此，以俟再定。"方纲是年有文《和平徐氏家集序》、跋《清仪阁古器款识》、跋《新罗朗空大师塔铭》等。据沈津《翁方纲年谱》。

那彦成擢礼部尚书。据徐士芬《那彦成传》（《续碑传集》卷九）。

吴荣光充国史馆协修。据《荷屋府君年谱》。

鲍桂星由右中允转左中允。十一月，校理文渊阁。据《觉生自订年谱》。

康基田调藩江宁。自此至十一年，基田于江宁任内浚秦淮河，大兴水利。据《茂园自撰年谱》。

八月

初四日，朱彭卒，年七十三。据朱彭寿《清代人物大事纪年》。《晚晴簃诗汇》卷一百十五收其诗一首。王昶曰："西泠自金江声、厉樊榭、杭堇浦、汪槐塘诸公后，大雅将沦。青湖独承其后，以诗法指示骚坛，故二三十年来，从游甚众。每言浙江明季多学钟、谭，渐乖于正。自云间陈卧子先生司李山阴，差知复古。后如西泠十子皆奉司李之余绪。西河毛氏，幼承赏识，亦宗其旨。即竹垞太史，初时并效唐音。百余年来，浙中诗派，实本云间。至康熙中叶，小变其格。继吴孟举、查初白出，始竞为山谷、诚斋之习。檇李学者，靡然从之。而武林兼学唐、宋，无所取裁，故青湖专以归愚宗伯《别裁》诸集传示学者，于诗学自为有功。今年已七十余，多识前言往行，实为一时文献。著有《吴越古迹考》若干卷、《南宋寓居录》若干卷，不戒于火，为可惜也。其诗古体矩矱从容，今体声情高远。余句如'桃花争晓色，湖水识春心'；'江云初过雨，春水欲平帆'；'秋林生淡月，烟寺出寒钟'；'早烟浮岸草，新绿入江船'；'云木浮春气，烟江聚晚愁'；'远岫明秋水，残峰恋夕阳'；'霜摧群木瘦，秋放一峰高'；'半山无夕照，万鸟共归心'。'白鹭岂知千古事，苍山犹带六朝秋'；'云净江天遥辨塔，潮回沙渚忽无田'；'满溪梅雨白连郭，一路桑阴绿绕门'；'滟滟花光遥映水，濛濛岚气欲浮春'；'春当三月原如客，人过中年欲近僧'；'病余人比寒山瘦，秋晚诗如落叶多'；'人当晚节多怜菊，天为重阳特放晴'。皆可入司空表圣摘句图。又录其弟子李方湛、蒋炯、徐鈜诸人及其子械壬等十二人诗，为《同岑诗选》，予为之序，今行于世。"（《蒲褐山房诗话》卷三八）

二十三日，吴蔚光卒，年六十一。据法式善《例授奉直大夫礼部主事吴君墓表》。《墓表》曰："君生平抱负甚奇伟，视天下事无不可办。及屡摧折于名场，而其气亦稍衰矣。顾独于文燕诗会，酣嬉磅礴，凌厉傲兀。""当其未第时，江南北、浙东西，竹桥诗名已噪甚！"（《碑传集补》卷十一）王昶曰："竹桥初登词馆，继改仪曹，志尚幽闲，即辞华朊。既而哲昆总制湖湘，门盈兰锜，而向禽之志弥专，箕颖之情愈切，覃研文史，啸傲湖山，跌宕琴樽，搜罗书画，且与门人鲍叔治等，及女士席佩兰、屈宛仙，弦诗读画，粉墨淋漓。吾谷云深，尚湖春暖，人夸雅集。望比瞿仙，故发为著撰，莫不刻羽引商，扬风抉雅。佳句如：'江城远笛秋风早，山馆疏灯夜雨多'；'半湖流水青通市，十里垂杨绿到城'；'卷幔榴花红有焰，浮杯菖叶碧生香'；'凭温小槛思题竹，行熟回塘为看花'；'水气阴凉将做午，山情平淡恰逢秋'；'逢花客有留连意，对月人多太息声'；'梦里驱犍歌白石，醉中董麝写乌丝'；'贳来绿酒堪为国，画出青山可当家'；'天寒睡怯孤衾重，夜雨吟贪小阁幽'；'落花声气帘枕悄，斗茗时光几榻幽'；'斜阳帘幕围炉话，残雪楼台拥絮吟'；'长日一筒荷叶酒，丰年万顷稻花香'；'千古功名春夜梦，半生交友晓天星'；'红雨半帘飞蛱蝶，绿云千叶盖鸳鸯'；'凤缘未了时开卷，旧侣无多日掩关。'虽画以旗亭之壁，写以蜀锦之笺，殆不能穷也。"（《蒲褐山房诗话》卷三六）

门人为王芑孙厘定《渊雅堂编年诗稿》十六卷。据《渊雅堂编年诗稿》卷首汪荣光等序。此编存诗自乾隆三十六年讫本年。

九月

十九日，张九钺卒，年八十三岁。是年八月，凤竹庵桂花盛开，先生偕同人燕集，

赋七律二章,末联云:好待轩亭重葺日,如来金粟共皈依。盖绝笔也。卒前吟旧诗云:担柴运米百无能,自读楞严自剪灯。夜半万缘钟打尽,前身南岳一枯僧。其传奇《六如亭》,《今乐考证》、《曲录》著录。其诗:乾隆壬戌至甲子《南归集》、乙丑《豫章游集》、丙寅《滇黔集》、辛未至壬申《吴越集》、乙亥《再蚕集》、戊寅《三树轩集》、己卯至癸未《豫章宦集》、甲申至己丑《如粤集》、庚寅至丁酉《秋燕巢集》、丁酉至己亥《萍舫集》、庚子至甲辰《游梁集》、《太行集》,甲辰《嵩游草》、《洛中集》,乙巳至己酉《志余吟》、《倦游集》,庚戌至辛亥《陶园集》,《起壬子》(《陶园集》后改《归湘集》,只编"起壬子"三字者,稿未竟也。)编成属及门梓。不果,后十年壬申,侄孙家樾梓于钟祥官署,计十八卷。又六年戊寅,侄孙家杙补入诗四卷,文八卷,诗余二卷,重梓于长沙东园之赐锦楼。又十一年丁亥,家杙解官,晤世津叔于陶园,得先生手编目录,重加编辑,弁以《红叶山房吟》,并刻《六如亭传奇》二卷。盖先生殁三十年,家杙等凡三次校刊始定焉。以上据《陶园年谱》。《晚晴簃诗汇》卷九十一收诗十首,诗话曰:"紫岘年十三登采石矶太白楼赋诗;西师凯还,行郊劳礼,方恪敏督直隶,筑台于郊,紫岘为赋诗书其上;晚游武昌,毕灵岩大会宾客,紫岘诗先成并为时所称。其为诗奇情壮采,沈博绝丽,在乾隆中自是一作手。"戴熙曰:"先生以名家子负异禀而一遏科第,再屈县令,蓄其沈博瑰丽、瑰奇岸异之才,于诗若文,为乾隆朝一大宗。同时挟铅椠拾青紫,或湮其姓氏,而先生著述久益显,亦奇于遇哉!"邓显鹤曰:"君为政持大体,不琐屑操切,而遇事刚决,人无敢干。""君屡任剧县,暇则与学官弟子讲求小学经义,成就甚多。前后俱以理去官,所得廉俸皆以济三族贫乏。""君生长名家,群从兄弟多致通显,君独屈于县令,未竟其才,乃举其磊落抑塞之气一泄于诗。所与倡酬多酒人逸老有志意之士,同时负重名有气力者或不能致。尤好褒扬节义,阐幽发潜,汲汲如不及。诗文宏博浩瀚,纵其力之所至而一轨于正。""先生名在当世,当世诵其诗,至推为乾隆朝一大宗,盛矣哉!"

彭元瑞卒,年七十三。据《国朝耆献类征初编》卷三一引赵敬襄《小传》。纪昀挽彭元瑞联云:"包罗海岳之才,久矣,韩文能立制;绘画乾坤之手,惜哉,尧典未终篇。"(《楹联丛话》)《晚晴簃诗汇》卷八十八收诗五首,诗话曰:"文勤才思敏捷,久直南斋,应奉文字婉丽清新,高宗日必有诗,群臣赓和多教其体格,文勤往往泽以华藻,每有奏进,未尝不称善也。"《清史稿》本传:"元瑞以文学被知遇。内廷著录藏书及书画、彝鼎,辑《秘殿珠林》、《石渠宝笈》、《西清古鉴》、《宁寿鉴古》、《天禄琳琅》诸书,元瑞无役不与。和章献颂,屡荷褒嘉。所著有经进稿、知圣道斋跋尾诸书。高宗实录成,推恩赐祭,并祀贤良祠。"

秋

黄承增自序《广虞初新志》四十卷。承增字心庵,安徽歙县人。《广虞初新志》有本年寄鸥闲舫刊巾箱本。是书为《虞初新志》之续编,约收作品二百八十篇。据《中国古代小说总目》文言卷。

顾广圻为黄丕烈刻宋剡川姚氏本《战国策》。据赵诒琛编《顾千里先生年谱》。

叶继雯升任会典馆总纂修官。杨芳灿评继雯曰："博闻多识，著作鸿富。勘书之暇，以所业相质。余虽夐陋，得咫闻多矣。"（《杨蓉裳先生年谱》）

十月

孙玉庭调补广东巡抚，十二月抵任。据《寄圃老人自记年谱》。

十一月

二十二日，王昶生辰，吴锡麒为撰《启征诗》，吴越及远方士人祝者甚众。据《述庵先生年谱》。

尹壮图始主讲观澜书院。据《楚珍自记年谱》。

洪亮吉偕同里诸公为消寒雅集。据《洪北江先生年谱》。

十二月

二十二日，吴东发卒，年五十七。据梁同书《吴侃叔小传》（《频罗庵遗集》卷九）。

二十八日，许宝善卒，年七十三。据朱彭寿《清代人物大事纪年》。诸联《明斋小识》卷五："许穆堂侍御宝善，季年好音，家居后，常寻旧制，自度新腔。滴粉搓酥，缘情协律，爰取前贤词句，谱以工尺，订成六卷，四声二十八调，清浊高下，南调北调，厘然炳然。咀徵含商之士，咸奉为香草。"蒋敦复《芬陀利词话》卷一："尝谓词之感人甚于诗，王梦楼太守序穆堂词云：访余于京口快雨堂，录所作词数首见示，余适有所感，读之忽至泣下。余皈空门十余年，神情寂寞，而穆堂之词，能动余若此，其所诣可知已。"又："'陌上草萋萋，春山莺乱啼。无事皱双眉，不知心恨谁。闲拨冷灰珠阁晚，添香。细语花间咒玉郎。最是夜深眠未稳，凄凉。月映疏枝上短墙。'皆穆堂句。微嫌面目太似古人，亦是一病。"又云："许穆堂侍御著《自怡轩词》五卷，独能得小山父子风格，则其宗尚，雅在北宋。《临江仙》云云。《菩萨蛮》云云。前首宋初，后首唐末，蕴籍风流，典型犹在。有和珠玉、六一词一卷，数十首，与司寇同时，而不染时贤习气，所以可传。"

王念孙署山东运河道。据闵尔昌《王石臞先生年谱》。

钱大昕始刊《养新录》手定本，凡二十卷。后所得为《养新余录》三卷。是春，大昕考定西辽传世岁数。夏秋间，《金石文跋尾》四集刊成。冬，《长兴县志》成。本年，李许斋为刊洪适、洪迈、陆游年谱。《西沚先生墓志铭》、《敬亭弟墓志铭》作于本年。又有《慕陵诗稿序》、《三松堂诗序》、《吴柳门诗序》、《寒碧庄宴集序》、《重刊战国策序》等不载集中。据《钱辛楣先生年谱》。

法式善奉旨充文渊阁校理。据《梧门先生年谱》。

洪亮吉为消寒会于沪。《洪北江先生年谱》曰："十二月，复游上海，偕李观察廷敬及幕中诸客为消寒会，旬日返里。"是岁，亮吉得诗二百九十九首，文三十二篇，刊竣《乾隆府厅州县图志》五十卷，著《比雅》十二卷。

冬

杨芳灿、谢枚、程同文、吴自本、陈文述、邵广铨等在京为词社，分题按谱，月凡三集。《杨蓉裳先生年谱》："是冬，偕兰邨暨谢庵吏部枚、程春庐驾部同文、吴兰园大令自本、陈云伯孝廉文述、邵兰风上舍广铨为词社，分题按谱，月凡三集。""腊月，谢庵患时疾卒，此会遂罢。"

王昶《湖海诗传》、《国朝词综》诸作刻竣。《述庵先生年谱》云："先是，先生以六十年来师友所赠诗文，手自甄录，名《湖海诗传》，共六百余家，至冬刻就。又尝读宋元人词集，有竹垞太史《词综》所未采者，撰续补人二卷。竹垞曾选明词未竟，踵成十二卷。又选《国朝词综》四十八卷，至是皆刻竣。先生自中岁穷经，凡读诸家注释疏义有所得辄书而藏之，题为《群经揭橥》，共十数册，自戊午至是六年，虽往来杭州太仓，常居于卧游轩，故终以名其集焉。"

本年

恽敬在新喻。得文六：《钤山堂集书后》、《与汤编修书》、《新喻文昌宫碑铭》、《新喻文昌宫碑阴录》、《徐恭人墓志铭》、《董孺人权厝志》。据《大云山房文稿》。

彭兆荪仍赴青浦，客三泖渔庄。时王昶辑《琴画楼后二十五家词选》，欲以兆荪词列入，兆荪力辞之。是年，兆荪为诗四十二首。据《彭湘涵先生年谱》。

端木国瑚掌教莲城书院。据《太鹤山人年谱》。

童槐主讲慈湖书院。据《显考蕘君府君年谱》。

屠倬倡结吟会。与会者有许宗彦、许乃普、许乃济、爰庆源、胡敬、蒋炯等人。首倡者为屠琴坞倬。诸人迭为宾主。是岁，在琴坞寓斋拂尘庵，为僧寮吟课。越岁为销夏课。其诗存琴坞所刻《是程堂倡和投赠集》中。据《书农府君年谱》。

包世臣游苏州，识钱玷。《包慎伯先生年谱》曰："时献之年已六十余，而先生齿方壮。虽所学不合，献之一见即深器之曰：'吾周行天下，识人无如包君者。'又常谓人曰：'南阳有田可耕而犹吟《梁父》，今包生困至是，率口必及民间疾苦，绝无尤怨不豫之色。是所负者大而且远，贤于古人必矣。今日包君自给不足，异日衣食天下者，必包君也。'又曰：'包君诗妙接陈思，而赋如平子。观其与人书，累数千言皆率笔无草稿。然条鬯雅密，近眉山父子。吾以专家之学与之言，彼略一涉之，则数十年沈精所得不过也。自古文人少所树立，皆器褊气矜，不自检饬。今包君可谓纯净无疵者矣。'"

汪喜孙十八岁，县试拔第一。《汪荀叔自撰年谱》云："江都令王先生逢源县试，试《鹰化为鸠解》、《十三经注疏异同得失》策问，拔置第一。"

方士淦十七岁，入县学。学使为汪廷珍。据《啖蔗轩自订年谱》。

龚自珍十二岁，外祖段玉裁授以《许氏说文部目》。吴昌绶《定盦先生年谱》："是为以经说字，以字说经之始。"

冯敏昌守制读《礼》庐中。八月，山水暴涨，弃庐而走，其书画及著作诗文尽在洪流中，后晴明乃披泥拾残篇，布山郊而晒之，仅得半全。据冯士镳《先君子太史公年谱》。

孙尔准编少作长短句为《雕云词》。《平叔府君年谱》曰："是年，府君来往姑苏武林，偕秦秋南鸿仪为倚声之学，作《论词绝句》二十二首。编少作长短句为《雕云词》。"

俞正燮编《芦城平话》四卷。据《癸巳存稿》一四。

吕星垣刻所著《白云草堂诗钞》三卷、《文钞》七卷。据《苌楚斋续笔》九。

李懿曾作《金台纪事诗》四十五首，述居京交游略况。据《扶海楼诗集》一〇。

郭麐自编《浮眉楼词》二卷成。据朱彭寿《清代人物大事纪年》。

吴慈鹤旅粤，作《循州杂诗》。据《岑华居士兰鲸录》。

洪亮吉自编《更生斋文甲集》四卷、《乙集》四卷、《诗集》八卷成。据朱彭寿《清代人物大事纪年》。

张维屏撰《松心日录》。据《张南山先生年谱撮略》。

汤贻汾诗自此年至丁卯年曰《江亭集》。据《汤贞愍公年谱》。

姚鼐作《南园诗存序》、《姚休那先生墓表》。据郑容甫《姚惜抱先生年谱》。

黄丕烈刻所编《百宋一廛书录》。据江标编《黄荛圃先生年谱》。

黄文旸所著《扫垢山房诗钞》十二卷刊行。据《扫垢山房诗钞序》。

张问陶自删定二十六年间诗，约为十五卷。据《船山年谱》。

蔡上翔成《王荆公年谱考略》二十六卷。据黄丽镛《魏源年谱》。

凌廷堪成《燕乐考原》六卷。据《凌次仲先生年谱》。

吴文晖辑、吴东发续辑《漱浦诗话》二卷续四卷刊行。据张寅彭《新订清人诗学书目》。

博雅堂刊《鬼谷四友志》。孙楷第《中国通俗小说书目》卷二：《鬼谷四友志》三卷不分回（一名《孙庞演义七国志全传》），"存。清嘉庆八年博雅堂刊本。文渊堂刊本。上海书局石印本题'四大英雄奇传'。清杨景淐撰。题'东泖杨景淐澹游父评辑'（疑是华亭人）。目录题'东泖三爻主人评点'，盖是一人。首乾隆六十年杨氏自序，谓嫌坊刻《孙庞斗志》之俚，参考《列国志传》，增饰为是书。"

卧闲堂巾箱本《儒林外史》刊行。此本小型，半页九行，行十八字。每回后有评语。首乾隆元年闲斋老人序。每回后有评语，（第四十二至四十四回、第五十三至五十五回无评语）。此本为目前可见及的最早五十六回本。据孙楷第《中国通俗小说书目》。

黄培芳作《香石诗话》一卷。该书今存民国四年求在我轩刊朱墨套印本。此书副题曰："癸亥岁答友人作"，知作于嘉庆八年癸亥。又据宣统二年黄映奎跋，稿本一直藏于家中未刊，百余年后始付梓。据张寅彭《新订清人诗学书目》。

朱文娟（女）《听月楼遗诗》一卷有是年刊本。据胡文楷《历代妇女著作考（增订本）》。

《百花梦》传奇存本年春市隐庄藏板本。据《古本戏曲剧目提要》。

陆继辂撰传奇剧《洞庭缘》。据《崇百药斋文集》卷四。是剧六出，本事出《聊斋志异》。何兆瀛《洞庭缘叙》云："阳湖陆祁生先生以承明著作之才，当幕府优游之日，文余慧业，诗杂仙心，缀聊斋志怪之书，翻湖上传奇之谱，为《洞庭缘》院本十六折。作波涛而萦带，织云锦以绸缪，人同刘、阮，俱号龙媒；缘结履巾，偏逢鱼滕。云鬟雾鬓吹下步虚之声，海市蜃楼飞作散花之舞。"（《中国古典戏曲序跋汇编》）今存光绪六年鸳湖盛阜昌刊本。

　　萧智汉辑、萧秉信注《山居闲谈》五卷有本年涉园刊本。据《中国古代小说总目》文言卷。

　　张声玠（1803—1848）生。声玠字奉兹、润卿、玉夫，署蘅芷主人，湖南湘潭人。道光十一年举人。有《蘅芷庄人随笔》五卷、《蘅芷庄诗集》一八卷、《文集》四卷等。事迹见《光绪湘潭县志·人物》及《艺文》。

　　陆黼恩（1803—1874）生。黼恩字亚章，号紫峰，江苏阳湖人。道光十九年举人。有《读秋水斋文集》六卷，又有《读秋水斋诗文集》。事迹见《读秋水斋文集》附汤成烈所撰碑传、《清诗纪事》第十四册《道光朝卷》。

　　张友书（女，1803—1875）生。友书字静宜，江苏丹徒人。著有《倚云阁诗存》三卷补遗一卷、《倚云阁诗余存》三卷。事迹见方濬颐《皇清旌表节孝例封孺人故拔贡生例封修职郎候选训导陈公敬亭原配张太孺人墓志铭》。

　　彭洋中（1803—1864）生。彭洋中字彦深，一字晓杭，湖南湘乡人。道光戊子举人。历官潼川知府。同治三年十一月十九日卒，年六十二。有《古香山馆诗存》、《古香山馆文集》等。事迹见刘蓉《署潼川府知府彭君墓表》（《续碑传集》卷四十一）。

　　林昌彝（1803—1876）生。林昌彝字惠常，号芗溪、五虎山人，福建侯官人。少受业于陈寿祺，后乃潜研经学，尤精三礼。道光甲辰进士。与汤鹏、陈庆镛、张际亮等友善。同治五年掌教廉州海门书院。著有《林昌彝诗文集》、《射鹰楼诗话》。事迹见《清史列传》本传。[生卒年据蒋寅《清诗话考》下编三。]

　　董毅（1803—1851）生。董毅原名思诚，字子远，江苏阳湖人，董士锡子。辑有《续词选》二卷，著有《蜕学斋词》二卷。事迹见《全清词钞》卷二十、《明清江苏文人年表》。

　　张远览卒，年七十七。据朱彭寿《清代人物大事纪年》。《晚晴簃诗汇》卷八十八收诗五首，引王德甫曰："伟瞻沉静诚悫，望而知为端人恭士。乡试出朱石君先生门下，垂三十余年始为县令，得黔之镇远，地处冲繁且值军兴之际，遂乞老以归，家有水田一顷，善本书二三千卷，偕门人王耕畬讲习以终老。诗学浣花翁，古文得震川一体。"诗话曰："伟瞻通《诗》、《春秋》二经，兼治金石之学。母丧庐墓，初官正阳教谕，兄来视，遽病卒，乞假归葬；偕友赴礼闱，已至都而友卒，不入试，徒步二千里持丧还。孝友笃行，为时所称。"

　　舒敏卒，年二十七。据江庆柏《清代人物生卒年表》。《晚晴簃诗汇》卷一百二十三收诗七首，诗话曰："诗在伊犁作者号《秋笛吟》，赦还后作号《课花轩遗草》。中丞在江苏按察时，合编付刻。感怀身世，多苍凉沈郁之音。"

　　奚冈卒，年五十八。据朱彭寿《清代人物大事纪年》。《晚晴簃诗汇》卷九十七收诗四首，诗话曰："铁生自号蒙泉外史，工山水，高及倪云林，下亦不失李檀园，不肯轻为人作。晚遭家难，旬日中丧其弟及三子一女，家复毁于火，又遭母丧，服终，抑郁以卒。诗清泠绝俗，肖其为人。"

公元 1804 年（嘉庆九年　甲子）

正月

嘉庆九年甲子（1804）**阮元修《海塘志》成**。据《雷塘庵主弟子记》。

二月

初三日，英和加太子少保。六月授军机大臣。据《恩福堂年谱》。

初三日，仁宗幸翰林院赐宴赋诗。仁宗因高宗纯皇帝旧绪，临幸翰林院赐宴赋诗，仍用唐张说东壁图书府五律字为韵，御制首末两韵而亲简与宴者三十八人，各分一韵。据《纪文达公遗集》文卷七三。潘世恩得"和"字。据《思补老人自订年谱》。

初十日，俞正燮由历城赴济宁，作《左山考》。据《俞理初先生年谱》。

十七日，翁方纲奉命以原品休致回籍。四月初十日回京。在马兰峪三年，惟每月朔望暨恭逢忌辰节候上陵行礼外，其余月日无酬应，并无唱酬题咏之件，专心将数十年来温肄诸经所记，条件分卷写稿，共得《易附记》十六卷、《书附记》十四卷、《诗附记》十卷、《春秋附记》十五卷、《礼记附记》十卷、《大戴礼附记》一卷、《仪礼附记》一卷、《周官礼附记》一卷、《论语附记》二卷、《孟子附记》二卷、《孝经附记》一卷、《尔雅附记》一卷。据《翁氏家事略记》。

二十八日，郝懿行自序所撰《山海经笺疏》十八卷。其叙曰："今《禹贡》、《山海图》遂绝迹，不复可得。《禹贡》虽无图，其书说要为有师法，而此经师训莫传，遂将湮泯。郭作传后，读家遂绝，途径榛芜，迄于今日，脱乱淆讹，益复难读。又郭注《南山经》，两引'璙曰'，其注《南荒经》'昆吾之师'，又引《音义》云云。""今世名家，则有吴氏、毕氏。吴征引极博，泛滥于群书；毕山水方滋，取证于耳目。二书于此经，厥功伟矣。至于辨析异同，刊正伪谬，盖犹未暇以详。今之所述，并采二家所长，作为《笺疏》，笺以补注，疏以证经。卷如其旧，别为《订讹》一卷，附于篇末。计创通大义百余事，是正讹文三百余事。凡所指摘，虽颇有依据，仍用旧文，因而无改，盖放郑君康成注经不敢改字之例云。嘉庆九年甲子二月廿八日，栖霞郝懿行撰。"阮元《山海经笺疏序》云："郭景纯注，于训诂、地理未甚精彻，然晋人之言，已为近古。吴氏广注，征引虽博，而失之芜杂。毕氏校本，于山川考校甚精，而订正文字，尚多疏略。今郝氏究心是经，加以笺疏，精而不凿，博而不滥，粲然毕著，斐然成章。余览而嘉之，为之刊版以传。""郝氏名懿行，字兰皋，山东栖霞人，户部主事。余己未总裁会试，从经义中识拔实学士也。家贫，行修为学益力，所著尚有《尔雅疏》诸书。兰皋妻王安人，字瑞玉，亦治经史，与兰皋共著书于车鹿春庑之间。所著有《诗经小记》、《列女传注》诸书，于此经书，并多校正之力，亦可尚异之也。嘉庆十四年夏四月，扬州阮元序。"（嘉庆十四年潮阳郑氏校《郝氏遗书》）

二十八日，汪学金卒，年五十七。据朱珪《日讲起居注官文渊阁校理教习庶吉士詹事府左春坊左庶子加二级汪君墓志铭》(《知足斋文集》卷五)。《晚晴簃诗汇》卷一百四收诗十五首,诗话云:"乾隆戊辰,持斋太史以第三人及第,后二十三年,而杏江继之世家,践陟清华名第相同,一时称盛事。既乞归,营静厓小筑,有池馆水竹之胜,安禅习静,翛然出尘,诗亦超妙绝俗。"王昶曰:"杏江为持斋少司空哲嗣。襟情既胜,才调弥嘉,标格则玉树琼枝,词赋乃金荃兰畹。所镌初稿已有'扬州烟月,江左文章'之目。最工骈体。为余撰《三泖渔庄图诗序》,时谓其工,既由词馆涖陟宫僚,两次请假南还,世俱嘉其雅尚。所营静厓小筑,水竹弯环,楼台窈窕,梵磬龛镫,俨然世外。朋旧中如武林潘侍御庭筠同之,余人莫逮也。盖其凤植净缘者深矣。"(《蒲褐山房诗话》卷三七)

孙星衍奉旨补授山东督粮道。七月,充山东乡闱提调官,与铁保等唱和。据《孙渊如先生年谱》。

颜检以事革职,发往乌鲁木齐效力赎罪。据《颜检传》(《续碑传集》卷二十一)。

王引之充《词林典故》纂修官。十一年书成。是年,王引之充湖北乡试正考官。据《王伯申先生年谱》。

三月

初六日,翁方纲撰《福缘录序》。是年五月,翁方纲撰《石画轩记》。据沈津《翁方纲年谱》。

黄丕烈刊校《博物志》成。三月初十日,黄丕烈跋新从吴枚庵家得渠手校宋旧钞本《东京梦华录》。五月,从师德堂收得校旧钞本《尹河南集》九卷,《附录》一卷,跋后。冬,以二百四十金得周香严所藏残宋本《太平御览》三百六十卷。据江标编《黄荛圃先生年谱》。

王念孙实授山东运河道。于任内严禁虚浮,在任计六年,节省帑项至数十万。据闵尔昌《王石臞先生年谱》。

铁保加太子少保。于山东任内整饬泺源书院,并于大明湖北创立济南书院。据《梅庵自编年谱》。

胡敬赴江苏佐校《丹徒县志》。据《书农府君年谱》。

四月

初五日,宋大樽卒,年五十九。据戚学标《国子助教茗香宋君墓志铭》(《鹤泉文钞续选》卷七)。

十五日,黄淦自序《锋剑春秋》。是书十卷六十回,有同治三年四和堂刊本。光绪元年上海顺城书局石印本改题《后列国志》,光绪二十六年上海江南书局石印本改题《万仙斗法兴秦传》。所演为秦灭六国故事,以孙膑为主。据光绪二年刊本《锋剑春秋序》。四和氏《锋剑春秋序》云:"《春秋》一书,原以纪历代帝王之兴衰也。今以锋剑名之,又以纪战争并吞之强弱也。其中赖有英雄豪杰之士,尤赖以得天时地利人和之先。所以有猛将如云,谋臣如雨,更以幻者演神通,斗法宝,指不胜屈。原原本本,都皆气运生成。有有无无，尽在笔机徐动。传中开载，亦尽非凭空谎谬，耸人耳目见闻。借列国王将相术士开疆辟土，战阵斗争，水火变幻，神鬼驰驱，演出一篇奇异，脍炙人口。迩来人心不古，每以邪说幻术为新奇，恃强凌弱为平淡。残篇断简，不外忠臣孝子，各尽臣道，各尽子职之两途。即以发明《春秋》之大义也。好古者广博览，开茅塞，亦未尝无小补云。虽然，尽信书则不如无书，其是之谓乎。"署"同治四年春月，四和氏识"。据同治三年刊本《锋剑春秋》。

阮元撰《经郛》，手定体例分纂。据《雷塘庵主弟子记》。

冯敏昌应主越华书院讲席。据冯士镳《先君子太史公年谱》。

朱珪招丁卯同年小集。翁方纲有诗次韵。据沈津《翁方纲年谱》。

五月

初七日，洪齮孙（1804—1859）**生。**洪齮孙字子龄，芝舲，江苏阳湖人，洪亮吉子。道光十九年举人，官广东镇平知县。有《战国地名备考》、《梁疆域志》四卷、《淳则斋骈文》二卷、《诗》二卷。事迹见《武进阳湖合志》、《洪北江先生年谱》。

十六日，杨揆卒，年四十五。据赵怀玉《赠太常寺卿四川布政使杨公揆墓志铭》。〔按，据《杨蓉裳先生年谱》，则卒于六月初一日。〕《墓志铭》曰："为文沈博绝丽，下笔千言。飞章走檄，洞中窥要。""诗初学长庆。出塞后，境日险，句亦日奇，骎骎乎入杜、韩之室。"《晚晴簃诗汇》卷一百二收诗八首，引吴兰雪评曰："荔裳早擅风华，中年从嘉勇公出征卫藏，所历熊耳山、星宿海诸胜，异境天开，诗格与之俱变，极造幽深，发以雄丽，字外出力，纸上生芒，非摹拟《从军行》者所能道其一语。"诗话曰："荔裳与兄蓉裳齐名，至《出塞》诸作，奇情壮采，得江山之助，蓉裳似须让出一头。北江评其诗如沧溟泛舟，忽得奇宝，正谓此也。"王昶曰："荔裳偕其伯兄才雄藻密，世号二难。张千层之锦绣，斗八尺之珊瑚，其为贵重，无以逾也。然蓉裳既已黄巾青犊，著绩岩疆，而荔裳复以硐门而外，出塞数千里，耳目所见，得未曾有，与前代文人簪毫佩玉、雍雍华要者不同。盖造化奥区，久而必发，而穷荒战地，自嘉州、昌黎之后，纪载无多，天或借翰墨以发其奇。两君遭际，洵非偶然，宜阅之者如游绝域，如读异书也。"（《蒲褐山房诗话》卷三七）陈文述《皇清诰授奉直大夫户部广东司员外郎充会典馆总纂修官蓉裳杨公传》云："荔裳以书生从军绝域，勒铭二万里外，及官蜀，适白莲教不靖，与军事相终始。所著《桐花吟馆诗》，与兄媲美。"陈笠飘挽联云："可惜斯人未竟其用，一时朋旧皆哭之哀。"法式善、陈文述、马秋药诸人皆有挽联。

铁保恭进所辑八旗诗，赐名《熙朝雅颂集》。御制序文冠诸篇首。其论诗云："余尝论诗贵气体深厚，气体不厚虽极力雕琢，于诗无当也。又谓诗贵说实话，古来诗人不下数百家，诗不下数千万首，一作虚语敷衍，必落前人窠臼。欲不雷同，直道其实而已。盖天地变化不测，随时随境各出新意，所过之境界不同，则所陈之理趣各异，果能直书所见，则以造物之布置为吾诗之波澜，时不同境不同，人亦不同，虽有千万古人不能罩我矣。"《国朝正雅集》卷二八引《寄心庵诗话》云："梅庵宫保手辑八旗诗,上溯崇德,至乾隆六十年,得诗甚夥,诏嘉美,命名《熙朝雅颂集》。"《清朝先正诗略·铁冶亭先生事略》云:"国家文治轶前古,列朝御制,如日月之经天。……至八旗士大夫,能诗、书者尤众。特未有荟萃一编以扬美盛者。嘉庆中,铁冶亭先生手辑八旗诗,上溯崇德,至乾隆六十年止。得诗数百家。表上之,诏赐嘉名,曰《熙朝雅颂集》,睿庙亲为制叙,洵足彰右文之盛治矣!"

段玉裁序任启运《礼宫室考》。是年,段氏又有《跋黄尧圃蜀石经毛诗残本》。据《段玉裁先生年谱》。

六月

初一日,翁方纲、法式善集赵绍祖古墨斋并赋诗。据《复初斋诗集》。

十五日,翁方纲为金学莲撰《三李堂记》。据《复初斋文集》。本月,翁氏重入府庠,瞻拜新修文庙。翁氏于乾隆甲子补府庠生,至是六十年也。是日,知宛平县门人胡逊陪同行礼,因饭于宛平县斋,有府庠唱和诗册。时顺天府尹莫瞻菉,为翁氏庚辰本房门生元龙子,顺天府丞张端城,又翁氏癸卯乡试所得士,皆同和焉。据《翁氏家事略记》。方纲诗,自辛丑十二月至是年七月,为《有邻砚斋稿》。据沈津《翁方纲年谱》。

汪辉祖细校《赠言》。《病榻梦痕录·梦痕余录》略云:汪辉祖病后数年,荷二三知好转乞群雅寄赐双节诗文,分类汇编,通得十卷,又书札四卷,为《赠言三集》,倩友缮正,交儿辈收贮,命继得者随时补录,俟先生没齿付梓。是年六月复细细校正,并校《赠言》初、续二集。

鳌图奉旨升补徐州道。据《沧来自记年谱》。

恽敬由新喻至南昌。得文七:《金刚经书后一》、《金刚经书后二》、《二仆传》、《甘宜人墓志铭》、《李夫人墓志铭》、《饶府君墓志铭》、《国子监生周君墓表》。据《大云山房文稿》。

夏

吴熊光调督直隶。据包世臣《故大臣昭文吴公墓碑》(《续碑传集》卷二十一)。

七月

初四日,罗汝怀(1804—1880)生。汝怀字研生,湖南湘潭人。道光十七年拔贡。卒于光绪六年庚辰九月三十日,年七十七。著有《绿漪草堂文集》三十卷,《外集》二卷《别集》二卷《诗集》二十卷、《研华馆词》三卷等。事迹见郭嵩焘撰《罗研生墓志铭》(《碑传集补》卷五十)。

初八日,黄钺简放山东乡试副考官。据《黄勤敏公年谱》。

朱珪奉命暂署管理国子监事务。据《南厓府君年谱》。

俞正燮在德州。据《癸巳类稿》卷十二。又,作《书管子后》,见《癸巳类稿》

卷十四。

阮元于西湖建白居易祠成。据《雷塘庵主弟子记》。

《御制诗初集》刊成。据《恩福堂年谱》。

八月

初十日，潘世恩调补户部左侍郎。十五日，得旨放浙江学政。据《思补老人自订年谱》。

十五日，赵怀玉、吴锡麒、洪亮吉等游上海。《洪北江先生年谱》："八月，重游上海。李观察邀同先生及吴祭酒锡麒、祝编修堃、赵表弟怀玉诸人以中秋夜泛月至吴淞江，饮宴达旦，各有诗纪事。""是岁得诗二百五十九首，文二十一篇。"

吴荣光充顺天乡试同考官。是年，荣光从翁方纲讲金石考据之学。据《荷屋府君年谱》。

阮元撰《积古斋钟鼎彝器款识》十卷至是刻成。据《雷塘庵主弟子记》。

九月

郭麐序屠倬所编《是程堂初集》四卷。据朱彭寿《清代人物大事纪年》。

阮元作《扬州阮氏家庙碑》、《嘉禾图跋》。据《雷塘庵主弟子记》。

张维屏乡试中式。主考为陈嵩庆、陈寿祺。是年，仍撰《松心日录》。据《张南山先生年谱撮略》。

秋

乡试。戴均元主试江南。（《戴可亭相国夫子年谱》）陈寿祺典试广东。（《碑传集》五十一）王引之充贵州乡试正考官，元和吴玉松副之。（《王伯申先生年谱》）吴荣光充顺天乡试同考官。（《国史馆传稿·吴荣光传》）李宗昉充陕甘副考官。（《清秘述闻》）鲍桂星充河南正考官。（《稚圭府君年谱》）中式者有：程恩泽（阮元《诰授荣禄大夫户部右侍郎兼管钱法堂事务春海程公墓志铭》）、李兆洛（蒋彤《武进李先生年谱》）、林则徐（《云左山房文钞》卷二）、林聪彝（《文忠公年谱草稿》）、严学淦、徐熊飞、邓显鹤、黄培芳（《清代人物大事纪年》）、何凌汉（阮元《诰授光禄大夫经筵讲官户部尚书晋赠太子太保谥文安何公神道碑铭》）、周之琦（《稚圭府君年谱》）、周仪暐（梅曾亮《周伯恬家传》）。

焦循撰《论语通释》一卷。书凡十二篇，"曰圣、曰大、曰仁、曰一贯忠恕、曰学、曰知、曰能、曰权、曰义、曰礼、曰仕、曰君子小人"。是年九月，焦循作《论语通释自序》。据闵尔昌《焦理堂先生年谱》。

程瑶田作《家献可孝廉家传》、《丞隐记》。据《程易畴先生年谱》。

彭兆荪赴邗上，客曾宾谷、张敦仁幕。本年，兆荪与临川乐钧、阳湖刘芙初、元和顾广圻交。时三人与兆荪同客扬州郡斋者也。徐承恩《耳食录序》云："犹忆甲子、乙丑间，余与刘芙初、陆祁孙、金手山辈，同客曾侍郎两淮官署，一时琴樽文史之盛，冠于江南。"自甲子至丙寅，兆苏为《观涛集》一卷。是年，作诗五十六首，有《赠汪孟慈序》。据《彭湘涵先生年谱》。

十月

二十日，钱大昕卒，年七十七。嘉庆十二年丁卯四月，奉旨入祀乡贤祠，纂入《国史·儒林列传》。卒年，大昕有《冯补亭诗序》、《石鼓文读序》、《九容广注序》、《杨氏家谱序》等文，皆不载集中。大昕殁后，其子孙为之校刊《潜研堂文集》、《养新余录》；瞿中溶、许希冲又以《金石文字目录》、公门人李赓芸以《考史拾遗》、《王伯厚年谱》、《王元美年谱》、《补唐五代宋学士年表》、黄钟以《元史氏族表》、《潜研堂诗集》先后付梓。钱塘何元锡又于日记中摘取所见古书金石及书院策文汇为一帙刻之，题曰《钱氏日记钞》。后仪征阮氏、江宁汪氏、海盐吴氏复有《恒言录》、《四史朔闰考》、《声类疑年录》之刻。据《钱辛楣先生年谱》。钱泳《履园丛话·耆旧》曰："掌教苏州紫阳书院者十余年。其学无所不通，所著有《廿二史考异》、《金石文跋尾》、《十架斋养新录》、《潜研堂诗文全集》、《三统历述》诸书，精深纯粹，贯综百家，是合惠、戴两家之学而集为大成者也。余尝谒先生于书院，听其言论，娓娓不倦，大江南北学者，莫不推尊先生为第一人。"袁翼曰："先生钟光岳气完之运，立尧舜赓歌之廷，年甫及艾，养疴里门。虽位止九卿，功业未显，而道德文章中外仰之如泰山北斗。著述之富网罗百家，沾溉艺苑。高丽使臣在都购其诗文集，鬻诸国中，与香山之日本新罗钞写其本者亦复相似，故翼谓先生即我朝之白傅也。"（《钱辛楣先生年谱序》）王昶《詹事府少詹事钱君大昕墓志铭》曰："君弱冠与东南名士吴企晋、赵损之、曹来殷辈精研风雅，兼有唐宋。官翰林十余年，所进应奉文字及御试诗赋，恒邀睿赏。故诗格在白太傅、刘宾客之间；文法欧阳文忠、曾文定、归太仆，从容渊懿，质有其文。读其全集，如见为端人正士也。"江藩《钱詹事大昕记》曰："先生不专治一经而无经不通；不专攻一艺而无艺不精。经史之外，如唐宋元明诗文集、小说笔记、自秦汉及宋元金石文字、皇朝典章制度、满洲蒙古氏族，皆研精究理，不习尽功。古人云：经目而讽于口，遇耳而阔于心，先生有焉。戴编修震尝谓人曰：当代学者，吾以晓征为第二人。盖东原毅然以第一人自居。然东原之学，以肆经为宗，不读汉以后书。若先生学究天人，博综群籍，自开国以来，蔚然一代儒宗也。以汉儒拟之，在高密之下，即贾逵、服虔亦瞠乎后矣，况不及贾、服者哉！"（《碑传集》四十九）《晚晴簃诗汇》卷八十三收诗十二首，诗话："竹汀诗溯源汉魏，出入唐宋，春容渊雅，蔚为大宗。晚年优游林下，得意成咏，性情之萧旷，议论之确核，较少壮时又过之，论者谓其诗格在白太傅、刘宾客之间。"洪稚存曰："钱少詹诗如汉儒传经，酷守师法。"（《北江诗话》）王昶曰："君聪颖非常，髫龀时，即有神童之誉。以召试入内阁，再入词垣。覃研经史，根柢精深。诗赋之外，究心数理，精蕴历象考成，能通中西之学。秦文恭公修《五礼通考》，属以相助。自广东学政衔恤归家，有终焉之志。历主书院，辄以小学、《尔雅》授生徒。所撰《二十一史考异》，又撰《金石跋尾》四集，盖郑夹漈、王深宁之流亚也。诗清而能醇，质而有法，古体文亦以震川为归。年七十五，追溯为诸生已六十年。有司循例请重游泮宫，因有句云：'三不朽间当立脚，四先生往孰差肩。'其实唐娄诸公，断不逮其百一也。"（《蒲褐山房诗话》卷一六）《清史稿》本传："大昕始以辞章名，沈德潜吴中七子诗选，大昕居一。既乃研精经、史，于经义之聚讼难决者，皆能剖析源流。文字、音韵、训诂、天算、地理、氏族、金石以及古人爵里、事实、年齿，了如指掌。古人贤奸是非疑似难明者，典章制度昔人不能明断者，皆有确见。惟不喜二氏书。"

十一月

十八日，段玉裁跋钱大昕钞本《西游记》。据《段玉裁先生年谱》。

顾广圻粗阅孙志祖《文选考异》一过。据赵诒琛编《顾千里先生年谱》。

那彦成调两广总督。据徐士芬《那彦成传》（《续碑传集》卷九）。

十二月

二十四日，刘墉卒，年八十五。赠太子太保，入祀贤良祠，谥文清。据《东华续录》嘉庆十八。《晚晴簃诗汇》卷八十收诗四首，诗话曰："文正清德重望，雅不欲以词章自见。文清继相，克守庭诰，故虽燮理之暇，述作不倦，而集中率多拟古和韵及赓飏进御之作。王兰泉言十余年来，得公手书，近诗甚夥，清新超悟，有香山、东坡风格。陈子韶尝合梁山舟书镌于西湖上，名曰'刘梁合璧'，书名过重，诗为所掩。"王揖唐《今传是楼诗话》五○○："诸城刘文清公石庵，遭际承平，扬历中外，其相业为书名所掩，且工诗而诗名亦不著，遗集由从孙燕庭方伯印行，英煦斋和谓为'高而不飘，华而不缛，雄而不矜，逶迤而不靡'，虽不无溢美之词，要其中正和平，语多见道，固为吾乡笃素、澄怀诸集相近，亦见一时之风气矣。""余最喜其《题画》二首云：'达人胸次阔，万景相摩荡。世缘了不侵，一室聊自养。筑屋不须多，种竹或三两。窗间听禽友，庭下拜石丈。白云从何来，亦复向何往。我心与之俱，吞吐不容强。……'，'杜老老何有，庭中有独树。……苍然图画中，乃得浣花路。'两诗冲夷淡远，如其作书。"

月末，孙玉庭调补广西巡抚。百龄调补广东巡抚。据《寄圃老人自记年谱》。

桂馥以翁方纲昨寄札装册寄来求题，翁方纲有诗二首。据《复初斋诗集》。

阮元辑《海运考》二卷成。据《雷塘庵主弟子记》。

冬

鲍桂星充国史馆总纂、《词林掌故》总纂。据《觉生自订年谱》。

顾广圻《百宋一廛赋》成。江标《黄荛圃先生年谱》："春，自庐州晋江张太守所寄示先生，先生注之，至秋成。适顾广圻归里，与商榷焉。"

彭元瑞、刘凤诰、俞正燮同撰《五代史记补注》七十四卷。据《俞理初先生年谱》。

本年

消寒诗社初次集会。成员有陶澍（云汀）、朱珔（玉存、兰坡）、吴椿（荫华，退旃）、顾莼（南雅）、夏修恕（森圃）、洪占铨（介亭）等人。诗多饮酒赏花之作。一年后诗社暂中止。陶澍《潘功甫以宣南诗社图属题抚今追昔有作》："忆昔创此会，其年维甲子；赏菊更忆梅，名以消寒纪。（嘉庆九年初举此会，朱兰坡斋中以赏菊为题，吴退旃斋中以忆梅为题）。与者夏顾洪，聚散一期耳。（顾南雅、夏森圃、洪介亭皆入会。明年秋，余以艰归，诸君亦多风流云散矣。）"（《陶文毅公全集》卷五四）

张琦、汤贻汾、董士锡等十三人为平山堂之游。《汤贞愍公年谱》："公自莅三江任后，每岁必频频往来于扬州，皆居琼花观。获交曾宾谷燠、吴穀人锡麒、洪桐生梧、伊墨卿秉绶、彭甘亭兆荪、王惕甫芑孙、乐莲裳钧、蒋秋竹知节、闻春帆志垲、张桂岩赐宁、陈曼生鸿寿、金手山学莲、许春卿之翰、储玉琴润书及杨小梧、周崑生诸先生。""是岁，有《储玉琴招集十人口占》及《琼花观燕集》并《十三人放舟平山堂》诸诗。玉琴之招，刘芙初先生嗣绾与焉。琼花观之集，黄心盦承增、张雪槎昊、包慎伯世臣三先生与焉。平山堂之游，李瘦仙、张翰风琦、董晋卿士锡、凌晓楼曙及刘卧松、张芙塘、李玉坡、陆芑园、毕成之诸先生并释澹庵与焉。"

吴荣光从翁方纲讲金石考据之学。据《吴荣光自订年谱》。

彭兆荪与顾千里同寓扬州郡斋。彭兆荪有赠千里诗曰："异书雠尽宿罗胸，奇士端应让顾雍。亦是诸侯门下客，太阿秋水要藏锋。"据赵诒琛《顾千里先生年谱》。

张问陶在翰林院国史馆。十月，在京师作《依竹堂初冬即事》。据《张问陶年谱》。

陆继辂、郭麐以诗通问万承纪，时承纪于丹徒县知县任。据《灵芬馆二集》。

包世臣游扬州，得识凌曙、刘文淇诸贤。据《包慎伯先生年谱》。《艺舟双楫》卷八《刘国子家传》云："江淮间有笃行君子曰怀瑾刘君者。嘉庆甲子，余再至扬州，识凌曙晓楼以识君及君子文淇孟瞻。晓楼盖君妻弟也。孟瞻时年十二三，颖敏诚朴，善读书，余尤爱之。"

周济访包世臣于白门。《包慎伯先生年谱》："是岁，荆溪周保绪访先生于白门，一见即问难，竟日归，则取诗文旧稿叠尺付之火。"

山东巡抚铁保疏请立汉儒郑玄世袭五经博士。纪昀于礼部议奏，并就铁保原疏二件及丘氏《左传精舍志》原序，考证其纰缪处几十以驳之。据贺治起、吴庆荣《纪晓岚年谱》。

祁寯藻始学诗，时年十二岁。据祁寯藻撰、祁世长续《观斋行年自记》。

汤金钊署实录馆提调。据《先文端公自订年谱》。

吴德旋弃科举业，专志于学。据姚椿《吴仲伦先生墓志铭》。

沈维鐈应阮元之聘主讲嘉善魏塘书院。据《鼎甫府君年谱》。

秦瀛病愈补广东按察使。据陈用光《予告刑部右侍郎秦公遂庵墓志铭》（《续碑传集》卷八）。

张崟主修《丹徒县志》成。据鲍鼎编《张夕庵先生年谱》。

姚鼐作《朝议大夫户部四川司员外郎吴君墓志铭》、《新城陈君墓志铭》、《中宪大夫杭嘉湖道长沙周君墓志铭》。据郑容甫《姚惜抱先生年谱》。

潘瑛于怀宁刻所辑《国朝诗萃》十卷、二集十四卷。据《皖雅初集》。

孙尔準自编戊申至是年诗为《摩燕集》。据《平叔府君年谱》。

臧庸著《皇清经解》。据黄丽镛《魏源年谱》。

阮元为段玉裁刻《说文解字注》第五篇上。据《段玉裁先生年谱》。

刘逢禄主东鲁讲舍，著《春秋释例》三十卷成。据《雪桥诗话》一〇。

曾燠所辑著《赏雨茅屋诗集》、《江西诗征》刊行于扬州。据《贩书偶记》。

小停云馆刊师范辑《二余堂丛书》本屠绅《鹗亭诗话》一卷。《鹗亭诗话》一卷，屠绅撰，有嘉庆九年小停云馆刊师范辑《二余堂丛书》本、光绪十五年江阴金氏刊金武祥《江阴丛书》本。此书系屠氏乾隆四十八年任师宗知县时，集朋侪于官署中鹗亭宴乐所作，凡三十六则。各条分署作者姓名，屠撰仅四则，全书当属屠绅辑。末一则有"甲辰冬，笏岩以诗话见示"云云，知书成于乾隆四十九年。内容多为寓言储说之流，不尽论诗。又《江阴丛书》本增辑屠氏事迹为附录一卷。据张寅彭《新订清人诗学书目》。

方芳佩《在璞堂吟稿三刻》刊行。《在璞堂吟稿》一卷、《续稿》一卷、《三刻》一卷，方芳佩撰，《杭州府志》、《贩书偶记》著录。《在璞堂吟稿》有乾隆十六年年刊本，写刻极精。前有沈德潜、方德发、杭世骏及徐德音序。《三刻》嘉庆九年甲子刊印，有自序。据胡文楷《历代妇女著作考（增订本）》。

张埏辑《息影偶录》八卷有本年刊本。据《中国古代小说总目》文言卷。

西土痴人作《常言道序》。据清嘉庆十九年刊本。[按，《常言道》，四卷十六回，清人撰，姓氏不详，题"落魄道人编"。此书讽刺逐利之徒，回目字数参差不齐，有六字句，亦有十三字句。]

李斗合所著《岁星记》、《奇酸记》二传奇、《永报堂诗》八卷、散曲集《艾堂乐府》一卷及《扬州画舫录》，编为《永报堂集》刊成。据《贩书偶记》二〇。《岁星记》传奇凡二卷二十四出。作者自云："辍翰几席上，扬声粉黛间。握牍不斯须，教坊咸流传，画壁惊时髦，顾曲嗟前贤。庸音岂家法，杂体不足诠。"（《题辞》）立堂老人评云："集中无一处提纲过脉，不从经营意匠而成；无一出琢字炼句，不从刻骨恂心而出。故令读者怵目惊心，不可思议。作者盖于此道三折肱矣，当与东方生一赞并传不朽。"焦循序云："岁乙丑，访李君艾塘于防风馆，见其近作《岁星记》传奇，本《列仙传》'东方朔为岁星之精'也。夫曼倩在孝武时，文章不让相如，谏诤同于长孺（二句本方正学先生）。班生专为立传，而明辩汉时所传他事厅言怪事之非，则'岁星'之说，为孟坚所不信。然而惟岳降神，生甫及申。一代非常之人，未有不钟毓于星辰河岳之灵者，曼倩之为岁星，何独不然？艾塘此作，可与升庵、孝若、笨庵诸曲，比肩伯仲，夫又何碍？艾塘此记成，旋付歌儿。较曲者以不合律，请改。艾塘曰：'令歌者来，吾口授之。'且唱且演，关白唱段，一一指示，各尽其妙。嗟呼！论曲者每短《琵琶记》不谐于律，惜未经高氏亲授之耳。汤若士云：'不妨天下拗折嗓子。'此诨语也，

岂真拗折嗓子耶?"(《剧说》稿本引)是剧未见著录。现存嘉庆年间刻《永报堂集》所收本,北京图书馆藏;嘉庆间刻本,中国社会科学院文学研究所图书室藏。题《岁星记》,署"画舫中人撰"。首载署"嘉庆九年正月癸卯画舫中人识"之《题辞》并序,及立堂老人跋。其《奇酸记》亦未见著录。凡四折二十六出。本事出明兰陵笑笑生《金瓶梅词话》小说,杂取若干情节,稍加缘饰而成。现存嘉庆年间刻《永报堂集》所收本,北京图书馆藏;嘉庆间刻本,浙江图书馆藏。题《奇酸记》,署"画舫中人撰"、"防风馆客评"。首载苎樵山长撰之《跋》,及画舫中人自撰之《凡例》与《缘起》。据《古本戏曲剧目提要》。

本衙藏本《蜃楼志》刊行。罗浮居士《蜃楼志序》云:"小说者何,别乎大言言之也。一言乎小,则凡天地经义,治国化民,与夫汉儒之羽翼经传,宋儒之正心诚意,概勿讲焉。一言乎说,则凡迁、固之瑰玮博丽,子云、相如之异曲同工,与夫艳富、辨裁、清婉之殊科,宗经、原道、辨骚之异制,概勿道焉。其事为家人父子日用饮食往来酬酢之细故,是以谓之小,其辞为一方一隅男女琐碎之闲谈,是以谓之说。然则,最浅易,最明白者,乃小说之正宗也。世之小说家多矣。谈神仙者荒渺无稽,谈鬼神者杳冥罔据,言兵者动关国体,言情者污秽闺房,言果报者落于窠臼。枝生格外,多有意于刺讥;笔难转关,半乞灵于仙佛。……劳人生长粤东,熟悉琐事。所撰《蜃楼志》一书,不过本地风光,绝非空中楼阁也。其书言情而不伤雅,言兵而不病民,不云果报而果报自彰,无甚结构而结构特妙。盖准乎天理国法人情以立言,不求异于人而自能拔戟别成一队者也。说虽小乎,即谓之大言炎炎也可。"据嘉庆九年刊本。

华长卿(1804—1881)生。长卿原名长楳,字枚宗,号梅庄,晚号米斋老人,天津人。道光十一年中举。咸丰三年选授奉天开源训导。有《梅庄诗钞》三二卷、《黛香馆词钞》二卷、《石鼓文存》二卷等。事迹见《清史列传》本传。

黎兆勋(1804—1864)生。兆勋字伯墉、伯容,号樨村、磵门居士,黎恂子,贵州遵义人。官随州州判。著有《葑烟亭词》四卷、《侍雪堂诗》八卷。事迹见《全清词钞》卷一九、《黔诗纪略后编》卷二一。

斌椿(1804—?)生。斌椿字友松,满洲旗人。内务府正白旗汉军。历官郎中、山西襄陵县知县。有《海国胜游草》、《天外归帆草》、《成槎笔记》等。事迹见《晚晴簃诗汇》。[生年据《中国文学家大辞典》近代卷。]

褚华卒,年四十七。据邓长风《明清戏曲家考略三编·二十九位清代戏曲的生平材料》。《晚晴簃诗汇》卷一百十一收诗六首,引孙子潇语评曰:"文洲诗奇崛处似昌黎,汗漫处似东坡,亦间为朱弦清泛,近大历十子。盖其清气宿心发于妙旨,非以学而能,故无学而不能也。"

吴江史善长卒,年五十五。据张慧剑《明清江苏文人年表》。《晚晴簃诗汇》卷一百二十二收诗三首。王昶曰:"诵芬从其尊人客游秦陇,其诗铿锵激楚,殊有北地之风。既而秋帆制军湖广,苗民未靖,楚冠旋兴。诵芬来往荆、襄,日亲焚突之惨,故形之篇什者,虽一哭六太息,不是过也。体材似本杜陵,而炼词琢句,得之谢康乐、鲍明远者居多。"(《蒲褐山房诗话》卷四二)

江珠(女)卒,年四十一。据胡文楷《历代妇女著作考(增订本)》。

蒋业晋尚在世，年七十七。据张慧剑《明清江苏文人年表》。《晚晴簃诗汇》卷八四收其诗五首，诗话云："立厓诗颇效随园、瓯北之体，故两家皆称之。于驰骋中不涉轻佻，差为可取。在官时因文字之狱牵连遣戍，久之始归。吴中推为耆旧，与潘榕皋、韩旭亭诸人唱和。晚作渐趋平易矣。"

公元 1805 年（嘉庆十年　乙丑）

正月

初四日，张金镛（1805—1860）生。金镛原名敦瞿，字良辅、良甫、鉴伯，号海门、忍庵，浙江平湖人。道光辛丑进士，改庶吉士，授编修。官至侍讲。著有《躬厚堂诗初录》四卷、《诗录》一〇卷、《绛跗山馆诗录》三卷、《杂文》八卷、《附录》一卷等。事迹见《续补碑传集·作者纪略》、《桐城文学渊源考》卷四。〔生日据朱彭寿《清代人物大事纪年》。〕

初六日，朱珪、纪昀等作五老会。据《知足斋诗续集》卷二。

初十日，王杰卒，年八十一。据阮元《王文端公年谱》。《晚晴簃诗汇》卷九十收诗一首，诗话云："朱文正为文端作墓志，称其学品似王鲁斋，甲第同康对山，受两朝知遇，赓飏之作哀然成集。殿试初拟第三，高宗亲拔第一，御制纪事诗云：西人魁榜西平后，可识天心偃武时。年垂八十，以病乞休，仁宗御制诗送之，云：'直道一身立廊庙，清风两袖返韩城。'世谓可尽其生平云。"

十五日，俞正燮于北京作《书〈旧五代史·乐志下〉后》。本年，正燮作《书孙冯翼〈禹贡地理古注考〉后》、《王勃滕王阁序书后》、《答葛君昶书》等文。据《俞理初先生年谱》。

二十六日，朱珪奉旨补授体仁阁大学士，管理工部事务。先是，蒙帝问所作诗，答未敢一日废作诗事。又云：自少至老共哀辑得诗三十余卷，门生阮元为选刻二十卷。上命进呈。至是日，嘉庆帝发下御制《题石君大学士〈知足斋诗集〉》，用集中《嘉庆元年七月旬日内连奉廷寄恩旨命珪来京将授为大学士恭纪四首》诗韵为题。据《南厓府君年谱》。

苏去疾卒，年七十八。据姚鼐《苏献之墓志铭并序》（《惜抱轩文后集》卷七）。《晚晴簃诗汇》卷九十二收诗三首。王昶曰：献之树节孤峭，天怀夷旷，凤喈常以张覆舆、殷伯岩为比。乐府最古质奇奥，然如："河汉淡无影，沧江流有声"；"独夜久不寝，雨声闻更凉"；"夜凉风遽起，明月满前村。"又极清远萧淡。由庶吉士改主事，出为知州，与世聱牙，遂谢病归。家居三十余年，杖履逍遥，朱颜白发，视听不衰，虞山人指以为仙。（《蒲褐山房诗话》卷二八）

铁保补授两江总督。是年有《徐州纪事诗》。据《梅庵自编年谱》。

冯敏昌复受聘于粤秀书院。据冯士镳《先君子太史公年谱》。

何元锡应阮元之命修《两浙金石志》成。此稿后在粤删刻之。据《雷塘庵主弟子记》。

二月

初四日，朱珪充会典馆国史馆正总裁。据《南厓府君年谱》。

十四日，纪昀卒，年八十二。据《纪晓岚年谱》。《晚晴簃诗汇》卷八十二收诗二十三首。诗话云："文达以学问文章早受主知，乾嘉间凡大著作皆出其手。校理秘书，博综群籍，才力宏富，余事为诗，不求奇诡而恢然有余。集中多华贵典赡之作，中年谪戍塞外，所作乌鲁木齐杂诗百六十首，韵节和雅，无愁苦之音，尤可征其蕴福之厚。"《清史稿》本传："昀学问渊通。撰四库全书提要，进退百家，钩深摘隐，各得其要指，始终条理，蔚为巨观。惩明季讲学之习，宋五子书功令所重，不敢显立异同；而于南宋以后诸儒，深文诋諆，不无门户出入之见云。""乾隆中年后，多以武功致台鼎。若三宝、永贵、国治、英廉，皆先陟外台，扬历著声绩。国治直枢廷十余年，先后与于敏中、和珅未尝有所阿。新、元瑞、昀起侍从，文学负时望。新谨厚承世远之教。昀校定四库书，成一代文治，允哉，称其位矣！"江藩曰："公于书无所不通，尤深汉《易》，力辟图书之谬。《四库全书提要简明目录》皆出公手，大而经史子集，以及医卜词曲之类，其评论扶奥阐幽，词明理正，识力在王仲宝、阮孝绪之上，可谓通儒矣。胸怀坦率，性好滑稽，有陈亚之称。然骤闻其语，近于诙谐，过而思之，乃名言也。公一生精力瘁于《提要》一书，又好为稗官小说，而懒于著书，少年间有撰述，今藏于家，是以世无传者。"（《国朝汉学师承记》）阮元《纪文达公遗集序》："我朝贤俊蔚兴，人文郁茂，鸿才硕学，肩比踵接。至于贯彻儒籍，旁通百家，修率情性，津逮后学，则河间纪文达公足以当之。""高宗纯皇帝命辑《四库全书》，公总其成。凡六经传注之得失，诸史记载之异同，子集之支分派别，罔不抉奥提纲，溯源彻委。所拟定总目提要，多至万余种。考古必衷诸是，持论务得其平。光稽古之圣治，传于无穷。准诸献王之写定《周官》、《尚书》、《礼》、《礼记》、《孟子》、《老子》，厥功尤茂焉。国家举大典礼，恭进颂册、恭和圣制，御制诸作，皆从心所发，雍容揄扬，有穆如之风。""他所著撰，体物披文，不袭时俗。所为诗，直而不亢，婉而不佻，抒写性灵，醖酿深厚，未尝规抚前人，罔不与古相合，盖公鉴于文家得失者深矣。""公之学在于辨汉宋儒术之是非，析诗文流派之正伪。主持风会，非公不能。"王昶《蒲褐山房诗话》："君闳览博闻，文情华赡。少日已为史文靖公、刘文正公激赏。及再入词垣，适以词臣奏请将《永乐大典》内人间罕觏之书钞录流布，既而求天下遗书，开四库馆，命君与陆君锡熊总司其事。考异同、辨真伪，撮著作之大凡，审传本之得失，撰为提要；其未钞录者则为存目以识之。分缮七部，贮于文渊阁、圆明园、热河、盛京及扬州、金山、杭州诸处，嘉惠来学。又加以提要二百卷，使读者展阅了然。盖自列史艺文、经籍志及《七略》、《七录》、《崇文总目》诸书以来，未有闳博精审如此者。逮为礼官之长，遇乾隆六十年内禅，礼官参稽经训，综以会典，斟酌举行，亦君所拟定者为多。而于寻常所著，不复珍惜成编。"（《湖海诗传》卷十六）陈鹤《纪文达公遗集序》："我师河间纪文达公，以学问文章著声公卿间四十余年，国家大著作非公莫属。其在翰林校理《四库全书》七万余卷，《提要》一书，详述古今学术源流、文章体裁异同分合之故，皆经公论次方著于录。尝语人，自校理秘书，纵观古今著述，知作者固已大备，后之人竭其心思才力，要不出古人之范围；其自谓过之者，皆不知量之甚者也。故生平未尝著书；间为人作序、记、碑、表之属，亦随即弃掷，未尝存稿。""公虽不欲以文词自名，而名之播于世者久。故自公之存而馆阁诗赋、南行杂咏、试帖《我法集》并为世所传诵；碑志文字，请求者踵相接。"按，纪氏著作，诗文有《纪文达公遗集》，有嘉庆十七年家刻本、道光三十年小鄌缳山馆刻本、宣统二年上海保粹楼石印本、《纪晓岚诗集》（南开大学图书馆收藏）。又《阅微草堂笔记》，有嘉庆五年刻本，道光十三年刻本；《明懿安皇后外传》，有 1914 年《小说月报》5 卷 12 期铅印本；《唐人试律说》、《庚辰集》有平槐堂刻本；《景城纪氏家谱》有嘉庆间刻本。1995 年，河北教育人民出版社出版《纪晓岚文集》，共三册，孙致中、吴恩扬、王沛森、韩嘉祥校点，收录《纪文达公遗集》、《阅微草堂笔记》、《明懿安皇后外传》、《唐人试律说》、《庚辰集》、附《景城纪氏家谱》、《纪晓岚年谱》。其《玉溪生诗说》二卷《补遗》一卷，有光绪十三年吴县朱氏槐庐家塾刊《槐庐丛书》（三编）本、民国间中华图书馆铅印本。此书一名《李义山诗话》。

梁章钜进京引见。是年，辑《南省公余录》四卷，谢振定为之序。嗣后拓为八卷付梓。据《退庵自订年谱》。

赵怀玉至上海，助李廷敬修《二十三史节要》。初，李廷敬欲仿吕伯恭《十七史详节》为《二十三史节要》，久而未就，于嘉庆九年冬书邀怀玉同修之。怀玉因于十年二月赴上海。同修书者，何琪、林镐。怀玉分得《宋史》。八月，《宋史》成。据《收庵居士自叙年谱略》。

祁韵士以局库亏铜案发伊犁。据《万里行程记》附《鹤皋年谱》。

三月

会试。考官：内阁大学士朱珪、户部尚书戴衢亨、吏部侍郎恩普、户部侍郎英和。题"子曰老者"三句，"喜怒哀乐 之中"，"夫志至焉"四句。赋得"我泽如春"得"春"字。据《清秘述闻续》卷一。赵慎畛充会试同考官。据姚莹《赵文恪公行状》（《续碑传集》卷二十二）。邓廷桢充会试同考官。据《邓尚书年谱》。鲍桂星磨勘会试卷。据《觉生自订年谱》。

吴荣光授江南道监察御史。据《国史馆传稿·吴荣光传》。

洪亮吉与修《泾县志》。次年志成，得三十二卷。是岁，亮吉得诗三百四十三首，文二十二篇。据《洪北江先生年谱》。

钱泳抵京，双钩《诒晋斋帖》、《清爱堂帖》。《梅溪先生年谱》云："先是，九年八月，成亲王奉旨刻《诒晋斋帖》。至是，复欲续刻。京师古人咸荐先生。先生遂于二月间束装北上。三月抵京，为成亲王双钩《诒晋斋帖》十六卷、《巾箱帖》四卷。又有户部右侍郎刘公镮之亦奉旨刻刘文清公《清爱堂帖》。先生又为双钩，几至日无余暇。八月，始回南，命公勒石。"

顾广圻往扬州张古余处。在扬州纂《石研斋书目序》。时彭兆荪亦在扬州。据赵诒琛编《顾千里先生年谱》。

周永保作《瑶华传跋》。跋云："乙丑之春，得见香城先生《瑶华传》钞本一册，乃喟然叹曰：天下未尝无才也，其淹没于刽剧所不及者岂少也哉！……非胸中别有丘壑，笔下可走虬龙，其孰能与于此？真四大奇书之嫡派也。岂散漫芜秽之《红楼梦》所能梦游其境者哉！"据道光二十五年慎修堂刊本《瑶华传》。[按，《瑶华传》十一卷四十二回，丁秉仁撰。秉仁字香城，清嘉庆间苏州人。是书演明季福王常洵女瑶华事。]

焦循序《剧说》。闵尔昌《焦理堂先生年谱》："先生壬子冬月，于书肆破书中得一帙，杂录前人论曲论剧之语，引辑详博而无次序。乙丑，养病家居，因取前帙，参以旧闻，名曰《剧说》。"四月，焦循有《钞何有轩文集序》。六月，有《郑舍人文集序》、《朱登三兄弟同寿序》。十月初四日，丁母忧。据闵尔昌《焦理堂先生年谱》。

四月

十三日，孔继鑅（1805—1858）生。继鑅字宥函，大兴籍，山东曲阜人。道光丙申进士。官刑部主事。殉难。有《心向往斋诗》二○卷。事迹见吴昆田《孔宥函传》。[生日据朱彭寿《清代人物大事纪年》。]

十八日，御史蔡维钰奏《严禁西洋人刻书传教折》。据《清史编年》。

二十日，陶澍散馆引见，授编修。据《陶文毅公年谱》。

二十七日，翁方纲、吴荣光、叶梦龙同观《郎官石柱记》于苏斋。本年，翁方纲有文：重刻《王文简五七言诗钞序》、跋《群玉堂米帖》等。据沈津《翁方纲年谱》。

殿试。赐一甲彭浚、徐颋、何凌汉进士及第，二甲徐松、李兆洛、孙尔准、姚元之、汪全德、胡敬、聂铣敏、陈鸿墀、吴存楷、胡承珙、蒋湘垣、董桂敷、孙原湘等进士出身，三甲时铭、黄承吉、穆彰阿、朱为弼、陈三立、周济、童槐、熊士鹏等同进士出身。据《历科进士题名录》。

恽敬由南昌至瑞金。是年，得文四：《游翠微峰记一》、《游翠微峰记二》、《书获刘之协事》、《姜太孺人墓志铭》。据《大云山房文稿》。

阮元刻《熙朝雅颂集》成。跋云："我皇上御极之九年，山东巡抚臣铁保采辑八旗诗进呈，蒙皇上赐名《熙朝雅颂集》，制序以加其首，诚圣代之大文，艺林之盛事也。"（《雷塘庵主弟子记》）

铁保邀姚鼐至金陵，姚鼐自此主讲钟山书院凡十一年。是年，姚鼐作《复姚春木书》、《吴石湖家传》、《修职郎砀山县教谕瞿君墓表》、《中宪大夫松太兵备道章君墓志铭》、《顺天府南路同知张君墓志铭》、《孙母许太恭人墓志铭》。据郑容甫《姚惜抱先生年谱》。

乐钧之扬州。翁方纲仿《同学》一首为乐钧别。据沈津《翁方纲年谱》。

五月

十四日，戴煦（1805—1860）生。煦初名邦棣，字鄂士，号鹤墅、仲乙，浙江钱塘人。道光六年，受知于浙江学使朱士彦，补博士弟子员。后又补增广生，援例入成均。后绝意进取。著有《汲斋剩稿》。事迹见曹籀《戴鹤墅传》、诸可宝《戴煦传》（《碑传集补》卷三十二、四十二）。

二十二日，刘台拱卒，年五十五。据朱彬《刘先生台拱行状》。《行状》曰："先生为学自六书九数以至天文律吕，莫不穷极幼眇，而于声音文字尤深。其考证名物，研精理义，未尝离而二之。传注有未确，虽自古经师之故训，亦不为苟同。于汉宋诸儒绝无依傍门户之见。"（《碑传集》卷一三五）

姚莹补安庆府学附生。据《姚石甫先生年谱》。

白莲教大起义结束。起义起于嘉庆元年，迄于本年，历九年而终。其势遍于湖北、四川、陕西、甘肃、河南五省，所经厅、县、卫、所达二百余。清廷调十六省之兵力以镇压之，耗饷二亿两，损伤极重。据贺治起、吴庆荣《纪晓岚年谱》。

斌良补授太仆寺主事，充实录馆纂修官。据《先仲兄少司寇公年谱》。

王昶自撰所编《湖海文传》七十五卷凡例。据朱彭寿《清代人物大事纪年》。道光十九年朱琦《湖海文传序》云："少司寇青浦王述庵先生，曩辑《湖海诗传》，早风行宇内。别有《湖海文传》，搜采甫竟，将付剞劂，而先生旋殁，余屡访不获。适先生同邑胡荔生孝廉肄业讲院，急问咨，云：'方庀工。'俄持初刻稿本来，则炳炳烺烺，诸体具备，兼善考据，非徒作空谈。详核其人，盖皆先生所及接中，惟数巨公科目稍前，而通显实当乾隆间，余大抵系丙辰建元以后，是先生衷集者，固乾隆一朝之文也。""我朝文治超越百代，康熙初，已开博学鸿词科，闳才伟制，光采照耀，继起者往往不乏，久之或渐趋平衍。高宗纯皇帝御极，制科再举，与前此已未相辉映。自是建辟雍，置石经，聚四库书，凡辽海奇编、羽陵秘笈，咸登于册，藏七阁。览者既藉可增其智识，助其波澜，矧奎藻丕焕，陶铸典谟，俾公卿得分日月之华，而习韶韺之响，竞怀铅椠思，自献以响龙虎之文。下及布衣韦带，且研摩砥厉，各欲成赡，著为文章，鲸铿春丽，声誉夙腾。元勋硕辅，折节倾慕，交游尤广。复提倡风雅，后进仰若山斗。故随地见闻，逐时甄录，冈弗精当。以之宣播来叶，蔚称大观。余寓苏颇晚，末从奉先生清尘，而简帙披寻，不啻身之亲炙。"胡玉缙《续四库提要三种》："《湖海文传》七十五卷，青浦王昶编。昶有《金石萃编》等。案，是集继《湖海诗传》而作，《诗传》以交游所及者为限，自序甚明，此编盖亦同之。甄录甫竟，将付剞劂而昶殁，邑人醵赀刊之。前有朱琦序，称'详核'其人，皆先生所及接，中惟数巨公科目稍前，而通显实当乾隆间，余大抵系丙辰建元以后，是先生衷集者，固乾隆一朝之文，其说是也。昶意主考证掌故，所采大率义据闳深，事实详核，而掉弄词锋之作，在所必屏，与古文家之必立间架、必分流派者不同，而论者往往弗喜。朱一新《无邪堂答问》直以为不佳，谭献《复堂日记》亦云'文多可传，不尽可读'，不知此非选本，不过藉以存故旧之文。其时考据之学正盛，如日中天，故所录皆炳炳琅琅，并以见国家之气运，阮元推为有明三百年来所无，此盖提倡实学者之言，实未足为论古文者之标准，而论者必欲以古文派相责难，则于知人论事之识，抑何缺如也？据周寿昌《思益堂日札》、金武祥《粟香三笔》，知此书及《诗传》诸编，皆臧镛堂、顾广圻、彭兆荪诸人所分纂，亦读者所宜悉，因并及之。"

六月

二十五日，凌廷堪丁母忧。据《凌次仲先生年谱》。

祁寯藻受业于平定张观藜。始学诸经四子书，学应试文字诗赋凡五年。据《观斋行年自记》。

吴锡麒为赵怀玉父撰墓志铭，陈廷庆为作正书刻之。赵怀玉复乞钱泳以分书写神诰，钱伯坰以正书写先妣及亡妻合葬志铭。据《收庵居士自叙年谱略》。

秦瀛入觐，见杨芳灿。二人互以诗文相质证。据《杨蓉裳先生年谱》。

福建提督李长庚调浙江提督。据《雷塘庵主弟子记》。

闰六月

初九日，陶必铨卒，年五十一。据秦瀛《例赠儒林郎翰林院编修黄江陶君墓志铭》（《小岘山人续文集》补编）。

十五日，阮元以丁父忧去浙江巡抚职。据《雷塘庵主弟子记》。

陶澍丁父忧。据《陶文毅公年谱》。

英和编辛酉至本六月古今体诗为《民部集》。九月，英和授实录馆总纂官，旋改总校官，复授内阁学士。据《恩福堂年谱》。

张古余撰《开方补记》九卷，顾广圻为后序。是时，钱塘屠倬同客邗江，索顾广圻赠诗一首。据赵诒琛《顾千里先生年谱》。

夏

陈鳣自序所自编《简庄文钞》六卷。据朱彭寿《清代人物大事纪年》。

七月

二十日，姚燮（1805—1864）生。燮字梅伯，号复庄，浙江镇海人。道光十四年举人。屡应会试不第。有《大梅山馆集》；诗《红桥舫歌》一卷、《西湖棹歌》一卷、《十洲春语》三卷；词《续疏影楼词》八卷、《苦海航乐府》一卷；文《复庄文酌》一二卷；传奇《眉心雪》、《退红衫》、《香山愿》；论著《词律勘误》、《今乐考证》一二卷等。事迹见《清史列传》本传、董沛《姚复庄先生墓表》（《续碑传集》卷八一）。〔生日据朱彭寿《清代人物大事纪年》。〕

二十四日，吴敏树（1805—1873）生。敏树字本深，号南屏、柈湖渔叟、乐生翁，巴陵人。有《柈湖文集》十二卷、《柈湖诗录》八卷。事迹见《清史稿》本传、《清史列传》孙鼎臣传附、郭嵩焘《吴君墓表》。

八月

张问陶作《秋日小园即事》八首。九月二十八日，出任江南道监察御史。同治

《苏州府志》卷一一二："嘉庆十年改御史，屡有建白：奏请甄别九卿之衰老恋栈者，上是之，见于施行。"（《张问陶年谱》）

黄丕烈刊手钞《百宋一廛赋》成。是年十月，黄丕烈跋校本《剧谈录》，得陆敕先手校本陆游《南唐书》跋之。十一月二十五日，黄丕烈跋新得旧钞本《毗陵集》。除夕，黄丕烈校九行二十二字本《穆天子传》毕，并跋。江标编《黄荛圃先生年谱》："见九行二十二字本《穆天子传》，手校之。又借陈仲鱼所得明钦范钦吉陈德文校刊本，又借周香严藏旧钞本合校之，大除夕毕，并跋。"

秋

王昶以《湖海诗传》、《青浦诗钞》、《续词综》寄嘱李富孙校雠。是年，富孙馆金华，兼掌丽正书院。据《校经叟自订年谱》。

伊秉授过访潘奕隽。据《三松自订年谱》。

十月

初九日，张穆（1805—1849）生。穆字诵风、石洲、石舟、硕州，号月斋，季翘、惺吾、靖阳亭长，山西平定人。道光二十九年十一月九日卒，年四十五。有《月斋文集》八卷、《月斋诗集》四卷等。事迹见《清史稿》祁韵士传附、《清史列传》何秋涛传附、《张石州先生年谱》。

法式善官侍讲学士。十一月，奉旨议叙加一级。是年，式善游天平翠微诸胜，有《西山唱和诗》。据《梧门先生年谱》。

十一月

鲍桂星出都视学河南。《觉生自订年谱》："朱文正夫子赠诗送行，有'鲍生赋仙才，文章富于火'等句。"

王昶《金石萃编》一百六十卷刊成。据《述庵先生年谱》。

十二月

十二日，鲍廷博东渡访汪辉祖，至十七日回。汪辉祖《病榻梦痕录·梦痕余录》云："予交以文四十年……尔来岁一访予。今七十有八，精神愈健，谈说旧事，靡靡可听，于书籍尤殚见洽闻。"

十九日，杨芳灿等集于秦小岘斋，人各有诗。据《杨蓉裳先生年谱》。

冬

阮元建隋文选楼成。楼分三楹，供奉曹宪、李善先贤。阮元作《扬州隋文选楼记》记之。据《雷塘庵主弟子记》。

彭兆荪作消寒会。兆荪本年有《寒雁篇》、《仇十洲崆峒访道图》、《淮海神弦曲》，皆消寒会中诗。又，兆荪本年得诗三十九首，有《广问大钧赋》、《淮海神弦曲序》等。据《彭湘涵先生年谱》。

本年冬至明年春，消寒诗社尝九集。与会者除朱琦、洪占铨、顾蒓外，朱士彦、李宗昉、卓秉恬、孙世昌、张本枝、黄茂、谢学崇为新入成员。诗社活动之情形可参见朱琦《小万卷斋诗稿》、李宗昉《闻妙香室诗》、黄丽镛《宣南诗社管见》（《上海师大学报》1980 年第 1 期）。

本年

伊秉绶由惠州罢复起用。据《述庵先生年谱》。

舒位移家苏州。与陈廷庆、伊秉绶等会碧寒山庄，复就馆松江。据《瓶水斋诗集》一二。

沈复随石韫玉入川，中途留荆州（因石韫玉改官陕）。据《浮生六记》三。

梅曾亮能为古今体诗。据刘文淇《贡士梅君墓志铭》。

程同文补授会典馆总纂修官。据《杨蓉裳先生年谱》。

昇寅获钦点为翻译会试同考官。《昇勤直公年谱》云："翻译考试向多弊端，公自是时与分校，取舍一本至公，力正颓风，初多不遂所求，群为非笑，后竟罔有干以私者。"

龚自珍始考古今官制。据吴昌绶《定盦先生年谱》。

铁保建正谊书院于沧浪亭。据《石隐山人自订年谱》。

李汝珍卸汴职，退居海州。据《镜花缘》前言。

阮元延汪喜孙修《图经》。时焦循、江藩、臧在东同馆"选楼"，袁寿皆亦时至。是年，汪喜孙识凌仲子于"选楼"，《年谱》谓"其气甚傲，不似儒者之度"。据《汪荀叔自撰年谱》。

秦瀛自广东调浙江布政使。据《述庵先生年谱》。

端木国瑚客永嘉。据《太鹤山人年谱》。

俞正燮为叶继雯襄纂《大清会典》（成于嘉庆二十三年）。据《俞理初先生年谱》。

孙原湘题瞿颉《菊亭谱曲图》。据《天真阁集》。

曾燠刻所辑《朋旧遗诗合钞》总二十三卷。据《贩书偶记》。

梁章钜在礼部仪制司任事。辑《南省公余录》，陆续得八卷。据《退庵自订年谱》。

陈鹤《桂门自订初稿》十卷刊成。据《桂门初稿序》。

杨芳灿撰《芙蓉山馆诗文钞》十二卷。据《崇雅堂书录》。

吴省兰罢京职。自本年始，着手编刊《艺海珠尘》，陆续得三百七十五卷。据《白华后稿序》。

梅石山人序无名氏《痴人福》。是书四卷八回，乃就李渔《奈何天》传奇改作。据孙楷第《中国通俗小说书目》。

陆继辂撰杂剧《碧桃记》。是剧又名《碧桃记乐府》。《今乐考证》著录。原折数未详，今存一折。本事见吴嵩梁《听香馆丛录》卷一《绿春词》自序，又见同书卷六吴云《莲花博士侍书岳氏绿春传》。今存《雨画》一折，收入吴嵩梁《香苏山馆全集》中，为其中《听香馆丛录》之卷二，有道光二十三年石溪舫刻本。据《古本戏曲剧目提要》。

陶澍辑壬戌至己丑诗为《玉堂草》。又，陶澍本年有《东巡赋》。据《陶文毅公年谱》。

张釡游扬州，作《傍花村看菊》等诗七首存集中。据鲍鼎《张夕庵先生年谱》。

李汝珍撰《李氏音鉴》成，李汝璜序。据朱彭寿《清代人物大事纪年》。

大经堂本《南海观音全传》四卷刊行。是书一名《南海观世音菩萨出身修行传》。据孙楷第《中国通俗小说书目》。

鲁一同（1805—1863）生。一同字通甫、兰岑，江苏山阳人。道光乙未举人。有《通甫类稿》四卷、《通甫类稿续编》二卷、《通甫诗存》四卷、《通甫诗存之馀》二卷、《右军年谱》等。事迹见《清史稿》本传、《清史列传》本传。

欧阳咏（1805—1844）生。咏字子季，号松洲，湖南桂东人。道光间拔贡。著有《宽闲堂遗文》。事迹见《国朝耆献类征初编》卷四四二。

黄燮清（1805—1864）生。燮清原名宪清，字韵珊、蕴山、韵甫、吟香诗舫主人、茧情生、两园主人，浙江海盐人。道光十五年举人。同治元年任宜都令，二年调松滋，任代理知县，甚有政声。未几卒。著《倚晴楼诗集》十二卷、续集四卷、《国朝词综续编》二十四卷、《拙宜园词》等。撰戏曲剧本《茂陵弦》、《帝女花》、《鸳鸯镜》、《凌波影》、《脊令原》、《桃溪雪》及《居官鉴》，合称为《倚晴楼七种曲》。事迹见《清史列传》姚燮传附。

刘在湄（1805—1881）生。在湄字仲伊，号拙斋，晚年自号无聊子，山西平定人。有《志过庵诗存》五卷。事迹见刘子韶《族祖拙斋公家传》。

刘存仁（1805—1880）生。存仁字炯甫，晚号蕅园，福建闽县人。咸丰三年举孝廉方正。著有《屺云楼诗初集》八卷、《诗经口义》一卷。事迹见《闽县乡土志》及其诗集。

李文瀚（1805—1856）生。文瀚字云生，号莲舫，别署讯镜词人，安徽宣城人。道光八年举人。官陕西知县、嘉定知府。著有传奇四种《胭脂舄》、《紫荆花》、《银汉槎》、《凤飞楼》，合成《味尘轩四种曲》。事迹见冯桂芬《四川候补道嘉定知府李君墓志铭》。

吴廷香（1805—1854）生。廷香字奉璋、兰轩，安徽庐江人。优贡生。咸丰元年，举孝廉方正。有《吴征士遗集》二卷。事迹见张裕钊《庐江吴征君墓表》（《续碑传集》卷六九）。

张应兰（1805—1854）生。应兰原名兰阶，改名应兰，字佩之，号南湖，江苏金匮人。道光二十三年举人。候选知县。咸丰三年从军，明年卒于山东临清。有《张南湖诗词存》一卷。事迹见《无锡金匮县志·忠节传》。

黄文琛（1805—约1881）生。文琛字海华，晚号瓮叟，湖北汉阳人。道光五年举人。历官武陵知县、宝庆知府、永州知府等。有《思贻堂诗草》十二卷、《续存》八卷、《三集》四卷、《思贻堂书简》八卷。事迹散见《思贻堂书简》、《思贻堂诗草》。

桂馥卒，年七十。据蒋祥墀《桂君未谷传》(《晚学集》卷首)。《清史稿》本传：
"馥与段玉裁生同时，同治说文，学者以桂、段并称，而两人两不相见，书亦未见，亦
异事也。盖段氏之书，声义兼明，而尤邃于声；桂氏之书，声亦并及，而尤博于义。
段氏钩索比傅，自以为能冥合许君之旨，勇于自信，自成一家之言，故破字创义为多；
桂氏专佐许说，发挥旁通，令学者引申贯注，自得其义之所归。故段书约而猝难通辟，
桂书繁而寻省易了。夫语其得于心，则段胜矣；语其便于人，则段或未之先也。其专
胪古籍，不下己意，则以意在博证求通，展转孳乳，触长无方，亦如王氏广雅疏证、
阮氏经籍纂诂之类，非以己意为独断者。"《晚晴簃诗汇》卷一百七收诗二十首，诗话云：
"未谷治《说文》荟诸家之说为《义证》，没后数十年始出，闳通博洽，成一家言。工大小篆
及汉隶，诗多不留稿，其孙显谌搜集刻行。马秋药为作序，谓其无意于为诗，又言平日论
诗多拘忌，某字未惬，某对未工，徐思涂乙，则固非无意于为诗者。即今所存，类皆骨干坚
凝，风格遒上，在同时流辈中正复未遑多让。无意为诗，岂能及是？"

永恩卒，年七十九。据姚鼐《礼恭亲王永恩家传》(《惜抱轩文后集》卷五)。

潘瑛卒。据《明清江苏文人年表》。《晚晴簃诗汇》卷一百十收诗四首，诗话曰：
"兰如侨居怀宁，辑《诗萃》，奉归愚为准则，所作气格清遒，不落凡近。王柳村以比
同时之吴澹川。"

公元 1806 年（嘉庆十一年　丙寅）

正月

英和编乙丑九月至是年正月古今体诗为《西馆集》。据《恩福堂年谱》。

童槐补军机章京。据《显考蓼君府君年谱》。

伊秉绶招赵怀玉葺《扬州图经》。《图经》之举，盖变郡志之名而为之者，出于伊
秉绶、阮元之意也。二月，赵怀玉抵扬州。十二月，赵怀玉由扬州还家，于丹徒遇杨
芳灿、韩文绮，是时二人俱以丁忧归，滞于丹徒。据《收庵居士自叙年谱略》。

二月

十一日，冯敏昌卒，年六十。嘉庆十四年仲秋，入祀乡贤祠。据冯士镳《先君子
太史公年谱》。《晚晴簃诗汇》卷一百一收诗十六首，诗话云："鱼山弱冠时受知于翁覃
溪。覃溪既殁，语及辄欷歔。初，以诗谒钱箨石，评谓岭南自曲江后，诸子皆存偏方
之音，惟冯生力追正始。黄香石谓曲江极其醇，至鱼山极其大，皆当以一代论者。鱼
山诗由昌黎、山谷上追李杜，贯穿诸家，自成蹊径。尝遍游五岳，周历边塞，广搜金
石，故其诗瑰奇怪特，盘郁崒嵂，岿然为岭南大宗。"钱泳《履园丛话·耆旧》曰：
"先生之学，经经纬史，而诗歌、古文、金石、书画亦靡不贯综。钦州在中华极南地，
接连交趾，有明至今无从科第，得之自先生始也。京师士大夫咸称为南方之学云。"吴
兰修《户部主事冯公敏昌传》曰："其论诗云：诗者，心声也。高下抗坠，啴缓噍杀，
各有一偏。惟天地之中声流入人心而发于诗，有中声必有元气。诗者，元气所为，非
一切区区格调之谓。能知元气之鼓万物，此之谓大家。故其诗由昌黎、山谷上追李、

杜,又穿穴诸家而自辟面目,开阖动荡,不名一体。巍然为岭南一大宗也。"王昶曰:"鱼山所居钦州,乃广东西南濒海处,盖地近安南,汉以来无文学士。鱼山读书砥行,无师而成。自官庶常,改户曹,盖以考订校雠为事。工书能诗,名山大川,必往登涉。又修《孟县志》,精确详审,有功于金石。丁忧归,遂不复出。闻在端溪书院主讲,从此山陬海澨,咸知古学,鱼山为之先导也。"(《蒲褐山房诗话》卷三六)

二十九日,钱仪吉、张澍、陈宝甫等同游嘉兴南湖。据《张介侯先生年谱》。

吴荣光充河南道监察御史。据《国史馆传稿·吴荣光传》。

凌廷堪主宣城敬亭书院讲席。据《凌次仲先生年谱》。

翁方纲重订《渔洋先生五七言诗》付梓。叶廷勋序云:"《渔洋先生五七言诗钞》,源流综贯,允为后学津梁。覃溪先生更为论定而辨析之,金针尽度,无余蕴矣。昨儿子梦龙官京师,以予平日考据诸条携于行箧,因得附缀,并付诸梓。"翁方纲本年有文:跋《张东海草书墨迹卷》、跋《王文成手迹》等。据沈津《翁方纲年谱》。

洪亮吉始修《宁国府志》。次年志成,得五十卷。亮吉是岁得诗三百十七首,文二十二篇,著《六书转注录》八卷,纂《泾县志》三十二卷。据《洪北江先生年谱》。

朱骏声调入正谊书院肄业。是年,中丞汪志伊开课紫阳。据《石隐山人自订年谱》。

三月

初十日,郑珍(1806—1864)生。珍字子尹,自号柴翁,又号巢经巢主、子午山孩、小礼堂主人、五尺道人,别署且同亭长,贵州遵义人。道光丁酉举人。官荔波教谕,特用知县。有《巢经巢诗钞》四卷、《巢经巢诗钞前集》九卷、《后集》六卷、《外集》一卷等。事迹见《清史稿》本传、《清史列传》本传、《郑子尹先生年谱》等。

二十二日,张启鹏(1806—1883)生。启鹏字幼溟、蔗泉,自号丽江居士,湖南长沙人。道光乙未举人。有《梅墅文钞》二卷、《诗钞》十卷、《友石词》二卷、《续编》一卷等。事迹见郭嵩焘《诰封朝议大夫张君墓志铭》。[生日据朱彭寿《清代人物大事纪年》。]

黄钺补授右中允。十月,补授翰林院侍讲。十一月,以原衔充日讲起居注官。据《黄勤敏公年谱》。

黄丕烈为钱竹汀刊《元史·艺文志》成。据江标编《黄荛圃先生年谱》。

鲍桂星擢洗马。十月,转侍讲。据《觉生自订年谱》。

张问陶作《暮春即事》三首。是年,问陶在都察院任监察御史。据《张问陶年谱》。

臧庸之扬寓阮元家。焦循顾焉。据闵尔昌《焦理堂先生年谱》。

春

黄丕烈入都晤王伯申。在京师,丕烈由举人挑一等,以知县用,发直隶,丕烈不欲就,纳赀议叙,得六部主事。五月,归里。本年,黄丕烈作《荛圃雅集诗画册》。江标编《黄荛圃先生年谱》云："标按，潘显之先生遵祁《西圃集》卷六有《题诗序》云：吾乡黄荛圃先生，举孝廉，当得县令，不就。茸荛园于王洗马巷。是册为嘉庆辛酉同人觞咏之作。会者六人，南昌万廉山承纪、修宁汪瀚云梅鼎、嘉定瞿木夫中溶、同里袁寿阶廷梼、李子仙□及主人黄荛圃丕烈也。"是年，黄丕烈得郡中青芝山堂所储钞本《靖康孤臣泣血录》，以明刊本校之。二月中旬，得宋本《梅花喜神谱》于琉璃厂文粹堂。

钱大昕诗集刊行。《瞿木夫先生自订年谱》曰："黄损之复刊……诗集，为编定正、续集各十卷，校梓。乞金坛段茂堂先生玉裁作序文。先外舅所著《潜研堂文集》，生前为及门友朋先后陆续分刊，未能整齐画一。至是全书刻竣。"

四月

初九日，俞万春作《〈荡寇志〉缘起》。咸丰元年万春子俞龙光《荡寇志识语》云："《荡寇志》所以结《水浒传》者也。感兆于嘉庆之丙寅，草创于道光之丙戌，迄丁未，寒暑凡二十易。"（咸丰三年刊本《荡寇志》）

恽敬由瑞金至南昌。十一月还瑞金。是年得文十一：《杂记》、《顾命辩上》、《顾命辩下》、《楞伽经书后一》、《楞伽经书后二》、《上曹俪笙侍郎书》等。据《大云山房文稿》。

阮元重修《皇清碑版录》。《雷塘庵主弟子记》："初，先生仿朱子《宋名臣言行录》、李幼武《续录》及杜大珪《名臣碑传琬玉录》之例，阅文集百余家及碑本，成《皇清碑版录》若干卷。因文集未备，阅至是，复付丹徒王秀才豫补辑之。"本年，阮元居忧，号雷塘庵主。

胡敬始主讲永嘉中山书院。据《书农府君年谱》。

五月

康基田因督催铜铅运迟延降二级，蒙恩以六部郎中用。据《茂园自撰年谱》。

戴璐卒，年六十八。据姚鼐《中议大夫太仆寺卿戴公墓志铭并序》（《惜抱轩文后集》卷七）。其所著《吴兴诗话》十六卷首一卷，有嘉庆元年家刊本、民国五年吴兴刘氏嘉业堂刊刘承幹《吴兴丛书》本、北京图书馆藏吴兴严氏随分读书斋钞本、台湾新文丰出版公司刊《丛书集成续编》本，据书前嘉庆元年自序可知，书之编撰始于乾隆五十九年，而成于嘉庆元年。据张寅彭《新订清人诗学书目》。

昇寅题补礼部祭司员外郎，充会典馆满文总纂官。《昇勤直公年谱》云："公学清文已至精通，自是《会典》清文多成公手。"

潘世恩得旨调补吏部右侍郎，仍留浙江学政任。据《思补老人自订年谱》。

六月

初七日，王昶卒，年八十三岁。道光十三年七月三十日礼部议准入祀乡贤祠。道光十三年礼部折云："王昶系江苏青浦县进士，由内阁中书历官至刑部右侍郎……该故员持躬端恪，植学闳深……居官以培养人才为己任，辑《天下书院志》一书，所言悉躬行实践之学……更能潜心经义，分纂《同文志五体通考》，并著《金石萃编》诸书，尤为士林模楷。"礼部《计开履历事实清册》云："（王昶）以书院为国家培养人材之地，故于云南之五华书院、江西之白鹿洞书院，在省会之友教书院，皆力为修葺，刊以条教。又以有司视为具文山长，专求词艺，因辑《天下书院志》一书，于养德育才之意三致意焉。致仕后历主太仓、青浦及浙江之敷文书院诂经精舍，教人必以通经致用根柢经史为务。""学识淹博，研穷诸经，泛滥子史百家……至朝闻录述庵丛语卷帙无多，悉皆躬行实践之学也。其所著诗文雅正，为诸生时，与钱大昕、王鸣盛等称'吴中七子'，所刊'七子诗'流传海外……晚辑《春融堂全集》六十八卷，诗以杜、韩、苏、陆为宗，而五言则源于王、孟、韦、柳，古文力追《左传》、《史记》、欧阳文忠、归氏震川，尤以载道为重。"严荣序其年谱曰："先生自通籍登仕途，四十余载扬历中外，文事武略皆能以功名自显，而学问文章之业未尝一日忘。鞅掌之余，更勤著撰，纂辑积至数箧。"阮元《诰授光禄大夫刑部右侍郎王公昶神道碑》曰："公之为学也，无所不通。早年以诗列'吴中七子'，名传海外。初学六朝初唐，后宗杜、韩、苏、陆。侍燕赓歌，赐赉稠叠。词拟姜夔、张炎。古文力追韩、苏。碑版之文照于四裔。积金石文字数千通，书五万卷。所至朋旧文燕，提唱风雅，后进才学之士执经请业，舟车错互，履满户外。士藉品藻以成名、致通显者甚众。公治经与惠栋同，深汉儒之学。《诗》、《礼》宗毛、郑，《易》学荀、虞。言性道则尊朱子，下及薛河津、王阳明诸家。"《清史稿》本传："昶工诗古文辞，通经。读硃子书，兼及薛瑄、王守仁诸家之学。蒐采金石，平选诗文词，著述传于世。"《国朝汉学师承记》曰："先生天资过人，于学无所不窥，尤邃于《易》。诗宗杜少陵、玉溪生，而参以韩、柳。古文则以韩、柳之笔发服郑之缊。功业文章炳著当代，求之古人中亦岂易得者哉？"姚鼐《述庵文钞序》曰："余尝论学问之事有三端焉！曰：义理也，考证也，文章也。是三者。苟善用之，则皆足以相济，苟不善用之，则或至于相害。今夫博学强识而善言德行者，固文之贵也。寡闻而浅识者，固文之陋也。然而世有言义理之过者，其辞芜杂俚近，如语录而不文；为考证之过者，至繁碎缴绕，而语不可了。当以为文之至美而反以为病者，何哉？其故由于自喜之太过，而智昧于所当择也。夫天之生才，虽美不能无偏。故以能兼长者为贵，而兼之中又有害焉，岂非能尽其天之所与之量，而不以才自蔽者之难得与？""青浦王兰泉先生，其才天与之，三者皆具之才也。先生为文，有唐、宋大家之高韵逸气，而议论考核，甚辨而不烦，极博而不芜，精到而意不至于竭尽，此善用其天与？以能兼之才，而不以自喜之过而害其美者矣。先生历官多从戎旅，驰驱梁、益，周览万里，助成国家定绝域之奇功。因取异见骇闻之事与境，以发其环伟之辞为古文，人所未有。世以此谓天之助成先生之文章者，若独异于人；吾谓此不足为先生异，而先生能自尽其才，以善承天与者之为异也。"（《惜抱轩文集》卷四）《晚晴簃诗汇》卷八十三收其诗二十一首，诗话云："兰泉博学善属文，诗兼宗杜韩苏陆，不名一家。早年从沈文悫游，与王凤喈、吴企晋、钱晓征、赵升之、曹来殷、黄芳亭称'吴中七子'，名传海外，在京与朱笥河互主骚坛，有'南王北朱'之目。洪北江评其诗'如盛服趋朝，自矜风度'。所至提倡风雅，执经载酒，户外屦满。尝从征大小金川，磨盾鼻治军书，不废吟咏，前后九载乃还。所过名山大川，皆足开拓心胸，故多恢博雄奇之作，致仕家居凡十二年，富金石书籍，所著各书流传最广者，为《金石萃编》、《湖海诗传》，几于家置一编。"袁枚云："王兰泉方伯诗，多清微平远之音。拟古乐府及初唐人体，最擅长。"(《随园诗话补遗》卷一)

十八日，何道生卒于宁夏，年四十一。据秦瀛《宁夏府知府兰士何君墓志铭》。《晚晴簃诗汇》卷一百五收其诗五首，诗话云："兰士久官水曹，工于计步，尝割宅居王惕甫，惕甫欲界墙庭中，有乱砖堆，君蹴其砖，纵横步数，久之曰：得矣。翌日召匠工作，如惕甫旨，而砖适尽。其精核类此。法梧门称其诗云：温纯如其待人，豁达如其襟抱，缜密如其行事。子熙绩亦娴诗，学能世其家。"《履园丛话·耆旧》曰："其为人也，温纯缜密；其行事也，胸襟爽朗；其为诗文也，磅礴浑灏，不名一格，要能镕铸古今，以自抒其性灵。"秦瀛《宁夏府知府兰士何君墓志铭》曰："君笃于学，大肆力于诗，汉魏三唐，靡不窥其堂奥，而得力在眉山、剑南之间。刻有《方雪斋诗集》。"(《碑传集补》卷二十二)王昶曰："予曩在京师，与兰士比邻而居。尊人编修君思钧，朝夕过从，故自小识之。乾隆己酉，予由江西入京，始见其诗。风骨清苍，如千金战马腾溪注涧，无所不宜。山西自泽州相国以来，若莲洋居士，清妙则有余，排奡则不及也。十年来，与法侍讲式善、张检讨问陶、杨农曹芳灿诸君，互相唱和，而才锋之峻，则皆敛手避之。由侍御出守九江，旋以病归。匡庐彭蠡，山水名区，惜未得尽供其刻画。"(《蒲褐山房诗话》卷四〇)

二十六日，鳌图奉旨调淮扬道。据《沧来自记年谱》。

汪辉祖重撰《越女表微录》。往岁癸亥作《续录》，复有以事状闻者，故再编次，入录共六十有一人。辉祖自丙寅后，每岁皆有诗稿，或数岁一编，归田十余年，草稿丛杂，是年夏日删定诗六卷，文二卷。七月，为徐兰台作《尊甫颐亭先生墓志铭》。九月二十三日，友人来访，知《学治臆说》、《善俗书》刻入《知不足斋丛书》第二十四集。据《病榻梦痕录·梦痕余录》。

七月

二十六日，顾汝敬卒，年七十七。据朱彭寿《清代人物大事纪年》。

焦循序方士庶《天慵庵笔记》。据闵尔昌《焦理堂先生年谱》。

曾燠刻所辑《国朝骈体正宗》十二卷。据《贩书偶记》。本年，燠改官湖南。曾燠《国朝骈体正宗序》云："夫骈体者，齐、梁人学秦、而变焉者也，后世与古文分而为二，固已误矣。""古文丧真，反逊骈体；骈体脱俗，即是古文。迹似两歧，道当一贯。近者宗工迭出，风气大开，赋不唯《枯树》一篇，碑岂仅韩陵片石。康衢既辟，不回墨子之车；正鹄斯悬，以待由基之矢。仆步学邯郸，目新壁垒。知女子非无正色，顾将军捐其故艺。聊附选文之义，敢云识曲之真。观者幸恕其愚而谅其隘也。"(《中华大典·明清文学分典》)

王汝璧卒，年六十。据朱彭寿《清代人物大事纪年》。《晚晴簃诗汇》卷九十三收其诗十七首，诗话云："镇之为钱文端之婿，弱冠所为诗，每一篇出，辄为文端激赏，当时有快婿清才之目。少受沈归愚及香树老人诗教，及通籍后，与程鱼门、钱南园联会赋诗，时称巨擘。服官内外，每移一地，擢一官，皆自为集。其诗专学昌黎，戛戛独造，力洗凡庸，但喜押险韵，时有附会。"郭则沄《清词玉屑》卷二云："相传鬼魅畏贵人之未贵者，镇之早岁宿博望廨舍，夙有祟，吏人云：昨某郡丞宿此，嘎嘤叟，胶扰达旦。及镇之至，篝灯坐待。参横月落，初无闻见。用黄雪舟韵赋《湘春夜月》题壁云云。镇之由皖抚内调，未久复出抚皖，在官有治绩，尝劾勘灾不力之安庆守樊晋、太湖令高薰业，诏嘉其不存回护，以兹正直。宜邪魅惮而避之。"

八月

吴炳文作《雷峰塔序》。 序云："余友玉山主人，博学嗜古之士，乃过镇江访故迹，谘询野老传述，网罗放失旧闻；考其行事始终之纪，稽其成败废兴之故，著为《雷峰》野史一编。盖有详而不冗，曲而能达者也。""是书也，岂特纪许仙、梦蛟之轶事已哉，盖将史后之人，见之而知戒，虽遇艳冶当前，不必目迎而送之，以启妖氛之衅，因此而自惩。即当愚蠢可怒，不必心疾于顽，以违所兴之天。盖此编，信乎昭垂鉴戒，流传久远，有功于世道人心也。亦几与《情史》并著不朽矣。"署"时嘉庆十有一年岁在丙寅仲秋之月，作此于西湖官署之梦梅精舍"。又，光绪十九年醉花仙尉《雷峰塔序》云："《雷峰塔传奇》凡五卷，假托鬼神，隐寓劝惩之意，固亦有功世道之书。"《雷峰塔传奇》五卷十三则，每卷一至三则不等，多数双句标题，题"玉花堂主人校订"，书首芝山吴炳文序，谓撰者为玉山主人。此书刊于清嘉庆间。据光绪十九年文海楼巾箱本《雷峰塔》。

八九月间，钱泳勒《诒晋斋帖》、《清爱堂帖》成。 《梅溪先生年谱》："先生在家奉母，兼工勒《诒晋斋》、《清爱堂帖》，至八九月间始告成。是时，海内工书者，莫不以成王为正宗，购之如获至宝，而文清公帖亦流播艺林。至此，书学大兴，至于朝鲜、日本、琉球诸国亦欲得片缣以为重也。"

九月

段玉裁序钱大昕《潜研堂文集》。 序云："乃若少詹事晓征先生，庶几无愧于古之能兼文学、言语者乎！先生始以辞章鸣一时，既乃研精经史，因文见道。于经史之舛误，经义之聚讼而难决者，皆能剖析源流。凡文字、音韵、训诂之精微，地理之沿革，历代官制之体例，氏族之流派，古人姓字、里居、官爵、事实、年齿之纷繁，古金石刻画篆隶可订六书故实、可裨史传者，以及古《九章算术》，自汉迄今中、西历法，无不了如指掌。至于累朝人物之贤奸，行事之是非，疑似难明者；大典章制度，昔人不能明断其当否者，皆确有定见。盖先生致知格物之功可谓深矣。""夫自古儒林，能以一艺成名者罕，合众艺而精之，殆未之有也。若先生于儒者应有之艺，无弗习，无弗精，其学故一轨于正，不参以老、佛、功利之言。其文尤非好为古文以自雄坛坫者比也，中有所见，随意抒写，而皆经史之精液。其理明，故语无鹘突；其气和，故貌不矜张；其书味深，故条鬯而无好尽之失，法古而无摹仿之痕，辨论而无叫嚣攘袂之习。淳古澹泊，非必求工，非必不求工，而知言者必以为工。俾学者可由是以渐通经史，以津逮唐、宋以来诸大家之文，其传而能久，久而愈著者，固可必也。"（段玉裁《经韵楼集》卷八）

孙星衍自序所编《平津馆文稿》二卷。据朱彭寿《清代人物大事纪年》。

左辅赴清江谒铁保。据《杏庄府君自叙年谱》。

十月

二十二日，赵翼八十寿辰，大江南北诸名流无不寄诗文称祝。赵翼为《自寿诗》八首。据《瓯北先生年谱》。

瞿中溶校钱大昕所著《疑年录》并作后叙。据《瞿木夫先生自订年谱》。

阮元纂刊《十三经校勘记》二百四十三卷成。《雷塘庵主弟子记》曰："先是，先生弱冠时，以汲古阁本《十三经注疏》多讹谬，曾以《释文》唐石经等书手自校改。督学以后，始以宋十行本为主，参以《开成石经》及元明旧刻叶林宗影宋钞本陆氏《释文》等书，嘱友人门弟子分编，而自下铅黄，定其同异，得《易》十卷、《书》二十二卷、《诗》十卷、《礼记》七十一卷、《仪礼》十八卷、《周礼》十四卷、《左传》四十二卷、《公羊》十二卷、《穀梁》十三卷、《尔雅》五卷、《论语》十一卷、《孝经》四卷、《孟子》十五卷。至是，刊板始成。先生尝曰：'此我大清朝之《经典释文》也。'"

十一月

朔日，徐松持宋刻本《周易正义》十四卷示翁方纲，方纲跋其后。据沈津《翁方纲年谱》。

二十日，徐松以《玉台新咏》示翁方纲，方纲有跋。据沈津《翁方纲年谱》。

钱坫卒，年六十六。据包世臣《钱献之传》（《艺舟双楫》附录二）。王昶曰："献之工于小篆，不在李阳冰、徐铉之下。晚年右体偏枯，左手作篆尤精。世人藏弄其书如拱璧云。"（《碑传集》四十九）《清史稿》邓石如传附："当乾嘉之间，嘉定钱坫、阳湖钱伯坰，皆以书名。坫自负其篆直接阳冰，尝游焦山，见壁间篆书心经，叹为阳冰之亚。既而知为石如所作，摭其不合六书者以为诋。"

十二月

初五日，朱珪卒，年七十六。上谕："大学士朱珪持躬正直，砥节清廉，经术渊通，器宇醇厚。……凡所陈奏，皆得大体。服官五十余年，依然寒素。"赐谥文正。初六日，帝赐谥号文正。御制《临故太傅大学士朱石君第赐奠抒痛得十二韵》。有御制祭文、碑文。后命入贤良祠。据《南崖府君年谱》。阮元曰："（朱珪）于经术无所不通，汉儒之传注气节，宋儒之性道实践，盖兼而有之。"又曰："公为文笔奥博沈雄。国家有大典礼，撰进雅颂诗册文跋，高宗纯皇帝必亲览之，以为能。"（《碑传集》三十八）《晚晴簃诗汇》卷八十收其诗三十四首，诗话云："文正以甘盘旧学，晚陟纶扉，平生事迹详具国史。持节南疆，仁宗在书房常颁手札，积一百三十九函，归朝缴进，上亦书数年怀公诗数十首，为二册，题曰兼葭远目，曰山海遥思，以示公。明良之契，稽古之荣，古今所罕觏。其诗探源汉魏，参以昌黎，博大雄深，直吐胸臆，承平台阁中，固当首屈一指也。"王昶曰："参政兄弟，少入翰林，即以高文典册，照耀蓬莱华盖之间，为艺林所仰，垂三十年。然其尚名教、敦清节，世或未知也。任山西布政使司，以方正为巡抚所嫌，谓其不谙吏治，由是仍改官翰林。久之，上深知其公正廉洁，累擢用为巡抚，入长吏户地垮，而参政爱才下士，士以此望而趋之。昔韩忠献为中正所归，而于元祐诸贤，未尝偏徇，叶文忠为清流眉目，而于东林君子，亦无私好，参政盖深得此意者也。"（《湖海诗传》卷一三）

十五日，俞正燮作《六壬书跋》。见《癸巳类稿》卷十。是年，俞正燮作《书武城家乘后》、《俄罗斯左领考》、《俄罗斯长编稿跋》、《亳州志木兰事书后》等文。据《俞理初先生年谱》。

杨芳灿以母丧归家。据《杨蓉裳先生年谱》。

冬

黄丕烈招钱竹汀、段懋堂、陈曼生、顾南雅集于红椒山馆。众人分韵赋诗，南雅有《分得"子"字韵诗》。据江标编《黄荛圃先生年谱》。

本年

吴锡麒掌教安定书院。作《灯戏行》。据《有正味斋诗续集》七。

丁晏始学为文，逾月即成篇。晏时年年十三岁。据《丁柘亭先生历年纪略》。

孙尔准乞假在家，偕孙原湘唱和，编诗为《假归集》。据《平叔府君年谱》。

吴德旋约于本年请益于姚鼐。姚椿《吴仲伦先生墓志铭》曰："年几四十，请益于桐城姚先生鼐。先生以为善学韩文。君由是一意宗桐城学。当是时，言考据者遍海内，文字又皆以凌厉为高。君涵濡酝含，斟酌损益，欲使轨格不戾乎古，以力与俗抗。气孤势单，众哗且笑。既而翕然无闲言。"

李富孙馆金华，兼主永康从公书院，纂《鹤征后录》。据《校经廎自订年谱》。

李兆洛始授徒家塾，颜其堂曰"耕乐书塾"。据《武进李先生年谱》。

姚莹从姚鼐学。《姚石甫先生年谱》曰："府君岁试居院中，先生与言学问文章之事，始得其要，归而为之益力。""府君博证精究，每有所作，不假思索，议论闳伟，与同里朱歌堂雅、方植之东树、徐六襄璈、左匽叔朝第、方行吾秉澄、光栗园、刘孟涂开、朱鲁岑道文为文章道义之友。"

俞正燮为杨芳校《六壬书》。据《俞理初先生年谱》。

吴锡麒邀赵怀玉、陈鸿寿、胡枚、汤贻汾等集于安定书院。《汤贞愍公年谱》曰："是岁，仍往来于扬州。吴毅人先生邀同赵味辛、陈曼生、金手山、胡梁园枚诸人集安定书院。吴时为山长也。"

虎丘海涌峰仓圣祠落成，潘奕隽与同人赴祭。奕隽得五古一章。据《三松自订年谱》。

瞿颉本年至嘉庆十五年知丰都县。据《古本戏曲剧目提要》。

黄丕烈更号复翁。是年，丕烈有《菊社倡和诗》。刊《梁公九谏》成。春，得元刻《契丹国志》十七卷，旧钞本《嵇康集》十卷，活字本《范石湖集》，残本《元朝秘史》。孟夏，跋新从陶蕴辉得知不足斋旧藏《续幽怪录》四卷。是时，同得宋本李注《文选》。据江标编《黄荛圃先生年谱》。

伊秉绶议编《扬州图经》、《扬州文粹》。是时，伊秉绶官扬州，延江藩、焦循、赵怀玉、臧庸、王豫等任编纂，未竣事散。据《群雅集》二三。

彭兆荪刊《小谟觞馆集》成。《彭湘涵先生年谱》云："先生《小谟觞馆集》古近体诗八卷，诗余一卷，赋、序、书、记、碑铭、杂文四卷。是年刊于邗上。南城曾宾谷都转为总序，吴江郭频伽上舍为诗序，长洲王惕甫学博苣孙为文序，仁和孙古云袭伯均为像赞。"兆荪本年有诗二十三首。

姚鼐刻《法帖题跋》。自谓所论书理有胜前贤处。是年，姚鼐作《马仪颙夫妇双寿序》、《礼恭亲王家传》、《石屏罗君墓表》、《婺源洪氏节母江孺人墓表》、《苏献之墓志铭》、《浮梁知县黄君墓志铭》、《节孝堂记》、《宁国府重修北楼记》。据郑容甫《姚惜抱先生年谱》。

伊秉绶延焦循纂修《扬州图经》、《扬州文粹》两书。时秉绶守扬州，明年，秉绶以忧去，事不果成。据闵尔昌《焦理堂先生年谱》。

顾广圻重刻明吴元恭刊本《尔雅》。又为张敦仁校刻二书：一为宋淳熙四年抚州公使库本《礼记郑注》，千里著《考异》二卷，并代敦仁撰《考异序》，又自作后序及跋；一为《仪礼注疏》，取宋景德官刊单疏本及宋严州单注本合编之。刊成，代敦仁作序，又自撰跋。据赵诒琛编《顾千里先生年谱》。

翁方纲《咏物七言律诗偶记》一卷刊行。是书有嘉庆十一年原刊本、光绪七年谟觞室刊本。《复初斋集》与《苏斋丛书》俱未载是书。据张寅彭《新订清人诗学书目》。

梁章钜《长乐诗话》成书。《长乐诗话》六卷（一作八卷），存南开大学藏张东砲旧藏稿本、上海图书馆藏钞本。据张寅彭《新订清人诗学书目》。

西溪山人《吴门画舫录》有本年红树山房刻本。是书二卷，记苏州名妓轶事。《中国丛书综录》列于小说家类。今有嘉庆十一年红树山房刻本，《申报馆丛书》本为二卷，《艳粤丛钞》、《双梅景暗丛书》、《香艳丛书》本等为一卷。据《中国古代小说总目》文言卷。

龚自珍古今体诗编年自是岁始。《定盦先生年谱》曰："古今体诗编年，自是岁始。案《己亥杂诗》注云：诗编年，始嘉庆丙寅，终道光戊戌，勒成二十七卷。"

杨抡卒，年六十五。据《明清江苏文人年表》。

钱维乔卒，年六十八。据朱彭寿《清代人物大事纪年》。《晚晴簃诗汇》卷九十收其诗三首。钱大昕云："先生负绝异之姿，而生长名门，目濡耳染，自相师友，十龄能赋，弱冠成名，才子之称，播在人口，固已凌鲍、谢而轶温、李矣。然而文章虽贵，遇合偏艰，孝廉之船往而辄返，中书之省过而不留……意有所触，宣之于声，而诗格益奇。"（《潜研堂文集》卷二十六《春星草堂诗集序》）

赵希璜卒，年六十一。 据江庆柏《清代人物生卒年表》。洪亮吉《北江诗话》卷一："赵大令希璜诗，如麋鹿驾车，终难就范。"黄培芳《香石诗话》卷二："渭州赵渭川希璜官安阳令，有'仙吏'之目。常以铅椠自随，为诗朝脱稿，暮已剞劂矣。鱼山先生尝诵其《罗浮》诗，云'羽化不可期，行行已天际'二语甚高。"《晚晴簃诗汇》卷一〇一录其诗五首。《国朝文汇》乙集卷四二录其与颜侍郎论教匪书》文一篇。

朱文藻卒，年七十二。 据朱彭寿《清代人物大事纪年》。《晚晴簃诗汇》卷一百十收其诗一首，诗话："朗斋本贯建宁，居白眉村，有泉曰碧溪，及徙杭州，仍以名其堂，示怀乡也。馆汪氏，与汤尹亭、孙爱白、赵恒斋、张栽轩及汪氏群季涤原、兼山、秋岩，行古投壶礼，分题赋诗，录其尤者曰《投壶诗存》。尝佐阮芸台辑《牂轩录》、王兰泉辑《金石萃编》，自著书十余种，《说文系传考异》，四库著录。"王昶曰："朗斋渔猎百家，取材宏富，精六书。自《说文系传》、《佩觿》、《汗简》及《钟鼎款识》、《博古图》诸书，无不贯串源流，会其旨要。又能手亲摩写，非徒以形声点画，自名小学者可比。韩城相国督浙学时，访而延之。至京师，佐校《四库全书》，且于南斋奉敕考校事宜，亦俱谙习。又通史学，凡合纪传、编年、纪事、通典诸书，辄能考其缺略，审其是非。先尝助予修《西湖志》，后助予撰《金石萃编》，订正之力最多。其诗在刘梦得、张文昌之间，正如空山鼓琴沉思独往。"（《蒲褐山房诗话》卷三八）

钱孟钿（女）卒，年六十八。 据赵怀玉《崔恭人钱氏权厝志》（《碑传集》卷一四九）。洪亮吉评其诗曰："如沙弥升空，灵警异常。"（《北江诗话》）

公元 1807 年（嘉庆十二年　丁卯）

正月

赵怀玉至无锡访杨芳灿，与芳灿、伊秉绶游惠山。九月，赵怀玉至扬州吊伊朝栋之丧，朝栋盖伊秉绶之父也。十月，赵怀玉至常熟访孙星衍。据《收庵居士自叙年谱略》。

阮元编《瀛舟书记》成。《揅经室集·瀛舟书记序》云："二年，息影于雷塘墓庐，偶检年来办兵事之书记稿本，流连翻阅其间，调度兵船、奖饬镇府、制造船礮、筹划粮饷，诸旧事一一如在目前。且其间有可忧者、可喜者、可愤者、可哭者；有与提督苍公保、李公长庚商筹者，亦一一如在目前。回忆当时每发有一函、出一令，皆再三谋虑而为之。有自起草，有幕友起草者，有幕友起草而自为改订者。笔墨之迹如绳如蝇，以之覆瓿，殊为可惜。因破十数日之工，删其繁，存其要，授书人录为六卷存之。"

二月

丁杰卒，年七十。 据《顾千里先生年谱》。《清史稿》本传："肆力经史，旁及说文、音韵、算数。初至都,适四库馆开,任事者延之佐校,遂与朱筠、戴震、卢文弨、金榜、程瑶田等相讲习。""杰为学长于校雠,与卢文弨最相似。得一书必审定句读,博稽他本同异。"

《高宗纯皇帝实录》告成。据《恩福堂年谱》。

三月

十五日,瞿中溶赴苏。于吴门两月,段玉裁、钮树玉、黄丕烈、陈鱣等投赠诗文,情甚殷殷。据《瞿木夫先生自订年谱》。

十五日,《高宗纯皇帝实录》、《高宗圣训》编纂完成。《实录》共成书一千五百卷,《圣训》三百卷。据《清史编年》。

二十四日,汪辉祖卒,年七十八。据《病榻梦痕录·梦痕余录》。《晚晴簃诗汇》卷九十六收其诗二首,诗话云:"龙庄少孤,母王、生母徐教之成立,世称双节堂。初佐幕,治官书,撰《佐治药言》。及通籍,作宰多惠政,尤长于断狱,撰《学治臆说》,又有《病榻梦痕录》,则告归后追述在官时事而作,慈祥恺恻,世传为治谱。研精乙部,元史尤所致力,撰《本证》五十卷,他所著述二百数十卷,稿本未尽刻行。"《清史稿》本传:"辉祖少尚气节,及为令,持论挺特不屈,而从善如转圜。所著《学治臆说》、《佐治药言》,皆阅历有得之言,为言治者所宗。"

二十五日,黄丕烈跋新得外洋板本《寒山拾得诗》一卷。是年,黄丕烈得穴斋钞本陆游《南唐书》,又借袁氏五砚楼明刻道藏本《宗元先生文集》,即校于钞本上,并跋。又于是年校钞本《萨天赐诗集》并跋之。据江标编《黄荛圃先生年谱》。

鲍桂星转侍读。十月,卸河南学政篆,还京。据《觉生自订年谱》。

伊秉绶、赵怀玉访杨芳灿于金匮。据《杨蓉裳先生年谱》。

鳌图因王营减坝大工告竣获赏加按察使司衔。本年,鳌图刊《南来集》、《娄东诗草》、《三至彭门诗草》、《习静轩文集》、《习静轩制艺》,并随时校刊《袁浦吟草》。据《沧来自记年谱》。

顾广圻为张敦仁重刻明弘治十四年新淦涂祯仿宋嘉泰椠本《盐铁论》。又著《考证》一卷,代敦仁撰序,自为后序。并自刻段玉裁撰《释拜》一篇于江宁。据赵诒琛编《顾千里先生年谱》。

彭淑卒,年六十一。据恽敬《前临川县知县彭君墓志铭》(《大云山房文稿初集》卷四)。《晚晴簃诗汇》卷九十五收其诗五首。

春

张问陶掌贵州道监察御史。据《张问陶年谱》。

林则徐入闽抚张师诚幕,司笔札。则徐在张幕凡四年,为张所赏。金安清《林文忠公传》曰:"张兰渚中丞抚闽,招入幕府。张为乾隆枢直旧臣,精史治。公相从四五年,尽识先朝掌故及兵、刑诸大致,益以经世自励。"

凌廷堪回歙县主讲城南紫阳书院。据《凌次仲先生年谱》。

胡敬《崇雅堂诗文钞》刊成。《书农府君年谱》："起庚戌迄己丑，为诗钞四卷，文钞二卷。汪选楼姑丈及许青士丈选定。"

四月

上旬，桐城姚原绂序《惜抱轩诗文集》。序云："吾乡为古文者，自刘海峰先生后未有传人，从伯姬传先生入词馆数年，性安恬退，遂假归以著述自任。于书无所不览，而所为诗文辞清旷元远，尤注意于古文，卅余年海内之士争相推重如泰山北斗。辛酉先生掌钟山书院，学者吁求付梓。共褒辑得若干卷，而以古今体诗附其后。江浙之间始得争先快睹，而外间尚少传播。丙寅余以庶常来掌粤秀书院箧中携一册，见者纷纷求索而卒无以应。因集所得修资重付剞劂。俾海内推重先生者皆得有所赏心于先生，亦无所吝也。卷帙仍旧示，无所增益。惜乎先生尚有《经说》、《左传补注》及所选诗古文辞未得携来同付文梓，一与岭南人士尽观为憾也！刻成为书，其缘起于端时。嘉庆十二年四月上旬桐城姚原绂识。"

铁保因失察寿州张大勋案降为二品顶戴。仍兼兵部尚书都察院右都御史。据《梅庵自编年谱》。

段玉裁为陈仲鱼作《简庄缀文序》。据《段玉裁先生年谱》。

金礼嬴（女）卒，年三十六。据施淑仪《清代闺阁诗人征略》卷七。蒋宝龄曰："书法晋唐，兼工汉隶，诗多清灵凄婉之致。"（《墨林今话》）

五月

十三日，瞿中溶过扬州访阮元、伊秉绶未获，喜晤陈鸿寿。据《瞿木夫先生自订年谱》。

二十一日，吴嵩梁、金学莲相值于北京城西古寺。二人论诗竟日，后翁方纲为之作图，有诗二首。见《复初斋诗集》。

杨芳灿至维扬访阮元、伊秉绶。因晤储润书、韦友山、乐钧，与吴照、江藩定交。据《杨蓉裳先生年谱》。

康基田补户部四川司郎中。据《茂园自撰年谱》。

七月

二十九日，徐爔卒，年七十六。据邓长风《明清戏曲家考略续编·〈虞初新志〉的版刻与张潮的生平》。

阮元注御制《味余书室随笔》二卷，至九月成。十月二十七日，阮元服阕入都，恭进《四库》未收经史子集杂书六十种，得旨署理户部右侍郎。据《雷塘庵主弟子记》。

八月

初四日，董恂（1807—1892）生。恂初名醇，字醞卿，江苏甘泉人。道光庚子进士。官至户部尚书。有《荻芬书屋诗稿》、《江北运程》、《钦定户部漕运全书》九二卷。事迹见潘衍桐《两浙輶轩续录》卷四〇。[生日据朱彭寿《清代人物大事纪年》。]

初六日，伊朝栋卒，年七十九。据秦瀛《光禄寺卿伊君朝栋家传》。(《碑传集》四十二)《晚晴簃诗汇》卷九十三收诗十三首，诗话云："云林自少潜心理学，从同邑雷翠庭副宪游，得其指授。通籍后，浮沉郎署垂二十年，晚跻卿寺，遽得风痹疾，未及大用。尝就养子秉绶惠州官署，属邑奸民谋乱，提督标兵与之通。秉绶捕获渠魁，请严治，忤大吏意，劾，遣戍。云林据实具疏，将上闻，遂并被劾听勘。乱既益炽，大吏仓促自裁，代者至勘，得白，复起秉绶知扬州，一时想望风采。诗亦风格遒上，吐属庄雅，于晋安十子后能自树一帜者。"纪昀《云林诗钞序》云："光禄云林先生，早年贡成均，领乡荐，而屡踬于礼闱。中年登第，通籍服官郎署，介介自持，以古儒者自策励。晚年遭逢圣主，知遇方深。""平生寡所嗜好，亦不甚喜通交游，惟偶有所感，辄发于诗。""觉先生之学问性情如相对语，盖不惟香奁、玉台之辞，万万不以入翰墨，即他所吟咏，亦皆以温柔敦厚之旨而出以一唱三叹之雅音。陆机云：'理扶质以立干，文垂条以结繁。'先生其殆兼之乎。是真诗人之诗，而非辞人之诗矣。余因序先生诗，辄举《大序》'发情'、'止义'二语以起例，亦以后人或流于一偏，而云林诗得性情之正为可贵也。"(嘉庆刻本《纪文达公遗集》卷九)

十五日，沈业富卒，年七十六。据阮元《翰林院编修河东盐运使司沈公业富墓志铭》。《晚晴簃诗汇》卷八十四收其诗二首。王昶曰："君性情惇厚，笃于友朋。武进黄仲则过河东，留之宾馆，病中衷其诸作，抄录成编，俾无遗佚。又风峪有北齐所刻《华严经》，为竹垞太史求而未得者，君遣工入山摹拓，得一百二十余纸，贻予于西安，盖好事如此。竹西自午桥太吏没，诗坛寥落，君以词林耆宿，家居望重，士大夫南北往来，必造门请谒，香山洛社之风，赖以不坠。"(《蒲褐山房诗话》卷一七)

二十二日，朱次琦（1807—1882）**生。**次琦字稚圭，子襄，世称九江先生，广东南海人。道光二十七年进士。官襄陵县知县。光绪七年卒，年七十五。著有《朱九江先生集》一〇卷、《是汝诗斋诗》一卷。事迹见缪荃孙《朱次琦传》(《碑传集补》卷三十八)、《朱九江先生年谱》。

王引之提督河南学政。据《王伯申先生年谱》。

李赓芸、洪亮吉同游烟雨楼。亮吉是岁得诗二百九十二首、文二十四篇，编《宁国府志》五十卷。据《洪北江先生年谱》。

九月

胡敬入都馆英和家。《书农府君年谱》："府君在相国家……相国重府君，每有应制文字，必属起草。同人亦以馆阁文相商。府君既自撰供奉之文，又牵于应酬师友之作，铅黄涂乙，日不暇给，是以丁卯至己卯十年中，友朋倡酬诗极少。今所存者不过卷余，盖进呈之作居多也。呈稿多至盈尺，以其官样文字，不欲示人。"

鹿鸣筵宴。以本年为乾隆丁卯科乡举周甲之岁：翁方纲，原任鸿胪寺卿，赏加三品衔；梁同书，原任翰林侍讲，加侍讲学士衔；罗典，原任鸿胪寺少卿，俱重赴鹿鸣筵宴。据朱彭寿《清代人物大事纪年》。梁同书赋诗四章以纪之，和者不下百余人。方芳佩和诗三章，评者以为诸人皆不能及。据阮元《定香亭笔谈》。

潘世恩招徐熊飞等泛舟西溪，游交芦庵。二十四日，世恩有《交芦庵》诗。据《小浮山人年谱》。

许宗彦招段玉裁、严元照、凌廷堪、项墉、李锐、何元锡、戴敦元、汪家禧集于比青轩。严元照赋诗纪之。据《柯家山馆遗诗》卷二。

秋

乡试。万承风、吴荣光充浙江乡试考官。（《荷屋府君年谱》）姚文田任山东乡试考官。（《续碑传集》卷八《礼部尚书姚文僖公墓志铭》）何凌汉充广东乡试副考官。（阮元《诰授光禄大夫经筵讲官户部尚书晋赠太子太保谥文安何公神道碑铭》）汤金钊充顺天乡试同考官。（《先文端公自订年谱》）中式者有：汪喜孙、杜煦、宋咸熙、毕亨、吴维彰、晏贻琮、程虞卿（以上据《清代名人大事纪年》）、姚莹（《姚石甫先生年谱》）、郭尚先（《兰石公年谱》）、刘珊（《续碑传集》卷三十九《颖州知府刘君墓志铭》）、杜煦、王衍梅（沈元泰《王衍梅传》）、沈钦韩（王鎏《宁国县训导沈君墓志铭》）。

朱珔典山东乡试，充国史馆、文颖馆纂修。据李元度《右春坊右赞善前翰林院侍讲朱兰坡先生传》（《续碑传集》卷十八）。

顾广圻与乡试，主司刘凤诰欲得广圻而未果。据赵诒琛编《顾千里先生年谱》。

彭兆荪赴江宁乡试。闻外舅刘凤诰主试，遂不应。是科主江南试者为萍乡刘凤诰、武进赵慎修。刘凤诰系兆荪外舅。又，兆荪编定《小谟觞馆续集》始于本年。本年作诗二十六首。有《江宁寓馆与乐元淑书》、《答姚春木书》、《李忠毅公诔》。据《彭湘涵先生年谱》。

包世臣赴试白门，晤周济。时周济任淮安教授。据《包慎伯先生年谱》。

梁章鉅游武彝，有游记及诗纪之。是年，章鉅掌浦城南浦书院。据《退庵自订年谱》。

十月

初十日，桂文熠（1807—1854）生。文熠字子淳，号星垣，广东南海人。道光九年进士，改庶吉士，散馆授翰林院编修。充湖南乡试副考官，授湖广道监察御使，出为江南常州府知府，调苏州，升署淮海兵备道。卒年四十八。有《席月山房词》。事迹见陈澧《江南淮海兵备道桂君墓碑铭》、《全清诗钞》卷一九。［生日据朱彭寿《清代人物大事纪年》。］

师范自序所撰《滇系》四十卷。据朱彭寿《清代人物大事纪年》。

叶绍本自序所编《白鹤山房诗钞》四卷。据《白鹤山房诗钞》。

李富孙自序所编《鹤征后录》十二卷。据李富孙《鹤征后录》。

杨芳灿撰自编《芙蓉山馆诗钞》八卷、《补钞》一卷、《词》二卷自识。是书是年成。据朱彭寿《清代人物大事纪年》。

法式善以纂修《宫史》篇页讹脱降官一级。是年，式善奏纂修《文颖》。据《梧门先生年谱》。

左辅补授怀宁知县。据《杏庄府君自叙年谱》。

段玉裁有《自跋释拜后》一文。本年张敦仁为玉裁刻《释拜》。本月，玉裁再跋手校《广韵》一通，作《臧孝子（礼堂）传》、《诚孝潘君传》、《二名不遍讳》、《周人卒哭而致事经注考》、《驳抚本礼记考异之非》、《与王石臞第五书》等文。据《段玉裁先生年谱》。

十一月

潘世恩奉命充续办四库馆总裁，旋充文颖馆总裁。据《思补老人自订年谱》。

郭麐自序所编《忏馀绮语》一卷。据朱彭寿《清代人物大事纪年》。

十二月

二十二日，罗泽南（1808—1856）生。泽南字仲岳，号罗山，湖南湘乡人。咸丰辛亥举孝廉方正。历官浙江宁绍台道，加布政使衔。咸丰六年三月初八日卒，年五十。谥忠节。有《罗忠节公遗集》八卷、《姚江学辨》二卷、《读孟子札记》二卷等。事迹见《罗忠节公年谱》、曾国藩《罗忠节公神道碑铭》（《续碑传集》卷五十五）、《清史列传》本传。

二十二日，阮元补授浙江巡抚。据《雷塘庵主弟子记》。

二十五日，李长庚阵亡，年五十八。据陈寿祺《建威将军浙江提督总兵追封三等壮烈伯忠毅李公长庚神道碑文》、恽敬《浙江提督李公墓志铭》（《碑传集》卷一二二）。《晚晴簃诗汇》卷九十四收其诗一首，诗话云："西岩伟烈精忠，为水师第一名将，而诗篇娴雅，有祭征房雅歌投壶之风，遗集罕觏，仅于阮文达《揅经室集》中附见二诗，文达赠诗原唱云：儒将威名定不虚，风涛千里镇储胥。海天飞炮亲挝鼓，夜月扬帆坐读书。造得戈船浮木柿，筑成京观掣鲸鱼。封侯自有黄金印，射石将军恐未如。推挹至矣。西岩和作神凝气敛，绝无武夫嚣矜之习，可征襟度。"

本年

龚自珍始读四库全书提要，为目录之学。据吴昌绶《定盦先生年谱》。

恽敬在江西瑞金县知县任。得文六：《答曹俪笙尚书书》、《重修万公祠》、《记游罗汉岩记》、《海会庵放生河碑铭》、《前临川县知县彭君墓志铭》、《宁都州学正闻君墓志铭》。据《大云山房文稿》。

石韫玉调山东按察，作《竹石图》。据《独学老人年谱》。

翁心存受业石室书院，时年十七岁。据《先文端公年谱》。

段玉裁邀潘奕隽往龙树庵观古梅。据《三松自订年谱》。

吴德旋始师事姚鼐。据《映雪楼文偶钞》。

方东树至江宁教读于姚鼐家。据《方仪卫先生年谱》。

孙尔准在京偕同年徐松、胡敬、姚元之、陈鸿墀唱酬，编诗为《城南集》。据《平叔府君年谱》。

孙星衍仍官山东督粮道。二月，督粮北上，于舟中著《尚书古今文义疏》，成《皋陶谟》及《同洪君颐煊撰今文泰誓》两篇。十一月，于山东督粮道任内辑《续古文苑》。据《孙渊如先生年谱》。

刘文淇、薛传均同补博士弟子。据刘文淇《文学薛君墓志铭》（《续碑传集》卷七十二）。

扬州守伊秉绶课安定书院，拔汪喜孙为第一，有"著作之才"之誉。据《汪荀叔自撰年谱》。

曾燠擢湖南按察使。戊辰，调湖北。据包世臣《曾抚部别传》（《续碑传集》卷二十一）。

曹振镛以工部尚书充实录馆正总裁。据《曹振镛传》（《续碑传集》卷二）。

周济在怀安府教授任，是年会包世臣。据《包慎伯先生年谱》。

陈钟麟在京任户部主事，与瞿中溶会。据《瞿木夫自订年谱》。

沈复至北京。据《浮生六记》。

张维屏入都，有《燕台集》。《张南山先生年谱撮略》："丁卯，二十八岁，入都。翁覃溪学士见先生诗，大称赏。赋诗以赠，有句云：'万壑笙钟处，千峰雨雪时。琅然鸾鹤语，卷外许谁知。'在都岁余，一时名流相与过从酬唱。有《燕台集》。"

姚鼐作《吴礼部诗集序》、《夏南芷编年诗序》、《潘孝子赞》、《赠光禄寺少卿宁化伊君墓志铭》、《封文林郎巫山县知县金坛段君墓志铭》、《中议大夫太仆寺卿戴公墓志铭》等。据郑容甫《姚惜抱先生年谱》。

庄宇逵次所作诗为《春觉轩诗钞》，陆续得十卷。据《亦有生斋集》文四。

焦循作《北湖小志》六卷。闵尔昌《焦理堂先生年谱》云："北湖自明嘉隆以来，伟人奇士相继而起，惜载笔无人，遂难征考。是年，先生理葺旧闻，搜访遗籍，虽虫齿鼠伤，片纸只字，必检阅而采摘之，成《北湖小志》六卷。凡叙六、记十、传二十一、书八、家述二，共四十有七篇。阮文达为作序，谓此书数卷，足觇史才。"

段玉裁《说文解字注》三十卷成。据《段玉裁先生年谱》。王石臞序谓："训诂声音明而小学明，小学明而经学明，盖千七百年无此作矣。"

江藩与修《仪征县志》。是年，江藩有《与伊墨卿太守书》、《清故刑部山东司员外郎郑君墓志》。据闵尔昌编《江子屏先生年谱》。

臧庸为焦循作《焦氏世德记》。据闵尔昌《焦理堂先生年谱》。

阮元在扬州辑《瀛洲书记》六卷。据《揅经室二集》八。阮元本年到北京，进《四库全书》未收书六十种，旋复得命官浙。据《雷塘庵主弟子记》。

薛玉堂题高鹗《兰墅文存》。见《高兰墅集》。

王昶《春融堂集》刊行。胡玉缙曰："《春融堂集》六十八卷，青浦王昶撰。昶有《金石萃编》等。是集凡诗二十四卷、词四卷、文四卷，前有鲁嗣光、法式善、赵怀玉、吴泰来、王鸣盛、钱大昕诸序，为嘉庆丁卯刻本。昶学问淹贯，生极盛之世，又享大年，足迹几遍天下，故其诗文不名一体，屹然为东南一大宗。诗分《兰泉书屋集》、《琴德居集》等目，其师承出于沈德潜，而实视德潜为胜。卷一至卷六皆未仕以前所作，得于山水之趣者居多，虽气格稍弱，而醇雅清切，几于首首可诵，律绝尤有风致。卷七至卷九则召试官中书、直军机房后所作，不免尘滞冗沓。卷十至十四乃罢官后从征缅甸、金川时之作，雄奇悲壮，特为出色。卷十五以后则凯旋晋秩，自此扬历中外，致位九卿，诗学日退，往往率易，而《论诗绝句》四十六首，遥情胜概，犹是吴下七子面目。词亦清新婉约，意境于朱彝尊、厉鹗为近。文根柢深厚，考证经史，多有依据，碑志诸作，关涉文献掌故者甚夥，叙次亦皆有法。惟《书文选李善注王仲宣从军诗后》，以善注为误，不知善于总题下虽浑言征鲁，而次首起二句下则云：'《魏志》曰，建安二十一年粲从征吴，作此四篇。'又'桓桓东南征'下云：'东南，误吴也。'则善未尝误。今但见题下之注而失检诗中之注，未免疏忽，已为朱珔《文选集释》所纠……然小有疏舛，于文章之美初无所损。昶尝自评其诗文，谓'五言期于抒写性情，清真微妙，而七言长句颇欲拟于大海迴澜，纵横变化，世之偏至者或可无讥'（吴泰来序引）。此或自许少过。"（《续四库提要三种》）

王豫刻所辑《群雅集》三十九卷。据《群雅集序》。

吴骞序《扶风传信录》。《扶风传信录》一卷，有拜经楼丛书本、重校拜经楼丛书十种本、丛书集成初编本。首有吴骞本年序、任安上《与吴拜经书》。吴骞序云："康熙中，义兴许生遇狐仙胡淑贞事，世竞传说，而文人学士登诸载记，如王渔洋《居易录》、钮玉樵《觚剩》、徐竹逸《会仙记》。新旧《宜兴县志》等，不一而足，均未免参差讹误，所谓传闻异辞也。友人任茂才安上示予一编曰《叙事解疑》，视之，即许生大父可觌亲笔著，皆其祖著孙当日身与诸娃晨夕往还，问答馈遗之事，年经月纬，排日按时，晦明风雨，历历无爽，较得之传闻者为确凿可据。""所记皆寻常世俗杂务，且其辞不达意间亦有之。爰稍剪其繁芜，并取诗词之近雅者，著《扶风传信录》一卷。"据此，则任安上原作题为《叙事解疑》，经吴骞润色，序而传之，方名《扶风传信录》。书以日记体记宜兴许生与狐仙胡淑贞情缘，记事始于康熙二十一年正月，止于二十四年十月。据《中国古代小说总目》文言卷。

黄锡蕃自序《闽中求异》。《闽中求异》二卷，撰者黄锡蕃。锡蕃事迹史传未载，仅据书中所题，知其字晋康，号椒升。嘉庆间海盐（今属浙江）人。书中就前人书中所载有关闽中异闻琐事，采撷成帙。有似徐昌祚《燕山丛录》之流。然本书所采皆注出处于下，比徐氏书或有资于考证。间或杂以缀语，亦觉精审，知其记事纂言功力不浅。本书未见著录。《中国丛书综录》列为小说家类。今有《黄椒升遗书》本，二卷。周中孚《郑堂读书记》录原稿本亦为二卷，当系原本。据《中国古代小说总目》文言卷。

祁韵士于伊犁戍所创纂《伊犁总统事略》十二卷，别摘山川疆域为《西域释地》二卷。据《万里行程记》附《鹤皋年谱》。

温汝能辑《陶诗汇评》四卷有本年刊本。据张寅彭《新订清人诗学书目》。

无名氏《蜃楼志》二十四回刊行。题"庾岭劳人说"，"禺山老子编"。首罗浮居士序。据孙楷第《中国通俗小说书目》。

杨懋建（1807—？）**生。**懋建字掌生，号尔园、蕊珠旧史、仰星生，广东嘉应人。十七岁肄业于广州雪海堂，受知于阮元。道光十二年恩科举人。晚年主讲粤东阳山书院。著有《长安看花记》、《丁年玉笋志》、《梦华琐簿》、《留香小阁诗词钞》。事迹见张次溪《清代燕都梨园史料·著者事略》。

杨彝珍（1807—1898？）**生。**彝珍原名彝，字湘涵，号性农、季涵，湖南武陵人。道光十二年举于乡。二十六年主讲湘阴仰高书院。三十年成进士，钦点翰林院庶吉士。有《移芝室文集》一三卷、《思旧集》一卷、《诗集》三卷等。事迹见《清史稿》吴敏树传附、刘声木《桐城文学渊源考》卷七。

姚济（1807—1876）**生。**济字铁梅，别号庑下生。江苏娄县人。一生未曾得第，亦未曾为官。著有《一树梅花老屋诗》三卷。事迹见其诗集序跋。〔生卒年据《中国文学家大辞典》近代卷。〕

金玉麟（1807—1863）**生。**玉麟字石船，四川阆中人。著有《二瓦砚斋诗钞》一〇卷。事迹见其诗集序。〔生卒年据江庆柏《清代人物生卒年表》。〕

沈小庆（约1807—1855）**约生于本年。**小庆，浙江乌程人。年十五入老嵩祝班坐科学戏。出科后颇富声名于道光、咸丰时。一生编剧目多种，计有《恶虎村》、《连环套》、《落马湖》、《罗四虎》等。事迹见吉水《近百年来皮黄剧本作家》。

李懿曾卒，年五十二。据张慧剑《明清江苏文人年表》。

公元 1808 年（嘉庆十三年　戊辰）

正月

元旦，焦循作《石湖遗书序》。闰五月，焦循题《周易兼义》。据闵尔昌《焦理堂先生年谱》。

十九日，赵翼妻卒，赵翼有悼亡诗。后往江阴之杨舍遣闷，至九月初始归，其间得诗七十余首。据《瓯北先生年谱》。

鲍桂星充《皇清文颖》总校。四月，磨勘会试卷，充殿试收掌。《觉生自订年谱》："上幸天津，恭进《十箴》。擢超等，与前所献雅颂俱选入《皇清文颖》梓行。五月，教习戊辰科庶吉士。七月，奉敕典山西乡试。……十一月，充日讲起居注官。"

瞿中溶访罗典。典字徽五，号慎斋、凝园，湖南湘潭人。时典年九十矣。据《瞿木夫先生自订年谱》。

二月

孙原湘病归里中，遂不复出。赵允怀《翰林院庶吉士兼武英殿协修孙先生行状》："先生既以病家居，时得少闲。四方谭艺之士至吴门者因过虞山。先生与之上下古今议论，累日夕不倦。""政令或有未便，多为诗歌以托讽，冀其感动而有所迁改。集中如《拟禽言》、《太守来开仓谣》之类无虑数十章，可与白傅《秦中吟》、少陵《石壕吏》诸篇并传。"

法式善充日讲起居注官。本年，式善奏纂《全唐文》。程邦瑞为法式善刻《存素堂文集》于扬州，校刊甚精。据《梧门先生年谱》。

杨芳灿赴衢州主讲正谊书院。据《杨蓉裳先生年谱》。

三月

那彦成擢江南副河道总督。据徐士芬《那彦成传》（《续碑传集》卷九）。

彭蕴章院试第十，覆试第九。学使为万承风。五月，蕴章肄业正谊书院。据《彭文敬公自订年谱》。

阮元莅浙，延杨芳灿主诂经精舍。芳灿与洪亮吉、吴锡麒、陈廷庆、郭麐、宋咸熙、殳庆源、梁同书等过从甚密。《杨蓉裳先生年谱》云："三月，芸台中丞莅浙，延主诂经精舍。时洪稚存先生亦来杭州，招邀同住。与吴穀人、陈桂堂、郭频伽、宋小茗、殳积堂、赵雩门诸君往来甚密。时梁山舟先生年已八十有六，偶至湖上，辄来相访。"

王引之作《圣驾巡幸淀津阅视河堤各工恭赋》。五月，引之转左庶子。十二月，晋翰林院侍讲学士。是年，王引之有《中州试版叙》。据《王伯申先生年谱》。

邓廷桢充会试同考官，得士钱仪吉等。据《邓尚书年谱》。

潘世恩招甲子及门江亭小集。本月，世恩署翰林院掌院学士。据《思补老人自订年谱》。

本月以召试赏给举人，龙汝言、齐彦槐、方士淦获赏。据朱彭寿《清代人物大事纪年》。

会试。考官：内阁大学士董诰、吏部尚书邹炳泰、礼部侍郎秀堃、内阁学士顾德庆。题"德者本也"二句，"如有博施 仁乎"，"人伦明于"二句。赋得"立中生正 得""精"也。据《清秘述闻续》卷一。

三四月间，唐仲冕、洪亮吉、赵怀玉同游狼山。据《收庵居士自叙年谱略》。

春夏间，凌廷堪《礼经释例》五稿成。据《凌次仲先生年谱》。

四月

二十一日，吴昆田（1808—1882）生。昆田原名大田，字云圃，号稼轩，江苏清河人。道光甲午举人，授内阁中书舍人。拣云南知州。咸丰八年，改授刑部河南司郎中。晚年主讲于淮安府奎文、崇实书院。卒于光绪壬午十月初一日，年七十五。著有《漱六山房全集》十一卷。另与人合著《清河县志》、《淮安府志》。事迹见《清史稿》潘德舆传附、黄云鹄《吴稼轩墓表》、高延第《刑部员外郎吴君稼轩墓志铭》（《碑传集补》卷一一）。

殿试。赐一甲吴信中、谢阶树、石承藻进士及第，二甲周之琦、陶樑、贺长龄、钱林、钱仪吉、屠倬、刘嗣绾等进士出身，三甲姚莹、张作楠、查元偁等同进士出身。据《历科进士题名录》。

孙星衍自序《平津馆鉴藏记》三卷。是书成后尚撰有《补遗》一卷、《续编》一卷。据朱彭寿《清代人物大事纪年》。

包世臣作《筹河刍言》二篇。据《包慎伯先生年谱》。

潘世恩充殿试读卷官。据《思补老人自订年谱》。

胡敬散馆授编修。旋充武英殿纂修，文颖馆纂修。据《书农府君年谱》。

沈维鐈充《皇清文颖》馆协修。十一月，始充纂修官。据《鼎甫府君年谱》。

五月

二十四日，尹壮图卒，年七十一。据《楚珍自记年谱》。《晚晴簃诗汇》卷九十三收其诗一首，诗话云："楚珍改礼曹，居谏院有声。自仆少擢阁学，时和相秉政，相习为侈泰，楚珍疏言，诸行省仓库空虚，商民蹙额愁叹，忤裕陵旨，令从侍郎庆成察诸行省仓库。至其地，庆成辄先游宴，徐俟有司弥缝，及检察则一无亏缺，楚珍坐妄言左迁，遂请告归里。仁庙亲政，以其言忼直，召入对，知其母年逾八十，加秩视给谏，仍令归养，许上疏言事，居数年卒于里中。"

二十九日，张文虎（1808—1885）生。文虎字孟彪、啸山，别号天目山樵，江苏南汇人。道光四年，于本地王家教馆。十二年，应乡试，因墨迹污染试卷未售，不复应试。同治间，入曾国藩幕。光绪九年，主讲江阴南菁书院。十一年病逝。有《舒艺室诗存》、《舒艺室诗续存》、《索笑词》等。事迹见《清史稿》俞樾传附、缪荃孙《州判衔候选训导张先生墓志铭》（《续碑传集》卷七五）。［生日据朱彭寿《清代人物大事纪年》。］

恽敬由瑞金至南昌，六月回瑞金，十月复至南昌。是年得《原命》等文十五篇。据《大云山房文稿》。

英和编丙寅至是年五月古今体诗为《水部集》。五月，英和充武英殿总裁。署户部左侍郎、军机大臣。六月，调户部右侍郎，管理钱法堂事。据《恩福堂年谱》。

王念孙作《段若膺说文解字注叙》。本年，在山东任内。据闵尔昌《王石臞先生年谱》。

六月

初九日，张曜孙（1808—1863）生。曜孙字仲远、昇甫，晚号复生，江苏阳湖人。道光二十三年，应江南乡试中举。二十六年，选授武昌知县。二十七年，赏加知州衔。咸丰元年，调补汉阳知县，旋擢汉阳同知。同治二年六月卒。有《谨言慎好之居诗》一八卷、《产朵集》二卷《补遗》一卷。事迹见庄受祺《湖北候补道张君墓志铭》。［生日据朱彭寿《清代人物大事纪年》。］

十一日，鳌图奉旨补授江苏按察使司。据《沧来自记年谱》。

潘世恩署刑部左侍郎兼户部右侍郎，兼管钱法堂事务。据《思补老人自订年谱》。

夏

赵怀玉为销暑之会。时孙星衍乞假修墓，杨芳灿主讲关中，皆来晤。据《收庵居士自叙年谱略》。

七月

二十日，阮元奏请以学政刘凤诰办浙乡试监临事。据《雷塘庵主弟子记》。

二十一日，英人谋占澳门。英吉利军船九只，由海军少将度路利率领，公然驶入粤洋，停泊于香山县属鸡颈洋面。度路利扬言，大西洋地方被法兰西占据，该国与大西洋邻好，恐大西洋人在澳门被法兰西欺阻贸易，"故此，派些夷兵上岸，好帮护西洋人，兼且各人在船日久，亦得抖擞精神"。实乃阴借保护之名，徐图占据。据《清代外交史料》嘉庆朝二。

顾广圻校孙志祖《文选李注补正》。据赵诒琛编《顾千里先生年谱》。

祁韵士戍伊犁期满，蒙恩释令回籍。十月二十日由伊犁启行，次年三月初八日抵里。是役也，驱驰万里，备述所经有《万里行程记》、《濛池行稿》及《西陲百咏诗》刻。据《万里行程记》附《鹤皋年谱》。

焦循自序所撰《北湖小志图》一卷。据《北湖小志序》。

八月

二十日至二十二日，徐松购得苏轼《寓意录》四卷。以示翁方纲，翁方纲有跋其后。据沈津《翁方纲年谱》。

杨芳灿至汴梁会钱楷，见陈用光，时陈用光典试中州。据《杨蓉裳先生年谱》。

孙星衍至常州，与赵怀玉、洪亮吉等欢宴三日，并至吴门修葺孙子祠。本年，星衍仍任山东督粮道。据《孙渊如先生年谱》。

九月

六日，秦瀛集同人补作王渔洋生日。翁方纲有诗。见《复初斋诗集》。

十八日，江濬源卒，年七十四。据江景绂等《皇清诰授朝议大夫云南临安府知府前吏部稽勋司郎中考功员外郎考功司主事显考岷雨府君行述》（《介亭文集》卷首）。刘声木评其文曰："其为文波澜意度，近似大樾，诗亦清雅拔俗。"（《桐城文学渊源考》）

秋

乡试。潘世恩、曹振镛典顺天乡试。（《思补老人自订年谱》）姚学塽充贵州乡试副考官。（魏源《归安姚先生传》）中式者有：萨迎阿、包世臣、吴兰修、陆费琨、黄本骐、蒋泛、方成等。据《清代人物大事纪年》。

十月

朔日，茹纶常自题《容斋文钞》续编二卷。署"嘉庆十三年戊辰十月朔，漫叟茹纶常题于一笑山房之北窗，皆年七十有五"。(《容斋文钞》续编卷首)《容斋文钞》续编二卷本年刊行。

　　吴俊奉召入都，于扬州晤赵怀玉。据《收庵居士自叙年谱略》。

　　杨芳灿往主关中书院。据《杨蓉裳先生年谱》。

　　段玉裁作《十三经注疏释文校勘记序》，盖为阮元拟进呈御览而作。是年，段氏作诗《记麦花》、《述笔法》、《论红丸》等。据《段玉裁先生年谱》。

　　钱泳入京，与诸故人相聚十数日，即出京。据《梅溪先生年谱》。

十一月

　　初四日，潘曾莹（1808—1878）**生。**曾莹字申甫、星斋，江苏吴县人。大学士潘世恩仲子。道光辛丑年成进士，改庶吉士，授编修。历官翰林院学士、光禄侍卿、内阁学士、吏部侍郎。有《红蕉馆诗钞》一〇卷、《使滇吟草》一卷、《小鸥波馆诗钞》一二卷等。事迹见《思补老人自订年谱》、俞樾《吏部左侍郎潘公墓志铭》、吴汝伦《前工部侍郎潘公神道碑》（《续碑传集》卷一一）。

　　十九日，邓梦琴卒，年八十六。据董诏《邓先生梦琴墓志铭》（《碑传集》卷一〇八）。《墓志铭》云："其学根柢六经，而沈酣史籍。文章不为无用之言。"

十二月

　　初十日，翁方纲序冯敏昌诗集。序云："予与及门诸子论诗，所知之最深者，无若谢、冯二生。谢蕴山自翰林出守，予诚以十年不为诗，蕴山亦知予。其吏治果逾十年，乃与友唱酬，自监司以至节钺，勤职之暇，无岁不以诗求定，予一序再序，期之勉之而已。冯渔山则天骨开张，更过于谢，而其自翰林改部曹，衣食奔走于四方，遍游五岳，穷探奇险。……今日知冯鱼山者，无若吴兰雪，兰雪力任删订，存此百三十首，以付其门人。予则谓存其多篇，不若少存之为质实，故为追说昔以诗望鱼山之鄙意。"（沈津《翁方纲年谱》）

　　除夕，俞正燮撰《科举之学不坏人才论》。据《俞理初先生年谱》。

　　李兆洛至安徽凤台县知县任。自本年始，在任七年。据《武进李先生年谱》。

　　孙玉庭因英人登岸澳门事办理迟缓，调抚贵州。是月抵任。十四年，复因此事革职。同年为嘉庆皇帝五十寿辰，孙玉庭入京祝寿，奉旨赏给翰林院编修，在文颖馆行走。据《寄圃老人自记年谱》。

　　玉德卒。据朱彭寿《清代人物大事纪年》。《晚晴簃诗汇》卷一百三收其诗一首。

冬

　　秦瀛序端木国瑚《太鹤山馆初稿》。据《太鹤山馆初稿》序。

　　张问陶作《船山诗草》自叙。有云："自十五岁乾隆戊戌年始，至四十岁嘉庆癸亥年止，共二十六年，得诗三千五百五十二首，删存一千七百四十六首，分为十五卷。

其甲子四十以后诗，另卷附后，观存者之有不必存，知删者之有不应删矣。惬心之事，难哉！嘉庆戊辰冬日，船山记，时年四十有五。"《瓶粟斋诗话》云："遂宁张船山诗学太白、东坡而不袭其貌，袁、蒋、赵三家外能拔戟自成一队，洵为豪杰之士。诗凡二十卷，皆手自删定，嘉庆戊辰刻。卷首自序，只寥寥百字，不乞他人序也。"（《张问陶年谱》）

茹纶常自序《容斋诗集》二卷。署"嘉庆戊辰□冬后六日，漫叟茹纶常题于言息庐之北窗"。序云："余集初刻于庚寅，再刻于丁未，三刻于己未，迄今戊辰忽忽十载，时年七十有五矣。"（《容斋诗集》四刻卷首）《容斋诗集》二卷本年刊行。

本年

方士淦师从鲍桂星学词赋，肄楷法。据《啖蔗轩自订年谱》。

张维屏始与莫元伯相见。《国朝诗人征略》初编卷四五引《听松庐文钞》："岁戊辰，先生秉铎吾邑，余归都中，始相见于省垣。先生出旧稿属点勘。"

方东树客池州。是年，作《池阳杂诗》。据《方仪卫先生年谱》。

汤贻汾诗自此年至己巳年曰《罢钓集》。据《汤贞愍公年谱》。

张釜作《下蜀镇沈庆之庙》等诗五首。据鲍鼎编《张夕庵先生年谱》。

斌良有《望云陟岵集》。据《先仲兄少司寇公年谱》。

程瑶田两目皆瞽，时年八十四岁。然犹以著述为事，口授孙等成《琴音记续编》，以示门人方岩夫轸，因请刊行，先生许之。据《程易畴先生年谱》。

顾广圻、段玉裁笔讼。正月初十日，顾千里著《学制备忘》之记，极诋《小学疏证》之说，刊板流布，段玉裁于旬日之间作书四通，凡数千余言，顾千里于三月初七日来第三札，长四千余言相辩诘，段玉裁又作札三通致之，千里不再作复。先是，顾千里代张古余作《礼记考异》，谓孙颐谷订王制西郊当作四郊之说为非。嘉庆十二年，段玉裁致书千里，谓：四郊是，西郊非。（《经均楼集》十一《与顾千里书》）千里来书申辩，先生复书。后嘉庆十二年十一月，段因作《礼记四郊小学疏证》一篇，颇攻顾说，同年十二月一日，千里又来书论难，即《文集》附载之千里第二札也（《经均楼集》十一）。段氏嘉庆十二年所作《周人卒哭而致事经注考》、《驳抚本礼记考异之非》等文皆因与千里之事而为也。陈仲鱼《经籍跋文·宋本礼记注跋》云：两家遂成水火，余欲为调人，终莫能解。嘉庆十三年，先生既不得顾氏复书，因致书黄丕烈，黄复书谓：先生年高学邃，久已当代钦仰，千里以后起之隽与先生抗衡，同辈实所窃议。又谓：先生以年高手硬、心意闲澹之老人，不应与脑满肠肥、初学把笔者相争。据《经韵楼集》一二、《段玉裁先生年谱》。

汤贻汾、洪颐煊、严可均等同客平津馆。《汤贞愍公年谱》曰："投诗孙先生，先生大倾服之，延为上宾。时客平津馆者有洪筠轩颐煊、严铁桥可均、杨惕庵思敬诸先生。樽俎联欢，顿忘风尘奔走之苦。"本年岁末，汤贻汾至扬州，诸词人邀贻汾觞咏蜀冈之上，会者四五十人。

莫与俦始馆八寨厅王氏。《独山莫贞定先生年谱》曰："八寨旧尚武，自是争知读书，今增设厅学，实公开之。"

昇寅官于会典馆，暇则与程同文、朱方增、朱为弼、戴敦元、叶继雯多有唱和。《昇勤直公年谱》云："每日进馆纂书之暇……与程春庐学使同文、朱虹舫阁部方增、朱椒堂漕督为弼、戴金谿大司寇敦元、叶云素侍郎继雯诸年好论诗文经济之学，时有倡和。"

孙星衍假归，招黄丕烈燕集一树园。正月下旬，顾广圻为黄丕烈叙新刊《易林》。三月，黄丕烈得元刻本《文心雕龙》，再校于嘉靖本上，并三跋之。十月二十二日，黄丕烈跋新得元刻残本乐府新编《阳春白雪》。据江标编《黄荛圃先生年谱》。

龚自珍始为金石之学。吴昌绶《定盦先生年谱》曰："游太学，见石鼓文，大好之，由是始为金石之学。"

刘文淇从包世臣劝，自是年始治毛诗。据《刘孟瞻先生年谱》

汤金钊主讲四明月湖书院。据《先文端公自订年谱》

钱泰吉入县学，肆力于郑孔之学。据曾国藩《钱君墓表》。

李文耕补山东邹平县知县。据王赠芳《通议大夫原任贵州按察使昆阳李公行状》（《续碑传集》卷三十四）。

何凌汉散馆一等，充顺天乡试同考官。据阮元《诰授光禄大夫经筵讲官户部尚书晋赠太子太保谥文安何公神道碑铭》。

魏源十五岁，补县学学子员。始究心阳明之学，好读史。据魏耆《邵阳魏府君事略》（《魏源集》）。

秦恩复跋所钞宋王质《雪山集》十二卷。据《明清江苏文人年表》。

沈复《浮生六记》前四卷有成稿。据《浮生六记》四。蒋瑞藻编《小说考证》引《海沤闲话》曰："《浮生六记》六卷，为清乾隆时苏州沈三白所著，一曰《闺房记乐》，二曰《闲情记趣》，三曰《坎坷记愁》，四曰《浪游记快》，五曰《中山记历》，六曰《养生记道》。七八年前，上海《雁来红丛报》曾载之，幽芳凄艳，读之心醉。后复购得单行本，为明明学社印行。末二卷阙，六仅存四，首有杨君引传小序，谓得于郡城冷摊。就所记推之，知为沈姓号三白，而名已逸。遍访城中无知者云云。杨君所谓郡城，未知何指，以余推之，当为苏城也。要之此书笔墨，可与清初人笔记颉颃，而逸其二，惜哉。"俞平伯云："此记所录所载，妙肖不足奇，奇在全不着力而得妙肖；韶秀不足异，异在韶秀以似无物。"据《浮生六记》说明。按，《浮生六记》书成，并未付梓。道光五年管贻葄（1789~1848）曾读到手稿并题绝句六首。道光三十年之前杨引传于苏州城内冷摊购得其手稿时，六记已失去后二记矣。光绪四年上海申报馆以活字版排印，编入《独悟庵丛钞》，附有管贻葄（"葄"误刊为"尊"）题诗，潘麐生题诗，杨引传序及王韬跋。此本为以后各种版本之源。1924 年 5 月北京霜枫社出版、朴社发行俞平伯校点本。此本有俞平伯《重印浮生六记序》及《浮生六记年表》。1935年上海世界书局出版的《美化文学名著丛刊》收入《浮生六记足本》，早已散佚之"中山记历"、"养生记道"赫然在内。此本附有赵苕狂《浮生六记考》及朱剑芒《浮生六记校读后附记》，其《浮生六记考》称，此足本之钞本乃王均卿于吴中冷摊偶然所得。后二记实非沈复原作，《中山记历》抄袭李鼎元《使琉球记》、杨芳灿《使琉球记序》揉合而成,《养生记道》则抄袭曾国藩《求阙斋日记类钞》卷下"颐养类",张英《笃素堂集》之《聪明斋语》等书杂凑而成,均为伪作。1980 年人民文学出版社重排霜枫社俞平伯校本,以《独悟庵丛钞》本覆校,将《独悟庵丛钞》本题诗、序、跋收作附录一,将俞平伯有关《浮生六记》之旧作三篇收作附录二,列为"中国小说史料丛书"之一。据《中国古代小说总目》文言卷。

阮元刻《天一阁书目》四卷。据《揅经室二集》七。

张澍《五凉旧闻》成,凡四十卷。是年,张澍居兰州,主讲关山书院。据《张介侯先生年谱》。

吴锡麒《有正味斋集》刊行。胡玉缙《续四库提要三种》:"《有正味斋集》七十三卷,钱塘吴锡麒撰。……是编凡诗集十六卷、骈体文二十四卷、词八卷、补集五卷、续集八卷、骈文续八卷、词续二卷、外集二卷,刊于嘉庆戊辰。其诗熔汉魏、六朝、唐宋为一冶,大致古体俊逸,近体清新,而得力于宋人者尤夥。骈文托体不高,用笔亦弱,而清华明秀,亦非专尚繁丽者所及。张维屏《听松庐诗话》论其诗文,以为'命意必清,吐辞必秀,取材必富,运笔必灵,可药晦涩拙滞,痴肥粗俗之病',所评良允。李慈铭《荀学斋日记》于其《游焦山记》,以为'焦山境窄,尚能传其幽峭,摹其幽蒨,惟收处"依依相送,脉脉有情",全是俗笔,亦结不住。《游泰山》、《西山记》,琐碎散漫,绝不相称,间有考据可取。与人书善于言情,颇有佳篇。论亦病在体弱。碑铭尤不知唐以前人法',颇致不满。后又称'泰山诸记皆叙次雅驯,考证亦确核,《泰山记》尤峭絜,《焦山》、《西山》亦皆有佳语',以为锡麒'才弱而体俊,思凡而语工,故作游记短篇,按日为书,能自修饰,其日记两卷,亦同此致',与前说如出两人,当以后说为正(惟议《焦山记》结语良是)。盖锡麒之文,躁释矜平,不免流而为庸,猝不易动目,慈铭'才弱体俊,思凡语工'两语,尤定论也。词多清绮之作。《外集》为八韵诗。王芑孙《惕甫未定稿》盛称之,以为在他诗上。此体限题限韵,本不易见长,集中如《文丞相遗像》、《于忠肃公祠》诸篇,能于流转之中含沈郁之致,固非唐人试帖所能比,然亦题可发挥,以视同、光间诸公遇题辄工,尚未之逮。禄利之途然,芑孙特未及见耳。"

张维屏下第南还,有《白云集》。《张南山先生年谱撮略》曰:"先生与林月亭、黄香石诸君筑云泉山馆于白云山,伊墨卿太守撰记有'七子诗坛'之语。"

陶澍辑丁卯至戊辰诗为《江湖草》。嘉庆十一年至本年秋,陶澍主讲澧阳书院。据《陶文毅公年谱》。

印垣《野语》九卷有是年刊巾箱本。印垣事迹史传未载,仅据书中序文等,知其字星甫,号南峰先生,别号拔剑研地生。乾隆、嘉庆间盐城(今属江苏)人。以侠风见称于世。全书分"语逸"、"语幻"、"语屑"、"语余"四卷。前两类为小说,后两类为考证和杂录等。中有"江斌"、"花面僧"、"李公奴"、"陈海虹"、"闵先生"、"痴僧"、"楚生"、"矮奴"诸篇道光间曾为陈世箴选入《敏述轩述记》中。书未见著录。《贩书偶记》及续编等列杂家类,九卷。今有嘉庆十三年刊巾箱本,又有道光十二年及二十五年重刊本等。据周之冕、伏虎道场行者序等,知本书原名《南峰语乘》,后更名《野语》。据《中国古代小说总目》文言卷。

《芎屿裘书》本《西江诗话》三卷刊行。《西江诗话》三卷，曾廷枚撰、曾燠编，有乾隆间刊本、嘉庆十三年《芎屿裘书》本。据张寅彭《新订清人诗学书目》。

裳华《皇华记》传奇存本年耀紫轩刻本。是剧凡二卷三十六出。据《古本戏曲剧目提要》。

舒位作《卓女当垆》。该剧一折，本事见《史记·司马相如列传》。又明陈贞贻有《当垆记》传奇（已佚）演相如、文君故事。吴梅曰："舒铁云《瓶笙馆修箫谱》，以《当垆》为艳冶。"（《中国戏曲概论》）舒位杂剧集《瓶笙馆修箫谱》，见支丰宜《曲目新编》、姚燮《今乐考证》、王国维《曲录》、傅惜华《清化杂剧全目》、庄一拂《古典戏曲存目汇考》等著录。流传版本有：道光十三年武林汪氏振绮堂刻舒位杂剧集《瓶笙馆修箫谱》本；姚燮《今乐府选》稿本所收本，在第38册，杭州图书馆藏；民国武进陶氏涉园《百川书屋丛书》所收本，据振绮堂本影印。据《古本戏曲剧目提要》。

沈日富（1808—1858）生。日富字沃之、南山，江苏吴江人，祖籍归安。少承家训，好词赋。弱冠后受教于方子春，道光十九年中举。道光二十七年，师事姚椿。著有《受恒受渐斋集》六卷。事迹见《受恒受渐斋集》、刘声木《桐城文学渊源考》卷六。[生年据江庆柏《清代人物生卒年表》。]

文汉光（1808—1859）生。汉光原名聚奎，号焕章，更名斗垣，号钟甫，安徽桐城人。咸丰元年举孝廉方正，九年卒。所著多遗失。仅存《文征君遗诗》一卷。事迹见《文征君遗诗》卷首、刘声木《桐城文学渊源考》卷八。[生年据江庆柏《清代人物生卒年表》。]

孔宪彝（1808—1856）生。宪彝字叙仲，号绣山、秀珊、韩斋学人，山东曲阜人。道光十七年中举。二十四年考授内阁中书，后迁实录馆纂修校对，官至内阁侍读。有《对月楼诗录》十卷、《续录》四卷等。事迹散见《韩斋文稿》、《对月楼诗录》、《续录》。

陈蔚昌（1808—1859）生。蔚昌字子文，号霞樵，别号亦园，河南西平人。有《亦园诗存》二卷。事迹见陈铭鉴《陈霞樵先生传》。[生卒年据《中国文学家大辞典》近代卷。]

蒋敦复（1808—1867）生。敦复初名尔锷，字纯甫、纯父、克父、子文、超存，号剑人、江东剑、丽农山人、老太仓、妙尘、铁岸和尚，江苏宝山人。有《啸古堂诗集》十一卷、《啸古堂文集》八卷、《芬陀利室词》五卷。事迹见王韬《翁牖余谈》、陈琰《艺苑丛话》。

曾元澄（1808—1873）生。元澄字亦庐，福建闽县人。道光十一年中举。二十四年，以大挑一等分发浙江试用知县。历任浙江乐清、黄岩知县。有《养拙斋诗存》八卷、《养拙斋诗存外集》二卷。事迹散见于诗集之郭曾炘序及曾宗鉴之跋中。[生年据江庆柏《清代人物生卒年表》。]

沈善宝（女，1808—1862）生。善宝字湘佩，浙江钱塘人。有《鸿雪楼初刻》四卷、《明媛诗话》一二卷。事迹见施淑仪《清代闺阁诗人征略》卷八、陈诗《皖雅初集·尊瓠室诗话》等。[生年据江庆柏《清代人物生卒年表》。]

张燮卒,年五十六。据孙原湘《诰授奉政大夫浙江宁绍台海防兵备道张君墓志铭》(《天真阁集》卷四七)。

黄丹书卒,年五十二。据江庆柏《清代人物生卒年表》。《国朝诗人征略》初编卷五二引《岭南四家诗钞》:"诗出入唐宋诸家,于苏尤近。"

郑士超约本年卒,年五十四。据曾钊《郑士超传》、吴应逵《监察御史郑公传》(《碑传集》卷五七)。

冯培卒,年七十二。据江庆柏《清代人物生卒年表》。王芑孙曰:"实庵受业任纯仁先生之门,与吴泰来、顾宗泰、金学诗称'任门四子'。故实庵制义独得先生体裁,诗亦不苟作者。泊致仕归,掌教苏州紫阳书院,造就学者甚众,可谓不替师承矣。"(《江苏诗征》卷一)《晚晴簃诗汇》卷一〇一收其诗三首。

公元1809年(嘉庆十四年 己巳)

正月

初五日,《皇朝词林典故》书成。据《清史编年》。

初六日,陈乔枞(1809—1869)生。乔枞字朴园、树滋,寿祺长子。道光五年中举,七赴京试不第。二十四年以举人大挑分发江西,历官分宜、弋阳、德化、南城诸县,署袁州、临江等府知府。著有《礼堂经说》二卷、《礼记郑读考》六卷、《鲁诗遗说考》六卷。事迹见《清史稿》陈寿祺传附、《清史列传》陈寿祺传附、谢章铤《左海后人朴园陈先生墓志铭》。

二十四日,段玉裁为严元照作《娱亲雅言序》。四月,玉裁作《戴氏声类表序》,五月作《地理志观县考》、《皖字考》。十一月,陈仲鱼以孙星衍所著《郑康成年谱》赠玉裁。又与梁耀北书论赵戴《水经注》。据《段玉裁先生年谱》。

二月

初二日,鳌图以金山寺僧案降三级以沿河知府补用。本年,鳌图刊《再至袁浦吟草》。据《沧来自记年谱》。

彭泰来作《同声歌》。本年,泰来得诗六首。据李光廷《彭春洲先生诗谱》。

潘世恩署刑部右侍郎。据《思补老人自订年谱》。

三月

会试。考官:内阁大学士费淳、礼部尚书王懿修、吏部侍郎英和、内阁学士贵庆。题"君子喻于"二句,"思知人不 知天","得天下有"六句。赋得"一意同欲"得"同"字。据《清秘述闻续》卷一。

恽敬还瑞金。七月,至南昌。本年得文九:《三代因革论五》、《三代因革论六》、《杂说》、《重修瑞金县署记》、《饶陶南墓志铭》、《彭泽县教谕宋君墓志铭》等。据《大云山房文稿》。

春

龚自珍、王昙订忘年交。吴昌绶《定盦先生年谱》曰："春，秀水王仲瞿孝廉昙见先生于门楼胡同西首寓斋，遂订忘年交。"《龚自珍全集》第二辑《王仲瞿墓表铭》亦云："己巳春，见龚自珍于门楼胡同西首寓斋。是日也，大风漠漠，多尘沙。时自珍十有八矣……遂与自珍订忘年交。"

汤贻汾由青县入都。在京与吴嵩梁、乐钧、刘嗣绾、法式善、陈用光、丁履恒、周仪暐、屠倬等过从甚密。据《汤贞愍公年谱》。

茹纶常作《己巳早春即事》。见《容斋诗集》卷二八。此为《容斋诗集》所收最晚之诗。茹纶常此后事迹未详。《晚晴簃诗汇》卷九八："绵上诗家，董帏园、任西郊、王田夫、梁秋谷有《四山人集》。容斋后起，足与相抗。存诗自乾隆辛巳始，分《一笑山房初稿》、《都门集》、《爨桐集》、《乐与集》、《槐黄集》、《菊隐小草》、《邺中集》、《言息庐诗》、《卧游集》、《辍弦集》、《昨非集》、《绵上集》、《三余吟稿》、《古芸书屋集》、《秋蛩集》、《友声集》、《秦树集》、《归与集》、《独吟集》、《烂柯集》，为二十卷。在里与帏园、西郊、田夫相唱和。交嘉善浦秋稼，因与朱昼圃、曹慈山有应求之雅。秋稼殁于客中，容斋厚赙经纪其丧。平生笃于交谊，事多类此。集中哭友诸作，皆见性情。"录其诗二十二首。

四月

殿试。赐一甲洪莹、廖金城、张岳崧进士及第，二甲黄安涛、吴慈鹤、顾元熙、许乃济、齐彦槐、王家相、郭尚先、路德等进士出身，三甲刘鸿翱、麟庆、王棻等同进士出身。据《历科进士题名录》。

焦循作《吴少文诗序》。本年，焦循有《神风荡寇后记》。据闵尔昌《焦理堂先生年谱》。

钱泳抵京，与翁方纲朝夕往来，谈论金石图书之学。《梅溪先生年谱》云："四月，抵京，寓斋适与为翁覃溪家相近，朝夕往来，谈论金石图书之学。或不能时见，则以书札答问，至数十函之多。"

童槐补户部广东司主事。据《显考萼君府君年谱》。

五月

十二日，洪亮吉卒，年六十四。据《洪北江先生年谱》。孙星衍《翰林院编修洪君传》云："君一生勤学，不以所遇荣枯释卷帙。忼爽有志节，自称性褊急，不能容物。好古人偏奇之行，每恶胡广中庸，不悦孔光、张禹之为人。""晚年诗愈刻峭，为六朝骈体文笔力遒迈。"光绪四年吴元炳序授经楼所刊洪亮吉遗集云："洪北江先生，乾嘉间负盛名。少尝读其《卷施阁集》，沈博绝丽，有万殊之体，而尤以志行气节为儒林□重。刘彦和所谓英华出于性情，其素所蓄积然也。盖先生少孤，贫乏无以自存。常徒步数十里负笈从师。苦无书，怀饼就抄，穷年不倦。稍壮，设塾教弟子，所得馆谷至微，用以养生送死，愈益困厄。而先生傲岸无愁色，处之泊如也。晚岁始登上第，当轴奇其才，名震辇毂，方向用，以上书言事，一蹶不复振。遣戍伊犁，冰天雪窖之中，尝手一编，歌声渊渊，若出金石。于经通小学，于史通地理。学经术、词术并登峰而造其极。吴山尊序其文谓'朴质若中郎君，遒宕若参军，肃穆若□公'，信哉！传世者极夥，已风行海内，家有其书。"光绪三年苏完恩锡《洪北江先生遗集序》云："先生少孤力学，自为诸生时，其诗文已风行海内，及居朱竹君学使幕府，与邵二云、王伯申诸先生交，乃更从事诸经正义及《说文》、《玉篇》之学，而诗文益日以进。已而入玉堂，直三天，奉使黔中，观山川之雄秀，览人物之瑰奇，诗文益恣肆有奇气。嘉庆初，先生上《成邸书》，极言时事，直声动天下。仁庙嘉其愚直，遣戍才百日，即手诏释归。自此优游家衡，研精馔述。所著凡二百六十余卷。诗文集外，有《春秋左传诂》、《公毂古义》、《六书转注录》、《补三国》等疆域志及《乾隆府厅州县图志》诸书。盖先生于声音训诂及古今地理之学，尤所长也。统观先生之书，洵乎经术、文章两擅其胜者矣。"《晚晴簃诗汇》卷一百八收其诗三十三首，诗话云："北江幼孤，母蒋大宜人教之读，绩学高才，与同里孙渊如、黄仲则、赵味辛、杨西禾、吕星垣、徐尚之唱和，称为七子。又有'孙洪'、'洪黄'之称，平生雅嗜游览，足迹遍吴、越、楚、黔，游嵩、华、黄山，皆登绝壁题名。于经传训诂、地理沿革靡不精研。诗有真气，亦有奇气。尝仿钟嵘《诗品》评骘同时名家之诗，或问君诗何如，曰：'仆诗如激湍峻岭，殊少迴旋。'盖诗如其人，固自知之矣。"王昶曰："稚存少孤失怙，为母夫人守节教养而成，是以刻意厉行，确苦自持。每当丝竹长筵，辄徐引退，而于取与尤严，盖古之狷者也。性好奇山水，如天都、华岳，皆登其巅，必缒幽历险而后已。作文具体魏、晋，作诗五言古仿康乐，次仿杜陵，七言古仿太白，然呕心镂肾，总不欲袭前人牙慧。至于经史注疏，说文地理，靡不参稽钩贯，盖非仅以词章名世者。"（《蒲褐山房诗话新编》卷四零）符葆森曰评洪亮吉诗曰："五言追纵大谢，以性好游山，故所作近似。七古步武青莲，风发泉泳，一往莫御，尤为人所难及。其余各体亦皆备美，无一袭前人牙后语也。"（《国朝正雅集》）谢章铤《赌棋山庄词话》卷三："洪稚存与黄仲则并名，其词亦不相上下。第稚存早年多沿《啸余图谱》，时有错拍。如《机声灯影词》，《忆秦娥》、《十六字令》诸阕可见。特其气最清疏，读之可药繁琐之病。"《续修四库全书·更生斋诗余提要》："其词小令尚有平允之作，慢词粗俗者多。盖亮吉文学，骈文第一，词虽稍胜于诗，终不成一格也。"授经堂重刊洪亮吉遗集，于光绪三年丁丑四月开雕，五年己卯闰三月工竣，计有《年谱》一卷、《卷施阁文甲集》十卷、《补遗》一卷、《文乙集》八卷、《续编》一卷、《诗集》二十卷。《更生斋文甲集》四卷、《文乙集》四卷、《续集》二卷、《诗集》八卷、《诗续集》十卷，附《鲒轩诗集》八卷、《冰天雪窖词》一卷、《机声灯影词》一卷、《两晋南北朝乐府》二卷、《唐宋小乐府》一卷、《北江诗话》六卷、《晓读书斋杂录》八卷、《传经表》二卷、《通经表》二卷、《六书转注录》十卷、《弟子职笺释》一卷附《史目表》二卷、《春秋左传诂》二十卷、《汉魏音》四卷、《比雅》十卷、《乾隆府厅州县图志》五十卷、《补三国疆域志》二卷、《东晋疆域志》四卷、《十六国疆域志》十六卷、《伊犁日记》一卷、《天山客话》一卷、《外家纪闻》一卷，共二百二十二卷。

十五日，谢振定卒，年五十七。据张士元《湘乡谢公述》、吴云《礼部员外郎江南道监察御史谢公墓表》（《碑传集》五十七）。《晚晴簃诗汇》卷一百二收其诗四首，诗话云："芋泉为御史时，以风节著，时论与之，惜未竟其施而遽卒。其诗文皆有根柢，多可传诵者。"王昶曰："芋泉在御史台巡城，适道遇势家奴，车服侈丽，且相抗，乃缚而鞭责之，焚其车。事闻吏议，弗善也。既罢官，性好山水，为东南汗漫游。尝访予青溪，以病未见，乃历五茸、三泖，过嘉禾，至西湖，又渡曹娥江，览鉴湖、戢山之胜。所至士大夫虚左迎之，酣畅淋漓，酒痕墨沈中，获其寸纸珍为拱璧。"（《湖海诗传》卷三六）

六月

初二日，何兆瀛（1809—1890）生。兆瀛字通甫，号青耜，江苏江宁人。道光丙午举人。咸丰四年，由户部郎中赏加知府衔，旋任御史。同治六年为杭州湖道。著有《心盦合集》。事迹见何汝霖《知所止斋自订年谱》。

初二日，凌廷堪卒，年五十三。据《凌次仲先生年谱》。本年，陈廷庆、钱昌龄、朱为弼、陈大用、段懋堂、鲍绿饮、黄秋平、臧在东、林啸云、陈觐光、何梦华、韩锦仙、张旗山、汪选楼诸君往来晤集，旧友新知，颇富友朋之乐。凌廷堪《礼经释例》己巳春由阮元刻于杭州节署。道光六年，凌廷堪诗集刻行。《国朝汉学师承记》云："君读书破万卷，肆经，邃于《礼》，披文摘句，寻例析辞，闻者冰释。至于声音训诂、九章八线，皆造其极而抉其奥。于史则无史不习，大事本末、名臣行业，谈论时若瓶泻水，纤悉不误。地理沿革、官制变置，元史姓氏有诘之者，从容应答，如数家珍焉。近时讲学者，喜讲六书，孜孜于一字一音。苟问以三代制度、五礼大端，则茫然矣。至于潜心读史之人，更不能多得也。先进之中，惟钱竹汀、邵二沄两先生，友朋中，则李君孝臣、汪君容甫及君三人而已。其于诗也，不分唐宋门户，专论声韵之协，对偶之工。诗余亦不主一家而严于律，今人之词有一字不合者，必指摘之。雅善属文，尤工骈体，得汉魏之醇粹，有六朝之流美。"《清史稿》本传："廷堪之学，无所不窥，于六书、历算以迄古今疆域之沿革、职官之异同，靡不条贯。尤专礼学。""廷堪礼经而外，复潜心于乐，谓今世俗乐与古雅乐中隔唐人燕乐一关，蔡季通、郑世子辈俱未之知。因以隋沛公郑译五旦、七调之说为燕乐之本，又参考段安节《琵琶录》、张叔夏《词源》、《辽史乐志》诸书，著《燕乐考原》六卷。江都江藩叹以为'思通鬼神'。他著有《元遗山年谱》二卷、《校礼堂文集》三十六卷、《诗集》十四卷。仪征阮元常命子常生从廷堪授士礼，又称其《乡射五物考》、《九拜解》、《九祭解》、《释牲》、《诗楚茨考》诸说经之文，多发古人所未发。其尤卓然者，则《复礼》三篇云。"钱泳《履园丛话》六："廿余岁游京师，始见知于翁覃溪先生。自此淹贯百家，邃于《三礼》、天文、律算之学。所作诗歌，沉博绝丽，古文经解，亦皆有根据，而尤长于词曲，虽老宿见之，亦为俯首"阮元《次仲凌君别传》云："君之学，博览强记，识力精卓。贯通群经，而尤深于《礼经》，不辍寒暑二十余年，著《礼经释例》十三卷。……君雄于文，《九慰》、《七戒》、《两晋辨亡论》、《十六国名臣序赞》诸篇上拟骚选；《乡射五物考》、《九拜解》、《九祭解》、《释性》、《诗楚茨考》、《旅酬》、《下为上解》诸篇皆说经之文，发古人所未发。其尤卓然可传者，有《复礼》三篇，唐宋以来儒者所未有也。"《校经堂集纪略》云："次仲于学无所不窥，九经三史过目成诵。尤精'三礼'，辨晰古今得失，识解超妙。为文沈博绝丽。"李斗《扬州画舫录》云："善属文，工于选体。通诸经，于三礼尤深。好天文律算之学，与江都焦循并称。"

吴蔚自晋省来访孙星衍于鲁，越月乃去。本年，孙星衍手校《金石萃编》、《说文翼》，撰《孙氏谱记》，辑《澄清堂文稿》。据《孙渊如先生年谱》。

王念孙调补直隶永定河道。据闵尔昌《王石臞先生年谱》。

夏

继昌授浙江督粮道。据《校经叟自订年谱》。

七月

姚莹抵粤入百龄幕。据《姚石甫先生年谱》。

铁保以失察山阳县谋毒冒贩案谪戍乌鲁木齐。在乌鲁木齐有《玉门诗钞》一卷。据《梅庵自编年谱》。

钱泳为英和钩模《松雪斋帖》六卷成。据《梅溪先生年谱》。

左辅升授泗州知州。明年七月二十五日抵任。据《杏庄府君自叙年谱》。

九月

初五日，阮元因刘凤诰监临舞弊一案去职。二十四日，得赏给编修，在文颖馆行走。据《雷塘庵主弟子记》。

初九日，甘泉陈观国招赵怀玉、姚文田、江涟、白镕、朱方增等于雨中观菊。陈、赵、姚等有诗纪之。据《收庵居士自叙年谱略》。

初十日，冯桂芬（1809—1874）生。冯桂芬字林一，号景亭，自号邓尉山人，江苏吴县人。道光十二年举于乡。二十年一甲二名进士，授编修。二十三年，充顺天乡试同考官。二十四年，充广西乡试正考官。卒于同治十三年四月，年六十六。有《校邠庐抗议》二卷、《段注考正》一六卷、《显志堂集》一二卷、《两淮盐法志》、《苏州府志》等。事迹见《清史稿》本传、《清史列传》本传、左宗棠《中允冯君景庭家传》（《续碑传集》卷一八）。[生日据朱彭寿《清代人物大事纪年》。]

昇寅授浙江道监察御史。有《整饬学校以正蒙养》一疏。据《昇勤直公年谱》。

秦瀛、顾莼、张问陶等觞菊于长春寺。《汤贞愍公年谱》曰："九月，李芸甫觞菊于长春寺。会者三十余人，除其人前见外，有秦小岘瀛、顾南雅莼、张船山问陶、陈玉方希祖、吴云海大冀、马秋药履泰、盛山甫惇大、钱梅溪泳、朱野云鹤年、朱涤斋文新、杨琴山湛思、陈渌晴镛、孟丽堂诸先生。……是会也，秦侍郎作记，其余各有诗画，极一时之盛。"

秋

张澍于兰州送那彦成、铁保出塞。据《张介侯先生年谱》。〔按，出塞即出征准噶尔事。〕

金陵云崖主人作《龙图刚峰公案合编叙》。据嘉庆十四年刊本《龙图刚峰公案合编》。

十月

黄安涛、潘曾沂同舟赴吴县，受阻于京口。据《小浮山人年谱》。

赵怀玉在石港，作《和陶饮酒诗》二十首。据《收庵居士自叙年谱略》。

孙星衍嘱顾广圻校刻宋九卷本《古文苑》竣事。顾广圻因作序。据赵诒琛编《顾千里先生年谱》。

黄培芳自序《香石诗话》。自序云："鲁论记夫子论诗最详，此吾党学诗之本，即古今诗话之祖也。诗话之作，固以论诗，兼以志美。崔明信'枫落吴江冷'单词遂足千古，其在多乎？盖有选家存历代之诗，复有诗话，尽诗人之绪，诗学可以不坠，而艺林之善可以不没矣。余偶掇拾所闻，成此一编，本无足述，门人辈爱而校录之，爰识数语于首。嘉庆己巳秋香石居士漫题。"（《香石诗话》卷首）

十一月

十九日，余治（1809—1874）生。治字翼廷，号莲村，别号晦斋、寄云山人，江苏无锡人。道光十五年补金匮学附生。五应乡试而不第，遂绝意进取。作皮黄戏甚夥。同治十三年卒于苏州。著有《朱砂志》、《后农劝》、《活佛图》、《尊小学斋诗文集》六卷、《得一录》八卷。事迹见《余孝惠先生年谱》、俞樾《例授承德郎候选训导加光禄寺署正衔余君墓志铭》。

二十七日，姚令仪卒，年五十六。据姚鼐《通奉大夫四川布政使姚公墓志铭并序》（《惜抱轩文后集》卷八）。

十二月

二十二日，翁方纲作《灵隐书藏歌》。方纲就已刻《复初斋诗集》三十二卷送杭州灵隐书藏，尚未刻前目及三十三卷，以后俟刻成续送。本年，有《隶韵》、《汉隶字源》等。据沈津《翁方纲年谱》。

冬

敏斋居士序《警富新书》。是书本年刊行。序云："安和先生所著《警富》一书，意彰词晰，废卷难忘，可以鼓舞其疾恶奋义之心，存乎恻隐哀痛之念。书未成，而踵门索观者累累。爰是而付诸剞劂，将见骄矜者知所警惧，狠悍者得识国法森严，虽不能与书传并称，其亦野史中之小补者也。"据道光十二年桐石山房刊本。

本年

陈廷庆、石韫玉、阮元、郭麐等会于杭州灵隐寺。阮元后作《杭州灵隐书藏记》，见《揅经室三集》二。

彭蕴章读王农山《兰雪堂制艺》，学为华赡之文。据《彭文敬公自订年谱》。

汤金钊充《皇清文颖》馆总裁。是年，分教庶吉士。据《先文端公自订年谱》。

钱仪吉以前里居诗存四卷，曰《北郭集》。吴兰雪题曰："读书能养气，酝酿出清诗。谏果多回味，寒花少媚姿。"又曰："改官仍澹泊，订史更精研。同社惭余长，名山让汝专。"本年，钱仪吉借居缪十二员外澄观庙。乃自题己巳至丁丑诗曰《澄观集》八卷。据苏源生《书先师钱星湖先生事》。

姚椿别姚鼐于金陵。此前从学于姚鼐。据沈曰富《姚先生行状》。

陈寿祺丁父忧归，自此不复出。据《碑传集》五十一。

彭兆荪校刊淳熙本李善注《文选》毕，别成《考异》十卷。本年，兆荪有诗二十首，作《与刘芙初书》、《四川布政使姚公诔》等文。据《彭湘涵先生年谱》。

铁保、汪志伊创尊经、正谊书院。《梅庵自编年谱》云："江南为人文极盛之地，而江宁、苏州止有钟山、紫阳二书院，限于膏火，人才不能多收。余与汪稼门抚军筹议添设尊经、正谊书院，尊经以商捐二万两生息为经费，正谊以入官抄产房地银二万余两为经费，一切规模与钟山、紫阳等。"

陶澍辑是岁诗为《太史草》。据《陶文毅公年谱》。

姚鼐作《方恪敏公诗后集序》、《礼部员外郎怀宁汪君墓志铭》、《安庆府重修儒学记》等。据郑容甫《姚惜抱先生年谱》。

法式善《十六画人歌》当作于是年。据《汤贞愍公年谱》。

潘奕隽赋《述怀》五言诗六章。是诗弟子和之者甚众，常熟女弟子归懋仪和作为冠。据《三松自订年谱》。

赵翼年八十三，老境渐侵。《瓯北先生年谱》云："目半明半昧，耳半聪半聋，喉音亦半响半哑，因自号'三半老人'。"

焦循佐归安姚文田、通州白小山修葺《扬州府志》。闵尔昌《焦理堂先生年谱》云："先生分得山川、忠义、孝友、笃行、隐逸、术艺、释老、职官诸门。先生谓忠孝乃一生大节，关系于阖郡之风俗人心，能多描写一字，则多增一层光焰。……术艺、释老，必求精核，不入小说家言及二氏荒诞之语。职官一门，莫不叹精核详备，以为扬州前志所未有。"

端木国瑚掌教中山书院。据《太鹤山人年谱》。

莫与俦主讲紫泉书院。据万大章辑《独山莫贞定先生年谱》。

嘉庆帝命纂《全唐文》。杨芳灿致书当事，劝广收唐人小说。据《梁溪文钞》三五。

舒位复至京，《瓶笙馆修箫谱》本年有成稿。据《瓶水斋集》王昙序。

俞正峰所编《珍珠塔》弹词二十回刊行。据《弹词宝卷书目》。

苏州书坊刻《义妖传》弹词二十八卷五十四回。据《义妖传序》。

周春自序《耄余诗话》。是书有本年自序稿本、北京图书馆藏道光十三年葛继常传本、上海图书馆藏赵慰苍传钞本、光绪中刊沈登善《豫恕堂丛书》本。自序略云："余有《黄发集》，袭徐苹村先生之名也。先生八十后所作诗文，名曰《发馀残渖》。余精力衰颓，草诗话以遣日，忆往事，追旧闻，所重师资，而于贫交死友尤致意焉。献岁迄今，积成十卷，过此以往，未之或知。"又，道光十三年门人张骏跋谓："是编甫成，遽归道山，未寓目焉。"（张寅彭《新订清人诗学书目》）

刘永安撰《鸳鸯扇》传奇。是剧二卷二十四出。据卷首《鸳鸯扇事实》所引麓樵《说鉴》，言为嘉庆丙辰时事。现存嘉庆间钞本，北京图书馆藏。署"东海刘永安填词"。首载署"己巳中秋后一日波平年弟福海拜识"之《序》，无署名之《鸳鸯扇事实》，及张宝鉴、杜钧、饶重庆、李腾华、郑吉士等人之《题词》。据《古本戏曲剧目提要》。

舒位撰《樊姬拥髻》杂剧。是剧又名《伶玄通德》、《通德拥髻》，一折。本事见汉伶玄《飞燕外传》，并《汉书·孝成赵皇后传》。吴梅曰："最爱《拥髻》一折，论断史事，极有见地。"（《中国戏曲概论》）又，《酉阳修月》、《博望访星》亦作于本年。据《古本戏曲剧目提要》。

张鸿基（1809—1850）生。鸿基字仪祖，号研孙、砚孙，江苏吴县人。诸生。受业于朱绶，与同邑叶廷琯、贝青乔等交，以才气豪逸为众所誉。乡试屡踬，憔悴以终。著有《传砚堂诗录》八卷。事迹见石渠《传砚堂诗录序》。［生卒年据《中国文学家大辞典》近代卷。］

彭昱尧（1809—1851）生。昱尧字子穆、兰畹，自号阆石山人，广西平南人。道光二十年举人。尝问学于吕璜、梅曾亮，又以才气受知于学使池春生。咸丰元年卒于家。著有《致翼堂文集》、《怡云楼诗草》。事迹见王锡拯《彭子穆墓表》（《续碑传集》卷七八）。

吴定卒，年六十六。据朱彭寿《清代人物大事纪年》。《晚晴簃诗汇》卷一百十五收其诗九首，诗话云："澹泉为刘海峰弟子，工古文辞。姚惜抱每为文必与就正，引为畏友。十六岁居母丧，夏不持扇，潜心濂洛之学，有《论冠》、《昏》、《丧》、《祭》诸作。其诗古淡纯朴，见高世之志。"

方正澍卒，年六十七。据江庆柏《清代人物生卒年表》。《晚晴簃诗汇》收其诗十二首，诗话云："子云诗托思清新，选辞丽密，尤工近体，高者不减杜樊川。刘文房、毕秋帆《吴会英才集》以子云为冠，次及稚存、仲则、渊如、秋塍诸家，而以渊如室王采薇夫人殿焉。乾隆间选刻江浙诗，前有秦小岘，后有王西庄，与此为三，皆以十二家为限云。"

蒋知让卒，年五十二。据江庆柏《清代人物生卒年表》。

袁廷梼卒，年四十八。据邓长风《明清戏曲家考略续编·袁于令、袁廷梼与〈吴门袁氏家谱〉》。

方芳佩（女）卒，年八十二。据《清代闺阁诗人征略》卷五引《两般秋雨庵随笔》。王鸣盛《在璞堂吟稿序》评其诗曰："剪刻明净，欲以幽好避群。言志之篇，婉转而缠绵;体物之作,秀发而浏亮。譬则秋兰丛菊,嫣然风露之外。"《晚晴簃诗汇》卷一八五录其诗十五首。

徐贞(女)卒,年三十一。据吴骞《徐姬小传》(《珠楼遗稿》卷首)。

公元 1810 年(嘉庆十五年　庚午)

正月

初二日,鳌图抵江宁接署江安粮道印并徐州关防任事。冬,鳌图手书《家言》第四卷,汇集前三卷,命子校订付梓,并刻四十九岁以前年谱,间日成韵语以自遣。又嘱门生校刊《金陵吟草》第一卷。据《沧来自记年谱》。

二十六日,吴省兰卒,年七十三。据朱彭寿《清代人物大事纪年》。

那彦成任陕甘总督。据徐士芬《那彦成传》(《续碑传集》卷九)。

段玉裁为李松云作《手写十三经跋》。四月,作《张涵斋侍读八十寿序》。十二月,作《春秋经成公十年无冬十月考》。据《段玉裁先生年谱》。

二月

十九日,**陈澧**(1810—1882)生。澧字兰甫,号东塾,自号江南倦客,广东番禺人。少时入粤秀书院肄业。尝从张维屏问诗法,又问经学于侯康。道光壬辰中举。六应会试不第,大挑选授河源县训导,旋告归。掌广东学海堂数十年,晚为菊坡精舍山长。有《东塾集》六卷、《陈东塾先生遗诗》一卷、《忆江南馆词》一卷、《东塾读书记》一五卷等。事迹见《清史稿》本传、《清史列传》本传。[生日据朱彭寿《清代人物大事纪年》。]

瞿中溶录到湘所作诗为《楚游吟稿》,共诗百首。据《瞿木夫先生自订年谱》。

三月

左辅领文赴清江请咨进京,谒康基田于书院。《杏庄府君自叙年谱》云:"时先生纂辑《晋乘搜略》,屡蒙过寓商榷。"

四月

初九日,**徐鼒**(1810—1862)生。鼒字彝舟,号亦才,江苏六合人。道光乙未中举。赴礼部试不售,馆江都史致俨司寇家。道光乙巳进士及第。卒年五十三。有《未灰斋文集》八卷、《外集》一卷、《诗钞》四卷。事迹见夏寅官《徐鼒传》(《碑传集补》卷二十二)、《敝帚斋主人年谱》。

二十八日,翁方纲序刘大观《玉磬山房诗稿》。据《玉磬山房诗稿》。

鲍桂星擢侍讲学士。九月,鲍桂星奉敕视学湖北。据《觉生自订年谱》。

五月

初六日，潘曾绥（1810—1883）生。曾绥初名曾鉴，字绂庭，江苏吴县人。潘世恩第三子。道光庚子举人。官内阁侍读，赠三品卿衔。著有《睡香花室词》、《秋碧词》、《同心室词》、《忆佩居词》等。事迹见《绂庭自订年谱》。

《皇清文颖续编》书成，董诰等进表。爱新觉罗颙琰《皇清文颖续编序》云："日升月垣，天之文也，川流岳峙，地之文也；经世载道，人之文也。观乎人文，以化成天下文之义理大矣哉！稽占圣贤立言，典谟训诰，载在《尚书》；制度官常，著于《周礼》。三代鸿文，诚尽善矣。汉、唐、宋、元、明皆有巨集，如文类、文粹、文鉴、文衡，不可弹述。我大清受上天之宝命，开奕代之丕基，龙兴东海，定鼎燕京，式廓舆图，接绥函夏，列圣右文成治，敷教同风，炳炳麟麟，菁莪荟萃，猗欤盛哉！乾隆九年，皇考继两朝未竟之志，辑百年至颖之文，编次成书，厘为一百二十四卷，敬录圣祖、世宗诗文列于卷首。皇考雅制继之，诸王臣工次之。御书序文，命名《皇清文颖》，昭明有象，垂裕无涯，诚盛世同文之极轨也。甲子再週，文治益盛，爰集《续编》。敬循前则，恭录皇考高宗纯皇帝文十卷、诗二十八卷冠于简端，用光艺府。我皇考文三集、诗五集久已颁行海宇，是编特依旧则，手自抄录，诚所谓管窥蠡测，奚能揄扬万一哉！次则予幼时恭和诗篇及书窗月课，择取文六卷、诗十二卷附于圣制卷后；而诸王、臣工赉扬骏烈，赓和奎章，溯虞廷喜起之歌，遵唐代早朝之作，文则清真雅正为宗，诗以《国风》、《雅》、《颂》为本，六十余年进呈诸作，灿然毕陈妙集，千狐白腋，万选青铁，得文五十卷、诗五十八卷，统成一百六十四卷。"

吴荣光引见以员外郎用。六月至杭州，晤石韫玉及浙中诸子。据《荷屋府君年谱》。

六月

初一至七月十三日，翁方纲校读《汉隶字源》一过。据沈津《翁方纲年谱》。

伯依保奏禁小说。俞正燮《癸巳存稿》卷九《演义小说》："（嘉庆）十五年六月，御史伯依保奏禁《灯草和尚》、《如意君传》、《浓情快史》、《株林野史》、《肉蒲团》等。"《大清仁宗睿皇帝实录》卷二百三十："嘉庆十五年庚午六月辛卯，谕内阁：御史伯依保奏，请禁小说一摺。坊本小说，无非好勇斗狠，秽亵不端之事，在稍知自爱者，尚不为其所惑。而无知之徒，一经入目，往往被其牵诱，于风俗人心，殊有关系，本干例禁，但日久奉行不力，而市贾又以此刊刻取利，其名目尚不止如该御史所奏数种，著五城御史出示晓谕禁止，如有此等刻本，即行销毁，亦不得令吏胥等借端向坊市纷纷搜查，致有滋扰。"

顾广圻作鲍氏《知不足斋丛书序》。据赵诒琛编《顾千里先生年谱》。

姚莹赴香山主讲榄山书院。七月，作《游榄山记》。据《姚石甫先生年谱》。

夏

汤贻汾等三十人集于紫翠轩分韵赋诗。汤贻汾本年作《海幢寺访僧雪岩天慧不值》、《越王台花田》等诗。据《汤贞愍公年谱》。

顾广圻谒吴蔚于紫阳书院。据赵诒琛编《顾千里先生年谱》。

七月

壬戌,永定河溢,王念孙自请治罪,以六品休致。子引之方自河南学政差旋,乃迎养于京寓。既罢职,乃以著述自娱,取所校《淮南子内篇》重加校正,博考诸书以订讹误。由是,校《战国策》、《史记》、《管子》、《晏子》、《春秋》、《荀子》、《逸周书》及旧所校《汉书》、《墨子》附以《汉隶拾遗》凡十种八十二卷,名曰《读书杂志》,自壬寅以后陆续付梓。据闵尔昌《王石臞先生年谱》。

张问陶授山东莱州知府。据《张问陶年谱》。

八月

初八日,金捧阊卒,年五十一。据朱彭寿《清代人物大事纪年》。蒋熊昌《客窗偶笔叙》云:"虽然玠堂秉承家学,文艺弱冠知名,诗词并卓荦可喜,顾韬晦不以示人,而仅以此〔磊按,指《客窗偶笔》〕问世,得毋因怀抱利器,尚未逢时,偶托此以写胸臆邪?抑以为诗文之嚆矢也?"(同治十二年守一斋刊本《客窗偶笔》)

增设广东师提督,驻虎门。据《东华续录》嘉庆三〇。

《高宗纯皇帝本纪》告成。据《觉生自订年谱》。

奉诏辑《全唐文》,胡敬充提调兼总纂修官,同纂翰林凡五十三人。据《书农府君年谱》。

九月

初二日,焦循往诵芬楼看桂有诗。据闵尔昌《焦理堂先生年谱》。

二十六日,徐灏(1810—1879)生。灏字子远、伯朱,号灵洲。番禺籍,浙江钱塘人。贡生。官广西知府。著有《说文部首考》、《象形文释》、《说文注笺》二九卷、《通介堂经说》三七卷、《通介堂文集》二卷、《灵洲山人诗录》二卷等。事迹见《徐灏传》(《碑传集三编》卷三九)。〔生日据朱彭寿《清代人物大事纪年》。〕

二十八日,顾莼嘱翁方纲跋释正谊书。据沈津《翁方纲年谱》。

秋

乡试。胡敬充顺天乡试同考官。(《书农府君年谱》)中式者有:增龄、陈均、钱侗、张应昌、沈涛(《清代人物大事纪年》)、祁寯藻(《续碑传集》卷四《祁文端公神道碑铭》)等。

陶澍充四川乡试副考官。在蜀著《蜀輶日记》四卷。陶澍本年诗为《皇华草》,吴锡麒为序,孙尔準、刘开等题诗。据《陶文毅公年谱》。

龚自珍应顺天府乡试中式副榜。《定盦先生年谱》云:"秋,应顺天府乡试,由监生中式副榜第二十八名，座主长沙刘文恪公权之，新城陈钟溪少司寇希曾，泾县朱静斋中丞理，房考觉罗文庄公宝兴。始倚声填词。是岁宋先生卒。"龚自珍《己亥杂诗·不能古雅不幽灵》云："不能古雅不幽灵，气体难跻作者庭。悔杀流传遗下女，自障纨扇过旗亭。"自注："年十九，始倚声填词，壬午年勒为六卷，今颇悔存之。"

姚鼐（年八十）、赵翼（年八十四）重赴鹿鸣宴。诏加姚鼐四品衔。十二月十八日，姚鼐作《程绵庄文集序》。本年又有《晋乘蒐略序》、《望溪先生集外文序》、《程绵庄文集序》、《印庚实传》、《朝议大夫临安府知府江君墓志铭》等。据郑容甫《姚惜抱先生年谱》。

包世臣偕眷至扬州寓西门外之倚虹园。世臣本年居扬州，作《策河四略》。据《包慎伯先生年谱》。

李富孙刻《鹤征后录》成。据《校经廋自订年谱》。

十月

阮元辑国史馆《儒林传》，写定《畴人传》。《年谱》曰："前与李锐商撰《畴人传》，至是写定。"本年，阮元自编录《十三经经郛》。据《雷塘庵主弟子记》。

十一月

张问陶、冯春晖、刘敬斋等小集闻过斋，饮酒赋诗。据《张问陶年谱》。

恽敬由南昌至常州。是年得文十：《天发神谶碑跋》、《都昌元将军庙碑铭》、《兵部侍郎衔署直隶总督裘公神道碑铭》、《宁都营参将博罗里公墓志铭》、《张府君墓志铭》、《刑部江西司主事曹君墓志铭》等。据《大云山房文稿》。

十二月

翁心存往苏州谒唐仲冕，时唐仲冕权苏州守。据《先文端公年谱》。

俞正燮作《书河南府施志后》。据《俞理初先生年谱》。

冬

臧庸有《答翁覃溪鸿胪卿书》。是时，臧庸正辑《中州文献考》。其书云："苏斋老人阁下……长至前数日，尝趋谒，未得见。庸为卢抱经学士弟子，神交已久，甲子在都，相待甚厚，海内大儒如大兴朱文正、嘉定钱詹事、青浦王司寇等，皆渐次凋谢，惟存先生，彼此所愿，亟见而不可得者。现为吴鉴庵通政纂辑《中州文献考》，此绝大著作，以一人总之，本猝猝无暇，而所与往还讲论书问不绝者，惟吾乡秦少司寇、高邮王观察父子、仪征阮侍郎、栖霞郝农部数人，皆古君子，非特学问优也。阁下亦不朽人物，于诸君中首屈一指，故愿请见。若在他人有延之，而不往者矣。"（《拜经堂文集》卷三）

本年

钱仪吉等八人举消寒诗会。苏源生《书先师钱星湖先生书》:"庚午岁与同年刘芙初、董琴涵、朱勋楣、屠琴坞、谢向亭、贺藕耕、周稚圭诸先生为消寒诗会。"(《碑传集补》卷十)周之琦《金梁梦月词·瑞鹤仙》序:"屠琴坞旧寓米市胡同双藤老屋,诸同志时时觞咏其间,距今三载矣。嘉庆壬申春杪,琴坞真州书来,重话畴囊,因赋此阕。尔时同集者,刘芙初、董琴南、朱勋楣、谢向亭、钱衎石、贺耦庚、琴坞及余为八人,皆戊辰同年友也。"

孙玉庭获起用授云南巡抚。据《寄圃老人自记年谱》。

曾燠擢广东布政使。据包世臣《曾抚部别传》(《续碑传集》卷二十一)。

李宗瀚入都,授宗人府府丞。据《续碑传集》卷九《工部左侍郎浙江学政李公墓志铭》。

黄钺按试泽州诸郡。据《黄勤敏公年谱》。

法式善家居养疴。据《梧门先生年谱》。

邓廷桢补授宁波知府。据《邓尚书年谱》。

方东树在江宁书院。据《方仪卫先生年谱》。

臧庸获聘修中州文献书。据《掌经室二集》六。

祁寯藻晋阳书院肄业。据《观斋行年自记》。

梁章钜辑《夏小正通释》四卷、《南浦诗话》四卷,皆祖望之为之序。是年,章钜主南浦书院。据《退庵自订年谱》。

吴慈鹤《岑华居士兰鲸录》八卷刊行。据《贩书偶记》。

杭州接刻翁方纲《复初斋诗集》至第六十二卷。据《翁氏家事略记》。

彭兆荪本年作诗四十六首,有《江行唱和图序》、《重建桴亭记》。据《彭湘涵先生年谱》。

徐松充文颖馆总纂,成《唐两京城坊考》五卷。又,简湖南学政。据《徐星伯先生事辑》。

张澍纂辑《河西旧闻》。据《张介侯先生年谱》。

秦敦夫刻《词源》。江藩为跋。是书于道光戊子重刻。据闵尔昌《江子屏先生年谱》。

冯登府《汉石经考异》成。据《冯柳东先生年谱》。

汤贻汾诗自此年至丁丑年曰《南塞集》。据《汤贞愍公年谱》。

岭海楼本《香石诗话》二卷刊行。《香石诗话》二卷,黄培芳撰,存嘉庆十五年岭海楼刊本、嘉庆间刊黄氏家集本、1985年上海书店影印本。据张寅彭《新订清人诗学书目》。

孔广林撰杂剧《松年引》自序。《松年引》又名《松年长生引》,杂剧,仅存二、四折,未见著录。作者为祝贺其大母徐太夫人七十寿辰作。此剧有嘉庆年间作者手写《温经楼游戏翰墨》本,在第七卷,署题"阙里孔广林幼髯稿"。标名《松年长生引》,首有嘉庆十五年自序,内分《西王母请帝锡龄,松年堂共祝长生》两折,首都图书馆藏。《清人杂剧》二集本，据嘉庆年间作者手稿本影印。据《古本戏曲剧目提要》。

贝青乔（1810—1863）生。青乔字子木，号无咎，江苏吴县人。诸生。道光十三年前后，在江苏巡抚林则徐署中任事。二十一年，投效扬威将军奕经军幕。论功得赏时自引《大清会典》，以为例当为功贡生，故世亦称"贝明经"。同治二年，应直隶总督刘长佑之聘北上，卒于途。尝从朱绶问诗法，与叶廷琯、张鸿基等吴下诗人交。著《咄咄吟》二卷，《半行庵诗存稿》八卷。事迹见叶廷琯《蜕翁所见诗录·感逝集》。

邵懿辰（1810—1862）生。懿辰一作懿臣、一辰，字位西，浙江仁和人。道光辛卯举人。历官刑部员外郎，殉难。有《邵位西遗文》（不分卷）、《半岩庐遗集》二卷等。事迹见《清史稿》本传、《清史列传》本传、曾国藩《仁和邵君墓志铭》（《曾文正公文集》卷三）。[生年据朱彭寿《清代人物大事纪年》。]

石玉昆（约1810—1871）约本年生。玉昆字振之，天津人。以说书为生。有《龙图公案》。事迹见赵景深《银字集·关于石玉昆》、阿英《小说二谈·关于石玉昆》。

李翮卒，年六十六。据恽敬《浙江分巡杭嘉湖道陕西候补道李公墓表》（《大云山房文稿初集》卷四）。《晚晴簃诗汇》卷九十五收其诗一首。

屈秉筠（女）**卒，年四十四。**据江庆柏《清代人物生卒年表》。

鲍之蕙（女）**卒，年五十四。**据江庆柏《清代人物生卒年表》。洪亮吉评其诗曰："如栽花隙地，补种桑麻。"（《北江诗话》）

公元 1811 年（嘉庆十六年 辛未）

正月

康基田以年老具折乞休。三月至京，从此杜门谢客，暇则检点旧稿，续《河渠绪论》，补《晋乘搜略》诸书。据《茂园自撰年谱》。

初二日，鳌图卒，年六十二。据《沧来自记年谱》。《晚晴簃诗汇》卷九十四收其诗四首。

二月

恽敬由常州至京师。八月，还常州。本年得文十四：《西楚都彭城论》、《辩微论》、《续辩微论》、《明儒学案条辩序》、《杨贯汀墓志铭》、《前浙江分巡杭嘉湖道陕西候补道李公墓表》等。据《大云山房文稿》。

潘世恩作《东轩种树记》。据《思补老人自订年谱》。

黄丕烈偕石韫玉同游西泠，宿松颠阁。据江标编《黄荛圃先生年谱》。

三月

初三日，阮元治具小集万柳堂。是集乃为秦瀛送别作，翁方纲有诗《补柳小集》。又，翁方纲制长句，为秦瀛题《城西草堂图》，秦瀛以诗奉报，并志留别。见《复初斋诗集》。

月初，黄丕烈游嘉禾，遇鲍廷博于双溪桥。鲍氏以家钞古《逸民先生集》一卷、《附录》一卷赠黄丕烈，丕烈跋之。据江标编《黄荛圃先生年谱》。

二十二日，顾文彬（1811—1889）生。文彬字蔚如，号子山，晚号退庵，江苏元和人。道光二十一年进士。历官邢部主事、福建司员外郎、福建司郎中、湖北汉阳府知府、浙江宁绍台道。后引疾归里。卒年七十九。著有《灵岩樵唱》、《今雨吟》、《小横吹剩谱》、《莺花醉吟》等共八卷，总名《眉绿楼词》。事迹见王颂蔚《浙江宁绍台道顾公墓志铭》（《碑传集补》卷十七）。［生日据朱彭寿《清代人物大事纪年》。］

会试。考官：内阁大学士董诰、户部尚书曹振镛、兵部侍郎胡长龄、内阁学士文干。题"子曰中庸"二句，"知斯三者"二句，"存其心养"一节。赋得"虚堂悬镜"得"情"字。据《清秘述闻续》卷二。

端木国瑚会试不第，自京师返。归途访孔壁古文，上峄山，登焦山。据《太鹤山人年谱》。

王昙、舒位、宋翔凤会试不第。据《瓶水斋杂俎》。

林则徐入京应试，与郭尚先、卢荫溥交。《兰石公年谱》曰："（林则徐）与公交莫逆，相与研究舆地象纬及经世有用之学。卢公荫溥喜谈掌故，公余招公及则徐集一小窗，谈至移暑，他朝士罕与焉。"

春

包世臣应试入都，与恽敬相往还。据《包慎伯先生年谱》。

臧庸有与王引之论校《小学钩沉》书。据《王伯申先生年谱》。

吴翌凤辑在浏阳十余年之诗为《清浏杂咏》二卷。见《与稽斋丛稿》卷一五、一六。

四月

初九日，陈鹤卒，年五十五。据秦瀛《工部主事陈君鹤墓志铭》。《清史稿》周济传附："（陈鹤）与栖霞牟昌裕、阳山郑士超有'工部三君子'之目。熟于明代事，辑《明纪》六十卷。未成，卒。后八卷其孙克家续成之。"

殿试。赐一甲蒋立镛、吴毓英、吴廷珍进士及第，二甲林则徐、王赐芳、李在青、汤储璠、周树槐、朱壬林、程恩泽、廖文锦、李彦章、吴衡照等进士出身，三甲吕璜、刘珊、王衍梅、仝卜年等同进士出身。据《历科进士题名录》。

阮元编录《十三经经郛》成。《雷塘庵主弟子记》："四月，《经郛》编录既成，计一百余卷。是书采择未周，艰于补遗，是以未刻。"本月，阮元偕法式善为西山之游。

张釜游洞庭。有《舣舟亭》等诗三十八首。又游苏州、湖州，有《悟真堂与浣梧方丈话旧》等诗十四首。据鲍鼎编《张夕庵先生年谱》。

五月

初三日，莫友芝（1811—1871）生。友芝字子偲，号郘亭，晚号眲叟，贵州独山人。莫与俦子。友芝幼承家学，于名物训诂、金石目录之学皆精。工书，善诗。道光十一年中举，屡应礼部试不中。咸丰八年选授知县，不就。后入胡林翼、曾国藩、李鸿章幕。同治十年九月十四日卒。著有《郘亭遗诗》八卷、《郘亭诗钞》六卷、《黔诗纪略》三十三卷、《影山词》二卷、《声韵考略》四卷、《过庭碎录》十二卷。事迹见《独山莫贞定先生年谱》、《清史稿》莫与俦传附、张裕钊《莫子偲慕志铭》。

初四日，叶名沣（1811—1859）**生。** 名沣（一作叶名澧）字润臣，号翰源，湖北汉阳人。道光丁酉举人。历官内阁侍读、浙江候补道。有《敦夙好斋诗初编》十二卷、《敦夙好斋诗续编》十一卷。事迹见张星鉴《怀旧记》。［生日据朱彭寿《清代人物大事纪年》。］

黄丕烈游支硎山。 后刻有诗集《春游杂咏》，纪春游事。据江标编《黄荛圃先生年谱》。

胡敬分教庶吉士。 据《书农府君年谱》。

《大云山房文稿》初集四卷刻于京师琉璃厂。 《大云山房文稿目录》云："右《大云山房文稿》初集四卷目录，瑞金陈莲青云渠排次雠校，凡杂文一百六十篇。嘉庆十有六年五月刻于京师琉璃厂，工冗杂不应尺度，且未竟。九月补刻，并修治于常州府小营。前以稿本篇自为叶，不用汉唐写书首尾相衔法。为日若干而竣。二十年三月。武宁卢宣旬幼眉改定二十篇，入外集，复刻于南昌。"（《大云山房文稿·大云山房文稿初集目录》）

百龄任两江总督。 据来新夏《林则徐年谱》。

三、五月间，周有声过通州，与唐仲冕、赵怀玉同游狼山。 三人颇极唱酬之乐。月，赵怀玉应陕西朱方伯勋之聘，欲于明年主关中讲席。据《收庵居士自叙年谱略》。

六月

初七日，翁方纲覆核自撰《诗附记》四卷稿本。 明年十月重覆核之。嘉庆二十年六月二十五日，三覆核之。此稿本，后有近人罗继祖题识，云："覃溪先生《诗附记》稿本，缺上半，以校定州王氏刻本，正合。惟刻本之卷一，此刻作卷四，盖先生诸经附记共六七种，本综合分卷，王氏所刻未全，遂改每种分卷，非有异也。"（沈津《翁方纲年谱》）

阮元编《汉延熹西岳华山碑考》四卷、《四库未收百种书提要》成。 据《雷塘庵主弟子记》。

夏

王念孙校读《战国策》录成三卷。 据闵尔昌《王石臞先生年谱》。

七月

臧庸卒，年四十五。 据朱彭寿《清代人物大事纪年》。《拜经堂文集》五卷有民国十九年上元宗氏石印本。《清史稿》臧琳传附："（庸）沉默朴厚，学术精审。续其高祖将绝之学，拟经义杂记为《拜经日记》八卷，高邮王念孙亟称之。其叙《孟子年谱》，辨齐宣王、湣王之伪，闽县陈寿祺叹为绝识。"

孙星衍因病辞山东督粮道，二十六日登舟南归。据《孙渊如先生年谱》。

八月

初一日，段玉裁作《〈春秋古经〉定本题辞》。至道光元年，此书始付刻。本年正月作《〈春秋经〉杀弑二字辨别考》。二月，作《周漪塘七十寿序》，并为李松云作《新雨堂记》。三月，作《奚斯所作解》。本年春，作《赵戴〈直隶河渠书〉辨》一篇答李松云。九月初三日，作《〈新唐书·忠义传〉书后》。本年，有《与方葆岩书再论校刻〈直隶河渠书〉事》、《陈芳林墓志铭并序》、《使乎使乎解》、《书〈类篇·金部〉后》、《公羊经传弑字辨误》、《君母杀君当书弑论》等。据《段玉裁先生年谱》。

九月

赵怀玉过乌镇，访鲍廷博。盘桓数日，赠诗而别。据《收庵居士自叙年谱略》。

秋

方士淦援例得授内阁中书。据《啖蔗轩自订年谱》。

十月

十一日，曾国藩（1811—1872）生。国藩初名子城，字涤生，湖南湘乡人。道光十八年进士。二十三年以检讨典试四川。再转侍读，累迁内阁学士、礼部侍郎，署兵部。时太常寺卿唐鉴讲学京师，国藩师事之，治义理之学。兼友梅曾亮及邵懿辰、刘传莹诸人，为词章考据，尤留心天下人材。咸丰初，典试江西，中途丁母忧归。三年奉旨办团练于长沙。七年二月，丁父忧。咸丰十年加兵部尚书衔，署理两江总督。十一年加太子少保衔，命节制江苏、安徽、江西、浙江四省。同治元年，拜协办大学士。同治十三年，薨于位，年六十二。封一等毅勇侯，赠太傅，谥文正。有《求阙斋诗集》、《曾文正公全集》。事迹见黎庶昌《曾国藩年谱》、《清史稿》本传、《清史列传》本传。

杨芳灿抵成都与修《四川通志》。时李尧栋在志局总理。据《杨蓉裳先生年谱》。

铁保补授浙江巡抚。十一月，升授吏部左侍郎兼管国子监事务。据《梅庵自编年谱》。

明轩主人作《四游合传》序。序云："书中所载《东游》系八仙故事，《西游》系三藏取经，《南游》乃五显大帝出处，《北游》乃真武祖师出身。虽其书离奇浩汗，亡虑数十万言，而大要可以一言蔽之，曰不外一心而已。盖人之成仙成佛，皆由此心，此心放，则为妄心，妄心一起，则能作魔，其纵横变化无所不至。此心收，则为真心，其心一见，则能灭魔，其纵横变化亦无所不至。故学者但患放心之难收，不患正果之难就，此书之谆谆觉世，其大旨宁外乎是哉！况历朝以来，屡加封号，显圣灵通，功参造化，直与天地同源，其有裨于世道，足以刊行。"署"嘉庆十六年辛未孟冬月，明轩主人题于式武学堂"。（嘉庆十六年九恕堂刊本《四游合传》）

十一月

二十四日，杨于果卒，年六十七。据陈预《湖北荆州府通判杨先生于果墓志铭》（《碑传集》卷一〇九）。

二十六日后，赵怀玉至扬州。时刘逢禄、丁履恒辈俱在扬州，诸人相过从，殊不寂寞。腊八日大雪，同人夜饮寓舍，有诗。据《收庵居士自叙年谱略》。

陶澍、何凌汉、聂蓉峰、贺耦耕等同集印心石屋。是会，诸人为贺陶澍三十四岁初度而集，陶澍有《赋得盆松用二冬合韵》诗。据《陶文毅公年谱》。

十二月

初十日，吴锡麒招赵怀玉、贵征、江涟等饮于小香馆。据《收庵居士自叙年谱略》。

初十日，阮元补授内阁学士兼礼部侍郎。据《雷塘庵主弟子记》。

左辅作《登泗州城楼》诗。据《杏庄府君自叙年谱》。

徐松被劾解湖南学政任。据《瞿木夫先生自订年谱》。

汤金钊放湖南学政。据《先文端公自订年谱》。

冬

焦循修雕菰楼成。闵尔昌《焦理堂先生年谱》云："先生家旧有读书老屋数楹，庭植山茶、海棠、蜜梅、玉兰、桂、牡丹，后有竹。自曾祖传至先生。先生名之曰'半九书塾'，取行百里者，其半九十之意。己巳纂修郡志，得修脯金五百。以少半买地五亩，在雕菰淘中，其形盘曲若赢，以为生圹，其大半以之修葺书塾，为雕菰楼，拓篱红薇翠竹之亭，蜜梅花馆，依洞渊九容数注《易》室、木兰冢、仲轩、花深少态簃。是年冬落成。……作《霜天晓角八咏》记之。文达、黄春谷皆赋以诗。"

岁末，张问陶以称病为由辞山东莱州知府任。自上年十月到任，至今岁末，仅一年三个月。据《张问陶年谱》。

辛未冬至甲戌秋，顾广圻在孙渊如冶城山馆几及三年。其间为渊如校刻《续古文苑》（壬申年刻）、《华阳国志》、《抱朴子内外篇》（癸酉年刻）、《古文尚书考异》（壬申年刻）、《绍熙云间志》等书。据江标编《黄荛圃先生年谱》。

本年

汪喜孙谒姚鼐。姚鼐《赠诗》有"清标两世见鸾翔"之句。本年，喜孙为吴蕉校

917

元本《玉海》。并与焦循订《江都志》之谬。《汪荀叔自撰年谱》云："里堂纪事多失实，余作书争之；孙、洪、凌、江所书友人遗事，亦失实。"

翁心存馆山塘泾李氏。《先文端公年谱》："时与陈子准先生撰讨论经义。假其稽瑞楼藏书读之，并为照旷阁张氏校勘书籍。"

祁寯藻始就读于兰山书院。时陕甘总督那彦成延祁寯藻父主讲兰山书院，祁寯藻随侍，因得入兰山书院。《观斋行年自记》："兰山书院藏书颇多，前山长武威进士张介侯先生澍好古博学人也，架上经史子集多经手校，引证贯通，悉有根柢，余因得纵观，略窥读书门径。"又云："先君命读《史记》、《汉书》，始学为古文，绎堂先生授余作字用笔法。"

魏成宪主讲崇文书院。据《仁庵自记年谱》。

张澍出都赴泰州襄试，别王引之、吴荣光、宋湘等有诗。《张介侯先生年谱》曰："出都赴泰州襄试，将南行，奉别廉维堂善、詹事宋芷湾湘、白小山镕、史望之致俨、吴美存其彦、编修王伯申引之、学士吴荷屋荣光、苏朴园兆堂、侍郎王楷堂庭绍、比部卢厚山坤、枢曹家棠邨业南农部诸同年有诗。"

张维屏入都。莫元伯赋五言古诗三章赠行。据《国朝诗人征略》初编卷四五引《听松庐诗话》。《张南山先生年谱撮略》："下第南还。覃溪学士取先生诗合谭康侯、黄香石诗序之，题曰'粤东三子'。"

王引之分教庶吉士。据《王伯申先生年谱》。

郭尚先散馆授编修。据《兰石公年谱》。

江宁太守吕某延姚鼐为修府志，方东树、陈鹤、陈燮等助撰。本年，姚鼐弟子陈用光为鼐校刻《庄子章义》于湖北。姚鼐作《跋方望溪先生与鄂张两相国书稿后》、《通奉大夫四川布政使姚公墓志铭》等。据《姚惜抱先生年谱》、《方仪卫先生年谱》。

江藩作《经师经义目录》一卷。《江子屏先生年谱》："先生既为《汉学师承记》，复以传中所载诸家撰述有不尽关经传者，有虽关经术而不醇者，乃取其专论经术而一本汉学之书，仿唐陆元朗《经典释文传注姓氏》之例，作《经师经义目录》一卷。附于记后。其义例有四：一言不关乎经义小学意不纯乎汉儒古训者；一书虽存其名而实未成者；一书已行于世而未及见者；一其人尚存，著述仅附见于前人传后者。"

汤贻汾入粤官兴宁都司，著《剑人缘》传奇。据《汤贻汾年谱》。是剧"旧有刻本，兵燹后散失"。据汤涤《逍遥巾跋》。

冯敏昌《小罗浮草堂文集》四十卷有本年刻本。据冯士镳《先君子太史公年谱》。

王豫辑《群雅二集》二十二卷。据《群雅二集自序》。

彭泰来有诗《春雨》、《光孝》（为曾燠作）等八首。时彭泰来、陈昙俱为曾燠座上客。据李光廷《彭春洲先生诗谱》。

刘嗣绾辑近年诗为《不易居斋集》。是时，嗣绾官北京。据《国朝诗人征略》五七。

彭兆荪著《忏摩录》，作《自题忏摩录》诗。明年有《忏摩录自序》。据《彭湘涵先生年谱》。

梁章钜、陈寿祺分纂《御制全史诗注》六十四卷。梁章钜选辑《闽文典制钞》四卷。据《退庵自订年谱》。

舒位作《论曲绝句》于京。据《瓶水斋诗集》一四。

张维屏撰《松心日录》、《燕台二集》。据《张南山先生年谱撮略》。

宋翔凤次所著为《忆山堂诗录》。据《瓶水斋诗集》一四。

唐仲冕刻所著《陶山诗录》总三十卷、《露蝉吟词钞》二卷。据《贩书偶记》。

祁韵士有《平舒山庄六景诗》刻。据《万里行程记》附《鹤皋年谱》。

孙星衍延严可均校新得宋小字本《说文解字》，欲重刻行世。赵诒琛编《顾千里先生年谱》曰："铁桥自用其说，多所校改。先生以为不必改，渊如从先生言，并属先生手摹篆文辨别白然否。校勘付梓，颇多疑义，久未勒成。于是铁桥颇与先生不平。……先生于校议中摘尤不可从者三十四条欲加辨正，至二十条而病卒。（此即今所行《说文辨疑》，是先生未成之书也）。"

陈球《燕山外史》定稿刊行。《燕山外史》据明冯梦祯《窦生传》敷衍而成。嘉庆四年已成初稿，陈球尝索题词于友人吕清泰，是作修改后本年定稿付梓。据吕清泰《燕山外史序》。书叙明永乐时燕人窦绳祖就学嘉兴与贫女李爱姑相恋事。

宋永岳《志异续编》有本年刊本。据《贩书偶记》。《八千卷楼书目》小说家类著录《志异续编》八卷，署永岳。《贩书偶记续编》所云嘉庆十六年刊本，未见。现存光绪向撷华书局铅印本为四卷，题《亦复如是》，青城子撰。《申报馆丛书》本为八卷，题《志异续编》，当即《八千卷楼书目》所本者。《笔记小说大观》本四卷，题《志异续编》。据《中国古代小说总目》文言卷。

许宗衡（1811—1869）生。宗衡字海秋，江苏上元人。咸丰壬子进士，改庶吉士。官起居注主事。有《玉井山馆诗集》一五卷，《玉井山馆文略》五卷、《文续》三卷、《玉井山馆诗余》一卷。事迹见《江宁府志·许宗衡传》。

邓瑶（1811—1865）生。瑶字伯照、小芸、小耘，湖南新化人。道光十七年拔贡。京试报罢，以书记周游湖南、湖北。同治四年三月卒。有《山梧山馆文集》二五卷、《潞河纪程》、《北归纪程》一卷等。事迹见郭嵩焘《邓伯昭墓志铭》、黄彭年《邓伯昭先生行状》（《碑传集补》卷五十）。

方玉润（1811—1883）生。玉润字友石，晚号黝石，别号鸿濛子、鸿濛室主人，云南宝宁人。诸生。乡试应试十二次，均落第。尝入曾国藩等人幕。官至陇州州判。有《鸿濛室诗钞》十卷、《鸿濛室文集》二卷、《星烈日记汇要》四十卷。事迹见其诗集及自序。

许光治（1811—1855）生。光治字龙华，号羹梅、穗嫣，浙江海宁人。廪贡生。少颖悟，从兄光清学。音乐、医药无所不晓。工诗。有《红蝉香馆集》、《江山风月谱》、《放吟》四卷、《声画诗》一卷、《红蝉香馆骈体文》四卷等。事迹见管庭芬《许光治小传》。

杨潜（1811—?）生。潜又名泽闿，字白民，号石汸，湖南宁远人。尝六应礼部试，皆不第。道光十八年，考取景山官学教习。咸丰十年主讲于宁远崇正书院。有《石汸诗钞》三十卷、《石汸诗略》十四卷。事迹见其诗集。

杨文照（1811—1869?）生。文照字得天，号剑谭、芋庵，贵州贵阳人。道光癸卯

举人。咸丰六年选授麻哈州学正。同治六年官广西候补通判。有《芋香馆集》、《杨剑谭先生遗诗》。事迹见朱启钤《杨剑谭先生传略》。

陈长孺（1811—1862）生。长孺字稚君，号秋毅，浙江归安人。博学雅游，收藏金石书画甚富。熟于湖州掌故，善诗词。道光丁酉拔贡。殉难。有《偕隐草堂诗集》、《昼溪渔父词》。事迹见施补华《奚疑传》附《陈长孺》（《续碑传集》卷七八）。

董平章（1811—1870）生。平章字琴虞，眉轩，闽县人。道光十一年中举。十三年成进士，授户部浙江司主事。有《秦川焚馀草》六卷、《补遗》一卷。事迹见《秦安县志·职官志第三》。

郑贞华（女，1811—1860）生。贞华字蕉卿、澹若，自号爨下生，浙江乌程人。广西巡抚郑祖琛女，钱塘贡生周锡诰室。青年寡居守节。咸丰十年，太平军攻占杭州，自杀而死，年五十。著有《梦影缘弹词》、《绿饮楼诗遗》。事迹见施淑仪《清代闺阁诗人征略》卷九、胡文楷《历代妇女著作考（增订本）》。

师范卒，年六十一。据姜亮夫《历代名人年里碑传总表》。《晚晴簃诗汇》收其诗七首，诗话云："荔扉诗倔强自喜，不屑屑字句间，法梧门称之曰：负声若折铁，抽笔如缫丝。"

公元 1812 年（嘉庆十七年　壬申）

正月

吴骞自序所编《拜经楼诗集续编》四卷、《万花渔唱》一卷。据朱彭寿《清代人物大事纪年》。

严学淦、杨芳灿等于川同修《四川通志》。诸人"晨夕共事，编纂之暇，谈诗论文，颇得友朋之乐。"据《杨蓉裳先生年谱》。

恽敬至南昌。三月，往瑞金。八月，复至南昌。十二月，至吴城。本年得文七：《朱赞府殉节录书后》、《记苏州本淳化帖》、《上举主陈笠帆先生书》、《重刻脉经序》、《重修松窦庵记》等。据《大云山房文稿》。

孙星衍自序所刻《平津馆丛书》。据朱彭寿《清代人物大事纪年》。

二月

初七日，阮元奉旨阅大考翰詹卷，拟一等陈嵩庆、顾莼等。据《雷塘庵主弟子记》。

二十四日，赵旭（1812—1866）生。赵旭字石知、晓峰，贵州桐梓人。少孤，幼随祖父宦游鲁、苏、鄂等地。诸生。九应乡试不中。官荔波教谕。同治五年殉难，赠国子监学录。有《播川诗钞》五卷。事迹见其诗集郑珍、莫友芝序及其子赵彝凭跋。

昇寅以外班入翰詹补右春坊右庶子。三月，补授日讲起居注官。五月，转补左春坊左庶子。据《昇勤直公年谱》。

吴荣光补授刑部员外郎。据《荷屋府君年谱》。

冯登府著《黎伦馆悼亡词》悼妇之亡。词多未刻。郭频伽评曰："能会句意于一时，融情景于两等。"据《冯柳东先生年谱》。

春

姚莹作《述遇》诗。夏，作《励志赋》。据《姚石甫先生年谱》。

李富孙访陈曼生、继昌，晤孙星衍、顾千里、姚鼐。《校经庼自订年谱》："春，往金陵，道出溧阳，访县令陈曼生同年。时继观察昌调任江安，留署数日，孙渊如星衍招饮，吴门顾涧蘋广圻、常州吕节若某俱同席。谒桐城姚姬传先生鼐于钟山书院，手赠《惜抱轩文稿》。"本年，阮元由翰林转少詹，为国史馆总裁，札令纂辑《文苑传》，富孙"以志、传、集、序等连缀成文，不自加一字褒贬。

三四月间，潘世恩典试九江。事毕，与吴嵩梁饮。据《思补老人自订年谱》。

四月

上旬，赵怀玉抵西安，始主关中书院。五月十日后，赵怀玉重病，因将诗文嘱陆耀遹略为排比，约可得五十卷，并自为挽联。后病渐平复。据《收庵居士自叙年谱略》。

十九日，杨翰（1812—1882）生。翰字伯飞，号海琴、息柯，宛平人。道光乙巳进士，授翰林院编修。改湖南永州府知府。因抵御石达开军有功，补湖南辰沅永靖道。后辞官归。有《褭遗草堂诗钞》十二卷。事迹见杨彝珍《辰沅永靖兵备道杨公墓志铭》。〔生日据朱彭寿《清代人物大事纪年》，卒年据江庆柏《清代人物生卒年表》。〕

下旬，张问陶侨寓苏州虎丘。在苏州与赵翼、孙原湘、陈文述、孙星衍、吴锡麒、范来宗、梁同书、屠倬、鲍文逵、潘奕隽、澄谷和尚等人，唱酬颇频。梁同书时年九十，船山作《梁山舟先生九十寿》诗贺之。据《张问陶年谱》。

段玉裁为龚自珍作《怀人馆词序》。序略云："仁和龚自珍者，余女之子也。嘉庆壬申，其父由京师出守新安，自珍见余吴中，年才弱冠，余索观所业诗文甚夥，间有治经史之作，风发云逝，有不可一世之概，尤喜为长短句。其曰《怀人馆词》者三卷，其曰《红禅词》者又二卷，造意造言，几如韩李之于文章，银盎盛雪，明月藏鹭，中有异境，此事东涂西抹者多，到此者少也，自珍以弱冠能之，则其才之绝异，与其性情之沈逸，居可知矣。"（《经韵楼集·怀人馆词序》）十月初一日，玉裁为吴小岩作《说文引经异字考序》。本年，段氏有《说荷》等文。据《段玉裁先生年谱》。

赵怀玉晤庄逵吉，访庄炘。庄炘时年七十八，善酒，勤于作诗，因赋七律以赠。连日庄逵吉招饮，观剧，颇称乐。据《收庵居士自叙年谱略》。

五月

初七日，汪喜孙为江藩作《汉学师承记跋》。见卷末。

初八日，阮元补授工部右侍郎，兼管钱法堂事。据《雷塘庵主弟子记》。

六月

十七日,钱伯坰卒,年七十五。据恽敬《国子监生钱君墓志铭》(《大云山房文稿二集》卷四)。张惠言《送钱鲁斯序》云:"鲁斯以工作书为诗名天下,交友遍海内。"(《茗柯文编》二编卷下)《清史稿》邓石如传附:"当乾嘉之间,嘉定钱坫、阳湖钱伯坰,皆以书名。""论者谓自刘墉殁,正、行书以伯坰为第一。其执笔,虚小指,以三指包管外,与大指相拒,侧毫入纸,助怒张之势。指腕皆不动,以肘来去,斥古今相承拨镫之说。石如作书,则悬腕双钩,管随指转,两家法大殊。"

二十日,谕修《明鉴》。上谕云:"近见宋范祖禹所著《唐鉴》一书,考镜得失,裨于治道。至有明三百年,时代相承,其一期政治,亦鉴观得失之林也,宜效《唐鉴》体例,辑为《明鉴》一书。进呈后经朕裁定,勒为成书,刊刻颁行。"陈康祺《郎潜纪闻四笔》卷七云:"嘉庆帝敕修《明鉴》,杭州太史戚人镜充分纂官,其所撰稿中,述本朝与明构兵事,上怒其诽谤,下之狱。松文清筠公入对,谕旨偶及之,公即奏云:'纯皇帝曾有明谕,以前明之事,宜直书不宜避忌。'上惊异曰:'先帝果有是乎?'令检《实录》进呈,戚始免罪。文清出谓曹文正振镛公曰:'他人固不知,公亦岂失记哉?曷勿上闻?'曹曰:'上愠甚,何敢言!'文清曰:'公自此休矣。一言是惜,几累圣明,大臣之谓何?'曹默然。"

张澍自江宁往苏州,作《金陵杂咏》四十首。见张澍《诗集》卷十二。

七月

童槐升户部山东司郎中。据《显考萼君府君年谱》。

八月

十七日,钱楷卒,年五十三。据朱彭寿《清代人物大事纪年》。《晚晴簃诗汇》卷一百六收其诗五首,诗话云:"裴山善画山水,能合麓台、石谷为一,兼精分隶,与诗称三绝。"

二十日,阮元将纂办粗毕之《儒林传》稿本交付国史馆。其《文苑传》创稿未就。阮元《拟儒林传序》云:"我朝诸儒好古敏求,各造其域,不立门户,不相党伐。束身自践,闇然自修。呜呼,周鲁师儒之道,我皇上继列圣而昌明之,可谓兼古昔所不能兼者矣。""综而论之,圣人之道,譬若宫墙文字,训诂其门径也。门径苟误,跬步皆歧,安能升堂入室乎?学人求道太高,卑视章句,譬犹天际之翔,出于丰屋之上,高则高矣,户奥之间,未实窥也。或者但求名物,不论圣道,又若终年寝馈于门庑之间,不复知有堂室矣。是故正衣尊视,恶难从易,但立宗旨,即居大名,此一弊也。精校博考,经义确然,虽不逾闲,便于出入,此一弊也。"(《雷塘庵主弟子记》)

吴骞等有诗祝翁方纲八十初度。方纲有诗二首奉答诸友祝寿之作。见《复初斋诗集》。

汪喜孙以校写《述学清本》赴段玉裁处就正。据《段玉裁先生年谱》。

九月

初二日，左辅抵宁国府接制府印。据《杏庄府君自叙年谱》。

晦日，黄丕烈拟易号"知非子"。本年，黄丕烈跋新得元刊三十卷本《皇元风雅》。借周香严铜活字本《开元天宝遗事》，手校于埭川顾氏家塾本上。校《周益公全集》毕。据江标编《黄荛圃先生年谱》。

潘曾沂应院试举秀才。据《小浮山人年谱》。

江有诰至苏，执弟子礼谒段玉裁。本年三月，江有诰寄书段玉裁论古音。七月，段氏作书复之，长凡五千余言，载《经均楼集》卷六。九月，江有诰到苏，谒段氏，二人因往复辩难，段氏正有诰缪者数十处。十月，段玉裁为江有诰作《江氏音学序》。据《段玉裁先生年谱》。

秋

梁章鉅开藤花吟馆。《退庵自订年谱》："秋后回家，开藤花吟馆，集里中诸老名流觞咏其中，有《藤花吟馆书卷》。阳湖李申耆邑候兆洛，歙县程春海侍郎恩泽并为之记。"

端木国瑚客横阳，作《大雅山房印谱序》。据《太鹤山人年谱》。

十月

初七日，左宗棠（1812—1885）生。宗棠字季高、朴存、湘上农人，湖南湘阴人。道光十二年举人。十七年，主讲醴陵渌江书院。二十年起，馆陶澍家，凡八年。咸丰二年，以知县用，并加同知衔。十年，以四品京堂衔为曾国藩襄办军务。其间，与太平天国军作战。同治六年，授钦差大臣，督办陕甘军务。官至东阁大学士。封二等恪靖侯，赠太傅。谥文襄。著有《左文襄公全集》一三四卷。事迹见《清史稿》本传、吴汝纶《左文襄公神道碑》、罗正钧《左文襄公年谱》。

十一月

二十一日，阮元嘱焦循为《丈量简明法》。据《雷塘庵主弟子记》。

英和调镶蓝旗满洲副都统，授内阁学士。据《恩福堂年谱》。

十二月

十九日，庄宇逵卒，年五十八。据《收庵居士自叙年谱略》。洪亮吉《庄达甫征君春觉轩诗序》云："若征君之性情、之品、之学，固夫人而知之者也，其言皆有物，不苟作流连光景之语，而又加之以气息之渊雅，意匠之深邃，而诗之道亦遂无不备焉。"（《更生斋文续集》卷一）《晚晴簃诗汇》卷一百十五收诗十首，诗话云："达甫以高材屡踬场屋，所与游者稚存、味辛、皋文、仲甫辈皆毗陵杰出之士。其诗出入诸家，不名一格，遇忠孝节烈事尤激昂慷慨。尝自校中年以前所作，删一切应酬诸什昔人所谓阔扁体者。自比于萤光蝉响，可以征其志尚矣。"

十九日，吴荣光、叶筠潭、陈用光、刘嗣琯、董琴南、谢向亭等于翁方纲苏斋小集。适吴荣光以所得蔡襄《茶录》宋拓残本来，与《天际乌云帖》同观，翁方纲赋诗一首。见《复初斋诗集》。

二十四日，潘世恩补授工部尚书。据《思补老人自订年谱》。

张崟之金陵。集中《腊月望同深见再诣金陵途中遇雪》等诗四首作于此时。本年，张崟游吴兴，有《悟真堂访闻止山即约之吴兴》等诗二十四首。据鲍鼎编《张夕庵先生年谱》。

陈奂始受业于段玉裁门下。本月，陈奂至苏，段玉裁令校《说文注》第十五卷。自是，陈奂始受业于段玉裁门下，并宿枝园凡二年。据《段玉裁先生年谱》。

冬

俞正燮作《台湾府属渡口考》。据《俞理初先生年谱》。

朱休度卒，年八十一。据钱仪吉《朱休度事状》。《晚晴簃诗汇》卷八十四收其诗七首，诗话云："梓庐为文恪裔孙，渊源家学，博涉多通，晚年自言困于簿书，诗思如黄杨厄闰，不复能生发，极其分不过如南宋金源最小家之一鳞片甲；誉之者谓其晚律之细，已入老杜之室，语皆过当。律以宋金，不失为庐山滢水之遗。"《清史稿》汪辉祖传附："休度博闻通识，尤深于诗，以其乡硃彝尊、钱载为法。任校官时，采访遗书，得四千五百余种，撰总目上诸四库。大学士王杰为学政，任其一人以集事，时盛称焉。"

本年

龚自珍由副榜贡生考充武英殿校录，遂为校雠掌故之学。据吴昌绶《定盦先生年谱》。

丁晏补博士弟子员。初应童试，同里潘德舆见丁晏试艺，评云："澄汰陶镕，有江西五家风格。"又云："具隆、万之法律，运天、崇之才气；斩削严峻，则又正、嘉古法也。"(《丁柘亭先生历年纪略》)

潘曾沂举秀才。据《三松自订年谱》。

翁心存偕陶静涵贵鉴、陈梅江观理、赵叔才元恺等为文会。据《先文端公年谱》。

彭蕴章肄业紫阳书院，始葺碧梧庐为读书处。据《彭文敬公自订年谱》。

祁韵士充兰山书院山长。据《万里行程记》附《鹤皋年谱》。

方东树授经安徽巡抚胡克家幕中。据《方仪卫先生年谱》。

姚鼐作《赠奉直大夫翰林院编修邓君墓志铭》、《周青原墓志铭》、《朱海愚运使家人图记》等。据郑容甫《姚惜抱先生年谱》。

江藩作凌次仲《校礼堂文集序》于扬州。据闵尔昌编《江子屏先生年谱》。

包世臣谒姚鼐于白门钟山书院，请为学之要。据《包慎伯先生年谱》。

钱泳始著《吴越新书》。据《梅溪先生年谱》。

俞正燮撰《台湾府属渡口考》。据《癸巳类稿》九。

洪饴孙作《瞻园杂诗》十二章。据《明清江苏文人年表》。

石韫玉所著《袁文笺正》十六卷刊行。据《贩书偶记》。

舒位作《开门七咏》于吴中。据《瓶水斋诗集》一五。

顾广圻、彭兆荪着手为胡克家校刻元板胡三省注《资治通鉴》。据赵诒琛编《顾千里先生年谱》。

潘德舆初编《养一斋诗话》。据《随年附记》。

朱绶旅绍兴，作《会稽香炉峰纪游》。据《知止堂文集》五。

鲍文逵自海阳南还，辑此期诗为《海阳集》。据《野云诗钞》。

法式善《存素堂文集》四卷有是年刻本。据《贩书偶记》。

寿考堂刊赵翼《瓯北集》。钱大昕《瓯北集序》云："夫唯有绝人之才，有过人之趣，有兼人之学，乃能奄有古人之长，而不袭古人之貌。然后可以卓然自成为一大家。今于耘菘先生见之矣。""菘天才超特，于书无所不窥，而尤好吟咏。早年登薇垣，直枢禁，游翰苑，应制赓和，顷刻数千言，当宁已有才子之目。及乎出守边郡，从军滇徼，观察黔西。簿书填委，日不暇给，而所作益奇而工。归田十数年，模山范水，感旧怀人之词，又日出而未有艾也。最耘菘所涉之境凡三变，而每涉一境，即有一境之诗以副之。如化工之赋草木，千名万状，虽寒暑异候，南北殊方，枝叶无一相肖，要无一枝一叶不栩栩然含生趣者。此所以非汉、魏，非齐、梁，非唐，非宋，而独成为耘菘之诗也。"（《潜研堂文集》卷二十六）

陆元铉刻《青芙蓉阁诗钞》。本年，陆元铉主同州书院。先是，己未岁于成都刻诗六卷，既而因未尽惬意，不复印行。至是，复增删订正为《青芙蓉阁诗钞》，仍六卷，杨芳灿为作序。据《乡石自订年谱》。

孙星衍刊成《续古文苑》、《平津馆书》二集。《孙渊如先生年谱》云："嘉庆十七年壬申，君六十岁，在金陵。值……姚比部鼐、石殿撰韫玉皆主讲省城书院，多文艺之事。""刊成《续古文苑》、《平津馆书》二集。"

梁章钜《南浦诗话》八卷刊行。是书存嘉庆十七年留香室刊本、光绪三十一年重刊本。据张寅彭《新订清人诗学书目》。

左潢《桂花塔》传奇有是年天香馆刊本。沐阳南昀居士《桂花塔传奇序》云："古塘先生著作等身，所刊时文骈体文、传奇曲谱及消闲名艺，皆已脍炙人口。兹于丹铅之暇，按拍填词成《桂花塔》院本。剧仅十出耳，而其中悲欢离合，夷险惊喜，奇勋武略，高行大节，文章德性，幽明果报，伦谊交情无不毕备。至其气象之光昌，魄力之浩瀚，词句之鲜妍，针线之细密，宫谱之谐协，宾白之雅趣，则兼擅北宋元人之长，有过之无不及。他日被之管弦，声情逼肖，氍毹一丈，即搬演于桂塔之旁，对景传神，有迢越寻常万万者。"是剧凡一卷十出。存嘉庆壬申天香馆刊本，题作："筠亭山人论文，古塘樵子填词，清河居士正谱。"据《古本戏曲剧目提要》。

陆寿铭刻所著《绘真记》弹词。据《明清江苏文人年表》。

孙广林《斗鸡忏》传奇有本年紫芝堂稿本。是剧全名《东城老父斗鸡忏》，现存嘉庆十七年紫芝堂稿本,中国艺术研究院戏曲研究所藏,题《温经楼游戏翰墨》卷一《东城老父斗鸡忏传奇》,署"阙里孔广林幼髯稿",首载署"嘉庆十七年元默珺滩春三月戊子阙党赘翁漫笔"之《自叙》,署"乾隆五十九年焉逢摄提格中秋日幼髯"之《自叙》,末载署"嘉庆十六年重光协洽长至日阙党赘翁识"之跋;嘉庆十七年手稿本《温经楼游戏翰墨》所收本,首都图书馆藏。据《古本戏曲剧目提要》。

王章（1812—1863）生。王章初名搏霄,一作搏云,字雨岚,号宇南,江苏上元人。诸生。工诗文词曲,兼擅书画。有《静虚堂诗集》二十卷、《守约堂诗集》一卷、《随缘草堂文稿》一卷、《静虚堂吹笙草》四卷。事迹见《清画家诗史》辛上。

吴可读（1812—1879）生。可读字柳堂,号冶樵,甘肃皋兰人。道光庚戌进士,官御史。降吏部主事,以五品衔赐恤。光绪五年闰三月初五日卒,年六十八。有《携雪堂集》五卷。事迹见《清史稿》本传、蔡寿祺《吴柳堂传》（《续碑传集》卷五四）。

徐子苓（1812—1876）生。子苓字毅甫、西叔,号南阳、龙泉老牧,安徽合肥人。道光甲午举人。咸丰间居曾国藩、江忠源幕。同治五年,拣选得知县,选授和州学正,主夏邱书院。光绪二年,病卒。好古文辞,师事姚莹、刘庄年。有《敦艮吉斋文钞》四卷、《敦艮吉斋诗存》二卷等。事迹见马其昶《龙泉老牧传》、刘声木《桐城文学渊源考》卷四。

陈寿熊（1812—1860）生。寿熊字献清、子松,江苏吴江人。诸生。少与沈曰富交,以文章道义相砥砺。壮与顾广誉交,治经学,师事姚椿。咸丰十年十月二十四日卒,年四十九。有《静远堂集》三卷、《读义启蒙私记》、《周易集义》、《周易正义举正》等。事迹见《清史列传》方坰传附、方宗诚《陈献清传》（《续碑传集》卷七十一）。

公元 1813 年（嘉庆十八年 癸酉）

正月

初八日,林则徐至扬州,晤吴锡麒、洪梧、秦恩复。五月初九日,林则徐至庶常馆。因致力于研习清文,尝译司马光《谏院题名记》、韩愈《师说》诸课业。据《林则徐集·日记》。在庶常馆,则徐与郭尚先交最莫逆,"相与研究舆地、象纬及经世有用之学"。时应卢荫溥之招,"集一小窗",共谈掌故,"谈至移晷"。据《兰石公年谱》。

二十五日,刘熙载（1813—1881）生。熙载字伯简,号融斋、嘏崖子,江苏兴化人。道光十九年恩科举人。二十四年成进士,改翰林院庶吉士,二十五年散馆授编修。咸丰三年直上书房。六年京察一等,记名以道府用。同治三年补国子监司业,是年秋,督广东学政,旋补充詹事府左春坊左中允。五年归。晚主上海龙门书院。著有《说文双声》二卷、《四音定切》四卷、《说文叠韵》二卷、《艺概》六卷、《昨非集》四卷、合集《古桐书屋六种》等。事迹见《清史稿》本传、俞樾《左春坊左中允刘君墓碑》（《续碑传集》卷七五）。

铁保升授礼部尚书,兼管乐部太常寺、鸿胪寺事务。四月初十日抵京供职。据

《梅庵自编年谱·年谱续编》。

张问陶等雅集虎丘孙子祠。与会者有张问陶、赵翼、范来宗、潘奕隽、范荟、蒋于坌等。问陶作图题诗。本年，船山侨寓苏州虎丘。据《张问陶年谱》。

阮元议仿杭州灵隐，添设焦山书藏。据《雷塘庵主弟子记》。

二月

初五日，法式善卒，年六十一。洪亮吉《暇日校法学士式善张大令景运近诗率赋一篇代柬》："我诗时苦难，法诗时苦易。若欲诗笔工，两人先易地。张君下笔有古人，我诗下笔苦有我。若论诗格超，有人有我皆不可。"（《卷施阁诗》卷十一）阮元《存素堂诗续集序》云："先生具良史才，主持诗派，衷于雅正，足为后学之式。平生学问、交游敦笃靡已。"王昶曰："时帆自登仕版，即以研求文献，宏奖风流为事，故在词垣著《清秘述闻》、《槐厅载笔》，在成均著《备遗录》，其余有资典故，著而未刻者甚多。所居在厚载门北，背城面市，一亩之宫，有诗龛及梧门书屋，室中收藏万卷，间以法书名画。外则移竹数百本，寒声疏影，翛然如在岩谷间。经师文士，一艺攸长，莫不被其容接。为诗质而不癯，清而能绮，故问字求诗者，往往满堂满屋。"（《蒲褐山房诗话》卷三六）《晚晴簃诗汇》卷一百二收其诗三十九首，诗话云："时帆论诗主渔洋三昧之说，出入王孟韦柳。工为五言。所居净业湖侧，为李东阳旧宅，因修其祠墓，为作年谱。尝有句云：'前身我是李宾之。'又云：'我于李宾之，旷代默相契。'其慨慕风流，不啻东坡之于香山焉。"

陆元铉往主太仓州书院。据《乡石自订年谱》。

赵翼赴吴门偕范来宗、潘奕隽、张问陶作诗酒会。问陶因绘《虎阜雅集图》。据《瓯北先生年谱》。

梁玉绳自序所编《蜕稿》四卷。据朱彭寿《清代人物大事纪年》。

三月

初三日，魏成宪、莫潍、高家骏、朱邦经、高树程雅集。《仁庵自记年谱》："五人合三百四十一岁，皆丁酉同年也。自是月必有集，略仿真率会。"

初四日，王拯（1813—1876）生。拯初名锡振，字定甫、少鹤，广西马平人。道光十年举于乡。二十一年成进士，授户部主事，充军机章京。大学士赛尚阿视师广西，以拯从。咸丰间，自郎中累迁大理寺少卿。同治三年，迁太常寺卿，署左副都御史。寻迁通政使，仍署左副都御史。尝师事洪亮吉，与朱琦、邵懿辰交。著有《龙壁山房文集》、《龙壁山房诗草》、《茂林秋雨词》四卷等。事迹见《清史稿》本传、《清史列传》朱琦传附。［生日据朱彭寿《清代人物大事纪年》，江庆柏《清代人物生卒年表》谓其生卒年为 1815—1876 年。］

英和授礼部右侍郎。《恩福堂年谱》云："时铁冶亭、王春甫两先生为大宗伯，秀楚翘堃、胡西庚长龄、汪文端公廷珍为少宗伯。铁出王门，胡、汪、秀三公及英和前后皆出铁门。其时有'春官六座六师生'之谚。"

春

陈用光、阮元、潘世恩、刘嗣绾等同游万柳堂。阮元《题柳径停云图卷子,三叠万柳堂诗韵》云:"癸酉春,都中陈钟溪少司空邀同其叔石士编修、兄玉方员外,暨朱野云山人、潘芝轩大司空、叶琴柯给事、叶芸潭、刘芙初、董琴南、饶晴芗、谢向亭编修同游万柳堂。山人画万柳堂卷子寄余,翁覃溪先生题卷有曰'柳径停云',并题五言古诗一首。诸公所作多题卷中,朱苍湄比部诸公亦有题句寄到济宁舟中,因三叠旧韵题答。"(《揅经室四集》)

四月

二十九日,史梦兰(1813—1898)生。史梦兰字香崖,号砚农,河北乐亭人。道光五年,从毕雪堂学诗古文词。十年,入泮。二十年,中举。咸丰八年,作《竹枝词》八十余首。光绪十七年,得赏四品衔。二十四年卒。于书无所不窥,尤长于史。著有《尔尔书屋诗钞》八卷、《尔尔书屋文钞》二卷、《古今谣谚补注》二卷、《古今风谣拾遗》四卷。事迹见《清史列传》本传、徐世昌《史梦兰传》(《碑传集补》卷五〇)。

鲍桂星升詹事。九月,升内阁学士兼礼部侍郎。十二月,充文渊阁直阁事。据《觉生自订年谱》。

孙星衍往云间修《松江府志》。本年,孙星衍与方维甸等校刊《抱朴子内篇》。据《孙渊如先生年谱》。

左辅署颍州府知府。据《杏庄府君自叙年谱》。

六月

宋翔凤自江右来楚访瞿中溶,以诗见赠。据《瞿木夫先生自订年谱》。

昇寅奉使喀尔喀札萨克图汗爱满。九月归,有《喀尔喀纪程草》一卷。诸同年为序付梓。据《昇勤直公年谱》。

鲍廷博以进呈所刻《知不足斋丛书》二十六集,得赏举人。据朱彭寿《清代人物大事纪年》。《顾千里先生年谱》云:"嘉庆十八年癸酉,奉上谕:鲍廷博年逾八旬,好古积学,老而不倦,着加恩赏给举人。"钱泳《履园丛话》卷六:"(廷博)以治坊为业,而喜读书,载籍极博。乾隆三十八年诏求天下遗书,廷博独得三百余种,赍浙江学政王杰上进,奉旨以内府所刻《图书集成》一部赐廷博,乡里荣之。廷博尝校刻《知不足斋丛书》二十四集,嘉庆二十年流传禁中,仁宗见之,传谕抚臣曰:'朕近日读鲍氏丛书,亦名知不足斋,为语鲍氏勿改,朕帝王家之知不足,鲍氏乃读书人知不足也。'迨廿五至廿八集进呈,有旨钦赐举人,传为盛事。"

七月

初三日,边浴礼(1813—?)生。浴礼字夔友、袖石,河北任丘人。道光甲辰进士，改庶吉士，授编修。咸丰初，典山东乡试，后擢吏部给事中，简放河南归德府知府。咸丰四年，升河南汝光道道员。有《健修堂诗集》二二卷、《空清馆词稿》三卷、《东郡趋庭集》一卷。事迹见徐世昌《边浴礼传》（《碑传集》卷一七）。［生日据朱彭寿《清代人物大事纪年》。］

初八日，**黄钺简放山东乡试正考官**。九月初三日，奉旨补放山东学政。据《黄勤敏公年谱》。

吕璜抵庆元县令任。据《月沧自编年谱》。

段玉裁为桂馥作《札朴序》。十一月，作《伊雒字古不作洛考》。是年冬，始刻《说文解字注》。据《段玉裁先生年谱》。

八月

王引之授太仆寺卿。十月，转大理寺卿。据《王伯申先生年谱》。

九月

十一日，**康基田偕邹炳泰赴顺天府鹿鸣筵宴**。据《茂园自撰年谱》。

十五日，**天理教起义军攻入紫禁城**。天理教徒起事于直隶长垣、河南滑县、山东定陶、曹县。据黄丽镛《魏源年谱》。十八日，清廷于京郊逮捕天理教首领林清。十九日，清廷大肆搜捕天理教会众。据《林则徐集·日记》。十一月二十六日，天理教首领李文成战死。十二月初十日，直隶天理教首领冯克善被俘。十二日，清军攻占滑县。天理教起义失败。据《林则徐集·日记》。

林则徐代张师诚勘定《御制全史诗疏》。据林聪彝《文忠公年谱草稿》。

潘奕隽游青浦，改琦来晤。据《三松自订年谱》。

潘世恩调补户部尚书，旋署吏部尚书。据《思补老人自订年谱》。

秋

乡试。周之琦为山西副考官。（《稚圭府君年谱》）郭尚先充贵州乡试正考官。（《兰石公年谱》）黄钺为山东乡试正考官。（《黄勤敏公年谱》）茹棻充江南乡试正考官。（沈元泰《茹棻传》）中式者有：徐继畲（《山西通志》本传）、吴振棫（《碑传集补》卷十四）、陈沆（周锡恩《陈修撰沆传》）、刘淳（王柏心《刘孝长传》）等。

石韫玉与黄丕烈游西山，有和韵五古八首。据江标编《黄荛圃先生年谱》。

十月

二十三日，**庄逵吉卒，年五十四**。据陆继辂《潼关同知庄君逵吉墓志铭》（《碑传集》卷一○九）。

上谕禁毁稗官小说。嘉庆十八年癸酉冬十月丙午，又谕："御史蔡炯奏，请饬禁民间结会拜会，及坊肆售卖小说等书，并查核僧道一摺。……至稗官小说，编造本自无

929

稽，因其词多俚鄙，市井粗解识字之徒，手挟一册，薰染既久，斗狠淫邪之习，皆出于此，实为风俗人心之害，坊肆刊刻售卖，本干例禁，并著实力稽查销毁，勿得视为具文。"（《大清仁宗睿皇帝实录》卷二百七十六）

钱大昭卒，年六十九。据《瞿木夫先生自订年谱》。《清史稿》本传："大昕深于经史，一门群从，皆治古学，能文章，为东南之望。大昭少于大昕者二十年，事兄如严师，得其指授，时有'两苏'之比。壮岁游京师，尝校录四库全书，人间未见之秘，皆得纵观，由是学问益浩博。又善于决择，其说经及小学之书，能直入汉儒阃奥。""大昭于正史尤精两汉，尝谓注史与注经不同，注经以明理为宗，理寓于训诂，训诂明而理自见。注史以达事为主，事不明，训诂虽精无益也。每怪服虔、应劭之于《汉书》，裴骃、徐广之于《史记》，其时去古未远，稗官、载记、碑刻尚多，不能会而通之，考异质疑，徒戈戈于训诂，乃著《两汉书辨疑》四十卷，于地理、官制皆有所得。又仿其例著《三国志辨疑》三卷。又以宋熊方所补《后汉书年表》只取材范书、陈志，乃于正史外兼取山经、地志、金石、子集，其体例依班氏之旧，而略变通之，著《后汉书补表》八卷。计所补王侯，多于熊书百三十人，论者谓视万斯同历代史表有过之无不及。"

十一月

童槐授陕西道监察御史。据《显考尊君府君年谱》。

焦循作《易图略自序》、《易通释自序》。二书成于本年。本年，焦循又成《易余籥录》二十卷、《易话》二卷、《注易日记》二卷、《易广记》三卷。有《书徐文长集后》。闵尔昌《焦理堂先生年谱》云："先生承家学，幼年即好《易》。……丁父忧后，乃遍求说《易》之书阅之，撰述成帙。甲子后，复精研旧稿，悟得洞渊九容之术实通于《易》，乃以数之比例求《易》之比例，拟撰《通释》一书。丁卯病危，以《易》未成为憾。病瘳，誓于先圣先师，尽屏它务，专治此经，日坐一室，终夜不寐，遂成《易通释》二十卷。……《易通释》既成，复提其要，为《图略》八卷，凡图五篇、原八篇，发明旁通相错时行之义；论十篇，破旧说之非。是年十一月冬至前五日，作《易图略自序》是为《雕菰楼易学》之二。冬至前二日，作《易通释自序》是为《雕菰楼易学》之三。……先生易学既成，数年中有随笔记录之书，编次之得二十卷，名曰《易余籥录》，凡友朋门弟子所问答，及于《易》者取入。三书外，多有所余，复录而存之，得二卷，名曰《易话》。自是年，立一簿，稽考所业，得二卷，名曰《注易日记》，又有《易广记》三卷。"

十二月

十四日，康基田卒，年八十六。嘉庆二十三年奉国史馆列传。道光五年、七年先后经河南、山西抚臣题，准入祀名宦、乡贤各祠，并入祀晋阳三立阁祠。据《茂园自撰年谱》。

二十一日，万承风卒，年六十一。追赠礼部尚书，谥文恪（赠谥在二十五年八月），加太傅（加赠在道光十二年十一月）。据朱彭寿《清代人物大事纪年》。

禁开设小说坊肆及扮演好勇斗狠各杂剧。嘉庆十八年癸酉十二月癸丑，又谕："陈预奏，整饬吏治一摺。……至稗官野史，大率侈谈怪力乱神之事，最为人心风俗之害，屡经降旨饬禁。此等小说，未必家有其书，多由坊肆租赁，应行实力禁止，嗣后不准开设小说坊肆，违者将开设坊肆之人，以违制论。至民间演剧，原所不禁，然每喜扮演好勇斗狠各杂剧，无知小民，多误以盗劫为英雄，以悖逆为义气，目染耳濡，为害尤甚。前已有旨查禁，该管地方官，务认真禁止，勿又视为具文。"（《仁宗睿皇帝实录》卷二百八十一）

清廷复滑县，天理教起义失败。那彦成以讨伐之功赏太子少保衔。据徐士芬《那彦成传》（《续碑传集》卷九）。曹振镛晋太子太保衔；英和复加太子少保衔。百龄复加太子少保衔。（十九年十二月削）。据朱彭寿《清代人物大事纪年》。

恽敬由吴城至南昌。本年得文三十一篇。据《大云山房文稿》。

胡敬派充文渊阁校理。据《书农府君年谱》。

本年

梅曾亮学骈丽之文。据刘文淇《贡士梅君墓志铭》。

端木国瑚北上客李銮宣署。据《太鹤山人年谱》。

魏源二十岁，始为拔贡。据《宝庆府志》卷二十九。汤金钊为其座主。据魏耆《邵阳魏府君事略》。同科八十九人，魏源与何庆元等交善。黄仲骐《重刊海国图志序（代陈京圃）》："外舅选于乡，适与李公克细、何公庆元同科，因二公得知先君，于是四人者交愈笃。"（《醉山草堂文集》卷二）。

朱琦充日讲起居注官，擢右春坊右赞善。据李元度《右春坊右赞善前翰林院侍讲朱兰坡先生传》（《续碑传集》卷十八）。

本年前后，沈复至如皋（今属江苏）作幕。顾翰《寿沈三白布衣》诗云："偶因币聘来雉皋，十年幕府衣青袍。"（《拜石山房诗钞》）[按，诗作于道光二年（1822），可知此年沈复在如皋作幕已有十年之久。]

梁章钜入都，从翁方纲游，间效法其文体。据陈寿祺《藤花吟馆诗钞跋》。

曹振镛以吏部尚书协办大学士。甫五日，补体仁阁大学士。后晋太子太保。据《曹振镛传》（《续碑传集》卷二）。

张釜游天目山。有诗五十二首。据鲍鼎编《张夕庵先生年谱》。

江藩主讲山阳丽正书院。据闵尔昌编《江子屏先生年谱》。

顾广圻在江宁为孙星衍、方维甸（字葆岩）、继昌校刻《抱朴子·内篇》。据赵诒琛编《顾千里先生年谱》。

李富孙馆洞庭东山。据《校经庼自订年谱》。

孙星衍受聘撰《松江府志》。据《孙渊如年谱》。

侯芝编《锦上花》弹词四十八回成。据《锦上花序》。

李兆洛辑寿春自明以来诗作为《小山嗣音》四卷。周仪暐序之。本年，李兆洛在凤台，兼理寿州事。据《武进李先生年谱》。

胡载屏以所为《燕寝考》请正于王引之，始定稿。据《王伯申先生年谱》。

姚莹在从化。作《黄香石诗序》。据《姚石甫先生年谱》。

郭尚先著《使黔日记》。据《兰石公年谱》。

包世臣作《下河水利说》。据《包慎伯先生年谱》。

项霁作《癸酉送端木国瑚入都会试三十韵》。霁字叔明，别号雁湖，浙江瑞安人。据《太鹤山人年谱》。

顾纯于云南刻所辑《律赋必以集》。据《思无邪堂集》四。

诸联《明斋小识》有本年刊本。是书十二卷，专记松江青浦一带遗闻轶事。起乾隆乙酉讫嘉庆间。据《中国古代小说总目》文言卷。

沈钦韩编次所著得《幼学堂诗稿》十七卷、《文稿》八卷。据《贩书偶记》。

孙尔准编甲子至本年诗为《海棠巢乐府》。据《平叔府君年谱》。

冯登府《三家诗异大考证》成。据《冯柳东先生年谱》。

阮元为钱泳刻隶书《论语》石刻成。《梅溪先生年谱》云："先是，先生隶书《孝经》、《论语》、《大学》、《中庸》各为刻石。因《论语》字多，未完。至是，阮云台侍郎为漕运总督，设法致银四百两刻成之，暂置扬州府学明伦堂。"

个中生《吴门画舫续录》有本年来青阁刊本。是书三卷，为续西溪山人《吴门画舫录》而作，记吴门青楼杂事。未见著录。《中国丛书综录》列于小说家类。今有嘉庆十八年来青阁刊本、《申报馆丛书》本等为三卷，《香艳丛书》本为一卷。据《中国古代小说总目》文言卷。

王初桐作《著书纪年》一卷。是书记一七五三年来所著书八十余种。初桐此际著《群书经眼录》六十卷，记平生所见书一万零一百余种。据《明清江苏文人年表》。

吴翌凤刻所辑《怀旧集》总二十一卷。据《怀旧集自序》。

秦焕（1813—1892）生。焕字笠亭，江苏无锡人。年十六，获赏识于祁寯藻，以第一名补博士弟子员。旋补廪贡生。屡应乡试不第。先后教书于江苏、河北等地三十余年。任句容县训导十四年。光绪七年还乡。好为经济实用之学。有《水竹轩诗钞》六卷。事迹见秦复培《皇清敕授修职郎句容县训导显考笠亭府君暨敕封孺人显妣龚太孺人墓志铭》。

徐同善（1813—?）生。同善字子取，号公可，别号震禅，自号清环道人。汉军旗人。历官广州驻防、四川试用通判。有《小南海诗钞》二卷、《小南海遗文》。事迹见其诗集序跋。

汪曰桢（1813—1881）生。曰桢字刚木，号谢城，薪甫，浙江义乌人。咸丰二年中举。后官会稽县学教谕。光绪七年卒，年六十九。有《荔墙词》一卷、《随山字方钞》一卷。事迹见《清史列传》项名达传附、诸可宝《汪曰桢传》（《碑传集补》卷四三）。

秦缃业（1813—1883）生。缃业字应华、澹如，江苏无锡人。九岁而孤。稍长游京师，与祁寯藻、曾国藩、梅曾亮、朱琦等以气类相师友。道光丙午拔副贡。同治六年，署理浙江盐运使。光绪二年乞归。九年十月十二日卒于家，年七十一。有《虹桥老屋文稿》四卷、《虹桥老屋诗稿》五卷、《病榻吟》一卷、《微云庵词录》等。事迹见孙衣言《秦君澹如墓志铭》（《碑传集补》卷一七）、《桐城文学渊源考》卷七等。

吴棠（1813—1875）生。棠字仲宣，安徽盱眙人。道光十五年中举。二十四年大挑一等，分南河。二十九年补桃源县令。咸丰元年调清河，二年署邳州。十一年署江宁布政使。同治二年署漕运总督。五年调闽浙总督。七年调四川总督。有《望三益斋存稿》、《读诗一得》。事迹见《清史稿》本传、吴昆田《四川总督吴公事略》、黄云鹄《吴勤惠公传》（《续碑传集》卷二十六）。［生年据江庆柏《清代人物生卒年表》。］

陈廷庆卒，年六十。据朱彭寿《清代人物大事纪年》。《晚晴簃诗汇》卷一百四收其诗二首。

吴骞卒，年八十一。据《杭州府志·吴骞传》（《碑传集补》卷四五）。《传》曰："骞嗜典籍，遇善本，倾囊购之。校勘精审，所得不下五万卷，筑拜经楼藏之。与陈鳣讲训诂之学。所为诗、文、词旨浑厚，气韵萧逸。晚益深造，不屑为流俗之作。四方贤士大夫每过从，必觞咏连日。"王昶曰："槎客志在烟霞，情殷金石，少时所著《国山碑考》，极为详核。又喜搜罗宋、元刻本，如陶渊明、谢玄晖诸集，皆取而重刻之，学者珍为秘宝。"（《蒲褐山房诗话》卷三九）

公元 1814 年（嘉庆十九年 甲戌）

正月

黄钺按试山东泰安、沂州、登州诸郡。四月，补授户部右侍郎，兼管钱法堂事务。据《黄勤敏公年谱》。

二月

十三日，周寿昌（1814—1884）**生**。寿昌字应甫、荇农，晚号自庵，湖南长沙人。道光二十四年，顺天乡试中式举人。次年成进士，选翰林院庶吉士，散馆授编修。二十九年，充顺天乡试同考官。咸丰二年，大考二等，擢侍讲。转侍读，充日讲起居注官。光绪十年十月二十七日卒，年七十一。有《思益堂集》。事迹见《清史稿》本传、《清史列传》本传、周礼昌《诰授光禄大夫内阁学士兼礼部侍郎衔周公荇农府君行状》。

二十四日，铁保因事革职。铁保因在哈什噶尔参赞任内办理回民敛钱滋事一案革职发吉林效力。于吉林闭门静守，惟日以临池自遣，凡晋唐名家，无论大小行楷临摹殆遍。其子以其得意者六卷，续于《惟清斋石刻》之后。嘉庆二十三年二月，奉特旨补授詹事府司经局洗马，回京供职。据《梅庵自编年谱·年谱续编》。

钱泳始修《高邮州志》。十一月，志书成。据《梅溪先生年谱》。

杨芳灿始主锦江书院。据《杨蓉裳先生年谱》。

彭兆荪赴胡果泉幕。本年，兆荪作诗四十五首，有《仪征屠大令兴纺织记》、《黄忠节公书赞》等文。据《彭湘涵先生年谱》。

闰二月

十九日，颙琰作《全唐文序》。《全唐文》书成。《御制全唐文序》云："我朝右文图治，一道同风。皇考钦定《四库全书》，嘉惠士林，颁行海宇，固已家弦户诵，久道化成，无远弗被矣。予近得《唐文》一百六十册，几暇披阅，觉其体例未协，选择不精，乃命儒臣，重加厘定，每得数卷，亲定去留，仍从《四库全书》及《永乐大典》、《古文苑》、《文苑英华》、《唐文粹》诸书内搜罗采取，普行甄录。而原书内亦有误收之文，及有关风化之作，悉删除不载。伪周编造之字，皆改正之。累月经年，共成书千卷，文万有八千四百八十八篇，命名曰《全唐文》，敬遵圣祖仁皇帝命名《全唐诗》之意也。夫三代以上，典谟训诰，四子五经，皆大文也。汉、魏、两晋及前五代，渐涉浮靡，清谈乱政。至唐起八代之衰，彬彬郁郁，以文辅治，用昭立言极则，非徒猎取科名之具也。世道人心，日流日下，舍正趋邪者，不可胜数，良可慨也。故予之辑斯《全唐文》，示士林之准则，正小民之趋向也。书内存释、道诸文四十余卷，非二氏之学乎？殊不知今世奸恶之徒，创为邪书，蛊惑痴愚，并二氏之不若也。文章为政事之大本，从身心性命中发出，所谓言者，心之声也。正人所言皆正，所行皆正，正文风以端士习，端士习以厚风俗，相因而至，经正民兴，理不易也。有唐一代，人文蔚起，书中撰文者三千四十二人，亦有言行相符者，亦有言与行违者，舍短取长，不以人废言也。此书敬沿《御定全唐诗》例，备载五代帝王、臣工文，所谓述而不作也。至释、道之章咒偈颂等类，全行删去，以防流弊，以正人心。书既成，书数语于简端，使天下士庶，晓然知予辑《全唐文》之本意，屏斥邪言，昌明正学，咸归正道，共登右文盛世，是予愿也。嘉庆十九年闰二月十二日。"

那彦成移节保阳。据《万里行程记》附《鹤皋年谱》。

鲍桂星充会试搜检大臣。三月，授工部右侍郎，管钱法堂事务。七月，充武英殿总裁。九月，奉敕典武会试，李宗瀚副之。十二月，因事夺官，在京闭门思过。据《觉生自订年谱》。

段玉裁作《挚中氏任解》。本年，《戴东原先生年谱》成，并作《八十自序》。据《段玉裁先生年谱》。

三月

初三日，钱泳招潘奕隽、吴俊等饮于息园。据《三松自订年谱》。

初四日，张问陶卒，年五十一岁。据《张问陶年谱》。《晚晴簃诗汇》卷一百八收其诗三十七首，诗话云："船山弱冠工诗，空灵沈郁，独辟奇境，有清二百余年，蜀中诗人无出其右者。未仕时，计偕入都，往返秦蜀，感怀身世，尤多幽忧牢愁之作。论诗绝句有曰：'听到宫商谐畅处，此中消息几人知？'又曰：'敢为常语谈何易，百炼功纯始自然。'自道如此，且深以刻意新巧、模宋规唐为非，可谓知言。其继室林亦能诗，《自题小象》有'修到人间才子妇，不辞清瘦似梅花'之句，为时传诵。"吴锡麒《古雪诗序》："余在都下，与张船山待御为莫逆交。读其诗如龙跳虎卧，令人色然而骇。""船山雄于诗者也。"洪亮吉《北江诗话》："张检讨诗如骐骥就道，顾视不凡。"

陆元铉《青芙蓉阁诗话》:"四川张船山检讨问陶,才力不减洪稚存。两人俱豪于饮,情好亦最笃。杨蓉裳有柬检讨诗云:'君昨示我诗,旷代惊奇才。猛炬出犀焰,寒星迸驪胎。'可想其才之横绝一时矣。"顾翰《船山诗草补遗序》:"余未及冠,居里门为博士弟子,则见其诗空见缥缈,感慨跌荡,脱尽古人窠臼,自成一家。如万斛泉源,随地涌出,洵乎天才高特,非学力所能到也。"孙桐生云:"为诗专主性灵,独出新意,如神龙变化不可端倪。近体超妙清新,雅近义山。古体奔放奇横,颇近太白。卓然为本朝一大名家,不止冠冕西蜀也。"张维屏《听松庐诗话》:"船山诗生气涌出,生趣飞来,古体中时有叫嚣剽滑之病,当时随园名盛,以游戏为诗,船山亦未免染其习气。至近体则极空灵,亦极沉郁,能刻人,亦能清超。大含名理,细阐物情,或论古激昂,或言情婉曲,或声大如钟镛,或味爽如菘韭,几欲于从前诸名家外,又辟一境。"梁绍王《雨般秋雨阉随笔》卷八:"船山先生诗才超妙,性格风流,四海骚人,靡不倾仰。"蔡珅《张船山先生年谱》:"先生才名震一时,几欲掩蒋赵而上之,而与洪北江齐驱并驾。"嘉庆二十年十月,石韫玉于苏州编定刻成《船山诗草》二十卷。后有《船山诗草选》六卷,为石韫玉手录选本,嘉庆二十二年秋,黄丕烈刻于《士礼居丛书》中。《船山遗稿》二十卷,有嘉庆二十二年刊本、丛书集成本。《船山诗草补遗》六卷,顾翰编选,道光二十九年刊行于安徽皖城(今安庆)。《船山诗草补遗合编》二十六卷,系正集二十卷本、补遗六卷本合刻,宏道堂梓行,光绪十八年镌本,共收船山诗三千余首。《张船山日记》三册,船山门人姚元之于道光乙酉得于厂肆,后藏张元普(字绍原)家。

二十二日,阮元补授江西巡抚。桂芳补授漕运总督。十月二十一日,阮元得赏太子少保衔。据《雷塘庵主弟子记》。

李兆洛撰《凤台县志》成。本年,兆洛在凤台县任。四月,李兆洛于任内闻父卒之讯,以为终身之恨,自此不复出矣。以去官作《弛于负担图》。据《武进李先生年谱》。

会试。考官:吏部尚书章煦、工部尚书周兆基、礼部侍郎王宗诚、礼部侍郎宝兴。题"生之者众"四句,"子曰德之"一节,"行有不得"一节。赋得"受中定命"得"中"字。据《清秘述闻续》卷二。

陶澍补江南道监察御史,充会试同考官。据《陶文毅公年谱》。

包世臣入都应试报罢。据《包慎伯先生年谱》。

端木国瑚入都会试不第。归过天津,李銮宣邀游芥园。国瑚有诗纪事。据《太鹤山人年谱》。

春

魏源二十一岁,随父入都。据魏耆《邵阳魏府君事略》)。

四月

初十日,桂芳卒,年四十二。据朱彭寿《清代人物大事纪年》、江庆柏《清代人物生卒年表》。《晚晴簃诗汇》卷一百十四收其诗九首,诗话云:"文敏少从父楚北军中,通籍后直南上两斋,当林清之变,进呈恭跋御制文七篇,切中时弊,受仁宗特达之知。擢直枢廷,寻授漕督,赴粤西按事,卒于武昌。御制诗深致悼惜。诗皆仓兴而成,虽应制诸作,不掩其权奇倜傥之概。公初殁,尚未上闻,曹文正梦其至曰:'我与君皆理安寺僧,今先归矣。'先曾为吴荷屋题《湖山秋霁图》云:'前生我亦到西湖,坡老风流今在无。秋水平堤山绕郭,几回清梦总模糊。'后其弟桂莒观察浙中,乞汤雨生为绘《理安访梦图》以纪其事。盖生有自来也。"

　　十七日,赵翼卒,年八十八。据佚名《瓯北先生年谱》。孙星衍撰墓志铭云:"六十归后以著述自娱,主讲安定书院,往还平江一带。所至名流倾倒,传写诗什,江左纸贵。同时袁大令枚、蒋太史士铨与先生齐名,如唐之李、杜、元、白。而先生高才博物,既历清要,通达朝章国典,尤邃于史学。家居数十年,手不释卷。所撰《廿二史札记》钩稽同异,属词比事,于前代弊政,一篇之中三致意焉。所为诗无不如人意所欲出,不拘唐宋格律,自成一家。"《晚晴簃诗汇》卷九十收其诗二十二首,引王兰泉评曰:"云崧性情倜傥,才调纵横,同时与袁子才、蒋心余友善,才名亦相等。故心余序其诗,谓兴酣落笔,百怪奔集,奇姿雄丽,不可逼视。子才谓其忽正忽奇,忽庄忽谐,稗史方言皆可阑入,洵知言也。"引王西庄评曰:"才俊而雄,得天者厚,佐以学问,故言之短长与声之高下皆宜,当其得意,如关河放溜,瞬息无声,又如太阿出匣,寒光百道,然其妙绪独抽,排粗入细,正多腻思妍旨,溢乎文句之外,未尝徒以驰骋为能事。"引翁覃溪评曰:"诗境硉兀奇突,音在空外,昔人评鲁公书力透纸背,与褚河南用笔高出纸上寸许,其理正同,吾安得执一解以印之。"引吴兰雪评曰:"观察才大气雄,无所不有,集中七律最为擅场,名句不可胜采。为余作文信国,与新谿公手札古诗,又次韵七律,独精凿无一俳语。题东浦方伯集五古亦然。岂其信手挥洒,亦英雄欺人耶?"诗话云:"自袁、蒋、赵三家同起,举世风靡,诗体一变,为讲格律者所集矢。云崧诗最繁富,才雄学博,不屑寄人篱下;而庄谐杂进,驰骋不羁,滋人口实。然其经意之作,大抵洞达真切,蔚然深厚。集中论诗云:作诗必此诗,定知非诗人。此言出东坡,意取象外神。羚羊眼挂角,天马奔绝尘。其实论过高,后学未易遵。诗文随世运,无日不趋新。古疏后渐密,不切者为陈。譬如夐驾马,将越而适秦。瀰沵终南景,何与西湖春。是知兴会超,亦贵肌理亲。作诗必此诗,乃知真诗人。此篇见生平宗旨:曰新,曰切,曰肌理,故非徒矜浮夸藻丽者所能效颦耳。"舒位《与欧北先生论诗并奉题见贻续诗钞后》:"初读欧北诗,其诗艳于雪。再读欧北诗,其诗铸如铁。久读欧北诗,大叫乃奇绝。不待钟嵘评,先遣匡鼎说。胸中千万卷,始得一两篇。脚根千万里,始得一两言。目中千万世,始得一两年。侫之可称佛,谪亦不失仙。其诗自可传,其诗有可删。其诗不能学,其诗必须读。"(《瓶水斋诗集》卷十三)光绪三年丁宝桢《重刻瓯北全集序》云:"考据之学,自我朝诸大儒出而既精且备。盖自亭林先生为之倡,而后之踵起者,或卒毕生之精力专攻一经,或集群书之粹美博究一艺。大抵皆大含众有,细入无间。若阎、若朱、若纪、若钱诸先生,虽起郑、孔于今日,亦不能不畏后贤矣。其余诸贤指不胜偻。独瓯北赵先生长于史学,著《廿二史札记》及《丛考杂记》等七种。向时江南刻有全集,海内承学之士奉之。自兵乱之后,版已散失，蜀中求本颇不易得。泽坡因为之刻。"伍肇龄《重刻赵瓯北全集序》云："云崧先生体备三长，著述宏富。所纂《皇朝武功纪盛》，道扬圣武，昭示寰区。《廿二史札记》考辨精详，有资史学。《丛考》、《杂记》、《文集》、《诗钞》、《诗话》诸书裨益多闻，津逮后进。先生诗名与袁、蒋竞胜一时，然不掩其经济实学也。"光绪三年，署名诂亭恒训所作《赵瓯北全集序》云："至于麟经而后，历代史书汗牛充栋，卷帙浩繁，读者几难遍识。《札记》一书，贯穿史乘，荟萃成编，俾上下数千年了如指掌。他如《丛考》、《杂记》、诗钞等类皆足广见闻而资讽咏。至《皇朝武功纪盛》一编，其中《庙谟将略》以及地方形势，颇为详尽，实足为行军考镜之资而补史传所不足。则瓯北之有功来学，岂浅鲜哉？"张维屏曰："《瓯北诗话》抉择精微，指陈得失，语多切当。非仅见方隅，横生议论者可比也。"（《国朝诗人征略》）《清史稿》本传曰："同时袁枚、蒋士铨与翼齐名，而翼有经世之略，未尽其用。所为诗无不如人意所欲为，亦其才优也。""其同里学人后于翼而知名者，有洪亮吉、孙星衍、赵怀玉、黄景仁、杨伦、吕星垣、徐书受，号为'毗陵七子'。"

殿试。赐一甲龙汝言、祝庆蕃、伍长华进士及第，二甲王协梦、叶维庚、贺熙龄、刘逢禄、吴振棫等进士出身，三甲黎恂、雷学淇等同进士出身。据《历科进士题名录》。

潘世恩充殿试读卷官。五月，充国史馆正总裁。是年，潘世恩始丁母忧。据《思补老人自订年谱》。

左辅升授颍州府知府。据《杏庄府君自叙年谱》。

翁方纲得赐二品衔重预恩荣筵宴。翁氏有诗恭纪四首。吴嵩梁、阮元、吴锡麒皆有诗贺之。阮元《贺翁覃溪先生重赴甲戌科恩荣宴》诗云："弱冠科名花甲周，新恩重得会瀛洲。三春补赴琼林宴（先生壬申会榜在九月），万卷真传石墨楼（先生之学，渊源于黄氏万卷楼，先生自有石墨书楼）。锡爵自甘迟二载（辛未科，元等在京师，即议先生应与是科之宴。先生以壬申尚少一年，愿以甲戌科迟二年与宴，计六十二年矣），著书人好共千秋（先生谓前甲戌科多著书之人。元谓今新甲戌科，如刘逢禄等，亦能著书者也）。先生学与精神合，试看江河万古流。"（《揅经室四集》）先是，二月十八日，礼部奏奉旨翁方纲赐二品衔，重预恩荣宴。是日，户部尚书潘世恩召对，上问："今科会试有重赴琼林宴者乎？"世恩对："有壬申进士翁方纲，壬申今无正科，现在礼部奏请于甲戌补重宴，尚未奏上。"上曰："其精神尚好否？"世恩对："尚能作小楷。"上曰："其学问本好。"据《翁氏家事略记》。

五月

初五日，周沐润（1814—?）**生。**沐润字文之，号柯亭，别呈樗寮、樗庵，河南祥符人。道光丙申进士。选官江苏，历任吴江、嘉定、上海等地知县。后授官常州知府。卒于同治间。有《柯亭子文集》八卷、《柯亭子骈体文集》六卷。事迹见《柯亭子文集》、《复素堂文续集》等。[生日据朱彭寿《清代人物大事纪年》。]

十二日，周有声卒，年六十六。据秦瀛《大定府知府周君有声墓志铭》（《碑传集》卷一一〇)。《晚晴簃诗汇》卷一百九收其诗八首,诗话云:"东冈尊人乾三观察克开,乾隆丁卯举人,出宰陇西宁朔,守太原,分巡赣宁,抗布政使,坐事戍军台。复起,督浙江粮储,在太原时,尝雪冤狱,疏积潦,民称其德,东冈作《太原纪事》诗述之甚详。迨入官,亦卓然有风力。蹶而复起。其举于乡,出姚惜抱之门,从受诗法,具有矩矱。诗中'开'皆作'闿',避家讳也。"

二十七日,祖之望卒,年六十。据陈寿祺《诰授光禄大夫刑部尚书祖公之望墓志铭》(《碑传集》卷三十九)。

翁方纲有《读苏诗四首》、《读元遗山诗四首》。见《复初斋诗集》。

夏

阮元过北湖问《易》法于焦循,有闻道之喜。据闵尔昌《焦理堂先生年谱》。

汤贻汾、谢兰生、张维屏等销夏于海珠寺。本年,汤贻汾自号"错道人"。据《汤贞愍公年谱》。

七月

焦循序《里堂道听录》。见《雕菰集》卷一六。闵尔昌《焦理堂先生年谱》云:"先生每得一书,无论其著名与否,必详阅首尾,心有所契,必手录之。或朋友以著作来者,无论经史子集,以至小说、词曲,必详读至再至三,心有所契,必手录之。如此者三十年,所录者盈二尺许。是年秋,令子廷琥编为目录,得五十卷。先是,壬戌癸亥间,尝编之,名《道听录》,兹仍其名。七月,序《里堂道听录》于红薇翠竹亭。"

孙星衍至扬州受邀校刊《全唐文》。本年,孙星衍成《尚书古今文义疏》、《孔子集语》。据《孙渊如先生年谱》。

八月

十三日,鲍廷博卒,年八十七。据朱彭寿《清代人物大事纪年》。《晚晴簃诗汇》卷一百二十五收其诗二首,引阮元曰:"以文少有诗癖,搜罗繁富,凡古人之长笺小疏,谰言剩语一一掌录。中朝开四库馆,进书至七百种,名动当宁,因刻知不足斋丛书二十余集。中年后尤耽吟讽,杖笠所至,一草一木流连竟日。"又曰:"以文尝为《夕阳》诗,盛传于时,人呼为'鲍夕阳'。余赠以句云:'清名即是长生诀,当世应无未见书。何处见君常觅句,小阑干外夕阳疏。'"

十八日,潘世恩应同人之招往山塘至一树园小酌。据《小浮山人年谱》。

九月

十六日,翁方纲灯下校《瀛涯胜览》一卷。据沈津《翁方纲年谱》。

邓廷桢离京赴陕西知府任。吴嵩梁赋诗送别。据《邓尚书年谱》。

十月

十三日，龙启瑞（1814—1858）**生**。启瑞字辑五，号翰臣，广西临桂人。道光辛丑一甲一名进士，授修撰。官至江西布政使。有《经德堂文内集》四卷、《经德堂文外集》二卷、《经德堂文别集》二十四卷、《浣月山房诗内集》三卷、《浣月山房诗外集》一卷等。事迹见《清史稿》本传、《清史列传》本传等。［生日据朱彭寿《清代人物大事纪年》。］

二十一日，史善长因失察逆犯朱毛俚一案革职留任。据《雷塘庵主弟子记》。

胡长龄卒。据朱彭寿《清代人物大事纪年》。《晚晴簃诗汇》卷一百六收其诗四首。

十二月

十一日，戴钧衡（1815—1855）**生**。钧衡字存庄，号蓉洲，安徽桐城人。年二十七，师从方东树。道光二十九年中举。道光至咸丰间，尝两次入都会试，皆不第。得识曾国藩、鲁一同、吴敏树。有《味经山馆文钞》四卷、《续钞》三卷、《味经山馆诗钞》六卷、《续钞》四卷、《公车日记》二卷等。事迹见《清史稿》方东树传附、《清史列传》姚莹传附、方宗城《戴存庄权厝志》（《续碑传集》卷七十九）。［生日据朱彭寿《清代人物大事纪年》。］

冬

姚莹自叙《后湘诗集》。本年，姚莹作《九日登大奎阁》、《南至日抵筼门岭》等诗。据《姚石甫先生年谱》。

翰林院编修董国华重倡消寒诗社。消寒诗社为宣南诗社之前身，是时已停会数年。东南沿海各省直之官、士人陆续参与其中。陶澍《潘功甫以宣南诗社图属题抚今追昔有作》："先甲逮后甲，董子复继起（甲戌冬，董琴涵复举此会）。一为登高呼，应者从风靡。朱胡及钱谢，右鞭而左弭；益之陈周黄，重以兰芙菭（朱兰坡、胡墨庄、钱衍石、谢芗亭、陈石士、周肖濂、黄霁青、吴兰雪、李兰卿、刘芙初、梁茝林皆先后与会。）"（《陶文毅公全集》卷五四）吴嵩梁《题霁青太守城南吟社图即送赴任高州》亦云："社中十三人，宦途半分辙，持此素心同，不以荣悴易。陶侃（云汀中丞）督八州，其才可经国。继者胡（墨庄廉使）周（肖濂观察）梁（茝邻观察），门皆列金戟。台谏陈昌言（董琴南侍御），度支参硕画（钱衍石农部）。吾乡陈（石士司业）与谢（向亭学士），衡文操玉尺。李翱年最少（兰卿侍读），枢廷乃先入。人事各拘牵，嘉会颇寥阔。朱子后居忧（兰友庶子），刘郎已前殁（芙实编修）。聚散恰鸥群，光阴送驹隙。"（《香苏山馆古体诗钞》卷十二）诗记与会者十三人，董国华、朱珔、陶澍、胡承珙、吴嵩梁、谢阶树、陈用光、钱仪吉八人系原有成员外，刘嗣绾、黄安涛、李彦章、周蔼联、梁章钜五人均为此后相继入社者。胡承珙《宣南吟社序》："嘉庆十有九年之冬，董琴南编修始邀同人为消寒诗社。间旬日一集，集必有诗。嗣是岁率举行……不独消寒也。尊酒流连，谈剧间作，时复商榷古今上下。其议论足以启神智而扩见闻，并不独诗也。然而必曰消寒诗社者，不忘所自始也。……夫吾人系官于朝，又多文学侍从之职，非有簿书相会，率无少暇，而得以其余从事于文酒唱酬之会，斯足乐矣。"本年冬至明年春，诗社凡八集。集地为董国华花西寓圃、谢阶树未信斋、胡承珙瘦藤书屋、朱琦小万卷斋、陈用光太乙舟、陶澍印心书屋、钱仪吉衎石斋、吴嵩梁寓斋等。据来新夏《林则徐年谱》、黄丽镛《宣南诗社管见》。

本年

彭蕴章始从王芑孙学为诗。《彭文敬公自订年谱》曰："吾意欲学为古文，先生云须将《史记》、《前》、《后汉书》熟读方可问津。余畏其难，乃求学为诗。先生授以汉魏至唐人作若干首，时诵习焉。自是阅一二月，得诗数十首，就正于惕甫先生。"又云："先生幼子井叔茂才嘉禄年未弱冠，诗才宏富，与余交最厚。居本相近，晨夕过从，论诗文不倦。时余无他友，惟井叔一人而已。"

张际亮入县学生员。作《童言》一卷。据《张亨甫先生年谱卷目》。

茹棻擢左都御史。据沈元泰《茹棻传》（《碑传集补》卷三）。

赵慎畛迁广西按察使。据姚莹《赵文恪公行状》（《续碑传集》卷二十二）。

何凌汉升国子监司业，转左春坊左中允。据阮元《诰授光禄大夫经筵讲官户部尚书晋赠太子太保谥文安何公神道碑铭》。

王引之提督山东学政。本年，因林清之乱，王引之撰《阐性化愚论》、《见利思害说》以进上，发还刊布。据《王伯申先生年谱》。

恽敬因家人得赃被控黜职。据《国朝文汇》乙五八。本年，恽敬在南昌，得文二十一。计有《说仙上》、《说仙中》、《说仙下》、《艮泉图咏记》、《国子监生钱君墓志铭》。据《大云山房文稿》。

杜堮大病伤寒，数濒危。据《杜文端公自订年谱》。

张釜游苏州、无锡、宜兴、溧阳。有《舟宿梅堰》等诗二十首。据鲍鼎编《张夕庵先生年谱》。

汪喜孙以校写《述学》，就正于王念孙，以金石题跋就正于翁方纲。翁方纲《题刘熊碑后》有"不独经箐续考订，兼此秘笈留巾箱"之句。本年，汪喜孙三应礼部试，同邓湘皋计偕入都，识欧阳涧东、魏源。时乐钧、李艾塘、邓湘皋皆在唐文馆，诸子朝夕讲论。据《汪荀叔自撰年谱》。

魏成宪完成《骖鸾诗草》一卷。据《仁庵自记年谱》。

李宗昉自黔还，著《黔记》四卷。据《黔记自记》。

钱仪吉写成《衎山楼初集》十六卷。据苏源生《书先师钱星湖先生事》。

龚自珍作《明良论》。编录文集，自是岁始。《定盦先生年谱》云："三月，携段宜人枢归杭暂厝。泛舟西湖，有词。遂由杭州往徽郡。阆斋先生议修《徽州府志》……凡甄综人物，搜辑掌故之役，恒命先生任之。""作《明良论》四篇，段先生回墨矜宠，甚至谓：'吾且耄，犹见此才而死，吾不恨矣！'""编录文集，自是岁始。《跋少作》云：'龚自珍自编次甲戌以还文章，曰文集者十卷，曰余集者又三卷。既竣，于败簏中，见所删弃者，倍所存者，触之峥嵘，忆之缠绵，因又淘拣其稍可者，付小胥，附余集之尾。以少作之居太半于是也，统题曰《少作》，合一十八篇，别为卷。癸未仲夏朔自珍识。'"

舒位自金陵改馆仪征，作《米价》诗。见《瓶水斋诗集》一六。

段玉裁作《仪礼汉读考》自识。是书约成于本年。胡玉缙云："是书摘经文及注为纲，为之疏通证明，不专主今古文，犹之《周礼汉读考》不专主故书。惜只成一卷，以《士冠礼》为止，其余十六篇未成。后有嘉庆甲戌自识，谓'后人当能踵为之'，盖年已八十矣。""其推本家法，为宋世荦、徐养原、胡承珙诸书所未及。""考证之学，本自无穷，偶未及见，不足为病，其创通大义，故自有不磨者在耳。"（《续四库提要三种》）

彭剑南著传奇《影梅庵》成。据《影梅庵自跋》。

赵允怀著《甲午消夏录》二卷。据《明清江苏文人年表》。

陈鳣著《恒言广证》六卷。据《明清江苏文人年表》。

高鹗序阳湖恽珠所著《红香馆诗草》。据《高兰墅集》。

许桂林《春梦十三痕》有本年味无味斋刊本。据《贩书偶记》。

红蔷阁本《红楼圆梦》三十回刊行。梦梦先生《红楼圆梦楔子》云："端的有头有尾，前书所有尽有，前书所无尽无，一树一石，一人一物，几于杜诗韩碑，无一字无来历。却又心花怒放，别开生面，把假道学而阴险如宝钗、袭人一干人都压下去，真才学而爽快如黛玉、晴雯一干人都提起来。真个笔补造化天无功，不特现在的《复梦》、《续梦》、《后梦》、《重梦》都赶不上，就是玉茗堂《四梦》以及关汉卿《草桥惊梦》也逊一筹。"（嘉庆十九年红蔷阁刊本《红楼圆梦》）

汤贻汾刻所编《画筌析览》。据《汤贻汾年谱》。

恽珠《红香馆诗词草》有本年刊本。据胡文楷《历代妇女著作考（增订本）》。

沈传桂初定所著《帚云词》。据《明清江苏文人年表》。

吴翌凤所纂《梅村诗集笺注》十八卷刊行。据《梅村诗集凡例》。

顾广圻为吴鼒重刻元椠本《晏子春秋》。据赵诒琛编《顾千里先生年谱》。

伊秉绶刻所著《留春草堂诗钞》七卷。据《贩书偶记》。

冯志沂（1814—1867）生。志沂字鲁川，山西代县人。道光十六年进士，由刑部主事荐升侍郎。咸丰十一年，授庐州知府。同治中，官安徽徽宁池太广道，署按察使。尝从梅曾亮游，古文得其家法。著有《适适斋文集》二卷、《微尚斋诗初集》四卷、《诗续集》二卷。事迹见《清史列传》孙鼎臣传附。（江庆柏《清代人物生卒年表》谓其生卒年为1811—1867年，此据《中国文学家大辞典》近代卷。）

汪藻（1814—1861）生。藻字翰辉，号鉴斋、小珊，钱塘籍，吴县人。道光十五年中举。二十一年成进士，以知县分发河南候补，未得实缺。二十四年，入京任工部屯田司郎中。后加盐运使衔。咸丰八年又加候选道员衔。有《静怡轩诗钞》。事迹见汪体椿《诰授资政大夫显考鉴斋府君行实》。

陈良玉（1814—1881）生。良玉字朗山，汉军旗人，广州驻防，道光丁酉举人，官广西知县，后补直隶州知州。有《梅窝诗钞》二卷，《诗钞》一卷。事迹见陈璞

《即补直隶州知州陈君墓志铭》。

秦金烛（1814—1871）生。金烛字藜轩，号野云，河南偃师人。增生。咸丰十年，以军功赏授奉直大夫五品蓝翎候选同知。有《野云诗稿》、《栖云山房诗》。事迹见高祐《授例奉直大夫五品蓝翎军功候选同知增广生员藜轩秦先生神道碑》、秦景星《秦公墓志铭》。

雷浚（1814—1893）生。浚字深之，号甘溪，江苏吴县人。同治八年为监生，次年就任县学训导。光绪十五年任学古堂主讲。十九年议叙加同知衔。有《道福堂诗集》四卷、《说文外编》十五卷、《说文引经例辨》三卷。事迹见邵曾鉴《雷先生传》、杨岘《雷先生墓志铭》。（卒年据朱彭寿《清代人物大事纪年》。）

张二奎（1814—1860）生。二奎原名士元，号子英，河北衡水人（一说浙江或安徽人）。据传曾官工部都水司经丞。有皮黄剧本《琼林宴》。事迹见天柱外史《皖优谱》、齐如山《京剧之变迁》。

孙云凤（女）卒，年五十一。据朱彭寿《清代人物大事纪年》。郭麐《湘筠馆词序》："清新婉美，在梦窗、竹初之间"。《灵芬馆词话》卷二："碧梧早擅才华，而赋命蹇薄，故多幽忧蕉萃之音。"吴衡照《莲子居词话》卷四："仁和女史孙碧梧云凤能诗文，工画，擅南北诸曲，女中名士也。《湘云馆词》，小令尤佳致，有南唐、北宋意理。"

程瑶田卒，年九十。据罗继祖《程易畴先生年谱》。《年谱》："先生虽以汉学名家，而所著《通艺录》，义理、训诂、制度、名物、声律、象数之学殆无不备。《论学小记》一书说理湛深，切实精详，根据孔孟，不为偏激，足挽晚近重汉轻宋之失。""又精艺事，诗歌、书法、篆刻无不工妙。少时作诗，尝为刘海峰、方朴山所激赏，海峰为近体诗颇似宋人七绝，逼真山谷。所著《书势五事》，梁山舟侍讲同书谓皆发前人所未发。"《清史稿》江永传附："（易畴）平生著述，长于旁搜曲证，不屑依傍传注。"《汪荀叔自撰年谱》云："戴东原、程易畴于学无所不通，本朝经学大儒，只此二人。其余《广雅疏证》、《经传释词》、《经义述闻》，由声音训诂以通名物象数及群经大义，许、郑之后，一家而已。义理之学，有《原善》、《孟子字义疏证》，发汉宋诸儒所未发，昌明正学，有功于世道人心不少，宝书也。其源自亭林开之，详《亭林文集》。"（《汪喜孙著作集》）

孔广林尚在世，年六十九。据孔广林自订《温经楼年谱》（谢巍《中国历代人物年谱考录》著录）。

公元1815年（嘉庆二十年　乙亥）

正月

初七日，王念孙作《汪容甫述学录叙》。十二月朔，作《陈莼浃蛾术集叙》。二十日，叙《读淮南杂志》。是为《读书杂志》之九，共二十二卷，第二十二卷即叙文，目有补遗一卷，未见。据闵尔昌《王石臞先生年谱》。

十八日，黄丕烈雨中访吴翌凤于归云舫。据江标编《黄荛圃先生年谱》。

赵怀玉应颜检之聘主讲湖州爱山书院。三月至书院，其间招周伯恬等作碧浪湖之游，怀玉有诗纪之。八月，吴锡麒有书寄怀玉，并寄《有正味斋诗文续集》，索怀玉为序。十月，怀玉过乌戍，作诗挽鲍廷博，并遣子往吊之。据《收庵居士自叙年谱略》。

胡敬始主讲金台书院。据《书农府君年谱》。

二月

初十日，邓廷桢赴延安知府任。旋调榆林，又调西安知府。据《邓尚书年谱》。

十五日，黄丕烈访段玉裁于枝园。据《段玉裁年谱》。

十二日，诏令再编《秘殿珠林》、《石渠宝笈》。诏云："乾隆年间，曾纂辑《秘殿珠林》、《石渠宝笈》正续二编，所有列圣宸翰，暨古今臣工书画，业经缮写成书，尊藏秘阁。兹查续编成于乾隆癸丑，迄今二十三年。皇考圣学渊深，无美不备，染翰挥毫，收藏内府者，又积至千有余件之多。朕自丙辰授玺以来，几暇怡情，惟以翰墨为事。阅时既久，卷帙亦繁，应一并诠次，用志岁月。至内外臣工祝嘏抒诚，所进古今书画，亦复不少，允宜遵照前书定例，重为遴选，昭示来兹。著内廷翰林英和、黄钺、姚文田分班至懋勤殿悉心检阅，并添派翰林院侍读学士吴其彦、庶子张鳞、侍读顾皋、洗马朱为增、修撰吴信中、龙汝言、编修沈维鐈、胡敬八人暂停其在馆差使，逐日随同缮写。……即于本月二十九日入直。"（《清实录》第三二册卷三〇三）《书农府君年谱》亦云："《秘殿珠林》、《石渠宝笈三编》始编撰。与编者为：胡敬、吴美存其彦、张小轩鳞、朱虹舫方增、沈鼎甫维鐈、顾晴芬皋、吴蔼人信中、龙子嘉汝言诸人。后虹舫视学广西，黄范亭中模入直。卯入申散，岁无旷日，时人荣之，呼为八翰林。"《鼎甫府君年谱》曰："南书房供奉英煦斋先生和、黄勤敏公钺、姚文僖公文田参考体例，分晰门类，辨别真赝，抉择去取。条款既定，恭录四朝宸翰，次及历代帝王圣贤名臣图像、名人书画兼及盘山、热河陈设之件。书则备载全文，画则详叙景色、题跋、印记，一一登载首册。次卷次轴按内府储藏各处分卷编次。后朱丈视学广西，代之者为黄丈范亭中模。"

童槐赴陕西主讲关中书院。于书院刻《课艺》二册。据《显考尊君府君年谱》。

黄丕烈访段玉裁。本年，黄丕烈刊《梅花喜神谱》。七月二十一日，跋钞本《玉山倡和》、《玉山遗什》，并嘱吴翌凤题签。据江标编《黄荛圃先生年谱》。

三月

二十一日，尹耕云（1815—1877）生。尹耕云字瞻甫，号杏农，江苏桃源人。道光二十九年中举。三十年成进士，授礼部主事。咸丰八年授湖广道监察御史，署户部给事中。光绪元年，补授河南河陕汝道。有《心白日斋集》六卷、《豫军纪略》一二卷、《周易辑说》四卷、《大学绪言》二卷等。事迹见吴昆田《河南汝道尹君墓表》、《清史稿》本传。[生日据朱彭寿《清代人物大事纪年》。]

二十五日，祁韵士卒，年六十五。据祁寯藻撰、祁世长续《观斋行年自记》。《清史稿》本传云："韵士幼喜治史，于疆域山川形胜、古人爵里名氏，靡不记览。弱冠，馆静乐李氏，李藏书十余楹，多善本，韵士寝馈其中五年，益赅洽。既入翰林，充国

史馆纂修。时创立《蒙古王公表传》,计内扎萨克四十九旗,外扎萨克喀尔喀等二百余旗,以至西藏及回部纠纷杂乱,皆无文献可征据。乃悉发库贮红本,寻其端绪,每于灰尘垒积中忽有所得,如获异闻。各按部落立传,要以见诸实录、红本者为准;又取《皇舆全图》以定地界方向。其王公支派源流,则核以理藩院所存世谱,八年而后成书;又别撰《藩部要略》,以年月编次。盖传仿《史记》,而要略仿《通鉴》。李兆洛序之,谓如读邃皇之书,睹鸿濛开辟之规模矣。"

姚莹自里往浙省姚鼐于钟山书院。本年,姚莹作《再至京师呈诸公》等诗。据《姚石甫先生年谱》。

四月

初三日,定满人命名规。上谕:"嗣后旗人命名,如用满洲蒙古成语,自可不拘字数。若有取汉文字义者,只准用两字,不准连用三字。"(《清实录》第三二册卷三〇五)

初八日,左辅升授广东雷琼兵备道。明年六月初二日抵粤。据《杏庄府君自叙年谱》。

初八日,翁方纲《石洲诗话》八卷刊成。《石洲诗话》八卷有乾隆间刊本、嘉庆二十年刊《苏斋丛书》本、《粤雅堂丛书》本、《丛书集成初编》本、台湾广文书局影印本、人民文学出版社《中国古典文学理论批评专著选辑》本(与《谈龙录》合刊)、《清诗话续编》本。据张寅彭《新订清人诗学书目》。嘉庆十七年十一月十日,翁方纲跋自书稿本《石洲诗话》云:"此五卷写稿,失去数年,忽忽忘之矣。今为云素先生得之,借来覆核,始改其中讹字,因复誊存一本,又以渔洋评杜一本附后记。壬辰秋,同年吉渭厓来予斋,见此笑曰:'考求古人深意,不爽象枣,何不用此于《三传》、《三礼》,岂不较熟精杜、苏集,更有益乎?'予笑而不答也。盖予读诸经札记,积存于箧者,未敢出示人也。今诸经札记手抄成帙者,已得七十余卷。"张维屏序云:"《石洲诗话》八卷,大兴翁覃溪先生视学粤东,与学侣论诗所条记也。前五卷草稿,久已失去,叶云素农部忽于都中书肆购得之,持归求先生作跋。先生因命人钞存,又增《评杜》一卷,及附说元遗山、王渔洋《论诗绝句》两卷,共成八卷。会先生门人襄平蒋公来督两粤,因寄至节署,属为开雕。公命维屏董校勘之役。维屏既以诗辱知于先生,噫!丁卯、戊辰寓京遇,每清晓过苏斋,先生辄为论古人诗,源流异同,孜孜不倦。一日,询及是编,遍检弗获,不意是书失去,迟之又久复还。而维屏于七千里外,乃得取而细读之,且距先生视学时已四十余年矣。今展卷坐对,不啻追侍杖履于古榕曜石间,文字之缘,抑何纡而惬也。至先生闻见之博,考订之精,用心之勤,持论之正,是编特全鼎之一脔耳。比年同人筑云泉山馆于白云蒲涧之麓,先生作《云泉诗》见寄,适是书剞劂甫竣,而《云泉诗》亦已上石,此又一重翰墨缘,因连缀及之。"(《石洲诗话》)张维屏《听松庐文钞》云:"先生生平论诗,谓渔洋拈'神韵'二字固然超妙,但其弊恐流为空调。故特拈'肌理'二字,盖欲以实救虚也。"潘德舆《养一斋诗话》云:"近人诗话之有名者,如愚山、渔洋、秋谷、竹垞、确士所著,不尽是发明第一义,然尚不至滋后学之惑。滋惑者,其随园乎?人纷纷訾之,吾可无论矣。独《石洲诗话》一书，引证该博，又无随园佻纤之失，信从者多。予窃有惑焉，不敢不商榷，以质后之君子。其书亦推张曲江为复古，李、杜为冠冕，杜可直接《六经》。而酷好苏诗，以之导引后进，谓学诗只此一途，虽根本忠爱之杜诗，必不可学，'人不知杜公有多大喉咙，以为我辈亦可如此，所以棼如乱丝'。夫苏诗非不雄视百世，而杜诗者，尤人人心中自有之诗也。今望而生怖，谓不如苏之蹊径易寻，则是避难就易之私心，犹书家之有侧锋，仕途之有捷径，自为之可耳，岂所以示天下耶！又谓'五言诗自苏、黄后，放翁已不能脚踏实地。居此后者，欲以平正自然，上追古人，其谁信之'。夫苏、黄之诗，标新领异，旁见侧出，原令人目眩心摇。然久于其中，竟谓举世之人，舍此断无出路，何其轻量人才之甚也！且必不以平正自然为诗，则诗之为物，累人心术亦甚矣！尤可异者，偏爱苏诗，并以遗山《论诗绝句》中攻苏之作，亦傅会为爱苏之论也。如：'奇外无奇更出奇，一波才动万波随。只知诗到苏黄尽，沧海横流却是谁？'此首明以'沧海横流'责苏，而石洲以为遗山自慨身世。'金入洪炉不厌频，精真那计受纤尘？苏门果有忠臣在，肯放坡诗百态新。'此首明言苏门无忠直之言，故致坡诗竞出新态，而石洲以为'收足认苏之旨，即苏诗始知真放本精微意。''百年才觉古风回，元佑诸人次第来。讳学金陵犹有说，竟将何罪废欧梅？'此首明言欧、梅甫能复古，而元佑、苏、黄诸人次第变古，学元佑者，废金陵犹可，废欧、梅则必不可。而石洲以为'回字乃坡公平格力未全回之回'，何尝有人讳学金陵，何尝有人欲废欧、梅？此可得文章风会气脉。凡石洲所解，皆与遗山本诗义理迥不入，脉络绝不贯，不知何以下笔？盖既为偏好苏诗所蔽，而又不敢贬遗山，故于无可解说处，亦强为傅会，遂使人览之茫然耳。且遗山贬苏如此，而石洲犹以为'程学盛于南，苏学盛于北'，屡屡举此语以教人，古人有知，岂不为遗山所笑！……总之矫七子学唐太似之病，必然师法苏、黄。此论竹垞已及之，石洲亦引之而故蹈之，为偏好所蔽耳。虽诗教广大，各明一义，亦无不可，然心目之间，必能洞澈源流，乃可抑扬前哲。若自甘偏霸，遂斥中声，震其大名，从之而靡，不能不为所累也。夫以苏之豪于诗，而倡言学之者犹足累人，况降于此者哉！论诗者诚不可不慎于言矣。"崔旭《念堂诗话》云："翁覃溪《石洲诗话》前五卷论唐、宋、金、元诸家，有明一代等诸自部，持论精凿，皆从深心探索而出，不似《说诗晬语》多公家言，尤不似近日名公游谈无根，以尖酸谐谑、漫肆讥刺为能，其大旨同竹垞之主学。而其独得处，喜奥博不喜昌明，喜幽深不喜平直，喜含蓄不喜发露。所推重者，王、孟、李、杜、韩、白、苏、黄诸大家外，唐则司勋、东川、苏州、柳州诸家，宋则卢陵、荆公，而尤服膺金之遗山、元之道园。至文房、宾客、剑南、简斋，皆有微词，而尤贬玉川、东野、松陵、后山、诚斋、仲宏诸家。予尝参观遗山、道园两家，遗山诸体实胜道园，而覃溪深所倾倒，亦资性所近然也。"

黄钺奉命检校《密殿珠林》、《石渠宝笈》书画。据《黄勤敏公年谱》。

五月

二十一日，阮享招焦循会伊秉绶于京师雷塘之阮公楼。秉绶为焦循书仲轩扁。闵尔昌《焦理堂先生年谱》："是日大雨，先生作《雷塘话雨记》。未几，墨卿卒于扬州。

益滋。其声必有所归之部，周官经达之谕之，保氏教之十年，就传而学，盖必有部分之书达于天下，是以诗三百自商迄于东周，自天子达于田夫野妇，其韵部无不同者；秦火而后部分之书亡，今据三百篇所同韵字，立之部分以求其转注假借，成《六书音韵十七部》。谓汉人注经有读如，有读为，有当为。读如主于说音，读为主于更字说义，当为主于纠正误字。如者，比方之辞，为者，变化之辞，当为者，纠正之辞。读如不易其字，故下文仍用经之本字；读为必易其字，故下文仍用所易之字。《说文》者，说字之书，故有读如，无读为。说经之书，则必兼斯二者，成《周礼汉读考》。"
"吾友段氏若膺，于古音之条理，察之精，剖之密，尝为《六书音均表》。立十七部以综核之。因是为《说文注》，形声读若，一以十七部之远近分合求之，而声音之道大明。于许氏之说，正义借义，知其典要，观其会通，而引经与今本异者，不以本字废借字，不以借字易本字，揆诸经义，例以本书，若合符节。而训诂之道大明。训诂声音明而小学明，小学明而经学明，盖千七百年来无此作矣。若夫辨点画之正俗，察篆隶之繁省，沾沾自谓得之，而于转注假借之通例，茫乎未之有闻，是知有文字而不知有声音训诂也，其视若膺之学，浅深相去何如邪！"（四库备要本《〈说文解字〉段注》）《清史稿》本传："仪征阮元谓玉裁书有功于天下后世者三：言古音一也，言《说文》二也，《汉读考》三也。"梁启超《清代学术概论》云："戴门后学，名家甚众，而最能光大其业者，莫如金坛段玉裁、高邮王念孙及念孙子引之，故世称戴、段、二王焉。玉裁所著书，最著者曰《说文解字注》、《六书音韵表》；念孙所著书，最著者曰《读书杂志》、《广雅疏证》；引之所著书，最著者曰《经义述闻》、《经传释词》。"《晚晴簃诗汇》卷八十九收诗二首，诗话云："懋堂经学、小学一代大家，词章非所置意，然如'滩声不厌喧终古，山色从来媚夕曛'之句，专家诗人所不易得也。"

十一日，伊秉绶卒，年六十二。据《收庵居士自叙年谱略》。《清史稿》本传云："秉绶承其父朝栋学，以宋儒为宗。在惠州，建丰湖书院，以小学、近思录课诸生；在扬州，宏奖文学。殁后士民怀思不衰，以之配食宋欧阳修、苏轼及清王士禛，称四贤祠。"《晚晴簃诗汇》卷一百六收诗九首，诗话云："何子贞《东洲草堂集》题墨卿书云：丈人八分出二篆，使墨如漆楮如简。行草亦无唐后法，悬厓溜雨驰荒藓。不将俗书薄文清，觑破天真辟道眼。墨卿本出诸城之门，其书欲别辟蹊径，伟岸自喜，结构波磔，时露荒怪，后嗣摹教，寖成俗格，殆亦作法于凉欤？诗才磊落，民隐殷怀，扬州士民祀于三贤祠，以配欧阳文忠、苏文忠、王文简，称四贤云。"

十三日，姚鼐卒，年八十五。王昶云："姬传岂弟慈祥，而襟期潇旷，有山泽间仪，有松石间意。簿书刀笔，雅非所好也。诗旨清隽，晚学玉局翁，尤多见道之语，望其眉宇僴然，已知在风尘之表矣。既归，屡主安徽敬敷。江宁钟山、扬州安定三书院，以读书学道教多士。地方大吏，无不爱而重之。古文淳古简净，纡徐往复，亦多不尽之味。"（《湖海诗传》卷二八）康绍镛序云："先生博通坟籍，学达古今，尤善文章。然铭之必求其人，言之必附于道，生平未尝苟作也。"（《康刻〈古文辞类纂〉后序》）吴啟昌云："夫先生气节道德，海内所知，兹不具论。其文格则授之刘学博，而学博得之方侍郎。然先生才高而学识深远，所独得者，方、刘不能逮也。迨休官，耄耋嗜学不倦，是以所纂文辞，上自秦汉，下至于今，搜之也博，择之也精，考之也明，论之也确，使夫读者若入山以采金玉，而石砾有必分；若入海以探珠玑，而泥沙靡不辨。呜呼！至矣！无以加矣！纂文辞者至是而止矣！"（《吴刻〈古文辞类纂〉序》）王先谦云："自桐城方望溪氏以古文专家之学主张，后进海峰承之，遗风遂衍。姚惜抱禀其师传，覃心冥追，益以所自得推究似是阐奥，开设户牖，天下翕然号为正宗，承学之士如蓬从风，如川赴壑，寻声企景，项领相望。百余年来，转相传述，遍于东南，由其道而名于文苑者以数十计。呜呼！何其盛也！自圣清宰世用，正学风，厉薄海，耆硕辈出，讲明心性，恢张义理。厥后，鸿生巨儒逞志浩博，钩研训诂，繁引曲证，立汉学之名，诋斥宋儒言义理者。惜抱自受孤芳，以义理、考据、词章三者不可一阙，义理为干，而后文有所附，考据有所归，故其为文源流兼赅，粹然一出于醇雅。当时相授受者，特其门弟子数辈。然卒，流风余韵，沾被百年，成就远大。"（王先谦《〈续古文辞类纂〉序》）吴德旋评姚鼐："拣择之功，虽上继望溪，而迂回荡漾，余味曲包，又望溪之所无也。叙之文，恽子居亦能简，然不如惜抱之韵矣。"（《初月楼古文序论》）苏舆敬序云："国朝桐城姚惜抱氏，为义理、考据、词章合一之说，借以融洽汉、宋门户，定文章之趣向。吾以谓考据以博古，义理以明道，此非姚氏之私言，即昌黎所自期，与其教人为文之恉，端在于是。然姚氏之文，沉潜古籍，于义理、考据为能兼综其全，故虽取法唐宋，而能拔出一代。彼世之号为桐城派者，吾惑焉。"（王先谦《〈虚受堂文集〉序》，《葵园四种》）李承渊云："先生之学与年俱进，晚年造诣益深，其衡鉴古人文字尤精且密矣。"（李承渊《校刊〈古文辞类纂〉后序》）民国清冷居士云："当清之世，桐城有方苞、刘大櫆、姚鼐之徒名为能古文，天下言文章者称桐城。虽未能深探六艺之本，要其属辞洁而有法。阳湖李兆洛得鼐所集《古文辞类纂》，久乃出之，几于户传人学，自屈原、贾谊以逮其师之所造述，叙次流别，斐然有伦，观其所择，信非苟焉者也。"（《正续〈古文辞类纂〉》）厉志云："姚惜抱先生诗，力量高大，音韵朗畅，一时名辈，当无其匹。今人但重其文，而不知其诗，何耶？"（《白华山人诗说》卷二）姚永朴云："昔先生在时，袁简斋称其七古雄厚，王禹卿又谓五古韵味尤胜；近时武昌张廉卿，则以先生七律与施愚山五古、郑子尹七古并推为一代之冠。然上元梅伯言评先生诗云：'以山谷之高奇，兼唐贤之蕴藉。先生自谓可附虞伯生，岂伯生所可及哉！'湘乡曾文正公尝言，惜翁能以古文之法，通之于诗，故劲气盘折。斯盖综其全言之也。吾师吴挚甫先生语永朴曰：'先生诗勿问何体，罔不深古雅健，耐人寻绎。彼自谓才薄，观于诗殊不然。'"（《惜抱轩诗集训纂》）姚莹《姚先生鼐家状》曰："自康熙朝方望溪侍郎以古文鸣海内，上接震川为文章正派；刘海峰继之益振，天下无异词矣。先生亲问法于海峰，海峰赠序深许之，然先生自以所得为文，又不尽用海峰法。故世谓望溪文质，恒以理胜；海峰以才胜，学或不及。先生乃文理兼至。方、刘皆桐城人也，故世言古文者，称桐城云。"（《碑传集》卷一四二）方宗诚曰："嘉庆间，姚惜抱先生以硕学醇文为海内倡，数十年来言古文家法者，大都推桐城姚氏。顾先生非徒文人也，其仕止进退一审于义而不苟。恬静之操，高亮之节，实足以风范百世，而又皆率其性之所安，初无矫激近名者之所为。其论学宗主程朱之义理，而兼取考证家之所长。尝慨当时学者以专宗汉学为至，攻驳程朱为能，倡于一二专己好名之人，而相率而效者遂大，为学术之害。故力持正论以救之，然心平气冲，粹然德人之言，从其学者濡染渐多，而风气遂为一变。至其论文之旨，则以内充而后发、理得而情当为贵。尝曰：气充而静者，其声闳而不荡；志章而检者，其色耀而不浮，故为学之要，在于涵养而已。……由斯观之，先生岂只文人已耶？读其文固可想见其人，而因其文名之盛遂以掩其德之醇与学之粹，呜呼！其亦失之未考也。"（《姚惜抱先生年谱序》）《姚惜抱先生年谱》云："先生貌清而癯，而神采秀越，风仪闲远，与人言终日不忤，而义所不可，则确乎不易其所守。（见《本传》及《行状》）""先生为学博集汉儒之长而折衷于宋（见《本传》），自少及耄未尝废学。虽宴处，常静坐，终日无惰容。有来问，则竭意告之。喜导人善，汲引才隽如恐不及，以是人益乐就而悦服，虽学术异趣者亦忘争焉。南康谢蕴山方伯语人曰：姚先生如醴泉芝草，使人见之尘俗都尽。青浦王兰泉侍郎集海内人诗，至先生曰：姬传蔼然孝弟，践履醇笃，有儒者气象。……（见《行状》及《姚氏先德传》）自康熙朝方侍郎苞力讲求古文义法，天下始知宗尚归氏熙甫以上追司马子长、韩退之。刘海峰学博继之，天下以为古文之传在桐城。先生亲问法于海峰，然自以所得为文，又不尽用海峰法。（见《行状》及李兆洛所撰传）其论文根极于性命，而探源于经训，至其深浅之际，有古人所未尝言，独抉其微而发其蕴。（见《本传》）纡徐卓荦，搏节隐括，托于笔墨者净洁而精微，如道人德士接对之久，使人自深。盖学博论文主品藻，侍郎论文主义法，先生后出，尤以识胜。知有以取其长济其偏止其弊。（见门人方东树《书墓志铭后》）论者以为辞迈于方氏而理深于刘氏焉。（见《本传》）诗从明七子入，而以融会唐宋之体为宗旨，所选《今体诗》，见者皆以为精当。（见《本传》）平生诲人则以争名为戒，以谦慎韬晦为要。（见《与刘明东书》）""门弟子知名甚众，其尤著者，上元管同、梅曾亮，同邑方东树、刘开，而歙县鲍桂星、新城陈用光、江宁邓廷桢最为显达。至私淑称弟子者，则宜兴吴德旋、宝山毛岳生、华亭姚椿、同邑张聪咸皆以文学著述称名。（见《姚氏先德传》）生平所撰《庐州府志》（据《与陈石士尺牍》，《庐州志》惟《沿革》一门出先生手）、《六安州志》、《江宁府志》官书别刻外，《文后集》十卷，《诗后集》一卷，《笔记》八卷，未及刊而卒。姚椿以刻资嘱梅曾亮于道光元年刊行。（见《行状》及《笔记》梅曾亮跋）"《清史稿》本传："鼐工为古文。康熙间，侍郎方苞名重一时，同邑刘大櫆继之。鼐世父范与大櫆善，鼐本所闻于家庭师友间者，益以自得，所为文高简深古，尤近欧阳修、曾巩。其论文根极于道德，而探原于经训。至其浅深之际，有古人所未尝言。鼐独抉其微，发其蕴，论者以为辞迈于方，理深于刘。三人皆籍桐城，世传以为桐城派。鼐清约寡欲，接人极和蔼，无贵贱皆乐与尽欢；而义所不可，则确乎不易其所守。世言学品兼备，推鼐无异词。尝仿王士禛五七言古体诗选为今体诗选，论者以为精当云。"《晚晴簃诗汇》卷九十一收诗四十八首，诗话："惜抱以古文鸣一世，倡为义理、考据、词章阙一不可之说，后之言古文者咸宗之。作诗亦用古文之法，七律劲气盘折，独创一格，曾文正、吴挚甫皆效其体，奉为圭臬。七古尤晶莹华贵。晚年虽学玉局，而不失唐人格韵。"

焦循序《扬州足征录》。闵尔昌《焦理堂先生年谱》云："先是，丙寅，伊墨卿守扬州，时阮文达亦在籍，相约纂辑《扬州图经》、《扬州文粹》两书，先生分任其事。己巳、庚午间，修《扬州府志》成，即原本于《图经》也。而《文粹》之稿则向来分存于所纂辑之人，未尝选订。是年，墨卿与先生会，语及《图经》，因论《文粹》。先生检旧箧，收拾《文粹》杂稿，共得文三百一篇，为卷二十有七，名曰《扬州足征录》。《文粹》者，存扬人之文，非扬州者不取也。《足征录》者，存扬州之事，有关乎扬州者，不必扬人之文也，义各有当乎尔。先生修《图经》，取旧志，考核随笔记录之文，次为六卷，名曰《邗记》。案：《扬州足征录》二十七卷，光绪中仪征张氏刻入榕园丛书中。仁和钱氏《文献征存录》、同治《扬州府志》、江阴缪氏《儒学传稿》并作一卷，盖误以目录一卷即全书卷数也。"

林则徐派上书房行走。据林聪彝《文忠公年谱草稿》。

秋

包世臣游海州，作《青口税议》。据《包慎伯先生年谱》。

十月

初二日，俞正燮作《书释文后》。本年俞正燮客休宁，作《书人身图说》后、《昏礼摄视议》等文。据《俞理初先生年谱》。

十五日，翁方纲有《志言集》稿本一册。据沈津《翁方纲年谱》。

宗圣垣卒，年八十。据宗稷辰《雷州府君墓志》（《躬耻斋文钞》卷一〇）。

十一月

钱侗卒，年三十八。姚椿《钱同人墓志铭》："吾友同人学近于古又欲有用于世，其意不欲徒为今之学。自其家世，父兄皆以巨人长德服海内，君少涵长濡，质与俱化，沈笃好问，早如成人。又资于世之名公卿贤士大夫以成其业，故年逾弱冠而遂有闻于远迩。"（《碑传集补》卷四十）《清史稿》钱大昭传附："东垣与弟绎、侗，皆潜研经、史、金石，时称'三凤'。尝与绎、侗及同县秦鉴勘订郑志，又与绎、侗、鉴及桐乡金锡鬯辑释《崇文总目》，世称精本。""（侗）于历算之学，亦能究其原本。大昕撰《宋辽金元四史朔闰考》，未竟而卒，侗证以群书、金石文字，增辑一千三百余条。日夕检阅推算，几忘寝食，卒因是感疾而殁。"

十二月

十九日，孙星衍集金陵诗人于五亩园祭东坡。《孙渊如先生年谱》云："十二月十九日，集金陵诗人于五亩园，为东坡生日悬画象致祭，君为诗以纪其事。即用东坡《登蒋山》韵，与会者二十一人，皆有诗。是年，《孔子集语》、《尚书古今文义疏》刊成。"

二十一日，杨芳灿卒，年六十三。据《杨蓉裳先生年谱》。陈文述《皇清诰授奉直大夫户部广东司员外郎充会典馆总纂修官蓉裳杨公传》："君天姿英敏，年甫冠，所为诗文已为艺林所重。与弟荔裳有二杨之目。""君故工骈体文，及官京朝，多暇日，所

为文益宏整典重，京师有大著作必假君手。君有请必应，文不加点，日常数千言，辇下数才人者，君为举首。后生寒畯多被容接，士论翕然归之。纂修《会典》，克举其职。""君与人平易，无疾言遽色。而外和内介，生平未尝有失德。文人之敦行者，莫君若矣。所著有《真率斋稿》、《芙蓉山馆诗词文全集》若干卷行于世。余所著未刻者，多藏于家。君弟荔裳……所著《桐花吟馆诗》，与兄媲美．季弟萝裳亦有文名，长于倚声。论文者推君与诸弟，其不易及哉！"王昶云："蓉裳惊才绝艳，缀玉联珠，骈体之工，几于上掩温、邢，下侪卢、骆。而诗则取法于工部、玉溪间。填词亦清妍婉丽，兼有梦窗、竹山之妙。乃仅以拔萃科选，为伏羌县令。既而逆回构乱，烽火连天，蓉裳严守孤城，授子传餐，独当豕突。予时在鹓轵，督兵堵御，草檄飞书，往来问询。见其意气自如，啸歌不辍，知其必能办贼。事平后，久之，乃量授灵州。又偃蹇十余年，始为农部。虽兼会典馆纂修，而终不获与于承明著作之林，殊为缺事。然闻京师盘敦之盟，必以君为赤帜，盖光焰固不能掩也。"(《湖海诗传》卷三十五)《无锡金匮县宦望志传》云："芳灿故工诗及骈体文，与常州洪亮吉、孙星衍齐名。官京师，声望益重，充会典馆总裁。丁母忧归。主关中讲席，旋修《四川通志》，卒于蜀。"吴衡照《莲子居词话》云："咏物如画家写意，要得生动之趣，方为逸品。金匮杨蓉裳先生《芦花》云：'正半钩微月淡如烟，空江冷。'荔裳先生《燕子》云：'软踏帘钩，细语诉愁回。一片落红看不得，飞去也又衔来。'一以神韵胜，一以姿致胜，俱从前传神所未到。"谢章铤《赌棋山庄词话》卷四："金匮杨蓉裳芳灿荔裳揆兄弟并名，而蓉裳尤见擅场。其长调颇近阳羡生，有《芙蓉山馆》稿。"陈廷焯《白雨斋词话》卷五："金匮二杨蓉裳、荔裳工为绮语，高者亦不过吴园次、徐电发之亚，不足语于大雅。"《云韶集》卷二二："蓉裳词低回深婉，情词兼工。"又云："笔致之妙，兼二窗之长，得张、王之趣。"又云："荔裳词，笔力雄健，骨韵都高；小令姿态有余，长调尤觉流动充满，真作家也。"又云：荔裳小令以南宋为法。"吴蔚光《词人绝句》："舍人明府竞雕章，玉季金昆数二杨，记得重阳怀弟句：'故乡对酒也凄凉。'(杨蓉裳九日寄弟荔裳，有'故乡对酒也凄凉，何况他乡'二语，读之令人凄黯。)"郭则沄《清词玉屑》卷二："荔裳、蓉裳兄弟皆能词，蓉裳久滞百里，以守城功仅擢州牧。其官陇右署中，亲友多拈韵为词，成《荆圃唱和集》。有寄弟《满江红》云云。"《晚晴簃诗汇》卷一百收诗十七首，诗话云："蓉裳善骈俪文，与洪北江、孙渊如齐名，出仕甘肃，知伏羌县，值回民田五作乱，围伏羌。君诛内应数人，随机设方略守城五昼夜，援至围解，论者比之睢阳玉璧。后为贳郎，声名益盛，京朝多暇，高文典册多出其手。诗沈博绝丽，有金鸡香象之观。"《续修四库全书·芙蓉山馆诗钞提要》云："词清研婉丽，兼有梦窗、竹山之妙，则王昶所评，为允当矣。大氐挹其精采，如啖鲜荔枝，香、色、味三者俱佳，真足令才人学人一齐拜倒。"

除夕，焦循作《易章句自序》，《易章句》成于是年。闵尔昌《焦理堂先生年谱》云："先生既以《易通释》、《图略》节录大略，请教于阮文达。是年，文达有书来索见完本。先生因取《章句》草稿，手茸之，凡五阅月，成《章句》十二卷。十二月除夕，灯下作《易章句自序》是为《雕菰楼易学之一》。是书之成凡数十年，专力于此者，亦十余年矣。"

除夕，俞景作《封神诠解序》。序云："细阅之，神道设教之言，皆寓发金丹大道之旨，与《西游》实相表里，其筑基炼已，周天火候，采药过关，服食养胎，移神迁鼎，炼神还虚，又与《天仙正理》一一符合。其寓意立局，有胜《西游》之处者，真仙笔也。予既蒙天地赋以此身，又得亲炙历代仙师之书，况复年力未衰，曷敢偷惰！以予之所得，印证处诠解之，使作者六百年后得一知音，未必不点首虚空者也。"署"嘉庆乙亥除夕，仁和俞景序于京都如舟书屋。"又，邹存淦《删补封神演义诠解序》云："《西游记》之取经天竺，当时实有其事。所不可知者，行者等耳。悟一子《真诠》出，而人始恍然悟为为证道之什，然尚未能知《封神传》之亦含玄理也。……偶得俞湖隐景《封神诠解》草稿……是亦证道之一种。悟一子视之，定当把臂入林矣。"俞樾《封神诠解序》云："仁和有俞君者，名景，自号湖隐。仿悟一子评《西游记》之例，作《封神传诠解》，其设想之奇，会意之巧，与悟一子异曲同工，而此书亦居然谈道之书矣。夫道无所不在也。……方今卮言日出，东西洋新小说风行一时，而颇多离经背道之言，固不如读先生此书，使人悠然而有会矣。"（《中国历代小说序跋集》）

舒位卒，年五十一。据朱彭寿《清代人物大事纪年》。舒位《乾嘉诗坛点将录》，以己为"马军八虎骑兼先锋使八员"之一"没羽箭"张清，赞云："弃尔弓、折尔矢，高固王剪有如此。似我者拙，学我者死，一一击走十五子。"萧抡《舒铁云孝廉墓志铭》云："君博极群书，好为诗，尤工歌行体。兴酣落笔，往往如昆阳之战，风雨怒号，当者无不披靡。玉川《月蚀》、昌黎《陆浑山火》，不能过也。"龚自珍《己亥杂诗》云："诗人《瓶水》与《谟觞》，郁怒清深两擅场。如此高材胜高第，头衔追赠薄三唐。"龚氏自注云："郁怒横逸，舒铁云《瓶水斋》之诗也；清深渊雅，彭甘亭《小谟觞馆》之诗也。两君皆死一纪矣。"（《龚自珍全集》）陈文述《舒铁云传》云："君所作《瓶水斋诗》，不沿袭古法，而精力所到，他人百思不及，非其性情笃挚所见端软？……乾隆、嘉庆之际，诗人相望。归愚守宗法，随园言性灵，学之者众，未有能尽其才者；君独以奇博创获横绝一世。余所识诗人众矣，必以君为巨擘焉。"王揖唐《今传是楼诗话》二八六云："法梧门有《三君咏》，谓舒铁云、王仲瞿、孙子潇也。三君皆才人，诗皆有奇气，而铁云《瓶水斋集》中《读〈论语〉六十首》，新解颇多，在乾嘉作者中，固亦别开生面者。录其一云：'武王曰人十，孔子曰人九。用九一阴生，见群龙无首。……太姒与邑姜，幸则享其厚。'此诗发皇阴教，左袒女权，在当时或为游戏之作，在今日则不幸言中矣，惜不及起作者于九原而质之。"《晚晴簃诗汇》卷一百六收其诗二十五首，诗话云："铁云生时，母梦一僧执桂枝自峨嵋来，故小字樨禅。少工诗古文。年十四，随父任之永福，赋《铜柱诗》，安南国人传诵之。丰神散朗如魏晋间人，喜观仙佛怪诞九流稗官之书，能度曲，所作乐府院本老伶皆可按歌，不烦点窜。故为诗奇博闳恣，横绝一世。法时帆常以铁云与王仲瞿、孙子潇并称，作《三君咏》。赵云松、梁山舟皆盛许焉。"

> 冬

门人为王芑孙编定癸亥至甲戌诗四卷，合前编十六卷为《渊雅堂编年诗稿》二十

卷。据《渊雅堂编年诗稿》卷首沈慈等识语。

洪震煊卒，年四十六。据洪颐煊《昆季别传》(《筠轩文钞》卷八)。《晚晴簃诗汇》卷一百二十五收其诗一首。《清史稿》洪颐煊传附："（震煊）精《选》学，诗才敏赡。"

本年

彭蕴章从石韫玉学于紫阳书院。据《诒谷老人自订年谱》。

曾燠擢贵州巡抚。据包世臣《曾抚部别传》(《续碑传集》卷二十一)。

潘曾沂补廪。据《思补老人自订年谱》。

潘奕隽重游泮宫，得七律四章，一时和者甚众。据《三松自订年谱》。

左宗棠随祖父左人锦读书湘阴家中。据《左宗棠大事年表》。

郭尚先充国史馆纂修、文颖馆总纂，与修《治河方略》，《大清一统志》诸书。据《兰石公年谱》。

梁章钜同刘嗣琯、吴嵩梁、陈用光、李彦章谒翁方纲。梁章钜时年四十一，为方纲诗弟子者三年。据《退庵自订年谱》。

端木国瑚选湖州府归安教谕。据《太鹤山人年谱》。

孙玉庭奉旨调浙江巡抚。据《寄圃老人自记年谱》。

龚自珍是年有《黄山铭》、《别辛丈人文》、《明故按察使司佥事金君石阙铭》等。据吴昌绶《定盦先生年谱》。

俞国麟自序《蕉轩摭录》。是书十二卷，有嘉庆二十年序刊本、道光十九年双桂楼刊本、咸丰二年双桂楼刊巾箱本、光绪初《申报馆丛书》本等。据《中国古代小说总目》文言卷。

焦循辑《扬州诗征录》二十七卷。据《雕菰集》一六。

王芑孙所著《渊雅堂编年诗稿》二十卷、《惕甫未定稿》二十六卷由华亭沈恕、沈慈等陆续刊行。据《明清江苏文人年表》。

张维屏游罗浮，有《罗浮集》。据《张南山先生年谱撮略》。

鲍桂星辑《唐诗品》八十五卷，以司空表圣二十四品排次之。据《觉生自订年谱》。

王苏刻所著《试畯堂集》十六卷。据《粟香二笔》二。

冯登府著《石经阁诗略》第二卷。据《冯柳东先生年谱》。

张釜辑此亭先生遗作为《颐斋仅存草》。书分上下两册。道光三年，《颐斋仅存草》付梓。据鲍鼎编《张夕庵先生年谱》。

恽敬入粤，作《舟经丹霞山记》。据《大云山房文稿二集》三。

项霨有《乙亥青田访端木鹤田》诗。据《太鹤山人年谱》。

孙星衍刻所著《尚书今古文注疏》三十卷。据《孙渊如外集》二。

《昔柳摭谈》有本年刊本。汪人骥《昔柳摭谈序》云："天下人事，不外一情。情之正者，不背乎理。古来忠孝节义，类皆发乎情，至乎理，而不失其正焉已矣。余旧阅平湖梓华生《昔柳摭谈》一编，其中虽多寓言，而扬清激浊，所以维持风教者。盖即言情之词，而其旨一出理之正，非直《山经》志怪，《搜神》纪异，足以一新耳目之观也。"署"时光绪戊寅冬十月，巢县汪人骥逸如序"。（据一九一四年上海大声图书局石印本《昔柳摭谈》）《昔柳摭谈》八卷，梓华生撰。梓华生其人始末未详。仅据书中内容，知其姓冯，为冯起凤之兄。乾隆、嘉庆间平湖（今属浙江）人。以课幕为生。《八千卷楼书目》小说家类著录《昔柳摭谈》八卷。题冯起凤编，误。今传嘉庆二十年冯氏巾箱本，署"平湖梓华楼冯氏编"，篇末有梓华生及其亲友评语。光绪四年上海汪人骥整理重印，删去若干篇。清末平步青《霞外捃屑》以为本书本为胡蕙园《耳谐》，今名为汪人骥所题，未详所据。据《中国古代小说总目》文言卷。

壶隐痴人《群芳外谱》二卷有本年刊本。据《中国古代小说总目》文言卷。

吴镐刊《红楼梦散套》，凡十六则。《雨村曲话》云："其曲情亦凄婉动人。非深于'四梦'者不能也。"吴镐号荆石山民、荆石山房，江苏镇洋太仓人。嘉庆间监生。生平喜文墨，不习举业。专攻诗、古文词。为彭兆荪所赏。《红楼梦散套》外，又有《荆石山房诗文集》、《汉魏六朝志墓金石例》等。事迹见李调元《雨村曲话》。

王诉《宽大诏》有本年刻本。诉字晓楼，号啸岩、澹游、王山人，山西榆次人。著有《青烟录》、《啸岩吟草》等。此剧凡四出，本事见《汉书·陆贾传》。此剧前有王祁序，云："啸岩以陆贾自喻，其抱负正是不凡"；其后有门人陈孝宽跋，云"啸岩先生《宽大诏》传奇，所谓寓抱负于文章，隐风情于正大者矣"，又云"脱悲欢离合之常谈，允推此曲；合道学才华为一致，所谓伊人"。有嘉庆二十年刻本，存北京图书馆善本部。据《古本戏曲剧目提要》。

《镜花缘》约于本年成书。李汝珍约于三十五岁时始作《镜花缘》，至嘉庆二十五年始完成，历时近二十年。此书流传甚广，版本甚多，主要有：江宁桃红镇坊刻本，系据第二稿传钞本私刻，刊于嘉庆二十二年下半年或二十三年春季；嘉庆二十三年苏州原刻本，无图，有梅修居士石华（许乔林）序及武林洪棣元静荷序，孙吉昌等六家题词；道光元年刻本；道光八年广州芥子园新雕本；道光十年广州芥子园重刻巾箱本，除许乔林序及洪棣元序外，新增麦大鹏《镜花缘绣像序》、谢叶梅《自序》（为绣像作），并谢叶梅画像一百零八页；道光十二年广州芥子园重刻本，有麦大鹏序及谢叶梅画像一百零八页；道光二十二年广东英德堂刻本；道光二十二年厚德堂刻本，有像一百零八页等。据孙楷第《中国通俗小说书目》、江苏省社会科学院明清小说研究中心编《中国通俗小说总目提要》。悔修居士石华云："《镜花缘》一书，相传北平李氏以十余年之力成之，观者咸谓有益风化。惜向无镂本，传钞既久，鲁鱼滋甚。近有同志辑而付之梨枣。是书无一字拾他人牙慧，无一处落前人窠臼，枕经菲史，子秀集华，兼贯九流，旁涉百戏，聪明绝世，异境天开。即饮程乡千里之酒，而手此一编，定能驱遣睡魔；虽包孝肃笑比河清，读之必当喷饭。综其体要，语近滑稽，而意主劝善，且津逮渊富，足裨见闻。昔人称其正不入腐，奇不入幻，另具一副手眼，另出一种笔墨，为虞初九百中独开生面、雅俗共赏之作。知言哉！辙述此语，以质天下之真才子喜读是书者。"（光绪十六年上海石印本《〈镜花缘〉序》）洪棣元云："凡人胸中无物，必不能立说著书；目中有物，又必至拘文牵义：此作家之所以难也。从古说部无虑数千

百种，其用意选辞，非失之虚无入幻，即失之奥折难明；非失之孤陋寡闻，即失之肤庸迂阔，令人不耐寻味，一览无余。夫岂无惬心贵当卓然名世者，总未有如此书之一读一快，百读不厌也。观夫繁称博引，包括靡遗，自始至终，新奇独造。其义显，其辞文，其言近，其旨远。后生小子顿教启发心思，博彦鸿儒藉得博资采访。匪特此也，正人心，端风化，是尤作者之深意存焉，不知者仅以说部目之，知之者直以经义读之。盖温柔敦厚，《诗》之教；疏通知远，《书》之教；广博易良，《乐》之教；洁静精微，《易》之教；恭俭庄敬，《礼》之教；比事属辞，《春秋》之教。是书兼而有之，非胸中有物而目中无物者，讵能若是乎？论者尝谓《宋书》固属精详，而擅造奇诡；《晋书》虽为骈丽，而丛冗特甚：必于是书斯能无憾。岂可以稗官野史而忽之哉？"（光绪十六年上海石印本《〈镜花缘〉原序》）麦大鹏云："李子松石《镜花缘》一书，耳其尽善，三载于兹矣。戊子清和，偶过张子燮亭书塾，得窥全豹，不胜舞蹈。复闻芥子园新雕告竣，遂购一函，如获异宝。玩味之余，忠孝节烈，文词典雅，百戏九流，聪明颖悟，闺秀团聚，谈笑诙谐，足见一班。虽事涉荒唐，不啻确有其人其事如在目前也。翻若弗克身历其境，睹兹彬彬文盛、济济同时为恨。"（光绪十六年上海石印本《绘图〈镜花缘〉序》）王韬云："《镜花缘》一书，虽为小说家流，而兼才人、学人之能事者也。人或有诋其食古不化者，要不足病。观其学问之渊博，考据之精详，搜罗之富有，于声韵、训诂、历算、舆图诸书，无不涉历一周，时流露于笔墨间。阅者勿以说部观，作异书观亦无不可。顾宜于雅人者，未必宜于俗人。阅至考古论学、娓娓不休，恐如听古乐倦而思睡；则卷中若唐敖偕多九公、林之洋周游各国，所遇多怪怪奇奇，妙解人颐，诙谐讥肆，顽世嘲人，揣摩毕肖，口吻如生，又足令阅者拍案称绝，此真未易才也。窃谓熟读此书，于席间可应专对之选，与他说部之但叙俗情，羌无故实者，奚翅上下床之别哉？"（光绪十四年上海点石摘石印本《〈镜花缘〉图像序》）《韵鹤楼轩杂著》卷下题跋《题〈镜花缘〉后》云："呜呼！书之所以贵于用者，吾知之矣：以之训乎俗，可以敦化原；以之施乎事，可以奏捷效；以之资乎学，可以广见闻；以之陶乎情，可以博旨趣。虽其说涉于子虚乌有，光怪陆离，变换不测，苟揆诸四者之义而无所悖焉，是亦可谓有用之书已。近时小说家，往往喜传闺阁中书，非纤即亵，大多喃喃私语耳。余尝偶过戏场，值台中方演《荆钗》、《琵琶记》诸剧，观者俱意兴索然，倦而思卧。及再演《葡萄架》、《烤火》、《滚楼》等戏，观者俱眉飞色舞，津津乎有余味焉；以是知习尚之中于人心也亦已久矣，此固法言庄语之所以扞格而不能入也。夷考《班志》，称：'小说家流，出于稗官。'如淳注：'欲知间巷风俗，立稗官使称说之。'《镜花缘》者，亦专言闺阁中事，且其涉于子虚乌有，光怪陆离，变幻不测，在恒情视之，鲜不以荒唐之词相诟病；余独喜其合于四者之义，盖有取焉。其书中自述，凡诸子百家，琴棋书画，医卜星相，音韵算法，以及灯谜酒令，双陆马吊，射鹄蹴球，投壶斗草之类，无一不备，此犹其小焉者也，其用心亦良苦矣。"石华居士之序曰："今坊肆所行杂书，妄题为第几才子，其所描写，不过浑敦穷奇面目，即或阐扬盛节，点缀闲情，又类土饭尘羹，味同嚼蜡，余尝目为'不才子'，岂过激之论欤？""小说之《镜花缘》，是欲于《石头记》外别树一帜者；然卖弄稗贩，刺刺不休，殊可厌也。惟女国主婿归迎母一表中四语云：'指白水而重耳归来，犹是山河无恙。誓黄泉而瘝生重见，遂为母子如初。'工雅浑成，几似宋人佳制。"（《椒生随笔》）蒋瑞藻《小说考证·镜花缘第十九》云："《镜花缘》在说部中为晚近之作，文笔视《红楼》、《水浒》，良有不逮。然而诙谐间作，谈言微中，独具察世只眼，似较他书为胜。其言女学女科，隐然有男女平权之意味；而佳智国民，尽人皆须读书识字，而后始得为成人，又近日国民教育之规模也。打人国家宰出游，亦不过小奚相随，无驱仪礼之繁，暗合泰西风气。飞艇航空，铁血陷阵，直一目贯之到今。虽世之言进化论，恐无以加此。又不让《倍根氏文集》专美于前。"

杜文澜（1815—1881）生。文澜字小舫，浙江秀水人。少孤，家贫，依其舅而生。入赀为县丞。累迁同知、直隶州知府、江苏按察史、两淮盐运史、苏州太道员。后加布政史衔。有《采香词》二卷、《憩园词话》、《曼陀罗华阁琐记》。事迹见俞樾《江苏候补道杜君墓志铭》（《续碑传集》卷三十八）。［生年据朱彭寿《清代人物大事纪年》。］

孙衣言（1815—1894）生。衣言字劭闻、琴西，浙江瑞安人。道光十七年拔贡。三十年成进士，改庶吉士，授编修。入直上书房，擢侍讲。同治四年，主讲杭州紫阳书院。十一年，授安徽按察使。十三年，署布政衔。光绪元年，授湖北布政使。二年，调江宁布政使。五年，内召为太仆侍卿。寻以疾返里，设塾授徒。有《逊学斋文钞》十二卷、《逊学斋诗钞》十卷、《逊学斋诗续钞》五卷等。事迹见姚永朴《孙太仆家传》（《碑传集补》卷七）、《桐城文学渊源考》卷七等。［生卒年据江庆柏《清代人物生卒年表》。］

施琼芳（1815—1868）生。琼芳原名文龙，字见田、昭德、星阶，号珠垣，台湾台南人。道光十年举人。二十五年中进士，选江苏知县。有《石兰山馆遗稿》二二卷。事迹见《台南市志·文教志》、施士洁《台澎海东书院课选序》。

吴俊卒，年七十二。据江庆柏《清代人物生卒年表》。王昶云："蠡涛与弟少甫，同以画省望郎，称诗京洛。又与马玉圃培、李沧云棻诗场酒座，无不同之。而蠡舟取径幽深，精心独造，非但不拾人间余唾，亦不必合古人矩矱也。从军以后，崎岖烽火，所见益奇，笔足以发难显之情，即少甫亦多不逮。"（《湖海诗传》卷三十二）《晚晴簃诗汇》卷九十五收诗三首。

周春卒，年八十七。据《清史列传》丁杰传附。《两浙辋轩续录》卷七："（其诗）不屑屑规行规步以为能。心精所至，真意自流。盖其不可及者在性情，在学问，辞章抑末耳。然其所诣，眉山之恣肆，渭南之盘郁，殆庶几焉。"《晚晴簃诗汇》卷八十四收其诗一首。

李鼎元卒，年六十六。据江庆柏《清代人物生卒年表》。洪亮吉《北江诗话》卷一："李主事鼎元诗，如海山出云，时有奇采。"王昶《蒲褐山房诗话》："近日绵州称三李，以墨庄为最，意沉挚，辞警拔。筮仕后，索米不足，远游江海。所过名山大川，发其抑郁无聊之气，拔地倚天，三吴士大夫以英挺自命者，未能或之先也。"（《湖海诗传》卷三六）《晚晴簃诗汇》卷一〇一录其诗十六首。

张问安卒，年六十。据江庆柏《清代人物生卒年表》。

高鹗卒于此际。高鹗卒年，或谓 1816 年，或谓 1814 年至 1815 年间。参见张书才

《高鹗生卒年考实》(《文献》1989 年第 4 期)。

公元 1816 年(嘉庆二十一年　丙子)

二月

　　初六日,崔述卒,年七十七。据陈履和《敕授文林郎福建罗源县知县崔东壁先生行略》(《碑传集补》卷三十九)。《晚晴簃诗汇》卷九十收其诗五首,诗话云:"东壁博闻强识,撰《考信录》、《唐虞三代经史百家传信传疑》,一一加以考证。自叙谓以经为主,传注与经合者著之,不合者辨之,异说不经则辟而削之。闳通翔实,卓然自成一家言。"《清史稿》雷学淇传附:"其著书大旨,谓不以传注杂于经,不以诸子百家杂于传注。以经为主,传注之合于经者著之,不合者辨之,异说不经之言,则辟其谬而削之。""述之为学,考据详明如汉儒,而未尝墨守旧说而不求其心之安;辨析精微如宋儒,而未尝空谈虚理而不核乎事之实。然勇于自信,任意轩轾者亦多。"

　　孙星衍与严可均及弟孙星衡撰辑《全上古三代秦汉三国六朝文》。本年,星衍主讲钟山书院。据《孙渊如先生年谱》。胡玉缙曰:"《全上古三代秦汉三国六朝文》七百四十六卷,乌程严可均辑。……案,王德福续《孙渊如年谱》,称'是书嘉庆廿一年孙星衍与可均及弟星衡撰辑'。谭献《复堂日记》则谓,'铁桥以未入《全唐文》馆,发愤编次唐以前文',又谓'在全椒见吴山尊日记手迹,言纂辑实出伯渊,铁桥攘为己有'。而杨守敬《晦明轩稿》,据《漫稿》中《上陈硕士书》及《答徐星伯书》,力明其为可均作,其言甚确。今谓《三礼图》、《谥法》诸书,《漫稿》称星衍与可均同辑,此独称可均辑,则以为同辑者非,以为攘窃者尤非。可均《四录堂类集》,大半搜采残剩,即以为愤未入《全唐文》馆而为此,亦未必然也。其书凡《全上古三代文》十六卷,《全秦文》一卷,《全汉文》六十三卷,《全后汉文》一百六卷,《全三国文》七十五卷,《全晋文》一百六十七卷,《全宋文》六十四卷,《全齐文》二十六卷,《全梁文》七十四卷,《全陈文》十八卷,《全后魏文》六十卷,《全北齐文》十卷,《全后周文》二十四卷,《全隋文》三十六卷,《先唐文》一卷,《韵编全文姓氏》五卷,苞括众制,网罗千古,有此书而梅鼎祚、张采、张溥之书皆可废。谭献推为文苑之尾闾,良非溢美。惟其中间有舛误遗漏,如《碣石门刻石》据《史记·秦始皇纪》录之,而以为上脱九句,不知所见何本。……然小小疏略,未足为全书病。至杨氏在日本得《文馆词林》及《文镜秘府论》,又得《朝鲜东古文存》,及道咸以来金石之出土者,辑为《补严氏古文存》二十卷,此则可均所未几见,更不得以是訾之矣。此书稿本无目,可均没后,为同县蒋氂所得,因编目录而未刻。光绪己卯,其子锡仁始将目录刊行,而原稿辗转归巴林方氏。至甲午,黄冈王氏乃出赀刻于广州,即此本也,盖距成书时已七十年云。"(《续四库提要三种》)

　　恽敬至赣州。六月至歙。是年得文十:《相鼠说》、《说文解字谐声谱序》、《游通天岩记》、《朝议大夫董君华表铭》、《翰林院庶吉士金君华表铭》等。据《大云山房文稿》。

　　张澍重修《屏山县志》。据《张介侯先生年谱》。

三月

初五日，赵怀玉作《七十自述诗》八章。据《收庵居士自叙年谱略》。

春

姚莹谒选，得福建平和县知县。《姚石甫先生年谱》曰："赴官，过钱塘，谒督学汪文端廷珍。……纵谈三日，索观诗文，叹曰：'国士也，慎自爱。'题辞卷首有曰：众鸟啁啾中，独见孤凤皇。"

四月

初十日，焦循作《论语补疏自序》。是为《六经补疏》之六，三卷。据闵尔昌《焦理堂先生年谱》。

十三日，翁方纲、陈用光、梁章钜、李彦章同游崇郊寺。方纲有诗一首。五月二十九日，梁章钜、李彦章等至方纲处题汉石经残字石。方纲作《题观碑图》记之。见《复初斋诗集》。

五月

孙玉庭奉旨擢授湖广总督。七月至京，时英使者不能行三跪九叩礼，孙玉庭因讲解海外事，上意大悦。旋离京赴任。十一月奉旨调补两江任，十二月抵任。据《寄圃老人自记年谱》。

六月

十五日，王念孙作《刘端临遗书叙》。略云："岁在壬辰，予入都应礼部试，始得交于端临。既又因汪容甫得闻端临之学之精与其孝友纯笃，于是益心折焉。后端临留京师教授生徒，予亦官于工部，数过从请学，每得一义，必以相示。"（闵尔昌《王石臞先生年谱》）

二十三日，庄述祖卒，年六十七。据宋翔凤《庄先生述祖行状》（《碑传集》一〇八）。《晚晴簃诗汇》卷一百二收其诗三首，诗话云："葆琛治训诂，亦兼说心性义理。乾嘉之际，学者以沟通汉宋为职志，葆琛亦其一也。斠释《夏小正》，简别科条，自成一家言。高自矜许，诗隐秀，七绝尤有风致。"《清史稿》本传："述祖传存与之学，研求精密，于世儒所忽不经意者，覃思独辟，洞见本末。著述皆义理宏达，为前贤未有。"

二十八日，黄丕烈作五言长古《哭吾兴庵天台澄谷大师》。秋，借元妙观道藏本《穆天子传》补校于乙丑年校本上。据江标编《黄荛圃先生年谱》。

《秘殿珠林》、《石渠宝笈》三编告成。据《鼎甫府君年谱》。

闰六月

十六日，顾广圻作《四春词序》。据《顾千里先生年谱》。

十九日，阮元调补河南巡抚。七月末，离江西巡抚任赴河南。十一月十三日，补授湖广总督。据《雷塘庵主弟子记》。

夏

孙渊如主讲钟山书院。据《顾千里先生年谱》。

七月

十六日，洪饴孙卒，年四十四。据李兆洛《东湖县知县洪君墓志铭》(《养一斋文集》卷一二)。《晚晴簃诗汇》卷一百十三收其诗八首，诗话云："孟慈为北江太史子，幼承庭训，穷极经史。其诗导源陶谢，卓然自成一家。集中山水行役诸作，尤擅其胜。论者比诸过、迈之于东坡。"

唐仲冕、钱泳、王昙等同游云台山。据《梅溪先生年谱》。

八月

初三日，钱振伦（1816—1879）生。钱振伦原名福元，字仑仙，后字楞仙，乌程人。道光十五年举人。十八年成进士，改翰林院庶吉士，授编修。二十四年充四川乡试正考官。升国子监司业。先后在扬州梅花书院、清河崇实书院任山长。有《鲍参军集注》六卷、《樊南文集补编笺注》十四卷等。事迹见《续纂清河县志》、《常昭合志稿·流寓传》。[生日据朱彭寿《清代人物大事纪年》。]

十五日，乐钧卒。据陆继辂《崇百药斋文集》卷一一《哭乐三钧》注。徐承恩《耳食录序》云："夫学与年而俱进者也。莲裳之诗，至四十而益工。其辞元本忠孝，明达体用，知之者独曾宾谷侍郎耳，他人虽誉莲裳而不能尽知。"卢前《望江南·饮虹簃论清词百家》云："莲裳子，奇丽发文章。别其会心评浙水，倚晴此语细商量。朗秀自登坛。"谢章铤《赌棋山庄词话》续编四："词以周柳为宗。……词工描写，事亦可传。"王揖唐《今传是楼诗话》四〇九云："临川乐莲裳钧《过江至金陵绝句》云：'长干古道绿杨湾，飞在杨花酒肆间。孙楚楼边人独饮，夕阳红遍六朝山。'比于定山堂之'流水青山送六朝'同为佳句。所著有《青芝山馆集》，古体尤工。《读〈墨子〉》云：'违道非一端，非命复非乐。兼爱说亦偏，用心良已博。带城距高梯，高义济奇略。功成众不知，侠与鲁连若。剪叶用其根，实救人心薄。风义日浇漓，寸胸列城郭。病苦在他人，谈笑看炮烙。同室时有斯，况若楚宋各。象教主慈悲，反为众生托。'仁者之言也。按半山亦有《读墨》诗云：'凡人工自私，翟也信奇伟。惜乎不见正，遂与中庸诡。'用意与莲裳同，以言警透，似犹逊此。"

十七日，曾廷枚卒，年八十三。据朱彭寿《清代人物大事纪年》。《晚晴簃诗汇》卷一百十一收其诗三首。

汪家禧卒，年四十二。据姚椿《汪家禧别传》（《碑传集补》卷四十八）。许宗彦《三文学合传》："诸生汪家禧，仁和人；杨凤苞、严元照，归安人。仪征阮侍郎元督学浙江，三人并以高才生受知。嘉庆四年，侍郎巡抚，立诂经精舍，招致三人在其中。家禧年最幼，而沈笃锐敏，好学尤甚，性谦下，常若不及。"《清史稿》孙志祖传附："（家禧）颖敏特异，通汉易，作易消息解。所著书数十卷，毁于火。其友秀水庄仲方、门人仁和许乃榖辑其遗文，为《东里生烬余集》三卷。文多说经，粹然有家法。"

沈维鐈简放湖北学政。据《鼎甫府君年谱》。

顾广圻助孙星衍校刊《全唐文》成。本年，顾广圻在扬州，为秦恩复校刻《骆宾王文集》，著《考异》一卷。据赵诒琛编《顾千里先生年谱》。

九月

初三日，蒯德模（1816—1877）生。德模字子范，晚号蔗园老人，安徽合肥人。同治三年，以军功得保荐长洲知县。九年，调署镇江。后历任太仓知州、苏州知府、江宁知府、襄州知府。有《带耕堂遗诗》五卷、《吴中判牍》一卷。事迹见《清史稿》本传、李鸿章《诰授中议大夫三品衔补用道襄州府知府蒯公神道碑》。［生日据朱彭寿《清代人物大事纪年》。］

初四日，陆增祥（1816—1882）生。增祥字魁仲，号星农，江苏太仓人。道光二十四年中举。三十年成进士，以廷试第一人授翰林院修撰。咸丰三年诏加五品衔。六年充会试同考官，历充国史、功臣、方略诸馆纂修，起居注协修，文渊阁校理等。十年授广西庆远府知府。同治二年擢道员，历署粮储道、盐法长宝道。加布政史衔，赐二品封典。光绪二年补辰永沅靖道。光绪八年六月丁卯卒，年六十七。有《金石补正》一百三十卷、《札记》四卷、《元金石偶存》一卷、《砖录》一卷等。事迹见俞樾《布政使衔湖南辰永沅靖兵备道翰林院修撰陆君墓志铭》（《续碑传集》卷三十八）。［生日据朱彭寿《清代人物大事纪年》。］

吴荣光补军机处章京。据《荷屋府君年谱》。

孙尔准补授福建盐法道。据《平叔府君年谱》。

秋

乡试。郭尚先充云南乡试正考官，副考官为顾莼。（《兰石公年谱》）黄安涛充贵州乡试正考官。（《国史馆传稿·黄安涛传》）黄钺为顺天乡试副考官。正考官为董诰，又副考官为陆以庄。（《黄勤敏公年谱》）林则徐充江西乡试副考官，吴其彦充正考官。（来新夏《林则徐年谱》）汤金钊放江南正考官。（《先文端公自订年谱》）胡敬为河南乡试副考官。（《书农府君年谱》）中式者有：汪远孙（胡敬《内阁中书汪君墓志铭》）、潘曾沂（《思补老人自订年谱》）、钱宝琛（《颐寿老人年谱》）、翁心存（《先文端公年谱》）、张履、俞鸿渐、宁熙朝（朱彭寿《清朝人物大事年表》）、刘淳（王柏心《刘孝长传》）、邹鸣鹤（《前广西巡抚兵部侍郎兼都察院右副都御史邹公行状》）等。

翁心存往金陵应乡试，作《碧玉篇》。九月榜发，中式。十一月，往扬州谒刘凤诰，归谒唐仲冕于镇江。据《先文端公年谱》。

阮元刻宋本《十三经注疏》成。《雷塘庵主弟子记》曰："此书尚未刻校完竣，大人即奉命移抚河南。校书之人不能如大人在江西时细心，其中错字甚多。……大人不以此刻本为善也。"

包世臣晤王昙，与论书法。据《包慎伯先生年谱》。

十月

十三日，蒋琦龄（1816—1876）生。琦龄字申甫，广西全州人。道光二十年成进士。三十年授翰林院编修。咸丰元年起，历任九江、汉中知府和四川盐茶道。五年调任顺天知府。一度主讲于衡州书院。有《空青水碧斋诗集》一三卷，补遗一卷。事迹见《儒林琐记》卷三。[生日据朱彭寿《清代人物大事纪年》，卒年据江庆柏《清代人物生卒年表》。]

二十八日，两江总督百龄卒。《晚晴簃诗汇》卷九十五收其诗八首，诗话云："菊溪抚粤数月，调督两湖，去之日，士民遮道留，肩舆不得行，至夜乘马出城，作《感恩纪事诗》，其第三首云：'不教藏过宰官身，夹路香灯照水滨。岂有去思留异日，从来直道在斯民。同其好恶情能洽，酿以诗书气自醇。付与诸公勤抚字，未妨单骑出城闉。'指此事也。后复奉命督粤，降海盗张保，斩从伙百余人，有句云：'岭南一事君堪羡，杀贼归来啖荔枝。'风致可想。"其赐谥碑文、祭文皆出林则徐手。据《林则徐集·日记》。

十一月

二十三日，沈赤然卒，年七十二。据沈赤然《自编年谱》卷末其子识语。

十二月

十四日，彭玉麟（1817—1890）生。玉麟字雪琴，湖南衡阳人。诸生。以军功累官至兵部尚书、一等轻车都尉。加太子少保，赠太子太保，谥刚直。有《吟香馆》、《退省盦》、《彭刚直工诗集》八卷。事迹见《清史稿》本传、《清史列传》本传。[生日据朱彭寿《清代人物大事纪年》。]

王引之迁都察院左副都御史。据《王伯申先生年谱》。

童槐授山东兖沂曹济道。此前主讲鹅湖书院。据《显考蓉君府君年谱》。

冬

庄炘、赵怀玉等五人集为五老会。据《收庵居士自叙年谱略》。

焦廷琥与父焦循纂《孟子长编》三十卷，越两岁乃成。据闵尔昌《焦理堂先生年谱》。

魏源作《京师接家书》诗七首。据黄丽镛《魏源年谱》。

梁章鉅入宣南诗社。胡承珙、潘曾沂各为之记。据《退庵自订年谱》。

王引之任满旋都，侍养王念孙于京邸。据闵尔昌《王石臞先生年谱》。

本年

龚自珍至上海，与钮树玉、何元锡等会。《定盦先生年谱》云："乙亥六月，闇斋先生擢江南苏松太兵备道。……丙子春，龚自珍之海上省侍。上海绾毂东南，闇斋先生以宿学任监司，一时高才硕彦，多集其门。先生与吴县钮非石树玉、钱塘何梦华元锡诸君搜讨典籍……由是益肆意箸述，贯串百家，究心经世之务。"

魏源与陈沆、陆献交游甚密。据黄丽镛《魏源年谱》。

徐继畲主讲五台崇实书院。据《山西通志·徐继畲传》。

王芑孙会钦善、改琦等于松江。据《明清江苏文人年表》。

吴嵩梁客苏州，自定所著《香苏山馆集》得三十一卷。据《大小雅堂诗钞》六。

朱琦教习庶吉士，与修《明鉴》。据李元度《右春坊右赞善前翰林院侍讲朱兰坡先生传》（《续碑传集》卷十八）。

周之琦寓京宅。都中知交常往来者为刘嗣绾、钱仪吉、陶樑等。据《稚圭府君年谱》。

抚部考选教职咨部，陈庚焕以训导用。据《惕园岁纪》。

曾国藩在家塾，以陈雁门先生为问字师。据黎庶昌《曾国藩年谱》。

恽敬自粤还至赣州，作《游通天岩记》。据《大云山房文稿二集》三。

王豫辑《江苏诗征》一百八十三卷成。据《明清江苏文人年谱》。

鲍桂星辑《廉吏录》十卷、《廉士录》二卷。俱手钞。据《觉生自订年谱》。

冯登府著《唐石经误字辨》一卷成。刻《种芸词》二卷。据《冯柳东先生年谱》。

徐松撰《西域水道记》五卷，《汉书·西域传补注》二卷。据《徐星伯先生事辑》。

梁章鉅编《春曹题名录》六卷。据《退庵自订年谱》。

吴翌凤所编《吾与汇编》十卷刊成。据《明清江苏文人年表》。

孙尔準编甲戌至是年诗为《把麾集》。据《平叔府君年谱》。

李汝珍序甘泉许祥龄《蔬庵诗草》。据《蔬庵诗草序》。

何栻（1816—1872）生。栻字廉昉，号悔余、悔余道人，江苏江阴人。道光二十年中举。明年考授内阁中书。二十五年成进士。咸丰五年授江西建昌府知府。有《悔余庵诗稿》十三卷、《悔余庵乐府》四卷、《悔余庵文稿》九卷、《悔余庵尺牍》三卷、《余辛集》三卷。事迹见沃丘仲子《近代名人小传》及其自著诗文集序跋。[生卒年据江庆柏《清代人物生卒年表》。]

刘蓉（1816—1873）生。蓉字孟蓉、孟容，湖南湘乡人。诸生。咸丰四年擢知县，赏戴花翎，加同知衔。十一年以知府赏三品顶戴，署四川布政使。同治元年实授。二年授陕西巡抚。十二年十月初一日卒，年五十八。有《养晦堂文集》十卷、《养晦堂诗集》二卷、《思辨录疑义》二卷等。事迹见《清史稿》本传、《清史列传》本传、郭嵩焘《陕西巡抚刘公墓志铭》(《续碑传集》卷二十七)。

金安清(1816—1898) 生。安清字眉生,一作梅生,号偈斋,浙江嘉善人。国子监生。由泰州州同擢海安通判,调宿迁,升至湖北督粮道。有《倩亭诗钞》一卷、《能一编》二卷。或谓有《宫同苏馆全集》八十二卷、《六幸翁文稿》、《偶园诗钞》若干卷,未见。事迹见《嘉善县志·金安清传》、李柏荣《魏默深师友记》卷五《金安清》。[江庆柏《清代人物生卒年表》谓其卒于1878年,此据《中国文学家大辞典》近代卷。]

周腾虎(1816—1862) 生。腾虎字韬甫,江苏阳湖人。周伯恬三子。咸丰十年,入资为部郎。后荐于朝,诏命察用。有《餐艻华馆诗集》八卷、《蕉心词》一卷。事迹见金安清《周征君传》、赵烈文《周先生墓表》。

端木埰(1816—1892) 生。埰字子畴,江苏江宁人。道光十七年,补博士弟子员。光绪二十年升侍读。年七十三卒。著有《有不为斋集》六卷、《经史粹言》四卷、《读史法戒录》四卷,编有《金陵诗征录》等。事迹见陈作霖《端木侍读传》、《有不为斋集》等。[生卒年据江庆柏《清代人物生卒年表》。]

王苏卒,年五十四。据朱彭寿《清代人物大事纪年》。《晚晴簃诗汇》卷一百七收其诗十三首,诗话云:"侪峤刚中有守,介特无所依,入词馆有声。为言官,屡上封事。出守卫辉,治事不阿上官意,方举卓异入对,遽引疾归,遂不复出。诗感物造端,情辞婉约,时比于宋广平作《梅花赋》,不类其为人。"

杨凤苞卒,年六十四。据朱彭寿《清代人物大事纪年》。《晚晴簃诗汇》卷一百十收其诗四首。

李斗卒,年六十七。据邓长风《明清戏曲家考略三编·十三位清代戏曲家的生平材料》。王昶曰:"艾塘衿情既胜,诗笔亦佳。尝作《扬州画舫录》一八卷,山水园林,胜流佳话,多见其中。虽雅郑杂陈,而风流旖旎,使读者如在绿杨城郭、二分明月间然。"(《蒲褐山房诗话》)。

袁文典卒,年九十一。据姜亮夫《历代人物年里碑传综表》。《晚晴簃诗汇》卷九六录其诗一首。

公元1817年(嘉庆二十二年 丁丑)

正月

初六日,**孙锵鸣**(1817—1901) 生。锵鸣字韶甫,号渠田,浙江瑞安人。道光十五年中举。二十一年成进士,选庶吉士,授编修。二十九年典试广西,留督学。累官至侍读学士。重宴琼林,赐侍郎衔。有《海日楼诗文集》、《止庵遗书》。事迹见缪荃孙《清故侍郎衔翰林院侍读学士孙先生墓碑》(《碑传集补》卷九)。[生日据朱彭寿《清代人物大事纪年》。]

十九日,**李赓芸卒**,年六十五。据秦瀛《福建布政使许斋李君墓志铭》(《小岘山人续文集》补编)。所撰《炳烛编》四卷本年陈倬等编定。道光八年,孙尔准为刊

《稻香吟馆集》。据《平叔府君年谱》。

二月

初九日，焦循编诗文目录为一卷。先是，焦循理诗文草稿为二十四卷。据闵尔昌《焦理堂先生年谱》。

彭蕴章游支硎山，作诗五十余首。据《彭文敬公自订年谱》。

阮元于湖广总督任内，著《江堤说》。据《雷塘庵主弟子记》。

陈鳣卒，年六十五。据朱彭寿《清代人物大事纪年》。《晚晴簃诗汇》卷一百十三收其诗二首，诗话云："简庄治《说文》，兼通六艺，嗜藏书，宋元精刻及近世罕见善本，以石印手镌小象钤其上。著作甚富，未刻者尚多。《说文正义》竭十余年心力而成，未得传世，尤可惜也。"《清史稿》邵远平传附："（鳣）强于记诵，喜聚书。州人吴骞拜经楼书亦富，得善本互相钞藏。嘉庆改元，举孝廉方正。又明年，中式举人。计偕入都，从钱大昕、翁方纲、段玉裁游。后客吴门，与黄丕烈定交。精校勘之学。"

三月

二十六日，林则徐邀杨庆琛至枣花寺看牡丹。杨写诗纪事。诗见《绛雪山房诗钞》卷五。

会试。考官：内阁大学士曹振镛，协办大学士、吏部尚书戴均元，户部侍郎姚文田，刑部侍郎秀塈。题"子曰为政"一句，"君子而时"一句，"仁人之安"二句。赋得"桐生茂豫"得"桐"字。据《清秘述闻续》卷二。

张维屏入都应试，有《燕台三集》。《张南山先生年谱撮略》曰："入都会试，大挑一等。引见。后呈请就教职。选临高县教谕。有《燕台三集》。下第南还。"

包世臣入都应试报罢。据《包慎伯先生年谱》。

钱泳刻《吴兴帖》成。本年，钱泳为齐彦槐刻《松雪斋续帖》六卷。据《梅溪先生年谱》。

钱泳以钱武肃《银龙简》拓本索诗于赵怀玉，赵为赋七言古诗。据《收庵居士自叙年谱略》。

费锡章卒，赠兵部侍郎衔。据朱彭寿《清代人物大事纪年》。《晚晴簃诗汇》卷一百五收其诗七首，诗话云："西墉于嘉庆十三年奉使琉球，清介自持，不辱君命，观其《致中山王却金》一书，辞义凛然，而《琉球纪事诗一百韵》，尤可备此邦掌故。其诗善道人情，及刻画物状，清和宛转，蔡叔子所谓虽无骨干，然亦肤立者也。"

春

斌良编甲戌冬至是春诗为《齐鲁按部集》。据《先仲兄少司寇公年谱》。

阮元为王引之作《经义述闻叙》。据《王伯申先生年谱》。

四月

殿试。赐一甲吴其浚、凌泰封、吴清鹏进士及第,二甲沈兆沄、罗英、许乃赓、董基诚、时式敷、谭敬昭、邵堂等进士出身,三甲李惺、倪济远、叶继文等同进士出身。据《历科进士题名录》。

林镐、赵怀玉同游法华山,分韵赋诗。据《收庵居士自叙年谱略》。

赵怀玉订陈焯所选《湖州诗录》。是年,赵怀玉有《周忠毅公玉印歌》及《岁暮杂诗》。据《收庵居士自叙年谱略》。

五月

初五日,盛大士、钱宝琛等于北京陶然亭作端午会。据《蕴愫阁诗集》。

六月

上浣,一笑翁作《飞跎全传序》。序云:"演小说者多矣,或假忠孝以成文,或夸淫靡以乱悦,究之□前矛戟,满目荆榛,事不辨乎妍媸,自难谐夫雅俗。已趣斋主人负性英奇,寄情诗酒,往往乘醉放舟,与诸同人袭曼倩之诙谐,学庄周之隐语。一时闻者,无不哑然失笑。此《飞跎全传》之所以作也。书为同人欣赏,久请付梓,而主人终以游戏所成,惟恐受嗤俗目,不敢问世。昨因坊请甚殷,乃掀髯大噱曰:红尘鹿鹿,触绪增愁,所谓人世难逢开口笑,不独余悼之戚之。苟得是编而览焉,非拍案以狂呼,即抚膺而叫绝。若徒谓灵心慧舌,变化神奇,亦壮夫之所不为,岂有心无道之所乱容求媚者哉。余故于主人之刻是传,即书其所言,如此是为序。"署"嘉庆丁丑孟夏上浣一笑翁漫识"。(光绪二十一年上海书局石印本《飞跎全传》)《飞跎全传》四卷三十二回。存嘉庆丁丑一笑轩刊本、嘉庆戊寅一笑轩刊本、光绪乙未上海书局石印本。邹必显撰。据孙楷第《中国通俗小说书目》。

夏

冯登府辑《曝亭外集诗》五卷并为之序。又著《石经阁诗略》第三卷。据《冯柳东先生年谱》。

黄丕烈跋宋钞本《扪虱新话》。据江标编《黄荛圃先生年谱》。

七月

英和署镶红旗满洲都统。据《恩福堂年谱》。

八月

初一日,王昙卒,年五十八。据朱彭寿《清代人物大事纪年》。陈文述《王仲瞿墓志》曰:"幼颖异,读书过目不忘。家素封,以购书耗其赀,读一过即随手散弃。性慷慨，好奇计。每发一论，出人意表。即营一器、制一衣，必别出新意。所为诗文不循恒蹊，海内识与不识，皆曰'奇才'。好谈经济，尤喜论兵。"龚自珍《王仲瞿墓表铭》曰："其为文也，一往三复，情繁而声长。其为学也，溺于史，人所不经意，累累心口间。其为文也，喜胪史。其为人也幽，如闭如寒，夜屏人语，絮絮如老妪，匪但平易近人而已。其一切不可迮之状，皆贫病怨恨，不得已诈而遁焉。"（《碑传集补》卷四十七）李伯元《南亭诗话》云："王昙字仲瞿，浙江籍。中举人后，十上礼闱不第，居恒郁郁，纵于文酒。其为人也，慷慨有奇气，与龚定盦订忘年友。声名所播，由京至居庸关一带，贩夫牧竖，无一人不知王先生。尝从喇嘛学掌心雷，试之于贡院中，群目为妖人，几干严遣，后以某某之言而免。中年作赘，婿于山阴金氏，夫人名礼嬴，工诗善画，卜室西湖上，戏榜其门曰：'两口居碧水丹山，妻太聪明夫太怪；四围皆青燐白骨，人何寥落鬼何多。'晚年移居虎阜，建盈盈一水楼，颇遂碧篠红渠之乐，未几即殂谢。著《烟霞万古楼诗文集》若干卷，附《粤雅堂丛书》内。"《晚晴簃诗汇》卷一百九收其诗四首，诗话云："仲瞿权奇倜傥，好谈兵，甲寅举解首。出吴白华总宪门。时方有兵事，白华疏荐谓能作掌中雷，为仁庙所深斥，后屡上公车不第。行益不羁，诗有意求奇，《留侯祠》一篇为世传诵，正与王季木《项王庙》诗相似。"

十五日，翁方纲为梁章钜撰《藤花吟馆诗钞题词》。题词曰："余与海内才士以诗相切劘者垂五十年，其就吾斋学诗称著录弟子者亦不下百十辈，茝林最后至，而手腕境界迥异时流，又最笃信余说。尝与刘芙初、吴兰雪、陈石士、李兰卿诸子分题角胜，每一稿出，必就余点定之，既又以旧稿相质，虚衷雅怀，往复商榷，愈唱而愈高，盖不名一家，而能奄有诸家之美者也。忆昔年并几论诗，如谢蕴山之圆隽、冯鱼山之纵横，皆不若茝林之得路，不过沉着按切而已，无他巧也，而一时才隽竟皆莫能近，惟兰卿可为茝林畏友耳。兰卿之失在手腕轻松，然实众妙之门，无不可以锐入；茝林之失在贪焉，正面欲求其松而不可得，然究其极致，则成就正果，直造古人。"（《藤花吟馆诗钞》）。

十九日，李庆来卒，年五十。据吴德旋《李鹿籽墓志铭》（《初月楼文钞》卷九）。

二十三日，恽敬卒，年六十一。据吴德旋《恽子居先生行状》（《初月楼文钞》卷八）。所撰《大云山房十二章图说》二卷、《大云山房杂记》二卷，卒后为姚观元所刻。钱泳《履园丛话》六："与同邑张皋闻为莫逆交，两人俱以古文自命。而子居之文尤为杰出，以韩、欧为宗，以理气为主，如长江大河、浩乎其不可测也。"吴德旋《与王守静论〈大云山房文稿〉书》云："子居为文，气必雄厉，力求鼓努，思必精刻。而仆所深好者，柔澹之思，萧疏之气，清婉之韵，高山流水之音，此数者皆子居所少。然子居文固远出雪苑、勺庭诸公上。其字句皆经熔炼淘洗，诚为得力于周、秦诸子之书，非苟作者；然亦但可谓之文而已，若谓道即因之而见，恐矜气太甚，未为得中道也。"（《初月楼文钞》卷二）龚自珍《识某大令集尾》："读儒谤儒，读佛谤佛，两不见收，覆载无可容。其军败，其居失，其口呷嚅，其神沮丧，其名不立。其踉旁皇，如婴儿之号于路，丐夫之僵于野。老矣，理故业，仍以文章家自遁。遁之如何，东云一鳞焉，西云一爪焉，使后世求之而皆在，或皆不在。"（《定盦续集》卷三》）《清史稿》本传："敬既罢官，益肆其力于文。深求前史兴坏治乱之故，旁及纵横、名法、兵

农、阴阳家言。会其友惠言殁，于是敬慨然曰：'古文自元、明以来渐失其传，吾向所以不多为者，有惠言在也。今惠言死，吾安敢不并力治之？'其文盖出于韩非、李斯，与苏洵为近。"

二十八日，阮元奉旨调补两广总督。十月二十二日，至广州接任。据《雷塘庵主弟子记》。

九月

十二日，焦循手写《雕菰楼易学》四十卷完。闵尔昌《焦理堂先生年谱》云："（去年）四月，阮文达为作《雕菰楼易学序》。并寄手札云：昔顾亭林自负古音，以为天之未丧斯文，必有圣人复起，未免太过。兹之处处从实测而得，圣人复起，洵不易斯言矣。昨张古愚太守持去读之，亦极诧极叹也。文达又称：先生易学不拘守汉魏各师法，惟以卦爻经史比例为主，号咻密云，踪迹甚显。蒺藜樽酒，假借有据，如郭守敬之以实测得天行也。""是年四月，英煦斋为作《雕菰楼易学序》，并寄手札云：元本经文，疏通引证，使全《易》无一剩句闲字，于焦京荀虞旧学补所未备，而正其舛误，独抒心得，不为随声附和之言，卓然成家，可以不朽矣。"

二十一日，李銮宣卒，年六十。据秦瀛《云南巡抚四川布政使石农李公神道碑》（《小岘山人续文集》补编）。恽敬《坚白石斋诗集序》云："静乐李石农先生为诗四十年，少即远游不遑息，曰《行行草》。官西曹，曹有白云亭，曰《白云初稿》。分巡温、处二州，曰《瓯东集》。提刑云南，曰《诏南集》。谪迪化州，曰《荷戈集》。分巡天津，曰《七十二沽草堂吟草》。提刑广东，曰《诃子林集》。合为《坚白石斋诗集》若干卷。阳湖恽敬为之序。又曰：石农先生自髫年及于中岁，室家之近，羁旅之远，科名之所际，仕宦之所值，多处忧患之中，即偶有恬适之时，亦思往念来，不可终日，其胸中郁然勃然之气，悠然缭然之思，要以皭然确然之志。而又南极滇海，西穷濛氾，久留幽、燕冠盖之场，远托吴、越山水之地。故其为诗清而不浮，坚而不劣，不求肆于意之外，不求异于辞之中，反覆以发其腴，揉摩以去其滓，何也？性之至者体自正，情之至者音自余也。"（《大云山房文稿二集》卷三）《晚晴簃诗汇》卷一百七收诗七首，诗话云："石农初自刑部郎累擢云南按察，以谳狱失当谪戍，遭父丧放还。复官西曹，洊陟方面，至四川布政兼护督篆，简抚滇中，未上官而卒。石农以不得终事其父而又无嗣，居恒抑郁，每见于诗篇，沉思独往，慨乎其言。"张维屏曰："其诗模山范水，自具清雄。吊古言怀，每多沉郁。至《荷戈集》中《述哀》诸篇，能使读者愀然以悲。"（《国朝诗人征略·听松庐诗话》）

李兆洛受托修《东流县志》，方履篯等助修之。是志成于明年五月。据《武进李先生年谱》。

秋

黄丕烈以石韫玉手录选本分体编次六卷本《船山遗稿》刊成。据江标编《黄荛圃先生年谱》。

梁章鉅与顾莼、龚守正同游西山，章鉅有诗纪之。又与陈用光、陶澍、王萱龄游昌平，有文纪之。据《退庵自订年谱》。

十月

魏源赴长沙，与陈沆相聚。魏源阅陈沆诗并作跋："秋舫之诗，好命余阅，至此本，凡三次矣。其改诗如改过，虚心实力无留难焉。故其稿凡三易，每易辄胜。其为卷凡三，而亦每卷必进。然秋舫近诗之进，则不于诗中得之矣。自狂狷不似中行，而乡原者似之，而圣人之去取特异。盖真伪之间相去至微，而不可以道里计也。论诗必三百篇，闻者罕不大噱。而不知自从删后更无诗，非其体制格律之不同，乃其本末真饰之迥绝也。秋舫更以其虚心实力严察而朴存之，使无一字非真诚流出，而必三百篇焉。则读者亦皆动其真诚，而竟如三百篇矣。丁丑十月魏源读谨跋。"《简学斋馆课赋诗·简学斋诗存》卷首）

十八日，袁绩懋（1817—1858）生。绩懋字厚安，顺天宛平人，原籍江苏阳湖。道光二十七年一甲二名进士，授编修。散馆，改刑部主事。谥文节。有《味梅斋诗草四卷》、《通鉴正误》十卷、《诸经质疑》十二卷等。事迹见《清史稿》本传。[生日据朱彭寿《清代人物大事纪年》。]

十一月

初五日，王念孙叙《史记杂志》，是为《读书杂志》之三，共六卷。据闵尔昌《王石臞先生年谱》。

十二月

初一日，王芑孙卒，年六十三。据朱彭寿《清代人物大事纪年》。秦瀛《王惕甫墓志铭》曰："近数十年来，海内士大夫以诗、古文名者不过数家，而王君惕甫以诸生拔起东南，虽终其身只一为校官，晚岁杜门，连蹇以殁，而其名横惊一世，光气照耀，不可掩抑，世之人称之无异辞。"（《碑传集补》卷四十七）王昶《蒲褐山房诗话》卷四〇："惕甫诗癯然以瘦，戛然以清，亦缜密以栗，盖上溯杜、韩，而实出入于郊、岛间。十余年来，老成凋谢。惕甫在京师，与法时帆式善、何兰士道生、张船山问陶、杨蓉裳芳灿诸君，琴歌酒赋，故为南北时望所推。又工书，仿刘石庵相国，具体而微。配曹贞秀，亦以翰墨闻，系予门人曹指挥锐之女，殆管仲姬、文端容流亚也。"《晚晴簃诗汇》卷一百六收王其诗十九首，诗话云："惕甫诗妥贴排奡。王兰泉称其上溯杜韩而实出入于郊岛间，五言古尤工。符南樵又称其题画绝句均有托意，如《百合》云：'甘苦中分意味长，凭将玉叶化琼浆。从来与世龃龉甚，就尔商量益智方。'《木瓜》云：'宣州风物记当年，充食叨尘玉案前。今日芳心欲谁赠，先生木强故依然。'盖皆藉以自况也。"

十六日，翁方纲跋宋刻本《金石录》。据沈津《翁方纲年谱》。

二十二日,邵亨豫(1818—1883)生。亨豫字子立、汴生,江苏常熟人。道光十九年中乡试副榜。二十四年中举。三十年成进士。咸丰二年,散馆考试二等,授翰林院编修。历翰林院侍讲、侍读、右春坊右庶子、内阁学士兼礼部右侍郎、兼署吏部左侍郎、陕西巡抚。有《愿学堂诗存》二十二卷。事迹见俞樾《诰授光禄大夫头品顶戴吏部左侍郎邵公墓志铭》。

二十二日,翁方纲序法式善《陶庐杂录》。据《陶庐杂录》。

三十日,潘曾玮(1818—1886)生。曾玮字宝成,号玉泉、季玉,江苏吴县人。世恩子。历官刑部郎中、记名道。咸同间在籍办理团练。有《自镜斋文钞》一卷、《诗钞》一卷、《补遗》一卷、《试帖》一卷、《咏花词》一卷等。事迹见自编《救闲年谱》。

除夕,潘奕隽过善庆庵,得五古十四韵。据《三松自订年谱》。

胡昌基撰所编《续樵李诗系》四十卷凡例。是书刻于宣统三年。据朱彭寿《清代人物大事纪年》。

冬

姚莹调龙溪知县。据《姚石甫先生年谱》。

焦循作《春秋左传补疏自序》。据闵尔昌《焦理堂先生年谱》。

李荔云序《西湖小史》。序云:"世无才子,则佳人不生;世无佳人,则才子不出。故天生一才子,必生佳人以为之偶;天生一佳人,必生一才子以为之配,其理然也。然天既生才子佳人矣,而其生平事迹有足称羡一时流传千古者,非有名士以立传,则其事迹已没耳。所以有才子佳人以起于前,必有蓉江以继于后,是才子佳人之事迹,因蓉江而始彰;而蓉江之才,亦因才子佳人而愈著也。呜呼!仆与蓉江厚交十余载,知其词赋文章终非沦落者,今有《西湖小史》一书,已足以藏之名山,传之来世矣。"署"嘉庆丁丑岁冬月,李荔云书于碧云山房"。(光绪十三年徐文斋刊本)《西湖小史》四卷十六回,存光绪丙子六经堂重镌袖珍本。清无名氏撰,题"上谷蓉江氏著","雪庵居士评点"。据孙楷第《中国通俗小说书目》。

本年

张际亮抵福州谒陈寿祺于龟峰。际亮删订乙亥至本年诗计七十九首,见李云诰编《张亨甫全集·诗编》卷一,计七十九首。据《张亨甫先生年谱卷目》。

陆继辂大挑二等,选合肥县学训导。据李兆洛《贵溪县知县陆君墓志铭》。

朱兰坡充国史馆提调。据李元度《右春坊右赞善前翰林院侍讲朱兰坡先生传》(《续碑传集》卷十八)。

李兆洛获聘主怀远之真儒书院。据《武进李先生年谱》。

魏源居邵阳,注《曾子》。据黄丽镛《魏源年谱》。又,作七言律诗《寄董小槎编修》四首寄董桂敷。见《魏源集》。

汤贻汾官羊城,交吴兰修、黄培芳等。《汤贞愍公年谱》:"公在羊城数年,多文字交，有谢澧浦、张南山、李芸甫、吴石华兰修、仪墨农克中及刘朴石、三山张墨池、磐泉郑萱坪、黄香石、苍厓孟华墀、叶云谷、麦南村、马德隅、曾竹屋、陈仲卿诸先生。游客则有周伯恬、吴白庵照、姚石甫燮、恽子居敬、宋芝山葆淳、刘月邻、李绍仔述来及郭兰池、缪莲仙、魏青松、顾剑峰……诸先生。"

方东树旅困金陵，赁居青溪祇树僧舍。据《方仪卫先生年谱》。

改琦由青浦赴吴县访潘奕隽，为潘写小像。据《三松自订年谱》。

左宗棠始读《论语》、《孟子》。据《左宗棠评传》。

龚自珍有《钱吏部遗集序》、《江子屏所著书序附笺》、《太仓五中堂奏疏书后》、《安庆知府何公墓表铭》等文。据吴昌绶《定盦先生年谱》。

仲振履著《冰绡帕》传奇。据《明清江苏文人年表》。

孙涛辑、冯登府钞校《全宋诗话》十二卷刊行。据张寅彭《新订清人诗学书目》。

焦循自定《雕菰集》二十四卷、《词集》三卷。据《雕菰集序目自跋》。

吴翌凤辑《国朝文征》总四十卷。据《国朝文征自序》。

吴翌凤刻所辑《卬须集》总二十卷竣事。据《贩书偶记》。

彭兆荪刊《小谟觞馆续集》成。凡古近体诗二卷、诗余一卷、骈体文二卷。据《彭湘涵先生年谱》。

丁晏著《论语孔注证伪》四卷，又著《淮亭脞录》二卷并《续录》。据《丁柘亭先生历年纪略》。

秦瀛城西草堂刻本《小岘山人诗集》二十八卷刊行。据《贩书偶记》。

温汝适自序《咫闻录》十二卷。慵讷居士《咫闻录自序》："予资鲁笔钝，未尝学问，虽博闻强识，月亡所能，而又不求甚解。惟闻怪异之事，凡可作人镜鉴，自堪励策者，辄记之而不忘，盖由性之相近而然也。今夏赋闲羊城旅馆，适有采薪之忧，不可以风，回想从前耳之所闻，目之所见，偶焉成篇，藉以养疴。积之月余，戋然成帙。辞粗笔率，较之古人，垂唾万不及一，真所谓狗尾续貂者也。以故藏之书簏，不敢出以示人，因朋侪怂恿，聊以登之梨枣。"署"道光癸卯岁孟夏，慵讷居士书于疴鹤轩"。（《笔记小说大观》本）本书未见著录，今有嘉庆二十二年刊巾箱本，前有嘉庆丁丑冶根散人序及同年作者自序，道光间重刊本将二序时间改为道光己丑和道光癸卯，以致产生疑窦。各本均署慵讷居士撰，十二卷。通行的还有《笔记小说大观》本等。据《中国古代小说总目》文言卷。

捧花生《秦淮画舫录》二卷有本年刊本。捧华生《秦淮画舫录自序》云："盖窃仿曼翁之体，而以丽品为主。雅游、轶事因以错综其间，不必于从同，实亦未尝不同已。或谓此录之作，未必遂空冀群，不知前乎此者非不佳，陈陈相因，无事余之重录也。后乎此者亦不少，绵绵不绝，容俟余之续录也。"（《香艳丛书》本）本书为仿余怀《板桥杂记》而作。卷上"纪丽"记妓女轶事，卷下"征题"为诸家品妓之词。未见著录。《中国丛书综录》列于小说家类。今有嘉庆二十二年刊本，道光六年捧花楼重刊本等。均为二卷。据《中国古代小说总目》文言卷。

许瑶光（1817—1882）生。瑶光字雪门、复叟，湖南善化人。道光二十九年拔贡。历浙江桐庐、诸暨知县、嘉兴知府。有《悠游集》、《蒿目集》和《上元初集》，汇编为《雪门诗草》一三集,附刊《衍古谣谚》一卷。事迹见《雪门诗草》。[生年据朱彭寿《清代人物大事纪年》。]

陈式金(1817—1867)生。式金字以和,号寄舫,江苏江阴人。有《适园自娱草》二卷,编有《易画轩诗文汇编》三卷。事迹见季念诒《陈寄舫司马传》。[生卒年据江庆柏《清代人物生卒年表》。]

王九龄(1817—1884)生。九龄字艳芳,号荣斋,安徽桐城人。幼习刀马旦,后改习武生、老生。道光末年,隶春台班。咸丰初年,改搭张二奎主持之四喜班。演戏能兼融各派之长。颇通文墨,演戏之余,常改剧本。据传《五彩舆》、《德政坊》、《骂王朗》、《金兰会》亦皆经其改编。事迹见周明泰《道咸以来梨园系年小录》。

张婉(女,1817—1888)生。婉字容甫,号霁筠,江苏嘉定人。有《霁筠偶草》。事迹见王祖畲《先妣事略》、胡文楷《历代妇女著作考(增订本)》。

范来宗卒,年八十一。据《明清江苏文人年表》。《晚晴簃诗汇》卷九十六收其诗二首。

严元照卒,年四十五。据朱彭寿《清代人物大事纪年》。《晚晴簃诗汇》卷一百十五收诗三首,诗话云:"修能住石冢村,建芳茅堂,聚书数万卷,多宋元本。后移居德清,键户读书,作《尔雅匡名》、《娱亲雅言》。工倚声,诗和雅清婉,得风人之旨。"丁绍仪《听秋声馆词话》卷二〇:"严修能明经元照居吴兴而赘于吴,流寓吾乡最久,中年病归,僦居柯家山,遂以名词。《卜算子》云云。思路最为深婉,余亦轻情可讽。"卢前《望江南·饮虹簃论清词百家》云:"名言在,婉约复堂称。结想纱绵许雅奏,疏香细艳示修能,乐苑置心灯。"

陈之纲卒,年八十三。据江庆柏《清代人物生卒年表》。《晚晴簃诗汇》卷一百七收诗二首,诗话云:"旭峰早岁负才名,以孝廉考取学正,登第时已垂六十,仍就原官。法梧门祭酒选成均课士录,皆出其手。诗清悫有味,晚年境益苦,诣亦益进,多未经人道语。"

公元 1818 年(嘉庆二十三年 戊寅)

正月

十二日,**孙星衍卒**,年六十六。据张绍南《孙渊如先生年谱》。纪昀《四百三十二峰草堂诗钞》云:"孙渊如为余读卷所取士。其人并学问文章具有端绪。"(《纪晓岚文集》卷九)《晚晴簃诗汇》卷一百五收其诗十首,诗话云:"渊如与同里江稚存、黄仲则、杨蓉裳齐名,袁简斋言近代诗人,清才易得,奇才难得,渊如天下奇才也。诗体近昌谷、玉谿,少作颇有太白神气,尤者步武建安。早年博极群书,文词华赡,其后潜心朴学,讨论金石,不欲以诗传,故所自录诗甚严云。"《履园丛话·耆旧》曰:"比长,肄业金陵钟山书院,袁简斋太史屡称之曰:'天下清才多,奇才少。今渊如乃天下奇才也。'一时名士,如杨西禾、洪稚存、顾立方、钱献之、汪容甫、赵味辛、吕叔讷、杨蓉裳、黄仲则、何南园、方子云、储玉琴、汪剑潭辈,皆为倾倒。观察尤好山水之游,金石之学,错综经义,泛览百家,以及释道诸书,莫不赅贯,原始要终。先达中如王西庄、朱竹君、钱辛楣、王兰泉、姚姬传、赵云松诸先生，亦莫不赏异之也。"王昶曰："毕秋帆抚军在西安刊刻惠征君《易汉学》、《九经古义》、《禘说》、《明堂大道录》、《古文尚书考》诸书，皆渊如为之校定。而秋帆撰《山海经校正》，亦藉其搜讨之力。故其学壹以汉、魏诂训为宗，钩深致远，探赜索奥，孙谷、董悦所弗能逮。作诗不多，亦能自抒所见。秋帆尝以方正澍、洪亮吉、黄景仁、王复、徐书绶、高文照、杨伦、杨芳灿、顾敏恒、陈燮及渊如诗合选之，为《吴会英才集》。不足十人之数，乃取渊如配王采薇诗以足之，寓才难之意。曾索予为序，然古人无此例，不能应其求也。"（《蒲褐山房诗话》卷四〇）顾广圻应吴山尊之招，整理星衍遗稿，次年秋，事竣。据《顾千里先生年谱》。王揖唐《今传是楼诗话》四四八："孙渊如《陈皋东鲁题诗》云：'骢马红旌静不喧，来从玉宇带高寒。三齐名士争投刺，一路青山送到官。使者车单如客过，圣人家近借书看。清时不用矜风节，惭愧儒冠换豸冠。''一路青山'句神味隽永，儒史风流，犹可想见。厥配王采薇，亦能诗，毕灵岩刊《吴会英才集》，渊如与采薇诗均入选，亦一时佳话。"《清史稿》本传："星衍雅不欲以诗名，深究经、史、文字、音训之学，旁及诸子百家，皆必通其义。""星衍博极群书，勤于著述。又好聚书，闻人家藏有善本，借钞无虚日。金石文字，靡不考其原委。"

十五日，张澍撰《蜀典》成，凡十二卷。据《张介侯先生年谱》。

二十七日，翁方纲卒，年八十六。据沈津《翁方纲年谱》。钱泳《履园丛话·耆旧》曰："先生之学，无所不通，而尤邃于金石文字，著有《两汉金石记》、《粤东金石考》诸书。所居京师前门外保安寺街，图书文籍，插架琳琅，登其堂者，如入万花谷中，令人心摇目眩，而无暇谈论者。""世之言金石者，必推先生为欧、赵焉。"夏孙桐《拟补清史文苑翁方纲传》云："于金石、谱录、画画、词章之学，皆抉摘精审。所撰《两汉金石记》，剖析毫芒，参以《说文正义》，几于驾宋洪迈而上之。所为诗及身，所刊至六千余篇，自诸经注疏以及史传之考证、金石文字之爬梳，贯彻洋溢于其中，言言征实，有其学而后有其诗也。（李元度《国朝先生事略》）其论诗，亦取新城王氏神韵之说，而恐其弊流于空调，特拈'肌理'二字，以救末流之失。（《石洲诗话》、《小石帆亭五言诗续钞序》）嗜古成癖，使车所至，残碑断碣，广事搜罗，其尤难得者，往往重为摹刻。考辨《兰亭》支裔，勒为专书。唐人欧、虞、褚诸家旧搨及颜、柳书派，并有考论。以考订而兼鉴赏，在同时金石家，与青浦王氏分为两派。书法为世重，出入平原、率更之间。（《观所尚斋文存补遗》）"陆廷枢云："自渔洋先生取严沧浪以禅喻诗，谓诗有别才，非关学也，于是格调流于空疏，神韵沦于寥阒矣。吾友覃溪盖纯乎以学为诗者欤！然近日如厉樊榭之沉博，而其神理若专熟南宋事者，亦平日精诣所到，流露于不自知也。而覃溪自诸经传疏以及史传之考订、金石文字之爬梳，皆贯彻洋溢于其诗。虽所服膺在少陵，瓣香在东坡，而初不以一家执也。然今媚学嗜古之士，往往辄讥渔洋，以为利趋妍好耳，而覃溪独不敢贬渔洋，其于《带经》、《石帆》之书，窃附于著录之列，盖其虚怀师仰前辈又如此。"（《复初斋诗集序》）袁枚云："人有满腔书卷，无处张皇，当为考据之学，自成一家。其次则骈体文，尽可铺排，何必借诗为卖弄？自《三百篇》至今日，凡诗之传者，都是性灵，不关堆垛。惟李义山诗，稍多典故；然皆用才情驱使，不专砌填也。余续司空表圣《诗品》，第三首便曰

'博习'，言诗之必根于学，所谓不从糟粕，安得精英是也。近见作诗者，全仗糟粕，琐碎零星，如剃僧发，如拆鞿线，句句加注，是将诗当考据作矣。虑吾说之害之也，故续元遗山《论诗》，末一首云：'天涯有客号詅痴，误把抄书当作诗。抄到钟嵘《诗品》日，该他知道性灵时。'"（《随园诗话》）《寄心盒诗话》云："覃溪先生诗，题图题画题拓本，已居十之七八。人谓其学苏，余谓其兼学山谷，生峭劲涩，一洗空虚之习。"朱庭珍云："朱竹君、翁覃溪北方之雄，记问淹博。朱讲经学，不长诗文。翁以考据为诗，饾饤书卷，死气满纸，了无性情，最为可厌。差强人意者，能宏奖风流耳。"（《筱园诗话》）缪荃孙云："阁学性耽吟咏，随地有诗，随时有诗，所见法书、名画、吉金、乐石亦皆有诗，以考据并议论，遂有'最喜客谈金石例，略嫌公少性情诗'以讥之者。不知《石鼓》、《韩碑》首开此例，宋、元名集尤指不胜屈，正可以见学力之富、吐属之雅，不必随园之纤佻、船山之轻肆，而后谓之性情也。"（《重印复初斋诗集序》）刘承幹云："有清一代学术文章之盛，莫如乾嘉，每诵先生古近诸作，一时文物声明，方兴未艾，凡某善某经传，某善某文学，某善某艺能，皆凤所心藏心写愿见不得者，今若晤对一室，奉手承教……先生及梧门学士，则以风雅总持乎京朝；其凝绩在外者，都转则有雅雨、宾谷二先生，开府则有秋帆、芝台二先生。坛坫之光，簪裾之盛，英髦继起，莫不欣焉。……先生之诗，其善状政俗，不可谓非乾嘉之《小雅》、《国风》。"（《重印复初斋诗集序》）陈衍云："覃溪自命深于学杜，其实所知者，山谷之学杜处耳，只可以傲门下谢蕴山、冯鱼山辈。至其考据，所精在金石书画，于音韵之学，则未有知，故常以翰林院试帖诗科律律古近体诗。"（《诗评汇编》）徐世昌云："好宏奖士类，一篇之美，称道不去口。与朱文正珪、纪文达昀鼎峙而三，诚一代伟人也。"（《大清畿辅先哲传》）《清史稿》本传："方纲精研经术，尝谓考订之学，以衷于义理为主，论语曰'多闻'、曰'阙疑'、曰'慎言'，三者备而考订之道尽。时钱载斥戴震为破碎大道，方纲谓：'诂训名物，岂可目为破碎？考订训诂，然后能讲义理也；然震谓圣人之道，必由典制名物得之，则不尽然。'""方纲读群经，有《书》、《礼》、《论语》、《孟子附记》，并为《经义考补正》。尤精金石之学，所著《两汉金石记》，剖析毫芒，参以《说文》、《正义》，考证至精。所为诗，自诸经注疏、以及史传之考订，金石文字之爬梳，皆贯彻洋溢其中。论者谓能以学为诗。"《晚晴簃诗汇》卷八十二收其诗四十二首，引王兰泉曰："覃溪精心绩学，宏览多闻，诗宗江西派，出入山谷、诚斋。虽尝仿赵秋谷《声调谱》，取唐宋大家古诗，审其音节，刊示学者，然自作亦不尽合也。"引吴兰雪曰："覃溪师论诗以杜、韩、苏、黄及元遗山、虞道园六家为宗，全集多至五六千首，命余校定卒业，余请分编为内外集。性情风格气味音节得诗人之正者为内集，考据博雅以文为诗者曰外集。吾师亦以为然。"引张南山曰："先生生平论诗，谓渔洋拈神韵二字，固为超妙，但其弊恐流为空调，故特拈肌理二字，盖欲以实救虚也。"引陶凫芗曰："先生诗分两种，金石碑版之作，偏旁点画剖析入微，折衷至当；品题书画之作，宗法时代，辨订精微，盖其学问既博，而才力又足以副之，故能洋溢纵横，别开生面，不可谓非当代一大家也。"诗话云："覃溪以学为诗，所谓瓴甓木石——从平地筑起，与华严楼阁弹指即现者固自不同。同时如惜抱、北江诸人，每有微辞。持之良非无故。然兴观群怨之外，多识亦关诗教。且其深厚之作，魄力既充，韵味亦隽，非尽以斗靡夸多为能事。遗山云：'少陵自有连城璧，争奈微之识珷玞。'读覃溪诗亦作如是观耳。"翁氏著作：《石鼓考》六卷附一卷，有稿本，上海华东师范大学图书馆藏；《两汉金石记》二十二卷，有乾隆五十四年南昌使院刻本，又有民国十三年上海博古斋石印《苏斋丛书》本；《复初斋文集》一百零二卷，有手稿本，台北国家图书馆藏，又有文海出版社影印本；《复初斋文集》三十五卷有道光十六年刻本（为叶景葵录李在铣评点），又有光绪三年重校印本（上海图书馆藏），又有民国五年上海同文图书馆石印本；《复初斋诗集》七十卷，乾隆五十八年刻本（上海图书馆藏），又有道光二十五年叶志诜补刻本，民国四年刘承幹石印本;《复初斋集外诗》二十四卷《集外文》四卷附《逸文目》一卷,有民国六年刘氏嘉业堂刻本。据沈津《翁方纲年谱》。

二十八日，钱泳作《感怀》诗十首，和者数十家。 据《梅溪先生年谱》。

方士淦选授湖北德安府同知。 据《啖蔗轩自订年谱》。

二月

二十三日，刘毓崧（1818—1867）生。 毓崧字伯山，号崖松，江苏仪征人。刘文淇子。道光二十年拔贡。咸丰五年，应两淮运司郭沛霖聘，至清江浦淮扬道署课其子。又曾为杜文澜纂辑《古谣谚》一百卷。同治二年，任事金陵书局，编校《王船山遗书》。同治丁卯八月初九日卒，年五十。有《通义堂文集》十六卷、《通义堂诗集》一卷、《通义堂笔记》十六卷。事迹见《清史列传》刘文淇传附、程晙《刘先生家传》（《续碑传集》卷七十四）。

汪志伊卒，年七十六。 据朱彭寿《清代人物大事纪年》。《晚晴簃诗汇》卷九十五收其诗三首，诗话云："稼门起家县令，上官初以为迂，欲改教职，因平反冤狱，大得时名，洊任兼圻。生平以理学自命，词章非所措意，诗多随意抒写，却有磊落之气。"

左辅修《毗陵家谱》成。 据《杏庄府君自叙年谱》。

潘曾沂居家，与里门诸子有文酒之会，后嘱屠倬补画《西湖秋柳图》以记之。 据《小浮山人年谱》。

三月

初三日，焦循序《易话》。 本年，焦循成书甚夥：四月下弦，作《尚书补疏自序》，是为《六经补疏》之二，二卷。五月初五日，作《周易补疏自序》，是为《六经补疏》之一，二卷。六月既望，作《毛诗补疏自序》，是为《六经补疏》之三，五卷。七月，序《易广记》。作《礼经补疏自序》，是为《六经补疏》之四，三卷。据闵尔昌《焦理堂先生年谱》。

初七日，郭嵩焘（1818—1891）生。 嵩焘字伯琛，号筠仙、玉池老人、养知先生，湖南湘阴人。道光十七年中举。二十七年成进士，改翰林院庶吉士。咸丰七年，授编修，回京供职，入直上书房。九年，赏花翎。同治元年，特授苏松粮储道，擢两淮盐运使。二年，赏三品顶戴，署广东巡抚。光绪元年，授福建按察使。四年，补兵部左侍郎。十七年六月十三日卒，年七十四。有《养知书屋文集》二八卷、《诗集》一五

卷、《奏疏》一二卷等。事迹见《清史稿》本传、王先谦《兵部左侍郎郭公神道碑》
(《续碑传集》卷十三)。

赵慎畛迁广东布政使,后擢广西巡抚。据姚莹《赵文恪公行状》(《续碑传集》卷
二十二)。

春

魏源同友人往辰州。雨夜过青浪滩,有诗《青浪滩夜雨》。见《魏源集》。本年,
魏源居邵阳乡间,与严氏婚。据黄丽镛《魏源年谱》。

四月

十七日,冯登府携陈球等游虎丘。据《冯柳东先生年谱》。

杨庆琛又至京,与叶申万、梁章钜、杨簧等友诗酒相会。杨有诗纪事,诗见《绛
雪山房诗钞》卷六。

包世臣访潘奕隽于吴县。据《三松自订年谱》。

赵怀玉粗将诗文订定,交刻工。据《收庵居士自叙年谱略》。

吕璜至宁波府之奉化县任。据《月沧自编年谱》。

五月

十六日,庄炘卒,年八十四。赵怀玉《故奉政大夫陕西邠州直隶州知州庄君炘墓
志铭》:"君诗研究格律,老而弥细。为文谨于法度,藻不妄抒。生平著述,舟行汉江,
为水渗漏,丧失过半。今掇拾所存,有文六卷,诗犹七百余首。"(《碑传集》卷一一
〇)《晚晴簃诗汇》卷九十三收其诗一首。

十六日,阮元兼署广东巡抚事。据《雷塘庵主弟子记》。

始葺《明监》。英和、胡敬为总纂官。据《书农府君年谱》、《恩福堂年谱》。

方东树客宿州,是年著《考证感应篇畅隐》。据《方仪卫先生年谱》。

正月至本月,孙星衍、吴锡麒、庄炘相继去世,赵怀玉仿少陵《八哀》体,作
《三哀诗》。据《收庵居士自叙年谱略》。

六月

本月前,吴锡麒卒,年七十三。据《收庵居士自叙年谱略》。《清史稿》邵齐焘传
附:"锡麒工应制诗文,兼善倚声。浙中诗派,前有朱彝尊、查慎行,继之者杭世骏、
厉鹗。二人殂谢后,推锡麒,艺林奉为圭臬焉。著《有正山房集》。全椒吴鼒尝辑录齐
焘、亮吉、锡麒及刘星炜、袁枚、孙星衍、孔广森、曾燠之文为《八家四六》云。此
八家外,有金匮杨芳灿,与弟揆并负时名。"王昶曰:"浙中诗派,自竹垞、初白两先
生后,二十余年,大宗、太鸿起而振之。及两公殂谢,嗣音者少。司成以云蒸霞蔚之
文,合雪净冰清之作,驰声艺苑独出冠时。既工骈体,尤善倚声,而诗才超迈,直继

朱、查、杭、厉之后，宜中外望之，指为景庆也。情殷谖背，乞假南还，虽未即安于
闲适，而世已以白、晁两太傅相期。性好溪山，流连诗酒，青帘画舫，绿箬红衫，游
笻所造，无不承盖扶轮，扫门纳屦。"（《蒲褐山房诗话》卷三三）《晚晴簃诗汇》卷九
十六收诗十三首，引王惕甫曰："縠人尝自裒所著行于世，世多推其骈体之文，而予所
尤服膺者乃其八韵诗也。縠人他诗靡不工，然生峭之音，新倩之色，超逸之解，以南
宋金元与汉魏六朝共炉而冶，虽脱化几变，犹足以知其为西泠前辈流风。独于八韵诗
则天矼自解，一洗万古，真力弥满，先射命中，洞入题膜，横生侧附，众妙孕包。"又
引洪北江曰："吴祭酒诗如青绿溪山，未趋苍古。"《续修四库全书·有正味斋诗集提
要》云："度曲倚声，精深华妙，细腻熨帖，亦复接迹玉田，嗣音白石，胜于其诗。大
抵锡麒文比词胜，词比诗胜，故当时其诗词称道之者少。论者谓为文所掩，殆其然
欤！"吴衡照《莲子居词话》卷四云："縠人先生词，有高妙语，有幽秀语。《台城路》
云：'空明一片。想深谷高眠，白云都懒。钓火何人，隔滩流数点。'［富春道中。］
《摸鱼儿》云：'船头煮酿，待铜笛吹来，浩歌一曲，清绝众山响。'［江上观捕鱼作。］
《宴清都》云：'枫叶今朝冷。无帆外、夕阳千里无影。'［秋阴。］《湘江静》云：'浑
未着秋花，偏空际、飞来秋句。'［舟行小港中，两岸青芦弥望，萧寥无人，水风间作，
械械然如闻秋声也。］《长亭怨慢》云：'踏遍枯枝，半林残叶坠如雨。'［又，］'记破
晓几点苍茫，倩谁写、乱山行旅。'［寒鸦。］《解语花》云：'才省知回味，都无问此
心灰否。'［咏橄榄花。］高妙语也。《水龙吟》云：'旧时乔木依然，一襟曾染诗人翠。
斜阳小立，藕花飞梦，梦凉如水。'［夏晚赵氏西池纳凉。］又云：'水乡何处寻来，一
痕淡月微茫坠。'［白莲。］《锁窗寒》云：'映苍苔余寒未休，隔帘又酿江南雨。甚满
身冷翠，低鬟微，摘梅簪去。'［绿阴。］《水龙吟》云：'短篷小泊，一簪飞雪，恼人
愁共'［秋芦。］《春霁》云：'早料此度归时，鹭鸶头上，藕花翻雨。'［重赴严江，留
别社中诸子。］《台城路》云：休提燕子，问头白僧归，主人知未。独立苍茫，冷萤移
暗尾。'［南湖感旧。］《石湖山》云：'寻梦到芦花，只留得鸥心一片。莼香吹老，问
几棹采鱼归晚。云断。认破帆指塔遥转。'［题王述庵先生三泖渔庄图。］《过秦楼》
云：'待青丝拢罢，甜香一扑，蝶魂应恋。'［玫瑰。］《秋霁》云：'爱短桥外，只是滴
翠摇青，听延秋纺，一蛩吟远。'［牵牛花。］《壶中天》云：'曲阁迟灯，虚廊空笛，
夕气凉如水。虫丝络远，豆棚疏处轻坠。'［夏晚坐绿意亭纳凉。］《月华清》云：'想
玉栏吹老苔花，枉闲却、扇边眉妩。'［九月望夜，被酒归来，明月在窗，清寒特甚，
新愁旧梦，枨触于怀，因赋此解。］《瑶花慢》云：'墙腰低洄，还误认、夜深残月。问
者番、霁后园林，瘦却梅花谁说。'［风雪作寒，寓斋岑寂，拥炉孤坐，偶歌此词，恍
惚玉龙起舞也。］幽秀语也。先生属对俱精，可入陆辅之词旨。"江顺诒《词学集成》：
"'驻枫烟而听雁，舣葭水而寻渔。短径遥通，高楼近接。琴横春荐，杂花乱飞。酒在
秋山，缺月相候。此其境与词宜。金迷纸醉之娱，管语丝哇之奏，浦遗余佩，钗挂臣
冠。满地蘼芜，夕阳如画。隔堤杨柳，红窗有人。此其情与词宜。此縠人《红豆词》
叙'。诒案：诗与文，不外情境二字，而词家之情境，尤有所宜，此序长言之未足也。"
陈廷焯《白雨斋词话》卷四："吴縠人古诗骈文，皆未臻高境，转不若试帖律赋之工。
惟词则清和雅正，秀色有余，出古诗骈文之右。"又，"縠人先生，天生一枝大雅之笔，

益以才藻，合者可亚于樊榭，微嫌才气稍逊。"又卷六："樊榭造句多幽深，縠人措词则全在洗炼，又不逮樊榭远甚。""縠人辈工于炼字耳，迦陵则精于炼句。""縠人所长者，律赋试帖耳。古文固非所能，骈文亦不免平庸。词较胜于骈文，然亦未见高妙。至古今体诗，则下驷之乘矣。大抵縠人先生只可为近时高手，论古则未也。"谭献《箧中词》："祭酒名德清才，矜式后起。诗规渔洋，词学樊榭，可云正宗。而骨脆才弱，成就甚小。"梁绍壬《两般秋雨庵随笔》卷一："吴縠人祭酒，词华盖代，然偶以雕琢掩其才气。""著作以倚声为最。余酷爱其《望湘人·春阴词》一阕云云。细腻熨帖，玉田、白石，不得专美于前。"

翁方纲补编丁丑六月至戊寅正月诗为《墨缘集》。据沈津《翁方纲年谱》。

夏

暑甚，顾广圻与钮树玉、梅曾亮夜坐，曾亮有诗。据《顾千里先生年谱》。

七月

十一日，张穆以父卒，随继母入都。在都依继母舅仓场侍郎莫晋居，承其学而喜读明儒学案，知学术源流。据张继文《先伯石州公年谱》。

胡敬补授右春坊右赞善。十二月，转补左赞善。据《书农府君年谱》。

李兆洛修《怀远县志》成。是志始修于嘉庆二十二年。据《武进李先生年谱》。

八月

十五日，潇湘仙史作《三分梦全传自序》。黎成华《三分梦全传题词》云："者事何关是姓章，看书先要审端详。琵琶作记非因蔡，普救弹琴岂是张。别有才人图小影，托为仙史寄潇湘。诙谐议论皆经史，劳尔搜罗锦绣肠。人情何处不波澜，踪迹层上入笔端。大半不嫌书实录，三分无奈语邯郸。行过险地心偏定，看到浮云眼更宽。谁是现身来说法，先生今日正登坛。"署"嘉庆二十四年岁次己卯孟冬朔日，南海黎成华笃焉氏题于半隐山房"。（道光二十八年刊本《三分梦全传》）

九月

初八日，赵怀玉招里中知名之士及嘉兴沈宝麟等集施有堂预祝重阳。后有诗纪之。本年，赵怀玉作崔龙见、庄炘、沈振鹏墓志铭。据《收庵居士自叙年谱略》。

孙尔准补授江西按察使。旋补授福建按察使。十二月，孙尔准编本年诗为《朝天集》。据《平叔府君年谱》。

秋

乡试。王引之充浙江乡试正考官。（《王伯申先生年谱》）中式者有：李贻德（《王伯申先生年谱》)、彭蕴章（《彭文敬公自订年谱》)、朱骏声（《石隐山人自订年谱》)、高继珩、董祐诚（《清代人物大事纪年》)、龚自珍（吴昌绶《定盦先生年谱》)、方履籛（《顾千里先生年谱》)。

朱骏声乡试报捷。 十月，骏声往江阴谒学使汤金钊，又往扬州考入孝廉堂肄业。时孝廉堂山长为顾莼。据《石隐山人自订年谱》。

梁章鉅入张师诚幕。 据《退庵自订年谱》。

刘文淇、刘宝楠、薛传均等泛舟湖上赋诗。 据《念楼外集》卷一。

十月

乙亥，方宗诚（1818—1888）生。宗诚字存之，号柏堂，别号毛溪居士、西眉山人，安徽桐城人。方东树从弟。少师许玉峰，学程、朱之书与韩、欧之文。二十岁后，师事族兄方东树。同治三年，入曾氏幕治文书。旋即由曾氏奏以知县留补江苏，复奏调河北。十年补河北枣强县知县。光绪十四年二月卒。有《柏堂集前编》一四卷、《柏堂集次编》一三卷、《柏堂集续编》二二卷、《柏堂集后编》二二卷、《志学录》八卷。事迹见《清史稿》方东树传附、《清史列传》方东树传附、《柏堂先生事实考略》。

二十七日，薛时雨（1818—1885）生。薛时雨字慰农、澍生，晚号桑根老人，安徽全椒人。咸丰三年进士。知嘉兴县，授杭州知府。罢官后主讲崇文书院，旋改主江宁尊经、惜阴书院。光绪十一年正月二十二日卒，年六十八。著有《藤香馆诗钞》、《续钞》、《词钞》及《札记》等。事迹见谭献《薛先生墓志铭》(《续碑传集》卷八〇)。

十一月

十五日，阮元奏纂《广东通志》。据《雷塘庵主弟子记》。

二十二日，许宗彦卒，年五十一。据陈寿祺《驾部许君宗彦墓志铭》。《墓志铭》曰："周生濡染其乡黄太冲、万充宗季埜、胡渭生、毛大可、朱锡鬯、全绍衣、杭大宗诸先进之泽，又与当世通儒名德程易畴、钱晓征、段若膺、姚姬传、王兰泉诸尊宿游，上下议论，益湛深经术。其学务求六经大义，深观自汉以来两千年治乱得失，究古今儒术隆替、文章真伪。不屑屑校雠文字，辨析偏旁训诂，不乐掇拾零残经说，不惑于百家支离曼衍迂疏寡效之言。讨论经史多精诣。""观君所以立身制行，具有本末。所论经谊，未尝不发千古之覆。文章深博，实抗有明作者。呜呼，是于越土足以蹑梨洲而跨菫浦，岂独一时之魁能冠伦者哉！"王昶曰："周生年方就傅，颖悟非常，读书目数行下。稍长，遂博通坟典，自经史诗词而外，如小学、算术、医方、梵夹，靡不涉猎。尤深于古文，本于宋之南丰、明之遵岩，理实而气空，学充而辞达。同时与戴金溪敦元，均以神童称。而金溪朴学，专工注疏，至于兼擅词章，其所不逮也。尝从其尊人方伯君遍历滇、黔、东粤山水之胜，故浏览之作，亦多超越。"(《蒲褐山房诗话》卷四一)《清史稿》本传："其学无所不通，探赜索隐，识力卓然，发千年儒者所未发。""尤精天文，得泰西推步秘法，自制浑金球，别具神解。尝援纬书四游以疏本天高卑，而知不同心非浑圆之理。考周髀北极璿玑，以推古人测验之法。七政皆统于天，而知东汉以前用赤道不用黄道，为得诸行之本。论日左右旋一理，以王锡阐解黄道右旋、赤道平行，戴震分黄、极为二行，其说颇不分明，为剖析之，洞彻微妙，皆言天家所未及。"《晚晴簃诗汇》卷一百十四收诗八首。

左辅补授浙江按察使。除夕离雷琼任，途遇同年朱垣，遂偕行至南昌，途次颇有唱和。据《杏庄府君自叙年谱》。

十二月

初四日，潘奕隽应胡翔云邀游惠山，晤秦瀛、齐彦槐。初六日，秦瀛招饮。明日归，潘氏有《梁谿游草》一卷。据《三松自订年谱》。

三十日，阮元为江藩作《国朝汉学师承记序》。《国朝汉学师承记》八卷本年刊行。据黄丽镛《魏源年谱》。

冬

焦廷琥习学《开方通释》。据闵尔昌《焦理堂先生年谱》。

本年

张际亮肄业龟峰书院。删订诗六十三首，见李云诰编《张亨甫全集·诗编》卷二。据《张亨甫先生年谱卷目》。

吴廷栋有《送二弟铁香还桐诗》五章。据《吴竹如先生年谱》。

汪廷珍获特命为上书房总师傅。据《汪文端公事略》（《续碑传集》卷三）。

李宗昉在浙江学使任。此际至吴兴访问育蚕法，得二十事，分记以二十诗。见《清诗铎》七。

钮树玉、龚自珍等同游太湖东西洞庭山。树玉作纪游文。见《匪石先生文集》下。

刘宝楠、刘文淇、包世臣会于扬州小偻游阁。据《刘孟瞻先生年谱》。

陈奂至北京问学于王念孙，念孙与订忘年交。据《王石臞先生年谱》。

郭尚先充《明鉴》纂修、文渊阁校理。据《兰石公年谱》。

焦循《群经补疏》成。据黄丽镛《魏源年谱》。

冯登府著《论古贡疑》二卷。据《冯柳东先生年谱》。

龚自珍著《学海谈龙》四卷。据《定盦年谱外纪》。

诸明斋作《生涯百咏》。有记当时说书之情形。卷三《唱盲词》云："东西两调尽盲词，弦子琵琶震一时；唱只山歌为引子，人人争说是唐诗。"同卷《说书》云："一声尺木乍登场，滚滚滔滔话短长；前史居然都记着，刚完《三国》又《隋唐》。"同卷《说西游》云："习熟稗官记，檐前说唱忙。通途频跮踱，满口述荒唐。拍得筊筒响，妖精又出场。"［王利器辑录《元明清三代禁毁小说戏曲史料（增订本）》］

汪应培《帘外秋光》约作于本年。是剧未见著录。仅《闻遣》、《省怀》两折。据

《古本戏曲剧目提要》。

捧花生作《画舫余谈》。是书一卷，为补《秦淮画舫录》而作，全记佳丽轶事。《中国丛书综录》列于小说家类。今有道光六年捧花楼刊本、《申报馆丛书》本、《香艳丛书》本等，均为一卷，据书前自序，知其书作于此年。据《中国古代小说总目》文言卷。

吕星垣著《康衢新乐府》曲本十种，颂颙琰。据《履园丛话》六。

王豫、张学仁辑《京江耆旧集》十三卷刊行。据《贩书偶记》。

苏州书坊兰蕙轩刻秘本弹词《蕴香丸》、《百花台》、《醉芙蓉》、《登云豹》、《麒麟阁》、《飞虎枪》等六种。据《明清江苏文人年表》。

潘曾沂刻所著《功甫小稿》十一卷。据《贩书偶记》。

刘传莹（1818—1848）**生。**传莹字实甫、椒云，湖北汉阳人。道光十九年中举。官国子监学政。道光二十八年九月十八日卒，年三十一。有《刘椒云先生遗集》四卷。事迹见《清史稿》吴嘉宾传附、《清史列传》朱文炳传附、方宗诚《刘椒云传》（《续碑传集》卷七十一）。

蒋春霖（1818—1868）**生。**春霖字鹿潭，江苏江阴人，寄籍大兴。道光末就任淮南盐官。咸丰元年权东台富安盐场大使。十年，赴泰州为属吏。终生沉沦下僚，晚境困甚。有《水云楼词》二卷、《水云楼词续》一卷、《水云楼剩稿》一卷。事迹见《清史稿》性德传附、金武祥《蒋君春霖传》（《续碑传集》卷八十）。

江湜（1818—1866）**生。**湜字持正、弢叔，别署龙湫院行者，江苏长洲人。道光二十三年拔贡。咸丰七年，得从九品县尉，候补浙江，至杭州盐运司营务处掌文书。同治三年，为温州长林盐场大使，次年调杭州佐海运。有《伏敔堂诗录》十五卷、《续录》四卷。事迹见黄胜白《长洲江弢叔先生传》（《伏敔堂精华录》附录）。

张岳龄（1818—1885）**生。**岳龄字南瞻、子衡，自号铁瓶道人，湖南平江人。道光二十九年拔贡。咸丰二年，投笔从戎。四年保举为知县，加五品衔。后奉调江西。同治五年，署赣南兵备道。次年，迁甘肃按察使。光绪元年，授福建按察使。有《铁梅诗钞》九卷、《铁梅东游草》一卷、《铁梅杂存》二卷。事迹见李先恕《清授荣禄大夫福建按察使张公子衡别传》、王先谦《铁梅诗钞序》。

张源达（1818—1860）**生。**源达字寅伯，号子上，江苏吴县人。道光二十九年拔贡。曾任直隶州通判。后又为扬州太守张玉峰幕僚。咸丰九年回籍。有《学为福斋诗钞》一卷。事迹见其诗集。[生卒年据江庆柏《清代人物生卒年表》。]

金和（1818—1885）**生。**和字弓叔，号亚匏，江苏上元人。增生。有《秋蟪吟馆诗钞》六卷、《文钞》一卷。事迹见《清史稿》张继庚传附、束允泰《金文学小传》（《碑传集补》卷五十一）。

傅寿彤（1818—1887）**生。**寿彤字青余，晚号澹叟，贵州贵筑人。道光二十四年中举。咸丰三年成进士，选庶吉士。六年授翰林院检讨。十年守归德府，调南阳知府。同治三年，调守开封。七年，署南汝光兵备道。光绪元年，擢河南按察使，旋调河南布政使。三年，署理河南巡抚。次年，回按察使本任。有《澹勤室诗》六卷、补遗二卷、《汴城筹防备览》四卷。事迹见朱启钤《清故资政大夫河南按察使傅公传略》。

魏秀仁（1818—1873）生。秀仁字子安、子敦、伯肫，别署眠鹤山人、眠鹤主人、咄咄道人、不悔道人，福建侯官人。道光二十六年举人。有《陔南山馆诗集》二卷、《陔南山馆文录》四卷、《陔南山馆骈体文钞》一卷、《陔南山馆诗话》十卷、《故我论诗录》二卷、小说《花月痕》。事迹见容肇祖《〈花月痕〉作者魏秀仁传》、陈新《魏秀仁的生平及著作考辨》。

公元 1819 年（嘉庆二十四年 己卯）

正月

初一日，金鹗卒，年四十九。据郭协寅《金诚斋先生传》（《碑传集补》卷四十）。

十九日，冯登府北发赴都会试报罢。本年，登府著《石经阁诗略》第四卷《北游后草》。又有《怀人诗》七绝四十首。据《冯柳东先生年谱》。

二十日，阮元游隐川，赋《隐川》诗。据《雷塘庵主弟子记》。

二月

潘奕隽八十大寿，秦瀛、余集等过访贺之。本年，奕隽有《八十自述诗》四章，同人和者数十家。据《三松自订年谱》。

三月

既望，王念孙叙《读管子杂志》，是为《读书杂志》之五，共十二卷。十一月朔日，念孙作《陈观楼先生文集叙》。据《王石臞先生年谱》。

会试。考官：协办大学士、吏部尚书戴均元，兵部尚书戴聊奎，礼部侍郎王引之，詹事那彦成。题"曰修己以"一句，"人之为道"二句，"诚身有道"三句。赋得"敦俗劝农桑"得"敦"字。据《清秘述闻续》卷二。

龚自珍应会试不售。《定盦先生年谱》云："春应恩科会试，不售。留京师，始从武进刘申受礼部逢禄受《公羊春秋》，遂大明西京微言大义之学。"龚自珍在京师，与宣南诗社成员梁章钜、程恩泽等人多有唱酬交往。然自珍并未入诗社。据梁章钜《师友集》卷六。

方东树赴粤，阮元延东树修《广东通志》。《方仪卫先生年谱》："三月，赴粤。时阮文达元总督两粤，延先生修《广东通志》。先生初任分纂，于所应编纂者一月内告竣。将辞去，文达留之，因属以总纂事。"

左辅新授浙江廉访。据《收庵居士自叙年谱略》。

春

寄生氏序《争春园全传》。序云："人不奇不传，事不奇不传，其人其事俱奇，无奇文以演说之亦不传。郝、鲍诸人，率性而行。忠君信友，奇人也，奇事也，即奇文也。而编中尤为马俊描写尽致，报相知于囹圄，脱淑媛于陷阱。除险恶则直探虎穴，保君上则深入龙宫。是书之第一人，亦千古侠客之第一人耶！颜其名曰《争春园》。言郝而不言鲍、马，提纲也；言栖霞而不言孙佩，对景也；园名'争春'，地之灵，实人之杰矣。云收月上，凭栏读之，一击节，一浮大白；如见玉蚨蝶栩栩然来往也已。"署"时在己卯暮春修禊日，寄生氏题于塔影楼之西榭"。《争春园》四十八回，作者不详。首己卯暮春寄生氏序，似即撰者。寄生氏另有《五美缘》，其序亦称"题于塔影楼之西榭"，撰于道光二年，则此之"己卯"当是嘉庆二十四年，今存道光八年刊本。书演马俊等侠义事。据嘉庆二十四年文德土堂刊本。

黄安涛请朱鹤年绘《消寒诗社图》成。诗社众成员纷纷题词于图后。胡承珙《消寒诗社图序》（梁章钜收此文入《师友集》，改题《宣南吟社序》）曰："是会也，始于甲戌之冬。图成于己卯春。自琴南、霁青及余外，先后与会者有：周肖濂观察、陈硕士、刘芙初、谢向亭三编修、朱兰友侍讲、陶云汀给事、梁茝林礼部、钱衍石农部、吴兰雪、李兰卿两舍人也。"（《求是堂诗文集》，又见梁章钜《师友集》卷六胡承珙条附）

张维屏入都应试，有《燕台四集》。据《张南山先生年谱撮略》。

姚莹调台湾知县。据《姚石甫先生年谱》。

王松、张澍等撰《大足县志》成，凡八卷。据《张介侯先生年谱》。

四月

殿试。赐一甲陈沆、杨九畹、胡达源进士及第，二甲钱宝琛、阮灿辉、胡培翚等进士出身，三甲托浑布同等进士出身。据《历科进士题名录》。

左辅按察浙江。据《武进李先生年谱》。

吴荣光署陕西按察使。据《荷屋府君年谱》。

张维屏自序《国朝诗人征略》初编。序云："屏赋性颛愚，寡所嗜好，暇日辄喜诵古人诗。诵其诗欲知其人，而其人生平事迹，大都散见于诸家文集及志乘说部诸书。爰即浏览所及，随意录之，篇幅稍繁者，节录之。或见其事未见其诗，或偶见其诗而未遇会心者，姑阙之。岁月既积，卷帙遂增，思于纂述之余，用广兴观之助，因厘为十卷，名曰《国朝诗人征略》。"是书其时仅成十卷，后续有增辑，道光七年，因父丧丁忧返里，陆续开刻，至道光十年初编始刻成。

闰四月

二十二日，杨岘（1819—1896）**生。**岘字见山、季仇，号庸斋，江苏无锡人，后迁浙江归安。咸丰五年中举。同治三年，经举荐留江苏候补。十年，补直隶州知州，以知府用，转漕天津。有《迟鸿轩文弃》二卷、《迟鸿轩诗弃》四卷、《迟鸿轩文续》一卷、《迟鸿轩诗续》一卷。事迹见自编《藐叟年谱》、刘继增《藐叟年谱续》等。

二十七日，林则徐派充云南乡试正考官。吴慈鹤为副考官。据《林则徐集·日记》。林则徐在滇成《滇轺纪程》一卷。

五月

既望，梅溪主人作《清风闸序》。序云："小说昉自《虞初》，后之作演义者，或借一人一事引而申之，可以成数十万言，如《封神传》、《水浒传》，由来旧矣。抑或有凭虚结撰，隐其人，伏其事，若《金瓶梅》、《红楼梦》者；究之不知实指何人，观者亦不过互相传为某某而已。唯《清风闸》一书，既实有其事，复实有其人，为宋民一大冤案，借皮奉山以雪之。"署"嘉庆己卯夏五月既望，梅溪主人书于奉孝轩"。（嘉庆己卯奉孝轩刊本《清风闸》）《清风闸》，四卷三十二回。存，嘉庆己卯奉孝轩刊巾箱本，上海书局石印本。浦琳撰。据孙楷第《中国通俗小说书目》。浦琳字天玉，江都人。事迹见金兆燕《浦拙子传》（《棕亭古文钞》卷四）。

王灼卒，年六十八。据朱彭寿《清代人物大事纪年》。

五六月间，焦循草《花部农谈》。据闵尔昌《焦理堂先生年谱》。是书有宣统辛亥南陵徐乃昌刊本。

六月

童槐授江西按察使。八月，授山东按察使。据《显考萼君府君年谱》。

七月

初三日，吴翌凤卒，年七十八。据石韫玉《吴枚庵墓志铭并序》（《独学庐四稿》文卷五）。

初五日，魏源、陈用光等祀郑康成于万柳堂。胡培翚《汉北海郑公生日祀于万柳堂记》附记："己卯岁七月初五日，复祀于万柳堂，同祀者元和蒋香度廷恩、新城陈石士用光、嘉兴钱衎石仪吉、桐城光栗原聪谐、长洲陈硕甫奂、崇明陈辛伯兆熊、鹤山冯晋鱼启蓁、邵阳魏默深源、武进张彦惟成孙暨朱兰坡、胡墨庄、徐樗亭。"（《研六室文钞》卷八）

十四日，焦循《孟子正义》草稿成。次为三十卷，至庚辰正月改定。据闵尔昌《焦理堂先生年谱》。

九月

鲍桂星以仁宗睿皇帝六旬万寿赏复编修。时桂星去官五年矣。据《觉生自订年谱》。

黄钺奉旨补授礼部尚书。据《黄勤敏公年谱》。

秋

乡试。何凌汉充福建乡试正考官。（阮元《诰授光禄大夫经筵讲官户部尚书晋赠太子太保谥文安何公神道碑铭》）朱为弼充顺天乡试同考官。（《续碑传集》卷二十二

《漕运总督朱公墓表》）钱林充四川乡试正考官。（汪喜孙《钱学士墓表》，见《碑传集补》卷八）茹棻充顺天乡试正考官。（《碑传集补》卷三《茹棻传》）郭尚先充广东乡试副考官。（《兰石公年谱》）中式者有：黄爵滋（《续碑传集》卷十《光禄大夫前刑部左侍郎黄公行状》）、戴熙（《续碑传集》卷五十四《戴文节行状》）、刘文淇、庞大堃、郭仪霄、吴均、黄钊、蒋薰（朱彭寿《清代人物大事纪年》）、池生春（《续碑传集》卷十八《国子监司业广西学政楚雄池公墓志铭》）。魏源中顺天乡试副贡生。据魏耆《邵阳魏府君事略》。

林则徐典试云南，著《滇轺纪程》一卷。据《林文忠公年谱》。

严保庸应试南京，与改琦等订交。据《小说考证》引《墨林今话》。

十月

阮享为焦循作《易学跋》。据闵尔昌《焦理堂先生年谱》。

胡敬典安徽学政。据《书农府君年谱》。

十一月

初五日，陈璞（1819—1883）生。璞字子瑜，号古樵，又号尺冈归樵，晚号息翁，广东番禺人。咸丰元年恩科举人。八年授江西安福县知县。有《尺冈草堂遗诗》八卷、《遗文》四卷。事迹见《碑传集三编》卷三九《陈璞传》。〔生日据朱彭寿《清代人物大事纪年》。〕

十二月

下旬至次年四月中旬间，林则徐唱酬于宣南诗社。陶澍《潘功甫以宣南诗社图属题抚今追昔有作》"林程本后来"句自注云："林少穆、程云芬二君自余出京后始入会，不久亦出使。"可知则徐参加诗社活动始于此时。详见来新夏《林则徐年谱》。

冬

陶澍授四川川东兵备道。据《陶文毅公年谱》。

本年

张琦、包世臣同客济南。世臣得北朝碑版甚夥，因为《历下笔谈》，又作《论书》十二绝句。据《包慎伯先生年谱》。

盛大士、张维屏会于朱彝尊北京旧居古藤书屋。据《蕴愫阁诗集》。

郑珍从舅父黎恂学，尽窥其所蓄典籍，兼治诗文。据《郑子尹先生年谱》。

刘宝楠、刘文淇、丁晏同拔优贡生，学使为汤金钊。据《刘孟瞻先生年谱》。

魏源在山西学政贺长龄幕。据魏耆《邵阳魏府君事略》。

钮树玉访龚自珍于北京，自珍据树玉言语作散文《书金伶》。据《定盦续集》四。

斌良延钱泳至江苏，钱泳编《抱冲斋帖》十二卷。《梅溪先生年谱》云："江苏粮储道斌公良延先生入署，纵观商周鼎彝及宋元名人书画，嘱先生聚集赵、董两家墨迹，为《抱冲斋帖》十二卷。"

彭兆荪馆吴门孙氏百一山房，撰《小谟觞馆诗文集注》。孙裦伯《小谟觞馆诗文集注跋》云："娄东彭甘亭征士笃学，工文词。所著《小谟觞馆诗文集》，久为海内所脍炙。顾其隶事属偶，既富且僻，有未易津逮者。"（《彭湘涵先生年谱》）

陈沆与魏源、陆献、黄修存游。陈沆有《送黄修存南归》，见《简学斋诗存》卷四。

赵怀玉作《亦有生斋集总序》，为洪饴孙作《世本辑补序》。据《收庵居士自叙年谱略》。

端木国瑚有《上阮相国书》。据《太鹤山人年谱》。

曾国藩读《五经》毕，始为时文帖括之学。据黎庶昌《曾国藩年谱》。

彭泰来作《长歌行》、《海天谣》、《秋怀》四首、《两鬓》、《变白头吟》等诗四十四首。据李光廷《彭春洲先生诗谱》。

张际亮作诗八十五首。见李云诰编《张亨甫全集·诗编》卷三。据《张亨甫先生年谱卷目》。

钱仪吉服阕，自此至己丑诗曰《定庐集》，凡八卷。据苏源生《书先师钱星湖先生事》。

曾燠自编《赏雨茅屋诗集》十八卷成。据朱彭寿《清代人物大事纪年》

石韫玉以花韵庵主名著《红楼梦传奇》十折。据《红楼梦传奇序》。

陈文述以公事至南京，编次所作金陵考古诗为《秣陵集》。据《秣陵集自序》。

董祐诚撰《咸宁县志》二十六卷刊成。据《明清江苏文人年表》。

顾广圻为秦恩复校刊《扬子法言》总十四卷。据《顾千里先生年谱》。

李佩金（女）《生香馆诗》二卷、《词》二卷刊行。据《历代妇女著作考（增订本）》九。

藤花榭本《红楼梦补》刊行。犀脊山樵《红楼梦补序》云："归锄子乃从新旧接续之处，截断横流，独出机杼，结撰此书，以快读者之心，以悦读者之目。……务令黛玉正位中宫，而晴雯左右辅弼，以一吐其胸中郁郁不平之气，斯真炼石补天之妙手也。其他如香菱，如鸳鸯，如玉钏，如小红，如万儿，如龄官，一切实命不犹之人，慈悲普度，俾世间更无一怨旷之嗟，此元人所云'愿天下有情人都成眷属'，即圣贤所云'王如好色与百姓同之'者也。前书事事缺陷，此书事事圆满，快心悦目，孰有过于此乎？"归锄子《红楼梦补叙略》略云："一、此书写黛玉回生，直接前书九十七回，自黛玉离魂之后写起。凡九十七回以前之事，处处照应；以后则各写各事。一、林黛玉系书中之主。"（嘉庆二十四年藤花榭刊本《红楼梦补》）

抱青阁刊《梁武帝西来演义》。《精绣通俗全像梁武帝西来演义》十卷四十回，一名《梁武帝全传》。存清初余氏永庆堂原刊本、嘉庆乙卯抱青阁刊本。据孙楷第《中国通俗小说书目》。

同文堂刊《听月楼》二十回。是书无名氏撰。首嘉庆壬申无名氏序。据孙楷第《中国通俗小说书目》。序云："万物俱生于情，何况人乎！情涉淫邪，情邻怨恨，情至忧思，情形悲苦，皆不得谓之情。以有情为情，自勉强而出，其情不真；以无情为情，情由自然而生，其情倍笃。《听月楼》一书，宜登鳌之吟玉人来，痴情也。柯宝珠之怜宜生才，柔情也；柯太仆之逼女拒婚，寡情也；裴司寇之设计完珠，深情也；如媚如钩之几死，屈情也；国銮秀林之偷香，私情也；蒋连城之不从父命，高情也；柯无艳之逼走才郎，绝情也；及后吟诗听月，闲情也；仙人降楼，留情也。此书以情始以情终，可为千古钟情者云尔。"署"时在嘉庆壬申桂月"。（《中国历代小说序跋集》）

　　雪樵居士《青溪风雨录》有本年一枝山房刊本。据《中国古代小说总目》文言卷。

　　孙鼎臣（1819—1859）生。鼎臣字芝房、子余，湖南善化人。年十四补诸生。道光十七年中举。道光二十五年成进士，选庶吉士。散馆，授翰林院编修。二十九年，充贵州乡试正考官。次年，充实录馆纂修。咸丰二年，擢翰林院侍读。九年三月十七日卒。有《苍筤集》。事迹见《清史列传》本传、吴敏树《翰林院侍读孙君墓表》（《续碑传集》卷十八）。

　　吴子光（1819—1882?）生。子光字芸阁，广东嘉应人。同治四年中举。充台湾道员徐宗干幕僚多年。晚年于淡水筱云山庄设馆授徒。有《一肚皮集》十八卷。事迹见《一肚皮集》。

　　范元亨（1819—1855）生。元亨原名大濡，字直侯，号问园主人，江西德化人。咸丰二年举人。所著颇夥，多毁于战火。传世者仅《问园遗集》一卷及《空山梦传奇》八出。事迹见高心夔《范元亨传》。

　　梁玉绳卒，年七十六。据朱彭寿《清代人物大事纪年》。《晚晴簃诗汇》卷九十七收其诗七首，诗话云："谏庵高门清荫，负不羁之才，朝经夕史，孜孜不倦，与弟处素刲心朴学，尝贻以书，略言：吾与弟寝迹衡门，继承素业，他日得有数十卷书传于后，不至姓名湮没，足矣。后汉襄阳樊氏显重当时，其子孙虽无名德盛位，世世作书生门户，吾仰之慕之，愿与弟共勉之。其雅志如此。谏庵治《太史公书》，为《志疑》。处素亦治《左氏传》，为《左通》，皆哀然成巨帙，所愿已酬。谏庵诗虽不多，而清迥苍坚，不作当时体，亦足称其所学。"张舜徽曰："乾嘉诸儒生，大率竭智虑以从事于训诂名物，群凑于说字解经。玉绳独潜研史子，深造自得，发明实多，在当时自是不囿于风气而能卓然自立之士。"（《清人文集别录》卷八）

　　邢澍卒，年六十一。据江庆柏《清代人物生卒年表》。所著《金石文字辨异》十二卷嘉庆十五年刊行，《寰宇访碑录》（与孙星衍同撰）嘉庆七年刊行。据《贩书偶记》卷八。《守雅堂文集》一卷《南旋诗草》一卷嘉庆二十三年刊行，又名《守雅堂稿》。据《贩书偶记续编》卷一六。

公元 1820 年（嘉庆二十五年　庚辰）

二月

　　初八日，林则徐任江南道监察御史。四月二十三日，授浙江杭嘉湖道。五月十六日出都，由潞河赴浙。七月十九日至杭州接任。据林聪彝《文忠公年谱草稿》。

上旬，刘文淇撰《左传旧疏考正序》。据《刘孟瞻先生年谱》。

李兆洛应广东巡抚修志之约。据《收庵居士自叙年谱略》。

三月

初一日，江藩作《惠松崖征君易大义跋》。本年，江藩检《尔雅正字》旧稿，重加删订，据古本校为三卷，易名《尔雅小笺》。据闵尔昌编《江子屏先生年谱》。

初二日，阮元开学海堂。《雷塘庵主弟子记》："三月初二日开学海堂，以经古之学课士子。""学海堂加课仿抚浙时所立诂经精舍之例，专课经史诗文。"

会试。考官：户部尚书卢荫溥、礼部尚书黄钺、刑部侍郎吴芳培、工部侍郎善庆。题"仁者先难"一句，"成己仁也"三句，"以善服人"四句。赋得"惠泽成丰岁"得"成"字。据《清秘述闻续》卷二。周之琦充会试同考官。据《稚圭府君年谱》。鲍桂星磨勘会试卷。据《觉生自订年谱》。

龚自珍会试下第。《定盦先生年谱》："会试仍下第，筮仕得内阁中书。先生官中书先后十余年，于内阁故事最洽熟。"

三月底至四月初，潘奕隽偕齐彦槐等游观音崖、象山等处。据《三松自订年谱》。

春

魏源南归邵阳，途经瓜州，作诗《瓜州归棹》。后奉母沿江东下，有《江行杂诗》八首，见《魏源集》。

四月

二十八日，丁宝桢（1820—1886）生。宝桢字稚璜，贵州平远人。咸丰三年进士，改庶吉士，授编修。十年，除湖南岳州知府。旋调长沙知府。同治二年，擢山东按察使。次年复迁布政使。跻山东巡抚，加太子少保。光绪二年，任四川总督。卒于光绪十二年四月二十一日，年六十七。赠太子太保，谥文诚。有《十五弗斋诗存》一卷、《文存》一卷、《丁文诚公奏议》二十六卷。事迹见《清史稿》本传、《清史列传》本传、赵国华《丁文诚公墓志铭》（《续碑传集》卷二十七）。

殿试。赐一甲陈继昌、许乃普、陈銮进士及第，二甲冯登府、杨庆琛、沈道宽、张祥河等进士出身，三甲冯询等同进士出身。据《历科进士题名录》。

左辅奉旨补授湖南布政使。八月初十日，莅湖南藩司任。时李尧栋为湖南巡抚。十一月，李尧栋赴京简用，左辅补授湖南巡抚。据《杏庄府君自叙年谱》。

五月

孙尔準奉旨补授福建布政使。据《平叔府君年谱》。

夏

丁晏自都南还，与刘文淇偕。《刘孟瞻先生年谱》曰："时晏年才二十五岁，长身瘦削，如不胜衣，而议论古今，风发泉涌。"

七月

二十五日，爱新觉罗颙琰崩于热河避暑山庄，寿六十有一，谥睿，庙号仁宗。据朱彭寿《清代人物大事纪年》。

二十七日，焦循卒，年五十八。据闵尔昌《焦理堂先生年谱》。《年谱》云："先生旁通九流之书，必造其微。有所论，往往为术士所不能道。壬申、癸酉间，汪掌廷问先生形法家'十二长生'，或主向上消纳，或主坐山消纳，当何从？先生详答之。治八五之术者，多请问先生。"《清史稿》本传："循博闻强记，识力精卓。每遇一书，无论隐奥平衍，必究其源，以故经史、历算、声音、训诂无所不精。幼好《易》，父问《小畜》'密云'二语何以复见于《小过》，循反复其故不可得。既学洞渊九容之术，乃以数之比例，求《易》之比例，渐能理解，著《易通释》二十卷。""循壮年即名重海内，钱大昕、王鸣盛、程瑶田等皆推敬之。始入都，谒座主英和，和曰：'吾知子之字曰里堂，江南老名士，屈久矣！'殁后，阮元作传，称其学'精深博大，名曰通儒'，世谓不愧云。"《晚晴簃诗汇》卷一百十六收其诗九首，引阮芸台语曰："里堂朴厚笃学，邃于经义，尤精天文步算，爬梳抉摘，多前人所未发。余事为诗词，亦皆老成。"诗话云："里堂诗质而有味，一洗俗韵，亦无经生肤廓之习。集中与人论诗云：'雕镂易工，高旷难学。勿卑齐梁，其格非弱。古律之间，实为之篇。'自道所得之言也。子虎玉诗亦有渊源。"

斌良得授陕西按察使。九月调河南按察使。据《先仲兄少司寇公年谱》。

八月

初二日，刘廷楠卒，年六十八。据徐青《景廉堂年谱》。《年谱》徐青序云："先生负命世才，为名进士，出宰县邑，非其所好。尝曰：'吾不能入词垣，读中秘书，为珥笔臣，作歌诗，荐郊庙，上结主知，下交天下名士，骚坛驰骋，赓和竞逐以泄其才华，而乃驰驱万里外，劳心案牍，平生歉然者在此。'然而负才之士，亦何所不可也。先生以学长其才，以才行所学，故所至州邑，辄奏效建树卓卓，譬如宝剑明珠随处辉映，有不可埋没者。盖其本领之大，气魄之厚，人所束手者，先生迎刃解之；人所疑难者，先生一言剖之；人所仓皇周章惟恐不给者，先生谈笑处之。虽然，犹未足以见先生之大也。若其矢心如皦日，励志若冰霜；轻珠玉如瓦砾，贱黄金如土芥；视国如家，视民如子；触锋镝不慑其气，极窘迫不渝其操，孔子曰：'笃信好学，守死善道'，先生有焉。先生之言论风采足以增长志气，销鄙吝，去猥琐，一切俗肠妄念有不知其所以然者，此非阿其所好。即此犹不足以尽之也。"《晚晴簃诗汇》卷一百五收其诗三首，诗话云："让木佐文敏招降张保事，具详《畿辅先哲传》。所著《偶一草》，身后散佚，曾孙修鉴从他处搜辑，仅得数十首，其《受降口号》四首亦久佚，张文襄曾见之。仅忆其一首，为修鉴口诵之，故得附编。文襄为当代名臣，乃于乡先进遗事殷殷留意如此，亦足觇其识抱也。"

二十七日，爱新觉罗旻宁嗣登大位，以明年为道光元年。据朱彭寿《清代人物大事纪年》。

二十七日，孙玉庭奉旨加太子少保衔。据《寄圃老人自记年谱》。又，黄钺奉旨加太子少保衔。据《黄勤敏公年谱》。

秦瀛访赵怀玉。瀛与怀玉长谈而去，次日有诗寄怀玉，怀玉次韵答之。据《收庵居士自叙年谱略》。

九月

顾蒪擢侍讲学士。十一月，上疏不称旨，降编修。据程恩泽《通政司副使顾公墓志铭》（《续碑传集》卷十六）。

王引之充实录馆副总裁。本年，汪瑟庵以其乡人丁晏所撰《论语孔注正伪》就正王引之，介绍相见。引之为之序。据《王伯申先生年谱》。

秋

龚自珍戒诗。《定盦先生年谱》："秋，戒诗。纪年文有《东南罢番舶议》、《西域置行省议》、《徽州府志氏族表序》。《跋破戒草》：余自庚辰之秋，戒为诗，于謏言语简思虑之指言之详，然不能坚也。辛巳夏，决藩枇为之。"

嬛嬛山樵撰《补红楼梦自序》。序云："妙哉！雪芹先生之书，情也，梦也；文生于情，情生于文者也。不可无一、不可有二之妙文，乃忽复有后、续、重、复之梦，则是乘车入鼠穴、捣虀啖铁杵之文矣。无此情而竟有此梦，痴人之前尚未之信，矧稍知义理者乎？此心耿耿，何能释然于怀。用敢援情生梦、梦生情之义，而效文生情、情生文之文，为情中之情衍其绪，为梦中之梦补其余，至于类鸳类犬处，则一任呼马呼牛已耳。"讷山人《增补红楼梦序》云："《红楼梦》一书……反复开导，曲尽形容，为子弟作戒，诚忠厚悱恻，有关于世道人心者也。""予尝欲阐其义而弗克。予友嬛嬛山樵先获此志，成《补红楼梦》一书，凡四十八卷，剞劂竣而予始见。卷中凡前此之妄为续貂者，亦弗尽屏，特取其近是者而纫补之。分别段落，大旨揭然，使天子之子弟合前《红楼梦》而读之，有以知若此则得、若彼则失者，真《红楼梦》之大功臣也。梨枣既成，远近争购，予欲赞一词而又弗克。昨山樵袖出一篇示予，曰新成之《增补红楼梦》也。予始而疑，既而信，欣然读之，则是另一笔仗。凡世之稗官野史，引用旧例，无不化腐为奇，又尽补前书之所未及，如海市蜃楼，愈变愈幻。虽仅三十二回，与前之四十八回，实有藕断丝萦之妙，一归于教人为善而已。玄之已玄，补而又补，予以为娲皇之石不在怡红而在嬛嬛山樵也。"署"嘉庆庚辰秋七月既望，讷山人就月书于万物逆旅之片云台"。（道光四年刊本《补红楼梦》）

姚文田访赵怀玉。据《收庵居士自叙年谱略》。

十月

初三日，陈庚焕卒，年六十四。道光乙酉，督抚学宪题请入祀乡贤祠。据《惕园岁纪》。

十五日，潘曾沂捐内阁中书。据《思补老人自订年谱》。

英和调户部尚书。据《恩福堂年谱》。

那彦成调吏部尚书。据徐士芬《那彦成传》（《续碑传集》卷九）。

十一月

初三日，程鸿诏（1820—1874）生。鸿诏字伯敷，安徽黟县人，祖籍顺天大兴。道光二十九年举人。咸丰十年应聘入曾国藩幕。著有《有恒心斋文集》十一卷、《诗集》七卷、《骈体文》六卷等。事迹见朱师辙《黟三先生传》。[生日据朱彭寿《清代人物大事纪年》。]

陈昌齐卒，年七十八。所撰《测天约术》一卷、《楚辞韵辨》一卷、《吕氏春秋正误》二卷《淮南子考证》六卷、《临池琐谈》一卷、《赐书堂集》六卷均卒年始刻。据朱彭寿《清代人物大事纪年》。《晚晴簃诗汇》卷九十四收其诗三首，诗话云："观楼分巡温处，正海疆多事，与提督李忠毅公长庚合力防御，深相结纳，集中多酬唱之作。尝和忠毅韵有句云：'定有高文传鳄戮，转疑孺子受鹑欺。'自注谓匪未就擒，文员与有责焉。时有援顺康间旧例，议禁民船出海者，观楼力阻之，民颂其德。观楼博综群籍，戴东原校《水经注》，观楼指其讹，东原为心折。邵二云著《尔雅正义》，观楼驳正三十余条，为通人所推挹类是。其他斠正《吕氏春秋》、《淮南子》、《楚词》，皆有述作，又补《经典释文》所未备，别撰附录，为祝融所摄，未及重斠。"

陶澍擢授山西按察使。据《陶文毅公年谱》。

李兆洛选录《骈体文钞》稿略定。明年十一月付梓。《武进李先生年谱》："先生以为唐以下始有古文之称，而别对偶之文曰骈体，乃更选先秦两汉下及于隋为《骈体文钞》，欲使学者沿流而溯，知其一原。"是书分上、中、下三编。上编序曰："著录若干首，皆庙堂之制也，奏进之篇垂诸典章、播诸金石者也。夫拜飏殿陛，敷颂功德，同体对越，表里诗书，义必严以闳，气必厚以愉；然后纬以精微之思，奋以瑰烁之辞。故高而不枏，华而不缛，雄而不矜，逶迤而不靡。马班以降，知者盖希。或猥琐铺叙以为平通，或诘屈雕琢以为奇丽。朴即不文，华即无实，未有能振之者也。至于诏令章奏，固亦无取俪词，而古人为之，未尝不沈详整静、茂美渊懿，训词深厚，实见于斯。……故亦略存大凡，使源流可知耳。"中编序曰："著录若干篇，指示述意之作也。或缜密而端凞，或豪侈而诀荡。盖指事欲其曲以尽，述意欲其深以婉；济以比兴，则词不迫切；资以故实，故言为典章也。《韩非》、《淮南》已导先路，王符、应劭其流，孔长立言之士时有取焉。然枝叶已繁或披其本，以仲宣之罩精而子桓病其体弱，亦学者之通患也。碑志之文，本与史殊，中郎之作，质有其文，可为后法，故录之尤备焉。"下篇序曰："著录若干篇，多缘情托兴之作。战国诙谐辨谲者流，实肇厥端。其言小,其旨浅,其趣博。往往托思于言表,潜神于旨里,引情于趣外。是故小而能微,浅而能永,博而能检。就其褊者亦润理内含,秀采外溢,不徒以缕绘为工,递峭取致而已。后之作者,乃以游戏佻侧洮荡忘其所归,遂成俳优,病尤甚焉。尺牍之美,非关造作;妍媸雅郑,每肖其人。齐梁启事短篇,藻丽间见,既非具体,无关效法,十而存一,概可知也。"总序曰:"自唐以来,始有古文之目,而目六朝之文为骈俪。而为其学者,亦自以为与古文殊路。既歧奇与偶为二,而于偶之中,又歧六朝与唐与宋为三。夫苟第校其字句,猎其影响而已,则岂徒二焉三焉而已?以为万有不同可也。夫气有厚薄,天为之也;学有纯驳,人为之也;体格有变迁,人与天参焉者也;义理无殊途,天与人合焉者也。得其厚薄纯驳之故,则于其体格之变,可以知世焉;于其义理之无殊,可以知文焉。"是书有嘉庆末唐氏原刻本,《四部备要》谭献评点本。

十二月

初八日,李联琇(1821—1878)生。联琇字季莹,号小湖,别号好云楼主人。江西临川人。道光二十年中举。二十五年成进士,选翰林院庶吉士。二十七年散馆,授编修。咸丰二年,补内阁侍讲学士。四年,擢大理寺卿。卒于光绪四年正月初八日,年五十九。有《好云楼初集》二十八卷、《好云楼二集》十六卷、《采风札记》六卷。事迹见汪士铎《大理寺卿李公墓志铭》(《续碑传集》卷十七)。

初九日,秦焕(1821—1891)生。焕字文伯,江苏淮阴人。咸丰十年进士,授户部主事。同治元年,因功加员外郎衔。光绪元年任员外郎。六年任桂林知府。九年调梧州知府。十二年兼任广西盐法道。十五年任广西按察使。有《剑虹居诗集》二卷、《剑虹居文集》、《剑虹居制义续刻》二卷、《榕城课士草》等。事迹见其诗文集。[生日据朱彭寿《清代人物大事纪年》。]

除夕日,石韫玉和黄丕烈《除夕》七律一首。据江标编《黄荛圃先生年谱》。

汪喜孙序《汪容甫年表》。序云:"喜孙始为先君《年谱》,惟恐阙失,文繁事复,以俟后之为《儒林传》者,有所考焉。历二十年,书既成,虑失史裁,为世诟病,乃撷其大纲,缀为此书。"(《汪喜孙著作集》)

许桂林撰《易确》二十卷成。见许桂林《北堂永慕记》。

徐松主修《总统事略》成。书进宣宗,赐名《新疆识略》。据《徐星伯先生事辑》。

本年

邵堂在河南林县知县任,作《河水复决兰阳》诗。据《大小雅堂诗钞》八。
丁晏入都应贡试,后南还著《毛郑诗释》四卷。据《颐志老人年谱》。
吴慈鹤自定所著《凤巢山樵求是录》六卷。据《求是录自识》。
汪士铎入泮,时姚文田为督学。据汪士铎《汪悔翁自书纪事》。
祁寯藻充实录馆纂修。据《观斋行年自记》。
黄丕烈与顾广圻龃龉,竟绝交。据赵诒琛编《顾千里先生年谱》。

冯登府成进士，充武英殿协修官。著《石经阁诗略》第五卷《北游三草》，自为序。《诗略》第一卷至第五卷本年刻于昆山，徐辛庵为序。据《冯柳东先生年谱》。

丁晏著《毛郑诗释》四卷、《诗考补注补遗》三卷、《郑氏诗谱考正》一卷。据《丁柘亭先生历年纪略》。

李富孙托黄丕烈刻《说文辨字正俗》八卷。据《校经庼自订年谱》。

俞正燮辑《宋会要》五卷。据《俞理初先生年谱》。[按，此书似未辑成。]

龚自珍作《西域置行省议》。见《龚自珍全集》。

魏源作《老子本义序》。序云："后世之述《老子》者，如韩非有《喻老》、《解老》，则是以刑名为道德，王雱、吕惠卿诸家以庄解老，苏子由、焦竑、李贽诸家又动以释家之意解老，无一人得其真。其实开佛之先者莫如列子，故张湛《列子注序》曰御寇与佛经为近，不独西方至人皆不言而化、无为而自治一章而已。要之，《列子注》莫善于张湛，《庄子注》莫善于向、郭，而《老子注》则无善本焉。源念先圣'犹龙'之叹，与孟子辟杨朱不辟老子之故，因念经曰'言有宗，事有君'，爰专取诸家之说，不离无为无欲与无名之朴者，以为养心治事之助，视治《参同》、《阴符》者，或脚有益焉。其五千言章句，以河上公所分及博休奕古本为最疵，而《淮南》所引为最善；其开元御注所加与韩非所述者，皆所可取也。"（《魏源集》）

包世臣作《庚辰杂著》二。有云："即以苏州一城计之，吃鸦片者不下十数万人。鸦片之价较银四倍。牵算每人每日至少需银一钱，则苏城每日即费银万余两，每岁即费银三四百万两，统各省名城大镇，每年所费，不下万万。""绝夷舶，即自拔本塞源。一切洋货，皆非内地所必须，不过裁撤各海关，少收税银二百余万两而已。国课虽岁减二百万，而民财则岁增万万，藏富于民之政，莫大于是。"（《安吴四种》卷二七）

吴贻先自序《风月鉴》。《风月鉴》十六回，存嘉庆刊本。贻先字荫南，号爱存，疑河南光山县人（自序后有章曰中州弋阳吴氏）。据孙楷第《中国通俗小说书目》。

二友堂刊《后宋慈云走国全传》。《后宋慈云走国全传》，一名《后续五虎将平南后宋慈云走国全传》，八卷三十五回。存嘉庆庚辰二友堂刊本、道光庚子坊刊小本。无名氏撰，演徽宗事，无稽。据孙楷第《中国通俗小说书目》。

《虹霓关》传奇有本年钞本。作者不详。未见著录。全剧二十出。述隋朝末年事。川剧、汉剧、徽剧、湘剧、豫剧、同州梆子、河北梆子均有同名剧目。据《古本戏曲剧目提要》。

马三俊（1820—1854）生。三俊字命之，号融庵，安徽桐城人。咸丰元年以优行第一贡太学，复举孝廉方正。三年，太平军攻克安庆，与张勋办团练于明伦堂，守桐城，救安庆。四年六月战死于周瑜城，年三十五。有《马征君遗集》六卷。事迹见方宗诚《马征君传》（《续碑传集》卷六十九）。[生年据朱彭寿《清代人物大事纪年》。]

谢章铤（1820—1903）生。章铤字枚如，自号药阶退叟，福建长乐人。光绪三年进士。历主陕西同州、丰登、江西漳州、白鹿洞、福建致用书院。有《赌棋山庄集》六十八卷。事迹见《赌棋山庄集》卷首诸序。

汪鋆（1820—1893）生。鋆字芸石，晚年别号不知何许斋主人，安徽歙县人。道光二十九年拔贡。咸丰二年应顺天乡试中副榜。五年中举。九年奉旨记名国子监学正。

光绪十九年病逝。平生诗稿失落，仅《知不可斋咏史诗》传世。事迹见《知不可斋咏史诗》潘庆澜叙。

王德馨（1820—1888）生。德馨字玉才，号仲兰，浙江永嘉人。道光十八年补县学生。七应乡试不中。有《雪蕉斋诗钞》四卷、《雪蕉斋诗钞补编》一卷。事迹见池源翰《王仲兰先生墓志铭》、王朝瑞《显考仲兰府君行略》。

古拉兰萨（1820—1851）生。古拉兰萨，蒙古族，内蒙古（今辽宁北票县下府乡人）。少学汉文化，喜读汉族古代五、七言律诗、绝句及长短句。咸丰元年卒，年三十一岁。平生作诗八十首，对联十副。其诗以创作为主，亦有少量译作，以蒙文译《红楼梦》中诗句，并译《水浒》多半部，惜未传世。事迹见赵永铣《蒙古族杰出诗人古拉兰萨及其诗歌》。

汪荣棠（1820—1871）生。荣棠字苊庭，号芙蓉湖长，晚号余翁，江苏无锡人。咸丰六年，任浙江某县知县。著有《曼陀罗华馆集》二卷。事迹见其诗集。［生卒年据江庆柏《清代人物生卒年表》。］

朱鉴成（1820—1865）生。鉴成字眉君，号麋坰，四川富顺人。同治三年中举，捐官中书舍人。次年卒于北京。有《朱眉君诗集》八卷、《题凤馆词稿》一卷、《题凤馆文稿》一卷。事迹见《题凤馆稿》。

周闲（1820—1875）生。闲字小园，号存伯，别署存翁、范湖居士、范湖余史，浙江秀水人。同治元年任江苏新阳知县，旋罢去。寄迹苏州，卖画自给。有诗六卷、词八卷、古文、骈体四卷等，皆毁于战乱。仅存遗稿六卷，由其后人辑成《范湖草堂遗稿》刊行。事迹见《范湖草堂遗集》。

徐光发（1820—1861）生。光发字润斋，江苏铁沙人。少习举子业，弱冠弃儒从商，亦不废吟咏。喜游历。咸丰十一年，以士绅身份组织团练与太平军相对抗，卒于军中。有《梅花山馆诗钞》二卷。事迹见陆树滋《殉难绅士徐润斋传》。

卢德仪（女，1820—1865）生。德仪字俪兰、梅邻，浙江黄岩人。举人埙女孙，肃埏女，同县王维龄室，同治庚午举人太常寺少卿彦威、诸生彦澂、通判彦载、彦武、彦鼓母。有《焦尾阁遗稿》。事迹见张文虎《王孺人传》、王彦威《先母卢太淑人事略》。

邹炳泰卒，年八十。据朱彭寿《清代人物大事纪年》。王昶曰："晓屏清真廉介，素以名节自持，山东、江西两任学政，非特苞苴屏绝，即偶有承筐，亦必却也。诗喜明七子，而风格实在青邱、渔洋间，清妙之致，溢于楮墨。五言如：'疏梧不藏月，深竹解迎秋'；'晚风渔火小，细雨估船稀'；'归僧松影外，清磬竹声中'；'林藏两厓合，楼出一峰高'；'细雨高城雁，秋声古戍笳'；'潮声到关尽，帆影上城来'；'人归谷雨后，门卷竹风初'；'东岭犹藏雪，南湖已送潮'。七言如：'山钟过涧初知寺，江月升舟欲上潮'；'长廊古佛明灯夜，高馆秋槐听雨时'；'霜后园林如我瘦，溪前门巷几家新'；'山回晴郭犹含雾，风定寒芦不作秋'；'破屋自听蕉叶雨，平桥同试藕花风'；'石磴茶香清暑后，书窗梧韵晚凉余'；'近郭花明秋浦月，过桥鸿落蓟门霜'；'极浦帆樯浮郡郭，秋山风雨到城楼'；'病余不受三春色，雨后初逢六月花'。皆如列子御风，泠然而善。又撰《午风堂丛谈》，名公佳话，词林典实，多撝其中，足为史学之助。"（《蒲褐山房诗话》卷三三）《晚晴簃诗汇》卷九十五收诗五首。

刘嗣绾卒，年五十九。据朱彭寿《清代人物大事纪年》。《晚晴簃诗汇》卷一百十九收其诗十二首，诗话云："芙初相门子，年十二三学为诗，少作明艳，后乃沈博排戛，进为清遒骏厉，而心力已衰。诗分四十三集，集各有小序，可作年谱。曾宾谷刊其诗，郭频伽序之，谓其身世之荣悴，心灵之感兆，胥于是见。而其辞能工，足以传矣。"

温承恭卒，年五十八。据《国朝诗人征略》初编卷五六引《听松庐文钞》。

杨复吉卒，年七十四。据朱彭寿《清代人物大事纪年》。

张含章约本年在世。含章字逢源，四川成都人。著有《通俗西游正旨》一百回。事迹见《中国通俗小说书目》。

黄彦约本年在世。彦字友松，号艺庵，江苏常熟人。著有《艺庵遗诗》一卷。事迹见李濬之《清画家诗史》。

释了义约本年在世。了义初名常清，号松光，嘉庆间杭州南屏净慈寺僧。与同时名士陈文述等交游。有《妙香轩诗钞》。事迹见蒋宝龄《墨林今话》。

江淑则（女）约本年在世。淑则字阆仙，江苏昭文人。昭文举人江之升女，常熟附生俞纶钟室。有《独清阁诗钞》四卷、《词赋》一卷。事迹见《清代闺阁诗人征略》、《苏州府志》。

黄婉璩（女）约卒于本年后。婉璩字葆仪，湖南宁乡人，本骥侄女。有《茶香阁遗草》。事迹见邓显鹤《南村草堂文钞》、施淑仪《清代闺阁诗人征略》。

第五章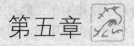
道光元年辛巳至道光十九年己亥（1821—1839）共19年

·引 言·

王国维《沈乙庵先生七十寿序》：道咸以降，学者尚承乾嘉之风，然其时政治风俗已渐变于昔，国势亦稍稍不振，士大夫有忧之而知所出，乃或托于先秦、西汉之学，以图变革一切，然颇不循国初及乾嘉诸老为学之成法，其所陈夫古者，不必尽如古人之意，而其所以切今者，亦未必适中当世之弊。其言可以情感，而不能尽以理究，如龚瑟人、魏默深之俦，其学在道咸后，虽不逮国初乾嘉二派之盛，然为此二派之所不能摄其逸而出此者，亦时势使之然也。

丁福保《畴隐居士学术史》：有清一代，为许、郑之学者，以江浙为最盛。刘逢禄、龚自珍、魏源、宋翔凤，倡为今文之学，摭拾西汉残缺之文，欲与许、郑争席。至康有为、廖平之徒，肆其邪说，经学晦盲而清室亦因之而屋焉。追原祸始，至今于龚、魏，犹有余痛。……常州之学，本分二派。一为今文学派，庄氏一家开之。传至龚、魏，横流极矣。然其学通天人之故，接西京之传，盖得董、贾之精微，而非如龚、魏之流于狂易。江藩《汉学师承记》不列其名与书，殆有彼哉之意乎？

朱一新《无邪堂答问》卷一：公羊家多非常可怪之论，西汉大师自有所受，要非心知其意鲜不以为悖理伤教，故为此学者，稍不谨慎，流弊滋多。近儒惟陈卓人深明家法，亦不过为穿凿。若刘申受、宋于庭、龚定盦、戴子高之徒，蔓衍支离，不可究诘，凡群经略与《公羊》相类者，无不旁通而曲畅之，即绝不相类者，亦无不锻炼而傅合之，舍康庄大道，而盘旋于蚁封之上，凭臆妄造，以诬圣人，二千年来，经学之厄，盖未有甚于此者也。

朱一新《无邪堂答问》卷二：近时龚定盦、魏默深纵横学《国策》，廉悍学《韩非》，颇足补桐城之所未逮。龚胜于魏，而伪体尤多。定盦才气，一时无两，好为深湛之思，而中周、秦诸子之毒，有时为彼教语，亦非真有得于彼教，聊以佐其荡肆而已。刻深峭厉，既关性情；荡检偷闲，亦伤名教。学之颇多流弊。魏氏虽不及其精深，尚未至如是横决。

《佩弦斋杂存》卷二《复傅敏生妹婿》：国朝古文，以桐城为正宗，而魏叔子、汪钝翁、姜西溟导其先。桐城祖述八家，实则祢震川而宗永叔，其义法谨严，则百世不能易也。而沿其流者，才力少弱。近人如曾文正、魏默深，则笔力恣横，间涉伪体。

若庵定盦又下一格矣。

平步青《霞外捃屑》：道光后迄今，文章家厌桐城派之易入庸浅，李、包、龚、魏、凌、蒋诸家出，远绍周、秦诸子，其论有是有非，其文亦有当有不当，非专主一家言也。

朱之榛《定盦文集补编题后》：国朝文家，至桐城始轨于正。方、姚而后，门徒传习，寖失真源。独上元梅氏曾亮、嘉兴钱氏仪吉及文正曾公，于桐城洵有扶衰救病之功。其他不立宗派，而卓荦可传，若胡氏天游、汪氏中、彭氏绩、龚氏自珍，咸能独造深峻，自名一家。盖桐城之文，如泰山主峰，端然不可亵视；而诸公之文，则如徂徕、新甫，与岱宗揖让俯仰于百里之间，不自屈抑，夫亦一代文字之雄也。（《龚定盦全集》）

章炳麟《太炎文录·校文士》：魏源、龚自珍则所谓伪体者也。源故不学，惟善说满洲故事，晚乃颠倒《诗》、《书》以钓名声，凌乱无序，小学尤疏缪，而詝詝自高，以为微言大义在是。其持论或中时弊，而往近于怪迂。自珍承其外祖之学，又多交经术士，其识源流，通条理，非魏之侪，然大抵剽窃成说而无心得。其以六经为史，本之《文史通义》，而加华词；观其华，诚不如观其质者。若其文词侧媚，自以为取法晚周诸子，而佻达无骨体，视晚唐皮陆且弗逮，以校近世，犹不如唐甄《潜书》之近实，而后世信其诳耀，以后巨子，诚以舒纵易效，又多淫丽之词，中其所嗜，故少年靡然乡风。自珍之文贵于世，而文学涂地垂尽，将汉种灭亡之妖耶？孔子云："觚不觚，觚哉觚哉！"

康有为《新学伪经考》：道咸后，今学萌芽，然与伪经并行尊信，未能别白真伪，决定是非，今学者舍伪从真而知所从事也。吾向亦受古文经说，然自刘申受、魏默深、龚定盦以来，疑攻刘歆之伪作多矣！吾蓄疑于心久矣！

左宗棠《左文襄公书牍》卷二十四《二十四庚辰答陶少云书》：道光朝，讲经世之学者，惟默深与定盦。实则龚博而不精，不若魏之切实而有条理。

李柏荣《日涛杂著》第一卷：道光朝内阁中书舍人，多异才隽彦。龚自珍定盦以才，魏源默深以学，宗稷辰越岘以文，吴嵩梁兰雪以诗，端木国瑚鹤田以经术，时号"薇垣五名士"。

姚莹《汤海秋传》：道光初，余至京师，交邵阳魏默深、建宁张亨甫、仁和龚定盦及君。定盦言多奇僻，世颇訾之。亨甫诗歌几坠作者。默深始治经，已更悉心时务，其所论著，史才也。君乃自成一子。是四人者，皆慷慨激厉，其志业才气，欲凌轹一时矣。（《中复堂全集·东溟文后集》卷十一）

左宗棠《前江南道监察御史黎君墓志铭》：道光咸丰之际，天下甚苦兵事，其端发于泰西英吉利以鸦片触禁令。（《续碑传集》卷十九）

张澍《养素堂文集·上阮芸台书》：清初诸家，首辟荆棘，批窍异颖，足可研寻。沿及近时，遗其宏纲，拾其琐屑。时有创获，剿袭为多。

王国维《观堂集林·沈乙庵先生七十寿序》：国初之学大，乾嘉之学精，而道咸以来之学新。

陈谧《太鹤山人年谱》后记：当清道光之朝，内阁中书多异人：龚自珍以才胜，魏默深以学胜，宗稷辰越岘以文胜，吴嵩梁兰雪以诗胜，而鹤田以经术胜。是有"薇垣五名士"之目。

苏完恩锡《洪北江先生遗集序》云：自古文章之士未有不本于经术。……至范史始分儒林、文苑为二，自是以后，治朴学者，拾郑孔之余唾，鹜词华者，猎齐梁之浮艳，经术文章歧而为二，而学问之事亦少衰矣。我朝正学昌明，人文蔚起，江南尤其渊薮。儒林、文苑代有其人。乾嘉间，诸老辈各树坛坫，后先相望，而常州之学尤甲海内。如张氏惠言之治郑、虞《易》，刘氏逢禄之治公羊《春秋》，皆卓然一家之言也。

徐珂《清稗类钞》卷七十《词学名家之类聚》：后七家者，张惠言、周济、龚自珍、项鸿祚、许宗衡、蒋春霖、蒋敦复也。惠言，字皋文。周济，字保绪，号止庵。自珍，字定盦。鸿祚，字莲生。宗衡，字海秋。春霖，字鹿潭。敦复，字剑人。七家中，莲生、海秋、鹿潭之作，大都幽艳哀断，而鹿潭尤婉约深至，流别甚正，家数颇大，人推为倚声家老杜。合以张琦、姚燮、王拯三家，是为后十家，世多称之。

邓之诚《骨董琐记》卷六《小说禁例》：康熙五十三年（1714）四月谕礼部，朕惟治天下以人心风俗为本，欲正人心，正风俗，必崇尚经学而严绝非圣之书，此不易之理也。近见坊间多卖小说淫辞，荒唐鄙俚，殊非正理，不但诱惑愚民，即搢绅士子，未免游目而蛊心焉。所关于风俗者非细，应即通行严禁。其书作何销毁，市卖者作何问罪，著九卿詹事科道会议具奏。寻议定，凡坊肆市卖一应小说淫辞，在内交于八旗都统、都察院、顺天府，在外交与督抚，转行所属文武官弁，严查禁绝，将板与书一并尽行销毁。如仍行造作刻印者，系官革职，军民杖一百，流三千里，市卖者杖一百，徒三年；该管官不行查出者，初次罚俸六个月，二次罚俸一年，三次降一级调用。又道光十四年（1834）二月，特谕申禁坊肆淫书小说。据此，知明季以来小说，多不传于世，实缘康熙有此厉禁。自乾隆中叶以后，托于海宇承平，禁例稍宽，《红楼》、《绿野》、《儒林》、《镜花》诸著，遂盛行一时。虽道光申禁，而《品花》成书于丁酉（1837），在禁后二年，《儿女英雄评话》，且出于朝士文康之手。唯小说为道、咸后重刻者，略删猥亵过甚语而已。或谓是时宫禁中流传甚广，故不能绝。

杨懋建《辛壬癸甲录》：于时京城歌楼擅名者，分为四部：曰"春台"，曰"三庆"，曰"四喜"，曰"和春"，各擅胜场，以争雄长。……自乾隆间，蜀伶魏长生在双庆部，其徒陈渼碧在宜庆部，相继作秦声以媚人，京腔以次销歇。寻又有侍御于酒座批小生颊，遽登白简，落职去。由是朋酒之宴，相戒无敢复听王府大班者。今日惟和春尚是王府班，然吹律不竞久矣。四喜为嘉庆间名部，乃道光以来，部中人又多转入春台、三庆部。《都门竹枝词》所云"新排一曲《桃花扇》，到处哄传四喜班"者，今亦歌板酒旗，零落尽矣。一时征歌者必推春台、三庆，翕然无异词。辛卯，仪慎亲王生辰，征嵩祝部入府承值。……嵩祝部一时声誉顿起。座上客常满。有隔日预约，不得入座者。从此征歌舞者，首数嵩祝，不复顾春台、三庆矣。今距韵香之没，逾三年。春台、三庆，名辈林立。且多后来之秀。望之如芝兰玉树，森列庭阶。而嵩祝座中人，不少减于畴昔者。（张次溪编纂《清代燕都梨园史料》正续编）

杨懋建《长安看花记》：嘉庆以还，梨园子弟多皖人，吴儿渐少。……道光初年，京师有集芳班。仿乾隆间吴中集秀班之例，非昆曲高手不得与。一时都人士争先听睹为快。而曲高和寡，不半载竟散。其中固大半四喜部中人也。近年来，部中人又多转

徙入他部，以故吹律不竞。（张次溪编纂《清代燕都梨园史料》正续编）

《梨园佳话》：嘉道之后，海内晏安，仕绅宴会，非音不尊；而郡邑城乡，岁时祭赛，亦无不有剧。用日以多，故调日以下。伶人苟图射利，但求窃似，已足充场，故从无新声新曲出乎其间。《缀白裘》之集，犹乾隆时本也。道光之季，洪杨事起，苏昆沦陷，苏人至京者无多。京师最重苏班，一时技师名伶，以南人为最多。自南北隔绝，旧者老死，后至无人；北人度曲，究难合拍，昆曲于是乎衰微矣。

公元 1821 年（道光元年　辛巳）

正月

初四日，彭兆荪卒，年五十三。据《彭湘涵先生年谱》。《晚晴簃诗汇》卷一百十："甘亭早慧，其父官宁武，侍游塞上，朔管霜笳，文情壮越。居十年，奉亲南还。家中落，客江淮间，声誉益起。其诗藻采拟渊颖，风骨亚青邱，气局音律敦空同、大复。邵荀慈论文谓当于藻丽丰缛之中存简质清刚之制，甘亭诗殆近之。甘亭故工骈俪，在曾宾谷幕中撰定《骈体正宗》，标示轨范，传诵于时。兼通考订校雠之学，客胡果泉所，与顾千里同校《通鉴》、《文选》，并为善本。晚年学道，旁及内典，有《忏摩录》之作，盖又深究身心，不欲徒以文章名也。"收诗二十一首。

道光帝即位。诏天下举孝廉方正之士，陆耀遹等四人得选。据《收庵居士自叙年谱略》。

吴荣光奉旨调补福建盐法道。据《荷屋府君年谱》。

龚自珍在吴中与顾广圻作探梅之游。据《定盦先生年谱》。

二月

十二日，焦廷琥卒，年四十。据闵尔昌《焦理堂先生年谱》。《晚晴簃诗汇》卷一二三收其诗二首。

孙玉庭奉旨授协办大学士，仍留两江之任。据《寄圃老人自记年谱》。

刘文淇序凌曙《公羊问答》。据《刘孟瞻先生年谱》。

三月

周之琦特授四川盐茶道。据《稚圭府君年谱》。

翁心存游南昌。与江右名士同游，得诗甚多。据《先文端公年谱》。

林则徐、许乃谷、张应昌共游西湖名胜。林则徐作《春暮偕许玉年乃谷、张仲甫应昌诸君游理安寺、烟霞洞、虎跑泉，六和塔诸胜，每处各系一诗》，见《云左山房诗钞》卷二。

四月

初八日，王必达（1821—1881）生。必达字质夫，号霞轩，临桂人，祖籍山阴。

道光二十三年举人。历官江西建昌知县、南昌知府、饶州知府、江西按察使。事迹见《甘肃安肃兵备道调补广东惠潮嘉兵备道临桂王公神道碑铭》（《续碑传集》卷三十八）。

十六日，吴仰贤（1821—1887）生。仰贤字牧驹，室名小匏庵，浙江嘉兴人。咸丰二年进士。官云南知县、知府、兵备道。著有《小匏庵诗存》六卷。事迹见朱彭寿《清代人物大事纪年》。

戈载自序所撰《词林正韵》三卷。据朱彭寿《清代人物大事纪年》。

五月

张澍自刻二酉堂丛书成，凡二十六种。有《司马法》、《子夏易传》、贾逵《左传解诂》、赵岐《孟子章指》、《周生烈子》、挚虞《决疑要注》、辛氏《三秦记》、《三辅旧事》、《三辅故事》、刘昞《十三州志》、《敦煌实录》、段龟龙《凉州记》、《凉州异物志》诸书。版藏二酉堂。据《张介侯先生年谱》。

钱宝琛与修《仁宗睿皇帝实录》。十二月，简放贵州学政。据《颐寿老人年谱》。

六月

十六日，丁绍周（1821—1873）生。绍周字濂甫，江苏丹徒人。道光三十年进士。历官编修、中允、监察御史、侍读学士、太仆寺少卿、实录馆纂修、功臣馆纂修。著有《蜀游草》一卷。事迹见孙衣言《丁濂甫墓志铭》（《续碑传集》卷十七）。[生日据朱彭寿《清代人物大事纪年》。]

二十日，龙文彬（1821—1893）生。文彬字筠圃，江西永新人。同治四年进士，授吏部主事。旋乞假归，主讲友教等书院。著有《永怀堂诗文钞》。事迹见《清史列传》刘绎传附。[生日据朱彭寿《清代人物大事纪年》。]

李兆洛整理旧著为《海国纪闻》二卷。是书乃据吴兰修《海录》增补而成。兆洛后又翻检官修诸史之有关记载，辑成《海国集览》一卷。《武进李先生年谱》："其博异固足补前史之阙，供后史之求矣。"

汤金钊放江南正考官。十一月回京，兼署户部右侍郎。据《先文端公自订年谱》。

夏

石韫玉、黄丕烈等有修《苏州府志》之举。是志石琢堂、潘文恭公主其事，黄丕烈与纂修之列。是岁，黄丕烈刻顾凤藻《夏小正集解》成。据江标编《黄荛圃先生年谱》。

张澍成《关辅人物咏》六十二首。据《张介侯先生年谱》。

龚自珍考军机章京，未录。赋《小游仙》十五首，遂破戒作诗。据《定盦先生年谱》。

七月

初一日，成书卒于兰阳县行次，年六十二。赠都统。所撰《多岁堂诗集》四卷、《载赓集》二卷、《附集》一卷成，诸集皆卒后始刻，见刘治序。据朱彭寿《清代人物大事纪年》。《晚晴簃诗汇》卷一百五："倬云为宝臣尚书铁良高祖，以朴诚结主知。嘉庆中疏请保护圣躬，言人所不敢言，因事屡遭谴谪。幼好吟咏，年十六作《春雨》诗，以才调见长，及入秦陇后，诗境日高，五古近杜，七古近韩。"收诗十二首。

初一日，和瑛卒，年八十二。据朱彭寿《清代人物大事纪年》、江庆柏《清代人物生卒年表》。《晚晴簃诗汇》卷九十四："简勤公为吾师席卿家宰曾祖，乾隆季年以内阁学士出为驻藏大臣，尝撰《西藏赋》，山川风土，源流沿革，采撷綦详。《诗钞》道光初刻行，吴兰雪为序，余从厂市得稿本五册，有燕庭藏书小印，盖刘氏嘉树簃故物也。"收诗十二首。

初十日，秦瀛卒，年七十九。陈用光《予告刑部右侍郎秦公遂庵墓志铭》："公于诗、古文及制举业皆力追古人风格，而能有所自得。少时为齐次风、杭堇浦所知。既得举，则见重于窦东皋。官京师，与王惕甫、鲁山木先生以文字相质论。及见姚姬传先生，弥有契合焉。"（《续碑传集》卷八）《晚晴簃诗汇》卷九六："凌沧承苍岘家学，故以小岘自号，因以名其集。献赋行在，独知赋题出处，得蒙赏拔，以舍人值枢密，出领监司，历浙湘粤诸省，三陟二卿，扬历所至，山水留题，宾朋酬接，辄形诸歌咏，从容和雅，具见承平文物之盛。"收诗九首。

十九日，许桂林卒，年四十三。所撰《穀梁释例》四卷卒后始刻。据朱彭寿《清代人物大事纪年》。

阮元于广州任内刻《江苏诗征》成。阮元序云："嘉庆元年，余在浙督学，选辑国朝浙人之诗曰《两浙辅轩录》刻之。又选辑国朝扬州府及南通州之诗曰《淮海英灵集》刻之。复欲辑江苏各府州之诗，劳劳政事，未能也。岁丙寅、丁卯间，伏处乡里见□屏洲王君柳村储积国朝人诗集甚多，而江苏尤备。柳村欲有所辑，名之曰《江苏诗征》。余乃岁资以纸笔钞胥。柳村遂益肆力征考，于各家小传、诗话尤多采择。""柳村选诗谨守归愚《别裁》家法，虽各适诸家之才与派，而大旨衷于雅正。忠孝节义、布衣逸士诗集未行于世者，所录尤多。可谓摅□旧之蓄念，发潜德之幽光者矣。丙子岁，辑成五千四百三十余家，勒为一百八十三卷。""入粤，同里江君郑堂藩、许君楚生珩、凌君晓楼曙皆在粤馆，爰嘱三君子删订校正之。"（《雷塘庵主弟子记》）闵尔昌编《江子屏先生年谱》："是书王柳村所辑，文达束其稿。入蜀，嘱江藩、许楚生、凌晓楼删订校正者也。"

八月

初四日，吴堦卒，年六十五。陆继辂《山东曹州知府吴君堦墓志铭》："与怀宁余鹏少云、同县黄景仁仲则齐名京洛。三君者，才日益奇，遇亦日益困。"（《碑传集》卷一一〇）

十九日，张海珊卒，年四十。据张生洲《张先生海珊行状》（《碑传集》卷一四一)。《晚晴簃诗汇》卷一百三十："铁甫与同里张牃父交莫逆。论诗自谓好为宎渺超脱之致，而刻画清微、澄然风露之表，则牃父所独得，己不能到也。辛巳榜前卒，主试汤文端为作传，称为明体达用之彦，得其人而不收其用，极惋惜之。"收诗九首。

二十五日，**李元度**（1821—1887）**生**。元度字次青、笏庭，平江人。道光二十三年举人。官至云南按察使。著有《天岳山馆诗文钞》，辑有《国朝先正事略》。事迹见王先谦《诰授光禄大夫贵州布政使李公神道碑》（《续碑传集》卷三十九）、《清史列传》本传、《清史稿》本传。

二十六日，**江藩会曾钊并为作《隶经文序》**。闵尔昌编《江子屏先生年谱》："冕士称先生善汉学，不喜唐宋文，每酒后耳热，自言文无八家气云。"

陶澍调任福建按察使。据《陶文毅公年谱》。

茹棻卒，年六十七。据朱彭寿《清代人物大事纪年》。《晚晴簃诗汇》卷一百五收其诗二首。

九月

初八日，**李尧栋卒**，年六十九。陈用光《前湖南巡抚李公神道碑铭》："公少以文学有声馆阁；中而勤敏其职，譬校秘书，详核审慎。""公又工于应制文字，屡任衡文之役。向例，主江西试正考官多卿贰，而公以编修被命，异数也。其前后所拔取多名士，后多历卿贰、任封疆者。"（《续碑传集》卷二十一）

初八日，**阮元兼署广东学政印**。《雷塘庵主弟子记》："时学政顾公元熙病故也。"

秋

乡试。所取举人有俞正燮（《俞理初先生年谱》）、丁晏（《丁柘亭先生历年纪略》）、黄本骥（《清史列传》本传）、宗稷辰（《碑传集补》卷一七）、瑞元等。魏源又中顺天副榜。据魏耆《邵阳魏府君事略》（《魏源集》附录）。

戴均元主顺天乡试。均元偕那彦成、顾皋校阅是科广额，得士查咸勤等二百九十九人。据《戴可亭相国夫子年谱》。

何凌汉充山东乡试正考官。据阮元《诰授光禄大夫经筵讲官户部尚书晋赠太子太保谥文安何公神道碑铭》。

十月

孙尔准补授安徽巡抚。据《平叔府君年谱》。

陶澍擢授安徽布政使。据《陶文毅公年谱》。

端木国瑚作《赐研堂丛书序》。本年，国瑚始撰《周易指》，凡十六年而成。据《太鹤山人年谱》。

潘世恩自序《律赋正宗》一卷。据朱彭寿《清代人物大事纪年》。

陆继辂自序所编《七家文钞》七卷。据朱彭寿《清代人物大事纪年》。

十一月

魏成宪补授山东道监察御史。据《仁庵自记年谱》。

十二月

初二日，俞樾（1821—1907）生。樾字荫甫，晚号曲园居士，浙江德清人。道光二十四年举人，三十年成进士。历官编修、河南学政。罢归后主苏州紫阳等书院。所著合为《春在堂全书》。事迹见《曲园自述诗》、缪荃孙《清诰授奉直大夫诰封资政大夫重宴鹿鸣翰林院编修俞先生行状》（《续碑传集》卷七十五）、《清史稿》本传。

二十二日，李士棻（1822—1885）生。士棻字芋仙，四川忠州人。道光二十九年拔贡。咸丰五年乡试中副榜。后入曾国藩幕。十一年保举为知县，历临川、南丰。著有《天瘦阁诗半》六卷。事迹见朱彭寿《清代人物大事纪年》。

除夕，龚自珍与彭蕴章同寓城南圆通观，时同官中书也。据《定盦先生年谱》。又，龚自珍本年诗有《能令公少年行有序》、《廖落》、《暮雨谣三叠》、《城北废园将起屋，杂花当楣，施斧斤焉。与冯舍人启橥过而哀之，主人诺，冯得桃，余得海棠，作救花偈示舍人》、《柬陈硕甫奂，并约其偕访归安姚先生》、《科日小病寄家书作》、《夜读番禺集，书其尾》等。

杜堮督学浙江。至道光乙酉十一月，任满旋京。据《杜文端公自订年谱》。

本年

禁士民挟优。王利器辑录《元明清三代禁毁小说戏曲史料（增订本）》："道光元年奉上谕，士民挟优酿饮，耗竭资财，旷废职业，因此导侈长恶，不得不严行饬禁。嗣后有征逐歌场、招摇侈肆者，随时严拿惩办，以杜奢靡习尚。"

龚自珍在内阁充国史馆校对馆。《定盦先生年谱》："在内阁充国史馆校对馆。时馆中方重修《一统志》，先生上书总裁，论西北塞外诸部落沿革，订旧志之疏漏，凡一十八条。先是桐乡程春庐大理同文修《会典》，其《理藩院》一门，及青海西藏各图，皆开斜方而得之，属先生校理，是为天地东西南北之学之始，而于西北两塞外部落、世系、风俗、山川形势、原流分合，尤役心力，洞明边事，雅称绝诣。"

姚椿举孝廉方正，辞不就。据沈曰富《姚先生行状》。

钱泰吉秋试报罢，乃援例以训导候选。据曾国藩《钱君墓表》。

邓廷桢迁湖北按察使。陈石士、吴嵩梁有诗送行。冬，复擢江西布政使。据《邓尚书年谱》。

朱为弼授河南道监察御史。据《漕运总督朱公墓表》（《续碑传集》卷二十二）。

唐仲冕擢福建按察使。据《诰授通奉大夫护理陕西巡抚陕西布政使司布政使唐公神道碑铭》（《续碑传集》卷二十一）。

麟庆与修《实录》，为总纂提调官。据宗稷辰《前江南河道总督完颜公墓志铭》。

程恩泽得旨在南书房行走，同祁寯藻俱被召见。旋奉旨校刻《养正书屋集》。据阮元《诰授荣禄大夫户部右侍郎兼管钱法堂事务春海程公墓志铭》(《续碑传集》卷十)。

曹振镛晋太子太傅。据《曹振镛传》(《续碑传集》卷二)。

黎恂丁父忧回籍。自此十余年不复出,乃致力于学。据郑珍《云南东川府巧家县同知舅氏雪楼黎先生行状》。

蒋因培因事戍军台。未几,释归,遂不复出。据黄安涛《山东齐河县知县蒋君墓志铭》(《续碑传集》卷三九)。

方东树主粤东廉州海门书院。据《方仪卫先生年谱》。

宋翔凤、王嘉禄、戈载、朱绶等集会。朱绶作《简籢消寒集记》,见《知止堂文集》五。

潘曾沂、梁章钜、吴嵩梁等在京举宣南诗社。据《小浮山人自订年谱》。是时,诗社月凡数举,常与会者九人,集地为宣武坊南潘住所。宣南诗社因取消寒诗社之名而代之。潘曾沂《小浮山人手订年谱》:"同人招入宣南诗会,月辄数举,以九人为率。东乡吴兰雪舍人嵩梁、新城陈硕士学士用光、泾县朱兰友宫赞琦、长乐梁芷邻观察章钜、宜黄谢向亭学士阶树、嘉兴钱衎石侍御仪吉、同县董琴南侍御国华、歙县程春海侍讲恩泽及余也。""同会宣南诸公,风流蕴藉,出言有章,以示其标格。"道光四年潘曾沂尝请王学诰绘《宣南诗会图卷》。后曾沂由京回苏,邀朱绶作《宣南诗会图记》,记曰:"宣南,宣武坊南也。诗会图者,述交也。吴县潘君功甫官中书舍人僦居其地,而一时贤士大夫偕之宴游,于是乎识之也。会以九人为率。记人则东乡吴舍人嵩梁、新城陈学士用光、泾县朱宫赞琦、长乐梁观察章钜、宜黄谢学士阶树、嘉兴钱侍御仪吉、吴县董太守国华、歙县程付讲恩泽也。壬午,长乐梁观察守楚中。癸未,歙县侍讲典黔试,泾县宫赞乞养归,益以华亭张舍人祥河、临川汤舍人储璠、侯官李侍读彦章,仍九人也。先是,与斯会者有安化陶中丞澍、泾县胡廉访承珙、祥符周观察之琦、嘉善黄太守安涛、侯官林廉访则徐,而功甫以辛巳入都,中丞诸公皆官于外,不列九人之数也。绶惟京师首善之区,天下人才所辐辏,国家承平日久,士大夫褒衣博带,雅歌投壶,相与扬翮休明,发皇藻翰,不独艺林之佳话,抑亦熙化之盛轨也。而诸君又皆能以风雅之才,求康济之学。今之官于外者莫不沈毅阔达,卓卓然有所表见,则足信斯会之不凡而功甫之取友为不可及已。绶穷巷下士,目未睹皇都之壮丽,未尝与并世贤豪长者通缟纻,得与功甫游,稍稍闻言诸君之概。方今海宇宴安,人民静谧,而事之待理者渐多,坐言而起行之,兴利除害,为国万年有道之福,则不仅以区区文字夸交际,而一时聚散之故,无足感也。"(潘曾沂《功甫小集》卷八自题诗后附)张祥河曰:"宣南诗社,京朝士夫朋从之乐,无以逾此。或消寒,或春秋佳日,或为欧苏二公寿。始则陶云汀制军澍、周稚圭中丞之琦、钱衎石给谏仪吉、董琴南观察国华诸公。继则鲍双湖侍郎桂星、朱椒堂漕帅为弼、李兰卿都转彦章、潘功甫舍人曾沂诸公。后则徐廉峰太史宝善、汪大竹比部全泰、吴小谷太守清皋、西谷府丞清鹏诸公。其间人事不齐,旋举旋辍。而余与吴兰雪舍人嵩梁,每举必预。陶制府官江南时,岁寄宴费。余监司山左,亦仿此例。至是辄忆野寺看花,凉堂读画,为不可多得之胜事矣。"(张祥河《关陇舆中偶忆编》)

李富孙馆姑苏,刻《周易异文释》六卷。据《校经庼自订年谱》。

莫与俦《青田山庐诗钞》定稿。《独山莫贞定先生年谱》："按先生自己巳应聘主讲紫泉，至是已十二年。是年，遵义黎雪楼恂丁父忧解官归家，居凡十四年，道光癸巳，始再起云南知县。"

盛大士作《时疠行》、《运租行》、《筑堤行》、《淮关吏》等诗，述淮安事。据《蕴愫阁续集》。

李兆洛纂集宋以来论海外书编为《海国集览》一卷。据《武进李先生年谱》。

张际亮删订庚辰至是年诗计七十三首。诗见李云诰编《张亨甫全集·诗编》卷四。据《张亨甫先生年谱卷目》。

冯登府编《清芬集》八卷成，见自序。据朱彭寿《清代人物大事纪年》。

周之琦自编《金梁梦月词》二卷成。〔按，此书无自序，以所刻至辛巳止，系于此年。〕据朱彭寿《清代人物大事纪年》。

钦善初定所著文稿，周郁滨为题词。据《吉堂文稿题词》。

朱彬辑本土人诗为《白田风雅》二十四卷成。据《白田风雅序》。

钮树玉客平湖，作《白鹄山房集跋》。据《匪石先生文集》下。

陆继辂与薛玉堂于卢州合纂方苞以下桐城派诸家文为《七家文钞》。据《梁溪文钞》三六。

张履初定所著诗为《静观斋诗》。据《积石文稿》六。

邱心如此际始编写《笔生花》弹词。据《笔生花序》。

侯芝改订《再生缘》弹词成。据《改本再生缘自序》。

冯登府辑《清芬集》八卷、《续曝书亭外集诗》一卷。撰《北宋嘉祐石经考异》成。本年，冯登府删前《种芸词》二卷，合通籍后重订，仍得二卷，曰《花墩琴雅》。刘宫保曰："《琴雅集》有白石之清空，无梦窗之质实，例之宋贤，于中仙、梅溪为近。"据《冯柳东先生年谱》。

李兆洛在广东校刊张惠言《虞氏易礼》、《周易郑荀义》、《易义别录》、臧在东《孔子年表》诸书。《武进李先生年谱》："在广东校刊皋文先生所著《虞氏易礼》二卷、《周易郑荀义》三卷、《易义别录》十四卷、《虞氏易变动表》一卷、《易图条辨》一卷，并臧在东所著《孔子年表》、《孟子年略》等书。皋文《周易虞氏义》、《虞氏消息》、《仪礼图说》，阮公元既已刊行之。先生复刊其各种，由是，皋文一家之学备矣。"

钱泳将所刻《孝经》、《论语》、《大学》、《中庸》共计一百二十八石从扬州移置苏州郡学，立于明伦堂后敬一亭。阮元、曾燠皆有题记。据《梅溪先生年谱》。

左辅刊《念宛斋文》八卷、《书牍》五卷、《官书》八卷、祖姑母吴太恭人《青筠轩剩稿》一册。据《杏庄府君自叙年谱》。

姚文田《邃雅堂文集》十卷有本年刻本。

《韵鹤轩杂著》刊行。据王利器辑录《元明清三代禁毁小说戏曲史料（增订本）》。

戈载刻所编《词林正韵》四卷。据《江苏艺文志》。

青浦明斋主人刻《红楼评梦》四卷，评《红楼梦》。据《红楼梦书录》。

一枝山房刊行《青溪风雨录》二卷。《青溪风雨录》二卷，雪樵居士撰。江雪樵（？—1820?），江西人，别署雪樵居士。是书有道光元年一枝山房刊本、道光二十八年刊巾箱本。按此书所记多为青楼冶游之语，或以此而自讳名氏。书中记及嘉庆十六年秦淮逐妓事，作者感而赋诗纪之，可略知撰者及成书年月。据张寅彭《新订清人诗学书目》。

许鸿磐《儒吏完城》定稿。是剧一名《守浚记》，《六观楼北曲六种》之五。初稿当完成于嘉庆二十三年（1818），名《守浚记》。道光元年（1821）修改定稿，名为《儒吏完城》，未见著录，共四折。《儒吏完城北曲弁言》云：“吾友临桂朱韫山著《守浚日记》，述其拒滑贼事，既嘱余为序，又嘱余为之制曲。夫韫山一书生耳，乃能据危城抗强寇凡十余日。援至而城完，既保其境而西南邻邑皆资屏障，是亦可歌而可咏矣。时余养疴夷门，困顿无聊，且以文辞为破愁之具。岁云暮矣，风雨凄然，乃以病腕握冻笔为此曲四套以示韫山，韫山喜附其《日记》刻之。但雠校稍疏，间有讹字遗句，今皆添正。又有余续行修改处，故此本与彼本少有不同。”存嘉庆间刻《韫山六种曲》所收本，标名《守浚记》；道光间刊《六观楼北曲六种》本；同治甲戌年重刻本。据《古本戏曲剧目提要》。

杂剧《梦华因》存本年桐阴书屋刻本。是剧为鸥波亭长三撰。作者名姓不详，号鸥波亭长，今仅知其字子贞，浚仪（今属河南开封）人，嘉庆、道光时在世。其剧作今亦仅知有杂剧《梦华因》一种。《梦华因》约作于嘉庆年间，四折。本事无考，内容系作者虚构。《梦华因》见于《今乐考证》著录，作《梦花因》。今存道光元年（1821）桐阴书屋刻本，标曰《梦华因传奇》，实为杂剧，有李兆洛刘连毂序及左辅、邓廷桢等十余人所题诗词，署题“浚仪鸥波亭长填词，蓼园卫廷吟客按拍、季弟青豆山人参阅”，藏中国戏曲学院图书馆。姚燮《今乐府选》收有此剧，无序跋题词等。据《古本戏曲剧目提要》。

张道（1821—1862）生。道原名炳杰，字伯几，号少南、劫海逸叟，浙江钱塘人。诸生。著有《鱼浦草堂诗集》四卷、《南翁文集》三卷等。事迹见谭献《张道传》。

柯蘅（1821—1889）生。蘅字佩韦，室名春雨堂、蒨雨草堂、旧雨草堂，山东胶州人。从陈寿祺受汉学。著有《汉书七表校补》二十卷、《旧雨草堂诗集》四卷、《春雨堂诗选》一卷。事迹见《清史列传》陈寿祺传附、《清史稿》陈寿祺传附。

蒋超伯（1821—1875）生。超伯字叔起，江苏江都人。道光十九年举于乡。二十五年会试第一。咸丰五年补陕西司主事。六年充军机章京。十年授江西道监察御史。十一年授广西南宁知府。同治二年归。著有《通斋诗文集》、《爽鸠要录》等。事迹见《江都县志·蒋超伯传》（见《碑传集补》卷十七）。

温汝适卒于江西吉安舟次，年六十七。据朱彭寿《清代人物大事纪年》。

顾元熙卒，年四十一。据朱彭寿《清代人物大事纪年》。

吴鼐卒，年六十七。据朱彭寿《清代人物大事纪年》。《晚晴簃诗汇》卷一百十四：“王德甫曰：山尊胸藏二酉，力富五丁，所作骈体沈博绝丽，少为石君司农激赏，而诗才亦以韩孟皮陆为宗，斗险盘空，句奇语重，五言长古亦足以推倒一世。”诗话：“朱文正奏御文字，倩山尊属稿，故才名早达天听。晚以母老告归，主讲扬州书院，士论高之。诗古体妥贴排奡，才思纵横；近体风格气韵未臻高浑，不脱馆阁之习。”收其诗八首。

王初桐卒，年九十二。据张慧剑《明清江苏文人年表》。《晚晴簃诗汇》卷一百三收其诗五首。

吕星垣卒，年六十九。据张慧剑《明清江苏文人年表》。

潘有为卒，年七十八。据江庆柏《清代人物生卒年表》。

公元 1822 年（道光二年　壬午）

正月

本月至三月，林则徐居里中。时与师友陈寿祺、赵在田、萨玉衡、杨庆琛等诗酒聚会。杨应琛有诗纪其事，见《绛雪山房诗钞》卷七。

丁履恒、方履钱、陆耀遹、周仪暐、管绳莱、周济、张琦等集于常州之东坡旧馆。再集于扬州之静修俭养轩。李兆洛后嘱人画《同车图》记其事其人。据《武进李先生年谱》。

石韫玉、吴廷琛、吴信中、潘世恩等集于鹤寿山堂。《思补老人自订年谱》："时蔼人侍养在籍，棣华由浙入都，适与此会。"诸人皆有唱和诗。"黄尧圃主政丕烈以为梓乡盛事，汇刻一卷曰《四元倡和诗》。"

黄丕烈刊《四元唱和集》。江标编《黄尧圃先生年谱》："正月，先生以石琢堂先生、潘文恭公、元和吴棣华廉访、长洲吴霭人学士四人至虞山访书唱和诗刊于《士礼居丛书》之后，题曰《四元唱和集》。"又，黄丕烈本年六十岁，自号"抱守老人"。

朱骏声入都会试。馆福氏，与彭蕴章、顾元熙时相诗酒过从。据《石隐山人自订年谱》。

颜检复擢直隶总督。据《颜检传》（《续碑传集》卷二十一）。

汤金钊充国史馆副总裁。三月，汤金钊充会试副总裁，调户部右侍郎，兼署吏部右侍郎。据《先文端公自订年谱》。

二月

二十五日，颜宗仪（1822—1881）生。宗仪字雪庐，别号梦笠道人，浙江海盐人。咸丰三年进士。历官编修、侍讲学士、侍读学士、国史馆总纂、广东道员。著有《清邃堂遗诗》。事迹见张元济《颜雪庐先生传》。[生日据朱彭寿《清代人物大事纪年》。]

三月

初二日，林则徐由原籍启程北上，赴京补官。八月二十九日，简放江苏淮海道讯。十二月十四日就任。据来新夏《林则徐年谱》。

二十八日，阮元修《广东通志》成。据《雷塘庵主弟子记》。

会试。考官：户部尚书英和、礼部尚书汪廷珍、户部侍郎汤金钊、礼部侍郎李宗昉。题"子曰学如"一节，"诗云鸢飞"一节，"子贡曰见 其政"。赋得"春风风人"得"风"字。据《清秘述闻续》卷三。

祁寯藻充会试同考官。旋充广东乡试正考官。逾年,督学湖南。据《续碑传集》卷四《祁文端公神道碑铭》。

闰三月

初五日,顾广圻撰《吴中七家词序》。据《顾千里先生年谱》。

梁章钜授湖北荆州知府。六月到任。据《退庵自订年谱》。

李富孙往金坛与冯登府、徐林衡仿禾中举行恤嫠会。《校经斋自订年谱》:"是年,在家补辑《梅里志》。闰三月,往金坛与冯柳东吉士登府、徐砚芬表弟林衡仿禾中举行恤嫠会。"

殿试。7赐一甲戴兰芬、郑秉恬、罗文俊进士及第,二甲翁心存、赵庆禧、姚柬之、李棠阶、黄濬、翟云升、邹鸣鹤、张维屏等进士出身,三甲刘遵海、吉年、梅曾亮等同进士出身。据《历科进士题名录》。

春

龚自珍会试未第。在京师与秦恩复等多有唱和。《定盦先生年谱》:"是岁成庙登极恩科,应会试未第。先生自辛巳后,与程大理及甘泉秦敦夫编修恩复友善,相约得一异书,则互相借录,无虚旬。其时徐星伯舍人、王北堂征君,并以搜罗精博闻于日下,先生引为同志,由是珍笈益萃。"又,自珍本年纪年文有《刘礼部庚辰大礼记注长编序》、《上海张青琱文集序》、《与人论青海事书》、《与人笺论石经五事》等,编年诗有《桐君仙人招隐歌有序》、《汉朝儒生行》、《投宋于庭翔凤》、《投包慎伯世臣》、《柬秦敦夫编修二章有序》、《饏饦谣》等。

四月

郭尚先主讲厦门玉屏书院。据《兰石公年谱》。

六月

初七日,阮元过焦山,与陈文述、王豫等邀游作诗。据《雷塘庵主弟子记》。

吕璜调任钱塘。据《月沧自编年谱》。

左辅重刊《念宛斋时文稿》。据《杏庄府君自叙年谱》。

胡敬《颐园题咏》四卷刊成。据《书农府君年谱》。

夏

张澍《说文引经考证》成。是时,张澍在京师,寓钱仪吉宅。据《张介侯先生年谱》。

七月

鲍桂星擢侍讲。八月，充日讲官，教习本科庶吉士。十二月，授侍讲学士。据《觉生自订年谱》。

贺长龄擢兖沂曹济道。据《诰授荣禄大夫前云贵总督贺君墓志铭》（《续碑传集》卷二十四）。

八月

吴荣光调补浙江按察使。据《荷屋府君年谱》。

赵慎畛得授闽浙总督。据姚莹《赵文恪公行状》（《续碑传集》卷二十二）。

黄钺简放顺天乡试正考官。副考官为恩铭、刑部左侍郎韩文绮。得士王涤源等二百四十六名。据《黄勤敏公年谱》。

秋

乡试。中式者有汤鹏（王拯《户部江南司郎中汤君行状》）、魏源（魏耆《邵阳魏府君事略》）、袁翼、朱绪曾、吴棠（朱彭寿《清代人物大事纪年》）、陈庆镛等。

九月

初七日，俞正燮纂《地丁原始》。本年，正燮作《关帝事辑后识语》等文。据《俞理初先生年谱》。

吴芳培卒，年六十七。据朱彭寿《清代人物大事纪年》、江庆柏《清代人物生卒年表》。《晚晴簃诗汇》卷一百五收其诗六首。

十月

初一日，程含章至粤接广东巡抚印。据《雷塘庵主弟子记》。

十一月

陈寿祺主福州鳌峰书院讲席。作《拟定鳌峰书院事宜》。至道光五年，陈仍主鳌峰书院，作《鳌峰崇正讲堂规约八则》。据来新夏《林则徐年谱》。

左辅重建湖南城南书院成。《杏庄府君自叙年谱》："湖南省城南门外妙高峰为宋儒张栻城南书院旧址。我朝康熙年间，屡经修筑，阅时既久，堂室无存。……兹据该府查明原建基址，督同属员及该省绅士捐输移建，克复前贤旧规，与岳麓书院同为通省士子肄业之所。"

冬

钱泳《缩本唐碑》告成。《梅溪先生年谱》："是年冬，《缩本唐碑》告成，凡三十二册。京师诸公闻之，莫不欲先睹为快，一时为之纸贵。是年，刻《枕中帖》。"

本年

本年为乾隆壬午科乡举重逢。余集，降调翰林院侍院学士，赏加三品衔。潘奕隽，户部主事，赏加员外郎衔。雷镡，原任江西崇仁县知县，赏加六品衔。以上三人俱重赴鹿鸣筵宴。据朱彭寿《清代人物大事纪年》。

潘曾沂充国史馆分校。据《思补老人自订年谱》。

潘奕隽得赐员外郎衔。潘是年有《纪恩》诗、七律《白门秋兴》诗各四章。据《三松自订年谱》。

吴敏树补县学生，并与同里方大淳共治经学。据郭嵩焘《吴君墓表》。

汪廷珍典礼部试。据《续碑传集》卷三《汪文端公事略》。

陈沆典试粤东。据周锡恩《陈修撰沆传》（《碑传集补》）。

梅曾亮成进士，官户部郎中。据《顾千里先生年谱》。

吴廷琛迁直隶清河道。岁末，简授云南按察使。据《赐进士及第四品京堂前云南按察使司棣华吴公墓志铭》（《续碑传集》卷三十四）。

陈銮散馆，充武英殿纂修、浙江乡试副考官。据方宗诚《赠太子少保江苏巡抚两江总督陈公神道碑铭》。

沈钦韩在安徽宁国县训导任。据《鍥舟园次稿》。

程恩泽补春坊中允，校刻御制诗文初集。据阮元《诰授荣禄大夫户部右侍郎兼管钱法堂事务春海程公墓志铭》（《续碑传集》卷十）。

朱琦丁母忧。自是不复出，前后主讲钟山正谊、紫阳书院凡二十五年。据李元度《右春坊右赞善前翰林院侍讲朱兰坡先生传》（《续碑传集》卷十八）。

李兆洛馆扬州鲍氏，为鲍辑《皇朝文典》。后成书七十卷。据《武进李先生年谱》。

魏源于京师水月庵，以所注《大学》古本请教姚学塽。姚指其得失，魏源憬然有悟。据黄丽镛《魏源年谱》。

方成珪、端木国瑚相偕出都，相与谈诗。方成珪《宝研斋吟草自识》："道光壬午，偕端木鹤田出都。车中同坐，相与谈诗。鹤田谓余曰：'子从事于诗也久，亦知诗之不易言乎？观理不精则无以深其旨趣也；读书不富则无以壮其波澜也；非遍识乎古今之体裁则无以通其变化；非静调乎阴阳之气脉则无以养其中和。故人人言诗而诗之途宽，亦人人言诗而诗之途窄。'鹤田固深于诗者也，而其言若是，此则可以知国瑚论诗之旨矣。"本年，端木国瑚撰《周易葬说》，又取《扬会地理元文》一书释之。据《太鹤山人年谱》。

自去年至本年，顾广圻在扬州为洪莹（字宾华）校刊宋椠本《名臣言行录》。屡与李兆洛往来。据赵诒琛编《顾千里先生年谱》。

丁晏著《仪礼》、《周礼》、《礼记》注共八卷，又著《佚礼扶微》二卷。据《丁柘亭先生历年纪略》。

张际亮删订是年诗计六十七首。诗见李云诰编《张亨甫全集·诗编》卷五，《张亨甫先生年谱卷目》："是岁以前诗依旧刻本自删甚多。"

彭泰来作《送鹤樵师》、《秋病示梁生》六首、《江楼》四首、《岁晏》十首等共三十三首诗。据《彭春洲先生诗谱》。

孙尔準（时任安徽巡抚）编诗为《皖公山色集》。据《平叔府君年谱》。

梁章钜编《枢垣纪略》十六卷成。朱士彦为之序。据《退庵自订年谱》。

冯登府著《小檇李亭诗录》第一卷。据《冯柳东先生年谱》。

许鸿磐撰《雁帛书》。是为《六观楼北曲六种》之二。未见著录，共四折。存道光间刊本《六观楼北曲六种》及同治甲戌年重刻本。据《古本戏曲剧目提要》。

许鸿磐撰《女云台》。是为《六观楼北曲六种》之三。未见著录，共四折。《女云台北曲弁言》："明末多故矣。其时奋不顾身出死力报国家者概不乏人，而以秦夫人为独绝。夫人一土舍寡妇耳，乃能统部勤王，裹粮杀贼，效命疆场者二十年。迨至无可如何，复能仗节以终，为一代完人，实千古之奇人也。因仿元人百种之体以歌咏其事，其间有与《明史》本传相出入者，如召见平台，实在崇祯三年，夔门之役、玛瑙山之捷，均在其后，今撮叙战功不能不少为易置……乃行文熔铸结构之法，非故乱正史也。"今存道光间刊本《六观楼北曲六种》及同治甲戌年重刻本。据《古本戏曲剧目提要》。

汤贻汾《逍遥巾》杂剧约作于是年。是年，汤贻汾有《怀人》诗七首。据《汤贞愍公年谱》。

唐仲冕刻所著《陶山文录》十卷。据《贩书偶记》。

《飞花艳想》改题《鸳鸯影》刊行。据孙楷第《中国通俗小说书目》。

王权（1822—1905）生。权字心如，号笠云，甘肃伏羌人。道光二十四年举人。历主甘肃文昌、天水、正兴、正文书院，历官陕西延长、兴平、富平知县。著有《笠云山房诗文集》。事迹见任承允《心如先生墓志铭》。

朱承鈲（1822—1866）生。承鈲字保甫，号秀珊，江苏海盐人。拔贡生。著有《听秋馆吟稿》。事迹见《海盐县志》本传。

江顺诒（1822—1881 以后）生。顺诒字子谷，号秋珊、窳翁、明镜生，安徽旌德人。廪贡生。尝结西泠吟社。著有《梦花草堂诗钞》、《词学集成》、《读红楼梦札记》等。事迹见胡怀琛《虞初近志·王韬〈水仙子〉》。

许亦崧（1822—1869）生。亦崧字高甫，顺天宛平人。道光二十七年进士。历官凤台、太谷知县、忻州、沁阳知州。著有《壮学堂诗稿》六卷。事迹见其诗集。[生卒年据《清代文学家大辞典》近代卷。]

洪仁玕（1822—1864）生。仁玕字益谦（一作谦吾），号吉甫，广东花县人。洪秀全族弟。屡试不第。谷岭起义失败后，在香港数年。回天京后总理太平天国朝政。同治三年兵败被俘，卒于南昌。所为诗文，后人辑为《洪仁玕选集》。事迹见《洪仁玕自述》、沈渭滨《洪仁玕》等。

郑由熙（1822—?）生。由熙字晓涵、伯庸，号坚庵，别署啸岚道人。安徽歙县人，寄居江宁。优贡生。以军功保举知县，历署江西瑞金、新昌、靖安等县。著有

《晚学斋诗文集》二十一卷、《暗香楼乐府》。事迹见民国《歙县志》卷七、卷一五、赵景深《暗香楼乐府作者考》。

卢胜奎(1822—1890)生。艺名胜奎,诨名卢台子,江西人(一说安徽人)。工老生,为"同光十三艳"之一。所编剧本,以《全本联台三国志》四十本(一说三十六本)和《龙门阵》二十四本最有名。事迹见许九野《梨园轶闻》、倦游逸叟《梨园旧话》。

吴县王复(1822?—1861)**约本年生。**复字彦卿,江苏吴县人。一生漂泊,穷困潦倒。著有《艳禅》杂剧。事迹见叶德均《戏曲小说丛考·清代曲家小纪·王复》。

陈鸿寿卒,年五十五岁。据赵诒琛编《顾千里先生年谱》。《杭州府志·陈鸿寿传》:"为诗不事苦吟,自然朗畅。阮元抚浙时,方筹海防,鸿寿随元轻车往返,走檄飞章,百函立就。暇与诸名士刻烛赋诗,群以为不可及。"《晚晴簃诗汇》卷一百十六:"曼生与从弟云伯同受知于阮文达公,招致幕中。文达称其诗才亚于云伯,而峭拔秀逸过之。生平以书名,诗不多作,反为书掩。晚官南河时,与万廉山、郭频伽诸人提倡风雅,远近名士来游者,几满宾馆。集中所存仍以早年之作为多。"收诗六首。

仲振履卒,年六十四。据庄一拂《古典戏曲存目汇考》卷一二。

曹贞秀(女)尚在世,时年六十一岁。据郭味蕖《宋元明清书画家年表》。

公元 1823 年(道光三年 癸未)

正月

初三日,**王轩**(1823—1887)生。轩字霞举,号青田,山西洪洞人。举人,官兵部主事。乞假归,主讲宏运、晋阳、令德书院。著有《𥳑经庐诗文集》。事迹见《续碑传集》卷八十《王轩传》、《顾斋年谱》。

初四日,**李鸿章**(1823—1901)生。鸿章字少荃,晚号仪叟,安徽合肥人。道光二十七年进士,改庶吉士,授编修。官至文华殿大学士,直隶总督。封一等肃毅伯,赠太傅,进一等侯。谥文忠。著有《李文忠公遗集》。

初六日,**程含章由广东巡抚调任山东。**据《雷塘庵主弟子记》。

初七日,**林则徐升任江苏按察使。**二月,到任。据《林则徐集·奏稿二》。

十九日,**郭嵩焘**(1823—1882)生。嵩焘字仲毅,号意城,湖南湘阴人。道光二十四年举人,历官国子监助教、内阁中书、候补四品京堂。著有《云卧山庄诗集》二十卷、《尺牍》八卷。事迹见《清史列传》周寿昌传附、王先谦《三品顶戴四品京堂郭公神道碑铭》。[生日据朱彭寿《清代人物大事纪年》。]

二十五日,**黄丕烈结问梅诗社。**江标编《黄荛圃先生年谱》:"正月二十五日,先生结问梅诗社之第一集于尤春樊兴诗家之延月舫,同社者,石琢堂、彭苇间二公,先生属陆铁箫鼎画《问梅诗社图册》,同社人皆题诗于上。"二月十六日,黄丕烈举问梅诗社第二集于积善西院。三月二十一日,彭苇间三集问梅诗社。三月廿八日,四举问梅诗社。《潘西圃续集》卷四《题吴棣华问梅诗社长歌引》曰:"吾吴问梅诗社举自道光初,始之者黄丈荛圃、彭丈苇间、尤丈春樊,余皆及见。"李元度《右春坊右赞善前翰林院侍讲朱兰坡先生传》："（朱珔）在吴中结问梅诗社，与石琢堂、吴棣华两廉访，韩桂舲尚书，彭荮闲郡守……诸公选主敦槃。当是时，巡抚陶文毅、承宣使梁苣林，皆同年生也。宝应朱文定、华阳卓文端并寓吴中。公与诸公及顾南雅、吴棣华相倡和。绘《沧浪七友图》。"（《续碑传集》卷十八）

陶澍擢安徽巡抚。据《陶文毅公年谱》。

孙尔準调补福建巡抚。编是年诗为《回挝集》。据《平叔府君年谱》。

唐仲冕致仕，寓金陵。据《诰授通奉大夫护理陕西巡抚陕西布政使司布政使唐公神道碑铭》（《续碑传集》卷二十一）。

阮元《揅经室集》刻成。阮元自序云："余三十余年以来，说经记事不能不笔之于书。然求其如《文选》序所谓'事出沈思，义归藻翰'者甚鲜，是不得称之为文也。今余年届六十矣，自取旧帙，命儿子辈重编写之，分为四集：其一则说经之作……十四卷；其二则近于史之作，八卷；其三则近于子之作，五卷，凡出于四库书史、子两途者皆揭之，言之无文，惟纪其事达其意而已；其四则御试之赋及骈体有韵之作，或有近于古人所谓文者乎？然其格亦已卑矣，凡二卷。又诗十一卷。其四十卷统名曰集者，非一类也。继此有作，各以类续也。"（《雷塘庵主弟子记》）

黄本骥卒，年四十七。入国史文苑传。本骥所撰《历代统系表》六卷、《历代纪元表》一卷、《年号分韵录》一卷、《三十六湾草庐稿》十卷诸书皆卒后始刻。据朱彭寿《清代人物大事纪年》。《晚晴簃诗汇》卷一百二十收其诗五首。

二月

二十日，赵怀玉卒，年七十七。阅九年，道光十二年壬辰（1832），李兆洛为赵校刊《续集》。据《收庵居士自叙年谱略》。钱泳《履园丛话》六："家渐贫，益自刻励，发为文章，粹然而纯，渊然而雅，一以韩、欧为宗。"《晚晴簃诗汇》卷一百二："恽子居称味辛不惑于贵势，不牵于友朋，硁硁自立，不厌不倦，故集中所存无杂言诐义、离真反正者。综其生平，无愧斯语。其诗有云：立身稍自爱，人已目为迂。不合时宜，言之慨然。"收其诗三十首。

斌良、冯登府游京师钓鱼台。本年，登府著《小樵李亭诗录》第二卷，《玉堂春梦集》、《金屑石余录》成。据《冯柳东先生年谱》。

汪廷珍加太子太保衔。据《汪文端公事略》（《续碑传集》卷三）。

顾日新卒，年六十一。据朱彭寿《清代人物大事纪年》。

三月

初四日，瞿中溶告病隐退。据《瞿木夫先生自订年谱》。

二十九日，永瑆卒，年七十二。谥曰哲。据朱彭寿《清代人物大事纪年》。

会试。考官：内阁大学士曹振镛、礼部尚书汪廷珍、吏部侍郎王引之、户部侍郎穆彰阿士。题"切问而近"二句，"知远之近"四句，"入则孝出"三句。赋得"云随波影动"得"波"字。据《清秘述闻续》卷三。

彭蕴章会试不第。据《彭文敬公自订年谱》。

三四月间，魏成宪有《南归诗草》一卷。据《仁庵自记年谱》。

四月

初八日，黄丕烈、石韫玉等集于花间草堂。江标编《黄荛圃先生年谱》曰："四月初八日，与彭雅泉、尤春樊、石琢堂有入山访僧之约，至期雨甚，不果行。遂小集花间草堂，以'赏雨茅屋'四字分韵。"秋社日，诸人复集于尤春樊斋中赋诗。冬十月十二日，诸人再集于吴玉松知鱼乐轩，时琢堂未赴其会。

二十四日，林寿图（1823—1899）生。寿图字颖叔，号欧斋，福建闽县人。道光二十五年进士。官至陕西布政使。著有《黄鹄山人诗钞》十八卷。事迹见谢章铤《陕西布政使林公墓志铭》（《碑传集补》卷十七）。[生卒时间据朱彭寿《清代人物大事纪年》。]

殿试。赐一甲林召棠、王广荫、周开麒进士及第，二甲杜受田、池生春、汤鹏、黄爵滋等进士出身，三甲吉明、郑用锡等同进士出身。据《历科进士题名录》。

《仁宗实录》汉本告竣。据《王伯申先生年谱》。

龚自珍在都供职。《定盦先生年谱》："春，在都供职。会试未第。以事诣圆明园，趋公既罢，因览西郊形胜，过澄怀园，和内直友人诗送青田端木鹤田国瑚出都。先生素不轻许可，与鹤田论《易》，独叹为闻所未闻。"

李兆洛应聘始主江阴暨阳书院。自是时始，兆洛主此书院达二十年之久。据《武进李先生年谱》。

周镐卒，年七十。据姚莹《朝议大夫福建漳州府知府周公墓志铭》（《东溟文集》卷六）。

五月

初二日，左辅以原品休致。张祥河诗龄为绘《潞水归帆图》，都中士大夫题咏甚众。十月，受邀主讲湖州爱山书院，复受聘主仪征乐仪书院。据《杏庄府君自叙年谱》。

龚自珍自编甲戌以还所作文为文集三卷、余集三卷。《定盦先生年谱》曰："五月，自编甲戌以还文章为文集三卷、余集三卷，既竣，见所弃倍所存者，因又录少作一十八篇附余集之尾。"

祁寯藻简放湖南提督学政，七月到任。道光五年冬任满还都。于任内选刻《湖南试牍》。据《观斋行年自记》。

六月

初一日，丁日昌（1823—1882）生。日昌字禹生、雨生，广东丰顺人。贡生。由琼州训导、万安知县累官至江苏、福建巡抚。著有《百兰山馆古今体诗》、《百兰山馆词》等。事迹见李文田《总督衔原任福建巡抚丁公行状》（《碑传集三编》卷一四）、《清史稿》本传。

十一日，黄彭年（1823—1891）生。彭年谱名邦贵，字子寿，号陶楼，晚号更生，贵州贵筑人。道光二十七年进士，改庶吉士，授编修。官至陕西、江苏、湖北布政使。著有《陶楼诗钞》四卷、《外集》二卷。事迹见《清史稿》黄辅辰传附、《清史列传》黄辅辰传附、姚永概《黄子寿先生墓表》（《碑传集补》卷十七）。

梁章钜赴江南淮河兵备道任。本年，编《江汉赠言》二卷，黎世序为之序。据《退庵自订年谱》。

龚自珍刊定《无著词》（初名《红禅词》）、《怀人馆词》、《影事词》、《小奢摩词》四种，凡一百三首。据《定盦先生年谱》。

七月

二十八日，董祐诚卒，年三十三。入国史文苑传。据朱彭寿《清代人物大事纪年》。

鲍桂星升通政司副使。据《觉生自订年谱》。

龚自珍丁母忧。据《定盦先生年谱》。又，自珍本年所为文有《五经大义终始论》、《答问九篇》、《壬癸之际胎观九篇》、《阮尚书年谱第一序》、《与江居士书》等，诗有《午梦初觉，怅然诗成》、《三别好诗有序》、《漫感》、《夜坐》、《人草稿》、《寄古北口提督杨将军芳》、《暮春以事诣圆明园，趋公既罢，因览西郊形胜最后过澄怀园，和内直友人春晚退直诗六首》等。自注："自癸未七月至乙酉十月，以居忧无诗。"

八月

初七日，道光帝幸万寿山与十五老臣赓歌绘图。《小浮山人年谱》："（上）宴和硕亲王以下十五老臣于玉润堂，赓歌绘图，极一时之盛，朝野荣之。"

张澍出都归秦。钱仪吉、鲍觉生有诗送别。澍途中作《咏史》诗一百二十首。见张澍《诗集》卷二五。

李富孙刻《梅里志》。是月，富孙晤林则徐于吴门。是年，富孙主金坛金沙书院。据《校经廎自订年谱》。

九月

十三日，余集卒，年八十六。据《秋室居士自撰志铭》英和跋（《秋室学古录》卷六）。

吴荣光转授湖北按察使。十月，擢贵州布政使。据《国史馆传稿·吴荣光传》。

汤金钊丁父忧回籍。据《先文端公自订年谱》。

潘曾沂、韩崶招林则徐会饮于寓斋。据来新夏《林则徐年谱》。

十月

张维屏由黄梅县改署松滋县。本年,有《黄梅集》。据《张南山先生年谱撮略》。

莫与俦至遵义府教授任。《独山莫贞定先生年谱》云:"十月至任,首戒士勿徒以气胜义理为能。""尝谓遵士与他僻府异,他患不能文,遵之患徒能文,故招诸生调曰:为学不正趋向,虽胸贯古今、望绝当世,亦小人耳。明义利以正趋向,岂不在吾徒哉?又示读书曰:读书当求实用。程子谓学须就事上学,朱子谓学须就自己分上体验。凡人之所为六经子史,皆有一定之则以处之,苟徒从事章句,虽读书,仍与未学等也。复与讲为文曰:自帖括取士,名儒硕彦胥出其中,今后生小子,束书高阁,日习陈言,是非不问,惟得失是计,岂经义取士之意哉?盖八股之美不自八股来也,前辈能者皆根柢磅礴,以其余发为词章,故若是。诸生诚求所以若是者,则决科又不足言矣。"

十一月

旻宁《养正书屋全集》刻成。据《恩福堂年谱》。

十二月

十二日,郭尚先题《李忠毅长庚自书诗册》。据《兰石公年谱》。

项廷纪自序自编《忆云词甲稿》一卷。据朱彭寿《清代人物大事纪年》。

本年

御史某奏永禁京师乐部。据张际亮《金台残泪记》卷三。

刘文淇始识黄承吉。自是年始,黄承吉、刘文淇、刘宝楠、王僧保等常集于篜园,为文酒之会。据《刘孟瞻先生年谱》。刘文淇《青溪旧屋文集》卷六《梦陔堂文集序》云:"及闻汪孟慈先生言先生著有《读周官记》、《读毛诗记》各若干卷,于是向往倍切。时先生远宦粤西,无由亲炙。比自粤归,孟慈又入都中,尚不得阶主未敢造次请谒,而先生忽偕梅蕴生造访。因招同罗著香、刘楚桢、王西御、吴熙载、王句生常集篜园,为文酒之会。暇又至余馆中,纵谈今古辄移晷刻。自癸未至壬寅,历二十年之久。"

姚莹识交魏源,赞魏源史才。姚莹《汤海秋传》:"道光初,余至京师,交邵阳魏默深、建宁张亨甫、仁和龚定盦及君。定盦言多奇僻,世颇訾之。亨甫诗歌几坠作者。默深始治经,已更悉心时务,其所论著,史才也。君乃自成一子。是四人者,皆慷慨激厉,其意业才气,欲凌轹一时矣。"(《中复堂全集·东溟文后集》卷十一)

张际亮以诗谒姚莹。姚莹曰:"何李之流也。子才可及空同。"(《张亨甫传》)

高要令聘彭泰来修县志。道光五年十二月修竣。据《彭春洲先生诗谱》。

端木国瑚出都。龚自珍《定盦诗集》有《癸未送端木鹤田出都》诗。据《太鹤山人年谱》。

程恩泽放贵州学政。据阮元《诰授荣禄大夫户部右侍郎兼管钱法堂事务春海程公墓志铭》（《续碑传集》卷十）。

沈钦韩选授安徽宁国县训导。据王鎏《宁国县训导沈君墓志铭》。

姚椿应聘主讲河南夷山书院。据沈曰富《姚先生行状》。

朱琦始主讲钟山书院。据李元度《右春坊右赞善前翰林院侍讲朱兰坡先生传》（《续碑传集》卷十八）。

陈寿祺始主讲鳌峰书院。凡十一年之久。据《碑传集》五十一。

方东树主粤东韶州韶阳书院。据《方仪卫先生年谱》。

唐仲冕解闽职还寓金陵。据《养默山房诗稿》。

顾广圻校汪中《广陵通典》。据赵诒琛编《顾千里先生年谱》。

潘世恩撰《读史镜古编》三十二卷成。据《思补老人自订年谱》。

庄缙度次所作为《伽林集》十七卷。据《粟香五笔》二。

潘德舆初编《养一斋札记》。据《随年附记》。

李兆洛合众友图为《同车图》并作题记。《同车图》有李兆洛、祝百十、张琦、丁履恒、陆耀遹、庄绥甲、周仪暐、管绳莱、方履籛、吴育、周济、张成孙等十四人像。据《武进李先生年谱》。

吴淞江一带涝灾。柳树芳作《大水行》、《后大水行》诗，见《养余斋初集》四。姚椿作《水灾新乐府》十六章，见《通艺阁诗续录》五。朱绶作《雨不止》诗，见《知止堂诗录》四。

周济初定所著《介存斋诗》六卷、《存审轩词》二卷。据《介存斋诗自序》。

许鸿磐撰杂剧《西辽记》。是剧为《六观楼北曲六种》之一。未见著录，共四折。《六观楼北曲六种弁言》云："右六种多经友人评点，今皆不载。非敢委琼瑶之赠于草莽也，诚以文章之美恶有识者自能辨之，必尽举过情之誉列诸上方，是借人之誉己而自誉也，余窃愧焉，故评本则什袭藏之，此则仅分句读以便观览。"存道光间刊本《六观楼北曲六种》及清同治甲戌年重刻本。据《古本戏曲剧目提要》。

陈文述刻所著金陵考古诗《秣陵集》六卷。据《秣陵集序》。

吴德旋所著《初月楼文钞》十卷、《诗钞》四卷刊行。据《贩书偶记》。

徐松《西域水道记》五卷有是年刊本。据《徐星伯先生事辑》。

华亭朱素仙（女）所著《玉连环》弹词七十六回刊行。《玉连环》三十八卷，又名《钟情传》。前有图六幅，嘉庆十年乙丑雨亭主人序，樵云山人订，钩月山人校正。《闺籍经眼录》著录。据《历代妇女著作考（增订本）》八。

博古堂刊《北宋金枪全传》十卷五十回。题"江宁研石山樵订正"，"鸳湖废闲主人校阅"。首道光壬午鸳湖废闲主人序，即万历戊午《北宋志传》玉茗主人序。此与玉茗堂批点本《北宋志传》实为一书。据孙楷第《中国通俗小说书目》。

江宁研石山樵取《北宋志传》改订为《北宋金枪全传》十五回刊行。据孙楷第《中国通俗小说书目》。

叶衍兰（1823—1897）生。衍兰字兰台、南雪，祖籍浙江余姚，生于广东番禺。咸丰六年进士，改庶吉士，散馆授户部主事。致仕后主越华书院。著有《秋梦庵词》二卷、《续词》一卷。事迹见《番禺县续志》本传（《碑传集三编》卷三九）。［生卒年据朱彭寿《清代人物大事纪年》。]

张裕钊(1823—1894) **生。**裕钊字廉卿(一作濂卿),号濂亭,湖北武昌人。道光二十六年举人,考授内阁中书。后入曾国藩幕。中岁后历主金陵文正、江汉经心、鹿门、保定莲池书院。卒于西安荣禄幕。著有《濂亭文集》八卷、《濂亭遗文》五卷、《濂亭遗诗》二卷。事迹见夏寅官《张裕钊传》(《碑传集补》卷五一)、《清史稿》本传。

刘代英(1823—1859) **生。**代英字砺卿、荔卿,号笏珊,湖南宁乡人。道光二十九年举人。官贵州普安知县。著有《希蒉山房诗存》四卷、《章台柳传奇》。事迹见同治《续修宁乡县志》卷二六、民国《宁乡县志》卷二六(《方志著录元明清曲家传略》)。

许善长(1823—1890 后) **生。**善长字季仁、元甫,号玉泉樵子、栩园、西湖长,浙江仁和人。咸丰二年进士。历官内阁中书、江西建昌知府、信州郡守。所著合辑为《碧声吟馆丛书》。事迹见赵景深《许善长年谱略》、邓长风《明清戏曲家考略续编·许善长家世及生平补考》。

吴卓信卒,年六十九。据张慧剑《明清江苏文人年表》。

景安卒。赠尚书衔。据朱彭寿《清代人物大事纪年》。《晚晴簃诗汇》卷一百三收其诗三首。

程同文卒。道光十一年,梁章钜编梓程同文遗诗四卷,题曰《密斋诗存》,并为之序。据《退庵自订年谱》。《桐乡县志·程同文传》:"嘉庆己未成进士,授兵部主事、军机处行走十余年,每拟稿,辄当圣意。凡遇议大事,断大狱,及举行大典礼之制,悉出其手。或值军书,匆促十余纸,率立就。阁部诸大臣咸倚重之。充会典馆提调,承修《大清会典》八十卷,裁酌损益,不假旁助。自谓生平精力尽于是书。平生于学无所不窥,尤长地志。凡外国舆图、古今沿革,言之极审。"(《碑传集补》卷七)《晚晴簃诗汇》卷一百十四收其诗四首。

公元 1824 年(道光四年 甲申)

正月

初三日,铁保卒,年七十三。据《梅庵自编年谱·年谱续编》。《蒲褐山房诗话》:"冶亭少入词垣,偕其弟阆峰,并以诗名。而冶亭尤工书法。北人论书者,以刘相国石庵、翁鸿胪覃溪及君为鼎足。尝选集国初以来满洲人诗,为《熙朝雅颂》,共一百二十卷。以子向在戎幕,与章嘉文成公多倡和之作。从子处录而补之。盖百余年来,名人杰作,搜采无遗,尤足为盛朝掌故也。乾隆庚戌,高宗纯皇帝东巡,予与阆峰扈跸属车豹尾间,恒相酬赠。惜其诗已佚,无从搜辑。附识于此。"(《湖海诗传》卷三三)《晚晴簃诗汇》卷九十五:"梅庵少与百菊溪、法时帆称三才子,书名亚于石庵、覃溪。既登甲科,诗名益盛,尝采辑八旗诗集百三十四卷进呈,诏旨优答,赐名《熙朝雅颂》,复手定其全集为十八卷。菊溪称其诗如王子晋向月吹笙,声在云外;至气韵宏深,如河流发源天上。集中诸作,五七古出入韩苏,神似少陵,七律则唐十子遗音。

《游栖霞登最高峰》有'天外澄江稳不流'之句，袁子才极称赏之。其论诗贵气体深厚，气体不厚虽极力雕琢，于诗无当也。又谓诗贵说实话，古来诗人数百家，诗数千万，一作虚语敷衍，必落前人窠臼，果能直书所见，以造物之布置为吾诗之波澜，虽千万古人不能笼罩我矣。学者多服其言。"收其诗十首。

二十一日，黎世序卒，年五十二。赠尚书衔，太子少保，入祀贤良祠，谥襄勤。据朱彭寿《清代人物大事纪年》。梁章钜为撰《江南河道总督黎襄勤公墓志铭》（见《碑传集补》卷十六）。《晚晴簃诗汇》卷一百十三收其诗四首。

二十三日，刘珊卒，年四十六。陆继辂《颍州知府刘君墓志铭》曰："君擅文誉最早，甫弱冠即名动公卿间，海内文学之士愿交者众。君益意气激发，以古人自期。及来安徽，又与无锡薛君玉堂、武进李君兆洛、海宁查君揆以经训吏直相切磋。"（《续碑传集》卷三十九）《晚晴簃诗汇》卷一百二十五收其诗四首。

潘曾沂辞官归家，遂不复出。据《小浮山人年谱》。

阮元于广东任内捐银饬建三水行台书院。据《雷塘庵主弟子记》。

二月

鲍桂星升詹事。十二月二十七日，鲍桂星充文渊阁直阁事。据《觉生自订年谱》。

胡敬始主讲崇文书院。据《书农府君年谱》。

钱东垣卒。据《瞿木夫先生自订年谱》。东垣字既勤，嘉定人，大昭子。嘉庆三年举人。历官浙江松阳、上虞知县。著有《孟子解谊》十四卷、《小尔雅校证》二卷、《补经义考》四十卷、《列代建元表》、《勤有堂文集》。事迹见《清史列传》钱大昭传附、《清史稿》钱大昭传附。《国朝文汇》乙集卷五七录其《孟子解谊自叙》、《列代建元表自叙》文两篇。

三月

十五日，阮元刻焦循《雕菰楼集》成。末附循子虎玉《蜜梅花馆集》二卷。据《雷塘庵主弟子记》。

春

梁廷楠初见李黼平于顺德城南。七月，复见于东莞。据梁廷楠《昭文县知县李君墓志铭》（《续碑传集》卷七十二）。

朱次琦肄业羊城书院。时书院山长为谢兰生。次琦从谢兰生学为书。据《朱九江先生年谱》。

四月

二十日，英和加太子太保。据《恩福堂年谱》。

二十三日，黄丕烈举问梅诗社第十五集。五月望后三日，尤春樊举问梅诗社第十六集于延月舫。夏至后三日，诸人举问梅诗社第十七集。据江标编《黄荛圃先生年谱》。

二十五日，夏献云（1824—1889）生。献云字裔臣，号小润、芝岑，江西新建人。道光二十九年拔贡。朝考以七品京官入校道光实录，累官至湖南按察使。著有《清啸阁诗集》十六卷、《岳游草》一卷。事迹见倪文蔚《署湖南按察使粮储道夏君传》（《碑传集三编》卷一九）。

《仁宗睿皇帝圣训实录》告成。据《戴可亭相国夫子年谱》。

五月

斌良至察哈尔那林果尔，编《开平考牧集》。七月，斌良至青海，有《青海纪行集》。十一月还京。据《先仲兄少司寇公年谱》。

夏

汪远孙倡结清尊吟社。《书农府君年谱》曰："首倡者为汪君小米。会无定期，迭为宾主。自甲申至癸巳十年，凡百集。与会者，前后七十余人。与府君朝夕过从、相视莫逆者叶焘莽师、严丈厚民、龚丈闇斋、梁丈久行、黄丈芗泉、钱丈蕙窗、夏君松如、汪君小米也。小米仿《西园雅集图》绘各人小像为手卷，命曰《东轩吟社图》。又裒其诗为《清尊集》十六卷刊之。"

闰七月

十四日，刘开卒于亳州志局，年四十一。方宗诚《刘孟涂先生墓表》："君诗文天才闳肆，光气煜爚，能畅达其心之所欲言。姚先生之门攻诗古文者数十人，君与吾从兄植之先生、上元管异之、梅伯言名尤重。时人并称'方刘梅管'。"《晚晴簃诗汇》卷一百十五："孟涂生数月而孤，年十四，以书谒惜抱，先生大奇之，因著籍门下。工骈散文，治经能矫空虚破碎之病，不敢私逞己见。与方植之、管异之、梅伯言齐名，时称'方刘梅管'。性伉俠，尝于饮次痛责姚石甫，石甫忿走，往复至再三而责加厉，几不可堪。卒感其诚，复坐饮，尽欢而散。其直谅类此。鲍觉生题其诗集云：卯金才子龙眠客，手抉天孙锦七襄。幻出云霞生古色，濯来江汉发奇光。洲晴芳草题鹦鹉，坡老苍苔吊鹧鸪。不信三闾人去后，到今兰芷为君芳。"收诗十一首。

八月

十九日至道光六年十一月，林则徐居里守制。据来新夏《林则徐年谱》。

方东树作《待定录序》。《待定录》未梓行，其稿毁于咸丰间。据《方仪卫先生年谱》。

汪彦博卒，年五十七。盛大士《汪青州家传》："长通经史，善谈名理。尤工于诗。尝自评其诗由苏而韩，由韩而杜，近又最喜太白。"（《续碑传集》卷三十九）

伯麟卒，年七十八。赠太子太保，谥文慎。据朱彭寿《清代人物大事纪年》。《晚晴簃诗汇》卷九十五："文慎诗和平温厚，虽触物兴怀，皆有寄托。吴巢松学士题其集云：宰相清如此，升平事可知。苦寻诗句好，浑忘节旄持。亦可想其风度也。"收诗五首。

九月

梁章钜调署江苏按察使，驻沧浪亭行馆。有《沧浪亭题咏》两卷，林则徐序之。据《退庵自订年谱》。

沈钦韩为刘文淇撰《左传旧疏考正序》。见《幼学堂文稿》卷六。

秋

冯登府删前刻《石经阁诗略》五卷之七为《玉堂分韵集》。是集共诗七十二首。另删《小桥李亭诗录》两卷为《南剑种花集》，共诗六十三首，总名《拜竹诗堪诗存初集》自此始。据《冯柳东先生年谱》。

十二月

初八日，吴大廷（1825—1877）生。大廷字桐云，湖南沅陵人。咸丰五年举人。官至福建台湾道，赠太仆寺卿。著有《小酉腴山馆集》。事迹见吴汝纶《赠太仆卿故福建台湾兵备道吴君墓铭》（《续碑传集》卷三十八）。

十六日，张士元卒，年七十。入国史文苑传。据朱彭寿《清代人物大事纪年》。《晚晴簃诗汇》卷一百六："翰宣天姿清劲，故能脱时人面目，七言不及五言，古体不如今体。"收其诗十二首。

梁廷楠自记所撰《曲话》五卷。是书是年成。据朱彭寿《清代人物大事纪年》。

阮元于粤建学海堂成。据《雷塘庵主弟子记》。

冬

顾广圻游扬州晤陈逢衡（字穆堂）。广圻与陈穆堂尝数晨夕，获见所注《逸周书》二十二卷。据《顾千里先生年谱》。

本年

曾国藩始从父至长沙省城应童子试。据黎庶昌《曾国藩年谱》。

沈维鐈选张际亮拔贡第一。本年，张际亮作诗共三十八首。见李云诰编《张亨甫全集·诗编》卷七。自乙亥起并《蚕缲集》原梓为十卷，名《松寥山人诗初集》，后自删定为七卷，仍分年。据《张亨甫先生年谱卷目》。

孙玉庭擢授大学士，加体仁阁衔。十一月，黄河决口，阻断运河漕运，颜检授漕督，孙玉庭因是革职留任，后于次年冬归里。据《寄圃老人自记年谱》。

胡秉虔自甘入京，以所著《甘州明季成仁录》嘱其侄竹村校梓。据胡蕴玉《胡秉虔传》（《碑传集补》卷四十）。

童槐赴阮元两广总督署，选《全唐文》十二卷。据《显考萼君府君年谱》。

胡承珙以病乞假调理。胡培翚《福建台湾道胡君别传》："君自少工词章。通籍后，究心经术。遇有讲求实学者，必殷勤造访，引为同志。人有投以撰著者，必细加考核，别其是非，不为虚文酬应。解经多心得，不苟同前人。以牵于公事未就。至是，归里调愈，遂专力著作。"

李富孙仍主金沙书院。据《校经廋自订年谱》。

魏成宪主讲吴门正谊书院。据《仁庵自记年谱》。

钱宝琛主讲徽州古紫阳书院。据《颐寿老人年谱》。

宋翔凤赴粤，是年有《洪州火》、《鸦片馆》、《洋行》等诗。据《洞箫楼诗纪》。

王学浩绘《宣南诗会图卷》。后附潘曾沂、陈用光、吴嵩梁、朱珔、董国华、程恩泽、陶澍、梁章钜、石韫玉、韩封、尤兴诗、钮树玉、李宗瀚、杨文荪、屠倬、万承记、陈文述、陈銮、齐彦槐等十九人题咏。据来新夏《林则徐年谱》。

龚自珍居忧无诗。据《定盦先生年谱》。

包世臣作《书品》，分书为五品。据《包慎伯先生年谱》。

张穆点定《翰苑集注》，并修改《凡例》数条。据张继文《先伯石州公年谱》。

沈涛自序《匏庐诗话》。是书三卷，存道光二十年刊本、《清诗话访佚初编》本。据张寅彭《新订清人诗学书目》。

李兆洛主讲江阴暨阳书院。辑江阴人诗为《江干香草集》。据《武进李先生年谱》。

吴慈鹤在河南学政任。作《汴中新乐府》。据《凤巢山樵求是二录》。

方东树授经阮元幕，著《汉学商兑》。大略曰："近世有为汉学考证者，著书以辟宋儒、攻朱子为本，首以言心、言性、言理为厉禁。海内名卿钜公、高才硕学数十家递相祖述，所以标宗旨、峻门户，众口一舌，不出于训诂小学名物制度。弃本贵末，违戾诋诬，于圣人躬行求仁修齐治平之教一切抹杀。名为治经，实足乱经；名为卫道，实则叛道。某居恒感激，思有以弥缝其失。""汉学家所执为宋儒之罪者有三：一曰以其空言穷理，恐堕狂禅。不知古今能辨儒禅之分毫厘利害之介者，莫如程、朱，岂虑守捉者反为盗贼耶？其一则以宋人废注疏，空言穷理，启后学荒经蔑古之陋。考朱子教人，谆谆于汉魏诸儒，正音读，通训诂，考制度，释名物，以为当求之注疏，不可略。何尝如汉学家所訾。其一则曰：以其讲学标榜门户分争，为害于家国。夫自古亡国以用小人。""汉学家首以言理为厉禁，是率天下而从于昏也。方东树云其生平读书，惟于朱子之言为独契，觉其与孔、孟无二，故见人著书凡与朱子抵触者，辄恚恨，以为人性何以若是其弊也。"是书刊于道光十一年。据《方仪卫先生年谱》。

李兆洛于暨阳书院校刊刘逢禄《公羊释例》。据《武进李先生年谱》。

李兆洛始刊《旧言集》。自序曰："乾隆壬子、癸丑间，将辑郡志，因搜求邦人士诗文小集，悉令送局以备纂辑《艺文》。予所采得送局者，十有余家；别见他人所采送者，亦十余家。其所未见者，且不下百家。或素有诗名而集未行世，或无诗名而其集衰然成帙。大抵名不闻于乡里十三四。其诗往往清婉可诵。皆百余年间人耳，而湮没不彰已如此。私拟俟志局之竣，悉取诸集，各选次十一，都为一编。"〔按，此序作于道光元年，此集至是始以付梓。有续送者，随选随刻，不滥亦不苟，多者成册，少则数十字而止。〕据《武进李先生年谱》。

徐松刻《新疆赋》成。孙馨祖序，彭邦畴作后序。据《徐星伯先生事辑》。

吴德旋所著《初月楼闻见录》总二十卷刊行。据《贩书偶记》。吴德旋客京口，选朱彝尊《明词综》为选本事竟。据《初月楼文续钞》三。

顾广圻雕彭兆荪《遗集》。《顾千里先生年谱》云："孙袭伯同吴江郭麐取彭兆荪未刻稿，定为遗集，诗、文各一卷，并前纂诗文集合成全集，嘱顾广圻江宁付雕，且为之序。"

顾广圻所辑《遁翁苦口》一卷刊行。据《顾千里先生年谱》。

掣笔山房刊喻文鏊《考田诗话》八卷。据张寅彭《新订清人诗学书目》。

袖珍本本衙藏板《增补红楼梦》三十二回刊行。孙楷第《中国通俗小说书目》："《增补红楼梦》，三十二回。存。清魏某撰，有道光四年袖珍本，署"嫏嬛山樵"。首嘉庆二十四年庚辰槐眉子序，又讷山人序，自序。半叶九行，行二十字。书继《补红楼梦》而作。第一回云著《参同契》者之裔，则魏某也。"

罗小隐撰《祷河冰》传奇。是剧又名《祷河冰谱》，十二出。《今乐考证》著录。罗小隐，江西南昌人。据《古本戏曲剧目提要》。

侯芝复取《再生缘》故事改写为《金闺杰》弹词十六回刊行。据《弹词宝卷书目》。

王嘉禄卒，年二十八。据张慧剑《明清江苏文人年表》。《晚晴簃诗汇》卷一百二十三："井叔为王惕甫季子，幼承家学，探原汉魏，沿流唐宋，下及明七子，不拘拘一家言。陈云伯、彭咏荪均为选刊其诗。"收其诗七首。

公元 1825 年（道光五年　乙酉）

二月

初六日，郝懿行卒，年六十九。据许维遹《郝兰皋夫妇年谱》（谢巍《中国历代人物年谱考录》著录）。《晚晴簃诗汇》卷一百十四："兰皋通籍后，蹉跎郎署垂三十年，专以著述自娱。光绪朝游京兆，百川进呈所著《春秋说略》、《春秋比》、《尔雅义疏》、《山海经笺疏》诸书。诗亦朴雅无俗韵，其配王照圆亦能诗，有《和鸣集》，著《列女传》及《诗问》，并经进览。潘郑庵尚书序其集，谓休沐之暇，日与比肩人发议质难为笑乐，许慎谨案，刘炫规过，得诸闺阁中，尤前古所未有，亦儒林佳话也。"收诗五首。

顾广圻访瞿中溶。据《瞿木夫先生自订年谱》。

林伯桐撰自编《月亭诗钞》一卷自识。据朱彭寿《清代人物大事纪年》。

三月

潘奕隽偕钱泳泛舟山塘。据《三松自订年谱》。

春

张际亮入都朝考报罢。姚莹《张亨甫传》："京贵人及名士言诗者，无不知亨甫矣。""都中交深者，歙徐莲峰宝善、龙溪郑□□、宜黄黄树斋爵滋、益阳汤海秋鹏、山阳潘四农德舆，唱和尤密。""新城陈石士侍郎延寓其家。曾宾谷醲使在京师，闻亨甫名，召饮。同坐皆知名士也。曾以名辈显宦，纵意言论，诸人赞服，亨甫心薄之。""曾食瓜子黏须，一人起为黏去，亨甫大笑。明日投书，责曾以财利奔走寒士，廉耻俱丧，负天下望。以是得狂名。""慨当时诸公好士而无真识，曾不如其好色也。取一时名优为之传，著论一篇曰《金台残泪记》，笔力高古，识者知亨甫所志远矣。""亨甫既为朝贵所忌，试辄不利。自是历游天下山川，穷探奇胜"，"以其穷愁慷慨牢落古今之意，发为诗歌，益沈雄悲壮。至天才艳逸，情致绵邈，则其本色。而亨甫之诗乃大成矣。"《晚晴簃诗汇》卷一百三十八："闽省乡试，主试官途中相约：张际亮狂士，不可中。而际亮已易名亨辅。拆卷疑其名，及来谒，果际亮，主试愕然。"

春夏间，继昌调任浙藩。六月，李富孙赴杭往见继昌。据《校经叟自订年谱》。

四月

彭蕴章入问梅诗社。《彭文敬公自订年谱》："（诗社）为黄尧圃主政丕烈倡始。八月泛舟石湖，为问梅诗社，同石琢堂先生、张芑塘大令吉安、尤春帆舍人兴诗，叔父苇间公唱和。后董琴涵太守国华丁忧服阕，韩桂舲尚书、吴棣华京卿廷琛乞假归田，皆与焉。始刻《涧东集》诗稿三卷。"

贺长龄升江苏布政使。据《诰授荣禄大夫前云贵总督贺君墓志铭》（《续碑传集》卷二十四）。

五月

初一日，梁章钜调署江苏按察使。据来新夏《林则徐年谱》。

翁心存充福建乡试正考官。后奉命督学广东，十月抵广州。据《先文端公年谱》。

张澍得选江西吉安府之永新。本年，张澍作《郭千里诗集序》。据《张介侯先生年谱》。

陶澍调江苏巡抚。据《陶文毅公年谱》。于任内重魏源文章经济之学，凡海运、水利诸大政，咸与筹议。据魏耆《邵阳魏府君事略》。

六月

二十四日，李兆洛以观莲雅集三十余人。自本年始，观莲雅集，岁以为常。据《武进李先生年谱》。

朱绶为黄丕烈题宋椠本《鱼元机》二绝。江标编《黄尧圃先生年谱》云："夏日，元和朱酉生先生为先生题宋椠本《鱼元机》二绝，未写入册。至丙戌二月二日补书。"

本年，黄丕烈开滂喜园书籍铺。

七月

初七日，黄丕烈邀同时诸老，集县桥小隐学耕堂。江标编《黄荛圃先生年谱》云："七月七日，先生为桐叔邀集同时诸老，集县桥小隐学耕堂，为吟社第三集。题为'宋廛所藏唐女郎鱼元机诗'，不限体韵。与会者尤崧镇榕畴、陆损之东萝、彭蕴章咏莪、朱绶酉生、陈彬华小□、吴嘉洤清如、褚逢椿仙根、孙义熨子和、沈秉钰式如、潘曾沂功甫、吴根寿云、李一凤苞之及先生孙寿风、桐叔、美镐、饮鱼。先生集集中句成七绝八首，每首各注所指。其一注：'七月七日，弟三次集同人题咏。'其二注：'吟社始于六月十二，再会于六月廿四，今会已入新秋数日矣。'其三注：'是会，潘功甫未及入会，为先有诗二，成在七月哉生明日。'其四注：'近沈绮云有《唐宋三妇人集》之刻，皆出自余家为鱼集，以宋板，故独登《百宋一廛赋》。'其五注：'前会如南雅、凫香、琴涵以及木夫、竹友（疑汀字之误）今皆为京外官。'其六注：'前会如寿阶、蔚堂、子仙、嫩云，今皆先后作古。'……七月七日，先生自题《鱼集》云：再集同人于宋廛，分题《鱼集》。"

八月

黄丕烈卒，年六十三。据江标编《黄荛圃先生年谱》。《晚晴簃诗汇》卷一百六："乾嘉以来收藏书籍，荛圃实为大宗，近自绛云、述古、传是、延令，上溯明代诸家，传流系绪，略相踵接。顾涧薲作《百宋一廛赋》，荛圃自为之注，又辑《百宋一廛书录》，其题跋传世，今及见者逾六百种。《士礼居丛书》影模校勘致精，所得书多绘图题咏，以书中一字限韵，禁押本事，名流赓和，率成佳话。后所藏归汪氏艺芸精舍，聊城杨端勤官吴中，得之。《海源阁》，《宋元精椠》，皆黄氏故物，畸零散在人间，士夫家案头，时复涉目。可征当日搜聚之富，丹黄雠勘，矜慎不苟，所谓读书者之藏书，犹有前辈余风，非空谈鉴赏也。"收其诗一首。

王引之署户部右侍郎。据《王伯申先生年谱》。

陈逢衡刻《逸周书》告成。据《顾千里先生年谱》。

王念孙得赏四品职衔，获准重赴鹿鸣筵宴。九月十三日，王念孙作《纪恩诗》六首。据闵尔昌《王石臞先生年谱》。

阮元编刻《皇清经解》。《雷塘庵主弟子记》曰："此书编辑者为钱塘严厚民先生杰，监刻者为吴石华学博，校对者为学海堂诸生。"

九月

孙尔準补授闽浙总督。据《平叔府君年谱》。

那彦成调直隶总督。据徐士芬《那彦成传》（《续碑传集》卷九）。

秋

乡试。姚文田任顺天乡试考官。据《续碑传集》卷八《礼部尚书姚文僖公墓志铭》。翁心存充福建乡试正考官。寻简任广东学政。据陈澧《体仁阁大学士赠太保翁文端公神道碑铭》。中式者有：黎吉云（《前江南道监察御史黎君墓志铭》，《续碑传集》卷十九）、管同（方宗诚《管异之先生传》）、赵允怀、陈乔枞（朱彭寿《清代人物大事纪年》）。钱泰吉报罢，遂不复试。据曾国藩撰《钱君墓表》。

十月

龚自珍服阕，客昆山。《定盦先生年谱》曰："十月，服阕，客昆山。为李秀才增厚补题《梦游天姥图卷诗》，序云：予母丧阕才一月，勉复弄笔，未能成声……迨游昆山，买徐侍郎秉义故宅，诗注所谓先得地十笏于玉山之侧，后来卜居，榜曰羽琌山馆，即其地也。"自珍本年文有《古史钩沉论》、《海坛镇总兵官丁公神道碑铭》。诗有《补题李秀才增厚梦游天姥图卷尾有序》、《咏史》（有"避席畏闻文字狱"句）、《乙酉腊，见红梅一枝，思亲而作，时小客昆山》、《乙酉除夕，梦返故庐，见先母及潘氏姑母》等。又有《咏史》一律，旧传为南城曾宾谷盐使作。

本年

郑珍拔贡，受知于程恩泽。《郑子尹先生年谱》曰："侍郎诏之曰：'为学不先识字，何以读先秦两汉之书？'先生遂邃意于苍雅之学。"《独山莫贞定先生年谱》曰："时学使为歙县程恩泽，得人称最盛。"郑知同《显考子尹府君行述》云："侍郎邃于古学，天下称文章宗伯，见先子文，奇其才。旋移视学湖南，先子廷试归，即招之去，以鸿博期之。为提倡国朝师儒家法令，服膺许郑。先子乃博综五经，探索六书，得其纲领。居侍郎门下年余。"

曾钊拔贡。据缪荃孙《曾钊传》。

吴廷栋拔贡。据方宗诚《光禄大夫刑部右侍郎吴公神道碑》。

许乔林解山东平阴知县职，至东平志馆任事。据《弇榆山房诗略》。

张穆读书蒲台山。据张继文《先伯石州公年谱》。

曾国藩读《仪礼》成诵，兼及《史记》、《文选》。据黎庶昌《曾国藩年谱》。

江藩退息里门。客羊城时所刻书板亡失过半。据闵尔昌编《江子屏先生年谱》。

瞿中溶作《续练江竹枝词》记嘉定风俗人情。据《瞿木夫自订年谱》。

吴慈鹤自定《凤巢山樵求是二录》四卷。据《求是二录自识》。

斌良编《滦河于役集》。据《先仲兄少司寇公年谱》。

潘德舆著《淮语》一卷，述运道事。据《随年附记》。

江苏布政使贺长龄延魏源辑《皇朝经世文编》。据魏源《与童石塘司马书》。

丁晏著《禹贡集释》三卷，《禹贡锥指正误》一卷。据《丁柘亭先生历年纪略》。

孙尔准编本年诗为《岐海集》。据《平叔府君年谱》。

李兆洛纂辑《八代全文》成。《武进李先生年谱》曰："凡二部，其一以时代前后相次，一则以类相从。分数十门。"

　　方东树著《书林扬觯》二卷。［按，是书辛卯冬刊。］本年，东树授经阮元幕中，兼阅学海堂课文，有拟作数首，刻《学海堂集》中。据《方仪卫先生年谱》。

　　冯登府《论语异文疏证》六卷成。刊《三家诗疏证》。据《冯柳东先生年谱》。

　　端木国瑚注《易指六十四卦》。据《太鹤山人年谱》。

　　朱骏声自序所著《临啸阁诗余》。据《传经室文集》五。

　　姜曾序尚镕《三家诗话》。序云："乔客兹于本朝袁、蒋、赵三家又有诗话一帙，实成于今年落解后之第五夜。盖是日同余游大安寺，赋铁香炉，语及欲著《三家诗话》。不料其归剔孤灯，疾书蒇事，且未检原书，无将伯助，视穷年仰屋著书者，反精审过之。"是书不分卷，有道光间刊《持雅堂全集》本、同治七年萧氏成都重刊本、《清诗话续编》本。据张寅彭《新订清人诗学书目》。

　　常熟春桥氏著《四喜缘》杂剧四折。据《四喜缘弁言》。标名题作"四喜缘"，正目题作"老书生闲中弄墨，小蛮姬众里留青。多情人清尊倚玉，江湖客去棹移花"。此剧未见著录。春桥，姓字不详，生平事迹无考。仅知其为嘉道间古虞人，曾作幕于岭南。所制戏曲，现存《四喜缘》杂剧一种。该剧乃作者为其友李也先、陶云松偶遇江湖卖艺女子所作。剧四折。今有道光年间钞本，存三折。据《古本戏曲剧目提要》。

　　包世臣刻所著言河、盐、漕之书《中衢一勺》三卷。本年，作《海运十宜》。据《包慎伯先生年谱》。

　　缪艮汇刻所辑《文章游戏》总三十二卷。据《文章游戏扉题》。

　　吴藻剧作《乔影》刊行。刊者吴载功云："读之觉灵均香草之思犹在人间，而得之闺阁，尤为千古绝调。"郭麐题辞云：女中有灵均，感愤写胸臆。纷纷妄男子，我欲与巾帼。""天壤何知王谢？人间偶堕藩因。试问六朝名士，可能似此风神？铅华写尽妙明圆，色相空时恩怨捐。他日定知超欲界，不劳执手问诸天。（色界天上无男女相）"（华玮编辑点校《明清妇女戏曲集》）

　　杨象济（1825—1878）生。象济字利叔，号汲庵，浙江秀水人。咸丰九年举人。著有《汲庵文存》六卷、《汲庵诗存》四卷。事迹见谭廷献《亡友传·杨象济传》（《续碑传集》卷八一）。

　　简宗杰（1825—1880）生。宗杰字敬甫，号南屏，别号居敬斋主人，云南昆明人。咸丰二年举人。同治元年进士。官户部郎中。著有《居敬斋诗钞》十四卷。事迹见《居敬斋诗钞》卷首序。

　　戚学标卒，年八十四。缪荃孙《戚学标传》："诗宗少陵，古文浸淫两汉，尤精考证。"（《碑传集补》卷三十九）《晚晴簃诗汇》卷一百四："鹤泉幼有异禀，从齐次风游。高宗巡江浙，献《南巡颂》。宰涉县，减阔布征额。摄林县，有兄弟争产者，集太白句为《斗粟谣》以讽，皆感悔。以忤上官罢，后改宁波教授，寻辞归。一意著书，精于考订，诗宗老杜。"收戚学标诗八首。

　　陈揆卒，年四十六。据朱彭寿《清代人物大事纪年》。

　　戴殿泗卒。据江庆柏《清代人物生卒年表》。殿泗号东珊，浦江人。嘉庆元年进

士。官翰林院编修。《国朝文汇》乙集卷五五录其《汲黯社稷臣论》等文五篇。所著
《风希堂诗集》六卷《文集》四卷道光戊子九灵山房刊行。据《贩书偶记》卷一六。
《国朝文汇》乙集卷五五录其《汲黯社稷臣论》等文五篇。

沈复尚在世。据管贻葄《长洲沈处士三白以〈浮生六记〉见示，分赋六绝句》
（《裁物象斋诗钞》）。本年沈复六十三岁。其后事迹未详。

公元1826年（道光六年　丙戌）

正月

祁寯藻还都。仍在南书房行走。七年，充文渊阁校理。八年二月，补授右春坊右
中允。十月，补授翰林院侍讲，旋充日讲起居注官。九年二月，补授右春坊右庶子。
十一年十二月，充文渊阁校理。十二年六月，署国子监祭酒。十月，补授通政司副使。
十三年二月，补授光禄寺卿。四月，补授内阁学士兼礼部侍郎衔。据《观斋行年自记》。

二月

初十日，周星誉（1826—1884）生。星誉原名誉芬，字昀叔、叔云，号鸥公、芝
芗。祖籍浙江山阴，寄籍河南祥符。其父解官归，仍寓越中。道光三十年进士。官至
两广盐运使、广东按察使。著有《传忠堂古文》、《东鸥草堂词》、《鸥堂日记》等。事
迹见金武祥《二品顶戴两广盐运使周公传》（《续碑传集》卷八十）。

梁章钜抵山东按察使任。十一月，调补江西按察使，未行，兼署山东布政使，擢
江苏布政使。本年，梁章钜辑《古格言》十二卷，汤金钊、刘鸿翱各为之序。据《退
庵自订年谱》。

昇寅授国史馆清文总校，钦派会试搜检。三月，钦派大挑历科举人。四月，钦派
阅看清书庶吉士散馆试卷。五月，简调正蓝旗满洲副都统。十一月十六日，简授热河
都统。据《昇勤直公年谱》。

方士淦因事罢职，谪戍伊犁。据《啖蔗轩自订年谱》。

三月

初二日，严如熤卒，年六十八。据陶澍《诰授通议大夫陕西按察使晋赠通奉大夫
布政使衔严公如熤墓志铭》（《碑传集》卷末下）。《晚晴簃诗汇》卷一百二十二："邓
湘皋曰：先生诸生时即好谈兵，以承平日久，武备废弛，慨然怀傅介子班定远之略。
嘉庆初黔楚用兵，上平苗十二策，阴结大小章犵狫头目质子十九人，与共卧起，卒赖
其力复乾州，通黔楚路，苗疆底定，其力居多。在陕二十余年，平定南山教匪，因与
戎事相终始，遂以其间缮城垣，立堡寨，浚壕沟，筑堤堰，教耕织，崇学校，教养兼
施，边境肃然，至条陈屯田水利，建置边疆文武营厅，规画详尽，厥功尤伟，所著有
《苗防洋防三省边防备览》。"诗话："乐园经世伟略，诗特余事。集中《从军》、《悯
农》诸篇，有杜陵《出塞》、《道州》、《春陵》遗意，《华阳吟》及《木厂》、《铁厂》、
《纸厂》诸咏，《塞堡行》、《团练行》、前后《乡兵行》，皆关于南山风土、形势、军

事，亦采风者所必取。七律命意沈雄，结响高亮，有明七子风格，专家无以过也。"收诗十二首。

十九日，鲍桂星卒，年六十三。据《觉生自订年谱》。陈用光《皇清诰授资政大夫詹事府詹事原任工部右侍郎觉生鲍公墓志铭》"公邃于文学，质厚性直，敢任事，有明断才。""公少从吴澹泉定学诗古文，因以溯刘海峰。中年师从姚姬传先生，于为诗力守师说。及乙亥落职，居京师，纵心于唐人诗，益进。尝辑《唐诗品》八十五卷，以司空表圣二十四品排次之。其所为诗，姬传先生尝称之曰：'是能合唐宋之体而自成一家者也。'著有《进奉文钞》二卷，诗十卷，咏史、咏物、怀人诗共九卷。""文足以继燕许兮，而才足以追姚宋也。"《晚晴簃诗汇》卷一百十四："觉生自云学诗于同里吴澹泉。澹泉为刘海峰高弟，其论诗严于格，凡不入乎格，其工者骈文耳，其奥者古赋耳，其妍者词耳，其快者曲耳，其朴直者语录耳，其新颖者小说耳，其纡曲委备者公牍与私书耳，皆不得谓为诗。觉生笃守师说，有一字一句点窜十数过而犹未已，金科玉律自有渊源，亦见桐城义法之严，非特散文已也。"收诗九首。

二十五日，朝鲜金鲁敬集其国之名宿置酒梅龛，为吴嵩梁遥祝六十初度。据姚莹《香苏山馆诗集后序》（《香苏山馆诗集》卷首）。

会试。考官：内阁大学士蒋攸铦、工部尚书陆以庄、户部侍郎王鼎、礼部侍郎汤金钊。题"人之有技 好之"，"无求备于"一句，"是集义所 馁矣"。赋得"莺声细雨中"得"声"字。据《清秘述闻续》卷三。

龚自珍会试不第，考官刘逢禄深惜之。《定盦先生年谱》曰："会试不第。是科刘申受礼部与校，邻房有浙江湖南二卷，经策奥博，曰：此必仁和龚君自珍、邵阳魏君源也。亟劝力荐，不售，于是有《伤浙江、湖南二遗卷之诗》。前辈赏誉之盛，于此可见。先生初与程大理齐名，称程龚，及是学者复称龚魏云。夏，友人谢向亭学士阶树、蕲水陈太初修撰沆相继逝，作《二哀诗》，又祭程大理于城西古寺，赋三律。""先生是岁春入都，何宜人同行，岁暮共幽忧，相喻所怀，相勖所尚，赋《寒月吟》，有偕隐之志，自写成卷，又题一诗。"又，自珍本年所作文有《上海李氏藏书志序》等，诗有《乙酉十二月十九日，得汉凤纽白玉印一枚，文曰婕妤妾赵，既为之说，载文集中矣，喜极赋诗，为寰中倡，时丙戌上春也》、《纪游》、《后游》、《夏进士诗》、《京师春尽夕，大雨书怀，晓起柬比邻李太守威，吴舍人嵩梁》、《有所思》、《美人》、《以奇异金石文字拓本十九种，寄秦编修恩复，而媵以诗》、《反祈招有序》、《烬余破簏中，获书数十册，皆慈泽也，书其尾》、《二哀诗有序》等。

瞿中溶赴苏，晤潘奕隽、吴熊光。中溶以《湖南金石志》赠奕隽。据《瞿木夫先生自订年谱》。

汤金钊服阕。六月署仓场侍郎，七月兼署工部右侍郎，八月入直上书房，补授户部左侍郎。据《先文端公自订年谱》。

继昌招李富孙至浙署，相见甚欢。《校经廎自订年谱》曰："三月，继方伯招至署中，住八砖精舍，论诗饮酒，话旧联吟，颇为欢洽。四月，张柳泉同年允垂延入贡院襄阅府试文卷。"

春

何凌汉补授顺天府府尹。据阮元《诰授光禄大夫经筵讲官户部尚书晋赠太子太保谥文安何公神道碑铭》。

四月

殿试。赐一甲朱昌颐、贾桢、帅方蔚进士及第，二甲顾颙等进士出身，三甲朱琦等同进士出身。据《历科进士题名录》。

五月

初一日，赵慎畛卒，年六十五。据姚莹《赵文恪公行状》(《续碑传集》卷二十二)。《晚晴簃诗汇》卷一百十三："文恪幼孤，敦敏异凡童，事母至孝。既通显，刻苦如寒素，颜其室曰'省僭'，每日言行夜必记之，陟历封圻，以廉静为政。少受教于舅氏王春垫明经，诗亦敩其体。"收诗一首。

十三日，阮元接旨调补云贵总督。越华书院山长刘彬华撰序文为之送行。《雷塘庵主弟子记》云："是时编辑《皇清经解》将一载，已得成书千卷。今欲赴滇，大人将书交付粮道夏公修恕接办，至编辑者仍严厚民先生也。"

六月

英和编丙辰年至是年四月应制诗为《赓扬集》。据《恩福堂年谱》。

七月

胡敬校定刘墉遗稿。是稿凡《诗集》十七卷、《应制集》三卷。据《书农府君年谱》。

八月

吴荣光授福建布政使。据《国史馆传稿·吴荣光传》。

九月

二十一日，黄定文卒，年八十一。据黄式三《族谱东井公传》(《儆居集杂著》四)。李慈铭《越缦堂读书记·东井文钞》："阅《东井文钞》。共二卷，四明黄定文著。文皆谨严有法度，《岳忠武论》二首尤佳。"《晚晴簃诗汇》卷一〇〇录其诗七首。

十一月

二十一日，姚学塽卒，年六十一。据张履《诰授奉政大夫兵部职方司郎中镜塘姚先生行状》（《续碑传集》卷七一）。魏源《归安姚先生传》："平生未尝著书，而经义湛深。""其文章尤工制义，规矩先民，高古渊粹，而语皆心得，使人感发兴起。有先生而制义始有功于经。当与宋五子并垂百世，远出守溪、安溪之上。盖自制义以来，一人而已。"（《魏源集》）王揖唐《今传是楼诗话》四五云："龚定盦集于归安姚先生极致推崇，诗亦数见。按姚名学塽，字镜堂，学问赡博，品尤高洁，官京师数十年，寓破庙中，不携眷属，趁公之暇，以文酒自娱，朝贵罕识其面。曾典贵州乡试，门下士馈赆金者力却之，惟赠酒则受，因是贫特甚。出不乘车，随一僮持衣囊而已，所服皮衣冠毛堕半见其鞯，每踽踽行道中，群儿争指笑之，先生夷然自若也。尝赋梅子诗云：'臭味偏于吾辈近，风怀莫遣女郎知。'一时推为绝唱，其他佳句，如《谢人送菜》云：'但使斯民无此色，愿教我辈味其根。'《送闵贡甫之扬州》云：'养志未须嫌禄薄，读书大好是闲官。'皆清妍绝俗，不落理障，事见桐乡陆以湉《冷庐杂识》中。先生本以朴学清标，为一时模楷。"四六云："先生官兵部久，僦居宣南水月庵，定盦《柬陈硕甫奂并约其偕访归安姚先生》云：'枯庵有一士，长贫颜色好。避人偕访之，一觌永相保。'殆指庵居而言。桐庐袁忠节爽秋亦有《过水月庵有怀姚镜塘先生》云：'一片空明水月居，枝言春雨洒根株。道光朝士狂标格，庭翠今余柏子无。'先生之为浙贤引重如此，萧条异代，景慕攸同，载笔及之，亦借以矜式颓俗也。"《晚晴簃诗汇》卷一百十三："其五言格律清稳，矩矱唐人，实胜他体。"收诗九首。

二十五日，宋湘卒，年七十一。入国史文苑传。据朱彭寿《清代人物大事纪年》。《晚晴簃诗汇》卷一百十三："芷湾襟抱豪迈，才气倜傥，自言性不耐起草，登临唱和，清酒三升，振笔挥扫，他日闻之传诵，多不知为己作也。与张南山莫逆，尝谓之曰：'一唱三叹，入人心脾，我不如子；哀乐无端，飞行绝迹，子不如我。'"收诗九首。

沈维鐈离福建任。编诸人送行之诗为《辀轩鼓吹集》四卷。据《鼎甫府君年谱》。〔按，维鐈于道光三年三月至福州。〕

《皇朝经世文编》一百二十卷辑成。《宝庆府志》卷一〇二："《皇朝经世文编》一百二十卷，邵阳魏源编。此书善化贺长龄官江苏布政使时所辑，而属源编校以成者也。前有贺长龄序，其五例则源所定也。"魏源《皇朝经世文编五例》："一、审取。书各有旨归，道寸乎实用。志在措正施行，何取纤途广径？既经世以表全篇，则学术乃其纲领。凡高之过深微，卑之溺糟粕者，皆所勿取矣。时务莫切于当代，万事莫备于六官，而朝廷为出治之原，君相乃群职之总，先之《治体》一门，用以纲维庶政，凡古而不宜，或泛而罕切者，皆所勿取矣。《会典》之沿明制，犹《周官》之监夏、殷。然时易势殊，敝极必反，凡于胜国为药石，而今日为筌蹄者，亦所勿取矣。星历掌之专官，律吕只成聚讼，务非当急，人难尽通，则天文乐律之属，可略焉勿详也。议论之与叙事，本皆要文，而碑传之纪百行，难归各类。今惟蛮海各防，间存公案数则，其他纪述之作，虽工焉勿等也。例画则义专，宗定则志一。一、广存。有利必有害，论相反者或适相成；见智亦见仁，道同归者无妨殊辙。……惟集思而广益，庶执两亦用中，则取善之宜广也。文无难易惟其是，讵容喜素而非丹？圣有谟训择于狂，未可因人以废论。矧夫适用之文，无分高下之手。或迩言巷议，涓流辄裨高深；或大册鸿编，足音寥同空谷。故有录必披，无简可略，匪但专集宜寻，亦多他书别见，则网罗之宜广也。见闻或限于方隅,惠邮尚资夫益友。一、条理。纲举故目张,事繁则理赜。于分疆界中,有会同触类之旨。……他若出礼入刑,服制通乎断狱;寓兵于农,保甲亦可审丁;此异而同者也。至于同类之中,各有伦族:一荒政而蝗、蛟、疫厉胥皆;……此同而异者也。甚至数篇之内,先后无移;两文之间,切磋互发;物其多矣,方以聚之,右有左宜,是在君子。一、编校。氏里官爵,总汇卷端。考陆氏《切问钞》之叙,乃乾隆四十载所刊,时海峰、东原岿然并存,而风俗时宪,已收数作,殆以切时之言,无须身后始出。今兹所录,咸据椠本,保无子瞻海外未辨存亡,乐天时人已疑今古,彼既行世之书,吾取经世之益。其有见闻所及,确然生存,则止旁注集名,虚其氏字,庶文资乎救时,复例绝夫标榜。若夫论事尚简明,而公牍之蔓冗易晦;建议期切实,而臆见或择焉不精。不节冗,将以无文妨行远矣,不去偏,将以小疵废大醇也。岂必待韩而削荀,抑亦掩瑕以全璧。至于句读以省浏览,圈识以明章段,上法老泉《读孟》,近仿黎洲《文定》云尔。一、未刻。创编之始,蓄意良奢,尚有《会典提纲》廿卷以稽其制,《皇舆图表》廿卷以测其地,《职官因革》廿卷以详其官,更辑《明代经世》一卷以翼其旨,庶几自叶流根,循源达渤,质之往古如贯穿,措之当世若指掌。欲脱全稿,尚待他时,先出是编,以质同志。"(《魏源集》)

十二月

十八日,易佩绅(1826—1906)**生。**佩绅字笏山,号健斋,人称函楼先生,湖南龙阳人。咸丰八年举人。官至江苏布政使。著有《函楼诗钞》十六卷、《词钞》四卷、《文钞》九卷。事迹散见其诗文集。[生日据朱彭寿《清代人物大事纪年》。]

孙尔准编本年诗为《台阳筹笔集》。据《平叔府君年谱》。

周之琦署浙江布政使。据《稚圭府君年谱》。

贺长龄调山东布政使。据《诰授荣禄大夫前云贵总督贺君墓志铭》(《续碑传集》卷二十四)。

冬

黄钺乞老还家。据《黄勤敏公年谱》。

本年

莫友芝补州学弟子员,时年十六岁。据《独山莫贞定先生年谱》。

曾国藩应长沙府试,取前列第七名。据黎庶昌《曾国藩年谱》。

张琦在山东馆陶县知县任。据《明清江苏文人年表》。

管绳莱在含山县知县任。据《雪桥诗话余集》七。

李文耕擢浙江盐运使。据王赠芳《通议大夫原任贵州按察使昆阳李公行状》(《续碑传集》卷三十四)。

邓廷桢授安徽巡抚兼提督。据《邓尚书年谱》。

程恩泽视学湖南。郑珍从其之湘，得识欧阳辂、邓显鹤。郑珍《巢经巢诗钞前集》诗自本年始。据《郑子尹先生年谱》。

陶澍抚苏。据鲍鼎编《张夕庵先生年谱》。

方东树自粤旋里，旋往浙右。据《方仪卫先生年谱》。

刘宝楠由仪征迁扬州。据《刘孟瞻先生年谱》。

吴藻（女）入陈文述门下为弟子。据华玮编辑点校《明清妇女戏曲集》。

谢堃初定所著《春草堂诗》。据《顾千里先生年谱》。

陈森至北京携所作诗稿访陆继辂。据《崇百药斋三集》三。

张际亮编乙酉至是年诗计九十首。诗见李云诰编《张亨甫全集·诗编》卷八。

丁晏著《子史粹言》二卷。据《丁柘亭先生历年纪略》。

李兆洛《皇朝内府一统舆地全图》成。据《武进李先生年谱》。

俞正燮为程恩泽、祁寯藻纂《御纂春秋左传》。据《俞理初先生年谱》。

张维屏有《松滋集》、《襄阳集》、《广济集》。是年十月月始，张维屏守制居家。据《张南山先生年谱撮略》。

阮元作诗数十首，成《万里集》一卷。据《雷塘庵主弟子记》。

钱泳在家辑《履园丛话》二十四卷。据《梅溪先生年谱》。

汤贻汾诗自此年至壬辰上半年曰《之江集》。据《汤贞愍公年谱》。

《江苏海运全案》刊刻成书。魏源以举人拣选知县衔列为校刊之一。并代贺长龄作《海运全案序》，代陈銮作《海运全案跋》，代李景峄作《道光丙戌海运记》。据黄丽镛《魏源年谱》。

顾广圻在扬州校刊《唐文粹》。据赵诒琛编《顾千里先生年谱》。

冯登府著《西域平定雅》、《消夏录》一卷。又著《风怀诗补注》一卷，《梵雅》二卷，《全唐诗未备书目》一卷，《小谪仙馆摭言》十卷。据《冯柳东先生年谱》。

张某序《天豹图》十二卷四十回。《天豹图》十二卷四十回，存英秀堂刊小本。无名氏撰。与《天宝图》弹词所演略同。据孙楷第《中国通俗小说书目》。

晶三芦月草舍居士序《红楼梦偶说》。《红楼梦偶说》二卷，存光绪二年丙子簸覆山房刊本。无名氏撰。题"晶三芦月草舍原本"，"簸覆山房编次"。据孙楷第《中国通俗小说书目》。

俞万春始作《荡寇志》。是书咸丰三年刊于苏州。据王利器辑录《元明清三代禁毁小说戏曲史料（增订本）》。

彭剑南合所著《影梅庵》、《香畹楼》二传奇为《茗雪山房二种曲》刊行。据《言言堂曲本书目》。

孙廷璋（1826—1866）生。廷璋字仲嘉、莲士，浙江会稽人。道光十九年拔贡生，旋举乡试。官国子监学录、助教。咸丰三年告归。著有《元艺堂文集》、《勉憙堂诗集》、《玉井词》。事迹见李慈铭《陈寿祺王星诚孙廷璋三子传》（《碑传集补》卷五一）。

胡盍朋（1826—1866）生。盍朋字子寿、簪廷，号小樵亭主人，勿疑轩主人。江苏沭阳人。诸生。著有《白榆堂诗》、《白榆堂词》、《海滨梦》传奇、《汨罗沙》传奇等。事迹见吴绍矩《胡子寿先生事略》。

黄钧宰（1826—1876?）生。钧宰原名振钧，字宰平，改名钧宰，字仲衡、子河、号天河生，江苏山阳人。道光二十四年贡生，二十九年拔贡，官奉贤训导。屡试不第，以校官终。著有《金壶七墨》、《比玉楼遗稿》、《比玉楼传奇》四种。事迹见民国《续纂山阳县志》卷十（《方志著录元明清曲家传略》）、叶德均《读曲小纪·曲家黄钧宰》（《戏曲小说丛考》上册）。

翁端恩（女，1826—1892）生。端恩字璇华，号纫卿，江苏常熟人。心存次女，钱振伦室。著有《簪花阁集》。事迹见《国朝闺秀正始再续集》。

翁元圻卒，年七十六。据朱彭寿《清代人物大事纪年》。《晚晴簃诗汇》卷一百四："王伯厚《困学纪闻》体大思精，残膏剩馥，沾溉学者。凤西集诸家之说，以为之注，与嘉定黄氏《日知录》集释，几于家有其书。"收其诗一首。

吴慈鹤卒，年四十九。入国史文苑传。据朱彭寿《清代人物大事纪年》。《晚晴簃诗汇》卷一百二十一收其诗四首。

陈沆卒，年四十二。入国史文苑传。据朱彭寿《清代人物大事纪年》。周锡恩《陈修撰沆传》："其学渊博，握要经史，旁征流略，多所窥览。其诗文以独到为宗，虽天资俊拔，而思力刻憺，至数易其稿。故所作高奇华妙，卓然为一代大宗。"（《碑传集补》卷八）《晚晴簃诗汇》卷一百二十八："秋舫诗才超逸，登上第而不永年，人咸惜之。魏默深评其诗云：羚羊挂角，无迹可寻；成连东海，刺舟而去。渔洋能言之而不能为之也，秋舫其庶几乎。虽朋辈推重，未免过情，而其诗境高旷，可仿佛见之矣。"收其诗四首。

胡秉虔卒。入国史儒林传。据朱彭寿《清代人物大事纪年》。

王豫卒，年五十九。据张慧剑《明清江苏文人年表》。

陈诗卒，年七十九。据江庆柏《清代人物生卒年表》。

王宗炎卒，年七十二。入国史文苑传。据朱彭寿《清代人物大事纪年》。《晚晴簃诗汇》卷一百二："毂塍绩学不仕，诸经皆有著述，未传；文章朴茂，诗亦笃雅不佻。当时越中推为耆硕，法梧门赠诗有云：'我友王夫子，笃志穷经史。自试南宫归，足不出乡里。生徒列北面，如坐春风里。一材一艺成，夫子辄色喜。'其造就后进甚众也。"收其诗四首。

公元 1827 年（道光七年　丁亥）

二月

朔日，戈宙襄卒，年六十三。据顾广圻《清故孝子戈君之铭》（《思适斋集》卷一八）。

初九日，祝百十卒，年六十五。据李兆洛《江阴顺三坊祝君年六十五行状》（《养一斋文集》卷一四）。

李富孙至剡城始修《嵊县志》。据《校经廎自订年谱》。

昇寅有《柳家店》诸作。据《昇勤直公年谱》。

三月

初八日，李桓（1827—1891）生。桓字叔虎，号黼堂，湖南湘阴人，星沅子。廪生。以父荫奉诏以道员拣发江西，署广饶九南兵备道。官至江西布政使，以事降三级处分。遂不复出，读书著述。著有《宝韦斋类稿》一百卷。辑有《国朝耆献类征初编》七二〇卷、《国朝贤媛类征初编》十二卷。事迹见谭献《前江西布政使李公碑铭》（《续碑传集》卷三十八）。［生日据朱彭寿《清代人物大事纪年》。］

初九日，因贺长龄调任山东布政使，陈銮、刘鸿翱、魏源、齐彦槐等人祖饯于穹窿道院。据齐彦槐《梅麓诗钞·山集》下。

二十二日，唐仲冕卒，年七十五。据英和《诰授通奉大夫护理陕西巡抚陕西布政使司布政使唐公神道碑铭》（《续碑传集》卷二十一）。《晚晴簃诗汇》卷一百八：“陶山躬际承平，起家牧令。清诗美政，流播吴中，今阊门沧浪亭有五百名贤石刻，首泰伯，以仲冕殿，其见重如此。秦小岘谓其诗通于政；王惕甫称其不克施诸官者则寓诸诗。集中如元结春陵贼退之篇，藉民事以通讽谕者多不胜选。陶山自言：初宗韩、苏，后效岑、高，惮于精专，贪多喜杂。顾其笔横才高，实能熔铸众长，自成机轴，故有转酪成酥之美。”收诗十三首。

阮元著《塔性说》成。据《雷塘庵主弟子记》。

胡敬始辑《唐科目记》。据《书农府君年谱》。

姚莹离京，五月至福州。自是时始丁母忧。据《姚石甫先生年谱》。

四月

孙尔准见冯登府、李富孙于浙之嘉兴。尔准时任闽浙制府。据《校经廋自订年谱》。

五月

初一日，林则徐升陕西按察使，署布政使事。十月十九日至道光十年正月，丁父忧。本年，手定《使滇吟草》，是为己卯至丁亥之作。据来新夏《林则徐年谱》。

初三日，潘世恩丁父忧毕，署工部左侍郎。旋补吏部左侍郎，任国史馆副总裁。据《思补老人自订年谱》。

二十一日，洪良品（1827—1896）生。良品字右臣，别号龙冈山人，湖北黄冈人。同治七年进士。历官编修、御史、户部给事中。著有《龙冈山人诗钞》十八卷、《龙冈山人古今体诗》二卷。事迹见刘光第《户科给事中洪公墓志铭》（《碑传集补》卷十）。［生日据朱彭寿《清代人物大事纪年》。］

王引之授工部尚书。据闵尔昌《王石臞先生年谱》。

六月

龚自珍问《易》于端木国瑚。《太鹤山人年谱》：“府君以‘乾初九不易世’一节说之舍人，以为闻所未闻云。”

夏

魏源作《筹漕下篇》。据魏源《筹漕下篇》(《魏源集》)。

七月

初八日,汪廷珍卒,年七十一。赠太子太师,入祀贤良祠,谥文端。据朱彭寿《清代人物大事纪年》。李元度《汪文端公事略》曰:"公学有根柢,以文章行谊高天下,海内无异辞。"(《续碑传集》卷三)《淮安府志·汪廷珍传》曰:"廷珍于书无所不窥,尤深于经术,十三经义疏皆能□诵。居平讲学,不祖汉宋一本义理为折衷。其他民情政治之大,下及舆地、名物、算术、方技,无不曲究其蕴。"《晚晴簃诗汇》卷一百七收其诗二首。

邓廷桢校刊展卿先生《屈子正音》于皖城。据《方仪卫先生年谱》。

汤金钊升左都御史。十月,升礼部尚书。据《先文端公自订年谱》。

王引之充武英殿正总裁,修刊《康熙字典》。《王伯申先生年谱》曰:"七月,充武英殿正总裁,有旨修刊《康熙字典》。先生以字典一书,搜罗繁富,为字学之渊薮。惟卷帙浩繁,当时成书较速,纂辑诸人迫于期限,于援据间有未及详校者,奏请考据更正。凡校正二千五百八十八条,辑考证十二卷,分条注明,各附案语。同事诸人皆推重先生学问,谓有先生校订,可以无俟他人。故更正之条出自先生手者十居八九。"道光十一年辛卯,重刊《康熙字典》告竣。

汤贻汾官湖州协镇。其间与端木国瑚以诗文相往来,甚相契。据《太鹤山人年谱》。

八月

钱宝甫卒,年五十七。据朱彭寿《清代人物大事纪年》。《晚晴簃诗汇》卷一百十三:"恬斋为箨石侍郎孙,百泉编修子,仍世词曹,清德照耀,扬历中外,声施烂然。诗画皆有家法。"收诗一首。

九月

十七日,钮树玉卒,年六十八。据梁章钜《钮山人墓志铭》。《墓志铭》云:"山人之学,精于《说文》,因及金石、文字,于音律独有微诣,老伶工半字之差,亦能正之。""诗工五言,亦简远有味。盖山人忘情利达,举世间一切累心之事,土苴去之,皆不足损益其读书之乐。"(《碑传集补》卷三十九)《晚晴簃诗汇》卷一百十五:"匪石洞庭布衣,为钱少詹弟子,专治《说文》,名其家。作小篆,寓规矩于生动。与同时诸名辈游,诗才清出,亦朴学者所难。《感兴》诸篇,盖深慨于当时学术风尚,言外雅有微旨。"收诗七首。

贺长龄调江宁布政使。据《续碑传集》卷二十四《诰授荣禄大夫前云贵总督贺君墓志铭》。

十月

龚自珍录辛巳以来七年之作百二十八篇，为《破戒草》一卷。《定盦先生年谱》曰："十月，录辛巳以来七年之作百二十八篇，为《破戒草》一卷，又依乙亥、庚辰两例，存余集凡五十七篇，亦一卷。先生金石之学，精博绝特，创立义类，时出新解，集中《说宗彝》、《说爵》、《说刻石》、《说碑》诸文，其揭橥也。初拟撰《金石通考》五十四卷，分存、佚、未见三门，书未成，至是成《羽琌山金石墨本记》五卷，赵晋斋、何梦华为之谠正。又撰《羽琌之山典宝记》二卷、《镜苑》二卷、《瓦韵》一卷，辑官印九十方为《汉官拾遗》一卷、《泉文记》一卷。"纪年文有《定盦八箴》、《说卫公虎大敦》。编年诗有《元日书怀》、《退朝遇雪，车中忽然有怀，吟寄江左》、《撰羽琌山馆金石墨本记成，弁端二十字》、《自写寒月吟卷成，续书其尾》、《婆罗门谣》、《同年生吴侍御杰疏请唐陆宣公从祀瞽宗，得俞旨行，侍御属同朝为诗，以张其事，内阁中书龚自珍献侑神之乐歌》、《自春徂秋，偶有所触，拉杂书之，漫不诠次，得十五首》、《枣花寺海棠下感春而作》、《西郊落花歌》、《述怀呈姚侍讲元之有序》、《哭郑八丈（师愈，秀水人）》、《歌筵有乞书扇者》、《梦中作》等。

郭麐名其庵曰"老復丁"。据《顾千里先生年谱》。

瞿中溶重辑《古文孝经辨疑》毕，并重编《孝经释文辨证》。十一月，重辑《唐石经考异集证》。据《瞿木夫先生自订年谱》。

十一月

十一日，姚文田卒，年七十。刘鸿翱《礼部尚书姚文僖公墓志铭》曰："制义之兴七百年，莫盛于明之正、嘉。国朝熊、刘诸家各开生面。惟安溪李公、东皋窦公及公力追取正。始，公学问无所不贯，不仅制义为学者宗。而天下称公之制义，知与不知曰：'此今之安溪东皋也。'安溪李公在圣祖时、东皋窦公在高宗时，皆以厘正天下文风为己任。……仁宗重公制义，故虽经术如公、条奏地方利弊如公，筹画国计民生如公，终不用公作督抚。以公司天下文衡几三十年，盖以李安溪、窦东皋待公。"（《续碑传集》卷八）

十二月

十九日，石韫玉、潘奕隽、朱珔、钱泳等饮于桂舲之还读斋，为东坡寿。潘奕隽先成诗二首，索同人和。据《三松自订年谱》。

端木国瑚、汤贻汾等集于汤贻汾署馆作消寒之会。据《汤贞愍公年谱》。

冬

冯登府刊《清芬集》八卷。本年，登府著《勺园集》，共诗九十首。据《冯柳东先生年谱》。

本年

祁寯藻升右中允，旋迁侍讲。又迁右庶子。据《续碑传集》卷四《祁文端公神道碑铭》。

曹振镛晋太子太师。据《曹振镛传》（《续碑传集》卷二）。

梁章钜抵江苏布政使任，辑《东南棠荫图咏》三卷。朱兰坡为之序。据《退庵自订年谱》。

李文耕擢湖北按察使。未至，授山东按察使。据王赠芳《通议大夫原任贵州按察使昆阳李公行状》（《续碑传集》卷三十四）。

丁履恒选授山东肥城县知县。在任三年，庚寅以病自请免。据吴育《山东肥城县知县丁君家传》。

钱泰吉选授杭州府海宁州学训导。在任达二十七年之久。据曾国藩《钱君墓表》。

徐继畬始丁父忧。据《山西通志·徐继畬传》。

魏成宪主讲金陵钟山书院。据《仁庵自记年谱》。

童槐主讲月湖书院。据《显考蓴君府君年谱》。

方东树主庐州庐阳书院。据《方仪卫先生年谱》。

左辅受邀主扬州孝廉堂。据《杏庄府君自叙年谱》。

包世臣佐陶澍办吴淞江工程。据《包慎伯先生年谱》。

蒋春霖随父之湖北，登黄鹤楼赋诗。其诗令老宿敛手称异，一时有"乳虎"之目。据金武祥《蒋君春霖传》。

陶澍、潘奕隽、石韫玉、吴云、韩崶为"沧浪五老会"。据《陶文毅公年谱》。

陶澍、梁章钜、陈銮重修沧浪亭，又建五百名贤祠。据《石隐山人自订年谱》。

薛传均、柳兴恩等校包季怀所撰《诗礼征文》。据《刘孟瞻先生年谱》。

俞正燮作《门客正义》、《除乐户丐籍及女乐考附古事》、《野获编目录书后》等文。据《俞理初先生年谱》。

张际亮作诗百零七首。见李云诰编《张亨甫全集·诗编》卷九。

英和刻《恩福堂试帖诗钞》。据《恩福堂年谱》。

绿玉山房刊《玉蟾记》。《玉蟾记》五十三回，存道光七年绿玉山房刊本、光绪己亥立本堂石印本，题《十二美女玉蟾缘》。崔象川撰。题"通元子黄石著"，"钓鳌子校阅"，"餐霞外史参订"。据孙楷第《中国通俗小说书目》。

刘履芬（1827—1879）生。履芬字彦清、泖生，号沤梦，浙江江山人。嘉庆十三年举人。历官奉贤、溧水知县、户部主事、直隶州同知、嘉定代理知县。著有《古红梅阁遗集》。事迹见高心夔《代理江苏嘉定县刘君墓志铭》（《续碑传集》卷四五）。

方昌翰（1827—1897）生。昌翰字宗屏，号涤侪，安徽桐城人。咸丰元年举人。官新野知县。著有《虚白室诗钞》。事迹见马其昶《新野县知县方君墓志铭》（《续碑传集》卷四五）。

欧阳勋（1827—1856）生。勋字子和、功甫，湖南湘潭人。诸生。著有《秋声馆遗集》八卷。事迹见吴敏树《欧阳功甫墓志铭》（《碑传集补》卷五十）。

张景祁（1827—1895）生。景祁原名左钺（一作祖钺），字孝威，后字韵梅，别号新蘅主人。同治十三年进士。历官福建武平、台湾淡水、福建晋江、连江、仙游、福安知县。以词名。著有《新蘅词》九卷、《外集》一卷。事迹见《杭州府志·文苑传》。

曾传钧（1827—1881）生。传钧字荼村、文劭，湖南善化人。诸生。入湘军统领刘长佑幕，以功叙训导。历官湖南蓝山、邵阳诸县教谕、岳州府学训导、广西西林知县、直隶州同知。著有《万松草堂纪事》、《蕙兰芳》传奇。事迹见杨恩寿《朝议大夫广西西林县知县曾君墓志铭》。

黎庶焘（1827—1865）生。庶焘字鲁新，别号筱庭，贵州遵义人。咸丰元年举人。以病未能远出，任教于本县育才讲舍。著有《慕耕草堂诗钞》四卷、《琴洲词》二卷。事迹见黎庶昌《先兄鲁新墓志铭》。

王采蘋（女，1827—1893）生。采蘋字涧香，江苏太仓人，王曦女。著有《读选楼诗稿》十卷。事迹见《清代闺阁诗人征略》卷十。［生卒年据江庆柏《清代人物生卒年表》。］

公元 1828 年（道光八年　戊子）

正月

孙尔准荐李富孙主海昌安澜书院。富孙二月至海昌。据《校经庼自订年谱》。

蒋彤始从李兆洛学。据《武进李先生年谱》。

二月

陶澍建震川书院于嘉定。据《陶文毅公年谱》。

瞿中溶辑《魏石经遗字举正》一卷稿成。据《瞿木夫先生自订年谱》。

三月

方士淦自伊犁归。撰《东归日记》一卷、《生还小草》诗一册。自是不复出。据《啖蔗轩自订年谱》。

瞿中溶辑《春秋三家经异文备考》毕。据《瞿木夫先生自订年谱》。

吕璜以文就质于吴德旋。岁末，吴德旋返宜兴，过杭州，留住吕璜寓中，二人畅谈二十余日，吕璜于古文义法乃益窥其深。据《月沧自编年谱》。

六月

吴荣光始丁父忧。据《荷屋府君年谱》。

李宗瀚奉命典试浙江。八月，奉旨留学政任。据《续碑传集》卷九《工部左侍郎

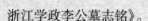

浙江学政李公墓志铭》。

七月

英和选定自癸丑至是年七月古今体诗为《恩福堂诗钞》十二卷。据《恩福堂年谱》。

八月

包世臣晤贺长龄于白门。长龄询及治河事。据《包慎伯先生年谱》。

潘世恩署吏部尚书。据《思补老人自订年谱》。

九月

十七日，冯登府、张祥河等集于西湖之宛在堂。是年，冯登府辑《闽中访碑录》十卷，《闽中金石志》十四卷。据《冯柳东先生年谱》。

秋

乡试。黄爵滋典试江南。据《明清江苏文人年表》。池生春为陕甘乡试正考官。据吕璜《国子监司业广西学政楚雄池公墓志铭》（《续碑传集》卷十八）。中式者有潘德舆（鲁一同《安徽候补知县乡贤潘先生行状》）、彭洋中（刘蓉《署潼川府知府彭君墓表》）。洪齮孙中式副榜贡生。据朱彭寿《清代人物大事纪年》。

梅植之、刘宝楠、刘文淇、柳兴恩、薛传均等偕赴金陵，同寓应试。试后，众人同游金山、焦山。至是，刘宝楠、刘文淇、梅植之等始约各治一经，加以疏证。文淇任《左传》，宝楠任《论语》，陈立（字卓人）任《公羊》。据《刘孟瞻先生年谱》。

十月

初十日，顾广圻跋方履籛《金石萃编补正》四卷。跋曰："昔钱竹汀少詹言宋以后碑好者颇少，惟引李南涧一人为同志。今读此二册，自唐以下凡宋、金、元等各碑一一手释，其文纤悉无遗。我彦闻先生可谓其真知笃好矣。惜不起拉少詹见之。"（《顾千里先生年谱》）

十六日，钱林卒，年六十七。据汪喜孙《钱学士墓表》（《碑传集补》卷八）。《晚晴簃诗汇》卷一百十九："金粟著《文献征存录》，搜采勤审，阮文达称其综览经籍，兼工词翰，下笔机速，刻晷可待，华实并茂之士，此为翘楚。"收诗二首。

二十六日，叶维庚卒，年五十六。李兆洛《泰州知州叶君行状》："沈酣载籍，博而能精。阮宫保芸台、潘尚书芝轩、刘侍郎金门诸先达无不激赏。钱心壶给谏、黄霁青太守、方铁珊参军诸名流则皆以诗词狎主坛坫者也。诗以超劲为宗，而清迈绝俗。"（《续碑传集》卷三十九）

十一月

项廷纪自序所自编《忆云词乙稿》一卷。据朱彭寿《清代人物大事纪年》。

十二月

初二日，邓辅纶（1829—1893）生。辅纶字弥之，湖南武冈人。咸丰元年副贡。官内阁中书、浙江道员。著有《白香亭集》。事迹见王闿运《邓弥之墓志铭》（《碑传集补》卷五十一）。[生日据朱彭寿《清代人物大事纪年》。]

十九日，铭安（1829—1911）生。铭安字鼎臣，叶赫那拉氏，满洲人。咸丰六年进士。官至刑部侍郎、吉林将军。著有《止足斋诗存》四卷。事迹见《清史稿》本传。[生日据朱彭寿《清代人物大事纪年》。]

张际亮撰《金台残泪记》成。《金台残泪记自叙》曰："孔子泣获麟后，天下有二泪焉。汉贾生之哭时事也，晋阮籍之哭穷途也。余居都门三载，深观当世之故，颇能言其利而救其弊。无荐之者，既不敢献策，复不敢著书，辄恸哭。遭家多难，顾影自悲，又恸哭。故人怜之，恐其伤生，每为征乐部少年，清歌侑酒，以相嬉娱。余于醉后则又恸哭。今将归矣，偶理旧衣，见向时醉后泪痕犹在，乃叹曰："嗟乎，余之泪尽矣！此其残痕，然一时之情也不可忘。因撰次为传十篇、诗五十九首、词三阕、杂记三十七则。燕本黄金台旧地，故曰《金台残泪记》云尔。"署"太岁戊子腊八日"。（张次溪编纂《清代燕都梨园史料》正续编）

本年

魏源游杭州，寓钱东甫宅，从学释典。魏耆《邵阳魏府君事略》："求出世之要，潜心禅理，博览经藏。"临行，作《武林纪游十首呈钱伊庵居士》，见《魏源集》。魏源《圣武记叙》："京师，掌故海也，得借观史馆秘阁官书，及士大夫私家著述、故老传说，于是我生以后数大事，及生以前上迄国初数十大事，磊落乎耳目，旁薄乎胸臆。"

张际亮由豫之越。作诗五十八首。李云诰编《张亨甫全集·诗编》卷十："自乙酉起原梓为四卷，名《娄光堂稿》，后因名称不雅，自易名《松寥山人诗二录》，改编三卷。"

魏成宪主讲里中紫阳书院。据《仁庵自记年谱》。

方东树主亳州泖湖书院。据《方仪卫先生年谱》。

朱骏声馆扬州。作《唐李贺小传》。据《石隐山人自订年谱》。

管同馆邓廷桢安庆署中。作《八箴堂小集序》。据《金陵文钞》八。

姚椿旅河南辉县。作《苏门山百泉记》。据《晚学斋文集》一〇。

薛传均就馆福建，以所著《文选古字通疏证》质孙尔准。据《颐志斋文钞》。

张维屏家居守制，始辑《诗人征略》。据《张南山先生年谱撮略》。

周济复理学业。先成《说文字系》四卷、《韵原》四卷。辑平日古今体诗二卷，词二卷，杂文二卷。据魏源《荆溪周君保绪传》。

梁章鉅辑《沧浪亭志》四卷、《梁祠纪略》二卷，朱兰坡为之序。据《退庵自订年谱》。

孙尔准有《泰恩集》。辑《福建盐法志》。据《平叔府君年谱》。

龚自珍撰《尚书序大义》、《大誓答问》、《尚书马氏家法》各一卷成。纪年文有《最录尚书古文序写定本》、《最录李白集》。据《定盦先生年谱》。

朱骏声著《六十四卦经解》。骏声本年馆扬州，十二月旋里。据《石隐山人自订年谱》。

侯芝改订《再造天》弹词。据《再造天序》。

李兆洛刊《程子香文钞》。据《武进李先生年谱》。

钱泳刻《学古斋回体帖》、《澄鉴堂帖》。据《梅溪先生年谱》。

邓廷桢重刊汪辉祖《佐治药言》、《学治臆说》。据《邓尚书年谱》。

石韫玉刻所著《多识录》九卷。据《贩书偶记》。

《争春园》四十八回刊行。孙楷第《中国通俗小说书目》："《争春园》四十八回。存。道光八年刊小本、光绪十五年刊本。无名氏撰。首己卯（无年号）暮春寄生氏序。寄生氏即《五美缘》作者。"

董沛（1828—1895）生。沛字孟如，号觉轩，浙江鄞县人。光绪三年进士。历官江西清江、东乡、建昌、上饶知县。致仕后主崇实、辨志书院。著有《六一山房诗集》二十卷等。事迹见董缙祺《知州衔封朝议大夫江西建昌知县董府君行状》（《续碑传集》卷八一）。

王韬（1828—1897）生。韬原名利宾，易名懒，字懒今；后改韬，字仲弢、子潜，号紫铨，蘅华馆主，江苏长洲人。道光二十五年，入县学第一名。二十九年，入上海墨海书馆任编译。同治六年，赴英国译书，并游历法国等地。九年，回香港，为《华字日报》撰稿、《循环日报》主编。光绪五年，游日本。回国后，在上海主持《申报》，办弢园书局，主讲格致书院。著有《弢园文录外编》十二卷、《扶桑游记》三卷、《淞隐漫录》十二卷等。事迹见王汉章《天南遁叟年谱》。

汪瑔（1828—1891）生。瑔字玉泉，号芙生，晚号越人，人称谷庵先生。原籍浙江山阴，占籍广东番禺。游幕为生。著有《随山馆集》十八卷、《松烟小录》六卷等。事迹见朱启连《汪先生行状》（《碑传集三编》卷三九）、陈宝箴《汪君墓志铭》（《续碑传集》卷八一）。

容闳（1828—1912）生。闳字达萌，号纯甫，自号欧西诗伯，广东香山人。道光二十七年赴美留学，三十年考入耶鲁大学。归国后就职于广州美国公使馆等处。同治二年入曾国藩幕。光绪间奉命主持选派学生留学。戊戌变法后当选为自立会会长。二十八年，洪全福、李纪堂谋起义，拟推容闳为大总统。事败，赴美国定居。卒于美国。著有《园居十首》、《西学东渐记》。事迹见汤志钧《戊戌变法人物传稿》卷三。

王棻（1828—1899）生。棻字子庄，号耘轩，浙江黄岩人。同治六年举人。历主清献、文达、正学、宗文、中山等书院讲席。著有《柔桥文钞》十六卷、《柔桥诗集》八卷等。事迹见王舟瑶《王子庄先生传》（《碑传集补》卷三十八）。

张作楠卒。入国史文苑传。据朱彭寿《清代人物大事纪年》。作楠字让之，号丹村，浙江金华人。嘉庆十三年进士。官徐州知府。著有《翠微山房诗集》。《晚晴簃诗汇》卷一百二十："丹村兼治汉宋学，并通算术，深造密微；令阳湖，牧太仓，皆以廉平称，自徐州乞归，乡居二十余年，足不入城市。"收诗一首。

刘大绅卒，年八十二。入国史循吏传。据朱彭寿《清代人物大事纪年》。《晚晴簃诗汇》卷九十五："寄庵自言于诗博好唐宋大家，嗣从王李格调之说。后则奉新城神韵为圭臬，而兼用近人之所谓性灵者。常谓格调中未必有神韵，而神韵即在格调之中，神韵中自有性灵，而性灵不能在神韵之外，论者以为知言。"收诗九首。

陈均卒，年五十。据朱彭寿《清代人物大事纪年》。《晚晴簃诗汇》卷一百二十一收诗一首。

改琦卒，年五十六。据朱彭寿《清代人物大事纪年》。《晚晴簃诗汇》卷一百五十二："七岁先世出西域，其大父没于王事，移家云间。工画，最长士女，间作折枝花，娟秀如生。长于倚声，有《玉壶词》，题画亦自署玉壶外史。"收诗二首。

屠倬卒，年四十八。据赵诒琛编《顾千里先生年谱》。《晚晴簃诗汇》卷一百二十："孟昭故越人而居于杭，工诗能画。阮文达论文，以陈云伯、查伯葵与孟昭称为"浙西三人"。法梧门言郭频伽诗清雄，查梅史诗瑰丽，孟昭年减于二君，所为诗则弗减。少时才气优爽，入官后诗境澹远，盖其胸襟高旷，故与年俱进焉。"收诗九首。

公元 1829 年（道光九年　己丑）

正月

张云璈卒，年八十三。入国史文苑传。据朱彭寿《清代人物大事纪年》。《晚晴簃诗汇》卷九十四："赵云松曰：仲雅学博而才雄，思精而笔锐。马秋药曰：修洁玉立，诗称其为人。""诗话：仲雅先世本海宁陈氏，为后于张家承阀阅，又为嵇文恭之婿，梁文庄之甥，濡染有素，居官慈惠，时称'张佛子'。生平慕袁简斋、赵云松，故取《搜神记》语以简松名其堂，然所作敛才就范，出以修洁，是能取赵袁之长而不袭其流弊者。"收诗七首。王揖唐《今传是楼诗话》二七二云："钱塘张仲雅云璈，自号简松居士，盖慕袁简斋、赵云松两诗人也，所著有《简松草堂诗集》，冷隽清新，却不甚似袁、赵。谒选京师，寓万明寺，作《杂兴八首》……余颇喜诵之。"

二月

初二日，孙原湘卒，年七十。入国史文苑传。据朱彭寿《清代人物大事纪年》。赵允怀《翰林院庶吉士兼武英殿协修孙先生行状》曰："其为诗，于古人所长皆有之，而于太白为近。古文泛滥唐宋诸家而返其约于震川。骈体隽洁古秀，神似六朝。填词雅好姜尧章。作字始学米南宫，后仿刘文清公。画梅法王元章。综先生所诣，靡不过人，而所深造莫如诗。尝述陈公甫之言曰：诗论性情，论性情当论风韵，无风韵则无诗。谓为诗家未发之秘。又谓规矩于唐宋者，类皆剽窃模拟，失己之本来面目，而性情亡矣。有真情性然后涵泳于经史百家以为立言根柢，古来大家名家何尝不以学力胜。要必从性情中来。此殆先生自言所得力，而先生实亦能副此言也。"《晚晴簃诗汇》卷一百十八："论者谓子潇诗沈郁不及船山，却无其叫嚣，敏赡不及随园，却无其游戏云。洪稚存评其诗如玉树浮花，金茎滴露。"收诗二十三首。

《安徽通志》成。据《陶文毅公年谱》。

张澍成《感旧》诗二十六首。据《张介侯先生年谱》。

三月

会试。考官：内阁大学士曹振镛、兵部尚书玉麟、户部侍郎李宗昉、兵部侍郎朱士彦。题"欲速则不"二句，"或生而知 一也"，"夏曰校殷 于下"。赋得"春色先从草际归"得"归"字。据《清秘述闻续》卷三。

春

魏源应礼部试不第。据魏耆《邵阳魏府君事略》。

四月

殿试。赐一甲李振钧、钱福昌、朱兰进士及第，二甲桂文燿等进士出身，三甲龚自珍、严保庸、戴纲孙等同进士出身。据《历科进士题名录》。

姚莹作《游开元寺》诸诗。十月至福州，十二月往宁波。据《姚石甫先生年谱》。

潘世恩充殿试读卷官。十月，署礼部尚书。据《思补老人自订年谱》。

五月

二十六日，凌曙卒，年五十五。据包世臣《国子监生凌君墓表》（《续碑传集》卷七十四）。刘文淇为刻《蜚云阁凌氏丛书》。据《刘孟瞻先生年谱》。

陶澍以《沧浪五老图》索题于潘奕隽。据《三松自订年谱》。

六月

陈逢衡自序所编《读骚楼诗初集》四卷。据朱彭寿《清代人物大事纪年》。

夏

包世臣作《小倦游阁杂说》。据《包慎伯先生年谱》。

张维屏服阕。本年有《清濠集》，仍辑《诗人征略》。据《张南山先生年谱撮略》。

七月

张际亮出都。抵福州与修《福建通志》。本年诗分己丑上编，计百二十首；己丑下编，计百三十六首。见李云诰编《张亨甫全集·诗编》卷一一、卷一二。

八月

十六日，刘逢禄卒，年五十六。李兆洛《礼部刘君传》曰："大抵君之著书，不泥守章句，不分别门户。宏而通，密而不缛。"（《续碑传集》卷七十二）道光十年，魏源论定刘逢禄遗书。其中，《禘礼》由魏源据原稿整理成文，《春秋公羊议礼》由魏源"厘其义类，为十有四篇"。《诗声衍表》由魏源、龚自珍委陈潮整理而成。魏源《刘礼部遗书序》："清之兴二百年，通儒辈出。若所见之世，若所闻之世，若所传闻之世，则有若顾、江、戴、程、段、庄明《三礼》六书，阎、陈、惠、张、孙、孔述群经家法，于东京之学，盖尽心焉。"

二十日，薛传均卒，年四十二。据刘文淇《文学薛君墓志铭》。刘文淇为检遗箧得《闽游草》一卷、《〈文选〉古字通疏证》十二卷等。文淇书与刘宝楠等，约纂辑缮副，以付其家。包世臣《艺舟双楫》卷四《故清文学薛君之碑》云："陈公慎于殡之礼，留《疏证》六卷稿本"，"仪征刘文淇孟瞻检遗箧得旧读《十三经》本集，录其丹黄，手勘之，语约可廿卷，《〈文选〉古字通疏义》十二卷，草创未卒业，孟瞻与宝应刘宝楠楚桢、予族子孟开约纂辑缮副，以付其家。"道光二十年，刘文淇刻《〈文选〉古字通疏证》。二十六年，刻《闽游草》。刘文淇《文学薛君墓志铭》曰："君既博览群籍，强记精识，于《十三经注疏》及《资治通鉴》功力尤深。"（《续碑传集》卷七十二）

冯登府自序所编《拜竹诗龛诗存》三卷。据朱彭寿《清代人物大事纪年》。

九月

朱珔自序所编《小万卷斋诗稿》三十二卷。据朱彭寿《清代人物大事纪年》。

冯登府自序所撰《玉台书室补》六卷。《玉台书室》为厉鹗所撰，然原书未成。据朱彭寿《清代人物大事纪年》。

十月

二十九日，张崟卒，年六十九。据鲍鼎编《张夕庵先生年谱》。张履《积石文稿》云："君自少颖异，好读书，虽匆剧中，未尝去手。见有善本，不惜重赀购之。此亭先生故嗜书画，精鉴别，多畜古人真迹。君承指授，工篆隶行草，画则以石田为宗，晚益入宋元人之室。同时如翁学士方纲、莫侍郎瞻菉、法学士式善皆数千里寓书乞画。而临吴会诸达官持绢素款门者踵相接。君虽弗之拒，然卒弗一见。君迹益晦，名闻益高。郡守下车或未与士大夫见，独先访君于家，而四方名流达士过丹徒者，亦辄通刺。"洪亮吉《北江诗话》云："张上舍崟诗，如倪迂短幅，神韵悠然。"改琦云："观宝厓所作画，皆入古，非家有宋元名迹数百幅，日夕熏染，乌能臻此? 题画亦佳。"彭蕴璨《历代画史汇传》云："宗宋元大家，得石田苍秀浑噩之气，神佛亦超逸。"秦祖永《桐阴论画》以张崟为"逸品"，云："山水近师文沈，远法宋元，生平高自位置。

余尝见一堂轴，笔意古逸，沈郁秾厚，得力于北宋大家方能有此境界。盖其胸罗古法，包含奇趣，足见其趋向之正矣。"

钱宝琛入都，充武英殿协修。［按，戊子至己丑十月，宝琛主讲钟山书院。］据《颐寿老人年谱》。

汪远孙欲重雕宋咸淳《临安志》。《校经叟自订年谱》云："十月，汪小米舍人远孙欲重雕宋咸淳《临安志》，招至其家，为借吴门汪氏宋椠本、碥川马氏抱经堂钞本商榷雠校。"

十二月

二十日，张鸣珂（1830—1909）生。鸣珂字玉珊，中年改字公束，晚号窳翁、寒松老人，浙江嘉兴人。咸丰十一年拔贡。官江西新建、德化、德兴知县。著有《寒松阁诗》八卷、《寒松阁词》、《寒松阁骈体文》。事迹见缪德荃《寒松阁老人传略》。［生日据朱彭寿《清代人物大事纪年》。］

二十日，王念孙叙《读〈荀子〉杂志》。是为《读书杂志》之八，共八卷。据《王石臞先生年谱》。

二十七日，李慈铭（1830—1894）生。慈铭原名模，字式侯；改名慈铭，字爱伯，号莼客，别署霞川花隐生，晚号越缦老人。浙江会稽人。光绪六年进士。官至山西道巡视北城督理街道。著有《越缦堂诗初集》十卷、《续集》十卷、《文集》十二卷、《词录》二卷、《诗话》三卷、《日记》等。事迹见《清史稿》本传、平步青《掌山西道监察御史督理街道李君莼客传》（《碑传集补》卷十）

粤东将刻成《皇清经解》寄至滇南阮元处。是书由阮元于道光五年在粤编辑开雕，凡一千四百卷。据《雷塘庵主弟子记》。

本年

徐鼒入泮。《未灰斋文集·上云澹人师笺》："初解为文，自经史外，亦尝涉猎先秦、两汉、唐宋诸家，其指事类情，状写景物，纵横奇谲之章，亦尝爱而诵之，心知其义。"

严保庸入翰林院。据《明清江苏文人年表》。

顾莼擢右中允。据程恩泽《通政司副使顾公墓志铭》（《续碑传集》卷十六）。

翁心存入直上书房，充日讲起居注官，擢侍讲。据陈澧《体仁阁大学士赠太保翁文端公神道碑铭》。

宗稷辰援例入内阁。据《碑传集补》卷十七。

程恩泽丁忧回籍。据阮元《诰授荣禄大夫户部右侍郎兼管钱法堂事务春海程公墓志铭》（《续碑传集》卷十）。

方东树客宣城，五月旋里。据《方仪卫先生年谱》。

陶澍、顾莼、朱琦、朱士彦、吴廷琛、梁章钜、卓秉恬等号为"沧浪七友"，并刻石沧浪园。据《陶文毅公年谱》。

冯登府著《玉台书史》八卷。刻《海峤重游集》诗，《钓船笛谱》词。孙文靖《冯柳东先生年谱》："《钓船笛谱》，婉约如玉田，清虚如石帚，体物诸作，虽《乐府补题》，何以加焉。"

秦恩复辑《词学丛书》。据《顾千里先生年谱》。

魏源代陶澍为《楚辞纪略》作序，是书后易名《湖北堤防议》。据黄丽镛《魏源年谱》。

沈兆霖编本年诗古文辞为《己丑诗文钞》。岁试一等第三名，学使为李宗瀚。据《先文忠公自订年谱》。

曹懋坚所撰《音匏随笔》一卷成。据朱彭寿《清代人物大事纪年》。

周之琦所撰《怀梦词》一卷成。据朱彭寿《清代人物大事纪年》。

孙尔准编本年诗为《搜兵集》。据《平叔府君年谱》。

梁章钜辑《吴中唱和集》八卷。是集作者二十一人，皆梁章钜壬戌同年之在吴与过吴者之诗。章钜自为之序。据《退庵自订年谱》。

吴荣光编《吾学录初编》。是时，荣光丁父忧在家。《荷屋府君年谱》曰："《吾学录初编》，逮服阕后，任湖南巡抚，延宁乡黄本骥、及门陈郎中传均编次为二十四卷，弟弥光校刻藏于家。"

徐松刻《汉书·西域传补注》成，张琦序之。据《徐星伯先生事辑》。

钱泳作《涉讼诗》六首，一时传为佳话。据《梅溪先生年谱》。

魏源撰《诗古微》二卷成书，修吉堂刊行。魏源《诗古微序初稿》："《诗古微》凡二十有二卷：上编六卷并卷首一卷，通语全经大谊；中编十卷，答问逐章疑难；下编五卷，其一辑古序，其二演外传。《诗古微》何以名？曰：所以发挥齐、鲁、韩《三家诗》之微言大谊，补苴其罅漏，张皇其幽渺，以豁除《毛诗》美、刺、正、变之滞例，而揭周公、孔子制礼正乐之用心于来世也。"刘逢禄《诗古微序》曰："邵阳魏君默深治经好求微言大义，由《董子书》以信《公羊春秋》，由《春秋》以信西汉今文家法。既为《董子春秋述例》，以辟董、胡之遗绪；又于《书》则专申《史记》伏生大传及《汉书》所载欧阳、夏侯、刘向遗说，以难马、郑；于诗则表章鲁、韩坠绪，以匡传笺。既与予说重规叠矩，其所排难解剥，钩沉起废，则又皆足干城大道，张皇幽渺，申先师败绩失据之谤，箴后汉好异矫诬之疾，使遗文湮而复出，绝学幽而复明。其志大，其思深，其用力勤矣！"（《刘礼部集》卷九）胡承珙《与魏默深书》："前承大著《诗古微》一册，发难释滞，迥出意表，所评四家异同，亦多持平，不愧通人之论。至于繁征博引，纵横莫当，古人吾不敢知，近儒中已足与毛西河、全谢山并驱争光矣。"（《求是堂文集》卷三）

王曦《东海记》传奇成书。曦字季旭，江苏太仓人。是剧十六出。《今乐考证》著录。演东海孝妇故事。有道光十一年宛邻书屋刊本。道光十一年张琦跋曰："词曲虽小道，然其工者往往感人，元代音律优，而文辞劣。言儿女之私则华而伤雅；叙危苦之节则俚而不雅。自玉茗堂出而遂诸其极，其文深醇精丽，入人肺肝，意溢于言，味逾于句。后有作者孔云亭、蒋清容二家递相祖述，皆以擅美一世，流誉将来，然以上规义，仍尚未逮。季旭此本结撰谨，用意深，摭词宅句与云亭、清容伯仲，而得意处直逼临川矣。"据《古本戏曲剧目提要》。

江藩侄孙修补汇萃江藩所刻书板,颜曰《节甫老人杂著》。《江子屏先生年谱》云:"光绪丙戌,侄曾孙巨渠又以板多残阙,命二子朝栋、朝桢校雠补刊,今《江氏丛书》即此本。"

江藩合所著《江湖载酒词》等六种,编为《节甫老人杂著》刊成。据《汇刻书目》一〇。

吴藻《香南雪北词》有本年刊本。该本前有张景祁,陈文述等序。据胡文楷《历代妇女著作考(增订本)》。

桂馥杂剧《放杨枝》刊行。是剧《今乐考证》、《曲录》著录。《后四声猿》之一。事本白居易《杨柳枝》、《别杨柳》、《尽春日》、《答梦得》、《咏怀》及《不能忘情吟》。郑振铎《跋》云:"《后四声猿》四剧,无一剧不富于诗趣。风格之遒逸,辞藻之绚丽,盖高出自号才士名流之作远甚。似此隽永之短剧,不仅近代所少有,即求之元明诸大家,亦不易二三遇也。清剧自梅村、西堂、坦庵、权六诸人,开荆辟荒后,至乾隆间而全盛。馥与杨潮观尤为大家,短剧风格之完成,允当在于此时。未谷、笠湖之后盛极,盖难为继矣。"又云:"馥写此四剧,时年近七十。然于《放杨枝》、《题园壁》二剧,遣辞述意,缠绵悱恻,若不胜情,婉妮多姿。盖有过于少年作家,老诗人固犹未能忘情耶!"是剧今存嘉庆九年原刻本、道光二十九年味尘轩刻本、清钞本、《清人杂剧》初集据味尘轩本影印本。桂馥所撰杂剧《谒府帅》、《投溷中》亦刻于本年。据《古本戏曲剧目提要》。蒋瑞藻《小说考证·后四声猿第一百五十六》云:"桂未谷先生馥《后四声猿》,余门人王子梅鸿,得自山左见赠,未有刻本。余将付梓,先题句云:'翠翘已死青藤老,恨海茫茫又一声。'"(《关陇舆中偶忆编》)

山阴陈寿祺(1829—1867)生。寿祺本名源,字子榖、珊士,浙江山阴人。咸丰六年进士。历官刑部主事、员外郎。著有《篆喜堂诗集》四卷等。事迹见李慈铭《陈寿祺王星诚孙廷璋三子传》(《碑传集补》卷五十一)。

赵之谦(1829—1884)生。之谦字益甫,号冷君、悲盦、无闷,浙江会稽人。咸丰九年举人。历官江西奉新、南城知县。著有《悲盦居士诗剩》等。事迹见程秉铦《清故江西知县会稽赵君墓表铭》、叶昌炽《赵之谦益甫事实》(《碑传集补》卷二十五)。

朱凤毛(1829—1900)生。凤毛字竹卿,号济美,浙江义乌人。同治十二年拔贡。历官常山、新昌、龙游等县教谕,奉化县学训导。著有《虚白山房诗集》四卷、《续集》一卷、《骈体文》二卷。事迹见朱叙芬《朱凤毛小传》。

黎庶蕃(1829—1886)生。庶蕃字晋甫,别号椒园,贵州遵义人。咸丰二年举人。候选知州,未就。以弟庶昌入曾国藩幕,亦随之东下。改任两淮盐运大使,候补于扬州。卒于扬州。著有《椒园诗钞》四卷、《雪鸿词》二卷。事迹见黎庶昌《仲兄椒园墓志铭》。

潘祖同(1829—1902)生。祖同字桐生,号琴谱,江苏吴县人。世恩孙、曾莹子。以祖荫得主簿,旋赐举人。后又赐进士,授庶吉士,充国史馆协修。咸丰八年涉嫌科场案被捕,无罪释放后绝意仕途。著有《竹山草堂诗稿》二卷、《词稿》一卷、《文剩》一卷。事迹见《清史列传》潘世恩传附。

左锡璇（女，1829—1895）生。锡璇字芙江，江苏阳湖人。左昂女，袁绩懋室。著有《碧梧红蕉馆诗》三卷、《碧梧红蕉馆词》一卷。事迹见《清代闺阁诗人征略》卷十、《清史稿》本传。

汤储璠卒。据《清人诗文集总目提要》。汤储璠字茗孙、茗生，江西临川人。嘉庆十六年进士，官内阁中书。以病告归，卒年四十余。有《布帆无恙草》三卷、《忍冬小草》一卷。事迹见《清史列传》陈偕灿传附。《晚晴簃诗汇》卷一百二十五收诗八首，诗话："茗孙受知于曹文正公，官中书十年，进奉文字及笺牒表奏，多出其手。诗能达意，有宜僚弄丸之妙。咸丰丙辰粤匪之乱，全稿散失，其《布帆无恙草》、《忍冬小草》皆罢官后四年中所作。"

继昌卒。据朱彭寿《清代人物大事纪年》。

侯芝（女）卒，年七十。据胡士莹《弹词女作家侯芝小传》（《广清碑传集》卷一〇）。

公元 1830 年（道光十年　庚寅）

正月

初九日，刘凤诰卒，年七十。据石韫玉《故宫保刘公墓志铭（有序）》（《独学庐五稿》文卷三）。《晚晴簃诗汇》卷一百六："金门为南昌彭文勤入室弟子，馆课作《哈密瓜赋》，脍炙一时。文勤喜之，画于笺端，且题诗云：句中香透字中寒，三馆高材擢露盘。西抹东涂卅年事，老夫当让一头看。"收其诗六首。

十七日，潘奕隽卒，年九十一。据《瞿木夫先生自订年谱》。《晚晴簃诗汇》卷九十三："榕皋殿试以第八卷进呈，引见不至，降三甲末，初官中书，刘文正指之曰：此杜老所谓天子呼来不上船者。后犹子芝轩相国登第归娶，绘《秋帆归兴图》，为题句有云：'天子呼来不上船，元臣谐语一时传。锦标夺得全家喜，枨触前尘廿五年。'中岁归田，寿跻大耋，优游林下凡数十载，诗皆和平闲适，高致可挹。"收诗七首。

孙尔準延陈寿祺、高澍然、冯登府等修《广东通志》。据《平叔府君年谱》。

姚莹至宁波，有《宿建阳县》等诗。据《姚石甫先生年谱》。

二月

张维屏再识《国朝诗人征略》初编。识云："海内诗人众矣，诗集繁矣。兹编所录，不过千百之十一。然百数十年来心藏心写，师事友事之人，大半略可见。且意在知人，本非选诗，其中或因题，或因事，或己所欲言，或人所未言，意欲无所不有，不专论诗之工拙也。回思在楚五年，每当簿书迷闷之余，风雨萧寥之会，开卷有益，聊以自娱。论者谓增广闻见，陶冶性灵，均有裨助，因怂恿付梓。旋里四载，刻至六十卷。续有所得，随时增补。拙著四种，间附数条，藉以就正有道焉。"

三月

二十二日，谭敬昭卒，年五十八。据张维屏《中宪大夫户部主事谭君墓志铭》（《松心文钞》卷九）。

春

斌良编《陔余近游集》。秋冬，有《辒车振远集》、《雁门回辔集》。据《先仲兄少司寇公年谱》。

四月

初九日，徐宝善、黄爵滋招集龚自珍、魏源、汤海秋、简梦岩、潘四农、潘星斋于京师花之寺赏海棠。据徐宝善《仙屏书屋初集年记》卷十五。《定盦先生年谱》曰："四月九日，歙徐廉峰侍御宝善、宜黄黄树斋编修爵滋约同人花之寺看海棠，续江亭饯春之集，会者朱椒堂京兆为弼、潘研辅解元德舆、周雪桥检讨仲墀、汪小竹比部全泰、简梦岩孝廉钧培、魏默深舍人源、汤海秋仪部鹏、陈登之通守延恩、潘星斋待诏曾莹、绂庭典簿曾绶与先生凡十四人，未至者，李方赤比部璋煜也。"本年，龚自珍纪年文有《最录段先生定本许氏说文》。编年诗有《纪梦七首》、《题盆中兰花四首》、《饮少宰五定九丈鼎宅，少宰命赋诗》、《秋夜听俞秋圃弹琵琶赋诗，书诸老辈赠诗册子尾》。

二十七日，翁同龢（1830—1904）生。同龢字声甫、瓶生，号叔平、瓶笙、松禅、松禅老人、瓶庵居士，江苏常熟人。咸丰六年状元，授修撰。官至军机大臣、协办大学士。著有《瓶庐诗钞》、《词钞》、《文钞》。事迹见《常昭合志》本传（《碑传集补》卷一）、孙雄《户部尚书协办大学士翁文恭公别传》（《碑传集三编》卷二）、《清史稿》本传。

瞿中溶辑《校勘隶释隶续古义拾补》十二卷成并作叙。据《瞿木夫先生自订年谱》。

闰四月

二十二日，林则徐与辛未同年三十四人雅集北京宣武坊南龙树院。周凯绘雅集图，林则徐撰《龙树院雅集记》曰："今岁孟夏，余由闽释服复诣阙。先一月，周芸皋观察已自杭至。""闰四月二十二日乃遍征同岁生集宣武坊南之龙树院，会者三十四人。"（《云左山房文钞》卷一）

五月

方东树著《未能录》。是岁，东树客宣城。据《方仪卫先生年谱》。

王念孙作《程易畴果赢转语跋》，叙《读荀子杂志补遗》。据《王石臞先生年谱》。

六月

初三日，龚自珍招张祥河、魏源等人集龙树寺。据张维屏《张南山集·松心宴集》。

二十九日，林则徐受任湖北布政使。据来新夏《林则徐年谱》。

林则徐在京与张维屏、潘曾莹、黄爵滋、彭蕴章等交游。张维屏曰："庚寅六月初二日，龚定盦礼部自珍招同周芸皋观察凯、家诗龥农部祥河、魏默深舍人源、吴红生舍人葆晋集龙树寺，置酒兼簶。""庚寅六月十三日，潘星斋待诏曾莹招同卓海帆秉恬、朱椒堂为弼两京兆、林少穆方伯则徐、周芸皋观察凯、黄树斋爵滋、周梦岩作揖两太史、彭咏莪舍人蕴章、查梅史大令揆、顾杏楼工部元恺集寓斋即事有作。"（《张南山全集》第十九册《松心杂诗·松心宴诗集》）

张澍刊《鹤城送别诗》。重修《泸溪县志》成。据《张介侯先生年谱》。

邓廷桢于安徽巡抚任内修《安徽通志》成。是时，廷桢幕中人才甚盛。《邓尚书年谱》曰："时公幕中人才甚盛，如上元梅曾亮布伯言、管同异之、汪钧平甫、马沅湘帆、桐城方东树植之、阳湖陆继辂祁孙、长洲宋翔凤于庭，皆其卓卓者也。又尝颜其堂曰'八箴'。公余之暇，与诸名士讲艺其中，风流文采，照耀江左。"管同有文记之，见《因寄轩文集》。

七月

瞿中溶编订《奕载堂文集》。据《瞿木夫先生自订年谱》。

张琦序董毅所编《续词选》二卷。据朱彭寿《清代人物大事纪年》。

八月

端木国瑚入都为朝廷改卜万年吉地。据《太鹤山人年谱》。

陶澍实授两江总督。据《陶文毅公年谱》。

九月

黄钺续刻《壹斋集》二十八至三十五卷成。据《黄勤敏公年谱》。

王引之调礼部尚书。据闵尔昌《王石臞先生年谱》。

汤金钊调吏部尚书。十月，兼署户部尚书。据《先文端公自订年谱》。

十月

初六日，潘祖荫（1830—1890）生。祖荫字伯寅，江苏吴县人。咸丰二年进士。官至军机大臣、兵部尚书。谥文勤。著有《四本堂文集》二卷、《外集》二卷。事迹见《清史稿》本传、《清史列传》本传、李慈铭《潘文勤公墓志铭》（《碑传集补》卷四）。[生日据《绥庭自订年谱》。]

十一月

十八日，周之琦补授广西巡抚。据《稚圭府君年谱》。

濮文暹（1830—1910）生。文暹初名守照，字青士，晚号瘦梅子，江苏溧水人。同治四年进士。历官刑部主事、郎中、南阳知府。著有《见在龛诗文集》。事迹见陈作霖《钦加三品衔河南升用道南阳府知府濮公行状》（《碑传集补》卷二十五）。

山阴史善长卒，年六十三。陈澧《江西余干县知县史君传》："君善为诗。江西知县恽子居称之曰：'七十二同宦，诗人第一。'"

顾莼序徐宝善所编《壶图诗钞选》十卷。据朱彭寿《清代人物大事纪年》。

孙尔準以王象之《舆地纪胜》钞本二十四册寄李富孙，并嘱富孙校刻《李氏易解校异》二卷。据《校经廎自订年谱》。

冬

张际亮辞《福建通志》局之豫。本年作诗百三十四首。见李云诰编《张亨甫全集·诗编》卷十三。

李秉礼卒，年八十三。据《国朝诗人征略》初编卷五六引《松轩随笔》。[按，邓显鹤《工部左侍郎临川李公行状》（《续碑传集》卷九）谓其卒于明年正月。]《晚晴簃诗汇》卷八十五收其诗十六首。诗话云："松圃瓣香左司，同时如秦小岘、李子乔皆学书，然颇旁涉诸家，惟松圃墨守苏州，终老不易，故变化不如秦、李，而精微过之。其善者几如空中之音，相中之色，人皆闻见，难可捉摸，通体洗练，都无率草。惟七言稍弱，生平与子乔最契，内集皆经点定；子乔殁，凡未经点定者，则编入外集。子乔亦极推服，至欲跻于朱、王之上，则未免过情耳。"

本年

龚自珍、林则徐等在京再举宣南诗社。与会者林则徐、龚自珍、黄爵滋、魏源、张维屏、彭蕴章、潘曾沂、潘曾莹等。据《南山集》。

曾国藩肄业于衡阳唐氏家塾，从事汪觉庵先生。据黎庶昌《曾国藩年谱》。

李文耕调贵州按察使。据王赠芳《通议大夫原任贵州按察使昆阳李公行状》（《续碑传集》卷三十四）。

汤鹏充军机章京兼方略馆纂修。据王拯《户部江南司郎中汤君行状》（《续碑传集》卷二十）。

顾莼擢侍读学士。据程恩泽《通政司副使顾公墓志铭》（《续碑传集》卷十六）。

彭蕴章任内阁中书。据《诒谷老人自订年谱》。

钱仪吉因公累罢官。据苏源生《书先师钱星湖先生事》。

梁章钜遍游吴下诸山，各有诗册画卷纪之。据《退庵自订年谱》。

沈兆霖编是年诗古文辞为《庚寅诗文钞》。据《先文忠公自订年谱》。

陶澍辑抚吴以来诗为《抚吴草》。〔按，道光五年五月甲辰，陶澍调江苏巡抚。〕朱兰坡题诗。李兆洛、梅曾亮作序。曾亮《抚吴草序》云："公神气闲定，歌咏间作，学奥材赡，雄放清远。如扪古洞拨苔藓，扳黄虞之穿碑……如高峰之游雾，俟秋云留归。风盖人所不暇为、不能为之，时独为且工也。如是，故人适适然惊之……自三代以下，道器不全，或年进富贵而忧思不能深远；或勋业烂然文词不足以达其志。文然故憔悴抑扼之士得专其名，而诗之学不在上而在下，则其时人材之盛衰与政事之修废何如也？今论公之诗，其忧劳元元，佐圣天子，抚循之至意以推美僚属，功利不专悦，使民而忘其劳，所以不动声色而指挥立成者，皆见于此。盖所以咏勤苦而宣膏泽，非与草野之士争艺之名也。"（《陶文毅公年谱》）

王引之《经义述闻》三十二卷成书。《王伯申先生年谱》云："先生自庚戌入都，侍石臞先生，讨论经义，凡有所得，即笔于篇。过庭所闻，亦备载之，迄庚寅成书，凡三十二卷，名曰《经义述闻》。不为凿空之谈，不为墨守之见。聚讼之说则求其是，假借之字则正其解。熟于汉学之门径而不囿于汉学之藩篱。"

本年至十一年，俞正燮为张井纂《续行水金鉴》一百五十六卷。据《俞理初先生年谱》。

瞿中溶编定《奕载堂文集》。据《瞿木夫自订年谱》。

包世臣编所著《小倦游阁文集》三十卷。据《包慎伯先生年谱》。

孙尔準辑《莆田水利志》，编是年诗为《搜兵续集》。据《平叔府君年谱》。

宋翔凤编次己作为《洞箫楼诗纪》十二卷。时馆邓廷桢安庆署中。据《洞箫楼诗纪自序》。

谢堃供事曲阜衍圣公府。撰《黄河远》传奇二卷。据《北京图书馆善本书目》。

黄燮清撰《茂陵弦》传奇。是剧又名《当垆艳》。《今乐考证》著录。凡二卷二十四出。本事见《史记·司马相如列传》。现存道光间刻《韵珊外集》第一种本、咸丰年间刻《倚晴楼七种曲》所收本及光绪间刻碧梧山庄石印本等。据《古本戏曲剧目提要》。

程居易《碧玉玲珑》传奇存本年手稿本。是剧八出，未见著录。据《古本戏曲剧目提要》。

周乐清撰《补天石传奇》。凡八卷四十二出，虽曰传奇，实为杂剧，即：《宴金台》、《定中原》、《河梁归》、《琵琶语》、《纫兰佩》、《碎金牌》、《纨如鼓》、《波弋香》，分别写荆轲、诸葛亮、李陵、王昭君、屈原、岳飞、邓攸、荀粲诸人故事。据《古本戏曲剧目提要》。

赵棻（女）《滤月轩集》刊行。据《历代妇女著作考（增订本）》一七。

张琦序刊董毅所辑《续词选》二卷。据《明清江苏文人年表》。

顾广圻校《舆地碑记目》。是书本年由车秋舲、陈雪峰刊行。据赵诒琛编《顾千里先生年谱》。

李兆洛校刊《潘观常集》，有《静寄轩集序》。据《武进李先生年谱》。

扬州书局刊谢堃《春草堂诗话》。《春草堂诗话》八卷，有本年扬州书局刊本、道光二十五年刊《春草堂丛书》本（五卷）、《清诗话访佚初编》本。又，《贩书偶记》

著录有十六卷本，未见。据张寅彭《新订清人诗学书目》。

坊刊大型本《四游全传》。 凡《八仙出处东游记》（一名《全像东游记上洞八仙传》）、《南游华光传》（即《五显灵官大帝华光天王传》）、《北游记玄帝出身传》（即《北方真武玄天上帝出身志传》）、《西游记》（一名《西游唐三藏出身传》）。此本《东游》、《南游》、《北游》均上图下文，似覆明本。《西游》无图，总题《四游全传》。此本外，尚有小蓬莱仙馆刊本。小型。将原书各则改标回数，总题《四游合传》。又有嘉庆十六年坊刊小型本。与小蓬莱仙馆刊本同。据孙楷第《中国通俗小说书目》。

任其昌（1830—1901）生。其昌字土言，甘肃秦州人。同治四年进士。官户部候补主事、山东司主稿。致仕后主讲天水、陇南书院。事迹见《清史列传》张澍传附、王权《任君墓表》（《碑传集补》卷十一）。［生卒年据朱彭寿《清代人物大事纪年》。］

蒋曰豫（1830—1875）生。曰豫字侑石，江苏阳湖人。官直隶知县。著有《滂喜斋学录》十一卷、《问奇室集》、《秋雅词》。事迹见黄彭年《常州二子传》（《碑传集补》卷五十一）。［生卒年据朱彭寿《清代人物大事纪年》。］

王诒寿（1830—1881）生。诒寿字眉子，浙江山阴人。贡生。候选训导。著有《笙月词》二卷、《缦雅堂文》八卷。事迹见谭廷献《王诒寿传》（《续碑传集》卷八一）。

方濬师（1830—约1889）生。濬师字子严、梦簪，安徽定远人，居江苏宝应。咸丰五年举人。历官内阁中书、侍读、御史、广东雷琼道、两广转运使、直隶按察使。著有《退一步斋文集》四卷、《诗集》十六卷、《蕉轩随录》十二卷、《续录》二卷。事迹散见其著作。

庄棫（1830—1878）生。棫字希祖，号中白，别号蒿庵，江苏丹徒人。少时纳资为部主事。咸丰初，家道中落。五年赴京，欲捐纳，以资乏不得上官。后奔走南北，落拓以终。著有《蒿庵遗集》十二卷。事迹见谭献《亡友传·庄棫传》（《续碑传集》卷八十一）

李鸿裔（1830—1885）生。鸿裔字眉生，别号香严，晚号苏邻，四川中江人。咸丰元年举人。先后入胡林翼、曾国藩幕。后官至江苏按察使。著有《苏邻遗诗》二卷《续集》一卷。事迹见黎庶昌《江苏按察使中江李君墓志铭》、俞樾《布政使衔江苏按察使李君墓志铭》。

王衍梅卒，年五十五。 入国史文苑传。据朱彭寿《清代人物大事纪年》。沈元泰《王衍梅传》："性嗜酒，跌宕自喜，不修边幅，有徐青藤风。""受知于阮云台相国最深。时相国制两粤，遂以书记遍游粤东西。所作诗文皆援笔立就，天才横逸，不可方物。有《兰雪轩》、《小楞严斋》、《静存斋》等集、《红杏村人吟稿》。皆不自收拾，为人携去。卒后，其同年汪孟棠廉访向其子文炜购得古今体诗十六卷，散骈体文四卷，为梓《绿雪堂遗稿》。"（《碑传集补》卷四十八）《晚晴簃诗汇》卷一百二十五："笠舫性高旷，嗜酒工诗。尝谒戢山掌教陈太守廷庆，适有馈江瑶柱者，曰：子能用馋字韵赋此者，当烹以酌子。因押全韵成诗。其警句云：'升沈一柱观，阖辟两当衫。'太守叹为绝唱，遂奉觞以酬之。少受知于阮文达公，罢官后，文达招入幕府，仍以诗酒自娱，为《红杏村人传》以见志。越中士女言其佚事，无异青藤。"收诗四首。

李汝珍约本年卒，年近七十。据胡适《镜花缘的引论》。

公元 1831 年（道光十一年　辛卯）

正月

二十日，陈宝箴（1831—1900）生。宝箴字右铭，江西义宁人，祖籍福建上杭。少工诗古文辞，见赏于曾国藩。咸丰元年举人。太平天国起义，与其父伟琳组乡团抗拒，又之湖南、返江西，历佐易佩绅、曾国藩、席宝田军幕。以功叙知府，超授河北道，擢浙江按察使，以事罢官。光绪十六年，以湖南巡抚王文韶特荐，召入都，除湖北按察使，转直隶布政使。旋擢湖南巡抚，遂与按察使黄遵宪，学政江标、徐仁铸，及子陈三立等于湖南首开新政，倡实学。立时务学堂，延梁启超主中文总教习。戊戌政变后，被革职，永不叙用。庚子事变，闻八国联军践京、津，忧愤而卒。事迹见《清史稿》本传、陈三立《原任兵部侍郎都察院右副都御史巡抚先府君行状》（《散原精舍文集》卷五）、范肯堂《湖南巡抚义宁陈公墓志铭》（《续碑传集》卷三〇）。

二月

吴荣光补授湖南布政使。九月，奉旨补授湖南巡抚。据《荷屋府君年谱》。

三月

初四日，李宗瀚卒，年六十三。据邓显鹤《工部左侍郎临川李公行状》。《行状》曰："公善韬晦，雅不欲以文名。既以文学受知先帝，为讲幄侍从之臣，朝廷有著作多出其手。久之，文采四映，海内识与不识争相向慕。公谨避之曰：'盛名不可居也。'"又曰："本朝书家自张文敏照、王吏部澍外，得公而三。百余年来前后辉映，为他家所不及，殆不诬也。"陈用光《工部左侍郎浙江学政李公墓志铭》曰："其为诗得松甫先生家法，而拓之以苏、韩。其于书博究唐宋以来支派而于虞、欧为尤。"（《续碑传集》卷九）《清史稿》本传："宗瀚孝谨恬退，中岁以养亲居林下十年，书法尤为世重。"《晚晴簃诗汇》卷一百九收其诗十四首，诗话："春湖督浙江学政，方按部衢州，闻本生父讣，痛毁，卒于舟次，以衰绖敛。生平无他嗜好，独嗜金石文字，所聚名拓至数十百种，筑湖东楼庋之。中以汉夏承碑、隋丁道护启法寺碑、唐虞永兴夫子庙堂碑、褚登善孟法师碑为尤，世称'临川四宝'。诗承家学，晚益精进，新化邓湘皋谓其酝酿古厚，浏然以清，翛然以远，沈思孤往，而归本于性情之正、志趣之高云。"

二十四日，朱凤森卒，年五十八。据邓显鹤《河南浚县知县朱君墓志铭》（《续碑传集》卷四十一）。

钱宝琛补授河南归德府知府。据《颐寿老人年谱》。

五月

潘世恩调补吏部尚书。据《思补老人自订年谱》。

英和编戊子十月至是年五月古今体诗为《卜魁集》。据《恩福堂年谱》。

方东树著《进修谱录》。此书未刊。是岁，东树主安徽宿松松滋书院。据《方仪卫先生年谱》。

六月

十八日，方履篯卒，年四十二。据梅曾亮《方彦闻墓表》（《柏枧山房文集》卷一三）。李佳《左庵诗话》云："方履篯《咏帘影》词云：'迷离半晌，任雨雨风风，织成愁样。'亦微妙，亦细切。"《清史稿》董祐诚传附："以骈文著称。尤嗜金石文字，所积几万种，有《伊阙石刻录》、《富蘅斋碑目》、《河内县志》、《万善花室集》。"《晚晴簃诗汇》卷一百二十七收其诗九首，诗话："彦闻工骈体，诗亦浸淫于六朝，色采斑璘，音节谐飒。送妹五言长古，叙述庭闱琐细，缠绵悱恻，殆足与胡稚威孝女李三行并传。"

瞿中溶谋刻己之文集。《瞿木夫先生自订年谱》："募刻工开局，将文集稍有关于世教及自著诸书序文先行付梓。平生心血或不致湮没无闻也。"十二月，文集刻毕。又辑《泉志续编》成。

夏

管绳莱以疾去官归里。据程鸿诏《武进管君传》（《续碑传集》卷四十一）。

七月

初六日，郭麐卒，年六十五。据冯登府《频伽郭君墓志铭》（《碑传集补》卷四十七）。王昶曰："祥伯诗，初效李长吉、沈下贤，稍变而入于苏、黄。予题行卷云：揽其词旨，哀怨为宗玩厥风华，清新是尚。如见卫叔宝、许元度一流人物。不患其过清而寒，过瘦而枯，过新而纤，如姬传仪部所云也。"（《蒲褐山房诗话》卷四四）洪亮吉《北江诗话》曰："郭文学麐诗，如大堤游女，顾影自怜。"《晚晴簃诗汇》卷一百十五收其诗十四首，引阮芸台曰："郭君频伽臞而清，白一眉，与余相识于定香亭上。其为诗也，自抒其情与事，而灵气入骨，奇香悦魂，不屑屑于流派，殆深于骚者乎。"引吴榖人曰："灵芬馆诗摆脱凡近，藻雪精神，大抵希轨于谪仙而取隽于玉局，凡山川阅历，风雨啸歌，能以己之神明入乎其内，故丽而不缛，清而益深。"诗话云："嘉庆间，频伽以诗名吴越，与金学莲手山、吴嵩梁兰雪称三才子。其诗以清隽明秀为主，正如王谢家子弟，衣冠吐属，故自不凡。洪北江拟以大堤游女，顾影自怜，要未足以尽频伽也。"谭献《复堂词话》八二云："南宋词弊，琐屑饾饤，朱、厉二家，学之者流为寒乞。枚庵高朗，频伽清疏，浙派为之一变。而郭词则疏俊少年甚喜之。予初事绮声，颇以频伽名隽，乐于风咏；继而微窥柔厚之旨，乃觉频伽之薄。又以词尚深涩，而频伽滑矣。后来辨之。"《清史稿》法式善传附："同时江苏与原湘负才名者，有吴江郭麐，字祥伯。附监生。一眉莹白如雪，风采超俊。家贫客游，人争倒屣。诗学李长吉、沈下贤，词尤清婉。著《灵芬馆集》。尝病潘昂霄《金石例》之隘，因据洪氏隶释为《金石例补》，又撰《词品》十二则，以继司空表圣之《诗品》。"丁绍仪《听秋声馆词话》第一节："频伽眉有白毫，自号白眉生，所著《浮眉楼词》、《蘅梦词》各二卷，语最轻隽。"又，"顾盛推仁和倪米楼稻孙，谓倪词如枫亭荔支，甫向枝头摘下。郭词亦具荔支之形，然已在一日变色，二日变味时矣。"《续修四库全书·〈忏余绮语〉提要》云："虁词绮语则品格不高。述事亦但撑门面，虽多亦奚贵焉。"

初八日，林则徐调任江宁布政使。据来新夏《林则徐年谱》。

二十九日，魏成宪卒，年七十六。据《仁庵自记年谱》。《晚晴簃诗汇》卷一百五收其诗二首。

王引之署工部尚书。据《王伯申先生年谱》。

九月

胡敬刊《崇文书院词赋课》六卷成。据《书农府君年谱》。

秋

乡试。中式举人：华长卿、朱绶、邵懿辰、莫友芝、张声玠（朱彭寿《清代人物大事纪年》）、沈兆霖（《先文忠公自订年谱》）、何庆元（何俊《漱石先生行状》）、项廷纪（谭献《项君小传》）、莫友芝（黎庶昌《莫征君别传》）。

刘宝楠、刘文淇金陵应试不第。二人因同作《别号舍》诗，相约此后闭户著书，不复应举。柳兴恩等多有和作。据《刘孟瞻先生年谱》。

十一月

李富孙刻《书经异文释》二卷。本年，李富孙主安澜书院，校《舆地纪胜》。据《校经叟自订年谱》。

十二月

十九日，汤贻汾、陈銮、何凌汉、宋其沅等同游西湖，燕集坡公祠下，用坡公《腊月游孤山》韵赋诗。据《汤贞愍公年谱》。

二十日，沈钦韩卒，年五十七。据《刘孟瞻先生年谱》。王鎏《宁国县训导沈君墓志铭》曰："君学自诗赋古文词外，尤长于训诂考证。所为制举文沈博怪玮，常人不能解。"《晚晴簃诗汇》卷一百十九收其诗十九首，诗话："文起以朴学著称，并世名流，缟纻最盛。著述稿本旧在上海郁氏宜稼堂，莫友芝假观，散落于外，《两汉疏证》特为巨编，浙局刊而未校，讹敚百出，余多经潘文勤及张文襄付广雅书局刻行。又有《范石湖诗注》，为阮序所未及，其驳《金石萃编》条记钩考精密。骈文雅赡，希踪稚威。诗集十七卷，学人之作，胎息未深，似菫浦之摹拟韩、苏，而不免窘于边幅，有《金元宫词》各百首，足与周莒夸《辽宫词》并资掌故也。"

除夕，方坰自序所撰《生斋自知录》三卷。据朱彭寿《清代人物大事纪年》。

冬

斌良畅游西山。有《戒台古松歌》诸作。据《先仲兄少司寇公年谱》。

王念孙《读书杂志》刊竣。本年三月初九日，念孙叙《读〈晏子春秋〉杂志》，是为《读书杂志》之六二卷。三月二十一日，叙《汉隶拾遗》，是为《读书杂志》之十一卷。九月十三日，叙《读〈墨子〉杂志》，是为《读书杂志》之七六卷。据《王石臞先生年谱》。

本年冬至次年春，宣南诗社凡六集。与者为朱为弼、卓秉恬、徐宝善、汪全泰、吴清皋、吴清鹏。据来新夏《林则徐年谱》。

本年

王章、顾槐三等在里结苕岑社。据《明清江苏文人年表》。

顾莼擢通政司副使。据程恩泽《通政司副使顾公墓志铭》（《续碑传集》卷十六）。

何凌汉署兵部右侍郎。据阮元《诰授光禄大夫经筵讲官户部尚书晋赠太子太保谥文安何公神道碑铭》。

胡培翚主讲钟山书院。据《悔翁集》。

曾国藩自衡阳还家塾，冬月肄业本邑涟滨书院。山长刘象履见曾国藩诗文，叹赏不置，以为大器。据黎庶昌《曾国藩年谱》。

张穆考取优贡生。据朱彭寿《清代人物大事纪年》。

张际亮由豫入都，读书西山翠微寺。作诗百六十二首。见李云诰编《张亨甫全集·诗编》卷十四。

龚自珍作《题鹭津上人书册》、《张诗舲前辈游西山归索赠》等诗。据《定盦先生年谱》。

王引之等重修《康熙字典》成。此次重修，改正二千五百八十八条。据《王伯申先生年谱》。

吴德旋《初月楼论书随笔》一卷成。据朱彭寿《清代人物大事纪年》。

孙尔准编本年诗为《思无邪斋集》。据《平叔府君年谱》。

张维屏《国朝诗人征略》六十卷成书。自本年始，辑《经字异同》。据《张南山先生年谱撮略》。

冯登府修《象山县志》二十四卷成。据《冯柳东先生年谱》。

李兆洛《纪元编》刊成。据黄丽镛《魏源年谱》。

潘世恩《有真意斋文集》刊行。据《思补老人自订年谱》。

宣宗御制诗初集刊成。据《杜文端公自订年谱》。

恽珠辑《闺秀正始集》二十卷、《兰闺宝录》六卷刊行。据《明清江苏文人年表》。

芥子园藏本《绿牡丹》刊行。无名氏《〈绿牡丹全传〉叙》云："夫传者，传也。

播传于世，以彰忠贞义节；出于毫下，也有雪月风花。借其腕下之余情，以解胸中之闲垢，而悦目畅于怀，消其长昼之暇，并警闲者之安。故胡为而评，胡为而刻，文浅章忏，词顽句拙，虽非效史，而亦可观。"（道光二十七年经纶堂刊本《绿牡丹》）爱莲居士《〈绿牡丹全传〉后叙》云："是编体仿野史，事叙前唐。乐岁月之宽闲，漫劳松使；喜窗儿之明净，用债楮生。节义忠孝，千载而声名仍在；风花雪月，未几而色相皆虚。因借号乎花王，花神应恕；效咨著于叶底，叶奕堪传。虽无补诗意之劝惩，聊可警吾人之志意云尔。"（道光十一年芥子园刊本《绿牡丹》）《绿牡丹》又名《四望亭全传》、《龙潭鲍骆奇书》，八卷六十四回，不题撰人。据《中国通俗小说总目提要》）。

王星诚（1831—1859）生。星诚初名为迈，改名章，字平子；再改为星诚，字孟调，浙江山阴人。道光三十年补博士弟子员。与会稽李慈铭为同塾友，过从甚密，并有名于时，时人号曰"王李当道"。咸丰六年，从叔王履谦以御史中丞奉使河防，往依之。后以王履谦丁忧归里，遂入姚致堂等幕。九年应顺天乡试，中副榜。发榜后两日病卒。有《西皂山居残草》一卷。事迹见周星誉《王君星诚传》（《续碑传集》卷八一）、李慈铭《陈寿祺王星诚孙廷璋三子传》（《碑传集补》卷五一）。[生卒年据朱彭寿《清代人物大事纪年》。]

林豪（1831—1918）生。豪字嘉卓、卓人，号次通，福建金门人。夙承家学，少时从其舅洪啸云学，颇有文名。咸丰九年中举。同治元年秋赴台湾。光绪初叶，主讲文石书院，辑《澎湖厅志》。后返金门，续修《金门志》。光绪二十八年补授连城县学教谕，以年老未就。辑有《潜园诗选》四卷，著有《诵清堂文集》一六卷、《诵清堂诗集》一二卷（附录二卷）、《诵清堂别集》六卷、《星洲见闻录》二卷等。事迹见丘奕松《林豪》（载《传记文学》三四卷第五期）、《台湾文献》一八卷二期。

韩潮（1831—1909）生。潮字秋帆，浙江绍兴人。诸生。屡应乡试不中，长期设馆授徒以自给。著有《晚香庐诗词钞》。事迹见薛炳《韩秋帆先生小传》（《晚香庐诗词钞》卷首）。

鲁贲（1831—1879）生。鲁贲字仲实，江苏清河人，鲁一同之子。诸生。三应乡试不中，遂绝意仕进。为人质直，无所求，好戏谑，不善世俗应酬。著有《仲实诗存》二卷、《仲实文存》若干卷、《安东县志》一五卷、光绪《清河县志附编》二卷。事迹见《清史稿》鲁一同传附、吴昆田《鲁仲实传》（《碑传集补》卷五〇）。

管同卒，年五十二。方宗诚《管异之先生传》："君既无所用于世，遂以文名家。雄深浩邃，简严精邃，曲当乎法度。其诗缔情隶事，创意造言，论者以为得苏黄之朗峻。"方东树《管异之墓志铭》："乾嘉中，海内学者以广博宏通相矜放，而言古文独推桐城姚氏，自中朝搢绅及于乡曲后进无异辞。君与陈侍郎用光久亲指授，最承许与。侍郎贵仕于朝，名最显。君以穷士在下，而与之抗，知者以为实过之。"《清史稿》梅曾亮传附："同善属文，有经世之志，称姚门高足弟子。尝拟《言风俗书》、《筹积贮书》，为一时传诵。""蕭门下著籍者众，惟同传法最早。"《晚晴簃诗汇》卷一百三十一收其诗一首，诗话："异之少孤贫，其母邹育以长。姚姬传比部主讲钟山，异之与梅伯言称高弟，传其古文学。异之尝为书论风俗积贮，又言洋货日至，中国国财安坐而输于异域，其为害尤深，人服其远虑。诗朗峻，兼有苏、黄之胜。"

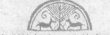

曾燠卒，年七十二。 据朱彭寿《清代人物大事纪年》。包世臣《曾抚部别传》曰："公性尤嗜诗，至老不辍。自汉魏六朝、三唐、两宋、以及近世，闻人专集汇集，皆悉研究辨析其得失。公以世家子，弱冠即涉词苑，值枢廷，洊登封圻，居华朊清要者数十年，未尝历怫逆失意之境，而其为诗顾深悉民间疾苦，微言激射，顿挫沉郁，绝无珠翠罗绮之气染其笔端。"（《续碑传集》卷二十一）《晚晴簃诗汇》卷一百四收其诗十四首，引吴毅人曰："阴阳开阖，历变化呼噏而后发之。"引王惕甫曰："蓬勃如风，弥漫如云，澎湃如泉。"诗话曰："宾谷早达，陟词苑，值枢廷，居华朊清要数十年，后官扬州，风雅爱士，红桥白塔，载酒题襟，宾客几倾时选，海内向慕，比于王贻上、卢雅雨一流。其诗沈郁细密，无罗绮之气，包安吴最赏其《山烧》诗'层峦从此瘦，春草几时生'，及《望岱》诗'须知天下雨，还望一山云'，谓为寄意遥深，人所难及。"王昶曰："维扬为南北要冲，又有平山、蜀岗、虹桥诸名胜，故士大夫往来者篮舆笋屐，徘徊旬日而不能去。然二十余年觅船投辖，地主无人，每有文酒寂寥之叹。宾谷开东阁之樽，集南都之彦子，门下士被其容接者尤多。而擘纸挥毫，散华落藻，揽题襟馆诗两集，遂觉烟月争辉，江山生色。"（《蒲褐山房诗话》卷三七）洪亮吉《北江诗话》四二九："宾谷官两淮都转时，提倡风雅，招邀胜流，遂有《邗上题襟集》之刻。渔洋、雅雨而后，主持坛坫，辄首推之。今日人往风微，大雅不作，芜城凭吊，韵事寂寥，世运与谭艺之盛衰，其关系有如此者。余于《赏雨茅屋诗》，甚喜其格调清新，妙有寄托。《登岱》云：'须知天下雨，还望一山云。'识者固早知其必能建牙开府矣。"洪亮吉《西溪渔隐诗序》："宾谷先生弱冠通籍，自秘阁而机庭，又以才干结圣主知，总理江、淮财赋者十数年，官事之暇，以诗文为性命，其天才学识又足以副之。所著《西溪渔隐诗》若干卷是也。先生居西江而不专主西江之派，观集中《题湘花女史诗卷》及《戏效香奁体》诸作，则又宛然西昆，信乎才力之大。凡有所作，期于言各肖事，事各肖题，而规仿前人之习所不屑也。"（《卷施阁文甲集》卷十）

江藩卒，年七十一。 据闵尔昌《江子屏先生年谱》。顾广圻曰："世之论诗者，以为有学人之诗，有诗人之诗，此大不然。诗也者，学中之一事，如其不学，无所谓诗矣。是故吾友江君郑堂，人咸知其为学人也，而其诗神思隽永，体骨高秀，镕裁精当，声律谐美，虽穷老尽气，期为诗人者，未见其能臻此也。生平所作极富，散失几尽，今子某始掇为二卷。吾观天下诗人读郑堂诗者，晓然曰：学之所至，诗亦至焉。则诗道其兴矣！"（《思适斋集·江郑堂诗序》）闵尔昌《江子平先生年谱序》云："吾乡子屏江先生渊源红豆，著书等身。饥驱朔南，布衣终老，亦可悲已。"洪亮吉曰："江上舍藩，寓居江都，实旌德人也。为惠定宇栋征君再传弟子，学有师法。作小诗亦工，其《过毕弇山宫保墓道》诗曰：'公本爱才勤说项，我因自好未依刘。'亦隐然自具身分。余识上舍已二十年，惜其为饥寒所迫，学不能进也。"（《北江诗话》卷四）

谢兰生卒，年七十二。 据谢念因《里甫府君年谱》（谢巍《中国历代人物年谱考录》著录）。

德宣卒。 李兆洛于明年为其刊诗文集，并作《西礀诗文集序》。据《武进李先生年谱》。《晚晴簃诗汇》卷一百二十五收其诗二首，诗话："子浚少耽诗，穷览众家，确知其得失，于时俗好尚，概不屑意。已而尽弃少作，归诸澹简渺栗，识既卓炼，气能辅之，同时武进李申耆甚重其诗，为刊遗稿。"

公元 1832 年（道光十二年　壬辰）

正月

二十四日，王念孙卒，年八十九。道光十九年，入祀山东名宦祠。二十三年，入祀乡贤祠。闵尔昌《王石臞先生年谱》云："昔王德甫撰《四士说》，称高邮王念孙及其子引之有苍雅之学。汪容甫论次当代通儒姓氏，厘八人，而王氏有二。焦里堂赞《广雅疏证》、《经义述闻》曰，高邮王氏，郑、许之亚，借张揖书示人大路，《经义述闻》以子翼父。阮伯元叙《经传释词》则曰，高邮王氏桥梓贯，通经训，兼及词气。今伯申侍郎刻成《释词》十卷，元读之恨不能起毛、孔、郑诸儒共证此快论也。又云王氏一家之学，海内无匹。顾千里谓近代通儒，程征君经学、钱少詹史学、汪明经文章、高邮王氏父子小学，天下五人而已。臧在东谓高邮王氏父子，小学出六朝人之上。陈恭甫谓当代通儒著述，惟高邮王氏父子与让堂老人为最醇。"《清史稿》本传："（念孙）以邵晋涵先为《尔雅正义》，乃撰《广雅疏证》。日三字为程，阅十年而书成，凡三十二卷。其书就古音以求古义，引伸触类，扩充于《尔雅》、《说文》，无所不达。然声音文字部分之严，一丝不乱。盖藉张揖之书以纳诸说，而实多揖所未知，及同时惠栋、戴震所未及。"《晚晴簃诗汇》卷九十六收其诗四首，诗话："石臞覃研朴学，体大思精，校理经史群书，博证审择，会通贯串，衷众说而求一是，在国朝诸大师中，自立一宗。文简继之，其所撰述，沾溉百年不尽。曾文正《圣哲画象》以石臞父子殿焉，其推崇至矣。诗乃余事，次子敬之宽甫录存《丁亥诗钞》，为乾隆三十二年，是岁石臞年二十四，宽甫并述平日论诗，谓古体当以汉魏六朝为宗，近体则当法盛唐，宋人诗佳处得力于唐人而新其壁垒，不可转袭其貌。世徒嗤明七子为优孟衣冠，不知去唐学宋，又出七子之下。盖于诗亦深入阃奥，故其所作，正声高格，卓然大雅，殊不让专家也。"

二十九日，孙尔準卒，年六十三。据《平叔府君年谱》。《晚晴簃诗汇》卷一百十八收其诗十五首，诗话："工诗，尤长于词。成进士，出英煦斋相国之门，公子辈以遗集乞序于相国，谓师定弟集，古所未有，益惓惓于生死之交不置云。

沈维鐈补授都察院左副都御史。据《鼎甫府君年谱》。

二月

初五日，定遏止鸦片章程。据《清史编年》。

十八日，周之琦补授江西巡抚。据《稚圭府君年谱》。

十八日，林则徐调任江苏巡抚。据来新夏《林则徐年谱》。

瞿中溶作《宋拓十七帖考证》。据《瞿木夫先生自订年谱》。

姚莹莅武进知县任。三月，作《示从役诸人诗》。据《姚石甫先生年谱》。

方东树自编己诗为《半字集》二卷。据《方仪卫先生年谱》。

三月

会试。考官：吏部尚书潘世恩、刑部尚书戴敦元、工部尚书穆彰阿、工部尚书朱士彦。题"君使臣以"一句，"施诸己而"二句，"乐天者保"二句。赋得"循名责实"得"诚"字。据《清秘述闻续》卷三。

程含章卒，年七十一。据朱彭寿《清代人物大事纪年》。

春

黄安涛丁母忧。自是不复出，晚岁主讲鸳湖书院、安澜书院。据沈曰富《朝议大夫广东潮州府知府嘉善黄君墓志铭》。

龚自珍招魏源、包世臣、端木国瑚、杨掌生等集会花之寺。《定盦先生年谱》曰："春，招公车诸名士重集花之寺。嘉应杨懋建掌生《梦华琐簿》：三官庙中有花之寺，壬辰入京，龚定盦招余会公车诸名士宋于庭、包慎伯、魏默深、端木鹤田诸公十四五人于其中。"

四月

殿试。赐一甲吴钟骏、朱凤标、季芝昌进士及第，二甲瑞常、戴熙、陈庆镛、李星沅等进士出身，三甲曹懋坚、王松、刘光第等同进士出身。据《历科进士题名录》。

方东树再适粤东。《方仪卫先生年谱》曰："四月，再适粤东，访按察使某公不遇，旋归。"

陶澍作《登东海云台山》诗。和者数百人，汇为《印心书屋诗荟》。据《陶文毅公年谱》。

五月

初六日，汪潮生卒，年五十六。包世臣《汪冬巢传》曰："君颖悟绝伦，于文于书皆能深知其甘苦曲折。性温恭而淡定，于时人一无怫忤。至所亲则必有材艺能自植者。生平无他好，唯以倚声设色自娱。江淮间言倚声者宗朱彝尊、陈维崧，君独好清真、玉田，然于朱、陈亦无所雌黄也。设色则盛行恽格华岩之法，君志在远绍宋人，每兴酣落笔，无粉本即见以规势，花叶掩映，若承朝露而漾和风。……倚声适称所画，皆近世所罕见也。"（《碑传集补》卷四十七）

十三日，顾莼卒，年六十八。程恩泽《通政司副使顾公墓志铭》曰："公为词臣儒官凡三十余年，文学动天下。""为诗文师大苏，赋骈体俱师唐宋。书由欧阳率更入，晚乃效褚登善，间亦作墨绩。呜呼，即所造就，已必传无疑。而公所学深醇，实能通政教之源。"（《续碑传集》卷十六）

二十五日，丁履恒卒，年六十三。据吴育《山东肥城县知县丁君家传》、包世臣《山东肥城县知县丁君墓碑》。

六月

梁章钜辑《莳江别话》四卷。皆江南士民为章钜送行之作。据《退庵自订年谱》。

汤金钊放江南正考官。据《先文端公自订年谱》。

张维屏署袁州府同知。八月，充壬辰科江西乡试同考官。十月，委摄泰和县事。据《张南山先生年谱撮略》。

夏

铁崖外史作《小红袍全传叙》。《海公小红袍全传》简称《小红袍》，十卷四十二回，清人撰，书亦演海瑞事。铁崖外史叙云："传奇有《小红袍》一书……余读之不觉炎威顿消于乌何有。惟是篇中专述海忠介晚节贞操，除奸剪佞，文近鄙俚，而其形容忠贞凛烈之处，亦自有足观。"署"道光壬辰年仲夏，铁崖外史"。（道光十二年厦门文德堂刊本《小红袍全传》）

九月

吴荣光兼署湖广总督。据《荷屋府君年谱》。

闰九月

十四日，胡承珙卒，年五十七。据胡培翚《福建台湾道胡君别传》。《清史稿》本传："承珙究心经学，尤专意于《毛诗传》，归里后键户著书，与长洲陈奂往复讨论不绝，著《毛诗后笺》三十卷。其书主于申述毛义，自注疏而外，于唐、宋、元诸儒之说，及近人为诗学者，无不广征博引，而于名物训诂及毛与三家诗文有异同，类皆剖析精微，折衷至当。而其最精者，能于《毛传》本文前后会出指归，又能于西汉以前古书中反覆寻考，贯通诗义，证明毛旨。"《晚晴簃诗汇》卷一百十八收其诗三首，引朱兰坡语曰："墨庄观察少以诗赋鸣，登第后精研考订，著述斐然，不沾沾言诗而诗愈进，音节悉本唐贤，使典镕其膏液，弃其渣滓。"

二十二日，张宗泰卒，年八十三。据汪喜孙《清故修职郎安徽天长县教谕张公行状》（《汪孟慈集》卷四）。《晚晴簃诗汇》卷一百十九收其诗三首，诗话："鲁岩生长山县，癖嗜读书，为校官二十余年，益肆力于学，每读一书，旁通取证，评其得失，正其讹舛，补其未备，自编为《所学集》。阮文达晚年见其校正《淮海英灵集》，异之，及往谒，古朴如农夫。谈久，有学士大夫所不及，嘉其能读人所不读之书，又喜论诗，勉其续《渔隐丛话》，识力为之有余，赠联云：力学不随流俗转，著书须及老年成。其诗话未就，诗亦无多，朴淡如其为人。"

秋

乡试。中式者有：冯桂芬（左宗棠《中允冯君景亭家传》）、吴敏树（郭嵩焘《吴君墓表》)、柳兴恩（《儒林传稿·柳兴恩传》）、翟漱芳（《国朝文汇》丙集卷九）、仪克中、黄曾。

十一月

初八日，周济作《宋四家词选目录序论》。序曰："清真，集大成者也。稼轩敛雄心，抗高调，变温婉，成悲凉。碧山餍心切理，言近指远，声容调度，一一可循。梦窗奇思壮采，腾天潜渊，返南宋之清泚，为北宋之秾挚。是为四家，领袖一代。余子荦荦，以方附庸。夫词，非寄托不入，专寄托不出，一物一事，引而伸之，触类多通，驱心若游丝之罥飞英，含毫如郢斤之斫蝇翼，以无厚入有间，既习已，意感偶生，假类毕达，阅载千百，謦咳弗达，斯入矣。赋情独深，逐境必寤，酝酿日久，冥发妄中，虽铺叙平淡，摹缋浅近，而万感横集，五中无主，读其篇者，临渊窥鱼，意为鲂鲤，中宵惊电，罔识东西，赤子随母笑啼，乡人缘剧喜怒，抑可谓能出矣。问涂碧山，历梦窗、稼轩以还清真之浑化。余所望于世之为词人者，盖如此。"

二十九日，王闿运（1833—1916）生。闿运字壬秋、壬父，号湘绮，湖南湘潭人。咸丰七年举人。后又依曾国藩于湘军中，参与擘画。因自负奇才，所知多不合，乃退归林下。光绪六年，应四川总督丁宝桢聘，监督成都尊经书院。光绪三十四年，授翰林院检讨、礼学馆顾问。著有《王湘绮先生全集》。事迹见《清史稿》本传、王代功《湘绮府君年谱》（《王湘绮先生全集》卷首）、汪辟疆《近代诗人小传稿》、王森然《近代二十家评传》。

翁心存放江西学政。十二月单车就道。明年正月抵南昌。四月，擢国子监祭酒。十四年十一月离任。据《先文端公年谱》。

十二月

二十一日，李黼平卒，年六十三。梁廷楠《昭文县知县李君墓志铭》曰："师生平论诗谓心声所发，含宫嚼羽，与象箫胥鼓相应。故所为诗专讲音韵，得古人不传之秘。矗梓诗集，使廷为骈文跋尾跋：于粤中先正自曲江下引及邝氏峤雅，而以师继之。在师固不以为然，是可以识其宗旨所尚。"（《续碑传集》卷七十二）《晚晴簃诗汇》卷一百十八收其诗八首，诗话："绣子自翰林改官宰昭文，缘事系狱，数年始雪，有即事二律，词旨凄怨，盖正其时所作也。生平论诗谓心声所发，含宫嚼羽，与象箫胥鼓相应，故所为诗谐畅稳秀，有一唱三叹之致。"

二十九日，郭尚先卒，年四十八。据《兰石公年谱》。林则徐《大理寺卿兰石郭先生墓志铭》曰："吾闽文学侍从之臣，以嘉庆朝为盛。其声誉煊赫，为中外倾慕者，兰石郭先生其尤也。""慕先生者，大抵首推书法，谓当颉颃元明两文敏间。"（《云左山房文钞》卷二）《晚晴簃诗汇》卷一百二十一收其诗三首，诗话："兰石以文学官侍从，奉使衡文，号称得士，书画兼擅其长，染翰舒笺，雍容华贵，犹有康乾老宿风度。"

本年

问梅诗社仍有活动。《彭文敬公自订年谱》："（彭蕴章）仍与诗社诸先生倡和数次。"

朱为弼授宗人府府丞。据《漕运总督朱公墓表》（《续碑传集》卷二十二）。

徐宝善授山西道监察御史。据彭邦畴《翰林院编修前山西道监察御史廉峰徐君墓志铭》（《续碑传集》卷十八）。

翁心存典试四川，旋督江西学政。据陈澧《体仁阁大学士赠太保翁文端公神道碑铭》。

丁晏主讲盐城表海书院，刻《读经说》。据《丁柘亭先生历年纪略》。

陶澍邀左辅主扬州广陵书院。据《杏庄府君自叙年谱》。

张澍丁继母忧，遂不复出。据《张介侯先生年谱》。

汤贻汾引疾乞休，居周济春水园中。贻汾诗自此年下半年至丁未年曰《琴隐集》。据《汤贞愍公年谱》。

梁章钜居里中，与同里诸耆旧以诗酒相往来，辑《三山唱和集》十卷。据《退庵自订年谱》。

魏源自本年始卜居金陵。至道光十五年于扬州购得絜园止，凡三年余。其间作《卜居金陵买湖干草堂》三首、《乌龙潭夜坐》六首、《乌龙潭小泛》。据黄丽镛《魏源年谱》。

张穆入都。与何绍基以说经讲小学最相得。冬，与俞正燮过从甚密。《月斋文集·癸巳存稿序》云："壬辰冬，理初馆新城陈硕士侍郎所，为校顾氏《方舆纪要》。穆一再过之，颇多请益。理初赏之曰：'慧不难，慧而能虚、虚而能入为难。'因与订交。"

张际亮出都历齐鲁吴越而归家。本年作诗百三十四首，见李云诰编《张亨甫全集·诗编》卷十五。《张亨甫先生年谱卷目》云："自己丑至壬辰原自编为四卷，名《谷海前编》。"

李兆洛锓《舆地一统全图》版成。据《武进李先生年谱》。

俞正燮为陈用光作《校顾氏方舆纪要》。据《俞理初先生年谱》。

钱泳《吴越新书》始脱稿。据《梅溪先生年谱》。

冯登府编《海月江风集》诗八十首，刻《月湖秋瑟》二卷。据《冯柳东先生年谱》。

周济著《味隽斋史义》二卷。据《味隽斋史义自序》。

瞿中溶缮定《古玉图录》六卷。据《瞿木夫自订年谱》。

《淮北票盐志略》刊成。是书由童濂总修，魏源、许乔林纂辑，计十卷。据《淮北票盐志略》卷首。

章学诚《文史通议》、《校雠通议》刊行。据黄丽镛《魏源年谱》。

沈传桂《清梦庵二白词》五卷刊行。据《贩书偶记》。

许乔林辑刊《朐海诗存》十六卷。本年，乔林初会谢元淮。据《养墨山房诗稿》。

王希廉序《王希廉评红楼梦》。此书本年刊行。孙楷第《中国通俗小说书目》："《王希廉评红楼梦》一百二十回。存。原刊本。图像六十四页。半页十行，行二十二字。光绪丁丑翰苑楼本，图行款同。光绪丙子（二年）北京聚珍堂活字本，行款同。图覆王本。每卷题'东洞庭护花主人评'。首道光壬辰（十二年）王希廉序，《大观园图说》，《红楼梦论赞》（读花人戏编），《红楼梦问答》，《题词》，《总评》，《音释》。每回后有评。希廉字雪香，江苏吴县人。总评分评有别行本。"

何梦梅自序《大明正德皇游江南传》。据孙楷第《中国通俗小说书目》。

黄燮清撰传奇《帝女花》。是剧《今乐考证》著录。凡二卷二十出。孙恩保《桃溪雪题词》注云："韵珊前制《帝女花》，日本人咸购诵之。"现存道光间刻《韵珊外集》第二种本及咸丰年间刻《倚晴楼七种曲》所收本等。据《古本戏曲剧目提要》。

广东重刊《镜花缘》二十卷一百二十回。据孙楷第《中国通俗小说书目》。

黄体芳（1832—1899）生。体芳字漱兰，浙江瑞安人。同治二年进士，选庶吉士，散馆授编修。累迁侍读学士、内阁学士、江苏学政、兵部左侍郎。二十一年至江宁主讲文正书院。二十五年卒。有《漱兰诗存》一册。事迹见《清史稿》本传、叶尔恺《黄体芳传》（《浙江通志·列传》）。

黄焕中（1832—1912以后）生。焕中字尧文，号其章，广西宁明人。贡生。同治中，与同里士人共创思齐书院，掌教席。光绪八年，入佐刘永福黑旗军幕。晚年归乡，授徒为生。所著《天涯亭吟草》，今不存。苏康甲等辑《宁明耆旧诗辑》及曾竹繁等纂《思乐县志》存其诗三百余首。事迹见曾庆全《近代壮族爱国诗人黄焕中》（《中国近代文学研究》第一辑，广东人民出版社1983年）。

蒋铭勋（1832—1894）生。铭勋字亦谢，江苏太仓人。诸生。同治元年，入李鸿章幕。后以道员补用，加二品衔。光绪五年，补湖北荆州知府。九年，督办四川盐务局。十五年，应聘总办广东洋务。十九年十二月二十六日病卒。赠内阁学士衔。著有《鸥波舫诗钞》八卷。事迹见毕光祖《家传》（《鸥波舫诗钞》卷首）。

韩允西（1832—1898）生。允西字竹樵，河南西平人。咸丰十一年，应选拔试，因越礼僭服五品顶戴而被罢黜。光绪九年，代理安徽怀宁县知县。著有《海蠡斋诗钞》二卷。事迹见陈铭鉴《韩竹樵先生传》（《海蠡斋诗钞》卷首）。

谭献（1832—1901）生。献原名廷献，字涤生；更名后字仲修，号复堂。浙江仁和人。咸丰中游京师，得识朱琦、冯志沂、王拯、许宗衡、庄棫等。同治四年，为诂经精舍监院。六年，中举人。次年会试报罢，选署秀水教谕。十二年借贷纳资为县令，历官安徽歙县、全椒、合肥、宿松、含山诸县。光绪十三年以疾告归，家犹贫甚。十六年，张之洞延主湖北经心书院。越二年，病辞。卒于家。著有《复堂类集》二十一卷（含文四卷、诗九卷、词二卷、日记六卷），另有《复堂文续》五卷，辑以《箧中词》六卷、续三卷。弟子徐珂辑其论词诸说为《复堂词话》。事迹见《清史稿》李慈铭传附、夏寅官《谭献传》（《碑传集补》卷五一）。

丁丙（1832—1899）生。丙字嘉鱼，别字松生，晚号松存，浙江钱塘人。二十三岁入杭州府学，终身仅为诸生。著有《读礼私记》、《礼经集解》、《松梦寮诗初集》，皆毁于兵火。另有《九思居经说》、《说文部目详考》、《二十四史刻本同异考》、《松梦寮集》、《北郭诗帐》、《西溪诗集》等。事迹见俞樾《丁君松生家传》（《续碑传集》卷八一）。

平步青（1832—1895）生。步青一名庸，字景荪，号栋山、栋山樵、侣霞、霞外，别署三壶侐史，浙江山阴人。同治元年进士，六年授江西粮道，七年署布政使，十一年署按察使。后以疾归隐，从事著述，校辑群书。著有《读经拾渖》、《读史拾渖》、《群书斠识》、《霞外捃屑》、《安越堂外集》、《蚬斗过乐府》。事迹见《碑传集补》卷首《作者纪略》、傅惜华《清代杂剧全目》卷六作家传略等。

凌泗（1832—1907）生。凌泗字断仲，号磬生、莘庐，江苏吴江人。少与从弟凌淦同习举子业。咸丰三年补邑弟子员，十年避兵沪上，同治十二年中副榜。官内阁中书。后主讲切问书院。自同治十一年至光绪三年，与凌淦等编《枌陵文录》、修《吴江县续志》。著有《莘庐遗集》七卷。事迹见《莘庐遗著》、《桐城文学渊源考》卷六。[生卒年据江庆柏《清代人物生卒年表》。]

朱绍颐（1832—1882）生。绍颐字子期、养和，号劫余道人。祖籍江苏溧水，寄居江宁。以诸生授例为教职，历署邳州、海州学正。光绪二年举于乡。著有《抱翠楼诗文集》、《红羊劫》传奇。事迹见光绪《溧阳县志》卷一三、《红羊劫》传奇诸序跋。[生卒年据江庆柏《清代人物生卒年表》。]

张印（女，1832—1872）生。印字月潭，陕西潼关人，山东巡抚张澧中女。长于诗，善绘花鸟，临摹名迹尤神似。精刺绣，有"针神"之誉。嫁军机章京、御史林寿图为继室，随宦入都。同治五年，林寿图迁陕西布政使，张印翌年亦入陕。林寿图肆力于诗，张印观摩有得，诗益进。著有《金台集》、《青门集》、《南归集》。事迹见《茧窝遗诗》附录张仲炘《传》及诸序跋、《晚晴簃诗汇》卷一八八。

龙汝言卒，年五十二。据朱彭寿《清代人物大事纪年》。

李贻德卒，年五十。据徐士芬《李次白传》。《清史稿》孙星衍传附："著《春秋左氏解贾服注辑述》二十卷。其书援引甚博，字比句栉，于义有未安者，亦加驳难。虽使冲远复生，终未敢专树征南之帜而尽弃旧义也。"《晚晴簃诗汇》卷一百二十七收其诗九首，诗话："次白邃于经史，尤精小学。孙渊如晚年善病，所著书多次白为助。诗其余事，亦见清音。"

叶继雯卒，年七十六。据江庆柏《清代人物生卒年表》。

公元 1833 年（道光十三年　癸巳）

正月

二十七日，英、美籍传教士组织马礼逊教育会，在广州创设马公书院。教授中国儿童英文、西学、宗教教义等。据郭廷以《近代中国史事日志》上册。

左宗棠在京成组诗《燕台杂感》。见《左文襄公全集·诗集》。[按，一说作于本年会试落第后。]

二月

二十七日，吴熊光卒，年八十四。据包世臣《故大臣昭文吴公墓碑》（《续碑传集》卷二十一）。

方东树赴常州。《方仪卫先生年谱》曰："二月，赴常州。时同里姚石甫廉访莹为武进令，延先生编校其曾祖姜坞先生范《援鹑堂笔记》。"

那彦成卒，年七十。据徐士芬《那彦成传》(《续碑传集》卷九)、江庆柏《清代人物生卒年表》。李佳《左庵词话》卷上："那文毅相国彦成，性风雅，喜临池，《兰亭序》、《多宝塔》曾各抚百本。有《瑶花词·紫藤花下作》云：'璎穿珞缬。高架暮霞，浸一壶寒碧。满身清影，玲珑甚、筛透衣香几迭。轻寒约住，才留得、而今春色。讶石家、步障张空，翻起流云疑活。凄凉转忆前游，是那曲阑干，春最佳绝。十年花梦，应不识、禁得等闲蜂。心情正苦，更何处、悠扬孤笛。怕者番、吹彻阳关，惊舞翠虬香雪。'洵所谓经济文章，足以彪炳一代。"

三月

十二日，张琦卒，年七十。据朱彭寿《清代人物大事纪年》。谭献《复堂词话》八六："《茗柯词选》出，倚声之学，日趋正鹄。张氏甥董晋卿造微踵美，止庵切磋于晋卿，而持论益精。其言曰：'慎重而后出之，驰骋而变化之，胸襟酝酿，乃有所寄。'又曰：'词非寄托不入，专寄托不出。一事一物，引申触类，意感偶生，假类必达，斯人矣；万感横集，五中无主，赤子随母笑啼，野人缘剧喜怒，能出矣。'以予所见，周氏撰定《词辨》、《宋四家词筏》，推明张氏之旨而广大之，此道遂与于著作之林，与歌赋文笔，同其正变。止庵自为词，精密纯正，与茗柯把臂入林。"徐珂《清代词学概论》二："浙派至乾嘉间而益弊，张皋文起而改革之，其弟翰风和之，振北宋名家之绪，阐意内言外之旨，而常州派成。别裁为体，上接《风》、《骚》，赋手文心，开倚声家未有之境。襟抱学问，喷薄而出，以沈著醇厚为宗旨，而斯道始昌。"陈廷焯《白雨斋词话》卷五："词盛于宋，亡于明。国初诸老，具复古之才，惜于古之才，惜于本原所在，未能穷究。乾嘉以还，日就衰靡，安所底止？二张出，而溯其源流，辨别真伪；至蒿庵而规模大定，而词赖以存矣。""张翰风词，飞行绝迹，不逮皋文，而宛转缠绵处，时复过之，真皋文伯仲也。余最爱其《菩萨蛮》云云。真不减飞卿语。"《续修四库全书·〈立山词〉提要》："琦集中《菩萨蛮》诸阕，真可继武方城。其余诸作，虽不如茗柯之精深，而措词委婉，情致缱绻，自是作家。故谭献称其大雅遒逸，陈廷焯称其宛转缠绵也。""琦与其兄惠言合撰《词选》，原本《风》、《骚》，情高寄托，深美闳约，宗主温、韦。当词学靡蔽之际，振起衰微，遂使后世不敢目词为小道，实二张之功也。"

会试。考官：内阁大学士曹振镛，协办大学士、云贵总督阮元，兵部尚书那清安，工部侍郎恩铭。题"古之愚也"二句，"载华岳而"三句，"权然后知 为甚"。赋得"以礼制心"得"诚"字。据《清秘述闻续》卷四。

吴荣光于湖广任内设立湘水校经堂课岳麓、城南两书院。据《荷屋府君年谱》。

春

汪喜孙主泾川书院。朱凌云《甘泉汪氏轶事状》云："农部汪孟慈先生……才为经师，学为君子，凌云闻之熟矣。道光十三年春，来主我泾川书院讲席，恪遵圣门博约之教，正谊明道，循名责实，士林咸重之。"（《汪氏学行记》卷一）

俞正燮春闱下第。据《俞理初先生年谱》。

池生春视学广西。据吕璜《国子监司业广西学政楚雄池公墓志铭》（《续碑传集》卷十八）。

张穆从程春泽游，为程所激赏。《月斋文集·程侍郎遗集序》云："穆于癸巳之春初侍公直园，情好之洽，久愈挚。不三五日，必召过饮。"祁叔颖《月斋文集序》云："及长，程春海司农许其得汉学渊源，既而司农见其所为文，惊曰：'东京崔蔡之匹也。'"

四月

初九日，潘世恩补授大学士，管理户部事务。据《思补老人自订年谱》。

二十六日，董文涣（1833—1877）生。文涣原名文焕，字尧章，号研秋、研樵、峴樵，山西洪洞人。咸丰六年进士，改庶吉士。同治四年补甘肃甘凉兵备道。著《峴樵山房诗集》一二卷等。事迹见《峴樵山房诗集》。[生日据朱彭寿《清代人物大事纪年》。]

殿试。赐一甲汪鸣相、曹履泰、蒋元溥进士及第，二甲许樁、方大淳、金云门、姚承恩、黎光曙、董平章等进士出身，三甲端木国瑚、桂超万等同进士出身。据《历科进士题名录》。

五月

管同《因寄轩文集》十六卷、《补遗》一卷刊刻。邓廷桢为刻并序。据《邓尚书年谱》。

姚燮自序《疏影楼词》。《疏影楼词》五卷成于本年。据朱彭寿《清代人物大事纪年》。

六月

潘曾沂入都侍父世恩。途经泰山，有《泰山纪游诗》。据《小浮山人年谱》。

七月

赵绍祖卒，年八十二。据陶澍《赵琴士征君墓志铭》（《续碑传集》卷七六）。朱珔《赵琴士征君传》云："君古文宗昌黎，以夙熟史事，集六卷内论数首，识力卓然。诗十卷，大抵不屑绮丽，上沿盛唐之派。兼工书画，旁及于弈。在他人得一已擅场，而君直视为余。"《晚晴簃诗汇》卷一百三十三收其诗八首，诗话："琴士少有神童之目，自为诸生，久困场屋，遂专力于考订校补之学，著述至数百卷。其诗追摹盛唐，颇与明七子相近，盖朴学之余事也。"

八月

初三日，周孝埙卒，年七十一。朱绶《刑部主事周君墓志铭》："君之于诗笃嗜，由其性生。酬答次韵，屡变不竭。风格洒洒，近长帽老仙。自□诸作，不为葩粉，不病癯棘，适如意之所欲言而止，胸无宿留则语无造作。拟诸吴中先哲王百穀、蔡孔达之亚也。所著《还读小庐诗》二十卷多有录其副者。"（《续碑传集》卷二十）《晚晴簃诗汇》卷一百二十九收其诗一首。

二十五日，左辅卒，年八十三岁。据《杏庄府君自叙年谱》。《晚晴簃诗汇》卷一百八收其十二首，引王柳村语曰："杏庄为令，清约勤慎，仿王文成十家牌法实心施行，邑无盗警。以余力赋诗，句奇格正，有唐人之胜。"引符南樵曰："仲甫先生《永安宫》诗无限唱叹，无限感慨，惜之非贬之也。集中此等杰作不可偻指，诗人之正则也。"诗话："杏庄早年与洪稚存、黄仲则、赵味辛诸人唱和，才情横溢，寄托遥深。久官皖中，循名为一时之冠，罣误去职。初，颐园尚书为巡抚，疏荐，特旨召用，《感遇诗》云：'殊恩何意原三宥，举主难逢第一流。'自此受知，当宁屡邀特擢。及陟封圻，已年逾七十。《除夕感怀》云：'愧负君民惊晚岁，遥怜儿女说衰翁。'《生日自述》云：'百年何物酬知己，一念须忧负此生。'意味深厚，见名臣襟抱，非复文人吟风弄月常语矣。"《词则》评其词曰："灵光幽气，笔态飞舞。'觅愁魂'三字，看似奇警，究欠雅驯。后片愈唱愈高。"（《大雅集》卷六）《箧中词》三云："左仲甫词，逸情云上，愈唱愈高。如《南浦》（夜寻琵琶亭）云：'何处离声刮起？拨琵琶、千载剩空亭。是江湖倦客，飘零商妇，于此荡精灵。'下云：'我是无家张俭，万里走江城。一例苍茫吊古，向荻花枫叶又伤心。只琵琶响断，鱼龙寂寞不曾醒。'极沈郁，又极跳荡。"

姚莹重刊《东溟文集》、《后湘诗集》成。李兆洛、毛岳生编校。据《姚石甫先生年谱》。

秋

祁寯藻始丁母忧。十六年服阕。据《续碑传集》卷四《祁文端公神道碑铭》。

十月

张际亮之粤。本年诗分癸巳上编，卷十六，计百十二首；癸巳中编，卷十七，计九十首；癸巳下编，卷十八，计九十首。见李云诰编《张亨甫全集·诗编》。《张亨甫先生年谱卷目》云："原刻自秋至腊望前为四卷，名《南来诗录》。"

汤金钊升工部尚书。据《先文端公自订年谱》。

十二月

十五日，陈天池自序《第一快活奇书如意君传》。孙楷第《中国通俗小说书目》：

"《第一快活奇书如意君传》七十二回，一名《无恨天》。存。撷华书局排印本。一九三一年上海文记书店发行本。同板。清陈天池撰。首道光间徐璈等序，道光十三年自序。第一回前为缘起。天池字可泉，山西泽州人，陈文贞廷敬之孙。此书描写顺境。与《野叟曝言》为近，非猥亵书之《如意君传》。"〔按，刘象恒《如意君传序》云：丁未夏，陈子天池以所著《如意君传》问序于余。可知道光二十七年（1847），陈天池尚在世。〕

钱宝琛补授云南按察使。据《颐寿老人年谱》。

本年

曾国藩入县学。据黎庶昌《曾国藩年谱》。

苏惇元始受业于方东树。据《方仪卫先生年谱》。

方东树馆姚莹常州官署。据《仪卫轩文集》。

陈奂馆武林汪氏。据《三百堂文集》上。

汪喜孙应林则徐之聘，主讲江苏平陵书院、安徽泾川书院。据汪保和《皇清诰授中宪大夫覃恩例晋通奉大夫钦加道衔河南怀庆府知府加三级纪录四次显考孟慈府君行述》。

程恩泽擢内阁学士，充文渊阁直阁事。据阮元《诰授荣禄大夫户部右侍郎兼管钱法堂事务春海程公墓志铭》（《续碑传集》卷十）。

翁心存补庶子，迁祭酒，仍留学政任。据陈澧《体仁阁大学士赠太保翁文端公神道碑铭》。

冯登府官甬东。编《学易庵初集》，辑《浙西后六家词》十卷、《梅里词辑》八卷，刻《浙江砖录》四卷。据《冯柳东先生年谱》。

潘曾沂因赈灾授光禄寺署正衔。刻丁亥至癸巳年诗十一卷。据《小浮山人年谱》。

李文耕以原品休致。据王赠芳《通议大夫原任贵州按察使昆阳李公行状》（《续碑传集》卷三十四）。

钱仪吉出都，此后之诗曰《旅逸小稿》。后又有《旅逸续稿》。别有词集若干卷。本年，仪吉主讲广东学海堂。在粤专取记事之文刻之曰《衍石斋记事稿》十卷。据苏源生撰《书先师钱星湖先生事》。

龚自珍撰《左氏春秋服杜补义》、《左氏决疣》各一卷。又有《西汉君臣秋春秋之义考》一卷。纪年文有《六经正名篇》及《答问五篇》。据《定盦先生年谱》。

汪远孙编《清尊集》十六卷成。是书卒后始刻，见戊戌九月吴德旋序。

魏源代陶澍序《东南七郡水利略》。此文后略改存之，以当水利议。据魏源《东南七郡水利略叙（代）》。

朱骏声《书经古注便读》成书。据《石隐山人自订年谱》。

金连凯《业海扁舟》约本年作。该剧一名《济世保婴法曲》，又名《警世保婴法曲》。此剧未见著录。凡六出。今存道光间朱墨二色精钞本及五色精钞本。据《古本戏曲剧目提要》。

梁廷楠《广东海防汇览》刊成。据黄丽镛《魏源年谱》。

陶梁刻己作《红豆树馆词》八卷。据《明清江苏文人年表》。

朱月波《四香缘》弹词六卷刊行。据《明清江苏文人年表》。

戈载刻己作《翠薇花馆词》三十卷。据《贩书偶记》。

《癸巳类稿》十五卷求益斋刊行，程恩泽为作序。以未刻者，编为《癸巳存稿》。据《俞理初先生年谱》。

藤花榭刊袖珍本《红楼梦补》四十八回。据孙楷第《中国通俗小说书目》。

俞崧龄（1833—1874）生。崧龄字寿民，江苏丹徒人。咸丰十一年中举。官沛县训导。后客居长安。同治十三年，赴京应礼部试不中，旋病逝。著有《种梧吟馆诗存》一卷。事迹散见其诗集。

秦云（1833—1890）生。秦云原名桢，字肤雨、贞木，号西脊山人、胥母山人，江苏长洲人。诸生，与陶煦、陶焘兄弟交善。尝寓杭州，与江顺诒、宗山多有唱酬。工诗词，擅制曲，为吴中"三山人"之一。著有《裁云阁词钞》、《伏鸾堂诗剩》。事迹见《裁云阁词钞》。[生卒年据江庆柏《清代人物生卒年表》。]

凌淦（1833—1895）生。凌淦字砺生、仲清，号退修、退庵，江苏吴江人。咸丰六年岁试，补苏州府学生。九年乡试中式。同治四年后，往来京师。辑有《国朝松陵文录》二四卷。著有《退庵文稿》、《退庵诗稿》、《退庵医书》。事迹见凌泗《从祖弟砺生行略》（《莘庐遗著》）、刘声木《桐城文学渊源考》卷六等。[生卒年据江庆柏《清代人物生卒年表》。]

颜检卒，年七十七。据朱彭寿《清代人物大事纪年》、江庆柏《清代人物生卒年表》。《晚晴簃诗汇》卷一百收其诗七首。诗话：惺甫诗不名一家，而忠孝友爱之言莫不从性情中流出。自题诗卷，有"独弹古调有真趣，能解愁怀无变声"之句，足觇怀抱。

恽珠（女）卒，年六十三。据蔡之定《完颜母恽太夫人墓表铭》。

公元1834年（道光十四年　甲午）

正月

二十五日，林则徐出题甄别紫阳、正谊两书院。以《再熟稻赋》为通场考题。次日，魏源等应邀来阅卷。据来新夏《林则徐年谱》。

二十八日，朱彬卒，年八十二。据朱彭寿《清代人物大事纪年》。朱为弼《赠吏部尚书郁甫朱公墓志铭》："公简淡寡交游，尝居京师，足不履贵人门，惟与王观察石臞、邵学士二云、范光禄叔度三先生以文章道义相爱重。学士、光禄早游道山，而公与石臞先生以耆年硕学为儒林丈人。往者，石臞先生之殁，海内学者相与嗟悼太息，恨失所宗仰。又二年而先生下世，东南耆旧于是尽矣。"（《碑传集补》卷三十九）《清史稿》刘台拱传附："（彬）自少至老，好学不厌。承其乡王懋竑经法，与外兄刘台拱互相切磋。每有所得，辄以书札往来辨难，必求其是而后已。于训诂、声音、文字之学，用力尤深。著有《经传考证》八卷，《礼记训纂》四十九卷，虎观诸儒所论议，郑志弟子之问答，以及魏、晋以降诸儒之训释，书钞、通典、御览之涉是书者，一以注疏为主，撷其精要，纬以古今诸说。其附以己意者，皆援据精确，发前人所未发。"

冯登府自序《拜竹诗龛诗存续》。是书二卷，成于本年。据朱彭寿《清代人物大事纪年》。

项廷纪自序《忆云词丙稿》。自序云："弊庐不戒于火，弱骨成灰，藏书略尽，遑问词哉……嗣是叠遭家难，索居少欢，追忆前尘，十遗八九……嗟乎！不为无益之事，何以遣有涯之生？时异境迁，结习不改，《霜花腴》之剩稿，《念奴娇》之过腔，茫茫谁复知者？俯仰生平，百端交集，正不独此事而已。"李佳《左庵词话》云："钱塘项莲生廷纪，道光朝颇擅词名。所著《忆云词》四卷，能入宋人之室。与戈顺卿同时，声律之学，饶有讲解。但蒙不甚喜读，犹嫌其不甚醒豁耳。"

李富孙主石门传贻书院。据《校经叟自订年谱》。

陈鸿墀尚在世。据《晚晴簃诗汇》卷一一七《哀学使》。《诗汇》录其诗五首。

二月

二十日，闽县陈寿祺卒，年六十四。据高澍然《奉政大夫翰林院编修记名御史陈先生寿祺行状》。《行状》云："先生学主传经，其文章初规六朝，赫然名动京师。已而谓非其至也，乃治古文，有《左海文集》十卷。"阮元曰："立身于道义之中，而经学博通两汉，文章雅似齐梁。其学行卓然传矣，以千秋自命，不争名一时，秋坪之言谅哉！"（《碑传集》五十一）谢章铤《左海后人朴园陈先生墓志铭》："国家经学昌明，硕儒辈出。闽人则谨守五子渊源，风气不变。及左海陈恭甫编修以沈博绝丽之才修精深醇懿之业，其所著经辨诸书，远与两汉大师相羽翼。又以古义作庭诰，五经纷纶，宏启其堂构。论者谓自元和惠氏三世传《易》，高邮王氏夫子明小学之外，盖莫与抗手焉！"（《续碑传集》卷七十四）《清史稿》本传："寿祺会试出朱珪、阮元门，乃专为汉儒之学，又及见钱大昕、段玉裁、王念孙、程瑶田诸人，故学益精博。解经得两汉大义，每举一义，辄有折衷。"《晚晴簃诗汇》卷一百十四收其诗十二首，诗话："恭甫幼慧，成童时已淹贯群籍。嘉庆己未为朱文正所识拔，与同年武进张惠文、全椒吴山尊、高邮王伯申齐名。居朝十年，著述宏富。陈情乞养，物外翛然。雅爱武夷山水，晚号隐屏山人。疾时不谷食，却医药，日啜武夷岩茗，啖柑柚少许。枕上作绝句云：梦想仙峦二隐屏，问天应著少微星。人间无此溪山好，便欲乘云上幔亭。意惝恍若有所会，岁星奎宿，当有自来。"

瞿中溶修校《唐石经考异补正》。据《瞿木夫先生自订年谱》。

蔡宗茂序顾翰《拜石山房词》。是书四卷，成于本年。据朱彭寿《清代人物大事纪年》。

禁毁传奇演义板书。《大清宣宗成皇帝实录》卷二百四十九："道光十四年二月庚申，谕内阁，自来民俗之淳漓，由于平时之渐染，国家型方训俗，必将孝弟忠信礼义廉耻大为之防，方可正人心而维风俗。如该御史所奏，近来传奇演义等书，踵事翻新，词多俚鄙，其始不过市井之徒，乐于观览，甚至儿童妇女，莫不妖闻而习见之，以荡佚为风流，以强梁为雄杰，以佻薄为能事，以秽亵为常谈；复有假托诬妄，创为符咒禳厌等术，蠢愚无识，易为簧鼓，刑讼之日繁，奸盗之日炽，未必不由于此。嗣后各直省督抚及府尹等，严饬地方官实力稽查；如有坊肆刊刻，及租赁各铺一切淫书小说，务须搜取板书，尽行销毁，庶几经正民兴，奇邪胥靖，朕实有厚望焉。将此通谕知之。"

四月

李兆洛刊《日知录》成。《武进李先生年谱》曰："先生自居乡以来，于乡邦文献意甚拳拳。……刻《旧言集》，辑《江干香草集》，校刊《道乡集》，命承生培元校刊《陆文珪墙东类稿》，刊行先正遗书及故旧别集至数十种。"

六月

二十三日，陆继辂卒，年六十三。李兆洛《贵溪县知县陆君墓志铭》："惟力于诗，清温多风，如其人也。"《清史稿》本传："常州自张惠言、恽敬以古文名，继辂与董士锡同时并起，世遂推为阳湖派，与桐城相抗。然继辂选七家古文，以为惠言、敬受文法于钱伯坰，伯坰亲业刘大櫆之门；盖其渊源同出唐、宋大家，以上窥史、汉，桐城、阳湖，皆未尝自标异也。"《晚晴簃诗汇》卷一百十四收其诗十二首，诗话："祁孙文承阳湖宗派，兼工骈俪，诗词婉笃深远，澹而弥永。李申耆为志墓，称其肆力于诗，清温多风，如其为人。治训故考订之学，有《札记》五十余卷，今刻行者仅十二卷。书末附缀冗杂，不知编次出谁手也。"

林则徐作《昭代丛书》骈文序。据来新夏《林则徐年谱》。

夏

胡敬、黄芗泉、汪远孙诸人为结夏倡和集。据《书农府君年谱》。

七月

初八日，方坰卒，年四十三。据朱彭寿《清代人物大事纪年》。《晚晴簃诗汇》卷一百二十六收其诗三首，诗话："子春私淑于乡先正陆清献，笃志程朱之学。诗自王、孟入，芬华明婉，无讲学家习气。"

初九日，谢维藩（1834—1878）生。维藩字翙天，号鹰伯、振士，湖南巴陵人，侨居陕西。咸丰五年，甘肃乡试中举。旋复巴陵籍。同治元年中进士，选翰林院庶吉士。旋丁母忧。服阕，授翰林院编修。同治九年，任广东乡试副考官。十二年，督山西学政。著有《雪青阁诗集》四卷。事迹见陆襄钺《诰授奉政大夫翰林院编修前提督山西学政谢君墓志铭》（《碑传集补》卷九）。

吴嘉淦、谢元淮、魏源等游海州云台山。据谢元淮《养默山房诗稿》卷二十五。

九月

十七日，林则徐、龚守正、赵光畅游鸡鸣山、清凉山、小桃园、随园。据来新夏《林则徐年谱》。

冯登府以所著《三家诗异文疏证》刻本嘱瞿中溶为之勘正。据《瞿木夫先生自订年谱》。

沈维镠校刊《张杨园先生年谱》。十月，校刊陈确庵《圣学入门书》。十一月，补授工部左侍郎。据《鼎甫府君年谱》。

秋

乡试。中举者有：吴昆田（高延第《刑部员外郎吴君稼轩墓志铭》）、姚燮（董沛撰《姚复庄先生墓表》）、潘曾莹（《思补老人自订年谱》）、曾国藩（黎庶昌《曾国藩年谱》）。梁廷楠中式副榜贡生。据朱彭寿《清代人物大事纪年》。

徐宝善典试浙江。据彭邦畴《翰林院编修前山西道监察御史廉峰徐君墓志铭》（《续碑传集》卷十八）。

十月

十六日，孙玉庭卒，年八十三。据《寄圃老人自记年谱》。《晚晴簃诗汇》卷九十六收其诗二首，诗话："寄圃以廉介结主知，嘉庆廿年英吉利入贡不能行跪拜礼，廷议以其倨，强遣之。睿皇不怿，公适述职京师，以公尝抚粤，知外情，召见垂问，公面奏弓身俯伏即彼之免冠顿首，不必责以中国仪文。反复开陈，睿皇大悦。其入觐之楚督任诗有'敢谓识途询老马'之句，即指此事，亦见当时通达外情之难能矣。"

二十六日，昇寅卒，年七十三。本年六月十三日，昇寅奉旨往广东查办事件。七月十三日，简授礼部尚书。十月二十六日，卒于广西阳朔县途次。赠太子太保，赐谥勤直。有谕祭文，云："昇寅才优干济，志励清严。"又有御制碑文，英和、陆建瀛、吴椿、朱璚、吴绍奎为作挽联。萧元吉、李冠甲等为作祭文。据《昇勤直公年谱》。《晚晴簃诗汇》卷一百十四收其诗三首。

十一月

二十四日，王引之卒，年六十九。谥文简。据朱彭寿《清代人物大事纪年》。汤金钊曰："政事之外，以纂述为事。著有《经义述闻》三十二卷，不为凿空之谈，不为墨守之见。聚讼之说则求其是，假借之字则正其解。又就古人名字音义之相比附以观声音训诂之会通，作《周秦名字解诂》。……公说经尤精于转注假借之字。幼承庭训，精通于光禄公古均廿一部之分，于九经、楚词、诸子之有韵者，剖析精微。又熟于篆、隶递变源流，因声音以审文字，因文字以察诂训。凡汉唐诸儒就借用之字，望文生义而未安者，公释以本字，无不冰释理顺。"（《续碑传集》卷十）

十二月

初九日，杨恩寿（1836—1891）生。恩寿字鹤俦，号蓬海（一作朋海），别署蓬道人，湖南长沙人。咸丰八年优贡生。同治四年，随六兄彤寿赴广西北流县，办理刑名、钱粮、税关诸事务。九年乡试中式。光绪元年佐幕云南，未几授湖北盐运使，后升任湖北候补知府。著有《坦园六种曲》、《词余丛话》、《续词余丛话》、《兰芷零香录》。事迹见《坦园日记》、《坦园诗录》。

瞿中溶《唐石经考异补正》写毕。是书分二十卷，作十册。据《瞿木夫先生自订年谱》。

冬

陈用光作《韬光步竹图记》。道光十七年八月，其子准生过扬州，出图请人题咏，题者有林则徐、陶澍、姚莹、李兆洛、魏源等。据黄丽镛《魏源年谱》。

本年

沈垚考取优贡生。据朱彭寿《清代人物大事纪年》。

李彦章访士于包世臣，世臣以刘宝楠、刘文淇、王僧保等对。据《青溪旧屋文集》卷十一《和新城王文简公〈治春〉词》自注。

曾国藩肄业岳麓书院。山长为欧阳坦斋。国藩以能诗文，名噪甚，试辄第一。始见刘蓉于朱氏学舍，与语大悦，因为留信宿乃别。据黎庶昌《曾国藩年谱》。

汪喜孙应陶澍之聘，主讲镇江宝晋书院、安徽翠螺书院。据汪保和《皇清诰授中宪大夫覃恩例晋通奉大夫钦加道衔河南怀庆府知府加三级纪录四次显考孟慈府君行述》。

程恩泽授工部右侍郎。据阮元《诰授荣禄大夫户部右侍郎兼管钱法堂事务春海程公墓志铭》（《续碑传集》卷十）。

何凌汉充都察院左都御史。仍兼顺天府度尹事。据阮元《诰授光禄大夫经筵讲官户部尚书晋赠太子太保谥文安何公神道碑铭》。

朱为弼授漕运总督。据《漕运总督朱公墓表》（《续碑传集》卷二十二）。

陆耀遹、包世臣移居江宁。据《包慎伯先生年谱》。

张际亮由粤过豫。归应乡试于福州，复由家之皖、之吴。本年，作诗百二十五首。见李云诰编《张亨甫全集·诗编》卷十九。《张亨甫先生年谱卷目》云："（是年诗）并癸巳原自定为四卷，易名《豫粤游草》。"

方东树馆姚莹元和县署。据《仪卫轩文集》。

蒋彤与吴育等共校《日知录集释》。据《桐城文学渊源考》。

瞿中溶缮定己作《唐石经考异补证》二十卷。据《瞿木夫自订年谱》。

龚自珍作《干禄新书自序》。见《龚自珍全集》第三辑。自珍本年纪年诗有《题兰汀郎中园居三十五韵。郎中名那兴阿，内务府正白旗人，故尚书苏楞额公之孙。园在西淀圆明园南四里，淀人称曰苏园》等。

梁章钜辑《退庵随笔》二十卷。《退庵自订年谱》曰："此书先为关中友人所刻，后至桂林，复加增删，扩为二十四卷，贺耦庚中丞长龄序之。"

阮元《石画记》成书。据《雷塘庵主弟子记》。

方东树作《沧浪亭》诗。据《方仪卫先生年谱》。

吴炽昌自序《客窗闲话》。是书十六卷，未见著录。今有敬义堂藏板道光原刻本，正集八卷初刻于道光十九年，前有道光四年长白山人序和道光十四年作者自序。续集八卷初刻于道光三十年，前有同年中秋作者自序。光绪刻本与《申报馆丛书》本照录道光本序言，而将序言时间改为光绪乙亥。后来之《笔记小说大观》和《清代笔记丛刊》本等不仅将序言时间改为光绪戊申，且删去部分篇章，改作初集四卷、续集四卷出版，已非原貌。据《中国古代小说总目》文言卷。

杨懋建《辛壬癸甲录》约成于本年。据张次溪编纂《清代燕都梨园史料》正续编。

黄燮清撰《鸳鸯镜》传奇。该剧《今乐考证》著录。凡十出。本事见《池北偶谈·碎镜》，述南昌闺秀谢玉清、李闲情事。现存道光间刻《韵珊外集》第三种本及咸丰年间刻《倚晴楼七种曲》所收本等。据《古本戏曲剧目提要》。

黄燮清撰《脊令原》传奇。该剧《曲录》著录。本事出自《聊斋志异》所载曾友于事。凡二卷二十四出。现存咸丰七年刻《倚晴楼七种曲》所收本等。据《古本戏曲剧目提要》。

王鎏刻己作《垩舟园初稿》。据《贩书偶记》。

黄钺刻《两朝恩赉记》。据《黄勤敏公年谱》。

冯登府刊《石经阁文集》八卷。据《冯柳东先生年谱》。

庄述祖《汉鼓吹铙歌曲句解》一卷有本年刊本。此书录沈约《宋书·乐志》所载汉鼓吹铙歌曲，逐篇以古音古字细核之，有嘉庆十一年自序。据张寅彭《新订清人诗学书目》。

沈筠《千金寿》传奇有本年守经堂刻本。是剧《今乐考证》著录，二卷十六出，本事出自《史记·信陵君列传》。据《古本戏曲剧目提要》。

徐宗亮（1834—1904）生。宗亮字晦闻，号荼岑，安徽桐城人。先后居胡林翼、李鸿章等湘淮军幕。以文章游公卿间，一生作幕，以布衣终。晚年居黑龙江三年，从事著述。著有《善思斋文钞》九卷、《文续钞》四卷、《诗钞》七卷、《诗续钞》二卷、《善思斋词》二卷、《天津府志》五十四卷、《沧州志》四十卷。事迹见姚永概《徐荼岑先生墓志铭》（《碑传集补》卷五二）、刘声木《桐城文学渊源考》卷一〇、张舜徽《清人文集别录》卷二一。

徐嘉（1834—1913）生。嘉字宾华，号遁庵，江苏山阳人。早岁以诗名，治学、为诗均私淑顾炎武及乡先辈潘德舆。同治九年举人。后数上公车，屡踬科场。光绪六年谒选，授昆山校官，终老讲席。著有《味静斋集》二十卷、《味静斋杂记》三卷、《顾亭林先生诗笺注》十七卷。事迹散见《味静斋集》。〔生卒年据江庆柏《清代人物生卒年表》。〕

吴嵩梁卒，年六十九。入国史文苑传。据朱彭寿《清代人物大事纪年》。《香苏山

馆全集》五十六卷，有道光二十三年吴氏刻本。《江西通志·吴嵩梁传》:"受诗法于铅山蒋士铨，得杜陵宗派。出游吴越间，诗名籍起。嘉庆庚申，举乡试，官内阁中书，名振都下。青浦王昶、北平翁方纲、无锡秦瀛、蒙古法式善、钱塘吴锡麒并相推重。篇什流播，及于海外。朝鲜侍郎申纬推为'诗佛'。"《绿天清话》:"嵩梁自号莲花居士。嘉道间，以诗鸣，卓然为江西钜子。"王昶《蒲褐山房诗话》卷四二:"西江自明以来，称诗者众，而无卓然杰出号大家者。予尝以语兰雪，兰雪深以为然。今自蒋苕生后二十余年，兰雪继之。予两至南昌，故才人多在门下，如云衣、照南、修之三吴，咸以诗名当世；而兰雪实为巨擘，诗如天风海涛，苍苍浪浪，足以推倒一世豪杰。每阅数年，辄来三泖渔庄省视，故录其诗较多。"《晚晴簃诗汇》卷一百十四收其诗十三首，诗话:"兰雪诗笔纵横排奡，议论藻采足以佐之。自编诗集，以诗代序，历述同时袁子才、王梦楼、洪稚存、黄仲则，交相推许，次及西江唐宋以来诸诗人，瓣香所在，惟属心余。兰泉所评正如其本意也。一时诗名颇盛，朝鲜使者申纬推为'诗佛'，金鲁敬模其小象以归。兰雪六十初度，集其国名宿醵酒相祝。琉球使者向邦正肄业国子监时，出兰雪门下，后以贺正至，乞兰雪赠诗为荣。鸡林购稿弓衣织诗，亦艺林佳话也。"

公元 1835 年（道光十五年　乙未）

正月

初三日，曹振镛卒，年八十一。据朱彭寿《清代人物大事纪年》。《晚晴簃诗汇》卷一百四收其诗四首，诗话:"嘉庆三年文正以詹事督学广东，父忧归，服除，祖母殁，期年始至京补官，仁宗称其孝。道光间大考翰詹，诗题'巢林栖一枝'，众皆不知所出，公在军机直庐，谓同官曰:此左太冲咏史诗也。诵全诗不讹一字。宣宗阅卷，怒词臣不学，欲再试之，越日召见公，询公诗题出处，公以不知对。上曰:汝亦不知，无怪若辈也。遂已。或问公何以言不知，公笑曰:吾知亦偶然耳。上再以他题询，其能一一对耶？知此何足道，不知亦无大失。炫己损人，吾所不为。闻者叹服。诗主性灵，于兄弟师友间流连往复，真挚动人，不以工拙论也。"翁方纲《延晖阁集序》云:"俪笙于诗文，自其家学，已探粹密，比入词垣，日校勘中秘书，益进而窥古作者之原委，积今盖四十余年矣。其力学之诚，敬业之勤，由翰林以至端揆，恂恂如寒素，几案间无代笔之门客，以暇录其诗文成帙，曰《延晖阁集》，敬识蒙恩赐'纶阁延晖'之额以名之。读斯集者，第知其纪荣遇，而其实即文章政事合一之义也。"（《复初斋文集》卷四）

二十六日，纪庆曾卒。庆曾字思诒，号半虔、师泉，浙江乌程人。诸生。著有《叠翠居文集》一卷。沈垚《纪思诒事略》曰:"其为学初颇泛览，继乃潜思理学家言，然所长终在史，而明史尤深。"（《碑传集补》卷四十八）

二十六日，施补华（1835—1890）生。补华字均甫，浙江乌程人。同治九年中举。卒于光绪十六年闰二月。著有《泽雅堂文集》八卷、《泽雅堂诗集》六卷等。事迹见杨岘《山东候补道施君墓志铭》（《续碑传集》卷三九）。[生日据朱彭寿《清代人物大事纪年》。]

二月

十九日，顾广圻卒，年七十。据赵诒琛编《顾千里先生年谱》。姚光《顾千里先生年谱跋》云："目录之学为读书之津梁，而校雠之学又书籍之药石。以我国书籍有数千年悠久之历史，则校雠之学尚矣。……当乾嘉之际，朴学诸儒盖无不通知此学者，而元和顾千里先生尤为卓绝。先生学问渊博，辨证精审，虽与黄荛圃辈并称于时，而实非其伦也。"日本神田喜一郎著、孙世伟译《顾千里先生年谱》序云："清代治诸子者，实以校勘学导夫先路也。乾嘉时如毕沅、卢文弨、汪中、阮元、孙星衍、洪颐煊、严可均等，皆从事于此，而尤以顾千里先生为魁杰，盖先生以校勘为毕生之业，是以成绩独优也。"顾广圻《校文选李注识语》："近人刻书，喜仿旧本存其误字，而后载校勘语以为古雅，而旧本不误之字仿本多转写至误，是未能仿旧而反诬旧本也。自汉至唐校书者盖不如是，难与迁拘而嚣讼者道也。"（俞正燮《癸巳存稿》卷十二）《清史稿》卢文弨传附："广圻天质过人，经、史、训诂、天算、舆地靡不贯通，至于目录之学，尤为专门，时人方之王仲宝、阮孝绪。兼工校雠，同时孙星衍、张敦仁、黄丕烈、胡克家延校宋本《说文》、《礼记》、《仪礼》、《国语》、《国策》、《文选》诸书，皆为之札记，考定文字，有益后学。乾嘉间以校雠名家，文弨及广圻为最著云。又时为汉学者多讥宋儒，广圻独取先儒语录，摘其切近者，为《遯翁苦口》一卷，以教学者。"《晚晴簃诗汇》卷一百十五收其诗五首，诗话："涧蘋通六书，精校勘之学。张古愚刻《礼记》、《仪礼》，胡果泉刻《文选》、《通鉴》，黄荛圃刻《国语》、《国策》，皆出其手。服膺宋五子，摘语录尤切近者为《遯翁苦口》。诗泽古既深，择言自雅。"张德瀛《词征》卷六："顾涧蘋广圻词，如春水初涨，更染岚翠。"

钱宝琛补授浙江布政使。据《颐寿老人年谱》。

三月

初三日，阮元补授大学士，管刑部事务。据《雷塘庵主弟子记》。

上巳，李彦章招刘文淇、黄承吉、阮亨、梅植之、吴廷飏等桃花庵修禊，又同集载酒堂赋诗。《刘孟瞻先生年谱》曰："三月上巳，李兰卿招同桃花庵修禊，又同集载酒堂，以所题楹帖中'昼了公事夜接诗人禅智寻碑红桥修禊'十六字分韵。"吴廷飏《小红桥唱和诗册跋》云："道光乙未，李兰卿都转官常镇通海道，权署在扬，与绅士寓公唱和几无虚月。是年上巳日，小红桥修禊，会者十六人，同集载酒堂，以所题楹帖中'昼了公事夜接诗人禅智寻碑红桥修禊'十六字分韵，黄春谷先生承吉分得'昼'字，阮梅叔先生亨分得'寻'字，梅蕴生先生植之分得'接'字，吴让之先生廷飏分得'桥'字，兰卿先生分得'碑'字，各赋五古一首，又各和王渔洋《冶春词》原韵二十首。"

会试。考官：协办大学士、吏部尚书穆彰阿、工部尚书何凌汉、吏部侍郎文庆、吏部侍郎张鳞。题"大德不逾"一句，"夫孝者善"一节，"吾身不能 弃也"。赋得

"王道平平"得"偏"字。据《清秘述闻续》卷四。

曾国藩会试不售。留京师读书,研穷经史,尤好昌黎韩氏之文,慨然思蹑而从之。治古文辞自此始。据黎庶昌《曾国藩年谱》。

春

包世臣以大挑一等分发江西新喻知县。据《包慎伯先生年谱》。

四月

殿试。赐一甲刘绎、曹联桂、乔晋芳进士及第,二甲彭蕴章、朱琦、苏廷魁等进士出身,三甲黄辅辰、何庆元、铭岳、乔松年、陈世镕等同进士出身。据《历科进士题名录》。

贺长龄授福建布政使。据《诰授荣禄大夫前云贵总督贺君墓志铭》(《续碑传集》卷二十四)。

黄承吉为刘文淇撰《左传旧疏考正序》。据《刘孟瞻先生年谱》。

潘世恩充殿试读卷官。据《思补老人自订年谱》。

李兆洛刊《瞿忠宣公集》成。《武进李先生年谱》曰:"瞿忠宣公《式耜集》十卷以事涉国初,未敢行世,故四库书不著其目。李兆洛为之刊行。"本年,李兆洛搜集元朝宪章及元人诗文集最夥,所得书不下数十百种也。

五月

初五日,高心夔(1835—1883)生。心夔原名梦汉,字伯足,又字陶堂,号碧湄、东蠡,江西湖口人。咸丰元年举人,会试以制艺违式被黜。九年会试中式,而复试以诗出韵罚停殿试。明年补殿试,成进士,诠选知县。光绪初,叙劳以直隶知州分发江苏,署吴县知县。有《陶堂志微录》五卷、《陶堂遗文》一卷、《恤诵》一卷。事迹见汤纪尚《高陶堂先生传》、朱之榛《高先生事状》(《续碑传集》卷八〇)、李慈铭《越缦堂日记》、费行简《近代名人小传》。[生日据朱彭寿《清代人物大事纪年》。]

六月

十三日,李彦章集众人饯包世臣于岚漪书屋。《刘孟瞻先生年谱》:"六月十三日,李兰卿招集岚漪书屋饯包慎伯之官江西,先生题其《捧檄图》。是日,为黄春谷承吉补作生日,以山谷诗'淮南二十四桥月'分韵,各赋五古一章。先生分得'十'字。"包世臣《管情三义》卷八:"六月十三日,余自都赴江西,取道扬州。同年李兰卿彦章兵备招仪征刘孟瞻文淇、吴熙载廷飏、王西御僧保……江都梅蕴生植之集钞关署为饯,以'淮南二十四桥月'七字拈韵分赋题。"

十九日,屈轶卒,年六十八。据李兆洛《候补兵马司副指挥屈君墓志铭》(《养一斋文集》卷一三)。

六月

瞿中溶辑《廿四孝考》成。据《瞿木夫先生自订年谱》。

李祖陶自序《金元明八家文选》。是书七十四卷，成于本年。据朱彭寿《清代人物大事纪年》。

闰六月

项廷纪自序《忆云词丁稿》。是书一卷，成于本年。据朱彭寿《清代人物大事纪年》。

七月

沈维镥赴江宁考试录遗。《鼎甫府君年谱》曰："是科江南正考官卓丈海帆秉恬与总督陶文毅公、江苏学政龚季思守正皆府君会榜同年，而副考官单公地山懋谦、监临巡抚林公少穆则徐又皆府君门下士。故事，江宁府署大堂举人入闱筵宴礼考官，督抚学政皆与。是日，苔岑沆瀣聚集一堂。陶文毅公为绘《乙未入帘图》，各赋诗以纪一时之盛。至今艺林传为佳话。"

八月

初三日，黄爵滋任鸿胪寺卿。据来新夏《林则徐年谱》。

十三日，陈用光卒，年六十八。据梅曾亮《礼部左侍郎陈公用光行状》（《碑传集》卷末下）。

梁章钜授甘肃布政使。辑《北行酬唱集》四卷。集中所收诗皆同里知好及大江南北士民赠行之作。据《退庵自订年谱》。

九月

十四日，柳以蕃（1835—1892）生。以蕃字价人、子屏，号韬庐，江苏吴江人。咸丰三年补县学生。光绪十八年闰六月八日卒，年五十八。著有《食古斋诗录》四卷、《食古斋诗余》一卷等。事迹见诸福坤《柳君价人墓表》（《碑传集补》卷五十一）。

邓廷桢擢两广总督。《邓尚书年谱》曰："冬，入觐。时公乡人官京师者颇众，及公出都，绘《宣南夜话图》，梅伯言郎中为文记之。"（见《柏枧山房文集》）

秋

乡试。汤金钊充顺天乡试正考官。据《先文端公自订年谱》。中式举人有：吴棠、江开、徐子苓、鲁一同、黄燮清、何绍基（林昌彝《何绍基小传》）、孙锵鸣（缪荃孙《清故侍郎衔翰林院侍读学士孙先生墓碑》）、刘宝楠（《续碑传集》卷七十三）、徐鼒

（夏寅官《徐鼎传》）、鲁一同（吴昆田《鲁通甫传》）、徐子苓（马其昶《龙泉老牧传》）等。

十二月

十四日，龚易图（1836—1893）生。易图字少文，号蔼人、蔼仁、含晶、含真，福建闽县人。咸丰九年成进士，改庶吉士。十年散馆，改官云南知县。同治三年，以知府留山东省补用，七年调补济南知府。后官云南、广东、湖南布政使。以事落职，罢官归里。著有《乌石山房诗存》十二卷、《谷盈子》十二篇。事迹见《蔼仁府君自订年谱》、谢章铤《布政使司布政使蔼仁龚公墓志铭》（《碑传集补》卷一八）。

张际亮由豫之杭州。本年诗分乙未上编，计百五十六首；乙未下编，计七十五首。见李云诰编《张亨甫全集·诗编》卷二十、二十一。据《张亨甫先生年谱卷目》。

冬

张穆由京归里，程恩泽作《张石州归里》五古四首送之。本年，张穆馆徐松家。据张继文《先伯石州公年谱》。

钱仪吉东赴汴主讲大梁书院。据《稚圭府君年谱》。

陶澍得御书"印心石屋"。嗣后陶澍命魏源编次成《御书印心石屋诗文录》十卷，并作《御书印心石屋诗文录叙》。见《魏源集》。

本年

魏源买园于扬州新城，名曰絜园。据魏耆《邵阳魏府君事略》。本年撰《三江口宝带桥记》、代陶澍作《云台山神庙碑铭》。《云台山神庙碑铭（代）》："此道光十五年代陶文毅作也。文毅未及手书勒石，而谢君元淮修《云台山志》载此文，自署己名，窜易不复成语，故存其原本于此。"

刘文淇、包世臣、梅植之等作黄庭坚生日会于扬州。据《刘孟瞻先生年谱》。

潘德舆大挑以知县分皖。据《随年附记》。

龚自珍擢宗人府主事。《定盦先生年谱》曰："擢宗人府主事。（案：迁官事，诗文无征。甲午序《干禄新书》时，尚官中书，而主事结衔，始见于丙申五月送梁公序，似当在甲乙之间。）九日，与诸同人集于吴虹生家。"纪年文有《工部尚书王文简公墓表铭》、《最录南唐五百字》。

李星沅督学粤东。据《李文恭公别传》（《续碑传集》卷二十四）。

程恩泽会试知贡举，调户部右侍郎，充殿试读卷官。据阮元《诰授荣禄大夫户部右侍郎兼管钱法堂事务春海程公墓志铭》（《续碑传集》卷十）。

杜堮调礼部左侍郎。据《杜文端公自订年谱》。

翁心存授奉天府丞，兼督学政。据陈澧《体仁阁大学士赠太保翁文端公神道碑铭》。

吕璜主讲秀峰书院。自本年至卒年，皆主于秀峰书院。据《月沧自编年谱》。

沈垚客徐松寓。后移馆姚元之寓。据《徐星伯先生事辑》。

俞樾随父至常州读书，粗通群经大义。据《曲园自述诗》。

汪喜孙入都，户部尚书奏留本部管理井田科主稿，作《沟洫图议》。据汪保和《皇清诰授中宪大夫覃恩例晋通奉大夫钦加道衔河南怀庆府知府加三级纪录四次显考孟慈府君行述》。

俞正燮应林则徐之聘编撰《湖北通志》。据《俞理初先生年谱》。

祁寯藻丁母忧居家读《礼》，撰《马首农言》十四篇。据《观斋行年自记》。

冯登府编《学易庵集》。据《冯柳东先生年谱》。

黄汝成编《日知录刊误》二卷。据《明清江苏文人年表》。

丁晏著郑康成、陈思王、陶靖节、陆宣公年谱四卷，名《颐志斋四谱》。据《丁柘亭先生历年纪略》。

方东树校《援鹑堂笔记》毕。据《方仪卫先生年谱》。

李兆洛刊洪齮孙《补梁疆域志》四卷。据《武进李先生年谱》。

英和刻所著《恩荣叠唱集》。据《恩福堂年谱》。

坊刊小本《鸳鸯影》刊行。据《中国通俗小说总目提要》。

陈钟麟刻己作《红楼梦传奇》八卷于广州。据《贩书偶记》。

石韫玉《古香林丛书》十种刊行。据《明清江苏文人年表》。

新镌本《三分梦全传》刊行。孙楷第《中国通俗小说书目》："《三分梦全传》十六回，存。道光十五年新镌本。道光二十八年刊本。光绪乙未上海石印本改题《醒梦录》。清张士登撰。题'潇湘仙史张士登著'、'罗浮侨客何芳苣评'。首嘉庆戊寅（二十三年）自序，及二十四年己卯缪艮序，南海黎成华题词。"

施山（1835—1901?）生。施山原名学宜，字子山；更名山，字寿伯，号望云，别号骈渠，浙江会稽人。咸丰中，为监生，尝游京师。然终以贫故，弃举业。著有《通雅堂诗钞》十卷、《诗钞续》二卷附词、《薑露庵杂记》六卷、《望云诗话》。事迹散见《通雅堂诗钞》、《薑露庵杂记》、倪文蔚《通雅堂诗钞·序》、费行简《近代名人小传》。

陶文鼎（1835—1876）生。文鼎字卿田，原籍浙江会稽，流寓广东番禺。布衣。著有《有真意斋诗》一卷。事迹见朱启连《陶孝子传》（《碑传集三编》卷四四）。

萧穆（1835—1904）生。穆字敬甫（一作敬孚），安徽桐城人。咸丰三年岁试，中县学第二名。九年客上海机器制造局附设广方言馆，以雅驯文笔，润饰所译欧美史学、舆地、天算、声、光、化、电诸书，并节衣缩食，购置古书。著有《敬孚类稿》一六卷。事迹见《清史稿》吴汝纶传附、陈衍《萧穆传》、姚永朴《萧敬孚先生传》（《碑传集补》卷五二）。［生卒年据杨殿珣《中国历代年谱总录（增订本）》。］

向师棣（1835—1865）生。师棣字伯常，湖南溆浦人。诸生。少与同里秋农、舒焘友善，以治学为文鸣于世，被曾国藩目为"溆浦三杰"。同治元年，赴安庆谒曾国藩，留佐戎幕，并与海内名士交，所学益进。同治四年，与曾氏幕僚薛福成、黎庶昌等朝夕相处，纵论古今大局。已而随军移驻徐州，忽得暴疾卒。著有《涵古楼文钞》

一卷、《涵古楼诗钞》一卷，皆辑入《溆浦三贤诗文钞》内。事迹见薛福成《向伯常哀辞》(《庸盦文外编》卷四)、黎庶昌《向伯常墓志铭》(《拙尊园丛稿》卷二)、刘声木《桐城文学渊源考》卷四。

徐熊飞卒，年七十四。据朱彭寿《清代人物大事纪年》。王昶《蒲褐山房诗话》卷四三："渭扬生长吴兴，得山水之胜，故诗多清峭，风骨超然。与王柳村、石远梅、吴楚诸诗人弦诗斗酒，江湖名士，未能或先。阮芸台中丞开诂经精舍于西湖上，招集浙中文士三十余人，而春华秋实，兼撷其长者，亦当以渭扬为翘楚。"《晚晴簃诗汇》卷一百十七收其诗四首，诗话云："雪庐少孤寒，事母至孝。诗有才力，颇存唐贤轨辙，晚见知阮文达，举其学行，得典籍衔。"

项廷纪卒，年三十八。谭献《项君小传》："性湛然耆古，尝避喧南山，读书僧院，就泉看山，无复尘念。……君文辞尔雅，诗不多作。善填词，幽异窈眇，浸淫五代、两宋，而撷精弃滓。好隲温韦以下，小乐府津逮草窗、梦窗，蹊径既化，自名其家，谈者比之江淹杂体诗云。手订词稿，矜慎多芟削，最后存《忆云词》甲、乙、丙、丁稿四卷行于世。"(《碑传集补》卷四十八)《晚晴簃诗汇》卷一百三十七收其诗三首，诗话："莲生工倚声，手定忆云楼甲乙丙丁稿，清空婉约，足与灵芬馆词相伯仲。诗不多作，尝曰：予词足与余词角，诗不足存。今附刻词稿后。清音雅思，殊不在松壶题画诗下。"《复堂词话》三二："阅陈实庵《鸳鸯宜福词》、《吹月词》，婉约可歌，有竹山碧山风味。杭州填词，为姜张所缚；偶谈五代北宋，辄以空套抹捺。百年来，屈指惟项莲生有真气耳。"《复堂词话》三五："阅项莲生《忆云词》，篇旨清峻，托体甚高，一扫浙中喘腻破碎之习。莲生仰窥北宋，而天赋殊近南唐，《丁稿》一卷，遍合五代词，合者果无愧色。"《箧中词》："莲生，古之伤心人也。荡气回肠，一波三折，有白石之幽涩而去其俗，有玉田之秀折而无其率，有梦窗之深细而化其滞。殆欲前无古人。其《乙稿》自序：'近日江南诸子，竞尚填词，辨韵辨律，翕然同声，几使姜张畏首；及观其著述，往往不逮所言'云云。婉而可思。又《丁稿》序云：'不为无益之事，何以遣有涯之生?'亦可以哀其志矣。以成容若之贵，项莲生之富，而填词皆幽艳哀断，异曲同工，所谓别有怀抱者也。"谢章铤《赌棋山庄词话》续编三："《忆云词》四卷，钱塘项莲生鸿祚撰。莲生深于情，小令尤佳。其词仿吴梦窗例，分为甲乙丙丁四稿。丁稿自温庭筠至冯延巳各体皆拟之，且皆工，可以观其所得力矣。"

施彦士卒，年六十一。据江庆柏《清代人物生卒年表》。《晚晴簃诗汇》卷一百三十收其诗一首。诗话：朴斋通畴人术。春秋三十七日食，唐一行推得二十七，宋卫朴推得三十五，朴斋推得三十四，惟襄公二十一、二十四两年连月日食，卫朴以为可通，朴斋谓古今历法不能得。又撰历代大事表，得乙部之纲要。诗用击壤体，盖非所长也。

公元 1836 年（道光十六年　丙申）

正月

梁章钜调授直隶布政使。据《退庵自订年谱》。

贺长龄授贵州巡抚。据《诰授荣禄大夫前云贵总督贺君墓志铭》(《续碑传集》卷二十四）。

杜堮致仕。据《杜文端公自订年谱》。

二月

初三日，周之琦得旨补授湖北巡抚。四月到任。据《稚圭府君年谱》。

张维屏诣白鹿洞书院，游庐山，有《匡庐集》、《豫章集》。据《张南山先生年谱撮略》。

三月

会试。考官：内阁大学士潘世恩，协办大学士、户部尚书王鼎，工部侍郎吴杰，内阁学士王植。题"小人闲居 其善"，"子钓而不"二句，"天下有达 德一"。赋得"布德行惠"得"时"字。据《清秘述闻续》卷四。

程恩泽、俞正燮等人集枣花寺看牡丹。分韵赋诗。据《俞理初先生年谱》。

李锡畴序黄廷鉴《第六弦溪文钞》四卷。见《第六弦溪文钞》卷首。是书成于本年。

春

曾国藩会试再不售。据黎庶昌《曾国藩年谱》。

余治会试不第。即馆于江都司寇家。司寇藏书甚富，余治纵览坐读，学以大进。本年与梅曾亮、汤鹏等游。其为学作文，学初唐四杰与骈体文，后即专研经义，以汉儒为宗，与宋儒多有牴牾。据《敝帚斋主人年谱》。

张际亮会试报罢。本年作诗百四十九首，见李云诰编《张亨甫全集·诗编》卷二十二。《张亨甫先生年谱卷目》云："并乙未原自定名《惜山楼诗录》，编为三卷，以此二年家居之日少多于往时也。"

刘宝楠入都应试，刘文淇、梅植之、杨季子饯于湖亭，赋诗送别。据《刘孟瞻先生年谱》。

李彦章升任山东都转。邀刘文淇、吴熙载纂《扬州水道记》。据《刘孟瞻先生年谱》。

四月

殿试。赐一甲林鸿年、何冠英、苏敬衡进士及第，二甲何绍基、徐荣、沈兆麟、冯志沂等进士出身，三甲孔继鑅、周沐润等同进士出身。据《历科进士题名录》

阮元充殿试读卷官。据《雷塘庵主弟子记》。

五月

初八日，汪远孙卒，年四十三。据胡敬《内阁中书汪君墓志铭》（《续碑传集》卷二十)。《晚晴簃诗汇》卷一百二十六收其诗二首,诗话:"小米家富藏书,覃精著述,撰《诗考补遗》、《国语考异发正》、《汉书地理志校勘记》,所校刻书又十余种。"

李彦章卒,年四十三。据《福建通志·列传》卷三十八。《晚晴簃诗汇》卷一百二十五收其诗八首,诗话:"兰卿与兄彦彬俱以诗名,有双珠之目。官扬州日,于蜀冈桃花庵旁建宋三公祠,祀韩忠献欧苏两文忠,复于祠之西,取渔洋诗话作载酒堂,祠前莳垂柳百株,作亭其中,曰补柳亭,以存欧阳遗泽。流连觞咏,极一时之盛。兰卿受诗学于翁覃溪,然清婉流逸,不尽守苏斋矩矱,固嘉道中一作手也。"

六月

祁寯藻丁母忧服阕入京。九月,转补兵部左侍郎。据《观斋行年自记》。

七月

初十日,池生春卒,年三十九。据吕璜《国子监司业广西学政楚雄池公墓志铭》(《续碑传集》卷十八)。《晚晴簃诗汇》卷一百三十一收其诗一首,诗话:"刘寄庵主五华书院,籥庭与呈贡戴淳古村、云州杨国翰丹山、昆明李于阳即园、戴絅孙云帆为高材生,尝合刻其诗,号'五华五子'。"

贺长龄抵贵州巡抚任。据《独山莫贞定先生年谱》。

林则徐再署两江总督。据来新夏《林则徐年谱》。

八月

陆耀遹卒,年六十六。入国史文苑传。据朱彭寿《清代人物大事纪年》。《清史稿》陆继辂传附:"(耀遹)工为诗,喜金石文字,与继辂齐名。其为人韬敛精采,而遇事侃侃无所挠。游公卿间,尤长尺牍。"《晚晴簃诗汇》卷一百三十三收其诗九首,引阮芸台曰:"绍闻诗才清拔,非唐人不道只字;词更清空婉约,剧似宋人。"诗话云:"绍闻与季父祁孙同擅文名,时称二陆。早客阮文达幕,文达极称其诗。中年以后,体格较变,神韵反减。游迹遍秦、粤,喜收金石,继王兰泉为续编。晚应征试,得校官百日而卒。附集唐诗二卷,叙实事如己出,方之黄唐堂,殆不让也。"

李兆洛校刊《胡石庄绎志》。明年三月《绎志》成,凡十六卷六十一篇。据《武进李先生年谱》。

秋

庆勋招龚自珍、吴葆晋、马沅、戴絅孙、步际桐、徐启山等集京师城北积水潭秋禊。《定盦先生年谱》曰:"长乐梁茝林中丞章钜任广西巡抚,陛辞出都,先生与歙程春海侍郎恩泽及吴虹生、徐星伯,合宴梁公于虹生家,作序以赠。……立秋日,同年庆渔山户部勋招同吴虹生舍人葆晋、马湘帆户部沅、戴云帆水部絅孙、步香南编修际桐、徐镜溪水部启山集都城北积水潭秋禊,登西北高楼纵饮,有词纪之。"

十一月

陶樑自序《红豆树馆书画记》八卷。是书成于本年。据朱彭寿《清代人物大事纪年》。

十二月

十九日，吴荣光招程恩泽、潘世恩等为东坡生日之会。据《思补老人自订年谱》。

本年

潘曾沂与石韫玉、董琴涵等唱和笔谈往还无虚日。据《小浮山人年谱》。

汪喜孙、黄爵滋、潘德舆、丁晏、王钦霖、鲁一同等会于陶然亭。据《颐志斋文集》一二。

汤贻汾招诸人为八耆会。贻汾本年有《初营隐园十八咏》。据《汤贞愍公年谱》。

吴德旋访钱泰吉，纵论文事。据曾国藩《钱君墓表》。

魏源晤陈世镕于南京。据陈世镕《与魏默深书》（《日涛杂著》第二集）。

翁心存授大理寺少卿。据陈澧《体仁阁大学士赠太保翁文端公神道碑铭》。

钱仪吉主讲河南大梁书院。蒋湘南游其门。据苏源生《书先师钱星湖先生事》。

姚椿应两湖总督林则徐之邀主荆南书院。在楚凡七载。据沈曰富《姚先生行状》。

方东树居里中，命门人苏惇元重编《张杨园先生年谱》。《方仪卫先生年谱》曰："先生于近代诸公，推陆清献公及杨园先生为得洛闽正传。惜陈古民梓所订杨园年谱未尽善。属惇元重编之，并启告沈鼎甫侍郎维鐈，宜奏请从祀，且为刊布遗书。"

包世臣自本年至十八年夏，守制家居。据《包慎伯先生年谱》。

冯登府编《漫与初集》。据《冯柳东先生年谱》。

梁章钜辑《宣南赠言》二卷，书中诗皆日下同人话别之作也。据《退庵自订年谱》。

祁韵士所辑《西域释地》一卷、《万里行程记》一卷刊成。据《观斋行年自记》。

龚自珍纪年文有《说张家口》、《说居庸关》、《陆彦若所著书序》、《代阮中丞两广总督卢敏肃公神道碑铭》。纪年诗有《同年冯文江官广西土西隆州，以事得遣，北如京师，老矣，将南归鸳鸯湖，索诗赠行》等。据《定盦先生年谱》。

邱登序《红楼梦论赞》。孙楷第《中国通俗小说书目》："《红楼梦论赞》一卷，存。清道光壬寅（二十二年）养余精舍刊小本。【北京大学图书馆】清涂瀛撰。署'读花人戏编'。目为《红楼梦论》，《红楼梦赞》及《红楼梦问答》。首武林邱登序。末有潭州何炳麟跋及邱登跋。瀛字铁绲，广西桂林人。读赞及问答，皆有会心，文亦雅饰可诵。道光十二年壬辰刊王雪香评《红楼梦》全载之。邱登道光十六年序此书谓涂瀛作，或又以为王雪香作，未知孰是。"

端木国瑚撰《周易指》毕，是年梓成。据《太鹤山人年谱》。

李富孙刻诗余一卷成。据《校经廋自订年谱》。

李宗瀚《静娱室偶存稿》二卷有本年刊本。

梁章钜《退庵随笔》二十卷有本年刻本。

吴德旋《初月楼文续钞》八卷刊行。据《贩书偶记》。

陶梁辑成《国朝畿辅诗传》六十卷。陶梁时在大名府知府任。据《晚晴簃诗汇》。

许乔林《云台新志》二十二卷刊行。据《明清江苏文人年表》。

俞正燮《癸巳类稿》刻成。据《癸巳类稿序》。

厉志《白华山人诗说》二卷刊行。是书有本年原刊本、光绪九年厉学潮刊《白华山人集》本、《清诗话续编》本。有吴德旋序。张寅彭《新订清人诗学书目》。

潘德舆《养一斋诗话》十卷刊行。是书有本年刊巾箱本、道光二十九年《养一斋集》本、同治十一年刊本、上海扫叶山房石印本、《清诗话续编》本。按有道光十二年壬辰钟昌序与道光十六年丙申徐宝善序,书经三十余年增补修订,最后定稿刊行于本年。据张寅彭《新订清人诗学书目》。

《国朝闺秀正始续集》十卷、《附录》一卷、《补遗》一卷有本年红香馆刊本。据胡文楷《历代妇女著作考(增订本)》。

孙春山(1836—1889)生。春山名兆尊、燕诒,字汝梅、问龚。原籍浙江余姚,后入直隶顺天大兴籍。咸丰九年举人,光绪进士。工诗文,精音律,以善书著称,篆刻亦精妙。嗜戏曲。现所知经其改编皮黄剧本有《孝义节》、《祭江》、《二进宫》、《孝感天》、《监酒令》等,并著有《顾曲杂记》。事迹见梅兰芳《舞台生活四十年》第一集、陈彦衡《旧剧丛谈》(载张次溪编《清代燕都梨园史料》)。

郭绥之(1836—1873)生。绥之字靖侯,山东潍县人。同治十二年病卒,年仅三十七岁。著有诗集《畹香村会稿》、《聊复集》、《餐霞集》、《沧江诗集》、《沧江精华录》等。事迹散见其诗集。

黄吉安(1836—1924)生。吉安名云瑞,以字行。祖籍安徽寿春,后移居湖北江夏、四川成都。年十八,家道中落,迫于生计,投笔从戎,于军营中充任文书,随军流徙,辗转于武昌等地。后返成都,清贫度日。其川剧代表作品有《江油关》、《柴市节》、《三尽忠》、《审吉平》、《闹齐宫》、《木兰从军》等。扬琴曲本有《楚道还姬》、《破冀纳甄》、《香莲闯宫》等。事迹见马再知、骆渐衢、吕中《著名川剧作家黄吉安》(载《四川文史资料选辑》第二十五辑)、小吉《川剧作家黄吉安》(载《草地》1956年七期)。

尚镕卒,年五十二。据蒋寅《清诗话考》下编三。《晚晴簃诗汇》卷一百四十收其诗七首,诗话:"乔客读史有妙解,尤精考据。诗沈郁苍雄,兼诸家之长。同时郭仪霄羽可盛称许之。"

公元 1837 年(道光十七年丁酉)

正月

初一日,潘世恩晋太子少保。据《思补老人自订年谱》。

初四日,张荫桓(1837—1900)生。荫桓字樵野,广东南海人。三十后力学,通掌故，而性通脱不拘。光绪二年权登莱青道。转山东盐运使，授安徽宁池太道，迁按察使。十一年，任出使美国、日斯波尼亚（西班牙）、秘鲁三国大臣。二十三年奉使英国，历英、美、法、德、俄诸国。著有《铁画楼诗文集》六卷、《续集》二卷。事迹见《清史稿》本传、张祖廉《户部侍郎张公神道碑铭》（《碑传集补》卷六）。［生日据朱彭寿《清代人物大事纪年》。］

十八日，俞正燮撰《程友石说文类求序》。据《癸巳存稿》卷十五。

二十二日，林则徐任湖广总督。据《东华续录》道光三五。

翁心存奉旨授六阿哥读。《先文端公年谱》："同直者滨州杜公受田、平湖徐公士芬、黄县贾公桢、济宁孙公瑞珍、同郡吴公钟骏。直南斋者寿阳祁公寯藻、钱塘许公乃普、固始吴公其浚、襄阳单公懋谦，皆寓直澄怀园，退直后时相过从。"

龚自珍宗人府京察一等引见。三月，改礼部主事祠祭司行走，四月，补主客司主事，仍兼祠祭司。自珍纪年文有《礼部题名记序》、《主客司述略》、《答人问京北可居状》、《书苏轼题临皋亭子帖后》。纪年诗有《题王子梅盗诗图》。据《定盦先生年谱》。

二月

十二日，黄汝成卒，年三十九。李兆洛《黄潜夫家传》曰："嘉定气节文学自南宋来，亮硕鸿奥，重于海内。潜夫少承家业，习闻乡先生端绪，综贯浩博，达于精邃。又善为文章，议论闳整，叙事繁简廉肉，率中体要。学不泥章句，而务合体用。"

方东树赴粤东，客总督邓廷桢幕中。据《方仪卫先生年谱》。

三月

吴荣光补授福建布政使。据《荷屋府君年谱》。

本月至五月，张维屏游桂林。有《桂游日记》、《桂林集》。据《张南山先生年谱撮略》。

五月

初一日，汪适孙序梁绍壬《两般秋雨盦随笔》。序云："予表兄晋竹梁君，以宰相之华胄，膺孝廉之巍科，等身读书，偻指数典，膏肓箴乎经疾，然疑订为史评。……成《秋雨盦随笔》若干卷。予受而读之，轧轧乎锦线之抽机。磊磊乎星徽之溢目已。综其全旨，约有四端：一曰稽古，则《经典释文》之遗也；一曰述今，则《朝野金载》之体也；一曰选胜，则模山范水卧游之图是也；一曰微辞，则砭愚订顽徇路之铎也。"又，王坤《两般秋雨盦随笔后序》云："古人惩劝之旨，半寓方言；稗官附会之辞，补征文献。冰瓯浣笔，罗雅俗于操觚；雪案谟觞，汇古今而洒墨。此余姻丈钱唐梁晋竹先生《两般秋雨盦随笔》一书所由作也。先生性贯灵犀，手为天马。博涉经典，铜鼓扣识于茂先；绮丽文章，花管梦生于太白。荒搜黄竹，岂独成谣；奥埒淄蒲，匪徒志异。仿小《虞初志》而比事订讹，参《新唐书》文而辑金掇玉。随之时义大而简，不敢珍秘枕中；笔所未到气已吐，宜其风行海内。"《两般秋雨盦随笔》有道光十七年汪氏振绮堂巾箱本、光绪十年许氏吉华室重刊本、光绪十八年兰溪铜活字本，又《清代笔记丛刊》本、《笔记小说大观》本、上海扫叶山房石印本等。据《中国古代小说总目》文言卷。

初五日，石韫玉卒，年八十二。入国史文苑传。据朱彭寿《清代人物大事纪年》。

六月

钱泳访瞿中溶。据《瞿木夫先生自订年谱》。

沈维鐈校刊陆桴亭《思辨录辑要》前集二十二卷、后集十三卷。据《鼎甫府君年谱》。

七月

二十九日，程恩泽卒，年五十三。阮元《诰授荣禄大夫户部右侍郎兼管钱法堂事务春海程公墓志铭》："公学识超于时俗，六艺九流皆好学深思，心知其意。本工篆法，益熟精汉许氏文字之学。""诗文雄深博雅，稿亦盈箧。"（《续碑传集》卷十）《清史稿》本传："恩泽博闻强识，于六艺九流皆深思心知其意，天象、地舆、壬遁、太乙、脉经莫不穷究。谓近人治算，由九章以通四元，可谓发明绝学，而仪器则罕传，欲修复古仪器而未果。诗古文辞皆深雅。时乾嘉宿儒多徂谢，惟大学士阮元为士林尊仰，恩泽名位亚于元，为足继之。所欲著书多未成，惟《国策地名考》二十卷、《诗文集》十卷传于世。"《晚晴簃诗汇》卷一百二十五收其诗八首，诗话："春海尊人兰翘学士，乾隆庚子以第三人及第，入直上斋，宣庙甚重之，尝谕春海曰：汝父兰翘先生，朕昔年最敬其品学。闻者叹为异数。春海覃研朴学，六书训故、九章算术，皆好学深思，心知其意。所写博雅，与张度西、黄树斋后先相亚。"王揖唐《今传是楼诗话》三三《程恩泽开清代诗体变局》："有清一代诗体，自道咸而一大变，开山之功首推吾皖歙县程春海侍郎。君以魏科官挈下，崇尚朴学，风采隐然，为一时重。诗宗昌黎、双井，所诣亦可方驾箨石斋。海内推儒林祭酒者，阮仪征外，辄首及侍郎。年未中寿遽卒，然其流风余韵固已沾溉不少矣。典黔试时，得人最盛。郑子尹珍及其门，侍郎诏之曰：'为学不先识字，何以读三代秦汉之书？'乃致力于许、郑二家之学，旋又相从湖南，故其为诗濡染侍郎者独深。何道州子贞亦侍郎门下士，光大师说，与有力焉。先后其间者，则为祁寿阳、曾湘乡诸公，遂开有清诗体之变局。寿阳集中有《春海以山谷集见示，再叠前韵》云：'胎骨能追李杜豪，肯从苏海乞余涛。但论宗派开双井，已是绥山得一桃。人说仲连如鹞子，我怜东野作虫号。蜻蜓瑶柱都尝遍，且酹清尊试茗醪。'此可见当日之风尚矣。"三四又云："侍郎遗集，乃平定张石舟穆所编次者，诗凡四卷，近日坊间已不易觅。"陈衍《石遗室诗话》卷一一："程春海恩泽侍郎肆力为诗，多于句调上见变化。如《澧州》云：'当夫昏垫际，悔不疏瀹早。及夫洒濯后，晏坐食新面。'《赠王大令香杜兼呈邓湘皋》云：'吾拜先生笔，欲作每箝口。吾拜邓子诗，握管辄棘手。'""春海诗用典亦间有误，如云：'袖《易》瓠本称宋初。自注：是日携宋槧单疏本《周易》。'然瓠本乃葫芦中《汉书》也。亦有过喜用典者，如'却笑雍通梨栗后，但能舁得竹萌车'。竹萌，笋也，见《说文》，谓渊明儿子舁篮舆也。然真笋岂可作舆舁哉。"

张澍《养素堂文集》成，凡三十五卷。版藏枣华书屋。据《张介侯先生年谱》。钱仪吉序曰："以暇日次第平生所作赋、颂、序、记、论辨之属凡六百余篇，都为一集，而属余序之。余尝闻君之论文矣，曰：青与赤谓之文，赤与白谓之章。言，色泽也。徒法言正论而无色泽，何以为文？盖君之文，宗旨如是。又曰：文须气清，气清，虽满纸光怪，不失为清。骈体、散行一也，俗人歧视之……予观古之作者，函雅故通古今，得其源者，若建瓴输水，方圆曲折，惟变所适，而出一情。何足分也。然非通识绝人，造诣渊奥，即此秘已难睹，欲强兼之，亦弗能以为。盖必有复古之才如君而后可及焉。君虽沈抑未究厥施，而文章足传于后。"（《养素堂文集》卷首）

李兆洛集活字版印《历代地理韵编今释》成，凡二十卷。据《武进李先生年谱》。

蒋彤随李兆洛往扬州，会刘宝楠。据《武进李先生年谱》。

许鸿磐卒，年八十一。据邓长风《明清戏曲家考略·十位清代戏曲家生平考略》。

八月

初三日，张之洞（1837—1909）生。之洞字孝达，号香涛、壶公、抱冰、无竞居士，直隶南皮人。咸丰二年，乡试中举。同治二年，成进士，授翰林院编修。十二年，任四川乡试副考官及学政，奏请设尊经书院。光绪十年，调任两广总督。二十年，代理两江总督。二十九年，奏办京师大学堂。三十三年，擢体仁阁大学士、军机大臣，兼管学部。宣统元年八月卒。谥文襄。著有《广雅堂散体文》二卷、《广雅堂骈体文》二卷、《广雅堂诗集》四卷、《广雅碎金》四卷、《弟子记》一卷、《论金石》五卷等，合称《张文襄公全集》。事迹见《清史稿》本传、《清史列传》本传、陈宝琛《清诰授光禄大夫体仁阁大学士赠太保张文襄公墓志铭》、陈衍《张相国传》（《碑传集补》卷二）、《张文襄公年谱》等。

许乃普序李祖陶《国朝文录》八十二卷。是书成于本年。据朱彭寿《清代人物大事纪年》。

九月

初一日，何彤文作《注聊斋志异序》。序云："近世评小说家者，谓其叙事《列国》难于《三国》，又谓《列国》、《三国》尚有古人陈迹可寻，至《水浒》一书则更难于《列国》、《三国》，以其从'宋江等三十六人横行河朔'一句，演出三十六人天罡，配以七十二地煞，合成一百单八人，各为写其性情形状已属大难，且又调奸、醉酒、打虎、杀人、放火、行窃、赠金等事层层犯复，因难见巧，施耐庵殆神于技者乎！夫耐庵生于宋，立于元，不求见用于世，故假《水浒》一传，以抒其抱负，宣其阅历。若著《聊斋》者生逢盛世，以彼其才其学其识而不获一第，无怪其嘲试官谓并盲于鼻也。《聊斋》胎息《史》、《汉》，浸淫晋魏六朝，下及唐宋，无不熏其香而摘其艳。其运笔可谓古峭矣，序事可谓简洁矣，铸语可谓典赡矣。其志异也，大而雷龙湖海，细而虫鸟花卉，无不镜其原而点缀之，曲绘之。且言狐鬼，言仙佛，言贪淫，言盗邪，言豪侠节烈，重见叠出，愈出愈奇，此其才又岂在耐庵之下哉！至其每篇后'异史氏曰'一段，则直与太史公列传神与古会，登其堂而入其室。渔洋老人虽间有搔着痛痒处，尚不能与之并驾齐驱，后之批《聊斋》者，亦可毋庸邻女效颦，(般)[班]门弄斧矣！且近之读《聊斋》者，无非囫囵吞枣，涉猎数遍，以资谈柄，其于章法、句法、字法，规模何氏之文，出于何书，见于何典，则茫夫未之知也，即读焉如未读也，有执以相问难者，十不得其一二焉，良以读书未破万卷，故无从索解人耳。其自欺者则曰吾不求甚解，毋怪今之能读书者少而著述愈不古若也。吾家地山老人幼而好学，老而不倦。其于经史子集既能强记，多求解说，乃以通才而不达于命。奔走风尘，作客依人，于公务余暇取《聊斋》而注释之。某字句见何经、见何史、见何子、见何诗文集，必溯其源而求其实，绝无恍惚依稀附会牵诬之弊。久之粲然成帙，亦与注杜者之详晰无殊，使向之读《聊斋》而不得其解者，今则焕然冰释，真可谓煞费苦心，嘉惠枵腹矣。余于此有说焉，且有感焉。我国家二百年来，人文之盛亦云极矣。而二百年中，可传之书有三，一代作者皆出于北人而南人未之逮也。一为孔东亭之《桃花扇》，一为王阮亭之《精华录》，一为蒲留仙之《聊斋志异》。然《桃花扇》前则有《琵琶记》，近则有蒋心余之各种曲与之相衡。阮亭之诗，今虽无与之并肩者，而唐之温、李诸公实其渊源。若《聊斋》一志，虽《博物》、《虞初》、《夷坚》、《癸辛》、《独异》诸志，皆不足与同年共语，不惟近世所无，则古人尚且不及。然则吾南土人将何以与北人较长角短，争鸣其盛哉！窃谓注书尚有二，陆放翁步武老杜者也，如'官绿帝青'之句，颇费搜考。《小仓山房四六》多引用未见书，甚难注解。应增修书亦有二，大清《广舆记》苗疆山川道里风土人情，皆有益于文章政事者也。先生其有意乎？请为注之、释之、增之、修之。"（清刊何垠注本《聊斋志异》）

二十二日，端木国瑚卒，年六十五。据《太鹤山人年谱》。宗稷臣《太鹤山人文集序》云："鹤田子少以词藻称于时，中年放情歌咏，晚乃一意治《易》以明其心得。其发挥旁通、奥衍奇辟，已超汉魏说经之文，文莫古于是矣！然其偶为论著序记、铭传书牍，亦复力追韩、柳而跻及之。"秦瀛序端木国瑚《太鹤山馆初稿》有云："青田多佳山水……子彝性情澄澹而奇逸，适与其地之山水相肖，而诗之孤峭绝特一如登悬崖，攀绝岳，听猿鸟之夜啼，而睹银潢之下坠也。……子彝貌甚癯而精悍之色常露眉宇，其诗激壮之处剧似文成集中作。虽伏处隐约，尝为钜公所识，今之人既皆知有子彝矣，欲诗之无传于世也，得乎？"《晚晴簃诗汇》卷一百三十七收其诗十五首，引阮芸台语曰："处州山川险阻，余试青田画虎赋，得端木子彝，才调轩新，得六朝真意。归语秦小岘观察曰：此青田鹤也。檄之来杭州，居西园，使壹志于学，学益进。天台、雁荡诸诗，尤极奇丽。余有句云：谁是齐梁作赋才，定香亭上碧莲开。括州酒监秦淮海，招得青田白鹤来。"诗话："太鹤博通经籍，尤深于易，兼治堪舆家言。诗文汪洋恣肆，受知阮文达。嘉庆戊午举于乡，大挑得县令，请改校官，秉铎归安十五年。道光中，宣宗改卜寿陵，章佳文毅以所著地理元文注进，因召使相地，叙劳授县令。文毅为辞，改授中书。及文达自云贵总督召入阁，癸巳主会试，太鹤始登第，年六十余矣。复除县令，呈请就本班，盖前后三辞县令云。集中有诗曰：儒官行且老，读易白蘋洲。帝有万年虑，臣无一旦谋。诏书行驿马，祖道出江鸥。期及长安日，黄山禁树秋。旌招虞人贱，轮征处士虚。才疏违世用，力薄诣公车。帝重苍生问，臣轻黄石书。何时塞明诏，归守卞山庐。正应召时作也。"

陈芝楣、齐彦槐、包世臣等数次集会。《汤贞愍公年谱》曰："九月六日，陈芝楣中丞同包慎伯、齐梅麓彦槐、陈蕉云川佑、黄穀原均、顾竹碕蕙生诸先生各携宋元人书画集于琴隐园……九日，督部陶文毅公澍与陈芝楣中丞复邀同包、齐、陈、黄、顾登翠微亭，饮于江天一线阁。十二日，又招集博山园。会者九人，慎伯作记，公与穀原、竹碕及袁竹畦起合作图。三次会集，公均以诗记之。"

潘曾沂游西湖，与陈奂泛舟西溪，复游海昌，与陈文述时有唱和。著有《放猨集》一卷。据《小浮山人年谱》。

阮元为撰《扬州水道记序》。据《刘孟瞻先生年谱》。

秋

乡试。中式举人有：叶名沣、张际亮、郑珍（朱彭寿《清代人物大事纪年》）、郭嵩焘（王先谦《兵部左侍郎郭公神道碑》）、郑珍（黎庶昌《郑征君墓表》）、吴存义（《诰授资政大夫封光禄大夫吏部左侍郎吴公行状》）。

刘文淇赴金陵应试落第，自此不应试。据《刘孟瞻先生年谱》。

十月

钱宝琛奉旨补授湖南巡抚。据《颐寿老人年谱》。

十一月

十四日，汪宗沂（1837—1906）生。宗沂字仲伊、咏春，号弢庐，安徽歙县人。同治三年，以优行贡太学。光绪二年，举于乡。六年，成进士，分山西任知县。告病辞官归里二十一年，专心读书著述。曾国藩任两江总督时，延其任忠义局编纂。李鸿章任直隶总督时，聘入幕。居五年辞归。先后主讲安庆敬敷、芜湖中江、歙县紫阳诸书院。光绪二十一年，由安徽学政保举学行，特旨赏加五品卿衔。光绪三十二年十月十四日卒，年七十。著有《弢庐诗》。事迹见刘师培《汪仲伊先生传》（《碑传集补》卷四十一）。

十二月

月初，莫友芝偕郑珍北上应明年春试。据《独山莫贞定先生年谱》。

仪克中卒，年四十二。据江庆柏《清代人物生卒年表》。

本年

严廷中在扬州倡春草社。据《晚晴簃诗汇》。

徐继畬升广西浔州府知府。据《山西通志·徐继畬传》。

朱骏声获聘暨阳书院讲席。据《石隐山人自订年谱》。

左宗棠主讲醴陵渌江书院。与两江总督陶澍定交。据罗正钧《左文襄公年谱》。

姚椿应林则徐邀至湖北掌教荆南书院。据《明清江苏文人年表》。

罗汝怀、邓瑶、欧阳泳拔贡生。据朱彭寿《清代人物大事纪年》。

余治从李兆洛游。据《余孝惠先生年谱》。

魏源游淮安,访周济。据黄丽镛《魏源年谱》。

潘德舆、姚莹、毛岳生游扬州焦山,刻《焦山诗录》。据《随年附记》。

俞正燮客两湖总督林则徐幕,校订《海国纪闻》。祁寯藻侍郎视学江苏,正燮为校《宋本说文系传》。据《俞理初先生年谱》。

张际亮由豫之吴齐入都,梓其游山诗名《匡庐游草》。本年作诗百五十首,见李云诰编《张亨甫全集·诗编》卷二十三。

丁晏编《山阳诗征》二十四卷成。据《丁柘亭先生历年纪略》。

冯登府编《漫与二集》。据《冯柳东先生年谱》。

罗泽南著《常言》一卷。后改定为《人极衍义》。据《罗忠节公年谱》。

刘文淇著《运河考》八卷、《扬州水道记》四卷。据《刘孟瞻先生年谱》。

邓廷桢著《说文双声叠韵谱》成,方东树等序之。据《邓尚书年谱》。

梁章钜辑《论语集注旁证》二十卷,《孟子集注》十四卷。据《退庵自订年谱》。

李富孙在家校勘《别下斋丛书》。重校《春秋三传异文释》十二卷,得附刻丛书后。据《校经叟自订年谱》。

魏源在江都絜园序其所辑《明代食兵二政录》。有云:"我朝之胜国曰明代,凡中外官制、律例、赋额、兵额,大都因明制而损益之,故其流极、变迁、得失、切劘之故,亦莫近于明。""明……举天下仕进一出科目,无他途杂乎其间,无论甲乙一等,未有终身未沾一禄者;内而部曹,外而守令,未有需次数年、十数年始补一缺者。遇铨选乏人,则辄起废田间,旋踵而用,士之得官也易,复官也易,则其视去官也不难。又士自释褐登朝以后,既弃贴括,即不复以声律点画衡高下,惟采声望,崇器识,故中材之士往往磨厉奋发,危言危行,无所瞻顾。""源前以道光五载为长沙贺方伯辑《皇朝经世文编》。又仿宋臣鉴唐、汉臣过秦之谊,故集有明三百年文章议论,言食政之类十有三,兵政之类二十有四,凡为卷七十有八。劳臣荩士,蒿忧瑰画,粲矣!"(《魏源集·明代食兵二政录叙》)

陶澍作《石琢堂墓志铭》、《赵琴士墓志铭》。据《陶文毅公年谱》。

黄燮清撰传奇《玉台秋》。此剧未见著录。凡二卷。原拟目十八出,后作者因上、下卷次不匀,故将上卷中《麟兆》、《试唬》二出阙之,原文实为十六出。此剧系作者受友人吴康甫之托,将吴之爱妻张宜人生平事状谱为乐府以传之。现存光绪六年(1880)刻本以及民国时精钞本。据《古本戏曲剧目提要》。

李彦章所编《苏亭小志》十卷得顾沅刻成。据《明清江苏文人年表》。

胡培翚《研六堂文钞》十卷刊行。据《贩书偶记》。

祁韵士《西陲要略》四卷刊成。据《观斋行年自记》。

英和刻所著《恩福堂笔记》二卷、《制义》一卷。据《恩福堂年谱》。胡玉缙曰："《恩福堂笔记》二卷,吉林英和撰。……是书于道光丁酉追记,颇见叙次。大抵首纪恩遇,次叙先德,次载掌故,次论书画,而以琐事终焉。中惟高宗非生于狮子园,和珅举正《石经考文》提要,明帝《甘警入跸图》为武宗、非世宗之类,足资考证,余皆无关宏恉。"(《续四库提要三种》)

栖云野客编、饲鹤山人评点《七嬗》二卷有本年三昧堂刊本。据《中国古代小说总目》文言卷。

务本堂坊刊乙本《云合奇踪》。孙楷第《中国通俗小说书目》:"《云合奇踪》,亦题《英烈传》。存。题'徐渭文长甫编'。当系依托。此本以旧本《皇明开运英武传》为底本,而加以剪裁,间有装点处。此书亦有二本:一每则标题为四言联对,似最初形式,今目为甲本;一每回标题为七言双句,今目为乙本。二本内容文字全同。道光丁酉务本堂坊刊本为乙本,劣,有东山主人序。"

黎庶昌 (1837—1898) 生。庶昌字莼斋,贵州遵义人。同治元年,以廪贡生上书言事,受赏识,委知县。师事曾国藩,受古文法,与张裕钊、吴汝纶、薛福成等友善,相与讲求古文义法,被目为"曾门四弟子"。光绪二年,随郭嵩焘出使欧洲。七年,奉调任驻日大臣。十年,丁母忧归国。十三年,复任驻日使臣。著有《拙尊园丛稿》六卷、《丁亥入都纪程》二卷、《西洋杂志》八卷、《曾文正公年谱》十二卷,编有《续古文辞类纂》二十八卷、《古逸丛书》二十六种二百卷、《日东文宴集》等。事迹见《清史稿》本传、夏寅官《黎庶昌传》、叶昌炽《黎庶昌莼斋事实》(《碑传集补》卷一九)。

尹湛纳希 (1837—1892) 生。尹湛纳希汉名宝衡山,字润亭,蒙古族,卓索图盟土默特右旗人。出身于贵族家庭,前半生锦衣玉食,后半生贫困潦倒。晚年寓居锦州,以典当度日,卒于此。著有《青史演义》、《一层楼》和《泣红亭》。事迹见《尹湛纳希黄金家庭二十九世孙宗室世系谱》(《内蒙古社会科学》1985 年第 5 期)、额尔敦陶克陶《尹湛纳希的生平和创作》(《山茶》1981 年第 2 期)等。

周馥 (1837—1921) 生。馥原名玉山,字兰溪,安徽建德人。咸丰十一年,得直隶州知州衔。同治六年,任金陵工程局襄办。次年,得知府衔。十二年,办理永定河、减河、黄河河务。光绪七年,任津海关道员。十四年,迁直隶按察使。二十五年,任四川布政使,直隶布政使。三十二年,调任两广总督。1917 年,张勋挟溥仪复辟,被任命为协办大学士。病卒,谥悫慎。著有《玉山诗集》四卷、《周理汇参臆言》二卷等,汇刊为《周悫慎公全集》四一卷。事迹见《清史稿》本传、马其昶《清授光禄大夫陆军部尚书两广总督周悫慎公神道碑》(《碑传集补》卷一五)。

丁树诚 (1837—1902) 生。树诚字治棠,四川合州人。光绪五年,乡试式中。七年,归合州,历主瑞山书院、合宗书院。十五年,大挑二等。十七年授仪陇县学训导。卒于任。门人私谥文简。著有《丁治棠纪行四种》已刊行世。余所著《仕隐斋文集》二十卷、《诗集》十二卷、《涉笔》八卷、《仪陇集》四卷、《经史说略》二十卷、《史考》二卷等,统名《仕隐斋丛著》,未刊。事迹见刘放皆《丁文简先生传略》(《丁治棠纪行四种》附录)、《合川县志 · 乡贤传》。

陈作霖(1837—1920)**生**。作霖字雨生,号伯雨,别号雨叟、可园、冶麓、重光耄老人,江苏江宁人。光绪元年中举。三应礼部试不中。曾受徐世昌之邀,参与编选《晚晴簃诗汇》。著有《可园诗存》二十八卷、《可园词存》四卷、《可园诗话》八卷,编有《金陵通纪》十六卷、《金陵通传》四十九卷、《国朝金陵词钞》。事迹见陈三立《江宁陈先生墓志铭》(《碑传集补》集五三)。

洪颐煊卒,年七十三。据朱彭寿《清代人物大事纪年》。《晚晴簃诗汇》卷一百十六收其诗一首,诗话:"筠轩苦志力学,与兄坤煊、弟震煊称三洪。筠轩著书几百卷,刻行未竟,遭兵火散失,士论惜之。"

公元 1838 年(道光十八年 戊戌)

正月

刘文淇刊行《春秋左氏传旧疏考正》八卷。据《刘孟瞻先生年谱》。

二月

十九日,何如璋(1838—1891)**生**。如璋字子峨,广东大埔人。咸丰十一年举于乡。同治七年成进士,改庶吉士,散馆授编修。光绪二年晋侍讲,加二品顶戴,充出使日本大臣副使,旋改正使。六年归国,累迁詹事府少詹事。九年出为福建船政大臣。著有《使东述略》(附《使东杂咏》一卷)、《何少詹文钞》三卷、《袖海楼诗草》及《管子析疑》三六卷。事迹见温廷敬《清詹事府少詹事何公传》(《碑传集补》卷一三)。[生日据朱彭寿《清代人物大事纪年》。]

三月

十八日,薛福成(1838—1894)**生**。福成字叔耘,号庸盦,江苏无锡人。同治六年,中式江南乡试副贡。嗣因叙战功,以直隶州知州留直隶补用,并赏加知府衔。光绪十四年,授湖南按察使。二十年以疾殁于沪。著有《庸盦文编》四卷、《续编》二卷、《外编》四卷、《筹洋刍议》一卷、《庸盦文别集》六卷。事迹见《清史稿》本传、《清史列传》本传、夏寅官《薛福成传》(《碑传集补》卷一三)。

会试。考官:内阁大学士穆彰阿,兵部尚书朱士彦,礼部侍郎吴文镕,工部侍郎廖鸿荃。题"言必信行"二句,"万物并育 相悖","颂其诗读 友也"。赋得"泉细寒声生夜壑"得"声"字。据《清秘述闻续》卷四。

潘曾沂偕戴熙等游皋亭。四月,曾沂有《桐江集》诗一卷。八月,复有《江山风月集》诗一卷。嘱戴熙为绘《江山风月图》。又有《护生庵集》一卷。据《小浮山人年谱》。

四月

初二日，李文耕卒，年七十七。据王赠芳《通议大夫原任贵州按察使昆阳李公行状》（《续碑传集》卷三十四）。《晚晴簃诗汇》卷一百十七收其诗一首，诗话："复斋学宗朱子，服膺陆清献公、张杨园先生。诗与清献相似，多见道之言。"袁嘉毂《卧雪诗话》卷二："昆阳文学推李复斋。"

殿试。赐一甲钮福保、金国均、江国霖进士及第，二甲吴嘉洤、钱振纶、宝鋆、吴存义等进士出身，三甲如山、曾国藩、韩潮等同进士出身。据《历科进士题名录》。

潘世恩充殿试读卷官。据《思补老人自订年谱》。

翁心存退职养母。据《先文端公年谱》。

左宗棠第三次会试落第。其后，南下至江宁，谒陶澍于两江总督衙署。始留意农事，读农书，并作《广区田图说》，又抄录各省通志。据罗正钧《左文襄公年谱》。

姚莹赴台湾道任，刘文淇等赋诗送行。据《刘孟瞻先生年谱》。

闰四月

初十日，鸿胪寺卿黄爵滋奏《请严塞漏卮以培国本疏》。疏曰："上自官府缙绅，下至工商优隶以及妇女、僧尼、道士，随在吸食。""故自道光三年至十一年，岁漏银一千七八百万两。自十一年至十四年，岁漏银二千余万两。自十四年至今，渐漏至三千万两之多。此外福建、江、浙、山东、天津各海口，合之亦数千万两。以中国有用之财，填海外无穷之壑。易此害人之物，渐成病国之忧。日复一日，年复一年，臣不知伊于胡底！""若再三数年间，银价愈贵，奏销如何能办？税课如何能清？设有不测之用，又如何能支？""夫耗银之多，由于贩烟之盛；贩烟之盛，由于食烟之众。无吸食者自无兴贩，则外夷之烟自不来矣。今欲加重罪名。必先重治吸食。"（黄爵滋奏疏许乃济奏议合刊卷八、《道光朝筹办夷务始末》卷二）

十七日，蒋因培卒，年七十一。黄安涛《山东齐河县知县蒋君墓志铭》："才气卓荦，熟娴吏治，任事果决，笔舌互用，虽镵削四至，而处之裕如。"（《续碑传集》卷四十）

二十九日，徐宝善卒，年四十九。彭邦畴《翰林院编修前山西道监察御史廉峰徐君墓志铭》曰："于书无所不读，尤熟于诸史……好吟咏，初学选体，兢兢守其绳墨。后乃肆力于少陵、昌黎两家，卓然有以自立。少工举子业。"（《续碑传集》卷十八）《晚晴簃诗汇》卷一百二十八收其诗五首，诗话："廉峰诗自汉魏以迄唐宋，皆浸淫深入，后乃专力韩、杜，故性情格律，无偏重之病。同时鲍觉生、张南山、吴兰雪、顾南雅、黄树斋定其集。廉峰语人，诗必刚柔交济。柔莫如白，而刚在骨；刚莫如韩，而柔在骨。学韩、白者两失之。尝作五代新乐府，论者谓疏朴不及西涯而峭炼过之，远在尤西堂明史乐府之上。"

裕瑞卒，年六十八。据孙楷第《中国通俗小说书目》卷四。

五月

王家相卒，年七十七。据朱彭寿《清代人物大事纪年》。梅曾亮《王艺斋家传》："少以文学鸣，有《茗香堂集》十六卷。服官后，乃一以国计民事为念。奏议及与人书言盐河事皆穷极情弊，而议'加米疏'尤称颂于时。"(《续碑传集》卷三十四)《晚晴簃诗汇》卷一百二十一："艺斋初举拔萃科，为萧县校官，值大水，被檄治赈，有爱于民。入谏垣，江南大吏议征漕加米，疏陈十不可诤之，议中辍。尤传诵于时。"收诗七首。

阮元以大学士休致。据《雷塘庵主弟子记》。

汤金钊调户部尚书，协办大学士。据《先文端公自订年谱》。

曾国藩改翰林院庶吉士。更名国藩。八月请假出游，与郭嵩焘偕行。据黎庶昌《曾国藩年谱》。

六月

梁廷楠自序《江南春词补传》。据朱彭寿《清代人物大事纪年》。

陈文述自序《碧城仙馆诗钞》。据朱彭寿《清代人物大事纪年》。

严可均访瞿中溶。据《瞿木夫先生自订年谱》。

七月

钱泳《履园丛话》刻成。钱泳自序曰："昔人以笔札为文章之唾余，余谓小说家亦文章之唾余也。上可以纪朝廷之故实，下可以采草野之新闻，即以备遗忘，又以资谭柄耳。余自弱冠后，便出门负米，历楚、豫、浙、闽、齐、鲁、燕、赵之间，或出或处，垂五十年。既未读万卷书，亦未尝行万里路。然所闻所见，日积日多，乡居少事，抑郁无聊，惟恐失之，自为笺记，以所居履园名曰《丛话》。虽遣愁索笑之笔，而亦《齐谐》、《世说》之流亚也。曩尝与友人徐厚卿明经同辑《熙朝新语》十六卷，已行于世。兹复得二十四卷，分为三集，以续其后云。道光十八年七月始刻成，梅花溪居士钱泳自记。"(《履园丛话》卷首)

姚元之还朝，顺路访钱泳。据《梅溪先生年谱》。

林伯桐撰《学海堂志》自识。据朱彭寿《清代人物大事纪年》。

九月

初九日，徐松、龚自珍游西山。据《徐星伯先生事辑》。

初十日，林则徐率属查验销毁烟枪一千七百五十四杆及烟斗、烟具，烟土、烟膏共一万六千七百六十八两。据来新夏《林则徐年谱》。

二十四日，李兆洛七十寿辰，会者数百人。据《武进李先生年谱》。

钱宝琛调补江西巡抚。据《颐寿老人年谱》。

十一月

二十八日，吕璜卒，年六十二。据《月沧自编年谱》。梁章钜《皇清诰授奉政大夫浙江西塘海防同知除名月沧吕先生墓志铭》曰："君于学无所不窥，诗、古文皆有法。"吴德旋《月沧吕君墓表》曰："君年十余岁即承赠文林君命读宋儒之书。长而益究治之。故……遇有非议程、朱者，必力与之争，曰：程、朱为天地立心，若之何毁之？为文章必遵韩、欧之正轨，其或歧而出者，虽有鸿才绚采足以惊动一世，视若不屑也。君于学无所遗，旁通方书及形家言及六壬奇门之术，然不以自名。"

十二月

十八日，汪端（女）卒，年四十六。据胡敬《汪允庄女史传》（《续碑传集》卷八五）。《小说考证续编》卷五引某氏笔记云："泉唐汪允庄女士，名端，聪颖天授。七岁赋《春雪》诗，读者谓不减柳絮因风之作，因以'小韫'呼之。及笄，归陈裴之小云。常取唐宋元明及清人诗阅一过，辄弃去，留高青丘、吴梅村两家集。既而去吴留高，曰梅村浓而无骨，不若青丘淡而有品。遂奉高为圭臬。因觅《明史》本传阅之，见青丘之以魏观故被杀也，则大恨。犹冀厄于遭际而不厄于声名也。及观七子标榜，相沿成习，牧斋归愚选本推崇梦阳而抑青丘，又大恨。誓翻诗坛冤案。因有《明诗》初、二集之选。丹黄甲乙，晨书暝写，竭五六寒暑，始得藏事。有知人论世之识，一代贤奸治乱之迹，亦略具焉。既因青丘感张吴待士之贤，节录《明史》，搜采佚事，以稗官体行之，曰《元明佚史》，凡十八（焉）[卷]。道光十八年某月日卒，所著有《自然好学斋诗钞》。"

本年

祁寯藻奉旨严禁鸦片，撰《新乐府》三章阐述朝廷好生之德。据《观斋行年自记》。

鸿胪寺卿黄爵滋书请禁鸦片。据《东华录》。

侯云松、汤贻汾等作十老会。《汤贞愍公年谱》曰："与孙尹圃、瞿秩山、侯青甫云松、熊松乔、刘倬斋、任阶平、沈礼田、蔡友石世松、方云室诸先生作十老会。"

戴熙入直南书房。据邵懿辰《戴文节行状》（《续碑传集》卷五十四）。

方东树馆邓廷桢广州官署。据《仪卫轩文集》。

沈道宽以事去官，侨居长沙。与湘南人士订文字交，觞咏流连，殆无虚日。据方濬颐《赠通奉大夫沈公家传》（《碑传集补》卷二十三）。

翁心存乞归养母。据陈澧《体仁阁大学士赠太保翁文端公神道碑铭》。

余治由京南归游扬州，与刘孟瞻、梅蕴生订交问难。据《敝帚斋主人年谱》。

徐鼒南归，游扬州，仍馆史致俨司寇家。与刘孟瞻、刘楚桢、罗茗香、梅蕴生、薛介伯订交。夏寅官《徐鼒传》："问难既多，札记日富，有《读书杂释》之作，成《戴礼吕览月令异同疏解》二卷、《说文引经考》二卷、《四书广义》若干卷，《楚词札记》一卷。"（《碑传集补》卷二十二）

龚自珍诗有《会稽茶》、《题梵册》等。据《定盦先生年谱》。

方宗诚始学程、朱之学，为古文辞，著《志学录》一卷。据《柏堂先生事实考略》。

管庭芬跋钱泰吉《曝书杂记》。《曝书杂记》二卷成于本年。据朱彭寿《清代人物大事纪年》。

莫友芝、郑珍应聘同纂《遵义府志》。莫祥芝《先兄友芝行述》:"戊戌,平公翰守遵义,延聘与郑子尹学博珍同纂郡志。辛丑书成。考核援引称精博,时论韪之,谓集志乘之钜观,为自来黔中所未有。"该志被梁启超称为"天下第一府志"。

汪喜孙《海外墨缘》成书。此书系喜孙汇集朝鲜学者权敦仁论清朝当代学术之书札而成,权氏来函中论及经学小学、史传金石、天文算术、古文写作、书法艺术等相关问题。见《汪喜孙著作集》。

冯登府编《漫与三集》。《拜竹诗堪诗存》十卷自此终。据《冯柳东先生年谱》。

魏源代陶澍序朱琦《国朝古文类钞》。序云:"百川止于海,百家管乎道。畸于虚而言之无物,畸于实而言无心得,是皆道所不存,不可以为文,即不可以权衡一代之文。""泾县朱兰友侍读,在史馆预修《文苑传》,得尽见进呈诸集,又益以搜购假借,共得五百五十余家,钞为《国朝古文辞》若干卷,如《建章》千门万户,不专一构。既以究一代承学之士心思材力所极,而要沿溯乎当代经术掌故,以求适乎姬、孔之条贯,可谓不离其宗者乎,可谓操其本御其末者乎! 诚能以昭代之典章文字读《六经》,而又能以《六经》读昭代之典章文字,其于是编也,又何穷大失居之有!"(《魏源集》上册《国朝古文类钞叙(代陶中丞作)》)

徐松撰《唐登科记考》三十卷,自为之序。据《徐星伯先生事辑》。

张澍姓氏五书成。据《张介侯先生年谱》。

张维屏《经字异同》成。尚有应增补者。据《张南山先生年谱撮略》。

汪喜孙为阮元作《问经图跋》。跋云:"道光十有八年,陈君颂南以《问经图》索余为文,图为'问经',阮相公作也。相公论日月为易,出于'便秩朔易'之易;著《论语论仁义》,在以仁偶人为仁;讲学在篆籀初造之始,植身于象教未行之前,於戏尚矣。至于训诂文字,必本学,韵于支脂分部,则根柢陆法言;于天文算术,则极推《天元一》,且从《四元玉鉴》溯源,以作《畴人传》,诚六书之关键,九数之津梁也。又如《仪礼》车制发郑君之古义,《大戴礼记》阐曾子之微言,咸为前人所未发,今人所勿知。若夫《经解》一书,凌铄向《录》;《经郛》著集,远轶孔《疏》;校勘撰《记》,见元朗之故书;《研经》为文,陋昌黎之韩笔。撰著万卷,卓荦一时,请业卅年,暂别千里,吾将安问? 感慨系之。甘泉汪喜孙记。"

青阳野人《春灯迷史》成于本年以前。据《中国古代小说总目》白话卷。

李文瀚撰《紫荆花》传奇。是剧《今乐考证》著录,《李云生四种曲》之一,凡二卷三十二出。《紫荆花自叙》云:"《紫荆花》乐府何为而作哉? 为兄弟也,为兄弟之死而不能复生,而又不忍其死,于是作乐府以生之。"《紫荆花凡例》云:"是剧蓄意于道光丙申漕帅舟中,因作嫁匆忙,未遑援笔,至戊戌通籍关中,六月买舟偕金吟香明府出都,篷窗对月,谈及悔亲一段故事,始拟稿为之,未及一半,吟香即预序之,故以其序冠首。"今存道光间刊本《李云生四种曲》,题"长白清安泰秋浦正谱,宣城李文瀚云生填词,善化贺仲瑊美恒评校"。据《古本戏曲剧目提要》。

《阴阳钟》传奇存本年钞本。该剧作者不详。未见著录，无目，亦不分出。由《薛刚反唐演义》中有关情节敷演而成。此剧为艺人场上演出本，配有旁谱，抄写字迹潦草，错讹甚多。现存本为道光十八年钞本，存北京图书馆善本部。据《古本戏曲剧目提要》。

潘世恩刻《熙朝宰辅录》二卷。据《思补老人自订年谱》。

英和刻所著《义门先生小集》。据《恩福堂年谱》。

瞿中溶《洗冤录辨正》付梓。据《瞿木夫先生自订年谱》。

梁章钜刻己作《文选旁证》四十六卷。据《退庵自订年谱》。

刘宝楠、刘文淇等重刊《说文答问疏证》六卷。据《刘孟瞻先生年谱》。

梁章钜梓《文选旁证》四十六卷。阮元、朱兰坡各为之序。是书盖二十年精力所萃，至是始成。梁章钜本年又辑《国朝臣工言行记》十二卷。据《退庵自订年谱》。

李富孙校刻《诗异文释》十五卷、《汉魏六朝墓铭纂例》四卷成。据《校经叟自订年谱》。

本衙藏板本《林兰香》刊行。麟燐羡子《林兰香叙》云："近世小说，脍炙人口者，曰《三国志》，曰《水浒传》，曰《西游记》，曰《金瓶梅》，皆各擅其奇，以自成为一家。惟其自成一家也，故见者从而奇之。使有能合四家而为一家者，不更可奇乎！偶于坊友处睹《林兰香》一部，始阅之索然，再阅之憬然，终阅之怃然。其立局命意，俱见于开卷自叙之中。既不及贬，亦不及褒。所爱者，有《三国》之计谋，而未邻于谲诡；有《水浒》之放浪，而未流于猖狂；有《西游》之鬼神，而未出于荒诞；有《金瓶梅》之粉腻，而未及于妖淫。是盖集四家之奇以自成为一家之奇者也。""《三国》以利奇而人奇之，《水浒》以怪奇而人奇之，《西游》以神奇而人奇之，《金瓶梅》以乱奇而人奇之。今《林兰香》师四家之正，戒四家之邪，而我奇之；是人皆以奇为奇，而我以不奇为奇也。"（道光十八年刊本《林兰香》）《林兰香》八卷六十四回（石印本改题《第二奇书》），存道光十八年戊戌刊本、光绪三年丁丑上海申报馆排印本、光绪二十年维新堂刊小本。无名氏撰，题"随缘下士编辑"，"寄旅散人批点"。据《中国通俗小说书目》、《中国通俗小说总目提要》。

陈书（1838—1905）生。书字伯初，号俶玉、木庵，福建侯官人。少好学，尤喜唐人诗。咸丰、同治间，与陈子驹、徐云汀、叶损轩、徐仲眉交游。光绪元年中举。二十三年，任直隶博野知县。二十八年，以疾乞归。著有《木庵居士诗》二卷。事迹见陈衍《石遗室诗话》、徐世昌《晚晴簃诗汇》卷一七〇等。

公元 1839 年（道光十九年　己亥）

正月

二十五日，林则徐抵广州就钦差大臣任。据《林则徐集·日记》。

俞正燮访祁寯藻于江阴，为校写三古六朝文目及存稿副本。据《俞理初先生年谱》。

张穆著《俄罗斯补辑》一卷。据张继文《先伯石州公年谱》。

侯云松、汤贻汾等作消寒第四会。诸人集琴隐园，登凌云阁，汤贻汾有《得登字韵》诗。据《汤贞愍公年谱》。

二月

初九日，黄爵滋任大理寺少卿。五月十六日，黄爵滋补授通政司通政使。据来新夏《林则徐年谱》。

十四日，管绳莱卒，年五十六。据朱彭寿《清代人物大事纪年》。《晚晴簃诗汇》卷一百五十一收其诗二首。

金锡龄为林柏桐《公车见闻录》作识语。《公车见闻录》一卷是年成。据朱彭寿《清代人物大事纪年》。

三月

十六日，李兆洛应聘总修《阳湖县志》。据《武进李先生年谱》。

春

何凌汉调补户部尚书。据阮元《诰授光禄大夫经筵讲官户部尚书晋赠太子太保谥文安何公神道碑铭》。

四月

初六日，林则徐调任两江总督。据《林则徐集·日记》。

初六日，林则徐收清应缴全部烟土。共一万九千一百八十七箱，又二千一百一十九袋，较义律原禀应缴二万二百八十三箱之数，更溢收一千袋有零。据来新夏《林则徐年谱》。

二十二日，林则徐虎门销烟。当天销毁一百七十箱。据《林则徐集·日记》。《林则徐奏·奏稿九》："计自四月二十二日起截至五月初三日，已销过八千三百二十箱，又二千一百一十九袋，其斤两共合一百十二万八千七百二十九斤。以全数核之，所化已将及半，现仍赶紧销化，不敢草率，亦不敢迁延。"

龚自珍乞养归，离都。《定盦先生年谱》曰："先生官京师，冷署闲曹，俸入本薄，性既豪迈，嗜奇好客，境遂大困……至是以闇斋先生年逾七旬，从父文恭公适任礼部堂上官，例当引避，乃乞养归。四月二十三日出都，不携眷属仆从，以一车自载，一车载文集百卷以行，夷然傲然，不以贫自馁也。同年石屏朱丹木太守引见入都，为先生治装，先后出都。"

斌良奉旨察哈尔八旗查验马群。五月下旬归京，有《牧政再宣集》。据《先仲兄少司寇公年谱》。

方东树校刊同里胡虔《柿叶轩笔记》。据《方仪卫先生年谱》。

五月

沈兆霖充云南乡试副考官。据《先文忠公自订年谱》。

六月

初二日，陶澍卒，年六十二。加赠太子太保，谥号文毅。有御制祭文。梅曾亮为作祭文。陈文述等为作挽诗。《陶文毅公年谱》引《清先正事略》云："生平嗜风雅，留心文献，于地形、水利尤究心。尝登涂山以望淮，登虞山以望海，登云台山以览淮海形势。所至赋诗纪事，俯仰今古，隐然以一身为淮海保障。"林则徐挽联曰："大度领江淮，宠辱胥忘，美谥终凭公论定；前型重山斗，步趋靡及，遗章惭负替人期。"（梁章钜《楹联续话》卷三）魏源先"代述行状事，备史馆采择"，又作《太子太保两江总督祀贤良祠陶文毅公墓志铭》、《太子太保两江总督陶文毅公神道碑铭》。据黄丽镛《魏源年谱》。《晚晴簃诗汇》卷一百十七收其诗十首，诗话："文毅督两江，更革漕磋诸政，其奏议为世所称，余事作诗，亦庄雅可诵。"

夏

邓显鹤宿扬州絜园。据《南村草堂诗钞》卷二十《宿扬州魏默深絜园留诗一首》。

七月

初三日，周济卒，年五十九。据《续碑传集》卷七七。谭献《复堂词话》三五："周先生有《词辨》十卷，稿本亡失；潘季玉观察刻二卷，版亦毁矣……此《四家词选》，为后来定本。陈义甚高，胜于《宛邻词选》。即潘四农亦无可诋诹矣。以有寄托入，以无寄托出，千古辞章之能事尽。岂独填词为然？"《晚晴簃诗汇》卷一百十八收其诗十二首，诗话："乾隆以来，士人好言经济，陈和叔、吴耶溪、包慎伯、龚定盦、魏默深诸子为尤著，保绪尚任侠，求通当世之务，旁及技击骑射诸术，与慎伯同游，其议论与相出入。文逼近大云山房，诗乃似小倦游阁，词亦于同州皋文、申耆诸家之外，别开蹊径。"

初七日，寿亭序椿轩居士《金榜山》传奇。署"道光己亥年七月七日"。剧当作于本年七月以前。凡二卷十六折。现存清刻《椿轩六种曲》所收本，署"椿轩居士编次"。据《古本戏曲剧目提要》。

二十七日，潘德舆卒，年五十五。鲁一同《安徽候补知县乡贤潘先生行状》："淮郡自邱氏、张氏、阮氏诸达尊相继殂谢，后起则汪文端公、李尚书用大科致通显。文端尤以诂经博物负海内重望。""先生孤童晚出，一露锋锐，尽掩前人。每提学使者行部至，皆拱手赞叹，既而屡困州举。年二十六乃尽弃科举进士之业，力求古人微言大意。其宗旨以为挽回世运，莫切于文章，文章之根本在忠孝，源在经术，其用在有刚直之气以起人心之痼疾，而振作一时之顽儒鄙薄，以复于古。其说经不祖汉宋，而以近儒之破碎穿凿为汉学之糟粕，语录之空虚元渺为宋儒之筌蹄。其论治术，以为天下

之大病，不外一'吏'字，尤不外一'例'字，而实不外一'利'字。近世一二魁儒负匡济大略，非杂纵横即陷功利，未有能破例字、利字之局而成百年休养之治者也。其为文章入幽出显，沈痛吐露。"(《续碑传集》卷七十一)《晚晴簃诗汇》卷一百三十二收其诗十六首，诗话："四农诗境高洁，其论诗曰：诗宜痛删改，必浮靡之音去，而真悫之气来。语语有用，方谓之言立。又曰：诗止一字诀，曰厚，厚必由性情，然师法不高，乌得厚也。又曰：诗必淡雅浑大乃可以示天下。味此数语，宗尚可知，足挽江左诗派之失。"谭献《复堂词话》四七："潘四农《养一斋词》，清疏老成，而少生气。其持论颇訾议《宛邻词选》。以北宋之词，当盛唐之诗，不为无见。而理路言诠，终非直凑单微之手。"八七又云："四农大令与叶生书，略曰：'张氏《词选》，抗志希古，标高揭己，宏音雅调，多被排摈，五代北宋有自昔传诵，非徒只句之警者，张氏亦多恝然置之。窃谓词滥觞于唐，畅于五代，而意格之闳深曲挚，则莫盛于北宋；词之有北宋，犹诗之有盛唐，至南宋则稍衰矣'云云。张氏之后，首发难端，亦可谓言之有故。然不求立言宗旨，而以迹论，则亦何异明中叶诗人之侈口盛唐耶？宜《养一斋词》平钝浅狭，不足登大雅之堂也。然其针砭张氏，亦是诤友。"

八月

方东树作《昭昧詹言序》。《方仪卫先生年谱》："著《昭昧詹言》十卷，论诗学旨要，大略谓学古人诗，当求之于义理，蕴蓄本领，根源精神气脉，不可袭其形貌。宜力守韩公'陈言务去'之戒及山谷'随人作计终后人'二语，而又以文从字顺、各识其职为贵。"是书现存光绪间《桐城方植之先生遗书》本、光绪十七年重刊本、宣统元年安徽官纸印刷局排印本、民国七年亚东图书馆重排本、民国间武强贺氏刊本、1961年人民文学出版社《中国古典文学理论批评专著选辑》本。据张寅彭《新订清人诗学书目》。

潘世恩充顺天乡试正考官。何凌汉、恩桂、徐士芬副之。据《思补老人自订年谱》。

九月

十二日，赵允怀卒，年四十八。据朱彭寿《清代人物大事纪年》。

二十日，黄爵滋、严保庸、汤贻汾、孔继鑅等会集凭虚阁。《汤贞愍公年谱》曰："九月二十日，招同黄树斋爵滋、钮松泉福保、严问樵保庸、孔宥函、黄子湘诸先生集凭虚阁，诗画纪事。"

祁寯藻调补吏部右侍郎。据《观斋行年自记》。

英兵船开炮挑衅，林则徐命反击，毁其数船。据黄丽镛《魏源年谱》。

秋

乡试。中式举人有：沈曰富、梅植之、林昌彝、刘传莹（朱彭寿《清代人物大事纪年》）、蒋超伯（《碑传集补》卷十七）、朱次琦（《朱九江先生年谱》）、刘熙载（俞樾《左春坊左中允刘君墓碑》）。

张穆应顺天乡试遭诬。祁叔颖《月斋文集序》云："岁己亥，应顺天乡试，携瓶酒入。监搜者呵曰：'去酒！'石州辄饮尽而挥弃其余沥。监者怒命悉索之，破笔砚，毁衣被，无所得。石州扪腹曰：'是中便便经笥，若辈岂能搜耶?'监者益忿，乃撼笔囊中片纸有字一行，谩曰：'此怀挟也！'送邢部讞，白其枉。然竟坐摈斥，不复得应试。于是侨居宣武城南，闭户著书，益肆力于古。阮文达公见其撰述，叹为天下奇作。"

严保庸、汤贻汾、黄爵滋等会于南京凭虚阁。据《汤贻汾年谱》。

十月

潘曾莹考中国子监学正。据《思补老人自订年谱》。

十一月

初二日，曾纪泽（1839—1890）生。纪泽字劼刚，湖南湘乡人，国藩长子。同治九年，由荫生补户部员外郎。光绪三年，父忧服除，袭一等毅勇侯。四年，充出使英、法大臣，补太常寺少卿。次年转大理寺少卿。著有《曾惠敏公遗集》十七卷（含《奏议》六卷、《文集》五卷、《归朴斋诗集》四卷、《使西日记》二卷）。事迹见《清史稿》本传、俞樾《曾惠敏公墓志铭》（《续碑传集》卷一六）。

二十三日，陈銮卒，年五十四。赠太子少保衔。据朱彭寿《清代人物大事纪年》。

十二月

初一日，林则徐下令断绝一切英国船只进口。中英贸易完全停止。据黄丽镛《魏源年谱》。

林则徐官两广总督，邓廷桢调任闽浙总督。据黄丽镛《魏源年谱》。

祁寯藻补授都察院左都御使。据《观斋行年自记》。

冬

罗泽南修《墨谱》成。据《罗忠节公年谱》。

椿轩居士《凤凰琴》传奇成于本年冬至前。是剧二卷十六折，本事出《史记·司马相如列传》。现存清刻《椿轩六种曲》所收本，署"椿轩居士编次"。据《古本戏曲剧目提要》。

本年

邓廷桢与林则徐合治鸦片于广东。二公是年有唱和诗词。据《邓尚书年谱》。

丁晏主讲淮关文津书院。据《丁柘亭先生历年纪略》。

潘德舆主讲阜宁观海书院。据《随年附记》。

余治肄业江阴暨阳书院。据《余孝惠先生年谱》。

张维屏寓东园。始辑《史镜》。据《张南山先生年谱撮略》。

方宗诚学举业于刘宅俊。著《志学录》二卷。据《柏堂先生事实考略》。

吴廷栋有《即事赋呈唐镜海先生》诗八章。吴廷栋时官刑部,《拙修集》中《札记》一卷、《读书记疑》两卷,大约皆作于此时。据《吴竹如先生年谱》。

潘曾沂编甲午至丁酉年诗六卷曰《闭门集》,又编《船庵集》。据《小浮山人年谱》。

龚自珍辑《庚子雅词》一卷。

林则徐辑译《华事夷言》。《鸦片战争书目解题》:"此书即林所饬译书籍之一也。大抵摘西洋杂志、日报中有关中国之议论而成,以觇其对事情之看法。按《筹办夷务始末》卷二十七页三十下载裕谦折有云:'又考其自行记载之《华事夷言》一书,亦有船上所食皆咸肉,一见鲜肉,如同珍宝之语',则此书在当时已相当流传,但裕谦所引之语不见于今本,则今所流传者,亦非足本矣。"(中国近代史资料丛刊《鸦片战争》)

梁章钜辑《制艺丛话》二十四卷,朱兰坡、杨文荪各为之序。据《退庵自订年谱》。

刘宝楠辑《清芬集》十卷。据《明清江苏文人年表》。

钱泳居常熟,《古虞石室记》五卷有成稿。据《琴隐园诗集》二四。

曾国藩始为日记。逐日记注所行之事及所读之书,名曰《过隙影》。据黎庶昌撰《曾国藩年谱》。

冯登府《十四经诂问答》六卷成。据《冯柳东先生年谱》。

严保庸刻己作《盂兰梦》杂剧一卷、《孤篷听雨录》一卷。据《北京图书馆善本书目》。

严廷中撰《判艳》自记。该剧未见著录。全名《武则天风流案卷》,《秋声谱》之一。凡一折。有咸丰间原刻《秋声谱》本,首有咸丰三年周乐清《序》;陆葆、严廷珏、谢琼、许世杰、叶觐仪、盛熙瑞、程莲、凌泰磐诸人题辞;道光十九年自记、咸丰四年作者再记。北京图书馆、中国艺术研究院藏。据《古本戏曲剧目提要》。

黄钺刻《壹斋集》四十卷成。据《黄勤敏公年谱》。

顾翰刻所辑《泾川诗钞》二十卷。据《贩书偶记》。

祁寯藻重刊宋本《说文系传》并刊《朱子小学》。据《观斋行年自记》。

陈钟麟《厚甫诗话》聚德堂刊行。据张寅彭《新订清人诗学书目》。

汪端《自然好学斋诗》五卷本年钱塘汪氏振绮堂刊本。据胡文楷《历代妇女著作考(增订本)》。

《聊斋志异拾遗》刊行。辑者为长白容睾。全书一卷,共三十九篇。能补钞本、刻本所缺者仅《晋人》、《爱才》、《蛰蛇》三篇。篇名、文字与各本有些不同。卷首山阴胡定生序云:《聊斋志异拾遗》一卷,"乃容小圃通守随尊甫筠圃先生任淄川时,得自蒲氏裔孙者"。有道光十九年刊本、《花近楼丛书》本、民国二年上海蟫隐庐翻印本、《笔记小说大观》本、《丛书集成初编》本、赵无忌标点、香港明德图书公司本。据

《中国古代小说总目》文言卷。

陈豪（1839—1910）生。豪字蓝洲，号迈庵，晚号止庵，浙江仁和人。年十九补县学生，同治九年举优贡生。朝考用知县，分发湖北。光绪三年摄房县。十八年移权随州。在鄂二十年，声绩著闻。著有《冬暄草堂遗诗》二卷、《陈蓝洲画册》。事迹见《清史列传》方大湜传附、吴庆坻《陈蓝洲先生家传》（《碑传集补》卷二六）。

盛大士卒于去年或本年，年六十八或六十九。据蒋寅《清诗话考》下编三。

人名索引

参考文献

《四库全书》，上海古籍出版社 1987 年

《四库全书存目丛书》，齐鲁书社 1997 年

《四库全书存目丛书补编》，齐鲁书社 2001 年

《四库禁毁书丛刊》，北京出版社 2000 年

《四库未收书辑刊》，北京出版社 1997 年

《续修四库全书》，上海古籍出版社 1995—2002 年

《四部丛刊》，商务印书馆

《北京图书馆藏珍本年谱丛刊》，北京图书馆出版社 1999 年

《丛书集成初编》，中华书局 1985 年

《丛书集成续编》，上海书店 1994 年

《丛书集成新编》，台湾新文丰出版公司 1985 年

《清人别集丛刊》，上海古籍出版社 1978—1980 年

《清诗话》，丁福保辑，上海古籍出版社 1978 年

《清诗话续编》，郭绍虞编选、富寿荪校点，上海古籍出版社 1983 年

《民国诗话丛编》，张寅彭主编，上海书店出版社 2002 年

《韩国诗话中论中国诗资料选粹》，邝健行、陈永明、吴淑钿选编，中华书局 2002 年

《词话丛编》，唐圭璋编，中华书局 1986 年

《历代史料笔记丛刊·清代史料笔记》，中华书局

《笔记小说大观》，台北新兴书局

《笔记小说大观》，江苏广陵古籍刻印社 1983 年

《清代笔记丛刊》，民国间上海文明书局

《古本小说集成》，上海古籍出版社

《中国古代珍稀本小说》，春风文艺出版社 1997 年

《红楼梦资料丛书·续书》，北京大学出版社 1988 年

《中国古典戏曲论著集成》，中国戏曲研究院编，中国戏剧出版社 1960 年

（本书所用资料凡据以上丛书、类书、汇编者，以数量颇夥，不再单列）

《清史列传》,中华书局1928年

《清史稿》,中华书局1977年

《清实录》,中华书局1987年

《东华录》,蒋良骐著,中华书局1980年

《清代碑传全集》,上海古籍出版社1987年

《广清碑传集》,钱仲联主编,苏州大学出版社1999年

《国朝耆献类征初编》,李桓编,光绪湘阴李氏刊本

《国朝先正事略》,李元度著,四部备要本

《国朝名家诗钞小传》,郑方坤著,咸丰二年刊本

《清代七百名人传》,蔡冠洛著,北京中国书店1984年

《清代人物大事纪年》,朱彭寿编著,朱鳌、宋苓珠整理,北京图书馆出版社2005年

《清代人物生卒年表》,江庆柏编著,人民文学出版社2005年

《疑年录汇编》,张惟骧编,民国间小双寂庵刊本

《历代名人年里碑传总表》,姜亮夫著,商务印书馆民国二十六年刊本

《清代碑传文通检》,陈乃乾编,中华书局1959年

《近三百年人物年谱知见录》,来新夏著,上海人民出版社1983年

《中国历代年谱总录(增订本)》,杨殿珣著,书目文献出版社1996年

《中国历代人物年谱考录》,谢巍编撰,中华书局1992年

《中国古代名人生卒·历史大事年谱》,吴荣光撰、陈垣校注,北京图书馆出版社2002年

《历代名人生卒录》,钱保塘著,北京图书馆出版社2002年

《近代中国史事日志》上册,郭廷以主编,中华书局1987年

《明清江苏文人年表》,张慧剑著,上海古籍出版社1986年

《宋元明清书画家年表》,郭味蕖著,人民美术出版社1982年

《方志著录元明清曲家传略》,赵景深、张增元编,中华书局1987年

《四库全书总目》,中华书局1965年

《续修四库全书提要》,王云五主持,台湾商务印书馆1972年

《书目答问补正》,张之洞撰、范希曾补正,上海古籍出版社2001年

《贩书偶记》,孙殿起著,上海古籍出版社1982年

《贩书偶记续编》,孙殿起著,上海古籍出版社1980年

《中国善本书提要》,王重民著,上海古籍出版社1983年

《中国丛书综录》,上海图书馆编,上海古籍出版社1982年

《清诗汇》(《晚晴簃诗汇》),北京出版社1995年

《清文汇》(《国朝文汇》),北京出版社1995年

《清诗别裁集》(《国朝诗别裁集》),沈德潜等编,上海古籍出版社1984年

《国朝文录》,李祖陶辑,道光十九年瑞州府凤仪书院刊本

《国朝文录续编》,李祖陶辑,同治七年敖阳李氏刊本

《清经世文编》(《皇朝经世文编》),贺长龄、魏源等编,中华书局1992年

《湖海诗传》，王昶辑，商务印书馆 1958 年

《湖海文传》，王昶辑，道光丁酉刊本

《清诗铎》，张应昌编，中华书局 1960 年

《清代闺阁诗人征略》，施淑仪辑，上海书店 1987 年

《清代文字狱档》，原北平故宫博物院文献馆编，上海书店 1986 年

《国朝汉学师承记》，江藩著，中华书局 1983 年

《元明清三代禁毁小说戏曲史料》，王利器辑，上海古籍出版社 1981 年

《中国通俗小说书目》，孙楷第著，人民文学出版社 1982 年

《中国通俗小说总目提要》，江苏省社会科学院明清小说研究中心编，中国文联出版公
　司 1997 年

《红楼梦戏曲集》，阿英编，中华书局 1978 年

《明清妇女戏曲集》，华玮编辑点校，台湾中央研究院中国文哲研究所古籍整理丛刊本

《颜元年谱》，李塨撰、王源订，中华书局 1992 年

《洪昇年谱》，章培恒著，上海古籍出版社 1979 年

《章实斋年谱　齐白石年谱》，胡适著，安徽教育出版社 1999 年

《王士禛年谱》，王士禛著，中华书局 1992 年

《查慎行年谱》，陈敬璋著，中华书局 1992 年

《张廷玉年谱》，张廷玉著，中华书局 1992 年

《翁方纲年谱》，沈津著，台湾中央研究院中国文哲研究所古籍整理丛刊本

《张问陶年谱》，胡传淮著，巴蜀书社 2005 年

《桐城派三祖年谱》，孟醒仁著，安徽大学出版社 2003 年

《蒲松龄年谱》，路大荒著、李士钊编辑，齐鲁书社 1986 年

《屠绅年谱》，沈燮元著，古典文学出版社 1958 年

《魏源年谱》，黄丽镛著，湖南人民出版社 1985 年

《林则徐年谱》，来新夏编，上海人民出版社

《袁枚年谱》，傅毓衡著，安徽教育出版社 1986 年

《乾嘉诗坛点将录》，舒位著，双梅景闇丛书本

《御制词谱》，北京中国书店 1983 年

《古文辞类纂》，姚鼐纂集，上海古籍出版社 1998 年

《国朝八家四六文钞》，吴鼒编，嘉庆己卯江左书林补刊本

《骈体文钞》，李兆洛选辑，上海书店 1988 年

《纪晓岚文集》，孙致中等校点，河北教育出版社 1991 年

《思复堂文集》，邵廷采著，祝鸿杰校点，浙江古籍出版社 1987 年

《林昌彝诗文集》，王镇远、林虞生标点，上海古籍出版社 1989 年

《东潜文稿》，赵一清著，罗仲辉校点，辽宁教育出版社 1998 年

《郑板桥全集》，卞孝萱编，齐鲁书社 1985 年

《蒲松龄集》，路大荒整理，上海古籍出版社 1986 年

《蒲松龄全集》，盛伟编，学林出版社 1998 年

《文史通义》，章学诚著，上海书店 1988 年

《戴名世集》，王树民编校，中华书局 1986 年

《两当轩集》，黄景仁著、李国章标点，上海古籍出版社 1983 年

《戴震集》，汤志钧校点，上海古籍出版社 1980 年

《吴敬梓诗文集》，李汉秋辑校，人民文学出版社 2002 年

《柏枧山房诗文集》，梅曾亮著，彭国忠、胡晓明校点，上海古籍出版社 2005 年

《方苞集》，刘季高校点，上海古籍出版社 1983 年

《懋斋诗钞 四松堂集》，爱新觉罗敦敏、爱新觉罗敦诚著，上海古籍出版社 1984 年

《绿烟琐窗集 枣窗闲笔》，富察明义、爱新觉罗裕瑞著，上海古籍出版社 1984 年

《春柳堂诗稿 高兰墅集》，张宜泉、高鹗著，上海古籍出版社 1984 年

《高鹗诗文集》，胡文彬、周雷编注，百花文艺出版社 1984 年

《船山诗草》，张问陶著，中华书局 1986 年

《顾太清奕绘诗词合集》，张璋编校，上海古籍出版社 1998 年

《黎简诗选》，周锡馥选注，广东人民出版社 1983 年

《汪喜孙著作集》，杨晋龙等点校，台湾中央研究院中国文哲研究所古籍整理丛刊本

《孔尚任诗文集》，汪蔚林编，中华书局 1962 年

《茗柯文编》，张惠言著，黄立新标点，上海古籍出版社 1984 年

《潜书》，唐甄著，中华书局 1963 年

《惜抱轩全集》，姚鼐著，同治丙寅春省心阁重刊本

《绩学堂诗文钞》，梅文鼎著，黄山书社 1995 年

《揅经室集》，阮元著，邓经元点校，中华书局 1993 年

《大谷山堂集》，梦麟著，吴兴刘氏嘉业堂刊本

《柚堂四种》，盛百二著，乾隆壬子宝纶堂刊本

《安吴四种》，包世臣著，光绪十四年重校本

《芝庭先生集》，彭启丰著，清刊本

《海峰先生诗文集》，刘大櫆著，同治甲戌重刊本

《宝纶堂诗文钞》，齐召南著，嘉庆书业堂刊本

《春融堂集》，王昶著，光绪十八年补刊本

《道古堂全集》，杭世骏著，光绪十四年汪氏振绮堂刊本

《朱书集》，蔡昌荣、石钟扬点校，黄山书社 1994 年

《廖燕全集》，林子雄点校，上海古籍出版社 2005 年

《弹指词》，顾贞观著，四部备要本

《裘文达公诗文集》，裘曰修著，嘉庆八年刊本

《石笥山房诗文集》，胡天游著，咸丰二年重刊本

《忠雅堂集校笺》，蒋士铨著、邵海清校、李梦生笺，上海古籍出版社 1993 年

《洪亮吉集》，刘德全点校，中华书局 2001 年

《袁枚全集》，王英志等点校，江苏古籍出版社 1993 年

《全祖望集汇校集注》，朱铸禹汇校集注，上海古籍出版社 2000 年

《复初斋集外诗》、《集外文》，翁方纲著，嘉业堂丛书本

《传经室文集》，朱骏生著，求恕斋丛书本

《心向往斋集》，孔继鑅著，求恕斋丛书本

《归愚全集》，沈德潜著，乾隆间刻本

《瓯北诗钞》，赵翼著，同治甲戌重刊本

《恩福堂笔记·诗钞·年谱》，英和著，北京古籍出版社 1991 年

《扬州八怪诗文集》，江苏美术出版社 1985 年

《扬州八怪诗文集》第二集，江苏美术出版社 1987 年

《校礼堂文集》，凌廷堪著，王文锦点校，中华书局 1998 年

《壹斋集》，黄钺著，陈育德等点校，黄山书社 1999 年

《崔东壁遗书》，顾颉刚编订，上海古籍出版社 1983 年

《松花庵诗集》，吴镇著，故宫珍本丛刊本

《初月楼诗文钞》，吴德旋著，光绪甲子刊本

《空山堂文集》，牛运震著，嘉庆六年刊本

《青溪文集》，程廷祚著，道光丁酉刊本；《青溪文集续编》，道光戊戌刊本

《香树斋文集》，钱陈群著，清刊本；《晚学斋文集》，姚椿著，咸丰二年刊本

《灵芬馆集》，郭麐著，清刊本

《彭端淑诗文注》，李朝正、徐敦忠校注，巴蜀书社 1995 年

《龚自珍全集》，王佩诤点校，上海人民出版社 1975 年

《魏源集》，中华书局 1976 年

《带经堂诗话》，王士禛著、张宗楠纂集、戴鸿森校点，人民文学出版社 1963 年

《原诗 一瓢诗话 说诗晬语》，人民文学出版社 1979 年

《谈龙录 石洲诗话》，人民文学出版社 1981 年

《随园诗话》，袁枚著，江苏古籍出版社 2000 年

《瓯北诗话》，赵翼著，人民文学出版社 1998 年

《北江诗话》，洪亮吉著，人民文学出版社 1983 年

《蒲褐山房诗话新编》，王昶著、周维德校辑，齐鲁书社 1988 年

《射鹰楼诗话》，林昌彝著，上海古籍出版社 1988 年

《香石诗话》，黄培芳著，上海书店 1985 年

《石遗室诗话》，陈衍著，辽宁教育出版社 1998 年

《雪桥诗话》，杨锺羲著，民国癸丑季冬南林刘氏求恕斋刊本

《饮冰室诗话》，梁启超著，人民文学出版社 1959 年

《今传是楼诗话》，王揖唐著，辽宁教育出版社 2003 年

《汪辟疆说近代诗》，上海古籍出版社 2001 年

《白雨斋词话》，陈廷焯著，人民文学出版社 1959 年

《介存斋论词杂著 复堂词话 蒿庵论词》，周济、谭献、冯煦著，人民文学出版社 1998 年

《品花宝鉴》，陈森著，山东文艺出版社 1993 年

《绿野仙踪》，李百川著，北京大学出版社 1986 年

《斩鬼传》，刘璋著，北岳文艺出版社 1989 年

《蟫史》，磊砢山人著，人民文学出版社 1999 年

《女仙外史》，吕熊著，齐鲁书社 1985 年

《台湾外记》，江日昇著，福建人民出版社 1983 年

《说唐全传》，鸳湖渔叟校订，上海古籍出版社 2004 年

《雪月梅全传》，陈朗著，文城堂刊本

《燕山外史注释》，陈球著、傅声谷辑注，光绪丙戌重刊本

《铸雪斋抄本聊斋志异》，上海古籍出版社 1979 年

《脂砚斋甲戌抄阅再评石头记》，上海古籍出版社 1985 年

《脂砚斋重评石头记》，人民文学出版社 1975 年

《戚蓼生序本石头记》，人民文学出版社 1975 年

《甲辰本红楼梦》，书目文献出版社 1989 年

《小豆棚》，曾衍东著，中州古籍出版社 1989 年

《飞龙全传》，吴璿著，人民文学出版社 1981 年

《吟风阁杂剧》，杨潮观著、胡士莹校注，上海古籍出版社 1983 年

《藏园九种曲》，蒋士铨著，清刻本

《再生缘》，陈端生著，北京古籍出版社 2002 年

《十驾斋养新录》，钱大昕著，江苏古籍出版社 2000 年

《逊志堂杂钞》，吴翌凤著，中华书局 1994 年

《吹网录 鸥陂渔话》，叶廷琯著，辽宁教育出版社 1998 年

《越缦堂读书记》，李慈铭著，由云龙辑，虞云国整理，辽宁教育出版社 2001 年

《爝火录》，李天根著，浙江古籍出版社 1986 年

《读书堂西征随笔》，汪景祺著，上海书店 1984 年

《霞外捃屑》，平步青著，上海古籍出版社 1982 年

《淡墨录》，李调元著，辽宁教育出版社 2001 年

《阅微草堂笔记》，纪昀著，浙江古籍出版社 1997 年

《廿二史札记》，赵翼著，中华书局 1962 年

《耳食录》，乐钧著，同治辛未味经堂合刊本

《浮生六记》，沈复著，江西人民出版社 1981 年

《秋灯丛话》，王椷著，黄河出版社 1990 年

《夜谭随录》，和邦额著，上海古籍出版社 1988 年

《梦厂杂著》，俞蛟著，文化艺术出版社 1988 年

《西青散记》，史震林著，北京市中国书店 1987 年

《萤窗异草》，长白浩歌子著，上海古籍出版社 1989 年

《鸿雪因缘图记》，麟庆著文、汪春泉等绘图，北京古籍出版社 1984 年

《明清笑话四种》，人民文学出版社 1983 年

《历代笑话集》，王利器辑录，上海古籍出版社 1981 年

《词籍序跋萃编》，施蛰存主编，中国社会科学出版社 1994 年

《清稗类钞》，徐珂辑，中华书局 1986 年

《红楼梦资料汇编》，一粟编，中华书局 1964 年

《红楼梦资料汇编》，朱一玄编，南开大学出版社 2002 年

《儒林外史资料汇编》，朱一玄、刘毓忱编，南开大学出版社 2002 年

《聊斋志异资料汇编》，朱一玄编，南开大学出版社 2002 年

《歧路灯研究资料》，栾星辑，中州书画社 1982 年

《龚自珍研究资料集》，孙文光、王世芸编，黄山书社 1984 年

《林则徐传记资料》，朱传誉主编，台湾天一出版社民国六十八年

《中国古典戏曲序跋汇编》，蔡毅编，齐鲁书社 1989 年

《中国历代小说序跋集》，丁锡根编，人民文学出版社 1996 年

《清代燕都梨园史料》，张次溪辑，中国戏剧出版社 1988 年

《清通鉴》，戴逸、李文海主编，山西人民出版社 2000 年

《清史编年》，中国人民大学出版社 1998 年

《中国文学家大辞典》，谭正璧编，上海书店 1981 年

《中国文学大辞典》，钱仲联、傅璇琮、王运熙、章培恒、陈伯海、鲍克怡总主编，上
    海辞书出版社 1997 年

《中国文学家大辞典》清代卷，钱仲联主编，中华书局 1992 年

《中国文学家大辞典》近代卷，梁淑安主编，中华书局 1992 年

《中国文学史大事年表》，吴文治著，黄山书社 1993 年

《中华大典·文学典·明清文学分典》，吴志达主编，凤凰出版社 2005 年

《清人文集别录》，张舜徽著，中华书局 1963 年

《清人诗集叙录》，袁行云著，文化艺术出版社 1994 年

《清人别集总目》，李灵年、杨忠主编，安徽教育出版社 2000 年

《清人诗文集总目提要》，柯愈春著，北京古籍出版社 2002 年

《清诗纪事初编》，邓之诚著，上海古籍出版社 1984 年

《清词别集知见目录汇编》，吴熊和、严迪昌、林玫仪合编著，台湾中央研究院中国文
    哲研究所图书文献专刊本

《中国文言小说家评传》，萧相恺主编，中州古籍出版社 2004 年

《中国古代小说总目》，石昌渝主编，山西教育出版社 2004 年

《古本戏曲剧目提要》，李修生主编，文化艺术出版社 1997 年

《续四库提要三种》，胡玉缙撰、吴格整理，上海书店出版社 2002 年

《清诗话考》，蒋寅著，中华书局 2005 年

《新订清人诗学书目》，张寅彭著，上海古籍出版社 2003 年

《清人笔记随录》，来新夏著，中华书局 2005 年

《戏曲小说丛考》，叶德均著，中华书局 2004 年

《小说考证》，蒋瑞藻著，古典文学出版社 1957 年

《明清戏曲家考略》，邓长风著，上海古籍出版社 1994 年

《明清戏曲家考略续编》，邓长风著，上海古籍出版社1997年

《明清戏曲家考略三编》，邓长风著，上海古籍出版社1999年

《古典戏曲存目汇考》，庄一拂著，上海古籍出版社1982年

《历代妇女著作考（增订本）》，胡文楷编著，上海古籍出版社1985年

《阳湖文派研究》，曹虹著，中华书局1996年

《红楼梦新证（增订本）》，周汝昌著，人民文学出版社1976年

《曹雪芹丛考》，吴恩裕著，上海古籍出版社1980年

《左宗棠评传》，董蔡时著，中国社会科学出版社1984年

《左宗棠评传》，杨东梁著，湖南人民出版社1985年

后　记

　　《清代前中期文学编年史》由我和苗磊君合作完成，我负责嘉庆五年（1800）以前的一百年，苗磊君负责嘉庆六年（1801）以后的三十九年。最后由我统稿。

　　本书参考了许多当代学者的考订成果，我们谨向各位前辈时贤表示感谢。

　　我们要特别感谢陈老师文新先生。承蒙老师厚爱，我们得以参与《中国文学编年史》这项重大工程；在整个编撰过程中，又得到了老师的悉心指导。我们还要感谢何坤翁、王同舟、余来明诸兄。三年来，我们与诸兄每次相聚，几乎必谈编年史。他们的很多经验和想法，使我们深受启发。坤翁兄提供的很多清代文献资料，更是极大地方便了我们的工作。初稿完成后，又承同舟兄通读一遍，纠正了不少错误。

　　本书的责任编辑和责任校对非常认真细致，我们向他们深表谢意。

　　尽管我们查阅了大量资料，但还是有一些文献未及经眼；有的只是匆匆翻过，没有细读。编入本书的史料，有的或许可以去掉；而有的该编入的史料，可能被遗漏了。我们诚挚地期望读者诸君批评指正。

鲁小俊

2006 年 4 月